JEAN-PIERRE WILS

SITTLICHKEIT UND SUBJEKTIVITÄT

# STUDIEN ZUR THEOLOGISCHEN ETHIK
## ÉTUDES D'ÉTHIQUE CHRÉTIENNE

Herausgegeben durch das moraltheologische Institut
der Universität Freiburg Schweiz
unter der Leitung von

Adrian Holderegger und Carlos Josaphat Pinto de Oliveira

21

JEAN-PIERRE WILS

# Sittlichkeit
# und Subjektivität

Zur Ortsbestimmung der Ethik im Strukturalismus
in der Subjektivitätsphilosophie und
bei Schleiermacher

UNIVERSITÄTSVERLAG
FREIBURG SCHWEIZ

VERLAG HERDER
FREIBURG – WIEN

*CIP-Kurztitelaufnahme der Deutschen Bibliothek*

Wils, Jean-Pierre:
Sittlichkeit und Subjektivität: zur Ortsbestimmung der Ethik im Strukturalismus, in der Subjektivitätsphilosophie und bei Schleiermacher/ Jean-Pierre Wils. – Freiburg i. Ue.: Universitätsverlag; Freiburg i. Br.: Herder, 1987.
(Studien zur theologischen Ethik; 21)
ISBN 3-451-20842-3 (Herder)
ISBN 3-7278-0531-5 (Univ.-Verl.)

NE: GT

© 1987 by Universitätsverlag Freiburg Schweiz

ISBN 3-7278-0531-5 (Universitätsverlag)
ISBN 3-451-20842-3 (Verlag Herder)

«Wir müssen das Bewußtsein *in* den Zufällen der Sprache denken und als unmöglich ohne seinen Gegenpart … Denn wer spricht, der tritt in ein System von Beziehungen ein, die ihn voraussetzen und ihn zugleich offen und verletzbar machen … *Die Sprache ist ganz Zufall und ganz Vernunft* … Wenn man verzichten muß auf die abstrakte Universalität einer rationalen Grammatik, die allen Sprachen ihr allgemeines Wesen zuspricht, dann nur, um *die konkrete Universalität* einer Sprache zu finden, die sich aus sich selbst heraus differenziert … Dieses Wunder, daß nämlich eine endliche Zahl von Zeichen, Wendungen und Wörtern eine unendliche Zahl von Verwendungsmöglichkeiten zuläßt, oder auch dieses andere und gleiche Wunder, daß uns der sprachliche Sinn auf ein Jenseits der Sprache ausrichtet, eben das ist das Wunderbare am Sprechen; und wer das Sprechen durch seinen 'Anfang' oder sein 'Ende' erklären wollte, der würde *sein* 'Tun' aus den Augen verlieren. Im gegenwärtigen Sprachgebrauch steckt eine Wiederaufnahme der ganzen vorherigen Erfahrung, ein Appell an die Vollendung der Sprache, eine präsumptive Ewigkeit.»

(M. Merleau-Ponty, Die Prosa der Welt)

«Vielfalt und Differenz aber gewähren allem Seienden den besten Schutz vor Tod und Verwüstung.»

(Botho Strauß, Der junge Mann)

# Inhaltsverzeichnis

# Einleitung

Die gegenwärtige philosophische und theologische Diskussion wird, sei es explizit oder implizit, durch den Begriff «Subjektivität»[1] bzw. durch seine Sache bestimmt. In der Philosophie wurde vor allem in der *Heidelberger Schule* (W. Cramer[2], D. Henrich[3] und U. Pothast[4]) eine subtile und entschiedene Auseinandersetzung mit der Philosophie des Deutschen Idealismus gesucht, zum Teil von einer sprachanalytischen Kritik (Tugendhat[5]) begleitet. Sie konzentriert sich hauptsächlich auf die Möglichkeit oder Unmöglichkeit einer Theorie des Selbstbewußtseins, die als die eigentliche Leistung des Prinzips «Subjektivität» betrachtet wird.

Die Diskussion um die sogenannte «Säkularisierung»[6], stimuliert durch die Arbeiten H. Blumenbergs[7], fand ihren Niederschlag in der breitgeführten Kontroverse um «Subjektivität und Selbsterhaltung»[8]. Ihr fruchtbarstes Produkt stellen die Arbeiten von H. Ebeling[9] dar, welche die

---

[1] Dazu: W. Schulz, Ich und Welt. Philosophie der Subjektivität, Pfullingen 1979. Ebenfalls: Aktuelle Probleme der Subjektivität, (Hg.) H. Rademacher, Bern/Frankfurt 1983.

[2] W. Cramer, Die Monade. Das philosophische Problem vom Ursprung, Stuttgart 1954; Ders., Grundlegung einer Theorie des Geistes, Frankfurt a.M. 1957; Ders., Das Absolute und das Kontingente. Untersuchungen zum Substanzbegriff, Frankfurt a.M. 1959.

[3] Zu D. Henrich, siehe die in der Bibliographie erwähnten, von uns verwendeten Schriften.

[4] U. Pothast, Über einige Fragen der Selbstbeziehung, Frankfurt a.M. 1971.

[5] E. Tugendhat, Selbstbewußtsein und Selbstbestimmung. Sprachanalytische Interpretationen, Frankfurt a.M. 1979.

[6] H. Lübbe, Säkularisierung. Geschichte eines ideenpolitischen Begriffs, Freiburg/München 1965.

[7] Für die Subjektivitätsdiskussion ist der Band «Säkularisierung und Selbstbehauptung» aus «Die Legitimität der Neuzeit», Frankfurt a.M. 1974, zentral. Ebenfalls: R. Spaemann/R. Löw, Die Frage Wozu? Geschichte und Wiederentdeckung des teleologischen Denkens, München 1981.

[8] Dazu der gleichnamige Band: Subjektivität und Selbsterhaltung. Beiträge zur Diagnose der Moderne. (Hg.) H. Ebeling, Frankfurt a.M. 1976.

[9] H. Ebeling, Selbsterhaltung und Selbstbewußtsein. Zur Analytik von Freiheit und Tod, Freiburg/München 1979; Ders., Die ideale Sinndimension. Kants Faktum der Vernunft und die Basis-Fiktionen des Handelns, Freiburg/München 1982; Ders., Gelegentlich Subjekt. Gesetz-Gestell-Gerüst, Freiburg/München 1983.

praktisch-ethische Dimension des «conservatio sui»-Theorems betonen. Daneben sind die Bemühungen um eine Theorie der Moderne unter dem Stichwort «Subjektivität» bei J. Ritter[10] und W. Oelmüller[11], die in der philosophischen Handlungstheorie verhandelte Leib-Seele-Problematik (von H. Jonas als Frage nach der «Macht oder Ohnmacht der Subjektivität»[12] gestellt) neben der in der Literaturtheorie (Ch. Bürger)[13] diskutierten Stellung der Subjektivität nur genannt.

In der Theologie hat das Konzept einer Theologie der Befreiung zu einer Ausblendung der Subjektivitätsfrage beigetragen, ohne daß deren diffiziles Ganze auch nur annähernd zur Kenntnis genommen wurde. Das Handlungskonzept dieser Theologie führt dann auch häufig zu einer unvermittelten Identifikation des politischen und des theologischen Sprachspiels. Eine anthropo-theologische Duplizität, wie sie Feuerbach entlarvte, läßt sich dann nicht länger vermeiden.

Die Annäherung der Theologie an Konzeptionen des sogenannten «Strukturalismus» (R. Volp, M. van Esbroeck)[14] liegt am wirkungsvollsten in der linguistischen Wende der Exegese und am ausgeprägtesten bei K. Füssel[15] vor, der unter dem Einfluß von L. Althusser die Frage der Grundlegung eines theologischen Befreiungskonzeptes durch einen «strukturalen» Marxismus diskutiert. Dies hat ebenfalls zu einem Wegfall der Philosophie der Neuzeit geführt. Im Denken von J. Lacan und von J. Derrida läßt sich aber eine scharfsinnige Annäherung an eben jene Theoreme feststellen, die zum Teil in Berufung auf strukturale Konzepte fälschlicherweise pauschal abgelehnt werden. Ohne die Bedeutung dieser Theologien schmälern zu wollen, beharrt die Arbeit auf ein Desiderat: auf die «Subjektivität».

Die Thematisierung dieser Subjektivität beinhaltet die Feststellung einer Äquivokation im Begriff. Ihre für die Neuzeit *programmatische Bedeutung*, ähnlich dem Substanzbegriff für das Mittelalter, bedingt eine Mehrdeutigkeit, die der problemindikatorischen Intention von Begriffen stets anhaftet. Die Tragweite des *Begriffs* Subjektivität kann also nur in

---

[10] J. Ritter, Subjektivität. Sechs Aufsätze, Frankfurt a.M. 1974.

[11] W. Oelmüller, Die unbefriedigte Aufklärung. Beiträge zu einer Theorie der Moderne, Frankfurt a.M. 1969.

[12] H. Jonas, Macht oder Ohnmacht der Subjektivität? Das Leib-Seele-Problem im Vorfeld des Prinzips Verantwortung. Frankfurt a.M. 1981.

[13] Ch. Bürger, Tradition und Subjektivität, Frankfurt a.M. 1980.

[14] R. Volp, Zeichen in Semiotik und Theologie, Mainz 1982 und W. van Esbroeck, Hermeneutik, Strukturalismus und Exegese, München 1972.

[15] K. Füssel, Zeichen und Strukturen. Einführung in Grundbegriffe, Positionen und Tendenzen des Strukturalismus, Münster 1983.

*spezifischen* Kontexten geklärt werden. Trotzdem läßt sich eine Gemeinsamkeit dieser Bedeutungskontexte feststellen, quasi ein semantisches Minimum: die Absicht nämlich, die theoretische und die praktische Philosophie, die Erkenntniskritik und die Ethik *der Sache nach* gleichursprünglich zu thematisieren. Ex negativo hat Heidegger vor allem in dem zweiten Band seiner Nietzsche-Arbeit dieses Verhältnis diagnostiziert. Deshalb sind einer Begriffsgeschichte Grenzen gesetzt, obwohl sie wichtige Hinweise liefern kann.[16]

Der Begriff «Subjektivität» findet sich das erste Mal bei *A. Weishaupt*, wobei hauptsächlich die 1788 erschienene Schrift «Ueber die Gründe und Gewißheit der Menschlichen Erkenntniß. Zur Prüfung der Kantischen Critik der reinen Vernunft» zu nennen wäre. Der Begriff drückt demnach den in der kantischen Philosophie vermuteten Skeptizismus des Wissens aus. Bei G.E. Schulze, C.L. Reinhold, Jean Paul, J.G. Fichte und F.W.J. Schelling ist der Begriff dann schon geläufig und enthält eine quasi-paradigmatische Bedeutung. Seine Negativität behält er zunächst noch, wenn er als Kritik der Sittenlehre deren angebliche Willkür und Egoität anprangert (Reinhold, Jacobi). In Fr. Bouterweks Philosophie der «Virtualität» wird der Konnex mit dem *Prinzip* der Sittlichkeit, d.h. mit dem «Willen», endgültig hergestellt, auch wenn Bouterwek die Sittlichkeit selber noch streng unter den Gottesbegriff subsumiert und den Willen zunächst allgemein als praktisches Weltverhalten bestimmt. Dort heißt es: «Unser Wille ist unser wahres Ich, die Basis aller Subjektivität und Individualität und, als solche, Realität.»[17] Die Nähe von Subjektivität und Wille bzw. von theoretischem und praktischem Ich ist seit Fichte endgültig. Die Subjektivitätsphilosophie wird deshalb der Sache nach am stärksten durch die moderne Kybernetik herausgefordert, die sowohl theoretische als auch praktische Intelligenzleistungen vorweisen kann und durch das Prinzip des geschlossenen Regelkreises eine Affinität zu dem Phänomen der bewußtseinsmäßigen Selbstreferenz besitzt (K. Steinbuch, N. Wiener, J. Weizenbaum).[18] Weil der sogenannte Strukturalismus häufig als ein entschiedener Angriff auf die Subjektivität, als ihre Liquidierung, verstanden

---

[16] Dazu die hervorragende Arbeit von K. Homann, Zum Begriff «Subjektivität» bis 1802, in: Archiv für Begriffsgeschichte, Bd. XI, Bonn 1967, 184–205.

[17] F. Bouterwek, Idee einer Apodiktik, Halle 1799, Bd. II, 137. Zitiert bei K. Homann, Zum Begriff «Subjektivität» bis 1802, a.a.O. 193. Nach Homann ist es erst Hegels Schrift «Glauben und Wissen», welche eine Theorie der S. liefert.

[18] K. Steinbuch, Automat und Mensch. Über menschliche und maschinelle Intelligenz, Berlin/Göttingen/Heidelberg 1961; N. Wiener, Kybernetik, Regelung und Nachrichtenübertragung im Lebewesen und in der Maschine, Düsseldorf/Wien 1963; J. Weizenbaum, Die Macht der Computer und die Ohnmacht der Vernunft, Frankfurt a.M. 1982.

wird, sucht die Arbeit die Auseinandersetzung mit Positionen dieses Denkens, nachdem sie einleitend und paradigmatisch die Heideggersche Subjektivitätskritik und die durch den Verlust einer hinreichenden Theorie der Subjektivität bedingte Aporetik der «Anthropologie» erläutert hat.

Das Kapitel II (Vorbegriffe des strukturalen Denkens) liefert das theoretische Wissen, um die «strukturalen» Denker zu verstehen. Weil, im Gegensatz zu Lacan und Derrida, der Anthropologe Lévi-Strauß, der Semiologe Barthes und der «Archäologe« Foucault keine explizite Theorie des Subjekts vorlegen, mußte ihr Denken umfassend rekonstruiert werden. Das Kapitel III (Der sogenannte Strukturalismus: ein pluriformes Denken) läßt sich von daher teilweise als eine durch das subjekttheoretische und ethische Interesse der Arbeit modifizierte *Einführung in den Strukturalismus* lesen.

Lacans Theorie der *fundamentalen* Verzögerungsstruktur der wissenden Selbstbeziehung und Derridas semiologische Theorie der «Differenz» und «Wiederholung» als transzendentaler Bedingung der Konstitution von «Idealität» zwischen kategorialer Allgemeinheit und semiotischer Besonderheit nähern sich einer subjektivitätsphilosophischen Konstitution von Selbstbewußtsein und Ethik, wie sie das Kapitel V historisch und phänomenologisch und schwerpunktmäßig bei Kant, Fichte und Schelling diskutiert. Dabei spielen in der Interpretation sprachtheoretische Überlegungen – Sprache als «individuelle Allgemeinheit», als «produktive Regelapplikation» – immer wieder eine Rolle. Während sich der strukturale Subjektbegriff als eine Theorie epizentrierter Subjektivität auffassen läßt, versucht die Arbeit, das «Scheitern» der Selbstbewußtseinstheoreme des Idealismus und die darin motivierten Begründungsgestalten der Ethik als eine den Phänomenen «Selbstbewußtsein» und «Ethik» angemessene und durch die strukturalen Theorien erhellbare «Krise des Subjekts» als «Epizentrierung» der Subjektivität zu deuten. Friedrich Schleiermacher war einer der ersten, der das «Scheitern» der idealistischen Subjekttheorien als einen «positiven» Hinweis auf die phänomenale Verfaßtheit des endlichen Wissens und der wissenden Selbstbeziehung verstand. Die Differenz und Einheit von Allgemeinheit und Besonderheit, von «Idealität» und «Sinnlichkeit» wurde von ihm, unter Kontinuierung der seit Wolff und Baumgarten bestehenden Tradition einer «Logik der Begriffsbildung», durch sprachtheoretische und hermeneutische Theoreme wesentlich modifiziert und als eine nicht nur «theologische», sondern «umfassende» Theorie des Wissens, der Sprache, der Ästhetik, der Theologie und der Ethik begriffen. Überwunden war dadurch die falsche Problematik der *Zuordnung* von Autonomie und Theonomie. Denn die Einheit und Differenz von Aktivität und Passivität war als Krisis der Subjekts für ihn die «Seligkeit des Endlichen».[19] Diese durchwaltet sämtliche Phänomene, nicht zuletzt die Ethik und das Wissen, «denn es würde ihm (dem Selbstbewußtsein, J.-P. Wils) die Begrenztheit und Klarheit fehlen, welche aus der Beziehung auf die Bestimmtheit des sinnlichen Selbstbewußtseins entsteht.»[20]

Die sprachlich situierbare «Krise des Subjekts» weist somit gegenwärtig auf Schleiermacher als den problemindikatorischen Bezugspunkt (VI) zwischen Idealismus und Strukturalismus hin. Die transzendental-symbolische Struktur der Ethik und die Bedeutung der «Einbildungskraft» in dem «fluktuierenden Schema» von Allgemeinheit und Besonderheit werden in Kapitel VII als Frage nach einer Modellethik ausblickend diskutiert.

[19] Fr. Schleiermacher, Der christliche Glaube, Berlin 1969, Bd. I, 38.
[20] Ebd. 36.

# I. Paradigmen der Subjektivitätskritik und des Subjektivitätsverlustes

§ 1 Martin Heidegger:
Subjektivität als Grund-zug der abendländischen Metaphysik.
Subjektivitätsreduktion und Haltungsethik

«Das Menschenwesen gehört selber zum Wesen des Nihilismus und somit zur Phase seiner Vollendung.»[1]

«Wir sind die – im strengsten Sinne des Wortes – Be-Dingten. Wir haben die Anmaßung des Unbedingten hinter uns gelassen.»[2]

«Das Menschenwesen ist als solches hörend, weil es im rufenden Geheiß, ins An-wesen gehört. Dieses jedes Mal selbe, das Zusammengehören von Ruf und Gehör, wäre dann *das Sein*? Was sage ich? Sein ist es durchaus nicht mehr, wenn wir Sein, wie es geschicklich waltet, nämlich als Anwesen, voll auszudenken versuchen, auf welche Weise allein wir seinem geschicklichen Wesen entsprechen. Dann müßten wir das vereinzelnde und trennende Wort: *das Sein* ebenso entschieden fahren lassen wie den Namen: *der Mensch*.[3]

«Der Mensch ist die Ideologie der Entmenschlichung.»[4]

### *«Subjektivität» als Irrweg des Denkens und des Handelns*

Von dem französischen Heidegger-Schüler Jean Beaufret stammt folgender änigmatisch anmutender Satz, der in fast apokalyptischer Zuspitzung das «ethische» Kernthema seines Lehrers enthält. «Solange die Philoso-

---

[1] Martin Heidegger, Zur Seinsfrage, Frankfurt a.M. 1961, 31.
[2] Ders., Das Ding, in: Vorträge und Aufsätze, Pfullingen 1959, 179.
[3] Ders., Zur Seinsfrage, a.a.O. 28.
[4] Th. W. Adorno, Jargon der Eigentlichkeit, Frankfurt a.M. 1977, 452.

17

phie gleich in welcher Form an der Innerlichkeit des Subjektseienden fest-
hält, wird sie dazu verurteilt sein, immer wieder durch einen Subjektivi-
täts-Blutsturz die Eroberung der Welt zu organisieren.»[5] Der Anflug von
Mechanik, von determinierendem Schaukelspiel zwischen Subjektsein
und Reduzierung der Mannigfaltigkeit der Welt ist keine durch die Bildge-
stalt des Ausdrucks provozierte Konnotation, sondern motiviert durch
die Sache selbst.

Die Generalthese der Heideggerschen Philosophie könnte man leicht
in der Aussage zusammenfassen, daß es ein begründbares Verhältnis zwischen einer zunehmenden Anämie der Subjektivität im angestrengten Versuch ihrer Potenzierung und einer dadurch notwendig gewordenen Kom-
pensierung dieser Schwunderfahrung der Welt gibt. Wie kein anderer Philosoph vor Th. W. Adorno hat Heidegger diese reziproke Verdinglichungs-
relation zur Sprache gebracht und den Versuch unternommen, diese Ver-
kehrtheit durch abermalige Kehre zu berichtigen. Sein *Humanismusbrief*,
der 1946 an Beaufret gerichtet war, enthält in prägnanter Weise das zu kri-
tisierende Bedingungsganze von Metaphysik, Ethik und Anthropologie
bzw. Humanismus. Heidegger faßt hier die Metaphysik als Theorie der
Präsenz des auf das Subjekt (ὑποκείμενον) «Zugestellten» und von ihm
«Vorgestellten» auf. «Sie versteht das Denken als das Vorstellen von Seiendem in seinem Sein, das sich das Vorstellen im Generellen des Begriffs
zustellt.»[6] In dieser *Armatur* des Denkens wird das Wesen des Menschen,
sein Hinaus-Stehen in die Wahrheit des Seins, seine ekstatische Ek-sistenz
liquidiert und zugunsten seiner Funktion als Korrelat des gegenstehenden
Gegenstandes aufgegeben. Das Da-sein des Menschen als das «wesende
Da» in der Lichtung des Seins, dieses «Geschick der Eksistenz»[7], verkehrt
die Metaphysik in die Verfallenheit des Subjekts an eine «okuläre»[8]
Erkenntnistheorie: sie «kennt die Lichtung des Seins entweder nur als den
Herblick des Anwesenden im Aussehen (ἰδέα) oder kritisch als das
Gesichtete der Hin-sicht des kategorialen Vorstellens von seiten der Sub-
jektivität.»[9]

Das Verobjektivierte wirft jedoch in einer Spiegelung dem Subjekt
seine Blick-arbeit zurück: die Objektivität wird dadurch, daß sie als
Begründetes der begründenden Ordnung der Subjektivität notwendig in-

---

[5] Zitiert bei V. Descombes, Das Selbe und das Andere, Frankfurt a.M. 1981, 92.
[6] M. Heidegger, Über den Humanismus, Frankfurt a.M. 1949, 34.
[7] Ebd. 14.
[8] Dazu: E. Tugendhat, Selbstbewußtsein und Selbstbestimmung, Frankfurt a.M. 1979, 17; Ders.,
Vorlesungen zur Einführung in die sprachanalytische Philosophie, Frankfurt a.M. 1979, 83–89.
[9] Ebd. 20.

adäquat ist, als Verlust erfahren und provoziert gleichsam in einer Pendel-
bewegung das, was Beaufret die Simultaneität von «Blutsturz» und
Eroberung genannt hat. Von da an muß jeder Versuch, dennoch den Menschen unter Beibehaltung dieser Prämissen in seinem Wesen zu denken,
als a priori verfehlt erscheinen: sowohl die mittelalterliche Lehre der
«actualitas» und der «personalitas» als auch die Objektivität der Erfahrung bei Kant und die absolute Subjektivität Hegels werden von Heidegger verstanden als aus der Metaphysik derivierende Existentia im Gegenzug zur Ek-sistenz, worin der Mensch «Nachbar des Seins» ist. Die durch
den *Biologismus* vertretene Auffassung der «abgründigen leiblichen Verwandtschaft mit dem Tier»[10] ist dann nur eine letzte Konsequenz des
«ersten Humanismus», nämlich des griechisch-römischen, welcher den
Menschen als ζῷον λόγον ἔχον definierte. Infolge des dem Humanismus
immanenten Zwangs, das Wesen des Menschen als allgemeines Gattungs-
merkmal vorauszusetzen, wird dieser aus der Dynamik und der Nähe seines Seinsbezugs gelöst.

Heidegger fordert nun eine Krisis, die sich zur Radix des Problems
bekennt und bereit ist, ein «die Subjektivität verlassendes Denken»[11] zu
praktizieren, obwohl «das Wesen des Menschen für die Wahrheit des Seins
wesentlich ist, so zwar, daß es demzufolge gerade nicht auf den Menschen, lediglich als solchen, ankommt.»[12] Auch die Ethik kann, solange
sie sich nicht besinnt, nur das diese metaphysische Entstellung perennie-
rende Organ sein, weil ἦθος für Heidegger ursprünglich der Ort des Woh-
nens, der Aufenthalt, der offene Bezirk ist, worin der Mensch in der Nähe
des Gottes «west». Deswegen werden auch alle Affinitäten einer *authentischen* Ethik mit Wert- und Normvorstellungen geleugnet, weil «durch die
Einschätzung von etwas als Wert das Gewertete nur als Gegenstand für
die Schätzung des Menschen zugelassen wird»[13] und νόμος als Gesetz/
Norm seine innere Verwandtschaft mit νοεῖν als «vernehmendes Rühren
an das Sein»[14] und mit νέμειν als in der «Schickung des Seins geborgenes
Zurechtweisen»[15] verloren hat. «Der Wert ist die Vergegenständlichung
der Bedürfnisziele des vorstellenden Sicheinrichten in der Welt als Bild.»[16]
Gemäß dieser Abweisung *traditioneller* Ethik muß dann das authentische
Seinsdenken selber schon die eigentliche Ethik sein. *Ethik wird dadurch
die dem «anfänglichen» Denken eigene Haltung.*

---

[10] Ebd. 15.     [11] Ebd. 17.     [12] Ebd. 31.
[13] Ebd. 38.     [14] Ebd. 20.     [15] Ebd. 44.
[16] Die Zeit des Weltbildes, in: Holzwege, 69–109, Frankfurt a.M. 1972, 94.

Gerade das Handeln als aktive Intervention – «Man kennt das Handeln nur als Bewirken einer Wirkung. Deren Wirklichkeit wird geschätzt nach ihrem Nutzen»[17] – ist nur ein Derivat für das nicht entschieden genug gedachte «Wesen» des Handelns, das nun seinerseits «Vollbringen» der eigentlichen Seinsrelation ist: das Handeln wird dann zur praktischen Persistenz der Theorie, eben als die dem Gedachten entgegengebrachte Haltung. «Das Denken vollbringt den Bezug des Seins zum Wesen des Menschen.»[18] Das Ethische denkt Heidegger somit als die durch die Entsprechung als *konstellative* Haltung be-wirkte Wirkqualität dieses Theorie und Praxis umfassenden Geschehens, als Ethos des «Lassens».[19] Jedoch ist diese Gelassenheit[20] zu den Dingen von Heidegger keineswegs als quietistisch verstanden worden. Im Gegenteil, die Ursprungsethik selber ist Folge des zunächst durch das Denken zu praktizierenden Anschlusses an die Seinsgeschichte selbst, eine 'Version' oder Kehre der noch näher zu bestimmenden ontologischen Differenz.

Wenn Ek-sistenz die nicht strenge Reziprozität des Seins-verhaltens des Menschen im Sinne des dem Maßgebenden Entgegendenkens und Entgegen-stehens ist, dann läßt sich das Ethische als das diesem Wesen des Menschen gemäße Entgegen-warten verstehen. «Wir wollen nichts tun, sondern warten»[21] ist die das Sein des Menschen ausmachende Haltung der Ver-antwortung als Ursprungsgrund der Ethik. Heideggers Kritik an anthropologischen Themen – «Zur Anthropologie geworden, geht die Philosophie selbst an der Metaphysik zugrunde»[22] – ist somit nicht die Liquidation der Anthropologie als Wissenschaft, sondern als Substitut der Philosophie und der Ethik. In der an Ernst Jünger gerichteten Schrift *Zur Seinsfrage* läßt die Subjektivitätskritik an Radikalität und Eindeutigkeit nichts zu wünschen übrig.

Die vor-stellende Vernunft oder die definierend aussagende Ratio ist auch hier für Heidegger nur *eine* Art zu denken, ja, sie ist sogar das Absterben des Denkens selbst.[23] Aus der Vorgängigkeit der Seinsgeschichte, in der sich das Sein entbergend-verbergend als das den Anschein des Für-sich preisgebende und das Menschenwesen brauchende Ereignis manifestiert, leitet Heidegger die Verfehltheit der «in-begrifflichen» Subjekt-Objekt-Relation ab. «Die Transzendenz ... kehrt sich um in die ent-

---

[17] Humanismusbrief, a.a.O. 5.   [18] Ebd.   [19] Ebd.
[20] Gelassenheit, Pfullingen 1960, 25.
[21] Martin Heidegger im Gespräch, Freiburg/München 1970, 77.
[22] Überwindung der Metaphysik, in: Vorträge und Aufsätze, Pfullingen 1959, 71–101, 87.
[23] Zur Seinsfrage, Frankfurt a.M. 1961, 30.

sprechende Reszendenz und Verschwindet in dieser. Der so geartete Rückstieg durch die Gestalt geschieht auf die Weise, daß ihre Präsenz sich repräsentiert, im Geprägten ihrer Prägung wieder anwesend wird.»[24] Die Dynamik der Seinsbezogenheit (Transzendenz) wird somit reduziert auf ein vor-stellendes Legitimationsgeschehen, aus dem das Sein im Schwinden begriffen ist. «Der Schwund, die Absenz, ist aus einer Präsenz her und durch diese bestimmt.»[25] Heidegger zieht nun allerdings keine bloß geradlinige Konsequenz aus dieser das Wesen des Nihilismus ausmachenden Situation. Seine Schlußfolgerungen sind hier ungemein interessanter, aber auch ambivalenter als im Humanismusbrief.

Den Be-zug des Menschen zum Sein faßt Heidegger nicht länger positiv, im Sinne eines buchstäblichen «Gesetzt-seins», sondern als Anwesenheit gerade im Abwesen. Der Mensch ist die nicht seinsmächtige, vom Sein als Abwesenheit (Nichts) gestellte Gestalt, die den scheinbar paradoxen Status des Seins als Nichts eher auszutragen als zu überwinden hat. «Der Mensch ist in seinem Wesen das Gedächtnis des Seins, aber des ~~Seins~~' ... Der Mensch macht als jenes in das ~~Sein~~' gebrachte Wesen die Zone des ~~Seins~~' und d.h. zugleich des Nichts aus.»[26] Das praktische Korrelat eines Denkens in der Konfrontation mit dem Nihilismus ist also keine positive Ersatzethik, die sein Diktat nur verlängern würde, sondern die fortwährende Annihilation von Fest-stellungen bezüglich eines positiv definierbaren anthropologischen Gehaltes. Gerade die In-differenz von Sein und Nichts als Wesen des *durchkreuzten* Seins macht die «Differenz» des dem Sein andenkenden Menschen aus. Überwindung des Nihilismus ist hier also nur eine Möglichkeit des Nihilismus selbst, insofern Heidegger das Thema der An-nihilation als an-gleichendes Nihilieren des Menschen und des Seins als Folge der «Geschickt-heit» der Situation vom Sein bzw. vom Nichts her interpretiert. «Verwindung»[27] nennt Heidegger die dadurch sich einstellende *Umrankung* der Metaphysik als Seinsvergessenheit. Die Annihilation von anthropologischen Selbst-setzungen und in einem damit die Auflösung von normativer Gesetzlichkeit ist ethische *Aufgabe*, die im Sinne der bewußten Übernahme der Situation eine Aushöhlung des Nihilismus mit ihm entliehenen Konsequenzen bewirkt. Durchkreuzung bedeutet bei Heidegger eben nicht Auslöschung, sondern Verweis auf die Rede vom Gestell und Geviert, welche noch «ungeho-

---

[24] Ebd. 18.    [25] Ebd. 32.    [26] Ebd. 31.
[27] Dazu: O. Pöggeler, Der Denkweg M. Heideggers, Kap. 7, Verwindung der Metaphysik, Pfullingen 1963, 163.

bene Schätze» birgt und «das Versprechen eines Fundes» ist, «der nur auf das gemäße Suchen wartet.»[28]

Es gilt, das Bisherige nun zu verdeutlichen, indem einige Etappen von Heideggers Denken zunächst chronologisch, dann thematisch auf ihre Kritik an der «Subjektivitätsphilosophie«, die wir zunächst so verstehen, wie sie Heidegger selber verstanden hat, und auf die dadurch sich ergebende Negativfolie einer anderen Ethik hin untersucht werden. Die von F. W. von Hermann[29] in die Diskussion eingebrachte These, der philosophische Ansatz beim Dasein sei keine bloße Neubestimmung der Subjektivität, sondern ihre Verabschiedung, läßt sich erst durch einen Gesamtüberblick präzisieren.

*Sein und Zeit* verstand Heidegger in erster Linie als Gegenentwurf gegen die Tradition der griechischen, abendländischen *Anthropo-Ontologie*, die das Wesen des Menschen und das Sein als Vorhandenheit, als Seiendes denkt und somit verfehlt.[30] Die Existenzialanalyse des Daseins versucht bekanntlich, ausgehend von der «Erschlossenheit als Seinsverständnis», die in dieser sich existentiell abzeichnenden Figuren formalontologisch als «Existenzialien» zu bestimmen. Im Rahmen des Zeitproblems soll dann ein hermeneutischer Zugang zum «Sein» freigelegt werden. Der Sinn von Sein, der unthematisch vorausgesetzt wird, wird in einem doppelten «transzendentalen» Rückgang gesucht, dessen erster Schritt zum eben umrissenen «ungeklärt gegenwärtigen Seinsverständnis» führt. Dieses als wesenhaft dem Dasein Zugehöriges leitet den zweiten Schritt dazu an, eben das Dasein in seiner Strukturierung zu analysieren und die Existenzialien an den Tag zu bringen. Die Todesanalyse, die das «mögliche Ganzsein des Seins als Sein zum Tode» zum Gegenstand hat, soll die Sorge als Sinn des Daseins pointiert bestimmen. Sie führt zu der Frage, welcher präzis der Sinn der Sorge ist. Die Konnotation mit dem Tod zwingt dazu, Sinn zu verstehen als «das Woraufhin des primären Entwurfs, aus dem her etwas als das, was es ist, in seiner Möglichkeit begriffen werden kann.»[31] Die Sorge *umfaßt* die Existenzialien als *das* Strukturmerkmal der Ganzheit des Daseins. Die in Zusammenhang mit der «Angst» durchgeführte Todesanalyse bringt in der Freiheit zum Tode[32] das Dasein auf den für alle existenzialethische Heideggerinterpretation zentralen Begriff der «Eigentlichkeit», insofern «das Dasein aus einem

---

[28] Zur Seinsfrage, a.a.O. 35.
[29] F. W. von Hermann, Subjekt und Dasein, Interpretationen zu S/Z, Frankfurt 1975.
[30] Sein und Zeit, Tübingen 1979, 42 und 49.
[31] S/Z, 324.   [32] Ebd. 266.

eigensten Seinskönnen her Zeugnis gibt von einer möglichen Eigentlich-keit seiner Existenz, so zwar, daß es diese nicht nur als existentiell mög-liche behandelt, sondern von ihm selbst fordert.»[33] Das Begriffspaar «uneigentliches – eigentliches Existieren», das die gesamte Existenzialana-lyse ethisch zuspitzt und im «Ruf des Gewissens» (§ 56) kulminiert, läßt sich aber erst hinreichend in der Analyse der Zeitlichkeit bestimmen, wel-che die Inhalte des Gewissens in einer differenzierten Theorie (ethischen) Sein-könnens generiert.

Die Frage, auf welche dann die Zeitlichkeit die Antwort ist, faßt Hei-degger sehr genau: «Mit der Frage nach dem Sinn der Sorge ist gefragt: was ermöglicht die Ganzheit des gegliederten Strukturganzen der Sorge in der Einheit ihrer ausgefalteten Gliederung?»[34]

Die Zeitlichkeit des Daseins als der *ontologische* Sinn der Sorge ist der Eigentlichkeitshorizont des menschlichen Sein-könnens. Die nun fol-gende komprimierte Darstellung des Zeitproblems läßt die Bedeutsam-keit der Zeitanalyse als Indizientafel für das Verständnis der Ausformie-rung menschlichen Daseins klar werden.

Die vorbereitende Fundamentalanalyse des Daseins versteht dieses als «sich vorweg» (Existenz, Entwurf), «schon sein in» (Faktizität, Gewor-fenheit) und «schon sein bei» (Verfall, Sorge). Die Sorge (§ 41) als cura oder μέριμνα, als formale existenziale Ganzheit des ontologischen Struk-turganzen des Daseins ist jedoch nicht die ursprünglichste ontologische Verfassung. Dies ist die Zeit. Die Diastasen der Zeitlichkeit korrespondie-ren mit den formalanalytischen Daseinskomponenten: das «sich vorweg» gründet in der Zukunft als Sinn des Entwurfs, das «schon sein in» in der Vergangenheit als Sinn der Faktizität und das «schon sein bei» in der Gegenwart als Sinn des Verfallens. Die Sorge als Ganzheit von Existenz, Faktizität und Verfall entspringt selbst der Zeitlichkeit des Daseins, die als ek-statische Einheit das Ganze von gewesener gegenwärtiger Zukunft in ihrem Zugleichsein ist. Diese drei Diastasen (die Gewesenheit, das An-wesen und die Gegen-wart: Heidegger bestimmt letztere als *Ent-gegen-warten* und somit als Zukunft) machen die drei-gliedrige Gleichzeitigkeit der Zeit aus. Entsprechend der *Zeitlichkeit* als Verfaßtheit des Daseins ist diese nicht Sukzession, sondern Simultaneität als *Zeitigung*. Ganz im Sinne derjenigen Tradition, die sich mit dem Verhältnis von (chronologi-scher) Zeit und *Ewigkeit* beschäftigt, und die *qualitative* Zeiterfahrung –

---

[33] Ebd. 267.
[34] M. Heidegger, Prolegomena zur Geschichte des Zeitbegriffs, Frankfurt a.M. 1976, 442.

die Diastasen beanspruchen dieses Prädikat – außerhalb der quantitativen Zeitlinie der Physik ansiedelt, ist für Heidegger diese *wesentliche* Zeiterfahrung im strengsten Sinne nicht zeitlich: «Die Zeit selbst im Ganzen ihres Wesens bewegt sich nicht, ruht still».[35]

Heidegger unterscheidet jedoch die Zeit nochmal in ihrer defizienten und eminenten Modalität. Das uneigentliche Zukunftentwerfen als «besorgend-gegenwärtigen» steht dem eigentlichen Vorlaufen als dem entschlossenen Sein zum Tode gegenüber. Die uneigentliche vergangene Faktizität wird als «Vergessenheit» bestimmt, als rückwärts wiederholte, behaltende Erinnerung (ästhetische Erinnerung). Sie wird konfrontiert mit der nach vorwärts orientierten Wiederholung als ethischer Wiederholung. Die defiziente Gegenwart wird als «Gegenwärtigen» im Sinne der chronologischen Uhrzeit qualifiziert und negativ konnotiert als «Verfallenheit», die sich in der «besorgten Welt» umschließt. Ganz im Sinne Kierkegaards ist es dann auch der Augenblick, der als Pendant zur Einheit von physikalischer Zeit und defizientem Besorgen das Dasein in die Eigentlichkeit überführt. Letztere bestimmt sich ihrerseits als Entschlossenheit, die Möglichkeiten der Situation und das Sein-können in der konkreten Auslegung der ihr eigenen Modalität von Zeit zu übernehmen. Die ekstatische Einheit der eigentlichen Zeit ist der vorlaufend-wiederholende Augenblick als kairologische Entschlossenheit zum Tode. Kurz: *Das gewärtigend-behaltende Gegenwärtigen als ekstatische Einheit der uneigentlichen Zeitlichkeit gründet im vorlaufend-wiederholenden Augenblick als ekstatische Einheit der eigentlichen Zeitlichkeit.*[36]

Das gewärtigend-behaltende Gegenwärtigen ist Heideggers zeitanalytische Umschreibung der *seinsanalytischen* Zustellbarkeit des Subjekts als Element der Subjektivitätsphilosophie, so daß der uneigentliche Modus des Daseins die Umschreibung für die im Humanismusbrief kritisierte Subjektivität bzw. Innerlichkeit ist. Der *qualifizierte* Augenblick als eigentliche Zeitlichkeit, worin der ethische Möglichkeitssinn ruht, ist somit der Sinn der Eigentlichkeitsdimension des Daseins.

Am Ende von Sein und Zeit steht dennoch die Frage, ob an der Zeitlichkeit des Daseins auch der Sinn von Sein selbst erschlossen werden kann: m. a. W. «Offenbart sich die Zeit als Horizont des Seins?»[37] Somit bleibt die zusätzliche und grundsätzliche Qualifikation des sich in

---

[35] M. Heidegger, Unterwegs zur Sprache, Pfullingen 1979, 213.
[36] Dazu: G. Wohlfart, Zum Begriff der ekstatischen Einheit der Zeitlichkeit bei Heidegger (noch unveröffentlichtes Manuskript).
[37] a.a.O. 437f.

Erschlossenheit zeigenden Seins selbst fragwürdig. Je entschiedener Heidegger diese *Seinskritik* in der Folgezeit vorantreibt, umso radikaler gestaltet sich die Umschreibung dessen, was das (ethische) Seinkönnen und dessen Perversionen ausmacht.

Die Not der Unabgeschlossenheit der Fragestellung von *Sein und Zeit* wurde in *Was ist Metaphysik?* mit aller Deutlichkeit offenkundig. In der Freiburger Antrittsvorlesung von 1929 wurde der Begriff «Metaphysik» noch positiv verwendet, allerdings als Terminus für eine ganz und gar nicht traditionell-metaphysische Bestimmung. Es ist die Frage nach dem «Nichts» als Infragestellung des Fragenden, die hier metaphysisch genannt wird.[38] Das Nichtende der Seinserfahrung, das nur äquivok als Negation verstanden werden kann – eher als Entzug – ist für Heidegger deshalb eine meta-physische Erfahrung, «weil das Sein selbst im Wesen endlich ist und sich nur in der Transzendenz des in das Nichts hinausgehaltenen Daseins offenbart.»[39] Metaphysik ist somit das Dasein selber und sein Grundgeschehen, aber dies nicht aufgrund der bloßen Koinzidenz von Sein und Nichts, sondern weil Sein die Offenbarheit des in das Nichts transzendierenden Daseins ist. Der Mensch wird zum «Platzhalter des Nichts»[40], worin er sein Selbstsein und seine Freiheit bezeugt. Der phänomenologische Aufweis dieser nichtenden Bestimmung des Menschen ist die *Angst*, sie ist «ein Zurückweichen vor, eine gebannte Ruhe.»[41] Diese Erfahrung läßt das Seiende (!) als Totalität des zurechtgestellten Seins entgleiten und versinken, macht aber umgekehrt Raum für die noch fragwürdige Erfahrung des Seins.

Heidegger hat die Subjektivitätskritik von *Sein und Zeit* nun zunehmend expliziter thematisiert und radikalisiert – wie wir schon exemplarisch am Humanismusbrief und an *Zur Seinsfrage* andeuteten – und nicht nur hermeneutisch, sondern auch epistemologisch gewendet, wie in der Schrift *Der Satz vom Grund* von 1957. Der Satz vom Grund (nihil est sine ratione) wird bei Leibniz auch als «principium rationis sufficientis», «Prinzip des zureichenden Grundes» bezeichnet. Eigenwillig übersetzt Heidegger statt «zureichend» «zuständig»[42] und deutet damit schon die kritische Perspektive an: «Hier ist ein Anfang, der schon Vollendung ist.»[43] Die Syntax des Satzes läßt sich in Heideggers Auffassung umkeh-

---

[38] M. Heidegger, Was ist Metaphysik?, Frankfurt a.M. 1975, 41.
[39] Ebd. 40.      [40] Ebd. 38.
[41] Ebd. 34. Dazu auch: W.J. Richardson, Heideggers Weg durch die Phänomenologie zum Seinsdenken, Phil. Jahrb. 72 (1964/65), 385–396.
[42] M. Heidegger, Der Satz vom Grund, Pfullingen 1965, 65.
[43] Ebd. 31.

ren: der Satz vom Grund nämlich kann zum Grund des Satzes werden, so
daß der Grund-satz als ὑπόθεσις zur ganz und gar nicht hypothetischen,
sondern zur *apophantischen* Feststellung der im Aussagesatz gemäß der
traditionellen Logik enthaltenen Wahrheit des Ausgesagten wird.

Der lateinische Begriff re-praesentatio[44] und sein Äquivalent *Vorstellung* sind nun das etymologische Vehikel, mit dem Heidegger die Philosophie des Rationalismus kritisiert, indem er ihre Terminologie eben *buchstäblich* auffaßt. Gegenstand der Vorstellung ist dann der Gegen-stand,
der als *Präsentierter* (In-Präsenz-gehaltener) zurück(re)-bezogen wird auf
ein ihn Vor-stellendes, nämlich auf das Subjekt als Unter-liegendes (Sub-
jektum), dem der Grund des Vor-gestellten zurückgegeben (reddere) und
zu-gestellt wird. Dieser am Wort selber sich disziplinierenden Lektüre
kann man eine hermeneutische Konzentration und Geschlossenheit nicht
absprechen.

Dieses Re-präsentationsgeschehen präjudiziert für Heidegger nicht
nur die Art und Weise des Erkenntnisaktes, sondern ipso facto auch das
Sein dessen, was *ist* bzw. sein darf. Besser gesagt: das Gegenstehen des
Gegenstandes ist dann der zureichende Modus seines Seins, er ist das, was
er *ist*. Zwischen *Welt* und *Mensch* schieben sich ab jetzt der Anspruch und
die Normativität der Repräsentation. Das Teleologieprinzip wird zu einer
Formel für die Perfektibilität der Bestimmung der Gegenstände, denn die
Welt ist in dieser Perspektive nur dann zureichend *zugestellt*, wenn ihre
Suffizienz in der Voll-ständigkeit der Bedingungen der Möglichkeit der
Gegenstände ruht. An einer Verszeile des Angelus Silesius erläutert Heidegger das Problem («Die Ros is ohn warum; sie blühet, weil sie blühet.»). «*Warum* und *Weil* bedeuten Verschiedenes. *Warum* ist das Wort für
die Frage nach dem Grund. Das *Weil* enthält den antwortenden Hinweis
auf den Grund. Das Warum sucht den Grund. Das Weil bringt den
Grund.»[45] Im Grunde sind die *Weil-gründe* im gewissen Sinne ab-grün-
dig, erst recht die Gründe, die den Menschen wesenhaft bestimmen aus
dem Wesen (An-wesen) des Grundes. Somit kann Heidegger sagen, daß
der Satz vom Grund nur eine schlechte und mittelbare Aussage über das
Wesen des Grundes (gen. subj.) enthält. *Der Satz vom zureichenden Grund
ist dann im Grunde unzureichend.* Wenn Heidegger *Grund* und *Sein* das
Selbe nennt, muß das Sein im Satz *vom* Grund etwas anderes sein als das
Sein als *Wesen des Grundes*, nämlich die mit der Vor-stellung einhergehende Subjekt-Objekt-Relation, die das Sein in Seiendes als *Eingespannt-*

---

[44] Ebd. 45.　　[45] Ebd. 70.

*sein* in der Spannung von Subjektivität und Objektivität transformiert. Die reflektierende Repräsentation ist für ihn dann die dem Sein fremde Urteilsinstanz, die das Sein durch Urteilsformen in die Satzwahrheit zwingt. Fast die gesamte nicht hermeneutisch orientierte Philosophie der Neuzeit soll mit dieser Kritik getroffen werden.

Subjektivität hat also nichts mit Subjektivem oder Besonderem zu tun. Sie ist für Heidegger die zunächst epistemologische, aber danach auch faktische Allgemeinheit der Gegenstände der Subjekt-Objekt-Relation und folglich das Ende des Einzelnen. Sie ist «die wesenhafte Gesetzlichkeit der Gründe, welche die Möglichkeit eines Gegenstandes zureichen … jenes Zustellen des Anspruches des Satzes vom Grund, demzufolge … die Besonderheit, Vereinzelung und Geltung des Einzelnen zugunsten der totalen Uniformität in einem rasenden Tempo dahinschwinden.»[46]

Korrelat des Gegenstandes ist eben das ὑποκείμενον als Zugrundeliegendes (subicere), das nach Heidegger als letzte Bestimmung des Seienden eine *Epoche des Entzugs von Sein* einleitet. Während das Sein sich in eine *Leere* zurückzieht, kommt der Mensch nach dieser Auffassung nur durch einen Sprung in das «Sagen des Seins als Sein» und nur durch eine Dezision in eine hermeneutische Entsprechung zum Sein: das ὑποκείμενον wird dann zum ἀντικείμενον, zum *Gegenüber*. Gemäß dem person-affinen Charakter des Begriffs *Gegenüber* verwandelt sich dann bei Heidegger die Kritik der Erkenntnis (gen. obj.) in eine Kritik des Sinns (gen. subj.): das Vorstellen wird ein *Vernehmen*, das wegen seiner Unverfügbarkeit den Vernehmenden überkommt, in die Krise führt und es diesem untersagt, sich mangels eines objektiven Gegenstandes als Unter-stehendes oder Unterliegendes, als «Subjektivität» zu konstituieren.

Im dem Vortrag *Vom Wesen der Wahrheit* tauchen neue, für Heidegger wegweisende Kategorien auf. Antithetisch bestimmt er hier das Wesen der Wahrheit an ihrer Negativformel *Richtigkeit* und dieses sowohl in der Formel der Satzwahrheit (veritas est adaequatio intellectus ad rem) als auch in der ihr vorgängigen Formel der Sachwahrheit (adaequatio rei ad intellectum). Dieses Prinzip bestimmt Heidegger, noch vor dessen Transformation in den *zweiten Kopernikanismus* der Transzendentalphilosophie (Kant), als *theologisch*. «Die veritas als adaequatio rei (creandae) ad intellectum (divinum) gibt die Gewähr für die veritas als adaequatio intellectus (humani) ad rem (creatam). Veritas meint im Wesen überall die convenientia, das Übereinkommen des Seienden unter sich als eines geschaffenen

---

[46] Ebd. 138.

mit dem Schöpfer.»[47] Die Übereinstimmung von Sachwahrheit und Satzwahrheit setzt somit die göttliche Instanz ihrer Stabilität und Verbürgung voraus.

Heidegger unternimmt dann den Versuch, die herkömmliche und ausschließliche Zuweisung der Wahrheit an die Aussage als ihren Wesensort zu durchbrechen.[48] Die Richtigkeit der Aussage gründet noch vor ihrer apophantischen Auslotung in einer *Offenständigkeit*, in einem Verhältnis verstehender Entsprechung, «das sich ursprünglich und jeweils als ein *Verhalten* zum Schwingen bringt».[49] Die Grenzen von Subjekt und Gegenständlichkeit verflüssigen sich zugunsten eines *Wahrheitsraumes*, eines *Bezugbereiches*, der als *vorgängige Vorgabe des Richtmaßes für alles Vorstellen* interpretiert wird.

Für dieses *offenständige* Verhalten reklamiert Heidegger die Freiheit, insofern sie das Seiende sein läßt und es in seiner Offenheit erscheinen läßt: Sie ist eine Erfahrung, die vom abendländischen Denken anfänglich als ἀλήθεια, «Unverborgenheit» der Wahrheit, bezeichnet wurde. Wahrheit ist dann nicht länger das vor-stellende, zustellende, herrichtende Gefüge von ὑποκείμενον und Gegenständlichkeit, sondern eine *vorstellende Angleichung*, die wiederum vom Gegenüber ihr Richtmaß empfängt. Diese weder positive noch negative Erfahrung ist im emphatischen Sinne Da-sein als vorherige Eingelassenheit in die *Entbergung* des Seins. Der Mensch vermag dies, weil er wesensgemäß der Ek-sistente, der Hinausstehende ist. Sobald er sich aber vom Ort der Entbergung entfernt, wird die ἀλήθεια zur λήθεια, zur *Verbergung*. Der Mensch bleibt dann bei seinen «Gemächten» stehen: «eksistent» wird das Dasein «insistent»[50]. Diese Insistenz ist aber für Heidegger ein Grundzug des abendländischen Denkens seit Platon. Unter der Hand wird dann die Auslegung des platonischen Höhlengleichnisses in *Platons Lehre von der Wahrheit* zur Suche nach einer ursprünglichen Instrumentalisierung der Wahrheit. «Alles liegt am Scheinen des Erscheinenden und an der Ermöglichung seiner Sicht-

[47] M. Heidegger, Vom Wesen der Wahrheit, in: Wegmarken, Frankfurt 1967, 76f.
[48] Dazu die Kritik von E. Tugendhat in: Der Wahrheitsbegriff bei Husserl und Heidegger (Berlin 1970). Tugendhat hat die Erweiterung der Wahrheit aus dem Bereich des Apophantischen auf den des vor-gegenständlichen Begegnenlassens von innerweltlichen Seienden scharf abgewiesen. Nach ihm sind Wahrheit/Unwahrheit solange überflüssige Termini, solange sie nur auf das vordergründige, *bloß intentionale(s)* (Husserl) Gegebensein bezogen sind. Erst die Transposition von Inhalten aus ihrem Entdeckungszusammenhang in einen, Aussagesätze beinhaltenden, distanzierenden Diskurs zur *Sache selbst* legitimiere die Differenz von Wahrheit und Unwahrheit. Tugendhat zufolge führt die nicht zu leugnende Einsicht Heideggers, Wahrheit sei ontologisch relativ auf das Dasein bezogen, zu der falschen Auffassung, die Wahrheit sei ontisch abhängig von ihrem faktischen Erkanntwerden. Letztere Konsequenz bedrohe die Kommunikabilität der Philosophie Heideggers (335 ff.).
[49] a.a.O. 80.      [50] Ebd. 81.

barkeit. Die Unverborgenheit ... wird nur daraufhin bedacht, wie sie das Erscheinende in seinem Aussehen (εἶδος) zugänglich und dieses Sichzeigende (ἰδέα) sichtbar macht ... Die ἰδέα ist das Scheinsame.»[51] In dieser Perspektive begründet die höchste Idee (τὸ ἀγαθόν) die Hierarchie der Ideen in ihrer *Brauchbarkeit*, weil das ἀγαθόν das ist, was zu etwas taugt. Die Idee des Guten ist daher für Heidegger die des Tauglichmachenden schlechthin: sie begründet gleichsam alle anderen Ideen in ihrer Funktion als *Sichtsamkeit*, die das *In-Reichweite-sein* ihres Bezeichneten impliziert. Das okuläre Welt- und Wahrheitsverhältnis läßt logischerweise letzteres zur bloßen Transparenz und infolgedessen jenes zum Material verkümmern. Die Kritik der instrumentellen Vernunft wird hier zu einer Destruktion desjenigen Begriffs, der die Grundkategorie gelungenen Lebens in der Ethik des Abendlandes schlechthin war und ist: zu einer Kritik des *Guten*. Nicht länger gilt die frühere Konzeption des *ethischen Sein-könnens*, das in der Negation seines Selbst, in seiner defizienten Verfallenheit, am Leitfaden der Zeit nach einer Rekonstruktion seiner Bedingungen Ausschau hält. Die *authentische* Hermeneutik einer Seins-korrespondenz jedoch, die in einer radikalen Dekonstruktion das Subjektivitäts- und Richtigkeitstheorem zugunsten einer zustimmungsbedürftigen *Hermetik* zu liquidieren droht, *präjudiziert* das praktische *Wissen* im Sinne des dem *Seinsgeschick* eigenen Richtmaßes *seinsgemäßen* Verhaltens. Sie *determiniert* sowohl dessen Umfassendheit und Radikalität, als auch dessen Abstraktheit und Inkommunikabilität.

Die abschließende, prägnante Heranziehung einiger Schwerpunkte der Philosophie Heideggers vermag diesen Eindruck eher noch zu bestätigen.

## Metaphysik als Verhängnis

«Die Metaphysik ist Verhängnis.»[52] Mit diesem Urteil deutet Heidegger den opaken Schuldzusammenhang des abendländischen Denkens an. Die «Seinsvergessenheit» ist zwar als solche eine subjektiv verursachte, gleichzeitig jedoch soll sie als Schickung des in einer «Seinsgeschichte» waltenden Seins selbst verstanden werden: sie ist verhängt. Stand an ihrem Anfang die Erfahrung von Sein als «Nichts», «φύσις», «Freiheit», «ἀλήθεια», so war sie gleichzeitig doch von einer inneren Ambiguität geprägt («Durch das Sein geht ein verhülltes Verhängnis»[53]), die als *versagend-ver-*

---

[51] Platons Lehre von der Wahrheit, in: Wegmarken, a.a.O. 109–144, 131.
[52] Überwindung der Metaphysik, a.a.O. 77.
[53] Der Ursprung des Kunstwerks, in: Holzwege, Frankfurt 1972, 7–69, 41.

*stellende* Verweigerung erfahren wurde.[54] Diese Nicht-Transparenz der Urerfahrung allen Denkens hindert das Sein daran, als Eigenschaft der Sachen qua Seienden oder als ontischen Bezugspunkt von Sätzen entstellt zu werden, so daß von ihr aus «die Welt ins Bild der Öffentlichkeit gebracht»[55] geradezu widersinnig wäre.

Die von Heidegger diagnostizierte zunehmende *Logofizierung der Seinserfahrung* führt zu ihrer Nominalisierung: in Kants Philosophie ist es der *respectus logicus*, der bedingt, daß das Sein nicht als *reales* Prädikat genommen wird und es «gebraucht wird, in dem Sinne von: verwendet.»[56] *Sein* erstarrt zu einer Funktion der Kopula im Aussagesatz und geht der Differenz verlustig, nachdem das Seiende zum Maß des Seins wurde bzw. die Differenz von Sein und Seiendem ins Differente als Onto-theologik umschlug: das Sein ist dann das höchste Seiende.[57] In dieser In-differenz geht für Heidegger der hermeneutisch-vernehmende Seinsbezug in der hierarchischen Kategorialität eines Denkens zugrunde, das die *ontologische Differenz* überspielt. «Die Differenz von Sein und Seiendem ist als der Unter-schied von Überkommnis und Ankunft der entbergend-bergende Austrag beider. Im Austrag waltet Lichtung des sich verhüllend Verschließenden, welches Walten das Aus- und Zueinander von Überkommnis und Ankunft vergibt.»[58] Es ist der *Mensch* im emphatischen Sinne des Wortes, der vorstellend anstelle der Differenz die Identität als Zug im Sein und sich selber als Be-zugspunkt der Entsprechung von Denken und gedachtem Seienden denkt.

### Subjektivität, Bild und Wille

In dem zweiten Band de Nietzschebuches hat Heidegger die Verfallsge-schichte des ὑποκείμενον nach-gedacht und dessen Verhältnis zum Phänomen des Bildes und des Willens untersucht. Die Kritik der Subjektivitäts-

---

[54] Ebd. 43.
[55] Die Zeit des Weltbildes, in: Holzwege, a.a.O. 69–104, 91.
[56] Kants These über das Sein, in: Wegmarken, Frankfurt 1967, 273–307, 282.
[57] K.O. Apel hat in der Rede von der ontisch-ontologischen Differenz (Zur Sache des Denkens, 76) eine Strukturanalogie mit Wittgensteins Sinnlosigkeitsverdacht hergestellt, weil auch für Wittgenstein die Rede von Seiendem und seinen Kategorien eine absurde Leugnung der Unfähigkeit der Sprache bedeutet, sich innerhalb ihrer Grenze auf sich selber zu beziehen und somit ihre Sprachfunktion mittels der Sprachfunktion zu reduplizieren. Die Metaphysik ist dann eine absurde Scheinhandlung. Ihre Onto-theologik wäre die Folge davon, daß die Philosophie sich nicht mit der Exhaustion ihrer Seinssphäre (Sprachspiel) begnügt, sondern sub specie aeternitatis das Sein bzw. ihr Sprachspiel in einem legitimatorischen Diskurs nochmal überhöht. K.O. Apel, Wittgenstein und Heidegger, Die Frage nach dem Sinn von Sein und der Sinnlosigkeitsverdacht gegen alle Metaphysik, in: O. Pöggeler (Hg.), Heidegger, Köln/Berlin, 1969, 358–397.
[58] Hegels Begriff der Erfahrung, in: Holzwege, a.a.O. 109–190, 163.

philosophie ist aber eine Konstante seiner Philosophie schlechthin gewesen, so daß Heidegger diese Problematik in immer neuen Anläufen zu bewältigen versuchte. Dabei ist das erkenntnistheoretische Adäquationsproblem für ihn nur eine Stufe, die prinzipiell in der Neuzeit durch deren *egologische* Wende überboten wird und abermals in der sogenannten «Willensmetaphysik» eine Überhöhung erfährt. Das ὑποκείμενον *oder Zugrundeliegende wird, nachdem Wahrheit die Adäquation im Satz ist, das* καθ᾽ οὗ λέγεται τι, das «auf welches als das Unterliegende hinab und zu ein Gezeigtes und Gesagtes (λεγόμενον) gesagt wird. Das ὑποκείμενον ist jetzt seinerseite das λεγόμενον λόγος καθ᾽ αὐτόν, das, was unmittelbar und nur auf es selbst hinab angesprochen und dabei als Seiendes zugänglich wird.»[59]

Hier versucht Heidegger die Umkehrung von λέγεται zu λεγόμενον zu verdeutlichen: nicht nur das Sein, sondern auch der Mensch droht im *respectus logicus* unterzugehen und nicht länger prädikativ real zu sein. Die cartesianische Umstellung der Philosophie auf Gewißheit verschärft nach Heidegger die Aporetik dahingehend, daß die Subjektivitätsphilosophie im paradox-folgerichtigen Umschlag das Ego in die Ordnung der Objekte verweist. «Das Subjekt ist in der Ordnung der transzendentalen Genesis des Gegenstandes das erste Objekt des ontologischen Vorstellens. ego cogito ist cogito, me cogitare.»[60] Heidegger trifft damit genau die selbstreferentielle Struktur desjenigen *Vermögens*, das den Eckstein neuzeitlicher Epistemologie bildet: das Selbstbewußtsein. Die Objektivität dieses Ich-bezugs äußert sich darin, daß letzterer nicht das vereinzelte Ego (res cogitans) als *substantia finita* ist, sondern die Ichheit als Verallgemeinerung und Abstraktion, als *Bewußtsein überhaupt*. Für Heidegger ist dieses Subjekt immer nur das Mit-vorgestellte in einem Prozeß, der das Menschliche und das Nicht-Menschliche als Vor-gestelltes vorstellt. Es ist ein abstraktes Korrelat, das ohne Bezug zum individuellen besonderen Ich bleibt. Eine der tiefgreifendsten Konsequenzen dieser Hypertrophie des Subjektivitätsgedankens erblickt Heidegger in dem, was er die «Zeit des Weltbildes» nennt. Für ihn konzentriert sich in dieser Verbildlichung idealtypisch jenes Geschehen, das wir in dem Begriff der Repräsentation analysiert haben und sich nun als *Inszenierung* der Welt auf der *Bühne* des Menschen, als präsentische Anschauung des Seienden vollzieht.[61] «Die

---

[59] Nietzsche, Bd. II, Pfullingen 1961, 430.
[60] Überwindung der Metaphysik, in: Vorträge und Aufsätze, Pfullingen 1959, 71–101, 74.
[61] O. Pöggeler, Philosophie und Politik bei Heidegger, München 1974. Auch für Pöggeler führt die Metaphysik zu einer verpflichtenden Festlegung des Menschen auf ein von ihr instauriertes Menschenbild (dort 33).

Welt wird zum Gebild des vorstellenden Herstellens.»[62] Da aber der Repräsentierende (die Subjektivität) zugleich die Modalitäten des von ihm und sich in ihm Präsentierenden realisiert, muß er im Reflex dieses vorstellenden Herstellens selber zum Hergestellten werden. Statt der «Spalte» im Sein (der ontologischen Differenz) zu entsprechen und sie offenzuhalten, hängt der Repräsentierende in der Hierarchie des kategorial Differenten: er ist in-different.

Eine der aufschlußreichsten Einsichten Heideggers in diesem Zusammenhang ist die Behauptung des *voluntativen* Charakters dieser Entwicklung. Die «Herrschaft des Abstandlosen»[63], die er hier kategorial realisiert sieht, ist nur durch die voluntative Übernahme dieser epistemologischen Usurpation etablierbar. Umgekehrt muß das «Sein als Wille gebrochen werden»[64], wenn die Epoche der Metaphysik verenden soll. Der «Wille zum Willen» ist in Heideggers *Lektüre* der Geschichte der Philosophie gleichzeitig Schwundstufe und letzte Radikalisierung der Subjektivitätsphilosophie. Er ist dies nicht erst seit Nietzsches «Wille zur Macht» oder Schopenhauers Ontologisierung des Willens. Der reine Wille (Kant) als transzendentales Prinzip neuzeitlicher Ethik ist für Heidegger nicht nur wegen seines Allgemeinheitscharakters *bürgerlich* – und in dieser Interpretation stimmt Heidegger mit der Kritischen Theorie überein –, sondern seine unbedingte Selbstbezüglichkeit (Reinheit) wäre die verhärtete Konsequenz seiner Instrumentalisierungsfunktion. Die Reinheit des kantischen «Willens», seine angebliche Formalität und Ziel-Abstinenz sind Modalitäten eines Wollens, das in der instrumentalen Einrichtung der Welt letztere eben als Instrument seines *Sich*-wollens betrachtet. Der Wille zum Willen ist das folgerichtige Fazit der Gewißheitsdominanz, die als Selbstsicherung in der vorstellend-rückstellenden *perceptio* letztlich nur noch sich selbst will: die Fest-stellung der Welt schlägt dann um in die Irrationalität und Unvermitteltheit des Selbst. Die *Dialektik der Aufklärung* (Horkheimer/Adorno) hätte die Gleichursprünglichkeit von «instrumenteller Vernunft» -wie ungeklärt dieser Begriff auch geblieben ist – und Irrationalität nicht strenger beschreiben können. «Der Wille zum Willen setzt als Bedingung seiner Möglichkeit die Bestandssicherung (Wahrheit) und die Übertreibbarkeit der Triebe (Kunst). Der Wille zum Willen richtet als das Sein demnach selbst das Seiende ein. Im Willen zum Willen kommt erst die Technik (Bestandssicherung) und die unbedingte

[62] Die Zeit des Weltbildes, in: Holzwege, a.a.O. 69–109, 87.
[63] Das Ding, in: Vorträge, a.a.O. 163–187, 180.
[64] Überwindung der Metaphysik, a.a.O. 73.

Besinnungslosigkeit (Erlebnis) zur Herrschaft. Die Technik als die höchste Form der rationalen Bewußtheit, technisch gedeutet, und die Besinnungslosigkeit als das ihr selbst verschlossene eingerichtete Unvermögen … sind das Selbe.»[65]

Die appetitive Antriebskraft eines jeglichen Denkens hat in ihrer Übersteigerung die unbedingte Fortsetzung ihres Selbst erreicht und «die Verwüstung der Erde begonnen als gewollten, aber in seinem Wesen nicht gewußten und auch nicht wißbaren Prozeß.»[66]

Die Idee der philosophischen Anthropologie ist nun für Heidegger die konsequente Ausformulierung der verkehrten Erkenntnisordnung.

«Anthropologie sucht nicht nur die Wahrheit über den Menschen, sondern beansprucht jetzt die Entscheidung darüber, was Wahrheit überhaupt bedeuten kann.»[67] Für Heidegger müßte jedenfalls der Titel von Max Schelers Schrift umgedreht werden. Sie hieße besser: «Die Stellung des Kosmos im Menschen». Dagegen muß die Wesensfrage des Menschen, die Heidegger in *Einführung in die Metaphysik* noch eine geschichtlich-metaphysische nannte, nun als Entsprechung zur Seinsfrage gestellt werden. Die Logozität des Anthropos kann dann nur noch zureichend bestimmt werden, wenn «Vernehmung»[68] die für Heidegger gescheiterten Begründungsgestalten zugunsten der Gleichzeitigkeit mit der Seinsgeschichte ablöst. *Die Selbstheit des Menschen gerinnt zu einem Vollzugsorgan einer ihn vollziehenden Seinsmächtigkeit.*

## Technik, Gestell und Sprache

Die Technik als Mittel und als menschliches Tun nennt Heidegger ihre «instrumentale und anthropologische Bestimmung».[69] Dabei ist die Technik zunächst nicht als ein Negativum zu verstehen. Es gibt für Heidegger eine ursprünglichere *Funktion* als ihre Funktionalisierung. Sie könnte eine Weise der *Entbergung* des Seins sein. «τέχνη als eine Weise des ἀληθεύειν.»[70] Sogar ihre Merkmale des «Stellens», «Herausforderns» und «Bestandwerdens» wären positiv zu beurteilen: Solange nicht «Wille» und «Kausalität», sondern die Freiheit in Richtung des Seins vorherrschen, wäre die ποίησις sogar ein «Geschick» dieses Seins. Die Tech-

[65] Ebd. 87.     [66] Ebd. 99.
[67] Kant und das Problem der Metaphysik, Frankfurt a.M. 1951, 189.
[68] Einführung in die Metaphysik, Tübingen 1958, 106.
[69] Die Technik und die Kehre, Pfullingen 1962, 6.
[70] Ebd. 13.

nik hätte also eine hintergründige, sie gründende Dimension in dem, was Heidegger «Gestell» nennt. «Gestell heißt das Versammelnde jenes Stellens, das den Menschen stellt, d. h. herausfordert, das Wirkliche in der Weise des Bestellens als Bestand zu entbergen. Gestell heißt die Weise des Entbergens, die im Wesen der modernen Technik waltet und selber nichts Technisches ist … Die nur instrumentale, die nur anthropologische Bestimmung der Technik wird im Prinzip hinfällig.»[71] Obwohl man unschwer Heideggers genereller Auffassung der möglichen Devianz der Technik als Reziprozität von *Bestandsaufnahme* der Welt und abgründigem Bestandscharakter des Menschen zustimmen könnte, bleibt die Gestalt einer *eigentlichen* Technik, die hier wiederum als Folge der vorgegebenen Maßgabe des *Seins* nahezu mühelos aus der Kritik ihrer Antigestalt hervorzugehen scheint, nahezu unnachvollziehbar. Wenn Heidegger das «Geviert» als Raum zwischen Himmel und Erde, dem Sterblichen und dem Göttlichen bemüht, wo der «Eigensinn» des Menschen sich dem Anspruch des «Einblicks» eines ihn Übersteigenden beugt, bleibt die ethische und pragmatisch-konkrete Qualität dieser Kehre weiterhin rätselhaft. Abgesehen von Heideggers Abkehr von einer teleologieabstinenten Technik-Theorie, die nur Strukturbegriffe mit ihren Gegenstandsgebieten in der Absicht ihrer Verwendung in Einklang bringt und ihren Kategorien keine *ontologische*, sondern nur noch eine kybernetische Funktion zugesteht, läßt sich Konkretes nicht ausmachen. Für ihn ist es letztlich die Kunst, welche die andersartige Erfahrung des Seins und seiner Gestalten gewährt.[72] Bekanntlich sind es bei Heidegger die Dichter, die als «Hirten des Seins» gegen die mächtig-ohnmächtige Technik des Wollens das Refugium des Seins hüten und das Heilige aussprechen. Wie für Adorno, wird die Dimension des Ästhetischen die letzte Inkarnation der Wahrheit. «Was bleibet aber, stiften die Dichter.» (Hölderlin)

Die Sprache ist deshalb die wesentliche Bestimmung der verbal verstandenen «Kehre», sie (die Sprache) ist ein Ereignis, das über die Möglichkeit des Menschseins verfügt: «eigentlich spricht die Sprache, nicht der Mensch.»[73] Als *eigentliche* Sprache ist sie eine «Stiftung».[74] Die eigentliche Sage des Dichters, «dessen Wort ein mild-verhaltendes Scheinen bleibt, worin die Welt so erscheint, als würde sie zum erstenmal erblickt»[75], ist

---

[71] Ebd. 20f. Dazu: W. Marx, Das Denken und seine Sache, in: Heidegger, W. Marx (Hg.), München 1979, 11–43.

[72] Der Ursprung de Kunstwerks, in: Holzwege, a.a.O. 7–69, 38.

[73] Hebel, der Hausfreund, Pfullingen 1965, 19.

[74] Erläuterungen zu Hölderlins Dichtung, Frankfurt a.M., 1951, 35.

[75] Hebel, a.a.O. 19.

34

der wahre Ort des Logos[76], worin dieser seine zeigende, erscheinende und sehen-lassende Gestalt entfaltet und – im Gegensatz zu den früheren Schriften – eine ungebrochene Heimatlichkeit verheißt.[77] Sprache ist dann die subjektindependente, autonome Figur des Vernehmens des Seins, «jenes, was von uns, ohne daß wir es eigens beachten, immer schon gesichtet ist und deshalb das Gesicht schlechthin genannt werden darf.»[78] Wenn das Sprechen des Dichters die authentische Seins-Entsprechung ist, dann verdichtet sich im Ereignis dieser Sprache die in den vorherigen Topoi immer wieder angedeutete ethische Relevanz der Heideggerschen Philosophie. In *Was ist das – die Philosophie?*[79] fordert er dann auch jenes frag-würdige, der Seins-entsprechung entsprechende Verhalten.

### Heidegger und die Ethik

Der Philosophie Martin Heideggers wurde stets ein lebhaftes ethisches Interesse entgegengebracht.[80] Für R. Maurer liegt der nicht-metaphysische und nicht-ontologische Charakter dieses Denkens gerade in seiner ethischen Dimension und läßt sich letztere als «Ethos der Scheu»[81] im Sinne der *Haltung* der Verantwortung vor dem Sein bezeichnen. O. Pöggeler erblickt in der die Unvertretbarkeit des jeweiligen Daseins betonenden Tendenz Heideggers die wesentliche Differenz zu einer Tradition, die das Situative zum faktischen Ort bloßer Realisierung verkürzte.[82] Pöggeler sieht in der Frage nach der Technik und dem Verbindlichkeitsgrad der Struktur des *Gestells*, aber schon in der bloßen Rede von der Seinsgeschichte als normativem Diskurs, den Ansatzpunkt für eine politische Philosophie.[83]

---

[76] Dazu: Hegel und die Griechen, in: Wegmarken, a.a.O. 255–272, 271.

[77] Dazu: O. Becker, Para-existenz.Menschliches Dasein und Dawesen, in: O. Pöggeler (Hg.), Heidegger, a.a.O. 261–285. Für Becker ist das Subjekt dieser Heimat «das gläubige Es», das in einer «Welt der Bilder» lebt und «lediglich Perzeptionen» hat, die ein «Ich denke» nicht begleitet und in einer «tiefen Ruhe der Fraglosigkeit» lebt. (271).

[78] Sprache und Heimat, in: Hebeljahrbuch 1960, 27–50, 50.

[79] Was ist das Philosophie? Pfullingen 1957, 35.

[80] W. Gent, Existenzphilosophie und Ethik, in: Philosophische Studien 2, 1950, 7–31; H. van Oyen, Fundamentalontologie und Ethik, in: Mélanges philosophiques, Amsterdam 1968, 107–121 (Bibliothèque du X Congrès international de Philosophie, vol. II). C.A. van Peursen, Ethik und Ontologie in der religiösen Existenzphilosophie, in: Zeitschrift für evangelische Ethik 2, 98–112, 1958. H. Fahrenbach, Existenzphilosophie und Ethik, Frankfurt a.M. 1974. B. Sitter, Dasein und Ethik, Zu einer ethischen Theorie der Existenz, Freiburg/München 1977. R. Maurer, Von Heidegger zur praktischen Philosophie, in: Rehabilitierung der praktischen Philosophie, M. Riedel (Hg.), Freiburg 1972, 415–454.

[81] Ebd. 435.

[82] O. Pöggeler, Sein als Ereignis, M. Heidegger zum 26. September 1959. Hg. von G. Schischkof, in: Zeitschrift für ph. Forschung, Bd. XIII, Meisenheim/Glan, 1959, 597–632.

[83] O. Pöggeler, Philosophie und Politik bei Heidegger, München 1974, 49.

Die Anknüpfungspunkte für eine ethische Interpretation sind also sehr divergent. Oft wird die Philosophie Heideggers als Ganze mit dem Nimbus des Ethischen ausgestattet. So hat B. Sitter eine fast unmittelbare Transposition aller seiner Meinung nach relevanten Themata in ethische Kategorien vorgenommen.[84] Dies hat zur Folge, daß die dadurch verursachte Koinzidenz von fundamentalontologischen bzw. seinsgeschichtlichen Begriffen mit normativen Implikaten das Ethische zu einer *Qualität* der philosophischen Theorie selbst werden läßt und die Theorie der Verbindlichkeiten in eine Verbindlichkeit der Theorie umzuschlagen droht. Teilweise werden Teilgebiete für den phänomenologisch-existenziellen Aufweis der Begründbarkeit von Ethik verwendet. H. Fahrenbach[85] ist vor allem der Frage des *eigentlichen Seinkönnens*, die wir auch selber für die aussichtsreichste halten, als existenzialanalytische *Eröffnung* der ethischen Dimension nachgegangen[86], verlangt dagegen einen «Widerstand gegen das Übersteigen der ethischen Existenzsituation in der Seinsfrage.»[87] Oft werden einzelne Begriffe als besonders aufschlußreich für eine Theorie der Ethik betrachtet: so wird bei D. Sinn die Angst als zentraler Zugang zur Ethik gesehen und *insofern* in Zusammenhang mit der Kehre gebracht, als der Primat des *Begründetseins* vor dem *Begründenwollen*, der sich in ihr ausspricht, die Erfahrung der Angst zu einer «abständigen Haltung» zur Welt werden läßt, zu einer «gegründeten Freiheit».[88]

Dagegen haben viele Autoren (nicht nur) die Spätphilosophie für eine Gefahr im Sinne einer Begründung politisch-ethischer Strategien gehalten (J. P. Faye[89], W. Franzen[90], W. Marx[91]).

[84] S.o.

[85] S.o. und: Heidegger und das Problem einer ph. Anthro. in: Durchblicke, M. Heidegger zum 80. Geburtstag. Hg. V. Klostermann, Frankfurt a.M. 1970, 97–132.

[86] Existenzph., a.a.O. 110.     [87] Ebd. 131

[88] D. Sinn, Heideggers Spätphilosophie, in: Phil. Rundschau 14, 1967, 81–182, 100f.

[89] Zu J. P. Fayes Essay in *Mediation* 1961/62 schreibt B. Alleman: «Faye sieht in Heidegger das Opfer der Aussage-struktur, die er in S/Z selbst analysiert hat, ohne vorauszusehen, daß er auf unkontrollierte Weise in ihren Sog geraten würde. Faye spricht von einem Zirkulationsprozeß der Aussage: Während Heidegger sich noch im Schoße des Seins glaubt, gelangt er schließlich an den untersten Pol der Aussage-Topographie, zur *völkischen* Redeweise. Hier nimmt die *Zweite Philosophie* Heideggers ihren Anfang.» B. Alleman, in: O. Pöggeler (Hg.), Heidegger und die Politik, a.a.O. 246–261, 157.

[90] W. Franzen hat in seiner Promotionsarbeit «Von der Existenzialphilosophie zur Seinsgeschichte», Meisenheim/Glan, 1975, das Verhältnis Heideggers zum Nationalsozialismus sehr differenziert analysiert. (Teil III, Sein und Politik.)

[91] W. Marx, a.a.O. 40: «Die wirklich bedenkliche Konsequenz von der aletheia her sehe ich darin, daß für Heidegger das Verbergen in der Weise des Verstellens die Bedingung dafür ist, daß wir uns täuschen können, nicht umgekehrt, und daß dementsprechend die *Irre* zur inneren Verfassung des menschlichen Daseins auch insofern gehört, als sie ihn unabdingbar so beirren kann, daß der Mensch sich *in den wesentlichen Haltungen und Entscheidungen versteigt*. Liegt – so muß man fragen – die Konsequenz dieser Auffassung Heideggers ... nicht in der Rechtfertigung eines tatsächlichen Ir-

G. Praus[92] hat das Problem, das eine Kritik des Handelns bei Heidegger darstellt und welches wir öfters in Zusammenhang mit der Subjektivitätskritik streiften, in seiner Diskussion des Primats der Handlung vor dem Erkennen in der frühen Theorie des Besorgens zentral getroffen. Seine Bedenken lassen sich in potenzierter Weise gegenüber der Spätphilosophie formulieren.

Ohne daß wir hier die sehr diffizile Argumentation von Praus entfalten können, scheint uns das Ergebnis von zentraler Tragweite zu sein.

*Handeln* und *Erkennen* werden von Praus als eine komplexe Intention verstanden, die es untersagt, *einfache* Zuordnungen vorzunehmen. Die transzendental-phänomenologische Unterscheidung von *Noesis* (Erkenntnisakt) und *Noema* (Erkenntnisgehalt) wendet Praus auf das Handeln an, um hier zwischen *Poiesis* (Handlungsakt) und *Poiema* (Handlungsgehalt) zu unterscheiden. Mit Hilfe dieser Begrifflichkeit läßt sich dann ein Primat des Erkennens vor dem Handeln feststellen, insofern das bestimmte Poiema der Handlung stets abhängig ist von der Existenz des Noemas im Erkennen. Gleichzeitig aber, und hierin läßt sich Heideggers Theorie des Besorgens situieren, gibt es einen Primat des Handelns vor dem Erkennen, insofern das Dasein seinen Erkenntnisakt stets aus einem Handlungsinteresse[93] heraus motiviert, welches im Handlungsakt (Poiesis) den Erkenntnisakt (Noesis) allererst ortet.

Die Distinktionen, die hier gesichtet sind, müssen nun nach Praus als *Differenz innerhalb einer Identität* gedacht werden, wobei gerade erst durch die Identität die Differenz *als solche* identifiziert wird. Im Sinne einer Problemindikation nennt Praus diese *Identität in Differenz* «Subjektivität» und weist darauf hin, daß die These Heideggers, die Geschichte der Subjektivität sei ein naturwüchsiger Verfallsprozeß, es verunmöglicht, das *Problem* von Theorie und Praxis auch nur annäherungsweise zu denken. Wenn wir Praus richtig verstanden haben, entäußere man sich dann der Begrifflichkeit, welche die differente Identität von Erkennen und Handeln allererst auf den Begriff zu bringen vermag. Mittels globaler Gleichsetzung einer Theorie mit einer ethischen Intention oder mittels ausschließlich ethischer Thematisierung von Phänomenen anstelle einer Reflexion auf die ethische *Begründungs*gestalt, rufe man dann jenes Ver-

---

rens? … Mit dieser Auffassung aber wären alle traditionellen Fragen der Verantwortlichkeit, der Schuld und des Gewissens in Bewegung geraten – überhaupt all das, was uns als Ethik und Moral aus unserer jüdisch-christlichen Tradition überliefert ist.».

[92] G. Praus, Erkennen und Handeln in Heideggers «Sein und Zeit», Freiburg/München 1977.

[93] Hiermit ist nicht gesagt, daß ein uninteressiertes Erkennen nicht möglich sei.

hängnis hervor, das man doch nicht zuletzt ethisch zu bannen versuchte. Dies geschehe, solange man das Subjektivitätstheorem auf die Anthropologie und Ethik überträgt und das indizierte Problem unter die Botmäßigkeit von Metaphern wie *Verhängnis* und *Geschick* stellt. Praus vermag die von uns angezeigten Schwierigkeiten insofern zu bestätigen, als seine formalen Argumente in die Richtung der von uns kritisierten Identifikation von authentischem *Vernehmen* und vorgegebener, praktischer Maßgabe weisen.

An dieser Stelle genügt daher die Feststellung, daß eine Kritik der Subjektivitätsphilosophie und somit auch eine Kritik des Handelns nur mittels eines *Instrumentariums* geleistet werden kann, welches das Niveau der von ihr kritisierten Philosophie und ihrer Problemzuschärfung nicht unterschreitet – eine Folge, die sich zwangsläufig einstellt, wenn man die komplexe Kategorialität des Subjektivitätsdenkens stufenweise zugunsten einer meta-kategorialen Ursprungshermeneutik dekonstruiert.

Die Identifikation von «Subjektivität» und bloßer «Selbsterhaltung«, die Heidegger überall ausdrücklich unterstellt, ist insofern illegitim, als sich zwar historisch die *conservatio sui* angesichts des späten Nominalismus bis zu ihrer Explikation bei Descartes der Gewißheitsfrage als Kernstück des Subjektivitätstheorems bedient. Darüber hinaus aber kann die Phänomenalität der Bewußtseinsfrage und der neuzeitlichen Begründungsgestalt von Ethik – wesentliche Komponenten des Subjektivitätsbegriffs – nicht zureichend durch ihre funktionale Zuordnung zu der historischen Motivation ihrer Entdeckung bestimmt werden.

Das *volle* (nicht aber adäquate) Verstehen, das Heidegger in der *Erschlossenheit* erblickt und in der Spätphilosophie prinzipiell nicht geleugnet hat, führt mit hermeneutischer Folgerichtigkeit in eine *Handlungsethik*, welche *eigentlich* (!) im Sinne einer Rekonstruktion ihrer Bedingungen der Kritik nicht bedarf. Es führt zu einer *Haltungsethik*, die als *seinsgeschichtliche Konsequenz* des Verstehens zwar angesprochen, nicht weiter aber begründet werden kann: die Frage nach dem Grund stellt den hier Fragenden außerhalb ihrer.

# §2 Das anthropologische Desiderat einer Theorie der Subjektivität

> «Dein Rat, Verstand, ist gut, wie aber ist die Welt?
> (Antioch Kantemir, Im Chaos aber blühet der Geist.)[1]
>
> «Wenn das gute oder das böse Wollen die Welt ändert, so
> kann es nur die Grenzen der Welt ändern, nicht die Tatsa-
> chen; nicht das, was durch die Sprache ausgedrückt wer-
> den kann. Kurz, die Welt muß dann dadurch überhaupt
> eine andere werden. Sie muß sozusagen als Ganzes abneh-
> men oder zunehmen. Die Welt des Glücklichen ist eine
> andere als die des Unglücklichen. Wie auch beim Tod die
> Welt sich nicht ändert, sondern aufhört.»
>
> (Wittgenstein, Tractatus)[2]

## *Der nicht-methodische Zweifel an der Logizität des Anthropos*

Pico della Mirandolas Oratio «De dignitate hominis», jene programmatische Schrift der Renaissance, in der die Nicht-Festgestelltheit des Menschen als Mitte zwischen dem Tierischen und dem Göttlichen seine Dignität begründet, lehrt die Affektbändigung und Verständigkeit, «da seit
unserem Sturz aus dem Himmel der menschliche Kopf an Schwindel leiden muß und ... der Tod zu unsern Fenstern hereingestiegen ist und Herz
und Leber befallen hat.»[3] Die philosophische Weisheit wird als Nachden-
ken über eben jenen Tod gepriesen, «wenn man die Fülle des Lebens überhaupt so nennen darf.»[4] Sehr viel später hat Hölderlin im Hyperion die
Hinfälligkeit des Menschen wiederum aus jener Mitte zwischen Pflanze
und Sternen hergeleitet, in der er auseinanderbricht, und warnend ausge-
rufen: «Bleibt unten, Kinder des Augenblicks! Strebt nicht in diese
Höhen herauf, denn es ist nichts hier oben.»[5] Zwar wird das Tun des
Menschen trotzdem ein Kunstwerk genannt, jedoch in dem Maße als auch
das Häßliche ästhetisch[6] sein kann, denn auf die Frage «Was ist der
Mensch?» antwortet abermals eine Frage: «Wie kommt es, daß so etwas
in der Welt ist, das, wie ein Chaos gärt, oder, modert, wie ein fauler Baum,
und nie zu einer Reife gedeiht? Wie duldet diesen Herling die Natur bei
ihren süßen Trauben?»[7]

Die Anthropozentrik, derzufolge der Mensch die vernünftig-teleologi-
sche Mitte und die Zielgröße der Selbstexplikation und Fremddeutung

[1] A. Kantemir, Im Chaos aber blühet der Geist. Satiren, München 1983.
[2] L. Wittgenstein, Tractatus logico-philosophicus, 6.43 und 6.431, Frankfurt a.M. 1979.
[3] J.P. della Mirandola, De dignitate hominis, Lat./Deutsch, Zürich 1976, 53.
[4] Ebd. 43.
[5] F. Hölderlin, Hyperion, Werke Bd. I, Frankfurt a.M. 1969, 333.
[6] K. Rosenkranz, Ästhetik des Häßlichen, Königsberg 1853.
[7] a.a.O. 332.

personaler, geschichtlicher oder kosmologischer Prozesse ist, stand zumindest immer im Verdacht, das platonisch-aristotelische Erbe in die Mediokrität einer bloßen Behauptung zu überführen und eine christliche Imputation zu sein. Dabei wurde vielleicht nicht so sehr ihr möglicher Wahrheitsanspruch bezweifelt, als vielmehr ihre faktische Vergeblichkeit festgestellt.

Gerade Erasmus von Rotterdam faßt die Erfahrung der Hinfälligkeit zu jener gepriesenen Torheit zusammen, die sagt: «Ich bezweifle, ob sich unter der unüberschaubaren Zahl der Menschen ein einziger finden läßt, der zu jeder Zeit seines Lebens weise und nicht auf die eine oder andere Art dem Wahnsinn verfallen ist.»[8] Dem literarischen Spott anheimgefallen und jeglicher rationalen Gestalt beraubt ist der Mensch als gesellschaftliches Tier bei Alain-René Lesage in seinem Werk *Der hinkende Teufel*[9]. Lesage läßt diesen, gerade in seiner metaphorischen Anstößigkeit, die Dächer Madrids für einen ahnungslosen Studenten verschwinden und einem selbst nicht gesehenen, schadenfrohen Blick das niederschmetternde, lächerliche Treiben der Bürger entblößen.

Der anthropozentrischen Tradition des Abendlandes verlief stets eine «*anthropofugale*» Kette entlang, wobei die Palette von der bloß satirischen Spiegelung über den Zweifel bis zur Verzweiflung und zynischen Abwendung reicht. Wir wollen an dieser Stelle nur einige wenige ihrer Wortführer streifen.

Voltaire, ganz im Sinne des Candide, nennt die Erde und ihre Bewohner in *Platons Traum* ein «Klümpchen Schmutz»[10] und läßt in seiner Schrift *Die Welt, wie sie ist* einen General konstatieren: «Die Welt leidet, aber das Gemetzel geht weiter.»[11] Bernhard Mandevilles Bienenfabel rechnet ganz unillusorisch mit der Komplementarität von privatem Laster und öffentlichem Wohl, ja verbindet mit der Tugend das Eicheln-Fressen in der Goldenen Zeit.[12] Rousseaus Schrift «Über Ursprung und Grundlagen der Ungleichheit» hat jene Dialektik diagnostiziert, die das Mitleid erfährt, wenn es die Konsequenzen seiner Annäherungen an den Anderen überblickt.

«Der Mensch wurde böse, als er gesellig wurde.»[13] Die in dieser *geselligen Ungeselligkeit* (Kant) sich entfaltende Vernunft hat «die Eigenliebe

[8] Erasmus v. Rotterdam, Das Lob der Torheit, Frankfurt a.M. 1979, 65.

[9] Bibliothek des 18. Jahrhunderts, München 1983.

[10] Voltaire, Platons Traum, in: Sämtliche Romane und Erzählungen, Bd. I, 175–179, 176, Leipzig 1982.

[11] Ebd. 105–127, 107.

[12] B.Mandeville, Die Bienenfabel, Frankfurt a.M. 1980.

[13] J.J.Rousseau, Über den Ursprung und die Grundlage der Ungleichheit, Berlin 1955, 84.

erzeugt, und die Reflexion hat ihr Nahrung und Stärke verliehen.Sie hat bewirkt, daß der Mensch sich ganz in sich zurückzieht. Sie hat ihn von allem entfernt, was ihm Zwang antun oder Kummer bereiten kann. Die Philosophie hat ihn gleichsam vereinsamen lassen.»[14] Blaise Pascal rückt den Wahnsinn in die Nähe einer anthropologischen Konstante und postuliert die Ubiquität der Verrücktheit.[15] Für Pierre de Marrivaux ist die Vernunft zu einer Tortur, zu einem untragbar gewordenen Instrumentarium behaupteten Wissens verflacht: «Ich würde lieber das Vergnügen haben, ein Narr zu sein, als den Schmerz, den Weisen zu spielen, bei aller Ehre, die mir das einbrächte.»[16] Der triebbedingte *horror vacui* läßt ihn ausrufen: «Keine Leere. Ich bin wie die Natur, mir graust vor ihr.»[17]

Der moralisch motivierten Bitterkeit gewichen ist dieser Spott im Testament des Abbé Meslier, jener beißenden Anklageschrift der französischen Aufklärung, in dem der Pfarrer von Etriépigny die Chimäre jeglicher Utopie mit einer ethischen Wucht und Resignation ohnegleichen austreibt. «Ich habe so viele Bosheit in der Welt erlebt, ja selbst die vollendetste Tugend und reinste Unschuld waren vor der Tücke der Verleumdung nicht sicher.»[18]

So wie bei Meslier jene Erfahrung zum Menschenekel wurde, steigert sich de Maistre in den *Soirées de Saint-Petersbourg* zu der Aussage: «L'homme entier n'est qu'une maladie.»[19] Für Michel de Montaigne dagegen ist Skepsis als Triebkraft einer Verdachtshermeneutik eher Grund zur stoisch-resignativen Einwilligung. «Unser Glaube hat sich auf keinem festeren menschlichen Grund gestützt als auf die Verachtung des Lebens. Nicht nur, daß uns der Schluß der Vernunft darauf hinführt, daß wir, wenn es dahin ist, gar nicht bedauern können, und, da wir von so mancherlei Todesarten bedroht werden, ist es nicht schlimmer, sie alle zu fürchten, als nur einer standzuhalten?»[20]

Thomas Hobbes perpetuiert die ständige Gefährdetheit in dem Axiom der conservatio sui, der Selbsterhaltung, dessen Gewalt zur ethisch-ästhetischen Stilisierung emporgehoben wird. «Schön ist, was auf etwas Gutes deutet oder weist. Daher ist ein Zeichen ungewöhnlicher Macht etwas Schönes.»[21] Der bürgerliche Staat als Realisation dieser Erhaltung macht

[14] Ebd. 76.
[15] B. Pascal, Gedanken, Basel 1964, 69.
[16] P.C. de Marivaux, Betrachtende Prosa, Frankfurt a.M. 1979, 187.
[17] Ebd. 200.
[18] G. Mensching (Hg.), Das Testament des Abbé Meslier, Frankfurt a.M. 1976, 62.
[19] J. de Maistre, Les Soirées de Saint-Petersbourg, Paris 1960, 56.
[20] M. de Montaigne, Essais, Zürich 1953, 136.
[21] Th. Hobbes, Vom Menschen, Vom Bürger, Hamburg 1959, 27.

sich diese Aufgabe nicht nur funktional zu eigen, sondern stellt sie unter die zynische Weihe des Allmächtigen. «Da nämlich der Wille Gottes nur durch den Staat erkannt wird, der Wille dessen aber, der vertreten wird, erfordert wird, damit er der rechtliche Urheber der Handlungen derer sei, die ihn vertreten, so kann Gott nur durch den Willen des Staates zur Rechtsperson werden.»[22] Bei C.A. Helvetius ist die Selbstliebe (amor sui) dann nichts anderes als Liebe zur Macht und zu derer Mitteln, auf deren Konstanz eine jede Moralität reduktiv bezogen werden kann. «Indem der Himmel allen Menschen die Liebe zur Macht eingegeben hat, hat er ihnen das kostbarste Geschenk gemacht. Was bedeutet es schon, ob alle Menschen tugendhaft geboren werden, wenn alle von Geburt an einer Leidenschaft fähig sind, die sie dorthin führen kann?»[23]

Eine zusätzliche Funktionalisierung des Moralischen – bedingt durch die Auflösung einer jeden objektiven Teleologie –, ihre Reduktion auf ein zufälliges Gebilde der jeweiligen Situation und der damit verbundenen Bedürfnislage, verficht Paul Thiery d'Holbach. «Diese Befähigung des Menschen, sich dem Ganzen einzuordnen, gibt ihm nicht nur die Idee der Ordnung, sondern läßt ihn auch sagen: alles ist gut, während doch alles nur so ist, wie es sein kann; während dieses Ganze notwendig ist, was es ist, und während es in Wirklichkeit weder gut noch schlecht ist. Man braucht einen Menschen nur von seinem Platz zu entfernen, und er wird das Universum der Unordnung beschuldigen.»[24] D'Holbach will die Täuschung über die Ex-zentrik des Menschen zugunsten der Einsicht in das zufällige Telos seiner Ortung aufheben.

Die Schrift des Philosophen Horstmann *Das Untier, Konturen einer Philosophie der Menschenflucht*[25] hat die Annihilation des Menschen durch das Postulat des Übergangs des «homo extinctor» (des auslöschenden Menschen) zum «homo extinctus» (des ausgelöschten Menschen) als die letzte ethische Aufgabe der Gattung *Mensch* in die ganz und gar nicht-zynische, infernalische Buchstäblichkeit gesteigert. Nicht die Verführbarkeit von anthropologischen Konzeptionen, nicht die jederzeit mögliche Perversion fortschrittsoptimistischer Selbstauslegung des Menschen steht hier zur Disposition, sondern seine integrale, faktische Existenz. Die Ansätze dieser anthropofugalen Tradition, die hier nur exemplarisch an-

[22] Ebd. 55.
[23] C.A. Helvetius, Vom Menschen, seinen geistigen Fähigkeiten und seiner Erziehung, Hg. G. Mensching, Frankfurt a.M. 1972, 225.
[24] P. Th. d'Holbach, System der Natur oder von den Gesetzen der physischen und moralischen Welt, Frankfurt 1978, 78.
[25] Wien/Berlin 1983.

gedeutet wurden, werden bei Horstmann in die Armatur einer nichts
«aufhebenden» Aufhebung zusammengeschaut. Diese gedenkt den
anthropofugalen Gedanken in die Tatsächlichkeit des Gesollten und des
unbedingt Herbeizuführenden, in die Würde der kategorischen Vernichtung einzusetzen.

«Das Leiden kann sich nur durch seine Totalisierung aufheben. Aber
im Inferno, der Revokation der Schöfpung, transzendiert sich der kreatür-
lich Schmerz, hellt sich auf, durchheitert sich im Tier mit der Ahnung, im
Menschen mit der Gewißheit, daß das Rad der Generationen, der Wieder-
geburten in Qual nunmehr endlich zerbrochen ist, daß das Ungeborene
fürderhin ungeboren bleibt, das Leben ungelebt, das Leiden undurchlit-
ten. Wer wäre für eine solche Verheißung nicht mit seinem Leben zu zah-
len bereit, das er eines Tages ohnehin und um keinen vergleichbaren Lohn
wird hingeben müssen. Wem wäre nicht, als hörte er im Grollen der Deto-
nationen, über dem Stöhnen, Röcheln, und Winseln der Zerbombten
schon die Engelschöre, die Lobpreisungen und Hymnen jener zahllosen
Phantome von Nicht-mehr-zu-Gebärenden, von Ungezeugten, von Frei-
gelassenen und der Folter Entsprungenen, denen durch sein Opfer die
irdische Hölle erspart bleibt.»[26]

Die überblicksartige Erwähnung auch nur weniger Vertreter einer
anthropofugalen Tradition hat verdeutlicht, daß die «Menschenflucht»
hier auf philosophisch-literarischen Bemerkungen unterschiedlicher
Systematisierung beruht. Mit Ausnahme von Schopenhauer und Nietzsche[27] wurde erst um die Jahrhundertwende die Notwendigkeit einer
Theorie des «Ende des Menschen», nicht zuletzt unter dem Eindruck der
Auflösung der Subjektivitätstheorie, verspürt. Am Anfang steht Eduard
von Hartmanns fast vergessenes, monumentales Werk *Die Philosophie des
Unbewußten*.[28] Diesem Werk kann nur Vaihingers *Philosophie des Als ob*[29],
eine mächtig angelegte Entlarvung des «Idealen» als täuschend-realer Präsumption in entlastender Absicht, an weitgestreuter Bildung an die Seite
treten. Vaihinger war davon überzeugt, daß die «Fiktion» oder das «Als
ob» in allen Bereichen der Ontologie die Vernunftidee schlechthin darstellt. Sie selber ist die allergrößte Fiktion. Von Hartmann dagegen behandelt das Bewußtsein im Namen der noumenalen All-Einheit des
Unbewußten als bloßes «phainomenon», als Epiphänomen. «Erst wenn

[26] Ebd. 102.
[27] Dazu das Kapitel über die Subjektivitätstheorie der Neuzeit.
[28] Leipzig 1904, 11. Auflage.
[29] H. Vaihinger, Philosophie des Als ob, Berlin 1911.

man erkannt hat, daß das Bewußtsein nicht zum Wesen, sondern zur Erscheinung gehört, daß also die Vielheit des Bewußtseins nur eine Vielheit der Erscheinung des Einen ist, erst dann wird es möglich, sich von der Macht des practischen Instinctes, welches stets ... Ich, Ich schreit, zu emanzipieren.»[30] Gerade an diesem Instinkt orientiert, sind die Ideen der Sittlichkeit und Gerechtigkeit nur auf das Verhalten der Individuen lebensdienlich abgestimmte Erscheinungen und der Zweckdienlichkeit des Unbewußten fremd. Im Grunde wären die idealistischen Bewußtseins- und Sittlichkeitstheoreme in ihrer gegenseitigen Voraussetzungshaftigkeit für das Kollektiv gerade nicht lebensdienlich, weil sie inmitten der Qual des Daseins letztere gerade perpetuieren. Sie müßten deshalb ihren illusorischen Charakter abstreifen, um nicht zynisch zu werden.

«Ist es denn an realem Elend nicht genug, daß es noch einmal in der Zauberlaterne des Bewußtseins wiederholt werden sollte? Nein, unmöglich kann das Bewußtsein der Endzweck des von der Allweisheit des Unbewußten geleiteten Weltprozesses sein; das hieße die Qual verdoppeln, in den eigenen Eingeweiden wühlen.»[31] Das Bewußtsein oder das Ich qua Ich erhält bei von Hartmann die Dignität, seine eigene Überflüssigkeit zu erkennen, indem es im paradoxen Akt seiner Steigerung stets nur die Priorität des Unbewußten erhellen kann. Es existiert nur, um «den Willen von der Unseligkeit seines Wollens zu erlösen.»[32] Die Wendung ins Nicht-wollen ist demnach als kosmisch-universale Willensverneinung zu denken, als Akt, der den Prozeß an ein Ende heranführt, wonach kein Wollen, keine Tätigkeit, «keine Zeit sein wird».[33] Diese Handlung partizipiert noch am Universalisierungswillen des kategorischen Imperativs, verstanden als handfeste Aufgabe und Prinzip einer praktischen Philosophie, «denn nur dann, wenn die negative Seite des Wollens in der Menschheit der Summe alles übrigen in der organischen und anorganischen Welt sich objektivierenden Willens überwiegt, nur dann kann die menschheitliche Willensverneinung das gesammte actuelle Wollen der Welt ohne Rest vernichten, und den gesamten Kosmos durch Zurückziehung des Wollens, in welchem er allein besteht, mit einem Schlage verschwinden lassen.»[34]

Die These der überwiegenden oder sogar prinzipiellen Verfehltheit und Negativität der Erscheinung ‹Mensch› erfährt heute Unterstützung durch die Entdeckung der fatalen Dissoziation und Disharmoniertheit des Gehirns durch das Fehlen des Corpus callosum (des Gehirnbalkens)

---

[30] a.a.O. Bd. II, 158f. An anderer Stelle wird das Subjekt als «instinctiv supponierte Ursache» bezeichnet, 128.
[31] Ebd. 393.  [32] Ebd. 396.  [33] Ebd. 401.  [34] Ebd. 405.

zwischen dem Hypothalamus (Teil des Mittelhirns) und dem Neocortex. Diese endemische Unzulänglichkeit führt zur sogenannten, von der Papez-MacLean-Schule der Neurophysiologie vertretenen «Schizophysiologie» (Koestler), welche die Gattung «Mensch» durch die dadurch verursachte Destabilisierung des Emotiv-Triebhaften und des Rationalen quasi vital determiniert in die Katastrophe führen müßte.[35]
Diese These wurde um die Jahrhundertwende ausführlich expliziert und dabei kulturkritisch und geschichtstheoretisch gewendet, sei es in den Dekadenztheorien von L. Bolk[36], P. Alsberg[37], Th. Lessing[38], in ihren als Bewußtseinskritik verstandenen Varianten bei L. Klages[39], A. Seidel[40] oder in der Kulturmorphologie O. Spenglers[41] und im Kulturatavismus eines L. Frobenius[42] und eines E. Dacqué[43]. Ihre sprachgewaltigsten Tradenten sind heute zweifellos G. Anders, der die nuklear bedingte Antiquiertheit des Menschen als epochale Finalität des Menschen schlechthin versteht[44] und E. M. Cioran, der französisch-rumänische Essayist, der die Folgen jener kortikalen Fehlbildung als Sehnsucht nach dem vegetativen Anfangs- und Endstadium des Menschen umschreibt. «Wer niemals das pflanzliche Leben beneidet hat, ist am Drama des menschlichen Lebens vorbeigegangen.»[45] Die Suizid-Diskussion, jenseits vom Tabu, kommt dann auch in die Nähe dieser fatumartigen Kategorialität, wenn K. Menninger[46] im Menschen eine evolutionär bedingte Auto-aggression am Werke sieht. J. Améry versteht die Todesneigung als «un chemine-

---

[35] Dazu ausführlich: A. Koestler, Der Mensch. Irrläufer der Evolution. Eine Anatomie der menschlichen Vernunft und Unvernunft, Bern/München 1978, 9–33; G. Heberer, Moderne Anthropologie. Eine naturwissenschaftliche Menschheitsgeschichte, Hamburg 1973.
[36] L. Bolk, Das Problem der Menschwerdung, Jena 1926.
[37] P. Alsberg, Das Menschheitsrätsel, Dresden 1922.
[38] Th. Lessing, Geschichte als Sinngebung des Sinnlosen, München 1921.
[39] L. Klages, Der Geist als Widersacher der Seele, Bonn 1981; Ders., Vom Wesen des Bewußtseins, Leipzig 1933 (Erstausgabe 1921).
[40] A. Seidel, Bewußsein als Verhängnis, Bremen 1983 (Erstausgabe 1927).
[41] O. Spengler, Der Untergang des Abendlandes, Umrisse einer Morphologie der Weltgeschichte, München 1923.
[42] L. Frobenius, Paideuma, Umrisse einer Kultur- und Seelenlehre, München 1921.
[43] E. Dacqué, Umwelt, Sage und Menschheit, München 1925; Ders., Natur und Seele, München/Berlin 1926.
[44] G. Anders, Die Antiquiertheit des Menschen, Bd. I, Über die Seele im Zeitalter der zweiten industriellen Revolution, München 1980 und Bd. II, Über die Zerstörung des Lebens im Zeitalter der dritten industriellen Revolution, München 1981; Ders., Philosophie der Stenogramme, München 1965.
[45] E. M. Cioran, Der Absturz in die Zeit, Stuttgart 1980, 137; Ders., Syllogismen der Bitterkeit, Frankfurt a.M. 1980; Ders., Die verfehlte Schöpfung, Frankfurt a.M. 1979; Ders., Vom Nachteil geboren zu sein, Frankfurt a.M. 1979; Ders., Lehre vom Zerfall, Stuttgart 1979; Ders., Dasein als Versuchung, Stuttgart 1983; Ders., Geschichte und Utopie, Stuttgart 1979.
[46] K. Menninger, Selbstzerstörung. Psychoanalyse des Selbstmords, Frankfurt 1974 (Erstausgabe 1983).

ment, eine Art von Fortschreiten auf einem Wege, der geebnet ist, wer weiß, von Anbeginn an, denn das Sein hat eine schwer erforschbare Syntax, daß es seinen Widerspruch, das Nicht-Sein, in sich trägt.»[47]

Diese Neigung zur Selbst- und Fremdzerstörung, sei sie nun in der Aggressionsforschung (J. Kneutgen)[48], in der Gehirnchirurgie in der kortikalen Deformation des Gehirns (E. R. Koch)[49] oder in der Manipulation der Psyche (Th. Löbsack)[50] thematisiert, deutet auf jene «Tetanisierung» des Bewußtseins (G. Marcell)[51] hin, die sich noch im Versuch ihrer Linderung steigern müßte. Auch wenn diese Sicht der Dinge nicht unwidersprochen bleibt, vor allem in der Biologie (A.Portmann)[52] und bei L. von Bertalanffy, der gegen diese Art «masochistischer Selbsterniedrigung»[53] protestiert, wird als Konsequenz dieser Negativitäten wenigstens die radikale Verabschiedung der Rede vom Menschenbild gefordert. Aufgrund einer in diesem möglicherweise enthaltenen Verwechselung von Leitbild und bloßer letztexplikativen Selbstvergewisserung einer Gesellschaft oder Kultur scheint das Menschenbild einen gefährlichen Sog auszuüben. So schreibt N. Luhmann: «Nur für ein Menschenbild mag es im Moment als lohnend erscheinen, die Evolution in ihre postmundiale (nachweltliche) Phase überzuleiten.»[54]

Unbeantwortet bleibt allerdings die Frage, ob die an die Stelle des bloßen Zelebrierens des Lebens getretene Hypertrophie des Todesbewußtseins, der Todgeweihtheit des Einzelnen, der Gattung oder der Epoche, neben ihrer wissenschaftlichen und zeitkritischen Motiviertheit und Begründetheit, nicht häufig eine Extrapolation partieller Erfahrungen oder reduktiver Eingestelltheit ist, die der Komplexität der humanen Kondition nicht standhält. Erst recht muß dann auch der Umgang mit dieser (generellen) Erfahrung undeutlich bleiben, wenn die Diagnostik häufig durch die Zitation des Lebensgefühls oder der Lebensanschauung ersetzt wird. Für A. Gehlen lassen sich dann auch die unübersehbar «subjektivistischen» Komponenten mancher Einstellungen – vor allem die der «weltanschaulichen» Anthropologie der Jahrhundertwende – auf die Unwirklichkeit der Institutionen zurückführen, auf jene «formlose, ungestaltete

[47] J. Améry, Hand an sich legen. Diskurs über den Freitod, Stuttgart 1976, 83f.
[48] J. Kneutgen, Der Mensch, ein kriegerisches Tier, Berlin 1970.
[49] E.R. Koch, Chirurgie der Seele. Operative Umpolung des Verhaltens, Frankfurt a.M. 1978.
[50] Th. Löbsack, Die manipulierte Seele, Düsseldorf/Wien 1976.
[51] G. Marcel, Die Erniedrigung des Menschen, Frankfurt a.M. 1976, 116ff.
[52] A. Portmann, Um das Menschenbild, Stuttgart 1979.
[53] L. von Bertalanffy, ... aber vom Menschen wissen wir nichts, Düsseldorf-Wien 1970, 47.
[54] N. Luhmann, Evolution, kein Menschenbild, in: Evolution und Menschenbild, R.J. Riedel und F.Kreuzer (Hg.), Hamburg 1982, 205.

Nähe, in der die Menschen durcheinander vegetieren, und auf die Ungreifbarkeit, Abstraktheit unserer Institutionen, die ganz überwiegend unsinnliche Tatbestände sind.»[55]

Diese Schlußfolgerung bleibt aber selber subjektiv und somit abstrakt, solange der Autoritätsverlust der Institution bei Gehlen der Tendenz nach eher ein Ursachenphänomen als eine Folgeerscheinung ist. Dadurch wird ihr die fragwürdige Dignität eines soziologischen Transzendetalen zugesprochen. Jene Krise der Erfahrung als Erfahrung der Krise des Humanen scheint zutreffender von O. Marquard beschrieben zu sein, wenn er sie als Mangel an Erfahrung versteht, die das «Dementi der Erwartung durch das Veto der Realität» ist.[56] «Durch die zunehmende Innovationsgeschwindigkeit der modernen Welt wächst zugleich die Veraltungsgeschwindigkeit der Lebenserfahrung; denn durch das steigende Tempo des Wirklichkeitswandels nimmt die Möglichkeit ab, Erfahrungen zu Erwartungen zu stabilisieren und damit für spätere Situationen applikabel und durch neue Erfahrungen enttäuschbar zu machen»[57] Gleichzeitig aber werden die Erwartungshaltungen nicht nur unkontrollierbar und dadurch als Anspruchshaltungen überdimensioniert, wie Marquard richtig feststellt, sondern es stellt sich auch eine Amnäsie positiver Erwartungen ein. Bevor diese als stabilisierte Erfahrungen neue ermöglichen, sind sie schon durch andere, nicht länger stabilisierbare Erfahrungen destabilisiert und müssen dann zu instabilen Erwartungen Anlaß geben. Das Veto der Realität wird dann zu einem Veto der realen Erfahrungen gegen ihre Kontinuierung als integrierbare Positivität.

Die philosophische Anthropologie M. Schelers und H. Plessners kann als Versuch gewertet werden, in dieser Situation die Logoshaftigkeit des Menschen im Sinne einer integrativen Gestalt zu retten. Scheler war sich nicht nur der Bedeutung des «Ressentiments»[58] im Moralischen als einer ständigen Bedrohung der Purifikation des «Idealischen» bewußt, sondern bekannte sich in der Nachfolge W. Diltheys[59] zu der relativistischen Konsequenz jeglicher Historisierung, nämlich zur Typologisierung des Wis-

---

[55] A. Gehlen, Die Seele im technischen Zeitalter, Hamburg 1975, 57.

[56] O. Marquard, Krise der Erwartung – Stunde der Erfahrung. Zur ästhetischen Kompensation des modernen Erfahrungsverlustes, Konstanz 1982, 23.

[57] Ebd. 27. Dazu auch H. Lübbe, Erfahrungsverluste und Kompensationen Zum philosophischen Problem der Erfahrung in der gegenwärtigen Welt, in: H. Lübbe (Hg.), Der Mensch als Orientierungswaise? München 1983, 145–168.

[58] M. Scheler, Das Ressentiment im Aufbau der Moralen, Frankfurt 1978.

[59] W. Dilthey, Die Typen der Weltanschauung und ihre Ausbildung in den metaphysischen Systemen, in: W. Dilthey, Philosophie des Lebens. Eine Auswahl aus seinen Schriften, 81–125, Stuttgart-Göttingen 1961.

sens. So teilte er das Wissen in Herrschafts-, Wesens- und metaphysisches (w)Wissen ein.[60] Trotz dieses Relativismus fand er durch die stufenartige Valorisierung dieser Einteilung das sichere Gerüst für den Aufbau einer philosophischen Anthropologie.

Wie die Titel der drei Hauptwerke der Philosophischen Anthropologie[61] schon andeuten, verfolgten M. Scheler, H. Plessner und A. Gehlen mit sehr unterschiedlicher Akzentuierung das Anliegen, auf der Grenze einer Tradition, welche die Logoshaftigkeit des Menschen zum Eckstein jeglicher Wesensdeutung machte, und einer sich anbahnenden Wende zur Positivität sozialwissenschaftlicher Ausdeutung, den Menschen als Kontinuierung naturhafter Dependenz in geistiger Independenz zu denken. Abgesehen von der Erschütterung dieser Konzeption durch die nachfolgenden, meist Philosophie-abstinenten Humanwissenschaften, wurde Kritik im Lager derjenigen laut, die die Intention der philosophischen Anthropologie zwar teilten, ihre reelle Durchführbarkeit aber bezweifelten und zuweilen sogar – aus anthropologischen Gründen – ablehnten. Aber noch in den nachfolgenden «positiven» Entwürfen stauen sich diejenigen Widersprüche, an denen die Vorgänger zerbrochen waren.

### Schwierigkeiten mit der philosophischen Anthropologie

«Was ist interessanter, als ihn zu beobachten? Was ist schwieriger, als ihn kennenzulernen? Welches Objekt steht uns näher? Wir sehen es, berühren es, wir fühlen es in unserem Innern: dieses Objekt sind wir, und dennoch entzieht sich sein Wesen unserem Geist; es entgeht unserer Intelligenz. Ach! Gerade diese Identität entzieht es der Anschauung. Wir können nur aufgrund der Verschiedenheit von Beziehungen begreifen, und hier gibt es nur Ähnlichkeiten, aber keine Unterschiede zwischen dem Beobachter und dem Untersuchungsobjekt» (Lacépède)[62]

«Viele Erscheinungen unserer Epoche sind nun Signale und Symptome eines nach-industriellen, elektronischen Zeitalters, dessen Probleme wir noch immer mit den Mitteln historischer Erfahrung lösen möchten. Das ist ein beängstigender Irrtum.»[63] (T. Brocher)

Die Diskrepanz zwischen Erfahrung – verstanden als mögliche Verwendung historischer Kompetenzen zur Bewältigung anstehender Aufgaben –

[60] M. Scheler, Philosophische Weltanschauung, Bern 1954, 5–15.

[61] M. Scheler, Die Stellung des Menschen im Kosmos, 1928, München 1978; H. Plessner, Die Stufen des Organischen und der Mensch, Schriften IV, (1928), Frankfurt a.M. 1961; A. Gehlen, Der Mensch. Seine Natur und seine Stellung in der Welt, Wiesbaden 1978.

[62] Lacépède, zitiert bei S. Moravi, Beobachtende Vernunft, Philosophie und Anthropologie in der Aufklärung, München 1973, 61.

[63] Th. Brocher, Sind wir verrückt? Stuttgart 1973, 22.

und ihrer Gegenstandslosigkeit in einer Epoche, worin das technologische dem historischen Bewußtsein davonläuft, ist eine eigenwillige Bestätigung und zugleich Modifizierung dessen, was A. Gehlen «Post-histoire» genannt hat. Nach-Geschichte ist nicht so sehr das «Nach-der-Geschichte», worin Projektionen tendenzieller Überholbarkeit aus strukturellen Gründen gleichsam kristallisieren, sondern vielmehr die Erschöpfung integrativer Vorstellungen räumlicher und zeitlicher Art zur Deutung von Prozessen der Ausschöpfung und Erschöpfung «konservativer» Reserven.

Die historische Erfahrung ist zu langsam, zu provinziell und zu sehr von einer zentripetalen Ausrichtung bestimmt, um die Ausdehnung und Komplexität von Kräften sozialer, psychischer und ökonomischer Art zu meistern. Die fast mechanische Schnelligkeit ausdifferenzierender Prozesse und die retardierenden Quellen weltbildhafter, historischer, individueller und kollektiver Identität werden umgekehrt proportional. Die verschiedenen Formen der Geschichtskonstruktion, seien sie zyklischer, typologischer, linärer oder zirkulärer Verfaßtheit, sind zu undifferenziert geraten, genauso wie ihr Pendant 'Natur', um die Polysemie der Erfahrungen zu umfassen.

Die Kulturanthropologie verschiedenster Provenienz versuchte dem Rechnung zu tragen. W. E. Mühlmann, einer ihrer bedeutendsten Vertreter, hat das Faktum betont, daß die klassischen und christozentrischen Horizonte «entdeckungsgeschichtlich»[64] durch die pluralistischen und relativistischen Kulturperspektiven überschritten seien. Für die Kulturanthropologie typisch ist die Lösung für die an sich richtige Problemindikation: die Vielfalt möglicher Kulturen und Symbolwelten bedinge eine eigentümliche Inversion, insofern die Kulturen als Materialisationen des Symbolverhaltens Rückschlüsse auf die formalen Basalstrukturen erlauben sollen. «Natur ist wesentlich nur ein Potential, Kultur aber ist Manifestation, Kulturanthropologie muß zu Aussagen über das Potential gelangen mit Hilfe der Manifestationen.»[65] Natur ist somit das Gesamt der Konstanten, verstanden als Abstraktionen aus den materiellen Manifestationen. Mehr noch, Kulturanthropologie will «Einblick in das Wesen des Menschen»[66] geben. Die Aufzählung solcher Kulturinvarianzen als Konstanten humaner Natur ist als Anliegen im Sinne einer Dämpfung der Erwartung unbegrenzter Plastizität des Menschen durchaus legitim. Sie scheitert aber an einer von Mühlmann selbst gemachten Beobachtung, die

[64] W. E. Mühlmann, Geschichte der Anthropologie, Bonn 1968.
[65] Ders., Umrisse und Probleme der Kulturanthropologie, W. E. Mühlmann (Hg.), Berlin 1966, 21.
[66] a.a.O. 11.

aber in ihrer Tragweite von ihm nicht ganz erfaßt wird. Er stellt nämlich fest, daß «im Falle der Anthropologie das Objekt der Forschung identisch ist mit dem Subjekt.»[67] Den Invarianzen haftet ein formaler, deskriptiver und sogar restriktiver Charakter an, solange sie die eigentliche Invarianz vernachlässigen: die im Zitat angedeutete, auf der Grenze zwischen Natur und Kultur befindliche *Reflexivität* des Menschen.

Helmut Plessner ist in seinen Bemühungen, die Tragweite anthropologischer Erkenntnisse philosophisch und politisch auszuwerten, zu ähnlichen Schlüssen gekommen. Auch für ihn stellt sich die Aufgabe, die legitime Pluralität geschichtlicher Welten quasi-integrativ auf eine sie zwar stabilisierende, jedoch nicht normierende Natur-Instanz zu beziehen als Bedingung der Möglichkeit der inhaltlichen Ausformung des humanen Potentials. Natur ist dabei das Resultat der in Anlehnung an Bergson verstandenen reflexio als «Rückbiegung des inneren Blicks»[68]. Sie ist die dem Menschen eigentümliche Vitalsphäre, die als menschliche Kondition (exzentrische Postitionalität) die Ausformung menschlichen Verhaltens bedingt: Verdinglichung, Verdrängung, Entkörperlichung, Verkörperlichung in Rollen und Darstellung, in Sprache, in Lachen und Weinen werden von Plessner in der Weise der von ihm geforderten Hermeneutik als «eine Lehre vom Menschen mit Haut und Haaren»[69] analysiert. Die an der Natur interessierte Anthropologie Plessners weiß um den nicht verpflichtenden Charakter der natürlichen Daseinsbasis als solcher und um die behavioristische Restauffassung als «zoologische Abstraktion ohne verpflichtenden Sinn.»[70] Trotzdem soll Natur als Überwindung einer Skepsis fungieren, die in einer Selbsttäuschung jede Autorität auf das Subjekt zurückführte. Erst die radikale Realisierung und Überwindung dieser Skepsis ist es, die für Plessner philosophische Anthropologie heute noch legitimiert. Das Fundament ist aber dezisionistisch und schmal geraten: philosophische Anthropologie sorge dafür, «daß die Destruktion eines angeblich fraglosen Eigenwesens des Menschen die Umkehr in die Entscheidung zur Menschlichkeit erzwingt.»[71] Die Analytik Plessners am Leitfaden des Prinzips «Unergründlichkeit» ist jedoch nicht ohne Scharfsinn: der Begriff «Mensch» impliziere, gerade aus der Erfahrung der

[66] a.a.O. 11.
[67] Umrisse und Probleme, 24.
[68] H. Plessner, Conditio humana, Pfullingen 1972, 18.
[69] Ebd. 22.
[70] H. Plessner, Die Aufgabe der philosophischen Anthropologie, in: Zwischen Philosophie und Gesellschaft, Bern 1953, 120.
[71] Ebd. 127.

Bekämpfung der Humanität, die Übernahme einer besonderen Verantwortung. «Strukturformeln dürfen keinen abschließend-theoretischen, sondern einen aufschließend-exponierenden Wert beanspruchen. Der Mensch, seiner species nach, bildet zwar ihre Leitkategorie, aber nicht zum Zweck einer bloßen Klassifikation, sondern der Sicherung einer Unergründlichkeit.»[72]

Plessner hatte sich die Einsichten des Historismus zu eigen gemacht und wie kein anderer Anthropologe sich die brüskierenden Folgen dieses universalen Relativierungsvorgangs vor Augen geführt. «Der Typus *Mensch* zerfließt im Strom der Geschichte.»[73] Auch die hermeneutische Integration dieser Einsichten, wie sie E. Cassirer vollzog, indem er den Menschen als «animal symbolicum» auffaßte[74], konnte Plessner nicht nachvollziehen. Für Cassirer sind Sprache, Mythos und Kunst[75] symbolische Leistungen, in denen das Subjekt schon immer verschwunden ist und gleichzeitig als neo-kantianische conditio sine qua non beharrend aushält. «Ein derartiges System der Grundfunktion ist ihr gemeinsamer Ursprung, nicht eine verborgene Quelle, der die Funktionen entspringen. Zu einem System fügen sie sich nicht etwa logisch, sondern moralisch, das heißt als Phasen in der fortschreitenden Selbstbefreiung des Menschen im Aufbau einer idealen Welt.»[76] Dagegen sollte einzig Natur als Phänomen der körperlichen Faktizität den Anthropozentrismus überwinden können: die Gesetze der mittelbaren Unmittelbarkeit, des utopischen Standpunkts und der natürlichen Künstlichkeit sind dann ebenso paradox als auch mühelos aus der «exzentrischen Positionalität» ableitbar, die für Plessner gewissermaßen ein Transzendentales ist. Nur diese *funktionale Hermeneutik* sichert dann die Geltung des Prinzips der Unergründlichkeit und schützt den Menschen als Zurechnungssubjekt seiner Welt. «Denn der Begriff des Menschen ist nichts anderes als das Mittel durch welches und in welchem jene wertdemokratische Gleichstellung aller Kulturen in ihrer Rückbeziehung auf einen schöpferischen Lebensgrund vollzogen wird.»[77] Für Plessner ist diese überraschende Einsicht geradezu eine Konsequenz der Humanitätsidee selber.

---

[72] Ebd. 122.
[73] H. Plessner, Immer noch ph.A., in: Diesseits der Utopie, Frankfurt a.M. 1973, 234.
[74] E. Cassirer, Was ist der Mensch? Stuttgart 1960, 46.
[75] E. Cassirer, Philosophie der symbolischen Formen, Darmstadt 1975.
[76] Ebd. 277.
[77] H. Plessner, Macht und menschliche Natur. Ein Versuch zur Anthropologie der geschichtlichen Weltansicht, in: Zwischen Philosophie und Gesellschaft, Bern 1953, 241–318, 278.

Die strukturelle Einheit *Mensch* bietet die Gewähr dafür, daß die Kategorien immer als Sinngesetze sozialen Lebens einsehbar und korrelierbar bleiben, so daß die relativierende Kraft menschlicher Selbstentdeckung dadurch eingegrenzt wird. In der Schrift *Conditio humana* wird die Apriorität bzw. Wesenserkenntnis als lebenssichernder Trug bezeichnet. Dabei enthält der Naturbegriff allerdings eine latent resignative Komponente. Durch «Natur» nämlich ist dem Menschen «die Wunde des Selbstbewußtseins geschlagen».[78]

Plessner hatte in dem Aufsatz *Die Emanzipation der Macht* das Offenheitspostulat der Anthropologie ausdrücklich mit einem Bekenntnis zur Gesellschaft westlich-demokratischen Types verbunden. Während M. Buhr, schlichte politische Verdächtigung praktizierend, behauptet, die philosophische Anthropologie sei «von der Absicht getragen, von der Problematik der gegebenen, d.i. kapitalistischen Gesellschaft in ihrem imperialistischen Stadium abzulenken»[79], hatte J. Ritter schon 1933, der Sache nach differenzierter und begründeter, die Vermutung geäußert, daß mit der philosophischen Anthropologie eine neue Metaphysik des Menschen eingeleitet werden könnte.[80] M. Horkheimer betonte die in ihr liegende Gefahr, historische Konzeptionen zu verabsolutieren und ihre strategisch-politischen Konsequenzen zu vernachlässigen, wenn nicht sogar ausdrücklich zu verewigen.[81] Charles Taylor wies auf die «Intuitionslücke» hin, die nach ihm die andere Seite des hermeneutischen Zirkels ausmacht. Gerade die hermeneutischen Wissenschaften, die über die Fakten als data bruta hinausgehen, sollen um jene Konsequenz dieser Verstehensfigur wissen, die von einer Differenz bzw. Uneinholbarkeit konstitutiver Art des Menschen sich selbst gegenüber ausgeht. Sie bedingt, daß der hermeneutische Zirkel sich als infiniter Kreis dreht und keine Figur darstellt, die eine «Horizontverschmelzung» (Gadamer) geschichtlicher Selbstauslegung prinzipiell zuläßt. «Veränderungen der Selbst-Definition des Menschen bedingen Veränderungen dessen, was der Mensch ist, und folglich muß er anders verstanden werden. Aber die begrifflichen Mutationen im Lauf der menschlichen Geschichte können ... Begriffsnetze her-

---

[78] Conditio humana, Pfullingen 1972, 15.

[79] Artikel Anthropologie, Philos. Wörterb. Bd. I, Leipzig 1974, 18–35, 83.

[80] J. Ritter, Über den Sinn und die Grenze der Lehre vom Menschen, München 1933.

[81] «Nach ihr (der kritischen Theorie der Gesellschaft; J.-P. Wils) entwickelt sich freilich sowohl das Aussprechen der nächsten als auch die Vorstellung der ferneren Ziele in durchgehendem Zusammenhang mit der Erkenntnis, und doch begründet diese keinen Sinn und keine ewige Bestimmung. In die Zielvorstellungen des Menschen gehen vielmehr ihre jeweiligen Bedürfnisse ein, die keine Schau zum Grunde, sondern eher die Not zur Ursache haben». Bemerkungen zur ph. Anthr., in: Kritische Theorie, Frankfurt a.M. 1968, 200–228, 206.

vorbringen, die inkommensurabel sind, d.h. innerhalb deren die Begriffe nicht in bezug auf ein allgemeines Ausdrucksstratum definiert werden können.»[82]

O. Marquard, der die Funktionen der Geschichtsphilosophie und ihrer Substraktionsgestalten begriffsgeschichtlich expliziert hat, nennt auch die Anthropologie eine solche Gestalt. Für ihn ist sie Abkehr von der traditionellen Schulmetaphysik und der mathematischen Naturwissenschaft und eine Wende zur Lebenswelt.[83] «Die Geschichte erscheint erneut als derart aussichtslos, daß einzig noch die radikale Nichtgeschichte, die Natur, als solider oder wenigstens praktikabeler Bezugspunkt übrigbleibt.»[84] Dabei lasse das Mißlingen tragfähiger anthropologischer Konzeptionen wiederum den «Menschen» geschichtsphilosophisch und teleologisch, im Sinne einer Flucht nach vorne, thematisieren. Die Historizität als das Refugium eines «transzendentalen Humanismus» (Lévi-Strauß) und die natürliche Daseinsbasis als Refugium eines Kerns der Unbezweifelbarkeit nach dem Zusammenbruch des historischen Refugiums, durch ihr programmiertes Scheitern das Programm der Geschichtsphilosophie wiederum provozierend, bedingen sich für Marquard dann nur noch gegenseitig und halten sich wechselseitig am Leben. Die Suche nach dem begrifflichen und funktionalen Ort der Anthropologie schärft hier den Blick für die historische Perspektivität ihres Existenzgrundes und für die metaanthroplogischen Desiderate, die sie ins Leben ruft. Diese Sache kann aber nur den Sinn des Skeptikers befriedigen, der die Tugend der Enthaltsamkeit (epoché) übt, ohne die Möglichkeit einer *skeptischen* Anthropologie zu erwägen. Diese müßte sowohl den Standort analytisch und ideologiekritisch motivierter Abstinenz gegenüber jeglicher Konzeptualisierung (mit der Folge der beliebigen Besetzung der Leerstelle seitens anderer), als auch die vorschnelle Überhöhung von *positiven*, aber durchaus fragmentarischen Einsichten in die pluriformen Modi humaner Existenz in *Wesensaussagen* vermeiden.

Dagegen gibt es zahlreiche Versuche, die Lehre vom Menschen zu rehabilitieren und zwar zum Teil als normative Disziplin. Für H.E. Hengstenberg situiert sich die Domäne der Humanität auf der Ebene der Sachlichkeit. Die Anthropologie ist demnach keine Theorie der Gattung, son-

---

[82] Ch. Taylor, Interpretation und die Wissenschaften vom Menschen, in: Ders., Erklärung und Interpretation in den Wissenschaften vom Menschen, Frankfurt a.M. 1975, 216.
[83] O. Marquard, Zur Geschichte des philosophischen Begriffs «Anthropologie» seit dem Ende des 18. Jahrhunderts, in: Ders., Schwierigkeiten mit der Geschichtsphilosophie, Frankfurt 1982, 124.
[84] Ebd. 135.

dern tritt mit dem Anspruch auf, das Individuum mittels der Erhebung «positiven» Wissens über sich selbst gegen eine Transformation in ein «Bewußtsein überhaupt» zu schützen. Es soll stattdessen in eine existenzielle Krise geführt werden. «Denn die anthropologische Aussage dieses Subjekts ist eine Aussage zugleich über sich selbst. Handelt es sich also um eine Aussage, die so ist, daß ihre Leugnung das vorverstandene humanum selbst aufhebt, so bringt sich das Subjekt bei dieser Leugnung zur existenziellen Selbstaufhebung und nicht bloß zu einer methodischen Einklammerung.»[85]

Abgesehen von der Zirkularität mancher Aussagen Hengstenbergs[86] übersieht er den selbstkritischen und als solchen transzendentalen Status seiner Behauptung der Selbstbezogenheit der anthropologischen Aussage schlechthin. Es ist nicht diese «Sachlichkeit», die eine mögliche Selbstaufhebung motivieren könnte, *sondern die Lückenhaftigkeit (Taylor) der Selbstdefinitionen des Menschen, die den «blinden Fleck» im Selbstbezug ausmacht und gerade dadurch der evidenten Selbstbeziehung schon immer zuvorgekommen ist.* Die Selbstbezüglichkeit anthropologischer Sätze ist kein normativer Zusatz, der das im tautologischen Wesensmerkmal scheinbar verbindlich Definierte nochmals potenziert, sondern die Quelle für den Verbindlichkeitscharakter jeglicher Anthropologie. Sie ist der transzendental und strategisch relevante Ort der kritischen Rückbeziehung und Funktionalisierung der jeweiligen Einsichten. Die Tradition nannte diesen Vorgang «*Selbstreflexion*». Es ändert dann auch gar nichts, wenn Hengstenberg die Einheit des Menschenbildes behauptet: «Es läßt sich kaum die Behauptung entkräften, daß es so etwas wie ein verbindliches Menschenbild geben muß.»[87] Schließlich muß eine solche Auffassung den Sinn kerygmatischer Ersatzgebilde annehmen. «Die gesellschaftliche Verantwortung der philosophischen Anthropologie besteht nicht in ihrer Forschung und dem sachgerechten Gang ihrer Forschung – hier ist sie einzig ihrem Gegenstande selbst verantwortlich – sondern in der Lehre und der zeitgemäßen *Verkündigung* ihrer zweckfrei gewonnenen Einsichten.»[88]

[85] H. E. Hengstenberg, Die Frage nach verbindlichen Aussagen in der ph. Anthr., Versuch einer Anthr. der Sachlichkeit, in: Philosophische Anthropologie heute, (Hg.) R. Rocek, München 1974, 65–83.
[86] «Eine Leugnung der Sachlichkeit hätte eine gedankliche Dehumanisierung der menschlichen Erkenntnis zur Folge». Ebd. 68.
[87] Ebd. 83.
[88] Die gesellschaftliche Verantwortung der Anthropologie, a.a.O. 183–199, 184.

W. Kamlah hat eine sprachkritische Rekonstruktion der Anthropologie durchgeführt und dafür die Quellen der Lebenserfahrung und der Umgangssprache verwendet. Dieser zweifache Ursprung führt bei ihm zu einer traditionskritischen Begriffsexplikation: «Handeln» wird verstanden als ein Tun, das auf widerfahrene Situationen antwortet, die vom Menschen als Anlässe für bestimmte Tätigkeiten gesehen werden, nämlich sprachlich typisiert und pragmatisch aufgefaßt werden. Aus der prinzipiellen Bedürftigkeit menschlichen Seins wird die transzendental-pragmatische Metanorm der dialogischen Gegenseitigkeit im Sinne der Teilhabe an einer Rede- und virtuellen Handlungsgemeinschaft statuiert und daraus die Grundnorm abgeleitet: «Beachte, daß die Anderen bedürftige Menschen sind wie du selbst, und handle demgemäß.»[89] Diese auch von D. Böhler[90] und E. König[91] vertretene Konzeption versucht dem Rechnung zu tragen, was G. Knapp die improvisorische und «uneinheitliche Verfassung des antimetaphysischen Menschen»[92] nennt. Die rekursive und auf Anerkennung beruhende Art dieses Basisprinzips ist sowohl der Grund für den pragmatisch und insofern normaffinen Charakter anthropologischer Sätze als auch Garantie der Unabgeschlossenheit der Intention menschlichen Handelns. Die Modellhaftigkeit deutender Menschenbilder ist als Korrelat einer «Erkenntnis in Konstellationen» (Th. W. Adorno) immer zugleich Ausdruck der prospektiv und experientiell gemeinten Leitbilder gelungenen Lebens, sie ist Resultat der retrospektiv gewonnenen Formen gescheiterter und bewährter Praxis und ist Indiz für die Nicht-Identität menschlicher Selbstverhältnisse.[93] Das bedeutet jedoch nicht, daß das Detail einer ständigen Revidierbarkeit unterliegt und es infolgedessen keine nicht-hintergehbaren Einsichten gäbe. Diese Beobachtung impliziert nur, daß das hermeneutische Konstrukt, welches das Menschen-Bild stets darstellt, prekär und vorläufig ist.

Michael Landmann gehört zu denjenigen, die eine selbstkritische Grundlegung einer Anthropologie in Angriff genommen haben, die mehr sein soll als eine in bezug auf die Resultate der Einzelwissenschaften «reaktive» Disziplin (J. Habermas)[94]. Er ist sich der Schwierigkeit bewußt, das Ungegenständlichste aller Gegenstände auf den Begriff bringen zu wollen.

[89] W. Kamlah, Philosophische Anthropologie, Mannheim/Wien/Zürich 1973.
[90] D. Böhler, ζῷον λόγον ἔχον – ζῷον κοινόν, Sprachkritische Rehabilitierung der Ph. Anthr., in: Vernünftiges Denken. Studien zur praktischen Philosophie und Wissenschaftstheorie. W. Kamlah zum Gedächtnis, J. Mittelstraß und M. Riedel (Hg.), Berlin-New York 1978, 342–474.
[91] E. König, Ist die philosophische Anthropologie tot? in: a.a.O. 329–341.
[92] G. Knapp, Der antimetaphysische Mensch, Stuttgart 1973.
[93] Dort ausführlich: U. Guzonni, Identität oder nicht, München 1976.
[94] J. Habermas, «Anthropologie», in: Fischer Lexikon Philosophie 1958, 18–35.

In *Das Ende des Individuums* hat Landmann das leitende Motiv seines Forschens ebenso unillusorisch als auch resignativ formuliert: «Vernunft, die das Individuum gegen die Tradition mächtig werden ließ, entmachtete es so wieder dadurch, daß es heute aufgehört hat, das Subjekt der Vernunft zu sein. Ihr Subjekt ist ein anonymes geworden. Individualität steht, wo es um den Gewinn neuer Wahrheit geht, nicht mehr in der vordersten Front ... das Individuum erstirbt an der bloßen Schuld seines Seins... der Mensch als initiatives Zentrum war eine Erfindung des 18. Jahrhunderts, er existiert gar nicht.»[95]

Die Diagnostik dieser Benennung deutet den kulturanthropologischen Standort Landmanns an: der «deus – sive – natura – Standpunkt» ist für ihn nur die positive oder negative Extrapolation einer Sehnsucht, Freiheit und Schicksal zugunsten einer Notwendigkeit von Innen (Natur) oder einer Unberührbarkeit durch das Außen (Transzendenz) abzustreifen. Nur die Kultur ist dann dasjenige Gebilde, das «der Schwere unserer Seinsform»[96] entspricht und keine Atavismen transzendenter oder biologistischer Provenienz toleriert. Landmann verdeutlicht die Metapher mit Topoi wie «animal quaerens, creans»[97] oder «Lücke der Freiheit»[98]. Er intendiert damit die Konstruktion einer einzigen formalen Konstante, die eine «formale» Anthropologie als geometrischen Ort sich ablösender Menschenbilder und als einzigen Bezugspunkt einer «Polymorphie der Richtigkeiten»[99] ermöglichen müßte. «Daß der Mensch aber überhaupt aus einer letzten Amorphheit heraus sich immer selbst das Gesicht geben darf und muß, dieses Ineinander von Undurchbildetheit, Bildsamkeit und Auftrag des Sichbildens erweist sich nun eben doch als ein sich durch allen Wandel perennierend durchhaltendes Anthropinon.»[100] Wesensaussagen wertet Landmann dann auch als «platonische Fiktionen»[101], die sich gegen die emotional unbelastete Einsicht zur Wehr setzen, daß «die Idee in sich selbst gespalten ist und daß es gilt, diese Gespaltenheit als ein Letztes hinzunehmen und zu ertragen.»[102] Sie verewigen den «habituellen kulturphilosophischen Irrtum.»[103] Die strukturelle Eigenart des Anthropos ist also in seiner Disposition zu suchen, der Form einen stets wechselnden, selbst-

---

[95] M. Landmann, Das Ende des Individuums, Stuttgart 1971, 117ff.
[96] a.a.O. 72.
[97] Der Mensch als Schöpfer und Geschöpf der Kultur, München/Basel 1961, 54.
[98] Ebd. 55 und: Philosophische Anthropologie. Menschliche Selbstdeutung in Geschichte und Gegenwart, Berlin 1955, 223.
[99] Der Mensch als Schöpfer, a.a.O. 67.   [100] Ebd. 253.
[101] Der Mensch als Schöpfer, a.a.O. 62.
[102] Pluralität und Antinomie, Kulturelle Grundlagen seelischer Konflikte, München/Basel 1963, 202.
[103] Ebd. 68.

bestimmten Inhalt zu geben. Leitbilder müssen demnach betrachtet werden als Resultate kulturspezifischen Entscheidens, welche die Anthropologie nur fort-schreibend thematisch machen kann. Kultur ist dann ein genetisches Konstrukt, welches das ihr kongruente Menschenwesen bildhaft transkribiert und durch Anthropologie als ein Transzendentales ermittelt wird. Sie kann insofern als formale Bedingung und A-priori-Leistung des Menschen verstanden werden. Die Kulturkompetenz ist für Landmann die Umschreibung der creatura creatrix, die der Mensch ist. Sie ist zugleich seine ihm eigene Fähigkeit, den «Bann der Menschenbilder»[104] zu brechen. Gerade deshalb aber bleibt der Mensch hier auf Vorbilder angewiesen, um eine lebensgeschichtliche und motivierende Verankerung seines Kulturschaffens zu finden. «Weil der Mensch Inhalt und Richtung seines Lebens wählen muß, deshalb bedarf er eines Vor-bildes seines selbst, das ihn bei der Wahl leitet. Dieses Vorbild pflegt aber nicht willkürlich gewählt, sondern im Erkenntnisbild verankert zu sein, oder vielmehr: das vorgebliche Erkenntnisbild ist insgeheim an einem Vorbild abgeformt. Was der Mensch für sein Sein hält, von da aus richtet sich zugleich die Forderung eines Sollens an ihn.»[105] Die Betonung liegt jedoch auf der Revidierbarkeit und Ablösbarkeit von inhaltlichen Präfigurationen. Vorläufigkeit bringt die Dignität des Menschen erst angemessen zum Ausdruck. Die bei Kant einsetzende Formalisierung der obersten Bedingungen praktisch entwerfender Vernunft als neuzeitliche Variante der Begründbarkeit menschlicher Würde findet bei Landmann eine konsequente Weiterformulierung in seiner beharrlichen Ablehnung, inhaltliche Kriterien anzugeben, die eine reale Homologie des Menschlichen überhaupt zu begründen vermöchten.

D. Claessens hat in seiner frühen Arbeit *Instinkt, Psyche, Geltung*[106] versucht, den Instinktbegriff durch Formalisierung vor seiner endgültigen Auflösung in Kontexten der Humanwissenschaften zu retten. Dadurch soll im Rahmen «zweiter Aufklärung» eine « gezügelte Spekulation» entlassen werden, die sich in Denkmodellen die prinzipielle Beschränktheit des Menschen bewußt machen muß. Entgegen ihrer Auflösung in Theoreme unbegrenzter Plastizität des Menschen sollten Verhaltensdeterminationen ausfindig gemacht werden als «jene strukturierten und strukturierenden Kräfte, durch die es zu Verhalten und Handeln kommt und durch

---

[104] Pluralität und Antinomie, a.a.O. 32.
[105] Ders., Fundamentalanthropologie, a.a.O. 41.
[106] Köln-Opladen 1968.

57

die etwas möglich und dann wirklich wird.»[107] Dadurch käme eine Sichtweise zustande, wodurch der «Instinkt aufgetrennt wird in seine inhaltliche Bestimmtheit, die die konkrete und spezielle Anpassung gewährleistet, und in seine diffuse formale Bestimmtheit, die den Rahmen für das Funktionieren geordneten Verhaltens erst abgibt.»[108] Auch hier wäre die Besinnung auf eine weiter nicht abstrahierbare Natur, als die formale Schatzkammer potentieller Anpassungsleistungen, Voraussetzung für die Bewältigung dessen, was Claessens in *Das Konkrete und das Abstrakte*[109] die «Emanzipation des Abstrakten»[110] und den «analytischen Mythos»[111] genannt hat. Wenn Kultur als eine Reduktion von Ungewißheit durch Steigerung von Komplexität aufgefaßt wird – und diese Auffassung teilt Claessens mit Luhmann –, dann kann sie nur dann als gerichtete Steigerung verstanden werden, wenn sie sich «an uralten Erlebnisformen»[112] orientiert. Diese Erlebnisformen bezeichnen einen Fundus an evolutionärer Klugheit und konservativen Reserven, die eine pragmatische Integration neuer Kulturentwürfe und innovativer Erlebnis- und Perzeptionsschemata gewährleisten. Käme nun noch die «Verdopplung durch Bedeutung» hinzu, als die Legitimationsform symbolischer Integration, dann wäre das dreifache Sammelbecken von konkret-sinnlicher Antriebskraft (evolutionärer Klugheit), institutioneller und traditioneller Verhaltensregulation (konservativen Reserven) und Weltdeutung auch heute noch eine hinreichende Bedingung zur Stabilisierung der Zukunft. Die These Claessens lautet aber, daß die archaischen und mit Ausläufern bis in die Gegenwart sich haltenden synthetischen Fähigkeiten des Menschen zunehmend verkümmern und stattdessen auf bewußte Rekonstruktionen und reflexive Projektionen umgemünzt worden sind. Dieses *unnatürliche* und historisch nicht motivierte Rekonstruktionsverhalten stelle in seiner Abstraktheit eine Überforderung dar, weil sämtliche vergangenen Rekonstruktionsweisen wenigstens an lebensweltlich verankerten Selbstauslegungen anknüpfen konnten. «Angesichts des erosionshaften Verschleißes von konservativen Reserven und der gleichzeitigen spürbaren Erschlaffung synthetischer Möglichkeiten wurde das Thema des 19. Jahrhunderts bereits *die Angst*, d.h. das existentiell beklemmende Gefühl der Furcht vor einer prinzipiellen Unfähigkeit, aus analytischer, d.h. aufgelöster Wirklichkeit noch lebendige Wirklichkeit und überzeugenden, identitätserhal-

---

[107] Ebd. 16.          [108] Ebd.
[109] Das Konkrete und das Abstrakte. Soziologische Skizzen zur Anthropologie, Frankfurt a.M. 1980.
[110] Ebd. 310.          [111] Ebd. 308.          [112] Ebd. 314.

tenden und identitätsstiftenden Sinn zu erschließen.»[113] Obwohl diese These trotz ihrer eigenen Abstraktheit nicht unplausibel ist, müssen Zweifel angemeldet werden an Claessens Vorschlägen in seiner Schrift *Nova natura.*[114] «Neue Natur heißt es, nicht *Nova Cultura, weil der Mensch es sich jetzt leisten kann, sich als Naturwesen zu akzeptieren... Er weiß, daß er den alten, schützenden Stolz fallen lassen kann,* daß Natur ihn hat – weil er sie hat... Distanzieren wird nun ein bewußter Akt, kein Vollzug eines phylogenetischen Auftrages, aber Weitertreiben einer Chance, im Zulassen des Unbewußten, der Vergangenheit mit ihren Schrullen, der Infantilität und Skurrilität, wird aktive Toleranz, Zurücknahme des feinlichen Anspruchs, der doch nur immer Unterdrückung war. Der Mensch kann entscheiden, womit er sich befreunden soll.»[115]

Abgesehen von der contradictio in terminis, die der Begriff ungewollt enthält, ist der Rekurs auf eine neue Natur selber nur die Vergegenständlichung einer zur Natur deklarierten kulturellen Analyse und eine Ersatzbildung für einen nicht länger existierenden Konsens bezüglich des Menschenwesen. Daß «gesellige gegenseitige Unterstützung einen hohen Gebrauchwert hat, d.h. unmittelbar Sinnproduzentin ist»[116], erinnert doch allzusehr an münchhausensche Rettungsversuche, als daß sie vergangene und gegenwärtige Erfahrungskomplexität institutionalisieren könnte. Aus der Not macht Claessens somit eine Tugend, statt sich zu fragen, ob es keine «anthropologisch» fundierbare Möglichkeit gibt, sowohl der phylogenetischen Auszehrung überholbarer Deutungsformeln Rechnung zu tragen, als auch die quasi-transzendentale Ursache dieses Verlustes, nämlich *die Selbstreflexion* des Menschen, gerade im Kontext zunehmender Formalisierung anthropologischer Problematiken zu thematisieren.

Für W. Lepenies bestimmt sich die Aufgabe soziologischer Anthropologie in der Suche nach «offenkundigen oder kaschierten anthropologischen Voraussetzungen soziologischer Partialtheorien und dem Nachweis der soziologischen Determiniertheit anthropologischer Theorien.»[117] Ideologische Usurpation anthropologischer Theoreme läßt sich nach Lepenies nur dann verhindern, wenn Skepsis die Grundeinstellung

[113] Ebd. 317.
[114] Ders., Nova natura, Anthropologische Grundlagen modernen Denkens, Düsseldorf/Köln 1980.
[115] Ebd. 96.
[116] Das Konkrete und das Abstrakte, a.a.O. 318.
[117] W. Lepenies, Soziologische Anthropologie, München 1977, 14. Dazu auch: W. Lepenies/H. Nolte, Kritik der Anthropologie, München 1972, 9.

anthropologischer Forschung ist.[118] Er fordert daher die radikale Berücksichtigung des Menschen als Produkt der Natur im Rahmen einer Gesellschaftstheorie, so daß die Achse Natur – Gesellschaft theoretisch unentschieden bleiben muß. Anthropologie als «szientifischer Reflex der bürgerlichen Revolutionen»[119] ist somit zur Verifikation ihrer Aussagen auf Praxis verwiesen als Vorrang pragmatologischer Überprüfung vor nomologischen Verallgemeinerungen, so daß «zur Theorie Praxis noch als theoretisches Moment gehört und Theorie nur praktisch abgeschlossen werden kann, daß Theorie blockiert wird, wenn sie sich ihrer Folgen nicht in der Praxis versichert.»[120] Das anthropologisch Mögliche ist also auf praktische Erprobung angewiesen. Im praktischen Vorgriff müssen anthropologische Aussagen sich entgegen Versuchen ihrer ontologischen Versicherung oder ihrer eschatologischen Entsicherung bewähren, um ihr Utopiequantum realistisch zu ermessen.

Der Zusammenhang zwischen Skepsis und experimenteller Verifikation wird nun zwar deutlich als Postulat, entbehrt aber bei Lepenies jeglicher Präzisierung hinsichtlich des theoretischen oder praktischen Charakters der praktischen Verifikation selber[121], also hinsichtlich der Art der Überprüfbarkeit der Implikate integrativer Menschenbilder. Lepenies selber neigt zu der Priorität theoretischer Kriterien praktischer Verifikation. Allerdings bleibt diese kritische Fundierung noch als Konstrukt stehen. Er weist selber darauf hin, daß sie die Begründung ihrer emanzipatorischen Prinzipien noch nicht leisten kann: «Sie verfügt nur über das Bewußtsein, sich über diese Präzision Klarheit verschaffen zu müssen.»[122] Mit dieser Klarheit steht oder fällt aber dieses Konzept.

Wenn Anthropologie allerdings sich selber Relevanz beimißt, muß sie demnach eine detailliert sozio-ökonomische Analyse der jeweiligen Gegenwart gewinnen, so daß sie hiermit wenigstens ihre experimentellen Anweisungen und zugleich die sie leitenden Kontrollprinzipien ausformulieren kann. Aber auch hier wird die latente Unbegründetheit der Kriterien offenkundig: «Die eigentliche Schwierigkeit liegt darin, zu ent-

---

[118] Lepenies zitiert Szczesny zustimmend in *Zur Aktualität der Anthropologie*, in: G.Marlis (Hg.), Zur Zukunft der Philosophie, München 1975, 145: «Sich ganz als den darzustellen, der er ist, kann der Mensch gerade nur dann, wenn die gesellschaftlichen Einrichtungen die Widersprüchlichkeit und auch Rätselhaftigkeit seiner Natur ausdrücklich in Rechnung stellen».

[119] W. Lepenies, Soziologische Anthropologie, München 1977.

[120] Experimentelle Anthropologie und emanzipatorische Praxis, Überlegungen zu Marx und Freud, in: Kritik der Anthropologie, München 1971, 16.

[121] Ebd. 27.

[122] Soziologische Anthr., a.a.O. 50.

scheiden, welche Kosten das Experiment verursachen darf und wie es nach seinem Erfolg zu beurteilen ist.»[123]

D. Kamper hat in seinem Buch *Geschichte der menschlichen Natur*[124] das Desiderat einer «epistemologischen» Grundlegung aufgegriffen und durch den Begriff *Differenz* die transzendentale Leerstelle «Mensch» designiert. Auch für ihn ist der in den bürgerlichen Revolutionen beheimatete Allgemeinbegriff einer «conditio humana» gescheitert und somit die Möglichkeit universaler Menschenbilder endgültig dahin. Die Verfassung des neuzeitlichen Menschentypus wird dann auch als tendenzielle Reflexionslosigkeit eines Individuums charakterisiert, das seine Individualität an die Mechanismen seiner Befreiung zu verlieren droht. Die «bürgerliche» Anthropologie wird verstanden als undifferenzierte Apologie des isolierten Menschen, der seine Welt denkend bewältigt.[125]

*Die Bedeutung des Ansatzes von Kamper liegt nun darin, daß er nicht nur, um die vergegenständlichende Wesensfrage zu vermeiden, auf die prinzipielle und reflexive Vermitteltheit des Menschen mit sich selbst rekurriert, sondern diese Einsicht methodologisch[126] auf die Anthropologie als Disziplin bezieht und somit die Aporien der von uns kurz skizzierten Konzepte vermeidet.*

«Eine Erkenntnis, die auf Verfügung aus ist, unterläuft, meist unbeabsichtigt, eine Deformation ihres Objektes auf Eindeutigkeit hin, insofern jeglicher Widerspruch die Verfügbarkeit beeinträchtigen würde. Im Falle des Menschen hat das eine verhängnisvolle Wirkung, weil hier das reflexive Selbstverständnis unabdingbar mit Freiheit korrespondiert. Anthropologie, die ihr Problem lediglich bewältigen will, verfehlt es nicht nur, sondern verändert auch den Menschen. Das liegt daran, daß Freiheit unter jeder Form von Bewältigung, auch der theoretischen, verschwindet, was wieder auf die genannte Reflexivität des menschlichen Selbstverständnisses, zu der Anthropologie nolens volens gehört, zurückwirkt. Mit der Vernichtung der *Reflexivität* vernichtet eine objektivierende Anthropologie sich selbst.»[127] Kamper zieht daraus die Konsequenz, daß die auf posi-

---

[123] Ebd. 127.
[124] D. Kamper, Geschichte der menschlichen Natur. Die Tragweite gegenwärtiger Anthropologiekritik, München 1973.
[125] Ebd. 17f.
[126] «Die Frage nach dem Menschen wäre so zu erweitern, daß das historische Faktum Anthropologie für die Anthropologie selbst ins Gewicht fällt... Was nämlich in einer ungeschichtlichen Erörterung von Geschichte und menschlicher Natur jederzeit verstellt wird, das ist die historische Qualität der Erörterung selbst». Ebd. 15.
[127] Ebd. 33.

tives Wissen drängende Anthropologie der eigentliche Grund der Verunsicherung ist. Die Diskrepanz zwischen Idealbild und Realgehalt ist nicht nur nicht überbrückbar, sondern wird darüber hinaus als bedrückende Feststellung und Festschreibung erfahren, sobald die Rahmenbedingungen des Idealbildes sich ändern und von diesen jene Anpassungsleistung erwartet wird, die das Realbild als bloße Adäquationsleistung schon immer zu vollbringen hatte. Das dadurch nicht überflüssige positive Wissen muß sich demnach an jene Reflexivität anlehnen, deren Frucht als *gesicherte Unsicherheit* umschrieben werden könnte und in dieser Eigenschaft punktuelles Fortschreiten erlauben würde.

Hierbei ist der Umstand wichtig, daß die Geschichtlichkeit der Reflexivität in die methodenkritische Überlegung eingeholt wird, so daß das Faktum der Identität des Objektes der Anthropologie mit dem Subjekt des Anthropologisierens in die Struktur der Methode als *erschließende Differenz* eingeht.

Der Grund dieser Differenz, die schon als Unentschiedenheit des Verhältnisses von Natur und Kultur deutlich wurde, wird in der Anthropologie faktisch evident, weil der Gegenstand der Anthropologie sich selber zum Gegenstand macht. «Das Problem des Menschen, seine verdeckte Reflexivität, geht darauf zurück, daß es bis heute theoretisch nicht möglich war, den Menschen als Problem offenzuhalten. Selbst jene humanwissenschaftlichen Ansätze, die von der menschlichen Offenheit und Nicht-Festgestelltheit ausdrücklich handeln, konnten nicht umhin, eine schlüssige Theorie dieser Offenheit zu erarbeiten und die Nicht-Festgestelltheit definitorisch *festzustellen*. Ein Begriff vom Menschen, der die Unmöglichkeit eines Begriffs vom Menschen begrifflich nachweist, steht noch aus. Dies genau wäre der Inhalt der anthropologischen Differenz.»[128]

*Die Differenz* ist also Ausdruck der Deckungsgleichheit der Pole humanwissenschaftlichen Denkens und Andeutung der grundsätzlichen Trübung und Nicht-Evidenz des menschlichen Selbstverhältnisses. «Natur» ist nur eine Abbreviatur dieses Faktums. *Reflexivität* ist somit nicht nur eine Frage des Inhaltes anthropologischer Theorie, sondern über die theoretische Schlüssigkeit behaupteter Unabgeschlossenheit humaner Selbstdeutung hinaus muß sie als *transzendentales Postulat der Theoriebildung selbst* begriffen werden. In der Weise ihres Formulierens, in der Betrachtung ihres Gegenstandes, in der Konfiguration von Teilaspekten, in der hermeneutischen Erfassung ihres Objekts und in der

---

[128] Ebd. 26.

politisch-strategischen Deutung der Funktionen ihrer Implikate,muß eine anthropologische Theorie der Differenz als Ende aller Menschenbilder Rechnung tragen. Es muß jedoch an Kamper die Frage gestellt werden, ob diese «Differenz» nicht mit der Tendenz der Anthropologie zu einer abschließbaren Konzeptionalisierung ihres Gegenstandes kollidieren muß, wenn *das Phänomen der Reflexivität bzw. der Subjektivität* in seiner Transzendentalität nicht umfassender behandelt wird. Solange bleibt die Forderung einer konstitutiven «Differenz» postulatorisch und schal. Die für jede Anthropologie wesentliche Aporetik der Uneinholbarkeit und Verzögerungsstruktur des Selbstverhältnisses der re-flectio, welche die Theoreme «Natur» bzw. «Kultur» als Versuche einer formalen Erklärung des Mehr an Evidenz oder des Weniger an Evidenz auf den Plan rief, besteht nicht zuletzt in jener Subjekt-Objekt-Identität, die *das Bewußt-seinstheorem einer jeden Subjektivitätsphilosophie betrifft.* Während im Bereich des französischen Strukturalismus und Poststrukuralismus (vor allem bei J. Lacan und J. Derrida) eine zunehmende Thematisierung von Fragen der Subjektkonstitution und deren konstitutiver Strukturation zu beobachten ist, wird uns erst die problemorientierte Lektüre von Texten der neuzeitlichen Subjektivitätsphilosophie, gewissermaßen in Anleh-nung an Fragestellungen und Aporetiken des Strukturalismus, über die theoretische und praktische Frage der Schwierigkeit einer kohärenten Fas-sung menschlicher Selbstverhältnisse eine nähere Auskunft geben.

# II. Vorbegriffe des strukturalen Denkens

§ 1  Abriß der philosophischen Zeichenlehre bis zur Konstitution
der Linguistik als wissenschaftlicher Disziplin:
von Heraklit zu de Courtenay

Es gibt eine zwar wechselnd intensive, aber doch permanente und zum
Teil extensive Bezugnahme der Philosophie auf semiotische[1] Theoreme.
Sie ist nicht zufällig: zwar läßt sich Sprache als *ausgedrückte Bedeutung*,
der Distinktion von *wahr* und *falsch* bzw. *existent* und *inexistent* noch vorgängig, als semantische Auslese (logos) des Seins (als generell Bezeichnetes), als ordnende Vertretung der Welt in einem strikt vor-apophantischen
Sinne[2], als *Protoontologie*[3] oder als *prä-rationale Funktion*[4] verstehen,
zugleich aber verdichtet sich das genuin epistemologische Interesse stets
in Reflexionen auf den Zeichenbegriff selber. Denn vorausgesetzt, daß
sogar das perzeptive Signifikat unseres Selbst- und Weltbezugs immer ein
Resultat semiotischer Prozesse ist und die Erfassung dieses doppelten
Bezugs ein zeichenhaftes Konstrukt als Folge einer *unbegrenzten Semiose*
(U. Eco) darstellt, muß die Philosophie als Problematisierung der epistemologischen Erfahrung zu der Thematisierung der sie ausdruckshaft er-

---

[1] «Semiotik oder Zeichenlehre ... ist die allgemeine Lehre von Zeichen, wie sie im Zusammenhang
mit der Logik und Ontologie bzw. Erkenntnistheorie seit Plotin eine wichtige Disziplin der Philosophie ist.» Wörterbuch der Semiotik, Hg. M. Bense und E. Walther, Köln 1973, 92. Dazu: M. Bense,
Semiotik. Allgemeine Theorie der Zeichen, Baden-Baden 1967; J. Trabant, Elemente der Semiotik,
München 1976.
[2] Dazu: E. Coseriu, Das Phänomen der Sprache und das Daseinsverständnis des heutigen Menschen, in: E. Coseriu, Sprache, Strukturen und Funktionen, XII. Aufsätze zur Allgemeinen und
Romanischen Sprachwissenschaft, Hg. U. Petersen, Tübingen 1970.
[3] J. Simon, Sprachphilosophie, Freiburg/München 1981, 35.
[4] E. Sapir, Die Sprache, München 1961, 23.

möglichenden semiotischen Dimension führen. «Der Akt der begrifflichen Bestimmung eines Inhaltes geht mit dem Akt seiner Fixierung in irgendeinem charakteristischen Zeichen Hand in Hand. So findet alles wahrhaft strenge und exakte Denken seinen Halt erst in der Symbolik und Semiotik, auf die es sich stützt».[5] Diese *philosophische Zeichenlehre*, die hier nur skizzenhaft dargestellt wird, ist weder mit der Etablierung der Semiotik als autonomer Wissenschaft seit C.S. Peirce noch mit einer *Philosophie des Zeichens* (Husserl, Merleau-Ponty, Derrida, Eco, Grätschesberger etc.) noch mit der Entwicklung der Linguistik seit de Saussure oder mit den von Apel so genannten semiotischen bzw. sprachanalytischen Transformationen der Transzendentalphilosophie zu verwechseln. Sie stellt eher ein Prolegomenon zu diesen Fragebereichen dar. Der *arbiträre* Charakter des Zeichens (seine Willkür, Unmotiviertheit) ist dabei besonders zu berücksichtigen.[6]

Die Schwierigkeit bei einer solchen Skizze liegt nicht nur in der Bedeutungsvarianz des Begriffs[7], sondern in der jeweiligen Perspektive der Distinktionen, die als solche zu Verschiebungen in den Auffassungen führt und daher eine bloße parataktische Annäherung an die Geschichte des Begriffs untersagt, damit Verzerrungen in der Wiedergabe vermieden werden. Schon zwischen Platon und Aristoteles findet – gewiß paradigmatisch – ein Wechsel von der genetisch-ursprungsorientierten Sicht zur funktionellen Betrachtung statt.

Schon das erste Fragment des Heraklit *Über den Logos* hat für die späteren Fragestellungen die Weichen gestellt: «τοῦ δὲ λόγου τοῦ δ᾿ἐόντος ἀεὶ ἀξύνετοι γίνονται ἄνθρωποι καὶ πρόσθεν ἢ ἀκοῦσαι καὶ ἀκούσαντες τὸ πρῶτον γινομένων γὰρ πάντων κατὰ τὸν λόγον τόνδε ἀπείροισιν ἐοίκασι, πειρώμενοι καὶ ἐπέων καὶ ἔργων τοιούτων ὁκοίων ἐγὼ διηγεῦμαι κατὰ φύσιν διαιρέων ἕκαστον καὶ φράζων ὅκως ἔχει.»[8] Diese für Heidegger zentral

[5] E. Cassirer, Philosophie der symbolischen Formen, Bd. I, Die Sprache, Darmstadt 1977, 18.
[6] Dazu: E. Coseriu, a.a.O.; E. Coseriu, Die Geschichte der Sprachphilosophie von der Antike bis zur Gegenwart. Eine Übersicht. Bd. I und Bd. II. Tübingen 1975/72; E. Coseriu, L'arbitraire du signe. Zur Spätgeschichte eines aristotelischen Begriffs. in: Archiv für das Studium der neueren Sprachen und Literaturen, Bd. 204, Jg. 119. Braunschweig 1968, 81–112; F. Knilli, Nachwort in: Ch. W. Morris, Grundlagen der Zeichentheorie. Ästhetik und Zeichentheorie. Frankfurt/Berlin/Wien 1979, 123–129; U. Eco, Zeichen, Einführung in einen Begriff und seine Geschichte, Frankfurt a.M. 1977. (ital.: Segno, Milano 1973).
[7] Eco hat 20 Bedeutungsnuancen des *Idealstichwort – segno* gesammelt, a.a.O. 16–18.
[8] «Diesen logos nun, obwohl er ewig ist, verstehen die Menschen nicht, weder ehe sie ihn vernehmen, noch sobald sie ihn vernommen haben. Denn obwohl alles gemäß diesen logos geschieht, erscheinen sie als unerfahren und dies, indem sie solche Worte und solche Sachen erfahren, wie diese, die ich diskutiere, indem ich ein jedes seiner Natur nach analysiere und sage, wie es ist.» (B1, Diels-Kranz, Fragmente der Vor-sokratiker, Berlin 1951, Bd. I, 150).

gewordene Stelle behauptet die prinzipielle Kongruenz zwischen ἔργον als ontologischer Qualität der Wirklichkeit, ἔπος als *wahrhaftem Sagen* (wegen der unterstellten Kongruenz) und dem λόγος als Synthesis der erkannten und ausgesagten Vorgänge. Das Problem der ὀρθότης ὀνομάτων wird hier nicht gestellt, und anderswo, im berühmten *Bogenfragment*, negativ gelöst: im Gegensatz zum ἔπος kann das Wort als Bezeichnung irren. Deshalb kann das ἔτυμον, das *Wahre* nicht etymologisch in den ὀνόματα aufgesucht werden. Gerade aber die verwirrende Vielfalt des ἔργον-ὀνόμα-Problems sollte seit Heraklit die Philosophie zunehmend beschäftigen.[9]

Das sprachliche Phänomen der Homonymie, der Polynymie und der Veränderlichkeit der Namen bei gleichbleibenden «Gegenständen» führte dazu, daß Parmenides, Demokrit und die Sophisten sich für die Konventionalität des Verhältnisses von Bezeichnendem (signifiant) und Bezeichnetem (signifié) aussprachen.

Die Aporetik, in welcher Platons Kratylos die φύσει-θέσει-Debatte enden ließ, deutete darauf hin, daß die Fragestellung nach dem zweigliedrigen Zusammenhang von signifiant und «Gegenstand» falsch ist. Erst Aristoteles wird eine nicht-kausale, finale Sprachbetrachtung durchführen, die allerdings bei Platons Bestimmung des Namens als διακριτικὸν τῆσ οὐσίας (was das Wesen abgrenzt) schon angedeutet war. Zwei Stellen aus *De interpretatione* sollen die aristotelische «Revolution» kennzeichnen: «Ονομα μὲν οὖν ἔστιν φωνὴ σημαντικὴ κατὰ συνθήκην ... τὸ δὲ κατὰ συνθήκην, ὅτι φύσει τῶν ὀνομάτων οὐδέν ἐστιν, ἀλλ᾽ ὅταν γένηται σύμβολον ἐπεὶ δηλοῦσί γέ τι καὶ οἱ ἀγράμματοι ψόφοι οἷον θηρίων, ὧν οὐδέν ἐστιν ὄνομα» (De interpretatione, 16a, 19; 26–29)[10] und: «Εστιν μὲν οὖν τὰ ἐν τῇ φωνῇ τῶν ἐν τῇ ψυχῇ παθημάτων σύμβολα...» (De interpretatione 16a,

---

[9] Das Wort-Gegenstand-Verhältnis entfaltet sich – vorplatonisch – als ein ontologisches (Beziehung zwischen materiellem Wort und Gegenstand), bei Platon erst angedeutet und bei Aristoteles logisch-funktionell (Funktion des sprachlichen Zeichens) und nacharistotelisch als glottogonisches Problem (Ursprungsfrage). Weiterhin differenziert sich das Problem als Frage nach der Notwendigkeit bzw. natürlichen Motiviertheit oder Nicht-Notwendigkeit. Dabei ist das Begriffspaar fusei-nomoi für die vor-platonische Philosophie bis Platon, das Paar fusei-kata syntäkän für Aristoteles und fusei-tesei (für die nacharistotelische Zeit maßgebend. Die fusei-These selber unterscheidet sich, je nachdem fusei die Natur bzw. das Wesen des Gegenstandes andeuten sollte, die Natur als Natur der Wörter, als Wesen der Sprache oder als Natur oder Wesen des (sprechenden) Menschen. Bei der ersten fusei-Lösung ist man gezwungen, da sie die Gegenstandsadäquatheit diskutiert (also die Wahrheitsfrage), das Wort als Aussage bzw. Definition zu betrachten («konzentrierter Satz»; Coseriu, a.a.O. 34) und es dementsprechend zu zerlegen, entweder in prota onomata (erste Namen) oder letztere noch in stocheia (Phoneme) und beide als Nachahmungen des Gegenstandes zu betrachten (Probleme der ikastischen bzw. nachahmenden Phonetik).

[10] «Der Name ist Laut mit Bedeutung auf Grund dessen, was schon eingerichtet ist, und zwar deshalb, weil kein Name der Natur nach ist, sondern erst, wenn er zu einem Symbol wird. Deshalb drücken auch die unartikulierten Laute (Geräusche), wie bei den Tieren, wohl etwas aus, keines davon aber ist ein Name.»

3–4)[11] Die Formel κατὰ συνθήκην ist die erste *panchronische* Wende in der abendländischen Philosophie: die glottogonische Frage als Frage nach dem Ursprung der Sprache wird somit radikal verabschiedet und dafür die Funktionalität des historisch-traditionell motivierten Sprachsystems betont. Die zweite Formel ist die erste explizite Trennung von signifiant (Wortform) und signifié (Wortinhalt) gegenüber dem Ding (Sache, πρᾶγμα). Dabei behauptet sie noch nicht die Arbitrarität zwischen φωνή und πάθημα, sondern die Willkür der ὄνοματα (Namen) als Kombination von Laut und Bedeutung. Die Erweiterung der sprachphilosophischen Fragestellung involviert eine schon in Platons *Sophistes* vollzogene Richtigstellung der epistemologischen Problematik: wenn Wahrheit Satzwahrheit ist und erst ὄνομα und ῥῆμα (Verbum, Prädikat) die conditio sine qua non von Wahrheit sind, dann sind analytische und synthetische Operationen, die Wort-Gegenstands-Entsprechungen angehen, gerade auf der Wort-Ebene sinnlos und erst in der Rede als Satz sinnvoll.[12] Aristoteles hält jedoch strikt an dem universalen, nicht historisch-traditionellen Identitätscharakter der Bedeutungen (παθήματα τῆς ψυχῆς) fest.[13] Erst Humboldt[14] wird die Traditionalität der semantischen Dimension der Sprache expressis verbis feststellen. Die Stoiker[15] Zenon (ca. 336–264) und Chrysippus (ca. 280–208) haben die Theorie des Zeichens und der Bedeutung in einer wegweisenden Komplexität gebracht und in ihren Differenzierungen Einsichten de Saussures und der Sprechakttheorie (Austin, Searle) vorweggenommen. Zunächst sei darauf hingewiesen, daß die Stoiker sich für die φύσει-These entschieden, allerdings wiederum mit determinierenden Verschiebungen: sie gilt im strengen Sinn nur für die πρῶται φωναί, welche die auf sinnlichem (αἰσθητικαι) Wege verlauteten φαντασιαι λογικαί (νοήσις) sind, während die nicht-sinnlichen (ούχ αἰσθητικαι διὰ τῆς δια-

[11] «Das, was in der Stimme ist, ist Symbol dessen, was die Seele erfährt.»

[12] «Die Wörter stehen nicht nach der Feststellung der Wahrheit in bezug auf die Dinge, sondern, wie die Dinge selbst und die entsprechenden Begriffe, vor dieser Feststellung.» (Coseriu, a.a.O. 84) – «Jede Rede ist nun *semantisch* (bedeutend), aber nicht jede Rede ist apophantisch, sondern nur diejenige, welcher Wahrheit oder Falschheit anhaftet.» (De interpretatione, 17a, 1–4).

[13] «Und so wie die Buchstaben nicht für alle dieselben sind, so sind auch die Wortformen nicht dieselben. Dagegen ist das, wofür diese fonai an erster Stelle Zeichen sind, und ihr Analogon, die Sachen, für alle dasselbe.» (De interpretatione, 16a, 5–8).

[14] «... so liegt in jeder Sprache eine eigentümliche Weltansicht... Durch denselben Act, vermöge welches der Mensch die Sprache aus sich heraus spinnt, spinnt er sich in dieselbe ein, und jede Sprache zieht um die Nation, welcher sie angehört, einen Kreis, aus dem es nur insofern hinauszugehen möglich ist, als man zugleich in den Kreis einer andren Sprache hinübertritt.» W. von Humboldt, Über die Verschiedenheit des menschlichen Sprachbaues (1830–1835), in: Werke III, Schriften zur Sprachphilosophie, Darmstadt 1963, 144–368, 224f.

[15] Dazu: M. Pohlenz, Die Stoa. Geschichte einer geistigen Bewegung, 2 Bd., Göttingen 1959². Ebenfalls: Diogenes Laertius, Vitae, Buch 7, Hamburg 1967².

νοίας), logischen *Phantasien*, welche die *sekundären* Worte ausmachen, ihre *natürliche* Verlautung durch eine etymologische Operation erreichen. Augustin hat diese Etymologien in *similitudo, vicinitas* und *contrarium* (Ähnlichkeit, Übereinstimmung und gegensätzliche Bildung) unterteilt. Bedeutsamer jedoch ist die stoische Zeichentheorie: die λέξις als φωνὴ ἔναρθρος καὶ ἐγγράμματος (vox articulata et quae litteris comprehendi potest) ist, wenn sie *bedeutend* (σημαντικός) ist, λόγος. Der λόγος selber hat zwei Seiten, das λεκτόν (σημαιόμενον/conceptus obiectivus/objektiver Inhalt) und die φωνή (σημαῖνον). Das λεκτόν ist dabei weder πάθημα (Eindruck der Seele), denn diese haben die Tiere auch, noch νόημα (Begriff), denn diese bleiben in der (menschlichen) Seele, sondern entspricht den φαντάσιαι λογικαί, welche objektiv gemeint sind.

Der letzte bedeutende Sprachphilosoph der Antike ist Augustin, der in *De dialectica* und *De magistro* die Zeichenlehre weiterentwickelt hat. In Anknüpfung an stoische Theoreme wird das *Zeichen* folgendermaßen bestimmt: *signum* ostendit se ipsum sensui (= σημαῖνον) praeter se aliquid animo (= σημαινόμενον). Wenn gefragt wird nach dem Verhältnis der stoischen λέξις (bzw. λόγος) zu den außersprachlichen Entitäten wird auch hier deutlich, wie sehr die antike Sprachphilosophie an der Vorgängigkeit und Priorität der Bedeutung *vor* der Sprache festhielt: die dictio (λέξις, λόγος), an welcher *partizipierend* das verbum (φωνή, σημαῖνον) und das dicibile (quidquid autem ex verbo non aures sed animus sentit) das Zeichen konstituieren, ist streng getrennt von der Welt der *Dinge*. Erst die Philosophie des Zeichens im XX. Jahrhundert wird nicht länger das Semiotische als Problem der klassifikatorischen Verhältnisbestimmung der Komponenten der Zeichenrelation in bezug auf eine als konstant angesehene Bedeutungssphäre (semantisches Universum) betrachten, sondern gleichsam in einer *epistemologischen Inversion* den sekundären, instrumentellen Charakter des Zeichengeschehens (Semiose) verlassen und die archäologisch-determinierende Kraft der semiotischen Distinktionen für die Ausdeutung des logifizierten und verbalisierten Universums selbst, bzw. die strenge Komplementarität von Semiotik und Ontologie betonen (E. Benveniste).

Die Bedeutung Augustins als Semiotiker im engeren Sinne liegt jedoch in den Distinktionen des Zeichenbegriffs in seinem Dialog *De magistro*[16], wo das Problem des pädagogischen Charakters der Sprache ihn veranlaßt, Bestimmungen vorzunehmen, die als Vorwegnahme der Zeichenmodelle

---

[16] Zu Augustin ausführlich: E. Coseriu, Geschichte der Sprachphilosophie, a.a.O. 126–145.

von Peirce, Morris und Bühler anzusehen sind. Da die Semiotik von Peirce und Morris in Hinblick auf daran anknüpfende Überlegungen zu einer Theorie der Ethik noch diskutiert wird, wird hier auf ein weiteres Eingehen auf Augustin verzichtet.

Weil der Begriff der *Arbitrarität* des Zeichens das Zentrum der linguistischen und philosophischen Diskussionen im XX. Jahrhundert ausmacht, wird an dieser Stelle vor allem noch die neuzeitliche Vorgeschichte dieses Theorems zu berücksichtigen sein.

Die aristotelische Auffassung bezüglich der Zeichenkonstitution (κατὰ συνθήκη) hält sich im wesentlichen im Mittelalter durch, erfährt allerdings verschiedene Ausdrücke: institutio (Aebelard), ad placitum (Petrus Hispanus), secundum placitum (Boethius), fortuitio (Fr. Sanchez de las Brozas). In der nichtscholastischen Philosophie findet man bei Hobbes, sowohl in der Schrift *De corpore* (1655) als auch in *De homine* (1658) neben ex constituto und ex instituto schon *ex arbitrio*[17]. In der Folgezeit ist es die adjektivische Version *willkürlich, arbitraire* und *arbitrary*, welche die Sprachphilosophien in England, Frankreich und Deutschland prägt: in England bei J. Locke[18], G. Berkeley[19], J. Harris[20], in der französischen Tradition bei Nicole[21], Condillac[22], Turgot[23], Jouffroy[24] und der Sache nach in

[17] Th. Hobbes, Vom Menschen, vom Bürger, Hamburg 1959.

[18] «Thus we may conceive how words, which were by nature so well adapted to that purpose, came to be made use of by men as the signs of their ideas: not by any natural connexion that there is between particular articulate sounds and certain ideas, for then there would be but one language amongst all men; but by a voluntary imposition wherely such a word is made *arbitrarily* the mark of such an idea.» (J. Locke, An Essay Concerning Human Understanding, 1690, Buch III, 2,1., Oxford 1894) «common use, by a tacit consent, appropriates certain sounds to certain ideas in all languages, which so far limits the signification of that sound, unless a man applies it to the same idea, he does not speak properly.» (a.a.O. 2,8)

[19] «A great number of arbitrary signs, various and opposite, do constitute a Language. If such arbitrary connexion be instituted by men, it is an artifical Language; of by the Author of Nature, it is an Natural Language.» (G. Berkeley, The Theory of Vision Vindicated and Explained, London 1733, §40).

[20] «The Truth is, that every Medium, through which we exhibit any thing to another is Contemplation, is either derived from Natural Attributs, and then it is an Imitation; or else from Accidents quite arbitrary, and then it is a Symbol... We may here also see the Reason, why all Language is founded in compact, and not in Nature; for so are all Symbols, of which Words are a certain Species.» (J. Harris, Hermes, Halle 1788, 331f.)

[21] «Je demeure d'accord que les hommes sont capables d'aller assez loin dans la science des mots et des signes, c'est-à-dire, dans la connaissance de la liaison arbitraire qu'ils ont faite de certains son avec de certains idées.» (P. Nicole, Essais de moral, I, Paris 1730, 24)

[22] «Les signes accidentels, les signes naturels, ou les cris que la nature a établis pour les sentiments de joie, de crainte, de douleur, etc. et les signes d'institution, ou ceux que nous avons nous-mêmes choisis, et qui n'ont qu'un rapport arbitraire avec nos idées.» (Condillac, Essai sur l'origine des connaissances humaines, Amsterdam 1746, I, 2 §35)

[23] «Les signes sont arbitraires dans ce sens qu'ils ne sont pas liés nécessairement avec ce qu'ils signifient.» (Turgot, Réflexions sur les langues (1751) Genève 1971)

[24] «Le rapport qui associe les uns (die künstlichen Zeichen) à la chose signifiée est arbitraire et de

der Logik von Port Royal[25], in Deutschland bei Leibniz[26], Wolff[27], Fichte[28] und Hegel[29].

Unmittelbar vor de Saussure ist als wichtigster Gewährsmann in der Linguistik J. Baudouin de Cortenay zu nennen, der in seiner Schrift *Vermenschlichung der Sprache* schrieb: «*Unterdessen zeichnen sich alle einer wirklich menschlichen Sprache angehörenden Worte durch die Fähigkeit aus, immer neue Bedeutungen anzunehmen... Der Charakter einer Notwendigkeit ist ihnen vollkommen fremd. Sie verdanken ihre Anwendung nur einer Verkettung von Zufälligkeiten... So sind die bei weitem meisten Wörter der menschlichen Sprache nur zufällig entstandene Symbole, die unter anderen Umständen sich ganz anders hätten gestalten können, in voller Unabhängigkeit von den durch sie hervorgerufenen sinnlichen Eindrücken. Und es ist eben diese Zufälligkeit das Charakteristische der Sprache.*»[30]

Die Tradition der arbiträren Zeichenlehre fand an dieser Stelle deshalb eine so große Beachtung, weil es parallel zu ihr eine *hermeneutische* Sprachbetrachtung gibt, eine Konfiguration von Sprachtheoremen – oft *zweite Kabbala* genannte –, die von Vico und Jakob Böhme über die barocke Sprachphilosophie zu J. G. Hamann und den romantischen Sprach-

pure convention... De plus cette association des signes à la chose signifiée étant arbitraire, elle n'a rien d'universel» (380f.) und «le rapport du signe à la chose signifiée ou le rapport d'expression est un rapport spécial, sui generis, qui ne peut se ramener à aucun autre.» (393) (Jouffroy, Faits et pensées sur les signes, in: Nouveaux mélanges philosophiques, Paris 1842)

[25] «La troisième division des signes est, qu'il y en a de naturels qui ne dépendent pas de la fantaisie des hommes... et qu'il y en a d'autres qui ne sont que d'institution et d'établissement, soit qu'ils aient quelque rapport éloigné avec la chose figurée, soit qu'ils n'ent aient point du tout.» (Logique de Port Royal, Amsterdam 1685, 54)

[26] «Je say qu'on a coustume de dire dans les écoles et par tout ailleurs que les significations des mots sont arbitraires (ex institutio) et il est vray qu'elles ne sont point déterminés par une necessité naturelles.» (Leibniz, Nouveaux essais sur l'entendement humain, 1703, III, 2, § 1, Amsterdam 1765)

[27] «Wir pflegen auch nach Gefallen zwey Dinge mit einander an einen Ort zu bringen, die sonst von sich nicht würden zusammen kommen, und machen das eine zum Zeichen des andern. Dergleichen Zeichen werden willkürliche Zeichen genennet... Die Wörter gehören unter die willkürlichen Zeichen...: denn daß ein Wort und ein Begriff mit einander zugleich zugegen sind, oder eines von beyden auf da andere erfolgt, beruhet auf unserem Willkür.» (Ch. Wolff, Vernünftige Gedanken von Gott, der Welt und der Seele des Menschen, 1719, Hildesheim/New York, 1976)

[28] «Die Sprache ist das Vermögen, seine Gedanken willkürlich zu bezeichnen. Sie setzt demnach eine Willkür voraus. Unwillkürliche Erfindung, unwillkürlicher Gebrauch der Sprache, enthält einen inneren Widerspruch.» (J. G. Fichte, Von der Sprachfähigkeit und dem Ursprung der Sprache, Werke Bd. VIII, Berlin 1971, 301–341, 303).

[29] «Indem nun die von dem Inhalt des Bildes freigewordene allgemeine Vorstellung sich in einem willkürlich von ihr gewählten äußerlichen Stoffe zu etwas Anschaubaren macht, so bringt sie dasjenige hervor, was man, im bestimmten Unterschiede vom Symbol Zeichen zu nennen hat. Das Zeichen muß für etwas Großes erklärt werden. Wenn die Intelligenz etwas bezeichnet hat, so ist sie mit dem Inhalt der Anschauung fertig geworden und hat dem sinnlichen Stoff eine ihm fremde Bedeutung zur Seele gegeben.» (G. W. F. Hegel, Enzyklopädie, Bd. III, Werke 10, Frankfurt a. M. 1970, 269)

[30] Hamburg 1893, 21. Zu anderen linguistischen Konzeptionen (u. a. bei Whitney, Paul, Marly, Madvig und Fortnatov) siehe E. Coseriu, a.a.O. 100–106.

reflexionen Schlegels und Humboldts reicht und wohl zuletzt bei W. Benjamin[31] eine zentrale philosophische Stellung einnahm. Statt Theorien der Zeichen*konvention* zu sein, betrachten diese *Hermeneutiken* die Zeichen als physiognomisch-hieroglyphische Verweise auf einen vorkonventionellen *Ort des Seins* als *Sinnhorizont*. Weil der *Name* als substanzielle Einheit von Signifikant und Signifikat verstanden wird, wird der Konventionalitätscharakter radikal verworfen. Dem Wort wird eine quasi-magische, transparente Innenseite unterstellt, die sowohl die arbiträre als auch natürliche Zeichentheorie zugunsten einer unterstellten autonomen, energiehaften Sprachdynamik überflüssig macht.

Hamanns Reflexionen zählen in diesem Zusammenhang zu den interessantesten, weil radikalsten. Der Satz, «bei mir ist weder von Physik noch von Theologie die Rede – sondern Sprache, die Mutter der Vernunft und Offenbarung, ihr A und Ω»[32], kennzeichnet das von Meditationen auf den «hieroglyphischen Adam»[33] geprägte Klima Hamanns. Der Relations- und Erfahrungsmodus *Offenbarung* bezieht sich auf den unmittelbaren Inhalt der inneren Sprachform, als «dasjenige, was man unter dem Genie einer Sprache versteht. Dies Naturell muß weder mit Grammatik noch mit Beredsamkeit verwechselt werden.»[34] Die innere Sprachform wird auch charakterisiert als «die Lineamente» einer Sprache, die «mit der Richtung des *Volkes* Denkungsart correspondieren» und die «jedes Volk offenbart ... durch die Natur, Form, Gesetze und Sitten ihrer Rede.»[35] Dieses *Naturell* wird bei Hamann durch eine enttheologisierte Genitalmetaphorik expliziert; *Offenbarung* setzt er gleich mit der «flamina et menstrua unserer Vernunft»[36] und fordert «ein Eingehen in die Gebärmutter der Sprache, welche die Deipara unserer Vernunft ist.»[37] Menstrua et Deipara, Profanes und Göttliches gehen in der Reflexion auf den *magischen* Ausdrucksgehalt der Sprache ineinander über.

Dies führt bei Hamann in seiner Auseinandersetzung mit Kant zu einer sprachphilosophischen Vernunftkritik, während die Konventionali-

---

[31] W. Benjamin. «Über das mimetische Vermögen» (Bd. II, 210–213), «Über die Sprache überhaupt und über die Sprache des Menschen» (Bd. I, 140–157), und «Lehre vom Ähnlichen» (Bd. II, 204–210). Werke, Frankfurt a.M. 1977.

[32] J.G. Hamann, Brief an Jacobi, November 1783, zitiert bei W. Menninghaus, W. Benjamins Theorie der Sprachmagie, Frankfurt 1980, 205.

[33] ders., Aesthetica in nuce, in: Schriften zur Sprache, J. Simon (Hg.), Frankfurt a.M. 1976, 105–128, 110.

[34] a.a.O. 90f.

[35] Ebd.

[36] ders., Philosophische Einfälle und Zweifel, a.a.O. 147–166, 161.

[37] ders., Zwei Scherflein, a.a.O. 199–212, 209.

tätstheorien ihrerseits kaum in die epistemologischen Überlegungen dieser Autoren eingegangen sind.

«Die Synthesis des Prädicats mit dem Subject, worin zugleich das eigentliche Objekt der reinen Vernunft besteht, hat zu ihrem Mittelbegriff nichts, als ein kaltes Vorurteil für die Mathematik.»[38]

Die romantischen Sprachreflexionen mit ihrem reinterpretierten Sprachbegriff der Kabbala haben zum einen das Programm einer physiognomischen Charakteristik innerer Sprachformen weitergeführt, zum anderen wird die von Hamanns Sprachanalytik inaugurierte Distanzierung von dem kantischen Erfahrungs- und Erkenntnisbegriff weiter aufgenommen. Dieser Impuls wird nicht nur auf die Poesie beschränkt («Die Ästhetik = Kabbala – eine andre giebts nicht –»[39]), sondern auf die gesamte Sprache ausgedehnt: «mit φς (Philosophie) Kabb, (ala), ϱ (Rhetorik) und γϱ (Grammatik) eins.»[40]

Die Restaurationsbewegung gegen die vulgärmystische Depravierung der esoterischen mystischen Tradition wird «eine ganz neue Epoche für die Wissenschaft» entstehen lassen, ja «es wird eine neue Mythologie entstehn, eine neue Sprache.»[41] Die sich in Form und Geist realisierende Sprachbewegung («Kein Element mehr als formlos gedacht, und der Stoff, als Stoff, ganz in der Rede besiegt.»[42]) hat als Prinzip eine magische «Energie»[43]. Die Sprache, ursprünglich gedacht das erste Werkzeug der Magie, diese in die Form sich kehrende Inhaltlichkeit, macht das Prinzip der mystischen Grammatik aus: «Kabbala = γϱ $\frac{1}{0}$ (unendliche Grammatik)».[44]

Die unvermittelte Simultaneität von «Semiotik» und «Hermeneutik» in der Sprachphilosophie des XVII. bis zum XIX. Jahrhundert ist nun gerade deshalb wichtig, weil gerade die epistemologische Evaluierung der Transformationen des Zeichenbegriffs (Merleau-Ponty, Kristeva, Derrida, Frank etc.) Anlaß gegeben hat – quasi post-struktural – die auf der Seite der radikalen Hermeneutik sich befindende «Poetologie einer autonomen Reflexivität der medialen Kräfte sprachlicher Formen» (W. Menninghaus) semiotisch restringiert neu zu thematisieren. Nicht zuletzt ist die gegenwärtige Mythosdiskussion (Frank, Bohrer) via struktularer, semiotischer und narrativer Thematiken historisch an der Romantik (vor allem an Schlegel) orientiert.[45]

[38] ders., Metakritik über den Purismus der Vernunft, a.a.O. 219–228, 223.
[39] Friedrich Schlegel, Kritische Schlegel-Ausgabe, Bd. 18, Wien 1958, 399.
[40] a.a.O. Bd. 19, 23.      [41] a.a.O. Bd. 18, 394.
[42] W. von Humboldt, Schriften zur Sprachphilosophie, a.a.O. 13.
[43] F. Schlegel, a.a.O. Bd. 18, 227.      [44] a.a.O. Bd. 18, 386.
[45] Vor allem K. H. Bohrer, Mythos und Moderne, Frankfurt a.M. 1983.

Neben der Linguistik, die seit de Saussure die «Arbitrarität» des Zeichens zum Ausgangspunkt ihrer umfassenden Überlegungen gemacht hat, und noch *vor* der Philosophie des Zeichens, stand die «Semiotik» als «Lehre von den Zeichen» im Mittelpunkt der Theoriebildung von Ch. S. Peirce und Ch. W. Morris.

## §2 Semiotische Transformationen der Philosophie

### Ch. S. Peirce

Ch. S. Peirce, der «Leibniz der amerikanischen Philosophie» (Apel), 1839 in Cambridge geboren, gilt heute zurecht als der Begründer nicht nur des Pragmatismus, sondern auch der Semiotik als einer wissenschaftlichen Disziplin. Zwar hatte schon Lambert[1] 1769 den Begriff verwendet und auch Bolzanos[2] «Wissenschaftslehre» enthielt ein als «Semiotik» bezeichnetes Kapitel. Im Sinne einer Universalitätsansprüche reklamierenden Wissenschaft mit dem Motto «all thought is in signs» konstituierte sich die Semiotik allerdings in einer 1868/69 veröffentlichten Artikelserie von Peirce[3].

Peirces *Syllabus of Certain Topics of Logik*[4], 1903 als Begleitlektüre zu den Lowell-Lectures verfaßt, macht dabei prägnant das ethische Interesse des Autors deutlich: sowohl das Kapitel mit der Überschrift «Entwurf einer Klassifikation der Wissenschaften» als auch die «Ethik der Terminologie» und die «Spekulative Grammatik» lassen erkennen, wie sehr der Analyse der semiotischen Formen die Intention einer Transparenz der Formen kommunikativ-kontrollierten Handelns inhäriert. In Peirces trichotomischer Wissenschaftsklassifikation bringt die Systematik der «Normativen Wissenschaft» eine überraschende Unterteilung: «Die Normative Wissenschaft hat drei weitgehend getrennte Abteilungen: I. Ästhetik; II. Ethik; III. Logik. Ästhetik ist die Wissenschaft der Ideale oder die Wissenschaft von dem, was objektiv, ohne einen weitergehenden Grund,

---

[1] J. H. Lambert, Philosophische Schriften I, Neues Organon, Leipzig 1769, 64–85.
[2] B. Bolzano, Wissenschaftslehre, Schriften Bd. IV, Leipzig 1931.
[3] «Questions Concerning Certain Faculties Claimed for Man», «Some Consequences of Four Incapacities» und «Grounds of Validity of the Laws of Logic: Further Consequences of Four Incapacities». (C. P.: 5.213–357). In: C. S. Peirce, Schriften zum Pragmatismus und Pragmatizismus, Hg. K. O. Apel, Frankfurt a. M. 1976, 11–105. Dazu auch: K. Oehler, Idee und Grundriß der Peirceschen Semiotik, in: Die Welt als Zeichen, Hg. M. Krampen u. a., Berlin 1981, 15–50.
[4] Hier zitiert als «Phänomen und Logik der Zeichen», Frankfurt a. M. 1983.

bewundernswert ist ... Ethik, oder die Wissenschaft vom Richtigen oder Falschen, muß die Ästhetik bemühen, um das summum bonum bestimmen zu können. Sie ist die Theorie des selbstkontrollierten oder überlegten Handelns. Logik ist die Theorie selbstkontrollierten oder überlegten Denkens und muß sich als solche in ihren Prinzipien auf die Ethik stützen.»[5] Peirce selber hat allerdings nur für die Logik und im speziellen für die spekulative Grammatik als Theorie des Wesens und der Bedeutungen der Zeichen eine spezifizierte Theorie entworfen. Er verfolgte damit allerdings eine ethisch relevante Organisierung der Zeichenverwendung, was nicht zuletzt die «Ethik der Terminologie»[6] dadurch dokumentiert, daß «es eine kleine Anzahl verschiedener Ausdruckssysteme gibt, die jeder beherrschen muß.»[7]. Dieser J. Habermas' Logik des Diskurses beeinflussende Gedanke macht die ethische 'Relevanz' der Wissenschafts- und Diskursorganisation deutlich. Darüber hinaus aber hat Peirce Überlegungen zu der 'Verfassung der Ethik als Phänomen' angestellt.

Bevor nun die Darstellung der Entwicklung der Philosophie von Peirce die normativen Implikate des klassifikatorischen Anliegens verdeutlichen wird und somit die 'semiotische' Transformation der Transzendentalphilosophie (Apel) klären wird, müssen die Leistungen von Peirce auf dem Gebiet der Logik und der spekulativen Grammatik kurz umrissen werden. In Anlehnung an den 'scholastischen' Aristoteles, der drei transzendentale Ideen annahm (unum, verum, bonum), lokalisiert Peirce in seiner Phänomenologie der universalen Kategorien drei Kategorien: Erstheit, Zweitheit und Drittheit. «Erstheit ist das, was so ist, wie es eindeutig und ohne Beziehung auf irgend etwas anderes ist. Zweitheit ist das, was so ist, wie es ist, weil eine zweite Entität so ist, wie sie ist, ohne Beziehung auf etwas Drittes. Drittheit ist das, dessen Sein darin besteht, daß es eine Zweitheit hervorbringt.»[8]

Unter Erstheit versteht Peirce die nicht-existierende, aber nicht nicht-existierende *Embryonalität* des Seins: die Möglichkeit als nicht unmittelbare Erkennbarkeit von Qualitäten (z.B. die Qualität der Röte). Zweitheit ist der Zwang der Erfahrung als Reaktion zweigliedriger Prozesse (kein Widerstand ohne Anstrengung und vice versa): «Alles Bewußtsein, die gesamte wahre Existenz, besteht in einem Gefühl der Reaktion zwischen Ich und Nicht-Ich.»[9] Die Kategorie Drittheit ist für Peirce die grundle-

---

[5] Ch. S. Peirce, Ebd. 41f.    [6] Ebd. 42.
[7] Ebd. 45. An dieser Stelle tauchen als Indizien für die Dringlichkeit der Forderung Begriffe wie *Gewissen* und *Pflicht* auf.
[8] Ebd. 55.    [9] Ebd. 55.

gende, weil mit *Denken* identische: «... wo immer es Denken gibt, gibt es Drittheit. Es ist die genuine Drittheit, die dem Denken sein Wesen verleiht, obwohl Drittheit in nichts anderem besteht als daß eine Entität zwei andere Entitäten in eine Zweiheit zueinander bringt.»[10]

Entsprechend den drei Universalien gibt es drei *Tatsachen*: Tatsachen der Erstheit: *Qualia*, der Zweitheit: *Relationen* und der Drittheit: *Zeichen*. Den Zeichen nun soll unsere Aufmerksamkeit gelten.

«Ein Zeichen oder *Repräsentamen* ist alles, was in einer solchen Beziehung zu einem Zweiten steht, das sein *Objekt* genannt wird, daß es fähig ist ein Drittes, das sein *Interpretant* genannt wird, dahingehend zu bestimmen, in derselben triadischen Relation auf das Objekt zu stehen, in der es selbst steht. *Dies bedeutet, daß der Interpretant selbst ein Zeichen ist, der ein Zeichen desselben Objekts bestimmt und sofort ohne Ende.*»[11]

Mit *trichotomischer* Sicherheit und Regelmäßigkeit führt Peirce weitere Differenzierungen ein, wobei die Relationskategorien (Universalien) stets wiederkehren. Das Repräsentamen (der Zeichenaspekt am Zeichen) stellt sich eingliedrig oder monadisch als *Qualizeichen* dar (punktuelle Perzeptivität einer Gegebenheit), zweigliedrig oder dyadisch als *Sinnzeichen* (individuelle Gegebenheit eines Etwas), dreigliedrig oder triadisch als *Legizeichen* (generelle Typushaftigkeit).

Der Objektaspekt gliedert sich wiederum in *Ikons* (als Zeichen, die eine Ähnlichkeit mit ihren wirklichen oder fingierten Objekten haben), in *Indizes* (Zeichen, die in einer realen, hinweisend-anzeigenden Beziehung zu ihren Objekten stehen) und *Symbole* («Ein Zeichen, dessen zeichenkonstitutive Beschaffenheit ausschließlich in der Tatsache besteht, daß es so interpretiert werden wird»)[12]. Der Interpretantenaspekt gliedert sich dann in *Rhema* (ein Zeichen, das weder wahr noch falsch ist, ein einzelnes Wort), *Dicent* (ein Zeichen, das aussagefähig ist) und *Argument* (Zeichen, dessen Vernunftnotwendigkeit erwiesen ist). Letzteres ist entweder deduktiv, induktiv oder abduktiv.[13]

Wie die Definition verdeutlicht, entsteht durch die triadische Bestimmung eine offene Semiose, ein sich als *unendliche Zeichenkette* gebärdendes geistiges Leben, eine Endlosigkeit des Interpretationsprozesses von Welt. Der finale, logische Interpretant ist dann jeweils das interpretative Ergebnis, zu dem der Interpretant gerade als *Zeichen* einen Interpreten veranlaßt. Weil nun aber gehandelt werden *muß*, wird die Semiose immer wieder unterbrochen, ja die Handlung selbst als konventionelle und ge-

---

[10] Ebd. 58.    [11] Ebd. 64.    [12] Ebd. 65.    [13] Ebd. 89–98.

sellschaftliche Auslegung der Triade ist die vorläufige Enddetermination des Prozesses und lenkt die Aufmerksamkeit auf die pragmatischen Konsequenzen. Die Genese der peirceschen Philosophie selbst ist somit darzustellen.

K. O. Apel[14] hat ihre komplexe Entwicklung in vier Phasen unterteilt. Die erste Periode ist bestimmt durch Peirces Wende von der Erkenntniskritik zur Sinnkritik. Die relationslogische Deduktion der Kategorien[15] (Qualität, Relation und Repräsentation) und ihre Parallelisierung mit den Universalien ermöglichen es Peirce, eine Transformation des neuzeitlichen Erkenntnisbegriffs vorzunehmen: die Deduktion der Kategorien bzw. der Universalien erinnert an die Deduktion bei Kant. Schon in dieser Frühzeit wird die transzendentale Synthesis der Apperzeption durch die Synthesis der Zeichenprozesse ersetzt und der Begriff der Einheit des Denkens durch den der Zeichenkonsistenz[16]. In der Funktion der Erkenntnis als Zeichenrepräsentation sind es die drei kategorialen Akte, die eine Synthesis der Mannigfaltigkeit der Sinnesdaten in der Einheit einer konsistenten Meinung bedingen (wobei die Kategorie der Drittheit – von Peirce oft als Gesetz bezeichnet – eine repräsentierende Funktion als Vermittlung eines konsistenten Bewußtseins über das Reale einnimmt). Die sinnkritische Wende im Anschluß an diese semiotische Transposition besteht dann darin, daß nicht die Vorstellung als anschauliches Begriffsschema das Wesen von Erkenntnis ausmacht[17], sondern daß Erkenntnis durch die Hypothese einer semantisch-konsistenten Meinung entsteht. Statt einer erkenntniskritischen Einschränkung kategorialer Begrifflichkeit auf mögliche Erfahrung, fordert Peirce eine *sinnkritische* Einschränkung von Bedeutung als Realität und Erkennbarkeit (im weitesten Sinne) und zwar in «the long run» eines Prozesses[18]. Kurz: «Erkennbarkeit und Sein sind nicht nur metaphysisch dasselbe, sondern diese Termini sind synonym.»[19]

[14] K. O. Apel, Der Denkweg von Ch. S. Peirce. Eine Einführung in den amerikanischen Pragmatismus, Frankfurt a.M. 1975. Soweit nicht anders angegeben, beziehen sich die Zitate der «Collected Papers» auf Apels Einführung. Ansonsten habe ich überall die von Apel herausgegebenen *Schriften* (a.a.O.) verwendet.
[15] In «One, Two, Three»: Fundamental Categories of Thought and Nature (1.369–72 und 1.376–78).
[16] «Consciousness is sometimes used to signify the *I think*, or unity in thought; but the unity is nothing but consistency or the recognition of it. Consistency belongs to every sign, so far it is a sing; and therefore every sign since it signifies primarily that it is a sign, signifies its own consistency.» (C. P. 5.313), Schriften, 78. und «Consistency is the intellectual character of a thing; that is, it is expressing something.» (C.P. 5.315), Schriften, 80.
[17] «So zeigt eben der Ursprung des Begriffs der Realität (aus der Differenz zwischen meiner Idiosynkrasie und dem, was sich als Meinung *in the long run* durchsetzt), daß dieser Begriff wesenhaft den Gedanken einer Gemeinschaft einschließt, die ohne definite Grenzen ist, jedoch das Vermögen zu einem definiten Wachstum der Erkenntnis besitzt.» (C. P. 5.311), Schriften, 76.
[19] C. P. 5.257/Schriften, 32.

In der zweiten Phase läßt sich die Entstehung des sinnkritischen *Pragmatismus* lokalisieren. Peirce bezieht sich in dieser Periode auf die «Belief-Doubt»-Theorie A. Bains, der in *The Emotions and the Will* (1859) eine erste pragmatische Theorie entwickelt hatte. «Überzeugung (belief) ist ... wesentlich auf Handlung bezogen, d.h. auf Willensentschluß (volition) ... Bereitschaft zum Handeln aufgrund dessen, was wir behaupten, ist, wie allenthalben zugegeben wird, das einzige, echte, unmißverständliche Kriterium der Überzeugung» und «Überzeugung ist eine Haltung (attitude) oder Disposition der Bereitschaft zum Handeln, wenn eine Gelegenheit sich bietet.»[20]

Peirce selbst hatte diese Einstellung in dem für den Pragmatismus bahnbrechenden Aufsatz *The Fixation of Belief* (1877) auf ähnliche Weise formuliert. «Das Gefühl des Überzeugtseins ist ein mehr oder weniger sicheres Anzeichen dafür, daß sich in unserer Natur eine gewisse Verhaltensgewohnheit eingerichtet hat, die unsere Handlungen bestimmen wird. Der Zweifel hat nie eine solche Wirkung.»[21]

Die Spannung, die nun zwischen seinem transformierten Kantianismus einerseits und seiner empirisch-nominalistischen Überzeugung andererseits entstand, mußte Peirce veranlassen, seine Überlegungen genauer zu bestimmen. Sie brachte ihn zur Formulierung der «Pragmatischen Maxime» und zur Begründung der «Normativen Wissenschaften». Erstere lautet fast naiv: «Erfüllen Dinge praktisch dieselbe Funktion? Dann bezeichne sie mit demselben Wort. Erfüllen sie nicht dieselbe Funktion? Dann unterscheide sie.»[22] Sie verlangt die induktive Prüfung der deduktiv aufweisbaren Konsequenzen eines Erfahrungsurteils und bedingt im Prozeß der Forschung eine semantische Vermittlung der Evidenzkriterien der Kohärenz von Theorien mit ihrer experimentellen Bewährung. Sie setzt aber darüber hinaus als Logik einer praktisch relevanten Forschung eine *Ethik* der Handlungsnormen voraus. Peirce ging davon aus, daß durch eine prinzipiell finalisierbare Approximation der *normativ geregelte Forschungsprozeß* sowohl eine theoretisch adäquate als auch praktisch realisierte Beziehung zum Universum herstellen würde. Er mußte dabei postulieren, daß nicht nur die Forschungsgemeinschaft sich selber unter die Botmäßigkeit eines Tugendkataloges stellt, sondern daß

---

[20] Zitiert bei Apel, a.a.O. 112–113.

[21] Deutsch: Die Festlegung einer Überzeugung, in: Texte zur Philosophie des Pragmatismus, Stuttgart 1975, 61–98, 68; In «Wie unsere Ideen zu klären sind» schreibt Peirce, «Was aber ist dann eine Überzeugung? ...eine Verhaltensgewohnheit.» (C. P. 5.397) Schriften, 334.

[22] C. P. 8.33.

die «Pragmatische Maxime» selbst die sinnkritische Vorgehensweise in einen hypothetischen Imperativ transkribiert, der die Empirie mit möglichen praktischen Zwecken konfrontiert. Die normative Regulation bezieht Peirce aber ausdrücklich auf eine Ineinsbildung von Theorie und Praxis als *summum bonum*. «Das einzige moralische Übel besteht darin, kein letztes Ziel zu haben.»[23] Jedoch erlaubt die von Baine und Peirce vertretene Auffassung, die Verhaltensgewohnheiten seien Regeln möglichen Verhaltens, in denen das Begriffsallgemeine der Theorie zur verbindlichen, praktischen Disposition gelangt sei, nur die instrumentell-technologische Übersetzung naturwissenschaftlichen Gesetzeswissens in eine normative Applikation. Sie kann jedoch keine meta-szientistische Bestimmung dieses summum bonum angeben, ganz abgesehen von der das Gewohnheitsverhalten durchkreuzenden Dimension innovativen, Ethikbedürftigen Wissens. Die «Normative Wissenschaftstheorie» führt hier allerdings weiter. Peirce verlangt nun eine «logische Notwendigkeit der völligen Selbstidentifikation des eigenen Interesses mit dem der Gemeinschaft»[24], *wenn* eine Rationalisierung des Universums beabsichtigt wird. Daß letzteres der Fall sei, ist für Peirce nicht weiter begründbar und ist deshalb das Kategorische im Hypothetischen. Trotzdem sollte dies keine dezisionistische, bloß kontra-faktische Schwundstufe von Moral sein. An dieser Stelle, wo Peirce das *summum bonum* näher zu bestimmen versucht, taucht das auch später in unserem Zusammenhang wichtige Problem der Nähe der Ethik zur Ästhetik auf. Peirce knüpft hier an jene Tradition an, die seit Wolffs Logik der Begriffsbildung und Baumgartens Ästhetik das Vermittlungsproblem der kategorialen Allgemeinheit und der sinnlichen Besonderheit in die Nähe und Differenz von Ethik und Ästhetik gestellt hat. «... was Logik und Ethik zu eigentümlich normativen Wissenschaften macht, ist dies: daß nichts logisch wahr oder moralisch gut sein kann ohne einen Zweck, im Hinblick auf den es so genannt werden kann. Denn ein Satz, und insbesondere die Konklusion eines Arguments, die nur zufällig wahr wäre, ist nicht logisch. Auf der anderen Seite ist etwas schön oder häßlich ganz ohne Rücksicht auf einen Zweck.»[25] «Reine Ethik, philosophische Ethik, ist nicht normativ, sondern praenormativ.»[26]

Diese pränormative, *reine*, ästhetische Dimension, von der Schelling sagte, sie sei das *wahre Organon der Philosophie*[27], versucht Peirce katego-

---

[23] C. P. 5.133/Schriften 388.    [24] C. P. 5.356/Schriften 102.
[25] C. P. 1.575.    [26] C. P. 577.
[27] Siehe dazu das Kapitel über Schelling.

rial einzuordnen. Als vor-rationale, nicht repräsentative Quell-, Möglichkeits- und Zielgröße von Sein gehört sie der Kategorie «Erstheit» als der einfachen Qualität an; als finaler Zweck und somit als Idee des summum bonum, partizipiert sie an der Kategorie «Drittheit». Das Pränormative als Erstheit der Drittheit, als unmittelbare Mittelbarkeit oder «individuelle Allgemeinheit» (!) ist somit für Peirce das Komplementäre von Idee und Moralität und zugleich die wahre Gestalt gelungener, vollendeter Vernünftigkeit: die *ästhetische Güte*.

«Ethik ... ist die normative Wissenschaft par excellence, weil ein Zweck ... auf den Willensakt, wie auf nichts anderes sonst, primär bezogen ist ... Andererseits muß ein letzter Zweck einer vorbedachten – d.h. vernünftig erwogenen – Handlung eine Sachlage sein, welche sich selbst durch sich selbst, unabhängig von jeder weiteren Überlegung, auf vernünftige Weise empfiehlt. Er muß ein bewundernswürdiges Ideal sein, d.h. er muß die einzige Art von Güte besitzen, die ein derartiges Ideal besitzen kann: ästhetische Güte. Unter diesem Gesichtspunkt erscheint das moralisch Gute als eine besondere Art des ästhetisch Guten.»[28]

In einer letzten Phase war Peirce gezwungen, seine Position gegenüber dem *weltanschaulichen* Pragmatismus von James, Schiller und Dewey zu revidieren. Er mußte nach der Koinzidenz von sinnkritischer, historischer Realitätsbestimmung und verhaltensnormierender, praxisbezogener Erfahrung fragen. Das geschah vor allem in den Pragmatismusaufsätzen seit 1905, die,von Apel und Habermas aufgegriffen, die Idee der Kontrafaktizität enthalten. Schien Peirce am Anfang des Aufsatzes *Was heißt Pragmatismus?*[29] logische und ethische Selbstkontrolle im Sinne des frühen Pragmatismus zu verfolgen, deutete sich an späterer Stelle eine Differenzierung an zwischen Habitualisierungen im Sinne theoretisch-experimentell gestützter Verhaltensgeneralisatoren und Habitualisierungen im Sinne ethisch bedingter Handlungskonzeptionen.

«Wie nun das Verhalten, das von ethischer Vernunft kontrolliert wird, darauf zielt, gewisse Gewohnheiten des Verhaltens festzulegen, deren Natur nicht von irgendwelchen zufälligen Umständen abhängt, und es in diesem Sinne vom Schicksal bestimmt genannt werden kann, so zielt das Denken, das durch eine rationale experimentelle Logik kontrolliert wird, auf die Festlegung gewisser Meinungen, die in gleicher Weise schicksalhaft bestimmt sind und deren Natur *am Ende* dieselbe sein wird.»[30] Es bleibt

---

[28] C. P. 5.130/Schriften 386f. Dazu auch: Kant, Kritik der Urteilskraft, § 59, Von der Schönheit als Symbol der Sittlichkeit, Hamburg 1974.

[29] Was heißt Pragmatismus? in: Texte zur Ph. des Pragmatismus, a.a.O. 99–127, 109. (C. P. 5.419).

[30] C. P. 5.430/Schriften 446.

aber die ästhetische Güte – jene Dimension in der Gegenwart, in «diesem lebendigen Tod, in dem wir neu geboren werden»[31] –, in der das Ineinander von rationaler Idee und ethischer Gestalt auf das Ende hin antizipierbar wird.

Eine genauere Verhältnisbestimmung der szientistischen und ethischen Ebenen, die im Bild der «ästhetischen Güte» eher angezeigt als expliziert sind, vermag Peirce nicht zu liefern. Die durch den Pragmatismus inaugurierte Transformation transzendentalphilosophischer Theoreme wie Bewußtseinsphilosophie und ethischer Semantik bzw. die Ablösung von Erkenntniskritik und Ontologiekritik durch Sinnkritik hatte Peirce zu bemerkenswerten Einsichten im Begriff einer vor-normativen Ethik als Sinn- und Zielorientierung geschichtlich-gesellschaftlicher Prozesse geführt.[32] Die dazu in Spannung stehende Maxime, nach der «die Gewohnheit die lebendige Definition, der wahre und endgültige logische Interpretant»[33] ist, ist bei anderen Pragmatisten und nicht zuletzt in der Semiotik von Ch. W. Morris verhaltenstheoretisch weiterentwickelt worden.

## Ch. W. Morris

Die Semiotik hat Ch. W. Morris[34] kommunikationstheoretisch erweitert. Sie erfuhr bei ihm eine behavioristische Wende[35]. Er beschränkte das Handlungsproblem auf deskriptiv thematisierbare Habitualisierungsmuster. Der Mead-Schüler Morris war außer vom Pragmatismus hauptsächlich vom anglo-amerikanischen Empirismus und vom logischen Positivismus inspiriert, was der Titel *Logical Positivism, Pragmatism and Scientific Empiricism* des 1937 erschienenen Werkes dokumentiert[36].

---

[31] C. P. 5.459/Schriften 475.

[32] Apel, Der Denkweg von Ch. S. Peirce, a.a.O. 328.

[33] C. P. 5.491. Eine extensive Darstellung der gesamten Thematik findet sich bei Apel, Der Denkweg von Ch. S. Peirce (a.a.O.) und in seinem Aufsatz: Von Kant zu Peirce: Die semiotische Transformation der transzendentalen Logik, in: Transformation der Philosophie, Bd. II, Frankfurt a.m. 1973, 157–178.

[34] Ch. W. Morris, Grundlagen der Zeichentheorie. Ästhetik und Zeichentheorie. Frankfurt a.M.-Berlin-Wien 1979. (Foundations of the Theory of Signs, Chicago 1938 und Esthetics and the Theory of Signs, Den Haag 1939), Ders., Zeichen, Sprache und Verhalten, Frankfurt a.M.-Berlin-Wien 1981. (Signs, Language and Behavior, Englewood Cliffs 1946), Ders., Pragmatismus und logischer Empirismus, in: Ch. S. Morris, Pragmatische Semiotik und Handlungstheorie, Frankfurt a.M. 1982, 148–164. (Pragmatism and Logical Empiricism, in: The Philosophy of Rudolf Carnap, Hg. P. A. Schilpp, Lasalle, I; Open Court 1963, 87–98); Ders., Pragmatische Axiologie, in: a.a.O. 247–266 (The Pramatic Movement in American Philosophy, New York 1970); Ders., Zeichen-Wert-Ästhetik, Einleitung von A. Eschenbach, in: Bezeichnung und Bedeutung, Frankfurt a.M. 1975, 193–320 (Signification and Significance; A Study of the Relations of Signs and Values, Cambridge 1964).

[35] Dazu: R. Posner, Ch. W. Morris und die verhaltenstheoretische Grundlegung der Semiotik, in: Die Welt als Zeichen, a.a.O. 51–91.

[36] Paris 1937.

Die Semiotik als Zeichentheorie wird von Morris dann auch als « eine allgemeine Sprache» bezeichnet, «die auf jede spezielle Sprache und jedes spezielle Zeichen anwendbar ist und also auch auf die Wissenschaftssprache.»[37] Dies ist eine deutliche Reminiszenz an die Leibnizsche *ars characteristica et combinatorica* und an die Formalisierung als Substitut der Alltagssprache im Logischen Positivismus.

Die berühmte Einteilung der Semiotik in Syntax, Semantik und Pragmatik ist dabei eine Folge der Abstraktion zweigliedriger Relationen aus der dreistelligen Zeichenrelation. Diese besteht aus einem Zeichenträger, einem Designat bzw. Denotat und einem Interpretanten, der ein Zeichen interpretierendes Zeichen ist (als vierter Faktor fungiert der Interpret). Die *Semantik* untersucht die Relation des Zeichenträgers (Bezeichnendes) zum Bezeichneten (Designat als Klasse der Gegenstände bzw. Gegenstandsart; Denotat als Element dieser Klasse). Die *Pragmatik* beschäftigt sich mit der Beziehung zwischen dem Zeichenträger und dem Interpreten als Akteur im Prozeß der Semiose. Die *Syntaktik* betrachtet das systembezogene Verhalten der Zeichen zueinander.[38]

Weil für Morris Zeichenverhalten prinzipiell verhaltenstheoretischer Erfassung zugänglich ist[39], orientiert er sich am meadschen Schema der Handlungsphasen (Orientierungs-, Bearbeitungs- und Erfüllungsphase)[40] und präzisiert auf diesem Hintergrund seine Zeichentheorie. Der dreigliedrige Handlungsduktus steht in einem analogen Verhältnis zur dreistelligen Zeichenrelation: der Zeichenträger ist als Reiz der Orientierungsphase zugeordnet, das Denotat der Erfüllungsphase und der Interpretant (allerdings mit Schwierigkeiten) der Bearbeitungsphase. Nun ist diese Parallelisierung nur möglich durch den dezidiert behavioristischen Ansatz bei der Zeichentypik selber: «Wenn irgendetwas, A, ein vorbereitender Reiz ist, der bei Abwesenheit von Reizobjekten, welche Reaktionsfolgen einer bestimmten Verhaltensfamilie zu initiieren pflegen, eine Disposition in einem Organismus verursacht, unter bestimmten Bedingungen durch Reaktionsfolgen dieser Verhaltensfamilie zu reagieren, dann ist A ein Zeichen.»[41]

C.K. Odgen und I.A. Richards, die in dem berühmten Buch *The Meaning of Meaning*[42] die mittelalterliche Lehre der *modi significandi*

---

[37] a.a.O. 1938, 19.
[38] Morris, Grundlagen, a.a.O. 23ff. und «Syntaktik ist ... die Untersuchung von Zeichen und Zeichenkombinationen, sofern sie syntaktischen Regeln unterworfen sind.» a.a.O. 34.
[39] Morris, Zeichen, Sprache und Verhalten, a.a.O. 141.
[40] G. H. Mead, The Philosophy of the Act, Chicago/London 1938.
[41] Morris, a.a.O. 84.
[42] London 1923 (Die Bedeutung der Bedeutung, Frankfurt a.M. 1974. In unserem Zusammenhang: 66, 68, 285.

wieder aufgegriffen hatten und von Morris auch erwähnt werden[43], vertraten eine nahezu identische Meinung. Das Zeichen ist auch für sie Träger eines Reizes, der einem Vorhergehenden ähnelt und somit fähig ist, das Engramm (Erinnerungsbild), das letzterer bildet, zu reaktualisieren. Engramm ist die hinterlassene Spur einer Anpassung des Organismus an einen Reiz. Auch die *geistige* Semiose ist hier ein auf Stereotypen beruhender Prozeß. Mit ihnen übereinstimmend kann Morris dann auch die Bedeutung eines Zeichens als seine Bestimmbarkeit durch die Feststellung seiner Gebrauchsregeln definieren.[44] Durch die Betrachtung des Zeichens als eine unter Utilitätsperspektiven stehende Entität wird die semiotische Dimension unter Kriterien der Leistungsfähigkeit gestellt. Den leistungsfähigsten Zeichentyp stellen die sogenannten *Comsymbole* dar. Sie haben den Weg der Sinneswahrnehmung als einer einfachen Zeichenperzeption und der durch Signale und Gesten antizipierbaren Gegenstände und Handlungen hinter sich gelassen. Sie bilden die Verschmelzung von Comsignalen als modalitätsneutralen und interpersonell vermittelten Signifikats-Signalen mit Symbolen als situations- und funktionsunabhängigen Stellvertretern von Signifikats-Signalen[45]. Die Sprache ist unter diesem Gesichtspunkt eine für den Menschen als Wesen «exzentrischer Positionalität» (Plessner) überlebensnotwendige Semiose. Sie stellt ein System verhaltenspraktischer Kompetenzen dar. Wenn die Ausdifferenzierung dieser Kompetenzen, die das Verhalten *zeichentechnisch* antizipierbar machen, zu einer Ausweitung der Freiheitsräume führt, wächst auch die Verantwortung im Zeichengebrauch. In *The Mechanism of Freedom* (1940) insistiert Morris dann auch auf eine Ethik regelutilitaristischer Art.

Der Beitrag dieser Semiotik zur Ethik läßt sich aber präziser als ein Versuch charakterisieren, die ethische Performanz des Zeichenträgers situativ durch eine *Zeichenkompetenz* zu steigern. Mittels einer vollständigen Schematisierung der möglichen Zeichenverwendungen soll der Handelnde über eine verhaltenstheoretisch fundierte *Grammatik* verfügen, die ihm situationsadäquates Verhalten ermöglicht.

Diese umfangreichen Klassifikationen orientieren sich wiederum an dem dreifach gegliederten Phasenablauf: insoweit ein Zeichen bezeichnet, ist es entweder *designativ* (in der Orientierungsphase), *präscriptiv* (in der Bearbeitungsphase) oder *appreziativ* (in der Erfüllungsphase); insoweit das Signifikat *und damit* die Verhaltensdisposition der Inter-

[43] Morris, 1946, 153–156.    [44] Morris, 1983, 74.    [45] Morris, 1946, 109ff.

pretanten als *praktische Hermeneutik des Signifikants* behandelt werden, ist das Zeichen in der Gebrauchsdimension entweder *informativ* (in der Orientierungsphase) oder *inzitiv* (Vervollkommnung des Gegenstandes in der Bearbeitungsphase) oder *valuativ* (Wertschätzung in der Erfüllungsphase).

Insoweit die Wertdimension des Gegenstandes bezeichnet wird, ist das Zeichen entweder *distanziert* (in der Orientierungsphase), *dominant* (in der Bearbeitungsphase) oder *rezeptiv* (in der Erfüllungsphase).

In *Zeichen, Sprache und Verhalten*[46] fügt Morris diesen Bezeichnungsmodi den Modus «formativ» hinzu und den Gebrauchsmodus «systemisch». Durch Kombination der Bezeichnungs- und Gebrauchsmodi lassen sich dann verschiedene Diskurse identifizieren. Der informativ-appreziative Diskurs ist der mythische, der valuativ-appreziative Diskurs ist der poetische, der inzitiv-appreziative Diskurs ist der religiöse, der systemisch-formative Diskurs ist der metaphysische ... etc.

Die *ethische* Intention von Morris besteht also nicht so sehr darin, den ethischen Diskurs *intern* zu präzisieren, sondern durch die Klassifikation der verschiedenen Diskurse unter Beibehaltung ihrer jeweiligen Wahrheitsfähigkeit eine Verwechselung und Vermischung vermeidbar zu machen. Das *ethisch* kompetente Subjekt wäre somit dasjenige, das durch die Differenzierungsangebote seiner Sprache sein Selbst- und Fremdverhalten *geordnet* reguliert. Es kann seine designativen Diskurse wirkungsvoll (effektiv), seine appreziativen Diskurse persuasiv und seine präskriptiven Diskurse überzeugend gestalten und die Wahrheit (Korrespondenz) der Bezeichnungsmodi überprüfen. Was in diesem Zusammenhang bei dem *Empiriker* Morris überrascht, ist die Wahrheitsfähigkeit des ethischen Diskurses. Die Wahrheitsfähigkeit der Diskurse überhaupt, die gewissermaßen eine ontologische und ontische Relativität bzw. Regionalität beanspruchen, läßt sich aber nicht ohne eine terminologisch bedingte Komplexität angeben. So wäre der designative Diskurs wahr, wenn die Denotation die durch den Designator signifizierte Orientierungseigenschaften besäße; der präskriptive Diskurs wäre wahr, wenn die Denotation über die durch den Präskriptor signifizierte Bearbeitungsphase verfügte; und so wäre der appreziative Diskurs wahr, wenn die Denotation die durch den Appreziator signifizierten Erfüllungseigenschaften aufweisen könnte. *Ein ethischer Diskurs wäre somit wahrheitsfähig, und dann wahr, wenn das*

---

[46] Ebd. 218.

*(inzitive) Denotat die durch den Appreziator signifizierten Erfüllungseigenschaften besäße.*

Wenn Morris in der Schrift *Pragmatische Axiologie* W. James dahingehend zustimmend zitiert, «daß das Wesen des Guten darin besteht, ein Bedürfnis zu befriedigen»[47], wird die Ambivalenz dieses Ansatzes deutlich. Einerseits kann Morris die Geltungs- und Legitimationsbedürftigkeit und *gleichzeitig* die Legitimationsfähigkeit von ethischen Diskursen nachweisen. Sie werden somit der Emotionalisierung und dem Dezisionismus entrissen. Andererseits ist er durch die behavioristische Vorprägung gezwungen, die Normativität der Faktizität zu bemühen, um das Faktum der Normativität konkret zu klären. «So verstanden sind Werte *objektiv relativ*, d.h. sie sind ... Eigenschaften von Objekten relativ zu Präferenzverhalten. Sie sind in dem Sinne Eigenschaften von Objekten, wie Eßbarkeit eine Eigenschaft von Objekten ist, aber während Eßbarkeit eine Eigenschaft von Objekten relativ zu Verdauungssysteme ist, sind Werte Eigenschaften von Objekten relativ zu Präferenzverhalten.»[48]

Zurecht hat K.O. Apel die Frage gestellt, ob ein methodischer Behaviorismus das *Mißverständnis* bzw. die mögliche Unwahrheit der in der Wertung der Denotata enthaltenen Bedürfnisse aufdecken könnte.[49] Mit anderen Worten: ist eine szientistisch, auf empirische Verhaltensbeobachtung (in kommunikativer Absicht) restringierte Vernunft in der Lage, das meta-szientistische Faktum der Normativität zureichend zu thematisieren, ohne schon methodisch den naturalistischen Fehlschluß eingebaut zu haben?[50]

Die reduktive Moralauffassung des Pragmatismus, welche die transzendentale Selbstbezüglichkeit des Bewußtseinsphänomens durch interaktionspsychologische Kommunikationstheoreme und auf Habitualisierung hinzielende *Handlungsmuster* eliminiert («bei uns liegt der Nachdruck im Resultat, im Ergebnis, im *terminus ad quem*. Entscheidend ist nicht das Woher, sondern das Wohin.»[51]), läßt nur noch zirkuläre Moral-

---

[47] Morris, Pragmatische Axiologie, in: Pragmatische Semiotik und Handlungstheorie, Frankfurt a.M. 1977, 256. Dazu: Pragmatismus und logischer Empirismus, in: a.a.O. 148–164.

[48] Zeichen-Wert-Ästhetik, 221f.

[49] Dazu: K.O. Apel, Ch. W. Morris und das Programm einer pragmatisch integrierten Semiotik, in: Morris, Zeichen-Sprache-Verhalten, a.a.O. 9–67.

[50] Auch die reflexionstheoretische Semiotik von J. Heinrichs, der Handlungstheorie als dialogisch-semiotische Transformation von Transzendentalphilosophie versteht, gelangt nicht über eine Deskription von Handlungstypen hinaus: J. Heinrichs, Reflexionstheoretische Semiotik, 1. Teil: Handlungstheorie. Struktural-semantische Grammatik des Handelns, Bonn 1980.

[51] W. James, Der Wille zum Glauben (1897), in: Texte zur Philosophie des Pragmatismus, a.a.O. 128–160, 144.

und Wertdefinitionen zu, wie es die Definition der Wertrelativität vorhin dokumentierte. Der Verdacht einer *petitio principii* bzw. die Ideologieanfälligkeit solcher Vorhaben illustriert ein weiteres Zitat aus W. James *Der Wille zum Glauben*. «Der Wunsch nach einer bestimmten Art Wahrheit bringt hier die Existenz dieser besonderen Wahrheit zuwege.»[52] R. Bubner sieht hierin zurecht eine Suspension der Frage nach der Möglichkeit von Wahrheit durch ihre pragmatistische Unterstellung.[53]

Die drohende Kriterienlosigkeit szientistischer Rationalität veranlaßte F. C. S. Schiller zu der Frage: «An welchem Maßstabe soll der *Erfolg* gemessen werden, der über die Wahrheit einer Behauptung entscheidet?»[54] Sie führte ihn allerdings nur zu der das Problem eher umgehenden Forderung nach «der logischen Berechtigung der Persönlichkeit»[55] im Sinne einer Toleranz pluriformer Theorien. Eher aber als die «semiotische Transformation» der Philosophie ist es die Linguistik gewesen, die unmittelbar die Theoriebildung human- und geisteswissenschaftlicher Art beeinflußt hat. Ohne die *linguistischen Transformationen* sind die strukturalen Wissenschaften nicht verstehbar.

---

[52] Ebd. 151. Dazu auch: «daß der Besitz wahrer Gedanken *überall zugleich* den Besitz wertvoller Mittel zum Handeln bedeutet.» (a.a.O. 146). Ferner «Ursprünglich und auf dem Boden des gesunden Menschenverstandes bedeutet die Wahrheit eines Bewußtseinszustandes nichts anderes als diese Funktion des Hinführens, das der Mühe lohnt.» W. James, der Wahrheitsbegriff des Pragmatismus, in: Texte, a.a.O 161–187, 166.
[53] R. Bubner, Selbstbezüglichkeit als Struktur transzendentaler Argumente, in: Kommunikation und Reflexion, Zur Diskussion der Transzendentalpragmatik, (Hg.) W. Kuhlmann und D. Böhler, Frankfurt 1983, 304–332, 318.
[54] F. C. S. Schiller, Humanismus, in: Texte, a.a.O. 188–203, 193.
[55] Ebd. 198.

## §3 Tendenzen der modernen Linguistik[1]: der sprachwissenschaftliche Hintergrund des «Strukturalismus»

### F. de Saussure

Die paradigmatische Bedeutung von F. de Saussures *Cours de linguistique générale*[2] läßt sich am besten einschätzen, wenn man die de Saussure unmittelbar vorangehenden Sprachtheorien überblickt. In dem XIX. Jahrhundert hatten sich *romantische* Sprachwissenschaftler wie Grimm, Rask und Bopp, die sich die Sprache als einen organisch wachsenden Bestand vorstellten, vor allem mit Fragen der Genese von Lautverschiebungen und Wortbedeutungen beschäftigt. Die Probleme der Genealogien indoeuropäischer Tochtersprachen, ausgehend vom *Urgermanischen*, führten zu historischen Grammatiken und etymologischen Wörterbüchern. *Junggrammatiker* wie Vernes, Brugmann, Osthoff und Leskien postulierten dagegen die Existenz von Lautgesetzen im psychischen Bereich, an welchen sowohl die toten als auch die lebendigen Sprachen partizipieren würden und die *positiv* beobachtbar wären. Der Gedanke der historischen Ableitbarkeit wurde somit abgewiesen.

Die entschieden *systemische*, synchrone Sprachbetrachtung setzte mit F. de Saussure ein: die Sprache war für ihn der privilegierte Teil einer allgemeinen Semiotik oder Semiologie[3], als «eine Wissenschaft, welche das Leben der Zeichen im Rahmen des sozialen Lebens untersucht.»[4] Die Sprachwissenschaft beschäftigt sich somit mit der *langue* (*Sprache*) und nicht mit der *parole* (*Sprechen*), in der sich die Sprache punktuell aktualisiert und die Sprachfähigkeit (*faculté de langage*) sich artikuliert.

«Die Sprache ist nicht eine Funktion der sprechenden Person: sie ist das Produkt, welches das Individuum in passiver Weise einregistriert... Das Sprechen ist im Gegensatz dazu ein individueller Akt des Willens und der Intelligenz, bei welchem zu unterscheiden sind: 1. die Kombinationen,

---

[1] Umfassende Darstellungen bei: M.Bierwisch, Strukturalismus. Geschichte, Probleme und Methoden, Kursbuch 5, Mai 1966, (Hg.) H. M. Enzensberger, Frankfurt a.M., 77–152; W. P. Lehmann, Linguistische Theorien der Moderne, Bern 1981; G.Helbig, Geschichte der neueren Sprachwissenschaft unter dem besonderen Aspekt der Grammatik-Theorie, Leipzig 1971; H. Pelz, Linguistik für Anfänger, Hamburg 1975; W. A. de Pater, Linguistiek, de wetenschap van het taalteken. Een overzicht, in: Tijdschrift voor filosofie, 584–642, Brussel 1967; A.Martinet, Grundzüge der Allgemeinen Sprachwissenschaft, Stuttgart 1963; W.Strube, Artikel: Linguistik, in: Hist. Wört. der Philo., Bd. 5, 343–392.

[2] Hier zitiert nach der von H.Lommel besorgten Übersetzung: Grundfragen der allgemeinen Sprachwissenschaft, Berlin 1967. Dazu auch: M.Krampen, F. de Saussure und die Entwicklung der Semiologie, in: ders., Die Welt als Zeichen, Klassiker der Semiotik, a.a.O. 99–142.

[3] Grundfragen, a.a.O. 19.     [4] ebd.

durch welche die sprechende Person den Code der Sprache in der Absicht, ihr persönliches Denken auszudrücken, zur Anwendung bringt; 2. der psychophysische Mechanismus, der ihr gestattet, diese Kombination zu äußern.»[5] Die Sprache ist somit «ihrer Natur nach in sich gleichartig; sie bildet ein System von Zeichen, in dem einzig die Verbindung von Sinn und Lautzeichen wesentlich ist und in dem die beiden Seiten des Zeichens gleichermaßen psychisch sind.»[6] Das sprachliche Zeichen ist für de Saussure die assoziierte Einheit einer (psychischen) Bedeutungsvorstellung mit einem Lautbild oder akustischem Bild (Wort-Bild). Letzteres ist aber nicht identisch mit dem physischen Laut. «Das sprachliche Zeichen vereinigt in sich nicht einen Namen und eine Sache, sondern eine Vorstellung und ein Lautbild. Dieses letztere ist nicht der tatsächliche Laut, der lediglich etwas Physikalisches ist, sondern der psychische Eindruck dieses Lautes, die Vergegenwärtigung desselben auf Grund unserer Empfindungswahrnehmungen ... im Gegensatz zu dem anderen Glied der assoziativen Verbindung, der Vorstellung, die im allgemeinen mehr abstrakt ist.»[7] Für das Lautbild wählt de Saussure den Terminus «Bezeichnendes» (signifiant) und für die bezeichnete Vorstellung «Bezeichnetes» (signifié). Das Band oder die Assoziation zwischen den beiden Komponenten (Audruck/Gehalt; Signans/Signatum) ist dabei beliebig oder «arbiträr», «unmotiviert».[8] Dieser Beliebigkeitsstatus darf nun aber nicht verwechselt werden mit einer unterstellten subjektiven Willkür des Sprechenden in der Sprach- und Zeichenverwendung – sie ist fast gänzlich historisch und sozial sanktioniert. Diese Auffassung nimmt in einer schon zwei Jahrtausende währenden Frage Stellung, nämlich ob es eine 'natürliche' Verbindung zwischen dem Bezeichnenden und seiner 'Referenz' gibt. De Saussure entscheidet sich negativ.

Eine weitere bedeutsame Unterscheidung ist die von «Synchronie» und «Diachronie»[10]: Gleichzeitigkeit und Veränderung als duale Organisation des Systems. Dabei macht die Synchronie den bedeutungsvollen Bestand des Systems aus und bezeichnet die Diachronie die für die

---

[5] a.a.O. 16f.

[6] a.a.O. 18. Dazu J. Vendryés, Der soziale Charakter der Sprache und die Lehre F. de Saussures: «Die Tätigkeit, durch die sich die Sprache konstituiert, indem sie die Einheiten innerhalb der amorphen Masse absteckt, zwischen denen sie operiert, wird nicht durch die Natur des menschlichen Geistes oder die Anlage der Stimmorgane bestimmt. Sie beruht auf einer sozialen Übereinkunft.» Le charactère sociale du language et la doctrine de F. de Saussure, Journal de Psychologie 18 (1921), 617–624; Deutsch in: H. Neumann (Hg.) Der moderne Strukturbegriff, Darmstadt 1979, 7–15, 11.

[7] a.a.O. 77.  [8] a.a.O. 79.  [9] a.a.O. 80.

[10] «Synchronisch ist alles, was sich auf die statische Seite unserer Wissenschaft bezieht; diachronisch alles, was mit den Entwicklungsvorgängen zusammenhängt. Ebenso sollen Synchronie und Diachronie einen Sprachzustand bzw. eine Entwicklungsphase bezeichnen.» a.a.O. 96.

Sprachwissenschaft *zufällige* Abwandlung einzelner Systemelemente. Es wäre jedoch verfehlt, hier den motivierenden Grund der dem Strukturalismus vorgeworfenen Ahistorizität zu vermuten. «Das synchronische Gesetz gilt allgemein, *aber es hat nicht befehlende Kraft.* Es übt zwar über die sprechenden Personen eine Macht aus, aber von befehlender Kraft ist hier in diesem soziologischen Sinn nicht die Rede, sondern es handelt sich darum, daß keine Macht, die in der langue selbst liegt, die Regelmäßigkeit gewährleistet. Das synchronische Gesetz ist lediglich Ausdruck einer bestehenden Ordnung und stellt einen vorhandenen Zustand fest; die Ordnung, die das synchronische Gesetz ausspricht, ist in ihrem Bestand nicht gesichert, gerade deshalb, weil es keine befehlende Kraft hat.»[11]

Gerade die Synchronie ermöglicht durch die Einführung des Begriffs *Wert* eine genaue Bestimmung des Zeichens: der Wert ist der in Differenz und Korrespondenz zu anderen Elementen sich bildende *Ort* eines Elements im bedeutungsverleihenden System.[12] «In Wirklichkeit ... sind die Werte etwas vollständig Relatives, und eben deshalb ist die Verbindung von Vorstellung und Laut ganz und gar beliebig.»[13] Dies impliziert, daß die Bedeutung oder die Sinndimension erst durch den der Sprache aufgezwungenen Gliederungsaspekt bedeutend wird. *Der Wert oder das differentielle Zeichen formiert und skandiert systemisch die opaken Vorstellungs- und Lautentitäten und läßt dadurch eine bedeutungsträchtige Sprache entstehen.* R. Jakobson verwendete für diese Tatsache die Metapher: «Die Sprache sitzt rittlings zwischen Natur und Kultur.»[14] Deshalb ist eine für den gesamten Strukturalismus fundamentale Unterscheidung die Unterscheidung von Syntagma und Paradigma. «Die syntagmatische oder Anreihungsbeziehung besteht in praesentia: sie beruht auf zwei oder mehreren in einer bestehenden Reihe nebeneinander vorhandenen Gliedern. Im Gegensatz dazu verbindet die assoziative Beziehung Glieder in absentia in einer möglichen Gedächtnisreihe»[15] Die Sprache ist dann ein aus Klassifikationen und Segmentierungen bestehendes System: eine Taxinomie. R. Jakobson hat hier von Achsen der Kombination und der Selektion gesprochen und die Metonymie als Kombinationsphänomen, die Metapher als Selektionsphänomen thematisiert.

---

[11] a.a.O. 110.

[12] Die Figuren des Schachspiels sind nur bedeutend durch die Positionalität gegenüber den anderen Figuren. a.a.O. 128.

[13] a.a.O. 135.

[14] R. Jakobson, Poesie und Sprachstruktur, Zürich 1970, 33.

[15] a.a.O. 148.

## N. S. Trubetzkoy

Der Prager Linguistenkreis (Mukařowský, Jakobson, Trubetzkoy) hat die Auffassung von de Saussure, nach der die Phoneme[16] sich nicht durch ihre Lautsubstanz, sondern durch ihre Stellung im System charakterisieren lassen, durch den Terminus «Opposition» präzisiert. N. S. Trubetzkoy, der Begründer der diese Auffassung bedingenden *Phonologie* (nicht Phonetik!), drückt diesen Tatbestand so aus: «Distinktive Funktion kann daher einer Lauteigenschaft nur insofern zukommen, als sie einer anderen Lauteigenschaft gegenübergestellt wird – d. h. insofern sie das Glied einer lautlichen Opposition (eines Schallgegensatzes) ist. Schallgegensätze, die in der betreffenden Sprache die intellektuelle Bedeutung zweier Wörter differenzieren können, nennen wir phonologische oder phonologisch distinktive oder auch distinktive Oppositionen.»[17]

Ein Lautsystem ist also keine Anhäufung von Phonemen. Es ist vielmehr ein System von Phonemmerkmalen: das Phonem partizipiert an verschiedenen Oppositionsklassen im Lautsystem (so das deutsche *t* an der Klasse der Verschlußlaute, der Stimmlosen und der Dentale) und bekommt einen kommunikativen Status durch die in Oppositionen vermittelte Bedeutung (ist somit selber bedeutungsdistinkt) und nicht durch die phonetische Substanz.[18] Diese Grundeinsicht ermöglicht die Ableitung einer recht einfachen Regel: «Wenn zwei Laute genau in der selben Lautstellung vorkommen und miteinander nicht vertauscht werden können, ohne daß dabei die Bedeutung der Wörter sich verändern würde oder das Wort unkenntlich werden würde – sind diese zwei Laute phonetische Realisierungen zweier verschiedener Phoneme.»[19]

## R. Jakobson

R. Jakobson hat die Theorie des Phonems weiterentwickelt.[20] Die phonologische Hierarchie, über die jede Sprache verfügt, ist für Jakobson in ihren Fundamentalstrukturen allen Sprachen im Sinne eines universalen Inventars gemeinsam, differiert jedoch in ihren speziellen Verästelungen. Die Kategorien *vokalisch, konsonantisch, dental, labial* etc. kommen in

---

[16] «Die kleinsten Elemente des Schallstroms einer Äußerung.» (M. Bierwisch, 86) Ihre Zahl, von Sprache zu Sprache verschieden, liegt zwischen 20 und 40.
[17] N. S. Trubetzkoy, Grundzüge der Phonologie, Prague 1939, 8.
[18] «Die Phonetik untersucht, was man in Wirklichkeit ausspricht, wenn man eine Sprache spricht, und die Phonologie, was man auszusprechen glaubt.» N. Trubetzkoy, La phonologie actuelle, Journal de Psychologie 30 (1933), 227–246, hier bei H. Neumann, Der moderne Strukturbegriff, a.a.O. 57–80, 63.
[19] N. Trubetzkoy, Anleitung zu Phonologischen Beschreibungen, Göttingen 1958, 11.
[20] Gesammelt in: Selected Writings Bd. I, Phonological Studies, 's Gravenhage 1962.

allen Sprachen vor, Vokalrundungen allerdings nicht (im Deutschen erst seit dem 8. Jahrhundert).

Bedeutsam ist dabei Jakobsons Entdeckung, daß der Spracherwerb beim Kinde chronologisch die Hierarchie des Systems – ausgehend von den Basalstrukturen – adaptiert. Die begrenzte Zahl der inventarisierten Lautstrukturen repräsentiert somit neurologische Strukturen[21] (Chomsky). Darüber hinaus hat Jakobson die Wertstruktur im Sinne der differentiellen Ermöglichung des Phonems genauer bestimmt.

«Nur das Phonem ist ein reines und leeres Unterscheidungszeichen. Der einzige sprachlich bzw. semiotisch geltende Phoneminhalt ist der Gegensatz zu allen anderen Phonemen des gegebenen Systems. Der einzige Wert des Phonems /a/ ist der des Andersbedeutens gegenüber den übrigen Phonemen in gleicher Stellung... Es ist reines Unterscheidungszeichen, welches an und für sich nichts Positives, Einheitliches und Konstantes als das der blossen Tatsache des Andersseins besagt.»[22] Die Phonemstruktur ist somit eine Kette diskreter Elemente, die man nach Jakobson als Folge von binären Entscheidungen (+/–) in eine aus zwei Achsen bestehende Matrix eintragen kann, die das Muster darstellt, wonach sowohl die Sprachorgane als auch die Rezeptivität des Hörers arbeiten: das in der linearen Zeit Gesprochene stellt somit auf der syntagmatischen Ebene eine durch Performanz strukturierte, bedeutungsvolle Auswahl der durch Distinktion (Differenz) auf der paradigmatischen Ebene bedeutungsermöglichenden Phonemklassen als Sprachkompetenz dar.[23]

Durch den positiven Aufweis von phonologischen Konstanten, über die ein Sprecher kompetent verfügen muß – und normalerweise auch verfügt –, will er seine Performanz kommunikationsgerecht ausüben, gelang also Jakobson der Beweis, daß Bedeutung (in einem vor-ontologischen Sinn) nicht primär (in der ordo generandi) ein autonomes Mentalphänomen, sondern *zunächst* das Resultat komplexer, topologisch situierbarer Differenzen und Werte als *bedeutungsgenerierender* Elemente ist. Wenn man das Subjekt einerseits als integrative Instanz versteht, die als

---

[21] Die neurologisch-psychologische Verankerung der Elementarstrukturen hat Jakobson für die Aphasieforschung fruchtbar gemacht. Dazu: Kindersprache, Aphasie und allgemeine Lautgesetze, in: a.a.O. 328–401. Aphasia as a linguistic Topic, in: a.a.O. 229–238. Two Aspects of language and two Types of aphasic disturbances, in: a.a.O. 238–259.
[22] Zur Struktur des Phonems, a.a.O. 293–310.
[23] «La phonème n'est ni identique au son ni extérieur par rapport au son, mais il est nécessairement présent dans le son, il lui demeure inhérent et superposé: c'est l'invariant dans les variations. Le phonème forme une unité (à savoir la plus petite unité phonologique á deux axes – celui des simultanéités et celui des successivités, mais c'est une unité complex: le phonème se décompose en propriétés distinctives.» *Un manuel de phonologie général*, in: a.a.O. 311–317.

'Träger' dieser Elemente die Bedeutung *jeweils* performiert und aktualisiert (welches nicht bloße Adaption ist), könnte man es andererseits im
Sinne der apriorischen, phonematischen Taxinomien «eine semantische
Zusammensetzung»[24] nennen! Der Träger wird getragen durch ein Netz
semiotischer Regularitäten, die ihn daran hindern, daß er sich außerhalb
ihres Systems ansichtig wird. Gerade *nicht* impliziert ist in dieser strukturellen Komplexität der bloß reduktive Status des sprechenden Subjekts.
Die Nähe zu den *Fakten* und die gleichzeitige Suche nach *idealen* Strukturtypen in der Prager Schule, nicht zuletzt durch Husserls in den 'Logischen Untersuchungen' geäußerte Idee einer reinen Grammatik – Husserl
hielt 1935 mehrere Vorträge in dem Prager Kreis – verhindern bloße
Nivellierungen.[25]

Die empirische Verifikation sprachtheoretischer Annahmen hat Jakobson zu Einsichten in die Form der Aphasie-Symptome gebracht, die seit-
dem die Aphasieforschung entschieden prägten. Entsprechend den Ebenen *Syntagma* und *Paradigma*, die ihrerseits die Kombinations- und Selek-
tionsachse der Sprache repräsentieren, konnte Jakobson zwei Aphasiety-
pen unterscheiden. «Aphasis with impaired internal relation (simularity
discorder) have difficulty in arranging codes units according to their similarity. They are able to combine two units with each other within a mes-
sage, but not to substitute one unit for another on the basis of their
mutual resemblance (or contrast) ... The other cardinal type of aphasia is
the reserve of the syndrome discussed. The patient cannot operate with
contiguity but operations based on similarity remain intact. Thus he loses
the ability to propositionize. The context disintegrates.»[26]

Aphasie auf der Selektionsebene führt also zu einem Aussetzen der
Fähigkeit, Termen zu substituieren (Liquidation der metaphorischen
Sprachdimension), obwohl die kontextuelle Linearität erhalten bleibt.
Aphasie auf der Kombinationsachse läßt die Fähigkeit erstarren, Kontexte
zu formieren (Liquidation der metonymischen Sprachdimension), die
selektive Funktion der Sprache bleibt daher intakt.

Gerade das Theorem der syntagmatisch-paradigmatischen Strukturiertheit der Sprache[27] wird seine indikatorische Bedeutung in den semio-

[24] Anonymus, Problèmes de méthode découlant de la conception de la langue comme système. Travaux du cercle de Prague, Bd. 1 (1929) 7–29, in: Neumann, a.a.O. 16–45, 34.
[25] Dazu: J. M. Broeckman, Strukturalismus. Moskau-Prag-Paris, Freiburg/München 1971.
[26] Aphasia as a linguistic Topic, a.a.O. 235f.
[27] R. Jakobson, Randbemerkungen zur Prosa des Dichters Pasternak, in: Slavische Rundschau 7,
1935, 357–374. R. Jakobson/M. Halle, Two aspects of language and two types of aphasic disturbances,
a.a.O.

tischen Analysen von R. Barthes, in der Anthropologie von Cl. Lévi-Strauß (neben dem Prinzip des Binärismus) und der Psychoanalyse J. Lacans unter Beweis stellen. Jakobson selbst hat für eine Entgrenzung des semiotischen Gegenstandes «Sprache» gesorgt, indem er mit aus der Linguistik gewonnenen Einsichten Phänomene wie Folklore, Film und Literatur, aber auch generellere Themen wie Rhetorik und Ästhetik untersuchte und somit explizit auf eine *semantische* Erweiterung der Semiotik drängte. Der leitende Gesichtspunkt war die Überzeugung, daß alle semiotischen Systeme – und da das gesamte kulturelle Universum zeichenhaft strukturiert und somit bedeutend ist, wäre die Welt pansemiotisch vermittelt – als Kodes (Systemen von Regeln) aufgefaßt werden können, welche die Erzeugung von Botschaften bedingen. Umberto Ecos Buch *La struttura assente*[28] darf als eine Wiederaufnahme des jakobsonschen Programms gelten, wobei Eco vor allem auf der Basis des Kommunikationsmodells bzw. des Sender-Empfängerregelkreises kulturelle Entitäten zu analysieren versucht. Eco definiert die semiotische Struktur als ein «Modell, das nach Vereinfachungsoperationen konstruiert ist, die es ermöglichen, verschiedene Phänomene von einem einzigen *Gesichtspunkt* aus zu vereinheitlichen.»[29] Der Gesichtspunkt, der diese Vereinheitlichung bedingt, ist dabei die kulturelle Produktion von Konnotationen auf der Basis von Denotationen. Eine Denotation ist «die unmittelbare Bezugnahme ... die der Code dem Ausdruck (sc. Lexem) in einer bestimmten Kultur zuschreibt... Das isolierte Lexem denotiert eine Position im semantischen System.»[30]

Diese unmittelbare semantische Valenz, als Bedeutungsminimum enthalten in paradigmatischen Selektionen, muß, um sinntragende Ausdrücke zu ermöglichen, mittels Konnotationen in ein Syntagma eingegliedert werden: im Gegensatz zur bloßen *Bedeutungsextension* der Denotation (/Baum/) ist die Konnotation «die Gesamtheit aller kulturellen Einheiten ... die von einer intensionalen Definition des Signifikans ins Spiel gebracht werden können.»[31] Während das Denotat also die *natürliche* Bedeutungsverifikation darstellt, ist das Konnotat die *ideologische*, emotionale, rhetorische, also kulturelle Bedeutungsfülle eines Ausdrucks. Die Semiotik entwickelt demnach nicht-ontologische, revidierbar-operationelle Verfahrensmodelle, welche die kulturell-innovatorische Produktion von 'Sinn' zu erklären versuchen.

---

[28] U. Eco, Einführung in die Semiotik, München 1972. (La struttura assente, Milano 1968)
[29] a.a.O. 63.      [30] a.a.O. 102f.      [31] a.a.O. 108.

Zusammenfassend sollten noch zwei Gesichtspunkte genannt werden, die als Ergebnis der Forschungen Jakobsons gelten dürfen. Auf die Frage, was Wissenschaftler wie Baudouin de Courtenay, Kurzewski oder Franz Boas und nicht zuletzt ihn selber zur Sprachwissenschaft geführt hatte, antwortete Jakobson: «Es ist das große System der Logik des Unbewußten, einer Logik, über die sich die jeweils Sprechenden keine Rechenschaft ablegen, einer Logik jedoch, die gleichzeitig ein determinierendes System ist.»[32] Zwar wies Jakobson selber immer darauf hin, daß der Gegensatz von Synchronie und Diachronie, von Systembegriff und Evolutionsbegriff abstrakt sei, da das System Evolutionscharakter und die Evolution Systemcharakter[33] habe. Gleichzeitig aber bestätigt er die seit Feuerbach, Nietzsche und Freud sich abzeichnende Wende von der Bewußtseinsphilosophie zu einer Theorie des *falschen* Bewußtseins, zu einer Hermeneutik des Verdachts, die ihrerseits eine der möglichen Konsequenzen war – die Romantik ging andere Wege – aus der (nicht nur) in der Spätphilosophie Schellings enthaltenen Einsicht in die *Transzendens des Wissensgrundes* bzw. aus der Erfahrung der Unvordenklichkeit des Seins als *Mangel an Sein im Wissen*. Diese so genannte *Verspätung des Sinns* stellt sich sprachtheoretisch als Überschuß und Redundanz des Signifikantennetzes gegenüber dem Signifikat dar.Für die Subjektkonstitution bedeutet dies, daß die semiotische Vermitteltheit von Sinn nur eine sukzessive Aufhebung der Sinn-prägungen im Prozeß der Semiose zuläßt (für Jakobson wächst die *Freiheit* des Subjekts in der Sprache ausgehend von den phonologischen Strukturen, wo sie gleich null ist, zu den Satz- und Texttransformationen, wo sie ungleich größer ist). Dabei kann das Subjekt als *vermittelte Unmittelbarkeit* oder *individuelles Allgemeine* (Frank) seiner Konstituiertheit niemals gleichzeitig werden.

Zweitens und daran anknüpfend, auf spätere Philosopheme der «Differenz» (Merleau-Ponty, Lacan, Derrida) verweisend, sagt Jakobson: «Das außerordentlich reiche Repertoire von ausgesprochen kodierten, bedeutungsvollen Einheiten (Morphemen und Wörtern) wird erst möglich auf Grund des durchscheinenden Systems ihrer rein differentiellen Komponenten ohne eigene Bedeutung (Unterscheidungsmerkmale, Phoneme und die Regeln ihrer Kombinierbarkeit). Das Signatum dieser Einheiten ist *reine Verschiedenheit* und zwar ein semantischer Unterschied zwischen

---

[32] R.Jakobson, Poesie und Sprachstruktur, Zürich 1970, 33.
[33] J. Tynjanow und R.Jakobson, Probleme der Literatur und Sprachforschung, in: Kursbuch 5, a.a.O. 74–77, 75.

den bedeutungsvollen Einheiten, zu denen das Signatum gehört und solchen, die ceteris paribus nicht die gleiche Einheit enthalten.»[34]

## *L. Hjelmslev*

Louis Hjelmslev, der führende Theoretiker des Kopenhagener Linguistenkreises, hat dieses zuletzt angesprochene Programm entscheidend weiterentwickelt.[35] Er dürfte als Begründer dessen gelten, was de Saussure gefordert hatte: eine allgemeine Wissenschaft des Zeichens, ausgehend von einer strukturellen Sprachwissenschaft. Die Ansicht, die Sprache ließe sich als quasi-algebraische Struktur beschreiben, ermöglichte die Ausdehnung des Konzeptes der «langue» auf den Begriff der «semiotischen Struktur». Die Radikalität dieses Ansatzes läßt sich kaum abschätzen in der einfachen Definition, die Hjelmslev der Struktur gibt. «Struktur ist eine autonome Ganzheit innerer Abhängigkeiten.»[36]

Nachdem er die Inhalts- und Ausdrucksebenen der Sprache entsprechend der de Saussureschen Unterscheidung von signifiant und singifié unterschieden hatte, führte er die Begriffe «Form» und «Substanz» ein: die Form stellt die relationale Wertstruktur und Substanz das außersprachliche Substrat dar. Durch deren Kombination ergeben sich dann vier Elemente: Inhaltssubstanz und Ausdruckssubstanz, womit sich die Physik und die Psychologie beschäftigen, und Inhaltsform und Ausdrucksform, die Gegenstand der von ihm so genannten «Glossematik»[37] sind.

Die Inhaltssubstanz (Sein), worin sich physikalische, sozio-biologische und kollektiv-appreziative Niveaus befinden – Hjelmslev verwendet den Begriff «Bezeichnung» für das erste und «Bedeutung» für die zwei anderen Niveaus – wird ebenso wie die Ausdruckssubstanz, die die nur phonetisch relevante Akustik enthält, ausgeschlossen: «Die Substanz ist also nicht ein notwendige Voraussetzung für die Sprachform, sondern die Sprachform ist eine notwendige Voraussetzung für die Substanz. Mit anderen Worten, die Manifestation ist eine Selektion, in der die Sprachform die Konstante ist und die Substanz die Variable...»[38]

[34] Language in Relation to Other Communication Systems, zitiert bei U. Eco, Der Einfluß R. Jakobsons auf die Entwicklung der Semiotik, in: Die Welt als Zeichen, a.a.O. 137–304, 187.

[35] J. Trabant, L. Hjelmslev. Glossematik als allgemeine Semiotik, in: Die Welt als Zeichen, a.a.O. 143–172.

[36] L. Hjelmslev, Pour une sémantique structural, Travaux du Cercle linguistique de Copenhague XXII (1959), 96–112. (Für eine strukturale Semantik, in: Neumann, a.a.O. 249–265, 254)

[37] «Die Glossematik ist als Wissenschaft allgemeiner Zeichenstrukturen eine Wissenschaft *theoretischer* Möglichkeiten und nicht eine Wissenschaft manifestierter Wirklichkeit.» J. Trabant, a.a.O. 154.

[38] L. Hjelmslev, Prolegomena zu einer Sprachtheorie, München 1974, 164. (Prolegomena to a theory of language, Baltimore 1953)

Nicht das Zeichen als Einheit von Inhaltsform und Ausdrucksform wäre somit abstrakt, sondern das nicht-semiotisch geformte Substrat der Welt müßte als opake Entität verstanden werden. In Analogie zum kantischen Ding-an-sich wäre diese Welt unzugänglich, weil nicht formsprachlich transformiert. Letztere Transformation kommt zustande durch die Bildung von *Ketten* auf der Inhalts- und Ausdrucksebene (satzhaft, syntagmatisch) und durch Partizipation an einem Elementensystem dahinter: der Grammatik.

«Die Zeichen bilden Ketten und die Elemente in jedem Zeichen bilden ebenfalls Ketten. Die Funktion (die Anhängigkeit, der Zusammenhang), die zwischen den Zeichen oder zwischen den Elementen innerhalb ein und derselben Kette bestehen, können wir Verbindung nennen: die Zeichen oder die Elemente sind miteinander in der Kette verbunden... Eine Sprache erscheint uns ganz unmittelbar ... als ein System von Zeichen. Wir sehen aber nun ein, daß eine Sprache in Wirklichkeit zunächst etwas anderes ist, nämlich ein System von Elementen, die dazu bestimmt sind, bestimmte Plätze in der Kette einzunehmen, bestimmte Verbindungen einzugehen unter Ausschluß von gewissen anderen.»[39] Eine Sprache ist somit eine kombinatorische Struktur, die aus endlichen Elementen unbegrenzte Zeichenrelationen bildet, ein rein differentielles Ganzes[40], das nur durch das Studium seiner Interdependenzen Auskunft gibt über die Wirklichkeit. Der Begriff «Kette» weist darauf hin, daß das Zeichen nicht als punktuelles Zusammentreffen von signifiant und singnifié *bedeutend* ist, sondern als inkludierendes und exkludierendes Moment einer Reihenbildung auf den sich akkommodierenden Niveaus der Inhaltsform und der Ausdrucksform.[41] Die authentische Zuständigkeit des Subjekts läge dann

[39] L. Hjelmslev, Die Sprache. Eine Einführung, Darmstadt 1968, 42.

[40] «daß eine Totalität nicht aus Dingen, sondern aus Zusammenhängen besteht, und daß nicht die Substanz, sondern nur ihre inneren und äußeren Relationen wissenschaftliche Existenz haben. Die Postulierung von Gegenständen als etwas anderes als Terme von Relationen ist ein überflüssiges Axiom.» (Proleg., a.a.O. 28)

[41] Auf diesem Hintergrund läßt sich eine Kontroverse über den Zeichenbegriff zwischen E. Benveniste und N. Ege besser einordnen. Benveniste hatte in *Nature du signe linguistique. Problèmes de linguistique général*(Paris 1966) behauptet, bei de Saussure würde sich die arbiträre Konstituiertheit des Zeichens beziehen auf die «objektive Motivierung der Benennung, die als solche der Wirkung verschiedener historischer Faktoren unterworfen ist», auf die Vorstellung des «wirklichen Objekts» (*Die Natur des sprachlichen Zeichens*, in: Neumann, a.a.O. 81–87, 86; siehe auch E. Benveniste, Probleme der allgemeinen Sprachwissenschaft, Frankfurt a. M. 1977, 61–69). Dagegen hatte N. Ege die autonome Formstruktur der Sprache in Rückgriff auf die Hjelmslevschen Saussure-Interpretation in Anspruch genommen und die semantische Dimension der Sprache als Funktion ihrer formalen Wertstruktur verteidigt. «Es ist richtig, daß das Zeichen nicht ohne den Bezug der zwei semiologischen Bestandteile existiert, aber dafür ausschließlich dank dieses Bezugs und nichts anderen.» (N. Ege, Le signe linguistique est arbitraire. Travaux du Cercle linguistique de Copenhague 1949, V, 11–29; Das sprachliche Zeichen ist willkürlich, in: Neumann, a.a.O. 105–127, 116).

allerdings nicht in einem unmittelbar verstehenden Zugang zu sich und seiner Welt: zwischen diese als nicht determinierte Potenz von «Sinn» und das sie perzeptiv und hermeneutisch apperzeptierende Subjekt schiebt sich ein Komplex differentieller Zeichenreihen, welche die Welt nicht abbilden und nicht unmittelbar in einen ursprünglichen Akt des Verstehens überführen, sondern bedeutungsgenerierende Felder konstituieren, die dann in einem weiteren Diskurs gesellschaftlich akzeptiert und/ oder epistemologisch verifiziert oder falsifiziert werden können. Die «Subjektivität» des Subjekts wäre dann nicht das transzendentale Korrelat, das Wirklichkeit synthetisiert im Sinne einer verbürgenden Gestalt, sondern das durch Sprache dezentrierte, aber in der (lebendigen) Sprache als Leerstelle zwischen den differentiellen Funktionen «gleitende» Vermögen (Lacan, Derrida, Frank), das der unendlichen Semiose – von den einfachsten Lauten bis zu den ästhetischen Redundanzen – inhäriert.

Die These Hjelmslevs von der bedeutungskonstituierenden *Form* der Sprache spiegelt sich in der berühmten Sapir-Whorf-Hypothese[42] wider und in E. Benvenistes nicht weniger bekanntem Aufsatz *Kategorien des Denkens und Kategorien der Sprache*[43]. Vor allem B. L. Whorf hatte in der Gegenüberstellung der nordamerikanischen Hopi-Sprachen zu den SAE-(Standard Average European)Sprachen die lexikalische Inkongruität von Sprachen nachgewiesen und daraus das Prinzip der sprachlichen Relativität abgeleitet: die Sprache wäre somit ein Netz, das die Wahrnehmung der Wirklichkeit kulturimmanent zumindest prä-determiniert.

E. Benveniste hat die aristotelische Kategorientafel auf die Syntax der griechischen Sprache bezogen («die sprachliche Form ist also nicht nur die Bedingung der Mitteilbarkeit, sondern zunächst die Bedingung der Realisierung des Denkens.»[44]) und im Vergleich mit der in Togo gesprochenen Ewe-Sprache die Relativität des Seinsbegriffs als indoeuropäischen Sachverhalt in dem Sinne herausstellt, «daß die sprachliche Struktur des Griechischen den Begriff des Seins zu einer philosophischen Berufung bestimmte.»[45] Auch wenn diese Thesen nicht unumstritten sind und in der Gefahr stehen, durch eine Radikalisierung der Hjelmlevschen Thesen die Sprache wiederum mit einer unmittelbaren semantischen Valenz und einem *ontologischen* Verweis auf die sprachtheoretisch nicht einholbare

[42] E. Sapir. Language, New York 1921 und B. L. Whorf, Language, Thought and Reality, Cambridge 1956.
[43] in: E. Benveniste, Probleme der allgemeinen Sprachwissenschaft, Frankfurt 1977, 77–90. (Problèmes de linguistique général, Paris 1972)
[44] a.a.O. 78      [45] a.a.O. 89

Inhaltssubstanz auszustatten, weisen sie doch darauf hin, daß die in kulturell spezifizierten Sprachspielen niedergelassenen Ontologien nicht naiv in universale Kategorien hinein entgrenzt werden können. Der hermeneutische Zugriff als Welt- und Selbstexplikation darf zunächst nur eine *regionale* Unmittelbarkeit in Anspruch nehmen. N. Chomsky hat aus seinen linguistischen Forschungen ebenfalls weitgehende Schlußfolgerungen gezogen[46], die in eigenartiger Spannung stehen zur behavioristischen Grundausrichtung des amerikanischen Deskriptivismus. L. Bloomfield nahm eine strikt induktive Position ein und verstand die Sprache als Vermittlung einer sonst unmittelbar zwischen einem Stimulus und einer Reaktion ablaufenden Reaktion. In seinem Hauptwerk *Language*[47] (1933) vertrat er die Auffassung, daß die *Bedeutung* einer Sprache zwar nach der Stimulus-Respons-Schematik konstituiert sei, die Sprachwissenschaft aber, da die Bedeutungsforschung eine nahezu vollständige Kenntnis der Welt des Sprechenden voraussetze, sich auf die formale Struktur der Sprache zu konzentrieren habe.

Z. Harris hat in seinem Hauptwerk *Methods in Structural Linguistics*[48] (1951) das erste Mal den Ausdruck «Transformation» verwendet, um komplexe Äußerungsformeln auf sogenannte «Kernsätze» zurückzuführen. Er war der Lehrer von Chomsky. In dessen Schrift *Aspekte der Syntax-Theorie*[49] hat die als primär angesehene Funktion der Syntax zu der Aufstellung des Modells einer «Generativen Grammatik» geführt, die «eine Theorie einer bestimmten Sprache ist, die die formalen und semantischen Eigenschaften einer unendlichen Folge von Sätzen spezifiziert»[50] und aus *Tiefenstrukturen, Transformationsregeln* und *Oberflächenstrukturen* besteht, wobei wiederum die Tiefenstruktur mittels Transformationsregeln eine infinite Zahl von Sätzen generiert. Die Theorie wollte Chomsky als eine Erklärung der unbegrenzten Ausdrucksqualität der Sprache verstanden haben[51], also als Wiederaufnahme der Humboldtschen «Sprach-

---

[46] Vor allem in: Reflexionen über die Sprache, Frankfurt 1977 (Reflections on Language, New York 1975); Cartesianische Linguistik. Ein Kapitel in der Geschichte des Rationalismus, Tübingen 1971 (Cartesian Linguistics. A Chapter in the History of Rationalist Thought, New York/London 1966); Regeln und Repräsentationen, Frankfurt a. M. 1981. (Rules and Representations, Columbia University Press 1980)
[47] L. Bloomfield, Language, New York 1933.
[48] Z. Harris, Method in Structural Linguistics, Chicago 1951.
[49] N. Chomsky, Aspekte der Syntax-Theorie, Frankfurt a. M. 1978.
[50] Reflexionen über die Sprache, Frankfurt a. M. 1978 (Aspects of the Theory of Syntax, Cambridge 1965).
[51] Cartesianische Linguistik, a.a.O. 41.

energie» als Theorie sprachlicher Kompetenz.[52] Die Auffassung Humboldts, Sprache sei ein «Organismus» mit interdependenten Größen, sah Chomsky ausdrücklich in der Phonologie Trubetzkoys realisiert[53] und das Theorem der «inneren Sprachform» in seiner eigenen «generativen Grammatik» positiviert. Das *restriktive* System der Prinzipien, welche die Grammatik regulieren, ist für Chomsky ein «Speziesmerkmal»[54]. Das Zentrum der *Cartesianischen Linguistik* bildet die Auffassung, daß die den Sprachen zugrundeliegenden Konstanten Konstanten des Geistes sind, die sich als sprachliche «Universalien» bezeichnen lassen. Somit lägen der prinzipiell infiniten Produktion von Oberflächenstrukturen sie semantisch bestimmende abstrakte Strukturen zugrunde. Die Oberflächenstruktur wäre die phonetische Interpretation der semantischen Determinationen und eine Organisation, die sich hauptsächlich auf die physische Form der aktuellen Lösung bezieht. Hier wird deutlich, wie sehr die Äußerung von Chomsky, «daß die Sprache eine konstitutive Funktion hinsichtlich des Denkens hat»[55] von der Sapir-Whorf-Hypothese und der Auffassung Benvenistes abweicht. Wäre das Plädoyer Chomskys überzeugend – und darüber läßt sich im Kontext dieser wenigen Zeilen nichts aussagen – wäre es nur ein Schritt von den sprachlichen Universalien zu den ontologischen Universalien als «eingeborenen Ideen».

Während die «amerikanische» Richtung der Sprachwissenschaft für den sogenannten Strukturalismus weniger bedeutungsvoll ist, lassen sich die Forschungen von Cl. Lévi-Strauß, R. Barthes, M. Foucault, J. Lacan und J. Derrida ohne de Saussure, Trubetzkoy, Jakobson und Hjelmslev nahezu nicht verstehen, auch wenn die Bezugnahmen durchaus mehr oder weniger explizit und die methodischen Anleihen unterschiedlich ausfallen. Die sprachtheoretische Wende zur Form und zur Struktur bettet sich aber in eine umfassendere Bewegung ein, die sich «paradigmatisch» (Th. S. Kuhn) dem Strukturbegriff verschreibt. «Strukturalismus» wäre somit eher ein Oberbegriff für eine *neue* Art der Wirklichkeitswahrnehmung als eine genau fixierbare Definition einer neuen Methodologie. Die Thematisierung des Begriffs «Struktur» fällt bei den hier noch zu behandelnden Strukturalisten ohnehin eher bescheiden aus.

---

[52] «Die festgelegten Mechanismen, die in ihrer systematischen und vereinheitlichten Repräsentation die Form der Sprache konstituieren, müssen sie fähig machen, eine unbestimmte Fülle von Sprachereignissen zu produzieren (Cartesische Linguistik, a.a.O. 27f.).
[53] a.a.O. 37
[54] Reflexionen, a.a.O. 20.
[55] a.a.O. 43

## §4 Äquivokationen im Strukturbegriff

Um den Verdacht zu zerstreuen, *Strukturalismus* sei eine modische Invektive gegen die Tradition humanistischen und bewußtseinsphilosophischen Denkens, muß der Begriff *Struktur* sich einer geistesgeschichtlichen Situierung unterwerfen, die zwar die Unmöglichkeit einer präzisen Definition offenkundig machen wird, jedoch auf Grund des ausgedehnten Materials und dessen problemorientierten Kohärenz *Struktur* begreifen läßt als Inbegriff einer – durchaus Äquivokationen enthaltenden – Perzeptions- und Apperzeptionsweise, als Abbreviatur einer *epochalen* Schematik des Sehens und des Verstehens. Vielleicht wird man mit R. Hughes[1] von einem «Schock der Moderne» sprechen können, wie er in Gemälden von G. Balla, O. Freundlich, W. Kandinsky und K. Malewitsch, von R. Magritte, P. Mondrian und in den Photo- und Objektmontagen R. Hausmanns zum Tragen kommt: das Zurückweichen des *Inhaltes* vor der Form.

Zu diesem Schock können die Synonyme des Strukturbegriffs beitragen, die M. Oppitz[2] gesammelt hat. «Das Wort *Struktur* steht als Synonym für System, Transformationssystem, Transformationssyntax (Pouillon), Beziehung, Beziehungssystem, System notwendiger Beziehungen, Organisation, Komplex, Muster, Typ, Gesamtheit, Totalität, Abhängigkeit der Teile vom Ganzen, nicht auf die Summe ihrer Teile reduzierbare Totalität (Piaget), autonome Entität mit internen Abhängigkeiten (Hjelmslev), Netz, Kohärenz, interne Kohärenz, Konstruktion, logische Konstruktion, Gefüge, Aufbau, Modell, logico-mathematisches Modell (Parain-Vial), Modell einer formalen Theorie (Badiou), Kompositionsgesetz, Form, Formprinzip, Morphologie (Spencer), Norm, prekäres Gleichgewicht spezifischer Hierarchien (Gurvitch), Beziehungszahl (Russel), interne stabile Beziehung (Sève), Gerüst, Plan, vermittelnde Matrix zwischen rein formalen Konzepten und einem Inhalt (Parain-Vial), Code, Anordnung von Faktoren, Arrangement, Vermittlung (Pouillon),Bau.»[3]

Bevor wir einen kurzen historischen Ausblick in das Dickicht der Begriffsgeschichte wagen, wollen wir die formalen Konstanten nicht unerwähnt lassen, die M. Oppitz akribisch in der Vielfalt der Struktur-

---

[1] R.Hughes, Der Schock der Moderne. Kunst im Jahrhundert des Umbruchs, Düsseldorf/Wien 1981 (The Shock of the New, London 1980).

[2] M. Oppitz, Notwendige Beziehungen, Abriß der strukturalen Anthropologie, Frankfurt a.M. 1981.

[3] Ebd. 17.

Synonyme festgehalten hat. Zudem sei hier schon auf den Begriff des
«Modells» hingewiesen, weil das «Modell» die kategorialen Eigenschaften
der «Struktur» eher vor Augen zu führen vermag, als der etwas vage
Strukturbegriff selber dies leisten kann.

Gemeinsam ist allen Definitionen die Betonung der Totalität, der Interdependenz der Elemente, der Gesetzmäßigkeit ihrer Transformationen,
der autoréglage (Selbstregulierung) der Struktur, der darin implizierten
scheinbaren Invarianz und der nur durch modellhafte Formalisierung
ermöglichten Erkennbarkeit. Letztere Bedingung schwankt ihrerseits, je
nachdem was für eine Theorie des Modells[4] man voraussetzt. M. Oppitz
hat dabei vor allem das Verhältnis von «Wirklichkeit» und «verkleinertem
Modell» betont, wobei das Modell die komplexe, mit Redundanz als
«Lebendigkeit» behaftete Fülle der Realität zu reduzieren hätte. «Modelle
sollen einfacher sein als die Wirklichkeit, die sie repräsentieren, weil mit
der Einfachheit die Intelligibilität des Gegenstandes zunimmt ... ihr zentraler Wert besteht darin, daß der Verlust an sinnlichen Dimensionen
durch den Gewinn an intellektuellen Dimensionen kompensiert wird.»[5]
Darüber hinaus wäre aber der Unterschied zwischen mechanischen und
statistischen Modellen (Lévi-Strauß) zu beachten, die P. Bourdieu in seiner Schrift *Zur Soziologie der symbolischen Formen* so verdeutlicht: «Im
Unterschied zu mimetischen Modellen, die nur die phänomenalen Eigenschaften des Gegenstandes anstelle einer Wiedergabe seiner Betriebsweise
reproduzieren, stellen die analogen oder strukturalen Modelle, die allem
Anschein entgegen auf abstraktivem Wege und durch methodischen Vergleich konstruiert wurden, eine intelligibele Relation zwischen konstruierten Beziehungen auf.»[6] Beide Typen können sich dann wieder auf die
gradmäßige, nicht kategoriale Differenz einer unbewußten oder bewußten Situierung beziehen. Die Phonologie, Ethnologie und die Psychoanalyse sind dabei prototypisch den Weg von den bewußten zu den unbewußten Modellen gegangen.

Am Ende dieses Abschnitts, nachdem wir uns ausführlicher einige
«Struktur»-Begriffe vorgenommen haben, wollen wir den Status des

---

[4] A. Badiou unterscheidet in Le concept de modèle (Paris 1969) zwischen Modell als *Begriff (notion)*
im Sinne eines deskriptiv-epistemologischen Konstrukts, als *Konzept* im Sinne einer mathematischen
Theorie der Modelle und der *Kategorie Modell* als einer philosophischen *Ideologie*. F. S. Nadel in The
Theory of social Structure (London 1957) differenziert zwischen Modell als *Maschine* (analogischer
Simplifizierung der komplexen Realität), als *Norm* (bewußtes Modell), als *Idealtypus*, als *nicht-realem
Entwurf* und als *lebendem Modell*. Dazu auch Oppitz, a.a.O. 54ff.

[5] Ebd. 57.

[6] P. Bourdieu, Zur Soziologie der symbolischen Formen, Frankfurt a.M. 1974, 32.

Modells, in Zusammenhang mit P. Bourdieus «Habitus»-Konzeption, nochmals abschließend diskutieren. Weil die Arbeit die wichtigsten Positionen des sogenannten Strukturalismus zur Sprache bringt, kann an dieser Stelle auf eine äußere Bezugnahme auf Literatur zum Strukturalismus[7] verzichtet werden.

Im Zeitalter der nicht mehr ungebrochenen Geltung der Substanzmetaphysik hat Nikolaus von Kues in seiner Schrift *Der Laie über die Weisheit* die Liebe zur Form als ein Prädikat Gottes verstanden, das seine Weisheit als «Hinwendung zur einfachsten und unendlichen Form»[8] kennzeichnet. Ihre Zeitlosigkeit erinnert an die Zeitlosigkeit ihres Urhebers. A. Dürer wird wenig später, unter dem Eindruck des Verses aus den Sprüchen Salomos 8,27: «Da Er die Himmel bereitete, war ich daselbst, da Er die Tiefe mit seinem zirkel faßte», im Jahre 1528 die *Vier Bücher von menschlicher Proportion*[9] veröffentlichen – Lévi-Strauß bezeichnet sie als die erste Schrift des Strukturalismus –, und in der Nachfolge von Alberti und Pacioli zum

---

[7] J. Piaget, Der Strukturalismus, Olten und Freiburg, 1973; J. M. Broeckman, Strukturalismus, Moskau-Prag-Paris, Freiburg/München 1971; R. Bastide, Sens et usage du terme «Structure» dans les sciences humaines et sociales, The Hague-Paris 1972; J. B. Fages, Den Strukturalismus verstehen. Einführung in das strukturale Denken, Gießen/Wiesbaden 1974; U. Eco, Einführung in die Semiotik, München 1972; K. Füssel, Zeichen und Strukturen. Einführung in Grundbegriffe, Positionen und Tendenzen des Strukturalismus, Münster 1983; G. Schiwy, Der französische Strukturalismus, München 1971; Ders. Strukturalismus und Zeichensysteme, München 1973; Ders. Neue Aspekte des Strukturalismus, München 1971; J. M. Auzias, Clefs pour le Structuralisme, Paris 1967; H. H. Baumann, Über französischen Strukturalismus. Zur Rezeption moderner Linguistik in Frankreich und Deutschland, in: (Hg.) W. Höllerer, Sprache im technischen Zeitalter (30), 157–183, Stuttgart 1969; U. Jaeggi, Ordnung und Chaos. Der Strukturalismus als Methode und Mode, Frankfurt a.M. 1966; G. Kröber, Die Kategorie «Struktur» und der kategorische Strukturalismus, in: Deutsche Zeitschrift für Philosophie, 16, 2, 1968, Berlin (Ost), 1310–1324; H. Gallas (Hg.), Strukturalismus als interpretatives Verfahren, Darmstadt/Neuwied 1972; N. Mouloud, La logique des structures et l'epistemologie, Revue internationale de Philosophie, 18, No. 74–77, 1965, 314–335; H. Lefèbvre, au-delà du structuralisme, Paris 1971; P. Fougegrollas, contra Lévi-Strauß, Lacan et Althusser, Paris 1976; W. D. Hund (Hg.), Strukturalismus, Ideologie und Dogmengeschichte, Darmstadt/Neuwied 1973; Ders., Der schamlose Idealismus. Polemik gegen eine reaktionäre Philosophie, Ebd. 11–64; Ders., Geistige Arbeit und Gesellschaftsinformation. Zur Kritik der strukturalistischen Ideologie, Frankfurt a.M. 1973; R. Gasché, Die hybride Wissenschaft. Zur Mutation des Wissenschaftsbegriffs bei E. Durkheim und im Strukturalismus von Cl. Lévi-Strauß, Stuttgart 1973; A. Schmidt, Geschichte und Struktur. Fragen einer marxistischen Historik, Frankfurt a.M. 1978; H. Lefèbvre, Strukturalismus und Geschichte, in: W. L. Bühl, Funktion und Struktur. Soziologie vor der Geschichte, München 1975, 304–328. – A. Schmid, Der strukturalistische Angriff auf die Geschichte, in: Beiträge zur marxistischen Erkenntnistheorie, (Hg.) A. Schmidt, Frankfurt a.M. 1969, 194–266; L. Sebag, Marxismus und Strukturalismus, Frankfurt a.M. 1970. (Paris 1964); D. Lenzer, Didaktik und Kommunikation. Zur strukturalen Begründung der Didaktik und zur didaktischen Struktur sprachlicher Interaktion, Frankfurt a.M. 1973; A. Grabner-Haider, Semiotik und Theologie, München 1973; M. van Esbroeck, Hermeneutik, Strukturalismus und Exegese, München 1972; J. Viet, Les méthodes structuralistes dans les sciences sociales, Paris 1972.

[8] Nikolaus Von Kues, Der Laie über die Weisheit, in: Schriften Bd. III, Wien 1967, 449. «Die Kunst des absoluten Geistes ist nichts anderes als die Form des Formbaren» (463).

[9] Faksimiledruck, Zürich 1969. Dazu: M. Steck, A. Dürer als Kunsttheoretiker, Zürich 1969.

ersten deutschen Kunsttheoretiker der Renaissance avancieren. Hier hat die geometrische Form und Figur, ausgehend von der einfachsten Struktur der Proportionen, die Würde des Gerüstes einer infiniten Permutabilität und Kombinierbarkeit des Körpers erreicht und das Ästhetische als Element der Schönheit eines demonstrabelen Kosmos unter die Botmäßigkeit des Formalen gestellt. Hier ist das geschehen, was E. Cassirer in *Substanzbegriff und Funktionsbegriff* auf den mathematischen Begriff bezog: «Die mathematischen Begriffe, die durch genetische Definition durch die gedankliche Feststellung eines konstruktiven Zusammenhangs entstehen, scheiden sich von den empirischen, die lediglich die Nachbildung irgendwelcher tatsächlicher Züge in der gegebenen Wirklichkeit der Dinge sein wollen» Der Primat des Einfachen involviere hier die Notwendigkeit, «die Mannigfaltigkeit, die den Gegenstand der Betrachtung bildet, erst zu schaffen, indem aus einem einfachen Akt der Setzung durch fortschreitende Synthese eine systematische Verknüpfung von Denkgebilden hervorgebracht wird. Der bloßen *Abstraktion* tritt daher hier ein eigener Akt des Denkens, eine freie Produktion bestimmter Relationszusammenhänge gegenüber.»[10] Die Epistemologie wird im Laufe dieser Entwicklung den Substanzgebriff erkenntniskritisch unter der Vorrangstellung der Urteilsformen und *deren* Kategorialität auflösen und in den Begriffen *System*, *Funktion* bzw. *Struktur* den paradigmatischen Etappenschritt[11] markieren bis hin zu einer möglichen *kybernetischen* Auflösung der Erkenntniskritik und ihrer Ersetzung durch eine symbolische Logik.

Die Kontroverse zwischen *Kausalisten* und *Teleologen* im Bereich der philosophischen Handlungstheorie zeigt, unter Abwandlung eines Buchtitels von A. Baruzzi[12], auf «Das Handeln sub specie maschinae» (Putnam) als eine konsequente Eventualität. Eine Modifikation der Erfahrung im Sinne einer zunehmenden Skepsis gegenüber hermeneutischen und bewußtseinsphilosophischen Fragestellungen zugunsten der Funktionalität ihrer Regeln wird vor allem am Begriff des «Zeichens» aufgewiesen[13]. Jene Maxime von W. Ross Ashbys, daß «Science deals, and can deal, only with what one man can demonstrate to another. *Vivid though consciouness may be to its possesor,* there is as yet no *method* known by which he can *demonstrate* his experience to antoher»[14] wird in den Wissenschaften

[10] Darmstadt 1980, Erstauflage, Berlin 1910.
[11] Dazu später: H. Rombach, Substanz-System-Struktur, Freiburg/München 1971.
[12] A. Barruzi, Mensch und Maschine. Das Denken sub specie maschinae, München 1973.
[13] Dazu das Kapitel über J. Derrida.
[14] W. R. Ashby, Design for a Brain, London 1960, 12.

generell als methodisches Postulat verstanden. Die Strenge dieser Aufweisbarkeit wird den methodischen und *ontologischen* Status des Strukturbegriffs je nach Gegenstandsgebiet unterschiedlich prägen.

E. Husserls programmatische Schrift *Philosophie als strenge Wissenschaft*[15] beschäftigt sich in ihrem zweiten Teil mit dem Historismus und
der mit ihm zusammenhängenden Weltanschauungsproblematik. Husserl
liefert hier bei seiner Einschätzung der *Typen*lehre Diltheys als «historische Skepsis»[16] eine wichtige Umschreibung des Typus als «Struktur».
Diese ist eine «Einheit innerlich sich fordernder Momente eines Sinnes
(ist) und dabei Einheit des sich sinngemäß nach innerer Motivation
Gestaltens und Entwickelns.»[17] W. Dilthey selbst hatte in *Die Typen der
Weltanschauung* drei Typen unterschieden: den religiösen, poetischen und
metaphysischen Typus. Unter unausdrücklicher Anerkennung der durch
die historische Relativität entstandenen «Skepsis» versuchte er, dieser in
der entwicklungsgeschichtlichen Variation und Gleichzeitigkeit von
Typen zu begegnen[18]. Husserl verstand die damit einhergehende Hermeneutik ganz im Sinne der romantischen Tradition als «inneres Nachleben»
mit der Aufgabe, die Entwicklungslogik und die «morphologische Struktur»[19] des philosophischen Wissens zu klassifizieren. Die *Philosophie als
strenge Wissenschaft*, die sich vor allem gegen den «Naturalismus» in der
Psychologie wendet und die «reine Phänomenologie» als «Ideation»
ermöglichende, existentiale Daseinssetzungen einklammernde «Wesens-
schau» versteht, hegt selber eine tiefe Skepsis gegenüber dieser «historischen» Skepsis. «Tiefsinn ist ein Anzeichen des Chaos, das echte Wissenschaft in einem Kosmos verwandeln will, in eine einfache, völlig klare,
aufgelöste Ordnung.»[20] Die «Struktur» als hermeneutischer Begriff, wie
sie vor allem von H. Rombach[21] in seiner Strukturontologie verwendet
wird, steht bei Husserl als ein der Phänomenologie fremder Terminus
neben seiner funktionalen Verwendung in der zweiten *Cartesianischen
Meditation* mit der Überschrift «Zerlegung des transzendentalen Er-
fahrungsfeldes nach seinen universalen Strukturen».[22] Der Begriff hat

---

[15] E. Husserl, Philosophie als strenge Wissenschaft, 49/50 Logos Bd. I, 1910/11. Hier: Quellen der
Philosophie, Frankfurt a.M. 1965.
[16] Ebd. 49. Dazu: O. Marquard, Weltanschauungstypologie. Bemerkungen zu einer anthropologischen Denkform des XIX. und XX. Jahrhunderts, in: Schwierigkeiten mit der Geschichtsphilosophie,
Frankfurt a.M. 1983, 107–121.
[17] a.a.O. 49.
[18] W. Dilthey, Die Typen der Weltanschauung. Schriften Bd. VIII, Göttingen 1957, 75–118.
[19] a.a.O. 50.    [20] Ebd. 69.
[21] H. Rombach, Strukturontologie. Eine Phänomenologie der Freiheit, Freiburg/München 1971.
[22] E. Husserl, Cartesianische Meditationen, Hamburg 1977.

bei Husserl also keinen methodischen oder sachlichen Ort, im Unterschied zu seiner Funktion bei Dilthey.

In der Abhandlung *Das Wesen der Philosophie*[23] aus dem Jahre 1907 wird die psychische Struktur, gleichsam als deskriptionspsychologische Grundlage des hermeneutischen Bewußtseins, dem naturwissenschaftlichen Vorgehen als induktivem Prozeß von Assoziation, Reproduktion und Apperzeption gegenübergestellt. Sie wird teleologisch[24] als «Anordnung, nach welcher psychische Tatsachen von verschiedener Beschaffenheit im entwickelten Seelenleben durch eine innere erlebbare Beziehung miteinander verbunden sind»[25] definiert und als Ausbalancierung des Lebensgefühls gekennzeichnet. Die *Selbsterhaltung*, die damit gemeint ist, obwohl Dilthey ihren Gehalt dem Stimulus-Respons-Schema explizit annähert[26], soll die experientielle und individuelle Steigerungsfähigkeit des Psychischen und seinen Strukturzusammenhang andeuten. Dessen innere Eigenschaften wurden in den *Ideen über eine beschreibende und zergliedernde Psychologie* (1894) dargelegt. Nicht nur die auffällige Übereinstimmung der Beschreibung, die Husserl der «Typik» gab, mit dem folgenden Zitat, sondern die inhaltliche Korrespondenz mit der später noch zu erwähnenden Strukturdefinition Rombachs springt dabei ins Auge. «Der psychische Lebensprozeß ist ursprünglich und überall von seinen elementarsten bis zu seinen höchsten Formen eine Einheit. Das Seelenleben wächst nicht aus Teilen zusammen; es bildet sich nicht aus Elementen; es ist ein Kompositum, nicht ein Ergebnis zusammenwirkender Empfindungsatome; es ist ursprünglich und immer eine übergreifende Einheit ... Dieser innere psychische Zusammenhang ist bedingt durch die Lage der Lebenseinheit innerhalb eines Milieus. Die dritte Grundeigenschaft dieses Lebenszusammenhangs ist, daß in ihr die Glieder so miteinander verbunden sind, daß nicht eines aus dem anderen nach dem Gesetz der in der äußeren Natur herrschenden Kausalität, nämlich dem Gesetz der quantitativen und qualitativen Gleichheit von Ursache und Wirkung, folgt... Der Zusammenhang zwischen diesen verschiedenartigen, nicht auseinander ableitbaren Bestandteilen ist sui generis. Der Name *Zweckmäßigkeit* klärt die Natur derselben nicht auf, sondern drückt nur ein im Erlebnis des seelischen Zusammenhangs Enthaltenes aus, in einer begrifflichen Abbreviatur.»[27]

[23] In: Schriften, Bd. V, Stuttgart 1957, 339–427.
[24] «Dieser seelische Strukturzusammenhang ist nun zugleich ein teleologischer», a.a.O. 207.
[25] a.a.O. 373.    [26] a.a.O. 210.
[27] Schriften, Bd. V, a.a.O. 139–240, 211.

Die Transposition dieser «Totalität» des Seelenlebens in die Grundlagenproblematik der Geisteswissenschaften, die als Zusammenhang von *Leben, Ausdruck* und *Verstehen* aufgefaßt werden, führt bei Dilthey, wegen der nicht-kausalen Methode dieser Wissenschaften, zu ihrer Konstitution als *hermeneutische* Wissenschaften. In allem Verstehen liegt dabei ein «Irrationales», weil es keinen logisch-deduktiven Stellenwert hat, das aber durchaus als «Repräsentation eines Allgemeinen» nicht gesetzlicher Art fungiert. In *Der Aufbau der geschichtlichen Welt in den Geisteswissenschaften*[28] kommt dieses Allgemeine durch die *induktive* Ableitung einer *Struktur*, eines Ordnungssystems[29] zustande, das *Fälle* repetitorischer Art analytisch (!)[30] zu einem Ganzen zusammenschließt, das als Lebenszusammenhang «Bedeutung» konstituiert im Sinne nicht-demonstrativer Gewißheit.[31]

Zu dem *Vorfeld* des Strukturdenkens gehören unweigerlich der logische Positivismus und der Physikalismus, wie sie von R. Carnap einerseits und O. Neurath andererseits vertreten wurden.[32] Carnap unternahm in *Scheinprobleme der Philosophie*[33] eine Überwindung der Metaphysik durch logische Analyse der Sprache im Sinne der Bildung von Elementarsätzen. Im Sinne einer Restriktion der Realitätsaussagen auf eine empirische verifizierbare Basalstruktur verabschiedete er die Metaphysik als «Ausdruck des Lebensgefühls»[34] und reduzierte normatives Philosophieren auf Tatsachenurteile. Im soziologischen Physikalismus Neuraths wird unter dem Motto «In der Sprache ist nur Ordnung»[35] nach einer Einheitssyntax und einer Einheitsprache gestrebt, die durch die einseitige Berücksichtigung isomorpher Beziehungen die Sinnleerheit einer Rede vom «Wesen» der Dinge zu erweisen sucht, sobald diese über die sprachphänomenale Korrelation ihrer syntaktischen Form hinausgeht. Nachdem das Individuum in Persönlichkeitskoeffizienten physikalischer Art aufgelöst wäre, hätte dieser Sozialbehaviorismus unter Ausschaltung aller sprachlichen und individuellen Redundanz eine am durchschnittlichen Verhalten orientierte, empirische «Felicitologie» als Ethik-Ersatz prognostischen Charak-

---

[28] Hier: Frankfurt a.M. 1981.
[29] Ebd. 271.
[30] Ebd. 294.
[31] Ebd. 279.
[32] Dazu: G. Ahrwerter, Zum Strukturbegriff des logischen Positivismus, in: W.D. Hund, a.a.O. 65–88.
[33] R. Carnap, Der logische Aufbau der Welt. Scheinprobleme in der Philosophie, Hamburg 1961 (1928).
[34] In: Erkenntnis 2, 1931, 219–241, 238.
[35] O. Neurath, Soziologie im Physikalismus, in: Erkenntnis 2, 1931, 393–431, 398.

ters zur Folge. Die Gestalttheorie V. von Weizsäckers[36], M. Wertheimers[37] und W. Köhlers[38] und die Feldtheorie K. Lewins[39] dürfen hier nicht unerwähnt bleiben.

Der Gestaltkreis ist für von Weizsäcker eine dynamische Form, eine «kreisförmige Ordnung..., bei der jedes der beiden Glieder aufs andere wirkt.» Diese Wirkung erfolgt unter Vorrang des nicht-additiven Ganzen vor seinen Teilen, «nicht numerisch, mathematisch oder formallogisch ... sondern dialektisch.»[40] V. von Weizsäckers Interesse konzentrierte sich auf die Pathologie des Nervensystems und auf die Bedingungen der Bewegung und der Wahrnehmung. Die Einführung des Subjekts in dieser Gestalt des Ganzen macht sich erst im «Zufall» des Ganzen bemerkbar: «Wir merken das Subjekt erst richtig, wenn es in der Krise zu verschwinden droht.»[41] Es führt zur Bestätigung der kausalen Unterdetermination des gestalteten Ganzen. Die Gestalt oder die Struktur erhält in der Krise des Subjekts bei von Weizsäcker die Dignität einer nicht-ontischen, meta-empirischen Immanenz. «Ich finde nun keine besseren Bezeichnungen für die Struktur der Krise als die, welche die Sprache für die Dialektik von Freiheit und Notwendigkeit gebildet hat. Denn das in der Krise befindliche Wesen ist aktuell nichts und potentiell alles... Die Struktur des dem ontischen gegenübergestellten, pathischen Attributs ist mit der Entwicklung der Kategorien der Freiheit, Notwendigkeit, des Wollens, Müssens, Könnens, Sollens und Dürfens umrissen und abgeschlossen. Schon grammatisch tritt deutlich hervor, daß es sich um Verben, also um Modi des Subjektes handelt. Die Kategorien werden erst sinnvoll, wenn sie etwa ausgesprochen werden, wie: ich will, du kannst, er darf usw. Die Einführung des Subjektes ist es, welche die Biologie mit diesen pathischen Kategorien bereichert.»[42]

Bei dem Begründer der Gestaltpsychologie, M. Wertheimer, wird die Gestalt in Anlehnung an Chr. von Ehrenfells durch das sogenannte Prinzip der Prägnanztendenz beim stroboskopischen Sehen experimentell verifiziert. Sie wird dadurch definiert, daß «das, was an einem Teile dieses Ganzen geschieht, bestimmt (wird) von inneren Strukturgesetzen dieses seines Ganzen.»[43] Köhlers Adaption der Ergebnisse Wertheimers in den Experimenten mit Menschenaffen stand unter der Devise der Begründung

[36] V. von Weizsäcker, Der Gestaltkreis, Frankfurt a.M. 1973 (Stuttgart 1950).
[37] M. Wertheimer, Über Gestalttheorie, Symposion, 1927.
[38] W. Köhler, Die physischen Gestalten in Ruhe und im stationären Zustand, Braunschweig 1920.
[39] K. Lewin, Feldtheorie und Lernen. Feldtheorie in den Sozialwis enschaften, Bern 1963.
[40] a.a.O. 233.   [41] Ebd. 254.   [42] Ebd. 272.
[43] Zitiert bei W. D. Hund, a.a.O. 183f.

einer allgemeinen Denk- und Lerntheorie und drückt sich in dem Axiom aus, daß «eine physische Struktur auf gegebener Topographie (ist) nicht logisch sekundär gegenüber ihren Momenten»[44] ist. K. Lewins topologische Psychologie bezieht dieses Prinzip auf die menschliche Verhaltens- und Motivationsforschung, mit dem Ergebnis, daß es nicht so sehr der äußere Stimulus, sondern der Gestaltungsdruck intrapsychischer und physischer Spannung ist, der verhaltensauslösend wirken soll. «Da nicht Objekte der Realität, sondern neurologische Strukturierungsprozesse die Entstehung von Bedürfnissen bestimmen, sind Bedürfnisse jeder Art durch den Spannungszustand des Organismus erklärbar und *legitimierbar*. Wird die Entstehungsbedingung von Bedürfnissen in die Sphäre angeborener menschlicher Prädispositionen gerückt, müssen Bedürfnissen und ihrer Erscheinung in Form von Handlungen als Ausdruck einer unveränderbaren Strukturgesetzlichkeit Berechtigung zugestanden werden. Schließen sich nun individuelle Bedürfnisse zu gesellschaftlichen Interessen zusammen, ist die Abfuhr des Spannungszustandes als legitime Handlungsweise ausgezeichnet.»[45] Dieses längere Zitat von B. Kirchhoff deutet die im Vergleich mit von Weizsäcker nahezu verheerende ethische Konsequenz dieser Konzeption an, sobald sie die Ebene des Deskriptiven verläßt und zu einem Mittel sozialeudaimonistischer Manipulation wird.

In der Ethnologie bei Fr. Boas[46], A.R. Radcliffe-Brown[47] und Cl. Lévi-Strauß[48] führt die Kritik an den diffusionistischen und evolutionistischen Schulen zu einer Konsequenz, die G. Granger als Folge der Bedeutung des Strukturbegriffs in den Humanwissenschaften *generell* festgestellt hat, nämlich, «daß man an die Stelle einer harmonischen Geschichte der Elemente, eine kontrapunktische Geschichte der Systeme setzen muß.»[49]

Bei Boas wird die Kultur als übergreifende und spezifizierende Form bzw. Struktur sozioökonomischer Provenienz und als Ursache der weiteren Differenzierungen betrachtet. Radcliffe-Brown versteht die Sozialanthropologie als «theoretische Naturwissenschaft der menschlichen Gesell-

[44] Zitiert bei W.D. Hund, a.a.O. 221.
[45] Kirchhoff, Zum Strukturbegriff der Gestalt- und Ganzheitspsychologie, in: W.D. Hund, a.a.O. 174.
[46] F. Boas, Das Geistesleben der Kulturarmen und der Kulturfortschritt, in: W.D. Hund, a.a.O. 270–294.
[47] A. R. Radcliffe-Brown, On Social Structur, The Journal of the Royal Anthropological Institute, LXX, 1, 1940.
[48] Cl. Lévi-Strauß, Das Wilde Denken, Frankfurt a.M. 1968.
[49] G. Granger, Geschehen und Struktur in den Wissenschaften vom Menschen, in: H. Neumann, a.a.O. 207–248.

schaft, d.h. Untersuchung sozialer Phänomene»[50] unter Anwendung von Methoden, die den in der Physik und Biologie gebräuchlichen ähnlich sind. Er faßt die Struktur als komplexes Netz existierender sozialer Beziehungen auf, die einen gleichen Realitätsgrad wie einzelne Organismen besitzen.[51]

Die wohl bedeutsamste Tradition, die unmittelbar in die strukturale Linguistik einmündet, ist der russische Formalismus.[52] Er versprach sich vor allem von der Unterscheidung Husserls zwischen «nicht-verbalem Gegenstand» und «Bedeutung»[53] eine radikale Liquidierung des denotativen Wertes der Poetik. Seine wichtigsten Vertreter waren J. Tynjanow, R. Jakobson, V. Sklovsky und J. Mukařovský[54].

Der Impetus, der zu der Gründung dieser Bewegung führte, war das entschiedene Anliegen ihrer Mitglieder, die Entautomatisierung der ästhetischen Wahrnehmung unter Berufung auf den Primat der Form bzw. des Zeichencharakters der Kunst voranzutreiben. Dadurch sollte die Wahrnehmung der Kunst selber zu einem wichtigen Moment des Künstlerischen, zu einer «Kunst der Wahrnehmung» werden. «Vom Standpunkt der Komposition aus gesehen, ist der Begriff *Inhalt* bei der Analyse eines Kunstwerks vollkommen überflüssig. Die Form aber ist hier als Kompositionsgesetz eines Gegenstandes zu verstehen.»[55]

Die Verunsicherung der Perzeption durch die Verunsicherung der Form sollte dabei auch langfristig die Wahrnehmung gesellschaftlicher Verhältnisse ändern, wobei gerade die strikte poetische und literarische Immanenz die *konformistische* Abbildfunktion der Kunst zu verhindern hätte. Der Prager Linguistenkreis formulierte dann auch nach der Vertreibung aus der Sowjetunion in der ersten Nummer seiner Zeitschrift «Traveaux du Cercle linguistic de Prague» (Jakobson, Mathesius, Mukařovský und Trnka) ein anspruchsvolles Programm, das sowohl die ästhetische Funktion der Sprache, die Strukturen des literarischen Werkes, den Zei-

---

[50] In: W.D. Hund, a.a.O. 297.
[51] Dazu auch D. Krämer, Zum Strukturbegriff in der Ethnologie, in: W.D. Hund, a.a.O. 243–265; und W.S. Freund, Unterentwicklung in strukturalistischer Sicht, in: K.Z.f.S., Sonderheft 13/1969, Köln 1969, 527–552.
[52] Victor Ehrlich, Russischer Formalismus, Frankfurt a.M. 1973.
[53] Die Unterscheidung Husserls findet sich u.a. bei Frege und Strawson wieder, wobei die Denotation oder Extention des Bezeichneten bei Frege «Bedeutung» und bei Strawson «Verwendung», die Konnotation oder Intention bei Frege «Sinn» und bei Strawson «Bedeutung» heißt.
[54] Dazu: J. Motschmann, Zu Strukturbegriff im russischen Formalismus und Prager Strukturalismus, in: W.D. Hund, a.a.O. 349–376, und Kvetoslav Chvatik, Strukturalismus und Avantgarde, München 1970.
[55] V. Šklosvky, Theorie der Prosa, Frankfurt a.M. 1966, 18.

chencharakter des Kunstwerkes und das Verhältnis von Sprache bzw. Literatur zur Gesellschaft erforschen sollte.[56] J. Tynjanow und R. Jakobson hatten schon vorher, in den *Probleme(n) der Literatur- und Sprachforschung*[57] gefordert, «daß die Analyse der sprachlichen und literarischen Strukturgesetze und ihrer Evolution unausweichlich zur Aufstellung einer endlichen Reihe real gegebener Strukturtypen bzw. Strukturentwicklungstypen» führen müsse.

Im Zusammenhang mit den komplexen Thematiken des russischen Formalismus kamen einige seiner Vertreter zu interessanten Auffassungen bezüglich des Strukturbegriffs selber.

Vor allem aber J. Mukařoviský verstand den Strukturalismus als eine Verbindung von Wissenschaft und Philosophie und nannte ihn deshalb eine wissenschaftliche Auffassung. «Wir sagen *Auffassung*, um die Begriffe *Theorie* oder *Methode* zu vermeiden. Theorie nämlich bedeutet einen festen Komplex von Erkenntnissen, Methode wiederum einen ebenso festgefügten und unveränderlichen Komplex von Arbeitsregeln. Der Strukturalismus ist weder das eine noch das andere – er ist *ein noetischer Standpunkt*, aus dem sich zwar bestimmte Arbeitsregeln und bestimmte Erkenntnisse ergeben, der aber unabhängig von diesen existiert und deshalb nach beiden Seiten hin entwicklungsfähig bleibt... Als Einheit des Gedankens ist die Struktur mehr als eine summative Ganzheit, d.h. eine Ganzheit, die durch bloßes Aneinanderreihen ihrer Teile entsteht. Eine strukturelle Ganzheit bedeutet jeden ihrer Teile, und umgekehrt jeder dieser Teile gerade diese und keine andere Ganzheit. Ein weiteres Grundmerkmal der Struktur ist ihr energetischer und dynamischer Charakter.»[58]

Abschließend sollte die Frage nach dem Status des Strukturbegriffs und das Problem der Präzisierung des häufig mit dem Strukturbegriff assoziierten Modellbegriffs wieder aufgegriffen werden. *Fr. Jameson* («that for the Structuralists the idea of a history of the objects on the surface phenomena has been replaced with that of a history of models.»[59]), *W.A. Koch* («Die Realisierungen (Modelle) des Strukturgedankens in den einzelnen Wissenschaftsbereichen weichen oft stark voneinander ab; es kann keine allgemeinverbindliche Konzeption von *Struktur* geben, diese ergibt

[56] Dazu: J. Motschmann, a.a.O. 362ff.
[57] In: Kursbuch 5, 1966, 74–77, 76.
[58] Kapitel aus der Poetik, Frankfurt a.M. 1967, 78.
[59] Fr. Jameson, The Prison-House of Language. A Critical Account of Structuralism and Russian Formalism, Princeton University Press 1972, 61.

sich vielmehr aus ihrer jeweiligen Zuordnung zu spezifischen Zwek-
ken.»[60]), *G. Granger* («Gerade auf die Ganzheit von Struktur und Kon-
junktur jedoch muß der wissenschaftliche Begriff des Modells bezogen
werden, doch unter der Bedingung, daß die ontologische Perspektive verlassen und das Modell als Mittel der Erkenntnis betrachtet wird..., sie
(die Modelle; J.-P. Wils) stellen keineswegs eine Negation des A-struktu-
rellen als Phänomen dar, sondern einen Adaptionsversuch des begrifflichen Hilfsmittels.»[61]), der ausdrücklich die Struktur als eine perspektivische und experimentell bestimmte *Modulierung* des Seienden versteht,
*A.J. Greimas* («Die Beschreibung einer Struktur ist nichts weiteres als die
Konstruktion eines metasprachlichen Modells, das in seinem inneren
Zusammenhang erprobt und geeignet ist, über das Funktionieren der zu
beschreibenden Sprache innerhalb der sprachlichen Äußerung Rechschaft
zu geben. Die historische Dimension ist für das Modell dieser Art nur ein
Bühnenbild.»[62]) und *G. K. Mainberger* («Der strategisch wirksame
Begriff im Prozeß der Wirklichkeitsannäherung durch Abstand im
Modell heißt Struktur.»[63]) legen die Analogizität des Struktur- und
Modellbegriffs nahe, wobei generell die Realitätsnähe der *interpretierenden* Modelle/Strukturen gegenüber ihren Gegenständen umgekehrt proportional zu ihrem Erkenntnisreichtum eingeschätzt wird. Die Unschärfe
des Modellbegriffs partizipiert also an der Bedeutungsvielfalt des Strukturbegriffs, die ihrerseits von der theoriebedingten Dezision des Wirklich-
keitsniveaus der Betrachtung abhängt. Infolgedessen muß mit einer
gegenstandspezifischen Breite seiner Verwendung und mit der Spannung

[60] W. A. Koch, Vom Morphem zum Textem. Aufsätze zur strukturellen Sprach- und Literaturwissenschaft, Hildesheim 1969, 137; D. Wunderlich strukturiert die Anwendungsgebiete des Strukturbe-
griffs in drei Gruppen: Strukturen als Eigenschaft der Wirklichkeit, als heuristisch-methodische Ent-
deckungsprozedur – was dem Modell am nächsten kommt –, und Strukturen als Schemata bzw.
Eigenschaften wissenschaftlicher Theorien selbst (Konstrukte). In: D. Wunderlich, Terminologie des
Strukturbegriffs, in: Literaturwissenschaft und Linguistik, Bd. I, Hg. J. Ihwe, Frankfurt a.M. 1971.
Diese Distinktionen lassen sich verifizieren an E. Buyssens Auffassung, daß der Wert (die Stellung im
System) *nicht* identisch sei mit der Kenntnis bzw. Bedeutung des Bezeichneten, «daß das Bezeichnete
nicht mit dem Wert gleichzusetzen ist: daneben ist der Kenntnis Platz einzuräumen, und zwar ein
bedeutender... Die Kenntnis erwächst zunächst aus dem Bekanntsein der Fakten.» (E. Buyssens, Der
Strukturalismus und die Willkür des Zeichens, in: H. Neumann, a.a.O. 296–315, 304.
[61] G. Granger, Evènement et structure dans les sciences de l'homme, Cahiers de l'Institut de Science
Economique Appliquée 96 (1959), 149–185, in: H. Neumann, a.a.O. 231.
[62] A. J. Greimas, Structure et histoire, Les Temps Modernes 246 (1966), 815–827, in: H. Neumann,
a.a.O. 426.
[63] G. K. Mainberger, Die französische Philosophie nach dem Strukturalismus, Neue Rundschau
(84), Frankfurt a.M. 1973, 437–457, 442. Dazu: R. Grubel, Zur Problematik des Strukturbegriffs in
der literaturwissenschaftlichen Modellierung, in: M. Merleau-Ponty und das Problem des Strukturbegriffs in den Sozialwissenschaften, (Hg.) R. Grathoff/W. Sprondel, Stuttgart 1976, 61–80. Ebenfalls:
K. Eimermacher, Bemerkungen zum Modellbegriff in der Literaturwissenschaft, in: a.a.O. 29–35.

zwischen einer abbildartigen, einer konstruierenden und einer dekonstruierenden Funktion gerechnet werden.

R. Boudon[64] hat aus der Pluriformität dieser Anwendungen gefolgert, daß der Strukturbegriff nicht induktiv und nicht mit der traditionsreichen Definitionstechnik des genus proximum und der differentia specifica bestimmt werden darf und kann: die Struktur bestehe demnach erst, *nachdem* man sie definiert hat, ähnlich den sogenannten *expliziten* Definitionen, die sich durch Evidenz bestimmen und einen axiomatischen Satz aufstellen, der alle anderen Aussagen bedingt. Diese Außenperspektive verhindert gewissermaßen die Ontologisierung des Begriffs, die durch seine Identifikation mit einer Wirklichkeitsperspektive hervorgerufen würde.

«Der wachsende Erfolg des Strukturbegriffs ist mit dem gesamten Prozeß wissenschaftlicher Veränderungen verbunden, aufgrund derer unterschiedliche Disziplinen in der Lage waren, verifizierbare Theorien zu bilden, mit denen man die Interdependenz der für ihre Objekte konstitutiven Elemente erklären könnte.»[65] Boudon unterscheidet dabei zwischen intentionalen und effektiven Definitionen, wobei erstere rein terminologisch und insofern banal sind, letztere die spezifisch erklärende Effizienz des Begriffs berücksichtigen. Boudons Schlußfolgerung, «es gibt also keine strukturale Methode, nur spezielle strukturale Theorien»[66], erweist sich nach unserem kurzen Überblick als zutreffend. Bei den sogenannten *Strukturalisten* ist die Stellung des Begriffs «Struktur» auffällig peripher.

Trotz dieser Schwierigkeiten mit einer Definition des Struktur- bzw. des Modellbegriffs gibt es entschieden philosophische Interpretationen, wie die von J. Ladrière und H. Rombach, die mit dem Strukturdenken einen ethischen Anspruch verbinden. Sie betrachten die «Struktur» als philosophischen Grundbegriff einer «nach-ontologischen» Teleologie.

---

[64] Strukturalismus. Methode und Kritik. Zur Theorie und Semantik eines aktuellen Themas, Düsseldorf 1973, (A quoi sert nous la notion de «structure». Essai sur la notion de structure dans les sciences humaines, Paris 1968).
[65] Ebd. 27.
[66] Ebd. 147. L. Goldmann macht sich diese Differenzierungen zu eigen, indem er eine *hermeneutische* Unterscheidung am Strukturbegriff vornimmt. «Verstehen ist die rigorose Beschreibung einer bedeutungstragenden Struktur in ihrer Beziehung auf eine Funktion. Erklärung ist die überblicksmäßige Beschreibung einer größeren Struktur, in der die analysierende Struktur eine Funktion hat.» (Zur Methode des genetischen Strukturalismus, in: W. L. Bühl, Soziologie vor der Geschichte, a.a.O. 270–285, 277). Die Zusammenstellung strukturalistischer Kennzeichen wie G. Deleuze (Woran erkennt man den Strukturalismus? in: Geschichte der Philosophie, Bd. VIII, Hg. E. Châtelet, Das XX. Jahrhundert, Frankfurt a.M./Berlin/Wien 1975, 269–302) und J. B. Fages (Den Strukturalismus verstehen. Einführung in das strukturale Denken. Gießen/Wiesbaden 1974) dies getan haben, ist zwar nützlich, erklärt aber wenig. Dazu auch: W. L. Bühl, Funktionalismus und Strukturalismus, in: Soziologie vor der Geschichte, a.a.O. 9–99.

«La notion (structure; J.-P. Wils) désigne une configuration qui se transforme elle-même et tend à se rapprocher d'une organisation optimale.»[67] Ladrière siedelt die ethische Konsequenz auf einem Rationalitätsniveau kantischer Prägung an, das mit der Optimierungsorganisation zunächst auffällig wenig zu tun hat. «L'avènement de la raison dans son autonomie, par la médiation de l'universel, c'est aussi la réalisation de la moralité, non sans doute selon toute la signification de la vie éthique mais en ce sens que l'universalisation des rapports humains fait émerger une solidarité généralisée et une réciprocité inconditionée où l'on peut bien voir l'accord éffectif des libertés les unes avec les autres.»[68]

Die Struktur wird zu einer Form der dem (philosophischen) Begriff eigenen Entfaltung: zu dessen Tendenz, sich zu universalisieren und in den menschlichen Beziehungen eine generalisierte Solidarität zu bewirken. Trotz der universalen Geltung des Begriffs soll diese Solidarität als nicht-konditionierte Gegenseitigkeit zu einer Realisation von Freiheiten führen. Die Struktur ist dann aber nur noch die Umschreibung einer vorausgesetzten Identität von theoretischer Begriffsuniversalität und praktischer Applikation, wobei gerade die Rede von der Nicht-konditioniertheit angesichts der Herrschaft des «Begriffs» unverständlich bleiben muß.

Eine dezidiert *onto-genetische* Interpretation bringt H. Rombach in seiner *Strukturontologie. Eine Phänomenologie der Freiheit*[69], nachdem in dem imposanten Opus *Substanz, System, Struktur*[70] die philosophiehistorische und quasi-ontologische Evidenz des Strukturparadigmas herausgearbeitet worden war.

Dabei überrascht zunächst die Umschreibung des Status der Struktur: «Struktur ist der Boden der Wirklichkeitskonstitution, nicht ist Wirklichkeit der Boden der Strukturkonstitution.»[71] Im Gegensatz aber zu einer vorschnellen Substantivierung der Struktur (Gurvitch) ist Rombachs Deutung subtil, da sie neben der ontologischen noch eine funktionale und subjektivitätstheoretische Auffassungsmöglichkeit zuläßt, die zudem das Leib-Seele-Problem – eines der ältesten Aporien der Philosophie und Theologie – als eine falsche Fragestellung zu entlarven versucht. Auch Rombach versteht die Struktur als die immanente teleologische Gestalt der Wirklichkeit. «Das Innen-Außen hängt an der Ausarbeitung (Konkre-

---

[67] J. Ladrière, Le structuralisme entre la science et la philosophie, in: Tijdschrift voor filosofie 1971, 66–111, 69. Dazu auch: J. Pouillon, Présentation. Un essai de définition, in: Les Temps Modernes, (22) Nov. 1966, No. 246, (Hg.) J. P. Sartre, Paris, 769–790, vor allem 780.
[68] a.a.O. 110.      [69] Freiburg/München 1971.      [70] Freiburg/München 1981.
[71] Strukturontologie, a.a.O. 330.

tion), folgt die Struktur nicht der einzelheitlichen Verweisung von Einzelheiten zu Einzelheiten, so hat sie weder Innen noch Außen, noch *gibt es* die Struktur. Das *es gibt* gibt es nur zwischen dem, was es gibt. Nur das Wirkliche ist die Wirklichkeit. Der Seinssinn ist « Gebung», die nur in jeweiliger Perspektive funktioniert. Gebung ist die Präsenz des Ganzen in Richtung auf eine Einzelheit, im Zulaufen auf sie und in der Veränderung der zentrierenden Einzelheit. Als Ganzes gibt es das Ganze nicht. Die Wirklichkeit ist kein Bestand.»[72] Dieses *teleologisierte* Zulaufen besitzt «Subjektivität» als Ausgangspunkt einer dem «Sein» immanenten Meliorisation des Ausgangs des Ganzen. Das Ich ist in dieser Perspektivierung nicht länger mehr eine selber unperspektivische Punktualität, die als transzendentale Synthesis nicht im «Erlebnis» der Welt enthalten wäre. Rombachs phänomenologische Aus-legung bestimmt Subjektivität als die Struktur der Welt *als* Erlebnis, wobei die Komplementarität des Ganzen und seiner Momente *als* Struktur der Subjektivität (gen. subj.), als «Niveauprägnanz» das Postulat einer möglichen Stimmigkeit enthält. «Ich bin ein vielstufiges Phänomen. Es rekonstruiert sich aus einer Vielzahl von Ringen möglicher Meinheit, die von einem unendlich punktuell zu hintergehenden Punkt (Reflexionsiteration) über alle Stufen des 'wir' bis in die äußerste Peripherie 'unserer' Welt (die präzis als die 'unsere' die 'meine' ist) reicht.»[73] Die Stimmigkeit, die Meliorisation und die perspektivische Durchdringung der dynamischen Strukturation, wie auch J. Piaget sie vertritt, machen den Schritt von der Struktur zum Modell evident, weil letzteres gerade eine Adaption ausschließt, eine produktive und approximative «Adäquation» aber verlangt.

«Moralität bedeutet dann eine bestimmte Strukturierung der Handlungsdispositionen, eine solche, durch die die Dispositionen unter den gegebenen konkreten Bedingungen in ein wechselseitiges Förderungsverhältnis gelangen. Es geht um die Erreichung der Förderungsgestalt aller Möglichkeiten, wobei das, was eine Möglichkeit genannt werden kann, nicht durch äußere Koordinaten bestimmbar ist, sondern aus der Erfahrung ihrer Entfaltungsbedingungen personal und sozial evident wird.»[74]

P. Bourdieu[75] hat in Anschluß an E. Panofsky, die Differenzierungen im Strukturbegriff bestätigend, zwei Sinnschichten unterschieden: die

[72] Ebd. 329.     [73] Ebd. 332.
[74] Ebd. 257. Dazu auch W. Falk: «Da das Modell keiner Idee entspricht, kann es keinerlei Sollwerte für seine Füllung geben.» (Vom Strukturalismus zum Potenzialismus. Ein Versuch zur Geschichts- und Literaturtheorie, Freiburg/München 1976, 263) und H. Hendricks, Modell und Erfahrung. Ein Beitrag zur Überwindung der Sprachbarriere zwischen Naturwissenschaft und Philosophie, München 1973.
[75] Zur Soziologie der symbolischen Formen, Frankfurt a.M. 1970, 125ff.

primäre des «faktuellen» oder «expressiven» Sinnes und die «sekundäre» des konventionellen, kulturellen oder symbolischen Sinnes, wobei in einer «synthetischen Intuition», ähnlich der Förderungsgestalt Rombachs, das Individuelle und das Kollektive im «Habitus» als Einheit von Theorie und Praxis realisiert werden. Der Habitus, auch Schema oder innere Form genannt, nimmt in Bourdieus Kulturtheorie die Funktion wahr, ein kulturelles Erbe in ein individuelles und kollektives Unbewußtes zu verwandeln. Er ist «ein Zusammenspiel bereits im voraus assimilierter Grundmuster ... eine generative Grammatik der Handlungsmuster.»[76] Diese Axiomatik von Schemata leitet für Bourdieu die Wahl des Künstlers oder des *Handelnden*, wobei «ohne in der Art ihrer Organisation ausdrücklich einem bestimmten Zweck zu gehorchen, diese Wahl doch Träger einer Art von Finalität ist, die sich allerdings erst post festum zu erkennen gibt.»[77]

Als Fazit dieses Überblicks läßt sich *die Äquivokation* des Begriffs «Struktur» feststellen: die Bedeutungsbreite reicht von «Schema», «Habitus», «Ganzheit» bis zu «Symbol». Überraschend dabei ist die Relevanz und Häufigkeit des «Modellbegriffs» (Oppitz, Lévi-Strauß, Badiou, Nadel, Koch, Greimas, Mainberger, Falk, Hendrichs, Kaulbauch, Rombach).

Wie die Struktur kann das Modell die innere Stimmigkeit einer Realisation, also ihre psychisch-motivationale Seite betreffen, aber auch einen transzendental-ontologischen Kontext als Aussage über die letzte Verfaßtheit der Wirklichkeit bedeuten. Das Modell ist jedoch schon *semantisch* geschützt gegen eine vorschnelle Ontologisierung, wie sie der Strukturbegriff bei einigen Autoren zu erlangen droht (Gurvitsch). Es appelliert an eine «*produktive Applikation*» und läßt sich, wie aber auch das Schema und das Symbol, als eine «*individuelle Ganzheit*», eine «*konkrete Regularität*», «*eine gezügelte Freiheit*» oder ein «*individuelles Allgemeines*» verstehen. Trotzdem gilt auch für den Modellbegriff, wie für den Strukturbegriff, den er wirksam und pluriform weitergebildet hat, daß er – durch seine Abhängigkeit von der methodischen Intention und der «ontologischen» Interpretation seiner Verwendung bedingt – in hohem Maße «*kontextrelativ*» ist.

---

[76] Ebd. 143 und 150.
[77] Ebd. 152f.

# III. Der sogenannte Strukturalismus: ein pluriformes Denken

## §1 Claude Lévi-Strauß: der schematisierte Mensch

«Das Zeichen bewerkstelligt die Reorganisation des Ganzen, während der Begriff die Eröffnung des Ganzen bewerkstelligt.»

(Cl. Lévi-Strauß, Mythos und Bedeutung, 106)

### Zwischen Trauer und Ethik

In seinem wohl bekanntesten Buch «Traurige Tropen» fragt sich Cl. Lévi-Strauß: «Soll ich, der ergraute Vorläufer all derer, die sich heute im Busch herumtreiben, denn der einzige bleiben, der nur Asche in seinen Händen mitgebracht hat? Ist meine Stimme die einzige, die vom Scheitern der Flucht Zeugnis gibt?»[1] Dieser Satz, ausgesprochen von einem, der berichten wollte von dem «Widerschein eines Zeitalters, in dem sich der Mensch auf der Höhe seines Universums befand und in dem ein adäquates Verhältnis zwischen der Ausübung der Freiheit und ihren Zeichen bestand»[2], ist mehr als das resignierte Eingeständnis, nur mehr die letzten Botschaften einer im Schwinden begriffenen Zivilisation aufgefangen zu haben. Er drückt vielmehr das Schuldbewußtsein einer ganzen Disziplin aus. Die Anthropologie als eine nicht nur *philosophische* Wissenschaft erweist sich als einer Epoche kongenial, die durch ihr koloniales, gewalttätiges Vorgehen die conditio humana als faktum brutum verobjektivierte. Sie reflektierte diesen Tatbestand epistemologisch als wissenschaftliche Bereitschaft, einen Teil der Menschheit durch einen anderen Teil derselben der beobachtenden Theorie zu unterwerfen.[3]

[1] Traurige Tropen, Frankfurt a.M. 1979, 35.
[2] Ebd. 142.
[3] Cl. Lévi-Strauß, «Anthropologie»: its Achivement and Future, in: Nature 209, January 1 (1966), 11.

Für Lévi-Strauß – und darin ist er einer Meinung mit Rousseau – drückt die Cogito-Philosophie diese Konstellation erkenntnistheoretisch aus. Die Vorbehalte, die Rousseau gegen Descartes' *methodischen* Zweifel anmeldet -dieser ist für ihn durch Schlußfolgerung gewonnen und somit erzwungen –, sind dabei selber nicht methodischer Art. Darin liegt ihre Schwäche. Sie sind dagegen die Folge einer vor allem im *Diskurs über den Ursprung der Ungleichheit* beheimateten, veränderten Auffassung vom Menschen: Rousseau besitzt die Überzeugung, daß *Selbst*-Erkenntnis *Fremd*-erkenntnis ist. Das Ich (cogito) wäre dann nur noch das Mittel des Selbst, sich seines Anderen zu versichern: «Je est un autre» (Rimbaud). Im Gegensatz zu der hegelschen spekulativen Philosophie, welche die Auflösung dieser Antinomie als Bewegung des Begriffs (Logik) erprobt, wird sowohl bei Rousseau als auch bei Lévi-Strauß eine Lebens- und Mitleidsethik entworfen, die nun wiederum diese 'Einsicht' in der praktisch-ethischen Primordialität des Anderen kulturkritisch ausdehnt. Die Identifikation mit dem Anderen und die Weigerung, sich selbst mit sich (selbst) zu identifizieren, fordern sowohl das Individuum als auch seine eigene Kultur auf, ihre Identifikation mit allem was «lebt, also leidet» im Jenseits ihres Selbst zu vollziehen. Die unmittelbare Konsequenz dieser Auffassung, die Rousseau am wirkungsvollsten im *Gesellschaftsvertrag* vorgetragen hat, war die Maxime, die Vergesellschaftung der Natur als Indikator der Natur der Gesellschaft zu buchstabieren. «Denn ist es nicht der Mythos von der ausschließlichen Würde der menschlichen Natur, der die Natur selbst eine erste Verstümmelung erleiden ließ, der unweigerlich weitere folgen mußten?»[4]

Entgegen der Eigentümlichkeit der vertragstheoretischen Ansätze (Rousseau, Hobbes, Kant, Fichte, Rawls), die ihre Ausführungen als hypothetisch-rekonstruktive Anleitung oder als Vernunftnotwendigkeit verstanden haben wollten, muß die sich als empirische Wissenschaft betrachtende Ethnologie von Lévi-Strauß die Koinzidenz von Ich und Anderem auf einem Niveau wenigstens *objektiver* Wahrscheinlichkeit suchen. Um die Notwendigkeit und Universalität der *Anspruchsgestalt* der gewonnenen Einsichten nicht aufzugeben – welches weder auf der Ebene der Faktizität noch auf der Ebene subjektiver Evidenz gelingen kann, aber mit ihnen eine gewisse Affinität aufweisen muß –, ist sie gezwungen, eine Schicht freizulegen, die gewährt, daß «nämlich ein Drittes existiert, was sich in mir denkt und das mich zunächst zweifeln läßt, ob ich es bin, der

---

[4] J. J. Rousseau, Begründer der Wissenschaft vom Menschen, in: Strukturale Anthropologie II, 45–56, 53.

denkt.»[5] Das Gesuchte dieses methodologisch-ethischen Postulats ist das *Unbewußte* (für Lévi-Strauß das Unbewußte des Geistes und der Gesellschaft in einem), das als strukturiertes Phänomen sowohl die Ordnungs- und Klassifikationsfähigkeit des Geistes und der Gesellschaft, als auch deren virtuelle Kongruität ausdrückt *und* gewährleistet. Während bei Heidegger die Subjektivitätskritik als Kritik der Begründungsgestalten abendländischer Philosophie (implizit stets eine Kritik der Begründungsgestalt der Ethik) sich in Richtung einer mythopoetischen Sprachauffassung verdichtete, ist bei Lévi-Strauß die Orientierung an Theoremen der Linguistik und deren Transposition in eine ethnologische Methodologie ausschlaggebend. Dabei interessiert vor allem die prä-reflexive Form und Strukturiertheit der Sprachphänomene. Diese gibt seiner Ethik der «Demut vor dem Leben»[6] – und dieses im Gegensatz zu der gleichnamigen Ethik A. Schweitzers – ein schon in den Prämissen der Theorie gesichertes Fundament. Abgesehen von der Frage nach der faktischen Richtigkeit dieser Begründung[7], ist die Aufmerksamkeit auf die prinzipielle Interdependenz von Begründungsgestalt (hier als Frage nach der epistemologisch motivierten Form und Fundiertheit der Theorie) und dem begründeten Gehalt als solche eine ernst zu nehmende Anforderung, auch wenn Lévi-Strauß in seiner Kritik der Tradition subjektivitätstheoretischen und -praktischen Denkens nicht ohne entstellende Abbreviaturen auskommt.

*Sprache – Struktur: die Ethnologie und das Unbewußte*

In der *Strukturale(n) Anthropologie I und II*[8] hat Lévi-Strauß die Methodologie einer am Paradigma der Sprachwissenschaft orientierten Ethnologie ausgearbeitet. Obwohl erst die größeren Veröffentlichungen zu spezifisch ethnologischen Thematiken wie *Die elementaren Strukturen der Verwandtschaft*[9] und die *Mythologica*[10] einen Einblick gewähren in das am Material konkretisierte Vorgehen, sind die in der *Strukturale(n) Anthropo-*

---

[5] Ebd. 49.
[6] Mythos und Bedeutung, Vorträge, Frankfurt a.M. 1980, 248.
[7] Ein deutliches Indiz für die Ungenauigkeit der Formulierung und somit eventuell auch für die Inkonsistenz der bei Lévi-Strauß vorliegenden Begründungsgestalt selber, liegt in der offenkundigen Widersprüchlichkeit folgender Aussage: «Die Achtung des Menschen vor dem Menschen kann sich nicht auf eine besondere Würde gründen, die die *Menschheit* sich selbst zuschreibt, denn dann kann stets ein Teil der Menschheit behaupten, diese Würde in höherem Maß zu besitzen als die übrigen.» (a.a.O. 248; Hervorhebung von J.-P. Wils)
[8] Frankfurt a.M., 1967/1975 (Paris 1958/1973).
[9] Frankfurt a.M., 1901.    [10] Frankfurt a.M., 1976.

*logie* gesammelten Aufsätze, neben einigen anderen[11], unerläßlich für das Verständnis und die Einschätzung der konkreten, oft für den Nicht-Ethnologen nur schwer nachvollziehbaren, anthropologischen Arbeit.

Lévi-Strauß geht von der wissenschaftstheoretischen Aporie aus, daß der Beobachter im Felde der Anthropologie stets Teil des Beobachteten ist, und daß daraus nicht nur die Gefahr des Subjektivismus und der nicht verifizierbaren Wahrnehmung, sondern in Reaktion darauf auch die *gefährliche* Distanzierung als Mittel der Objektivierung wächst. Dadurch nun wieder würde die subjektive Verifikation ausfallen. Deshalb hat sich für Lévi-Strauß der Ethnologe auf das Niveau des «Unbewußten» zu begeben. Das «Unbewußte» als *Apriori* ist für ihn im «Erlebnis» phänomenal zugänglich – auch wenn diese Art des Zugangs zunächst unklar bleiben muß – und deshalb sowohl subjektiv applikabel als auch in seiner «Strukturiertheit» gesichert genug, um keinen subjektiven Entstellungen anheimzufallen. Das Kriterium liefert dabei nicht die Psychoanalyse, auch wenn Lévi-Strauß vielfach auf Freud zurückgreift, sondern die Sprachwissenschaft. «Wenn, wie wir meinen, daß die unbewußte Tätigkeit des Geistes darin besteht, einem Inhalt Formen aufzuzwingen, und wenn diese Formen im Grunde für alle Geister, die alten und die modernen, die primitiven und die zivilisierten dieselben sind – wie die Untersuchung der symbolischen Funktion, wie sie in der Sprache zum Ausdruck kommt, überzeugend nachweist –, ist es *notwendig* und *ausreichend*, die unbewußte Struktur, die jeder Institution oder jedem Brauch zugrunde liegt, zu finden, um ein *Interpretationsprinzip* zu bekommen. ... Der Übergang vom Bewußten zum Unbewußten läuft neben einem Fortschreiten vom Speziellen zum Allgemeinen her.»[12]

Sukzessive werden wir einige Ausführungen von Lévi-Strauß zu der *Sprache*, der *Struktur* und dem *Unbewußten* verfolgen, um dieses programmatische Zitat zu explizieren, zumal sich in ihm die axiologische Dezision eines jeden Wissenschaftlers bezüglich der Strukturgesetzlichkeit seines Gegenstandes bzw. die *paradigmatische* Wahl des *ontologischen* Status des Objektes ausspricht. In dem Aufsatz *Die Strukturanalyse in der Sprachwissenschaft und in der Anthropologie*[13] aus dem Jahre 1945 orientiert sich Lévi-Strauß unter dem Eindruck der Erfolge der Phonologie vor allem an N. Trubetzkoy.

---

[11] Vor allem: Die Mathematik vom Menschen, Kursbuch 8/1967, 176–188; Einleitung in das Werk von Marcel Mauss, in: KZfSuS (25) 1973, 675–703; Lévi-Strauß/R. Jakobson, Les Chats von Charles Baudelaire, in: H. Blumensath (Hg.), Strukturalismus in der Literaturwissenschaft, Köln 1972, 184–201.
[12] SA I, 35.    [13] SA I, 43–67.

Die Phonologie unterscheidet sich tatsächlich von der historisch orientierten Sprachwissenschaft im wesentlichen durch vier Operationen: sie geht vom Studium der bewußten Spracherscheinung zu ihrer unbewußten Infrastruktur über; sie stellt die Abhängigkeit des Ausdrucks von dem Netz seiner Beziehungen heraus; sie zeigt konkrete und strukturierte phonologische Systeme auf und zielt auf induktive oder logisch deduzierbare allgemeine Gesetze. Für Lévi-Strauß nun sind die Gegenstände der Sozialwissenschaften – in einer anderen Ordnung der Wirklichkeit – Phänomene vom gleichen Typus wie die sprachlichen. Sie sind sich gleich hinsichtlich ihrer *Form*. Trotzdem ist die Übertragung der Methode nicht linear und unproblematisch. Da es für Lévi-Strauß auf der Stufe des ethnologischen *Vokabulars* keine notwendigen Beziehungen gibt, muß das soziale Feld in ein *Benennungssystem* (Ebene der Nomenklatur, système des appellations) und ein *Haltungssystem* (système des attitudes) geschieden werden. Dabei kommen nur diejenigen Haltungen in Frage, die «stilisiert» sind und auf Grund einer Sanktionierung durch Tabus oder Vorrechte einen Verpflichtungscharakter haben. Genauso wie die Sprache aus der Verschiedenheit der Laute nur eine begrenzte, signifikative Zahl zurückbehält, wählt für Lévi-Strauß die soziale Gruppe nur einige Konstanten aus dem psycho-physiologischen «Material» der möglichen Konstituiertheit einer Gesellschaft aus (die Strukturen der sozialen Entität und die Gesetze ihrer Kombination würden für die Verwandtschaft in *Die elementaren Strukturen der Verwandtschaft* untersucht).

In *Sprache und Gesellschaft*[14] werden an dieser Auffassung einige Differenzierungen angebracht. Wiederum ist es die Unbewußtheit der syntaktischen, morphologischen und phonematischen Gesetze der Sprache, welche die Sprachwissenschaft dazu prädestinieren, die erste *Sozial*wissenschaft zu sein, die den Einfluß des Beobachters auf das Objekt auszuschalten vermag. Explizit der Sprachwissenschaft entlehnt sind bei Lévi-Strauß aber nur die Begriffe «Syntagma» und «Paradigma» als Leitmarken der methodischen Dekonstruktion des ethnologischen Gegenstandes.

Die Ausführungen zum Strukturbegriff erhellen den Begriff des «Unbewußten» nur unwesentlich und schützen ihn nicht vor einer mißverständlichen Interpretation. In *Die Struktur und die Form. Reflexionen über ein Werk von Wladimir Propp*[15] wird die Struktur aufgefaßt als «der Inhalt selbst, erfaßt in einer logischen Organisation, die als eine Eigenschaft des Realen gilt.»[16]

[14] SA I, Kap. 3, 68–79.     [15] SA II, Kap. 8, 135–168.     [16] Ebd. 135.

Der Aufsatz *Das Feld der Anthropologie*[17] enthält ein Zitat von E. Durkheim, dem Lévi-Strauß zustimmt, und das wegen seiner Bedeutsamkeit an dieser Stelle wiedergegeben werden soll: «Zweifellos haben die Phänomene, welche die Struktur betreffen, etwas Stabileres an sich als die funktionalen Phänomene; doch zwischen beiden Ordnungen bestehen nur Gradunterschiede. *Der Struktur selbst begegnet man im Werden... Sie entsteht und zerfällt ohne Unterlaß; sie ist das Leben, das einen bestimmten Grad an Konsolidierung erreicht hat; und sie vom Leben unterscheiden zu wollen, von dem sie sich herleitet, oder vom Leben, das sie determiniert, ist dasselbe, als wollte man Untrennbares trennen.*»[18] Die Struktur hat infolgedessen einen sowohl logischen als auch quasi-ontologischen Status: sie sichert die prinzipielle Kongruenz von Methode und Gegenstand und impliziert eine wissenschaftstheoretische und philosophische These über die *ontologische* Reziprozität ihrer Selbst und des durch sie Strukturierten. Sie ist deshalb, streng genommen, selbstreferentiell und der Form idealistischer Bewußtseinstheorie nachgebildet.

Die umfassendste Veröffentlichung zu dem Problem stellt *Der Strukturbegriff in der Ethnologie*[19] dar. Auch hier weist Lévi-Strauß auf den methodischen und realen Charakter der Struktur hin: «Entweder hat der Begriff der sozialen Struktur keinen Sinn, oder dieser Sinn hat bereits eine Struktur.»[20] Daher bezieht sich der Begriff nicht direkt auf die empirische Wirklichkeit der sozialen Beziehungen, sondern auf die nach jener Wirklichkeit konstruierten «Modelle».[21] Dem Realitätsstatus der Struktur bzw. der «Strukturiertheit» der Realität entsprechend müssen die nach-konstruierten Modelle *Systemcharakter* im Sinne der wechselseitigen Interdependenz ihrer Teile haben; der *universalen* und elementaren Strukturiertheit der *gesamten* Wirklichkeit entsprechend müssen Modelle zu einer Gruppe von Transformationen gehören, in denen sie als Elemente situierbar sind; der der Linguistik analogen Geschlossenheit der Netzstruktur der Elemente entsprechend muß die Reaktion des Modells bei einer Veränderung seiner Elemente vorhersagbar sein; seinem elementaren Status gemäß muß es allen (relevanten) Tatsachen Rechnung tragen.

Das Modell hat im Verständnis von Lévi-Strauß sowohl eine Tendenz zur Beobachtung (Faktenanalyse) als auch zum Experiment mit sich selber. Es strebt zum «Unbewußten» wegen der interpretatorischen und

---

[17] SA II, Kap. I, 11–44.  [18] Ebd. 27.
[19] SA I, Kap. 15, 299–346.  [20] Ebd. 301.
[21] Modelle, d.h. «Symbolsysteme, welche die charakteristischen Merkmale des Versuchsfeldes bewahren, die wir jedoch im Unterschied zum Versuchsfeld manipulieren können.» (SA II, 24.)

deformierenden Art *bewußter* Modelle (als entobjektivierende, weil *intentional modulierende* Manipulationen) und differiert in «mechanische» und «statistische»: das mechanische Modell ist durch seine umkehrbare und nicht-kumulative Zeit gekennzeichnet (was für eine strukturale Anthropologie zutreffend erscheint), das statistische ist dementsprechend nicht umkehrbar, aber kumulativ (was für die Soziologie und die Geschichte gilt).

Der Modellbegriff als solcher führt zwar von der logischen und ontologischen Ambivalenz des Strukturbegriffs weg (was positiv zu vermerken ist), entfernt sich aber von der angestrebten Evidenz einer «strukturalen» Anthropologie und ist eher auf eine methodisch rekonstruktive Funktion restringiert. Gerade die im «Finale» der Mythologica[22] vorgetragenen Gedanken über die Stellung des Subjekts im (ethnologischen) Strukturalismus machen Schwierigkeiten, nicht zuletzt wegen der literarischen Konnotation mancher Ausführungen.

Das Subjekt wird dort als der unsubstantielle Ort definiert, dessen Konsistenz nicht darauf beruht, «daß es ständig auf dasselbe Objekt angewandt wird, das es gänzlich beansprucht und mit dem gelebten Gefühl seiner Irrealität prägt», sondern daß ein «Knoten verflossener, gegenwärtiger oder wahrscheinlicher Ereignisse ist»[23] und nicht ein Substrat. Das Ich besitze nur die Kompetenz probabilistischer Variabilitäten, ist doch «die *Tatsache* der Struktur vorgängig.»[24] Sofort danach wird das Zurücktreten des *Subjekts* so dargestellt, als wäre es nur motiviert durch die Notwendigkeit der Methode, eine bloße Außenperspektive zu vermeiden[25]: «wenn das Subjekt zurücktritt, um dieser anonymen Rede (der Mythos ist hier gemeint; J.-P. Wils) freie Bahn zu lassen, so verzichtet es dennoch nicht darauf, sich ihrer bewußt zu werden oder vielmehr sich durch sie hindurch bewußt zu werden.»[26] Lévi-Strauß spricht zugleich davon, daß hier *Bewußtsein* erlangt wird – «dem Bewußtsein wird ein anderes Objekt»[27] (nämlich nicht sich selbst) enthüllt. Dann aber wird wieder behauptet, «diese *Bewußtwerdung* bleibt *intellektueller Ordnung,* d.h. sie unterscheidet sich nicht substantiell von den Realitäten, denen sie gilt, sie ist diese Realitäten selbst, die zu ihrer eigenen Wahrheit gelangen. Es kann also nicht darum gehen, das Subjekt in diesem neuen Gewande heimlich wieder einzubringen.»[28] Diese Äquivokationen im Subjekt- und Bewußt-

[22] Mythologica IV, 2, Der nackte Mensch, vor allem 732–738.
[23] Ebd. 732.     [24] Ebd. 734.     [25] Ebd. 735.
[26] Ebd. 737.     [27] Ebd. 737.     [28] Ebd. 737.

seinsbegriff sind somit Folgen der nicht ausgeräumten oder ausräumbaren Mehrdeutigkeiten des Strukturbegriffs.

Die «Einleitung in das Werk von Marcel Mauss»[29] enthält jedoch einen wichtigen Hinweis darauf, inwieweit die *Struktur* als das *Unbewußte* eines sozialen Phänomens jenseits von bewußtseinsphilosophischen Überlegungen zum Verständnis dieses Phänomens beiträgt. Wenn das Soziale *wie* die Sprache eine Realität sui generis ist (E. Durkheim) und ihre Symbole *in dem Sinne* realer sind als das, was sie symbolisieren, weil der Signifikant dem Signifikat stets vorausgeht, dann partizipiert das Soziale in seiner «Symbolik» an dem im Bereich der Sprache evidenten Faktum der «flottierenden Signifikanten»[30], des Überschusses an Signifikanten im Vergleich zum Signifikat. Die wissenschaftliche Denkweise bestünde im Vergleich zu der mythischen Denkweise dann darin, den Ausgleich zwischen beiden Niveaus *methodisch* vorzunehmen, weshalb sie dann auch stets enttäuschend ist. Die Aufgabe einer *strukturalen* Ethnologie wäre es dann, die symbolische Überfülle der sozialen Nomenklatur auf eine konkrete Logik der sie produzierenden Klassifikationen zu reduzieren, die sowohl die schlichte Beobachtungssprache als auch die subjektive Deutung (die selbst flottierend ist) vermeidet. *Dann* wäre man aber gezwungen, sie auf dem Niveau der Unbewußten anzusiedeln, vorausgesetzt, sie wäre dort nachweisbar (was zumindest für die strukturale Sprachwissenschaft gilt).

*Zwischen Natur und Kultur:*
*die elementaren Strukturen der Verwandtschaft*

Das erste große Werk von Lévi-Strauß, wodurch die wissenschaftliche Fachwelt auf ihn aufmerksam wurde, war das 1949 erschienene Opus *Les structures élémentaires de la parente.*[31] Das Inzesttabu, die Exogamie und die Kreuzkusinenheirat werden hier als Totalität und Elementarstruktur eines durch den Tausch begründeten Übergangs von der Natur zur Kultur untersucht. Das Fehlen des Regelphänomens und das Vorkommen einer instinktmäßig gesicherten Triebuniversalität in der *Natur* sind für Lévi-Strauß zunächst Hinweise auf eine phylogenetisch relevante «Revolution», die auf sie folgt. Der natürliche Prozeß, gebunden an die Universa-

---

[29] a.a.O. Anmerkung 11.    [30] Ebd. 700.
[31] Frankfurt a.M. 1981. (Les structures élémentaires de la parente, Paris 1949.) Von der deutschen Übersetzung des Buches lagen die Seiten 1–31 der französischen Ausgabe unter dem Titel «Natur und Kultur» vor, in: Kulturanthropologie, (Hg.) W. E. Mühlmann, Köln-Berlin 1966, 80–107.

lität genetischer Konstanten, wird von einem kulturellen Prozeß abgelöst, der einhergeht mit der Entstehung von Regelbewußtsein und äußerer Tradition. Dieser Übergang situiert sich für Lévi-Strauß auf der Grenze zwischen der Ordnung des Spontanen (im Sinne des Unmittelbaren) und des Relativen (im Sinne der Besonderheit der Regel, der Norm). Er wird signifiziert durch das «Inzesttabu»: «Denn das Inzesttabu weist ohne allen Zweifel und unlösbar verbunden die beiden Merkmale auf, die wir als die gegensätzlichen Attribute zweier einander ausschließender Ordnungen erkannt haben: es bildet eine Regel, jedoch eine Regel, die als einzige unter allen gesellschaftlichen Regeln zugleich den Charakter der Universalität besitzt... Das Inzesttabu besitzt sowohl die Universalität der Triebe und Instinkte als auch den zwingenden Charakter der Gesetze und Institutionen.»[32] Denn trotz der Universalität der Triebstruktur ist es gerade das Geschlechtsleben, das *per definitionem* die Stimulation des Anderen braucht. Diese Tatsache veranlaßt Lévi-Strauß dann auch zu einer noch dezidierteren Auffassung: «Als eine Regel, die das umfaßt, was ihr in der Gesellschaft am fremdesten ist, doch zugleich als eine gesellschaftliche Regel, die von der Natur das zurückhält, was geeignet ist, über sie hinauszugehen, ist das Inzestverbot gleichzeitig an der Schwelle der Kultur, in der Kultur und, im gewissen Sinne, die Kultur selbst.»[33] Bevor er den Tausch als die das Inzestverbot begründende Struktur näher untersucht, muß Lévi-Strauß drei andersartige Erklärungstypen entkräften, die dieses von jeder Ethnologie stets traktierte Phänomen ihrerseits einzuordnen versuchten. Einen ersten Typus stellen die «rationalistischen» Theorien von Morgan und Maine dar. Sie sind «rationalistisch», weil sie das Inzestverbot als eine eugenische Reaktion und Reflexion auf die Gefahr konsanguiner Ehen erklären. Lévi-Strauß zufolge fehlt dafür aber sowohl die Bestätigung der Vererbungstheorie (East, Dahlberg) als auch die informationstechnisch notwendige demographische Situation. Der psychologische Erklärungsansatz, wie er vor allem von Westermarck und Haverlock Ellis vertreten wird, verficht die Position, daß das Verbot die Folge der Projektion physiologischer und/oder psychischer Gefühle der Abneigung auf die Ebene des Sozialen ist. Die Psychoanalyse hat aber im Gegensatz dazu die quasi-universelle Faszination der inzestuösen Bindung betont. Die soziologischen Theorien schließlich von Mc Lennan, Spencer und Lubbock einerseits und die von Durkheim andererseits legen Wert auf den rein gesellschaftlichen Ursprung des Tabus und präferieren ein histori-

[32] a.a.O. 52–53 und 55.    [33] Ebd. 57.

sches Schema, das aber der Universalität des Phänomens nicht gerecht wird. Dagegen kann man den Erklärungsansatz von Lévi-Strauß «funktional» nennen. Die Überlegung ist einfach: wenn das Inzestverbot nicht den 'realen' Verwandtschaftsgrad betrifft, sondern die Distribution der Nomenklatur einer Gruppe, dann gehört es der komplexen Strategie der Verteilung zu und ist es eine Parallele zu der Ablösung eines bloßen Reproduktionsprozesses durch einen Akkumulationsprozeß. Es ist 'die' Regel, welche die inhaltliche Besetzung der von der Natur leer gelassenen Form der Allianz mehr oder weniger in strenger Identität mit der ökonomischen Distribution der Warenknappheit strukturiert. Der matrimoniale und ökonomische Tausch wären somit strukturanalog[34] und würden für einen Ansatz von Organisation sorgen.

«Kurz: das Inzestverbot besagt, daß die Frauen ihren gesellschaftlichen Nutzen nicht auf der Basis ihrer natürlichen Verteilung erhalten dürfen. Bleibt nur zu definieren, auf welcher anderen Basis ... das Inzestverbot hat zunächst logisch das Ziel, die Frauen innerhalb der Familie *einzufrieren*, damit ihre Verteilung, oder der Wettbewerb um sie, in der Gruppe und unter Kontrolle der Gruppe und nicht privat erfolgt.»[35].

Das Inzestverbot ist demnach eine *Regel* der Gegenseitigkeit, genauso wie die Exogamie, die seine positive und genauere Bestimmung darstellt. Lévi-Strauß unterscheidet in diesem Komplex sozialer Organisation dann zwei Formen der *Endogamie*: die «wahre» Endogamie als die logische Kehrseite der Exogamie («Die Endogamie im eigentlichen Sinn ist lediglich die Weigerung, die Möglichkeit einer Heirat außerhalb der Grenzen der menschlichen Gemeinschaft anzuerkennen»[36]) und die «funktionale» Endogamie oder «Bezugsendogamie», welche die Kreuzkusinenheirat repräsentiert.

Wenn nun die in einigen Gesellschaften miniziös und nur in einer symbolischen Logik mathematisierbarer und formalisierbarer Art darstellbaren Strategien des Tausches die exklusiven Bedingungen für den Fortbestand einer Zivilisation sind, dann ist der Tausch ein «fait social total» im Sinne von M. Mauss. Er ist das innere Gerüst einer Gesellschaft als

---

[34] Dazu ein Aphorismus der Arapesh, gesammelt von M. Mead in Sex and Temperament in Three Primitive Societies, New York, 1935, 83, zitiert bei L.-S., 75: «Deine eigene Mutter, deine eigene Schwester, deine eigenen Schweine, deine eigenen Yams, die du aufgestapelt hast, darfst du nicht essen. Die Mutter anderer Leute, die Schwester anderer Leute, die Schweine anderer Leute, die Yams anderer Leute, die sie aufgestapelt haben, das darfst du essen.»

[35] Ebd. 97.

[36] Ebd. 99.

System totaler Leistungen.[37] «Der Tausch, ein totales Phänomen, ist zunächst ein totaler Tausch, der Nahrungsmittel, hergestellte Gegenstände sowie die Kategorie der kostbarsten Güter umfaßt, nämlich die Frauen.[38]

Der matrimoniale Tausch ist aber nicht nur deshalb wichtig, weil er das Signum geschlechtlicher und ökonomischer Reproduktion ist, sondern wegen seiner scheinbar paradoxal an seiner Natürlichkeit haftenden Form der «Produktion von Kultur»: die Frauen sind ein natürlicher Stimulus und zwar «der Stimulus des einzigen Triebes, dessen Befriedigung aufgeschoben werden kann: der einzige folglich, bei dem sich, im Akt des Austausches und durch die Wahrnehmung der Gegenseitigkeit, die Veränderung vom Reiz zum Zeichen vollziehen und, durch diesen grundlegenden Schritt den Übergang von der Natur zur Kultur definierend, zu einer Institution werden kann.»[39] Die strenge Gegenseitigkeit und die damit zusammenhängende duale Organisation, die sowohl die Exogamie als auch die funktionale Endogamie kennzeichnet und die immanente Logik des Begriffs «Tausch» ausmacht, ist nun aber nicht nur ein Kulturphänomen, sondern für Lévi-Strauß *eine Grundstruktur des Geistes.*[40] Diese Struktur vermag gerade den Widerspruch zwischen der funktionalen Beständigkeit des Systems und der empirisch-kontingenten Vielfalt des institutionellen Materials aufzulösen. Für Lévi-Strauß ebenso wie für R. Jakobson[41] ist der Binärismus oder die Rückkopplung von Signifikanz an distinktive Eigenschaften oppositiver Natur *absolut.* Die Heterogenität des an der phänomenalen Oberfläche differenten Materials wäre insofern kein Indiz *gegen* die Uniformität der Basalstrukturen seines *ontologischen* Gerüstes (und gegen die elementaren Formen der Methodologie). Obwohl A. Martinet diese Auffassung modifizierte[42] und R. Barthes den Binärismus «die große Unbekannte der Semiologie»[43] nannte, ist die mathematikaffine Ausdifferenzierung der Verwandtschaftsstrukturen für Lévi-Strauß Anlaß zu folgender Reflexion über den Status humanwissenschaftlicher Explikationen: «... man wird zwar nicht sagen können, daß die menschlichen Gemeinschaften die Tendenz haben, automatisch und unbewußt nach strengen mathematischen Regeln in absolut symmetrische

---

[37] dazu: Marcel Mauss, Die Gabe, Einführung von F. E. Evans-Pritchard, Frankfurt a.M. 1968. (franz.: Essai sur le don, Paris 1950).
[38] Ebd. 118.  [39] Ebd. 121.  [40] Ebd. 136.
[41] R. Jakobson, Preliminaires to Speech Analysis, Cambridge 1952.
[42] A. Martinet, Economie des changements phonétiques. Traité de phonologie diachronique, Bern 1955.
[43] R. Barthes, Elemente der Semiologie, Frankfurt a.M. 1981, 68.

Elemente zu zerfallen, aber man wird vielleicht einräumen müssen, daß die Dualität, die Alternanz, der Gegensatz und die Symmetrie, ob sie nun in genau umrissenen oder in verschwommenen Formen sich zeigen, nicht so sehr Phänomene sind, die es zu erklären gilt, als vielmehr die fundamentalen und unmittelbaren Gegebenheiten der geistigen und sozialen Realität, und daß man in ihnen die Ausgangspunkte jeglichen Erklärungsversuches zu sehen hat.»[44]

Die Heirat ist in dem Fall kein diskontinuierliches Faktum, das höchstens im Inzestverbot die Angst vor der Konsanguinität sanktioniert, sondern eine in der Regelhaftigkeit der Exogamie als Archetypus sozialer Organisation beheimatete Institution sozialen Gewinns. Die Schlußfolgerung ist dann auch nicht ohne Gewicht: «Wenn unsere Interpretation richtig ist, hat nicht der Gesellschaftszustand die Regeln der Verwandtschaft und der Heirat erforderlich gemacht. Sie sind der Gesellschaftzustand selber, der die biologischen Beziehungen und die natürlichen Gefühle umformt, und sie in Strukturen zwingt, die sie zusammen mit anderen implizieren, und sie nötigt, ihre ursprünglichen Merkmale zu überwinden. Der Naturzustand kennt nur Ungeteiltheit und Aneignung sowie ihre riskante Mischung.»[45]

Erst am Ende des Werkes hat Lévi-Strauß fast unauffällig das Inzestverbot mit der Sprache verglichen und auf die Analogie seiner Ethnologie mit der Phonologie hingewiesen. Für ihn teilt das Inzestverbot mit der Sprache nicht nur die Universalität und die Funktion der Kommunikation und der sozialen Integration, sondern es ist wie die Sprache das Verbot der Ineinsbildung *natürlicher Unbeliebigkeit* und *kultureller Gestaltbarkeit*. Sowie die distinktiven Eigenschaften der Phoneme in der Sprache, obwohl historisch gewachsen, dennoch völlig unmanipulierbar sind in ihrer *Funktion*, so partizipiert auch das Verbot an der Universalität der Triebe. Sowie die kombinatorischen Freiheiten von Phonem bis zum Satz zunehmen, ist auch die materiale Plastizität der Elementarstrukturen groß. Mit der Phonologie als Wissenschaft teilt die Ethnologie von Lévi-Strauß zumindest das methodische Vorgehen, scheinbar regellose oder quantitativ unausschöpfbare Inhalte auf eine kleine Zahl von Konstanten zu reduzieren. Mittels des Operators «Tausch» hat Lévi-Strauß das Inzestverbot, die Exogamie und die Kreuzkusinenheirat zunächst auf zwei Tauschformen reduziert: auf den eingeschränkten Tausch und auf den allgemeinen Tausch. Diese hängen ihrerseits vom disharmonischen

---

[44] a.a.O. 215.   [45] Ebd. 654.

oder harmonischen Charakter des untersuchten Systems ab. Letztere wiederum sind die Folge des Verhältnisses von Wohnsitzregel und Deszendenzregel.[46] Die Konstruktion des *Verwandtschaftsatoms*[47] umfaßt die Oppositionspaare Bruder/Schwester, Mann/Frau, Vater/Sohn und mütterlichen Onkel/Neffen. Zugleich strukturiert es die Verwandtschaftstypen «Konsanguität», «Ehe» und «Abstammung». Es bildet bei Lévi-Strauß die Logik einer notwendigen Deduktion: Aus bestimmten Heiratstypen lassen sich bestimmte Arten des Frauentausches ableiten: die bilaterale Kreuzkusinen-Heirat bedingt den eingeschränkten Tausch, die matrimoniale das System des verallgemeinerten Tausches.

## Das Ende des Totemismus

In *Le totémisme aujourd'hui*[48] unternahm Lévi-Strauß den Versuch, das Phänomen des Totemismus, das er eher für ein Phantom ansieht, auf sein strukturales Gerüst zu reduzieren. Ausgehend von J.G. Frazers «Totemism and Exogamy»[49], über Arbeiten von A.A. Goldenweisen[50], A. van Gennep[51], R.H. Lowie[52], W.H.R. Rivers[53] und F. Boas[54] zeigte Lévi-Strauß die Tendenz auf, das Problem einer Formalisierung zu unterwerfen und infolgedessen auf Fragen nach der inhaltlichen Entsprechung in der Realität zunehmend zu verzichten. Seine Feststellung, «der Totemismus ist eine künstliche Einheit, die nur im Denken des Ethnologen existiert und der nichts Spezifisches *draußen* entspricht»[55], mutet deshalb ebenso lapidar wie wagemutig an. Für Lévi-Strauß organisiert der Totemismus einen Raum von Konstanten – die globale Beziehung Mensch/Natur, die Benennung von verwandten Clans mittels Tier und Pflanzennamen und die Ausdehnung von exogamen Gruppen – deren empirischen Genealogien durch künstliche Klassifikationen ersetzt werden. Der Totemismus

---

[46] Die äußerst schwierigen und langwierigen Untersuchungen, welche für den Nicht-Ethnologen nur schwer nachvollziehbar sind, werden aus Gründen des Erkenntnisinteresses hier nicht dargestellt.
[47] Dazu auch: Strukturale Anthropologie I, Kap. 2, 43–67; SA II, Kap. 7, 99–132. Ebenfalls: M. Opitz, Notwendige Beziehungen. Abriß der strukturalen Anthropologie, a.a.O. Vor allem Kap. 3, Die elementaren Strukturen der Verwandtschaft, 73–130.
[48] Das Ende des Totemismus, Frankfurt a.M. 1977 (Paris 1962). «Der Totemismus ist zunächst das Hinauswerfen von Geisteshaltungen aus unserer Welt, gleichsam eine Hexenaustreibung von Geisteshaltungen, die unvereinbar sind mit der Forderung einer Diskontinuität zwischen Mensch und Tier, die das christliche Denken für wesentlich hielt.» Ebd. 9.
[49] London 1910.
[50] Totemism, an Analytical Study, Journal of American Folklore, Bd. 23, Philadelphia 1910.
[51] L'Etat actuel du problème totémique, Paris 1926.
[52] Primitiv Society, New York 1920; Ders., Social Organisation, N.Y. 1942.
[53] The History of Melanesian Society, Cambridge 1914.
[54] The Origin of totemism, American Anthropologist, Bd. 18, Menascha (Wisc.) 1916.
[55] Lévi-Strauß, a.a.O. 19.

ist also in dieser Perspektive durch die Entwicklung sozialer Systeme und nicht durch ein wie immer geartetes «religiöses» Bedürfnis bedingt, das eventuell auf inhaltliche Analogien zwischen Clans und Totem abzwecken würde. Er ist für Lévi-Strauß vielmehr *eine Beziehungshomologie zwischen einer natürlichen Relation einerseits und einer kulturellen Relation andererseits*. Dabei ist die Struktur dieser Beziehung metaphorisch[56] und deshalb notwendigerweise diskontinuierlich. Die Struktur der Opferung beispielsweise, gerade weil sie eine Beziehung zur Gottheit herstellen will, ist kontinuierlich und deshalb metonymisch. Eine linguistische Annäherung scheint diese Überlegung zu bestätigen. R. Jakobson und M. Halle[57] betrachteten die Metapher als der Ordnung der Struktur, die Metonymie als der Ordnung des Ereignisses zugehörend. Sie stützen dadurch die Einordnung von Lévi-Strauß, der den Totemismus als eine doppelt syntagmatische Klassifikationsrelation und das Opfer als eine paradigmatische und somit kontingente Vertikale versteht. Opfergegenstand und Gottheit sind hier diskret.

«Die totemistischen Klassifikationen haben eine in doppelter Hinsicht objektive Grundlage: die natürlichen Arten existieren wirklich, und sie existieren in der Form einer diskontinuierlichen Reihe; und die sozialen Segmente existieren ebenfalls. Der vermeintliche Totemismus beschränkt sich darauf, zwischen den beiden Reihen eine Strukturhomologie zu sehen, eine durchaus legitime Hypothese, da die sozialen Segmente instituiert sind und es in der Macht einer jeden Gesellschaft liegt, die Hypothese plausibel zu machen, indem sie ihr ihre Regeln und Vorstellungen angleicht. Das System der Opferung dagegen bringt etwas Nicht-Existierendes ins Spiel: die Gottheit; und es macht sich eine objektiv falsche Vorstellung der natürlichen Reihe zu eigen, da sie sich ... diese Reihe als kontinuierlich vorstellt. Um den Abstand zwischen Totemismus und Opferung deutlich zu machen, genügt es also nicht zu sagen, der erstere sei ein Bezugssystem, die letztere ein Operationssystem; der eine erarbeite ein Interpretationsschema, während die andere eine Technik vorschlage..., um bestimmte Ergebnisse zu erzielen; der eine ist wahr, die andere falsch. Genauer gesagt, die klassifizierenden Systeme liegen auf der Ebene der *Sprache*: es sind mehr oder weniger gut gemachte Codes, aber immer zu dem Zweck, einen Sinn auszudrücken, während das System der Opferung eine besondere *Redeweise* darstellt, die des vernünftigen Sinnes entbehrt.»[58]

---

[56] Ebd. 40.
[57] Dazu ausführlich:Das wilde Denken, Kap. VIII, Die wiedergefundene Zeit, Frankfurt a.M. 1977, 251–280; R.Jakobson/M. Halle, Grundlagen der Sprache, Berlin 1960.
[58] Das wilde Denken. 263.

Der Totemismus wäre somit weit davon entfernt, eine «Ethnobiologie» archaischer Provenienz zu offenbaren. Er gliche eher einer *Ethnologik*.[59] Für Lévi-Strauß beruht diese auf einer elementaren Logik assoziationspsychologischer Art. Sie ist eine Logik, die ein im Geiste und in der Struktur des Gehirns beheimatetes System von Operatoren umfaßt (binäre Gegensätze, Inklusion, Exklusion etc.), welche die Bedingung der Möglichkeit der Assoziationsketten und der primären, auf die Stabilisierung des Selbst und seiner Welt ausgerichteten, signifikanten Perzeption und Apperzeption darstellt. Diese dem Gehirn *generell* eigene Formlogik deutet auf eine «transzendentale Struktur ohne transzendentales Subjekt» (Ricoeur) hin, die ihrerseits einen dialektischen Bezug der Komponenten eines Systems ermöglicht. Die Schichten eines sozialen Systems (Bräuche, Institutionen, Techniken, Glaubensinhalte) sind keiner reduktiven, abbildtheoretischen Behandlung fähig, sondern sind dialektisch in einem Feld oppositiver oder homologer Repräsentanzen situiert. Nicht nur eine methodologische Integration von Form und Inhalt, sondern auch von Denken und Wirklichkeit wäre dem Strukturalismus von Lévi-Strauß dadurch gelungen.

## Das mythische Denken

Die *Mythologica*[60] und *Der Weg der Masken*[61] stellen in diesem Jahrhundert die wohl imposanteste Auseinandersetzung mit dem Mythos und seinen Deutungen dar. Um die Eigenart der «strukturalen» Deutungsart zu verdeutlichen, sei an dieser Stelle ein kurzer Überblick über die älteren Ansätze in der Mythosforschung gegeben. M. Oppitz[62] hat dabei insgesamt zehn Richtungen unterschieden, die den komplexen und unsicheren Status des Mythosproblems widerspiegeln. Die *Naturmythenschule* (Mannhardt, Müller, Gatschet) betrachtete die Mythen als eine primitive und inadäquate Verschlüsselung und *Lösung* menschlicher Probleme mittels Naturerscheinungen. Sie vernachlässigte dabei aber den *logischen* Charakter dieser Operationen. *Die historische Schule* (Thompson, Demetracopoulu, Boas) interessierte sich für die Interdependenz der mythischen

---

[59] Die Begriffe finden sich in: Das Ende des Totemismus, 45.

[60] Mythologica I, Das Rohe und das Gekochte; Mythologica II, Vom Honig zur Asche; Mythologica III, Der Ursprung der Tischsitten; Mythologica IV, 1. Der nackte Mensch; Mythologica IV, 2, Der nackte Mensch, Frankfurt a.M. 1976.

[61] Der Weg der Masken, Frankfurt a.M. 1975.

[62] Ich beziehe mich hier auf das hervorragende Buch von M. Oppitz zu Lévi-Strauß: Notwendige Beziehungen. Abriß der strukturalen Anthropologie, Kap. V., Die Behandlung der Mythen,177–204, Frankfurt a.M. 1975.

Motive mit ihrer geographischen Verteilung und versuchte *ex post facto* eine *Naturgeschichte* der mythischen Erzählung zu bilden. Sie lieferte jedoch, wenn nicht eine konjekturale Historie der Mythen, dann doch eine solche, die die Zufälligkeit der diachronen Beziehungen nicht erklären konnte. *Die Ritustheorie* (Malinowski, Preuss, Kluckholm, Raglan, Hymann) postulierte eine einfache Verdoppelung im Sinne einer Begründung zwischen Ritus und Mythos. Sie blendete dafür aber die gerade zu erklärende komplexe Korrespondenz zwischen beiden aus. *Die Intellektualmythologie* (Cassierer, Lévi-Bruhl) sah im Mythos vor allem eine prälogische Defizienz oder eine unzulängliche, durch die Vieldeutigkeit der Wörter bedingte «Epistemologie». *Die allgemeine Mythologie* (Ehrenreich) kam durch ihre Auffassung, der Mythos sei eine anthropologische und zerebral bedingte Konstante ohne «Originaltext», der strukturalen Forschung am nächsten. Sie betonte aber die Gewichtung der Inhaltsebene viel stärker als die der Formebene. *Die psychoanalytische Schule* (Abraham, Rank, Sachs, Freud, Riklin) hat durch die vorschnelle Inbezugsetzung von Phylogenese und Ontogenese zwar das Verhältnis von Kollektivität und Individualität bei der Mythenbildung lange Zeit verwischt, dafür aber durch die Betonung der Parallelität der Mythen- und Neurosenstruktur und durch den Hinweis auf den Erlebnischarakter die instrumentelle Deutung des Mythos zurückgewiesen. *Die Archetypenlehre* (Jung, Kerényi) unterschied nicht nur nicht zwischen der Universalität des Inhaltes und der Form, sondern negierte darüber hinaus (und in der logischen Konsequenz) vollkommen die Arbitrarität der Symbolinhalte in bezug auf ihre Anordnung. *Die neue vergleichende Mythologie* (Dumézil) reflektierte den soziologischen Kontext der Mythen, welche sie «kollektive gesellschaftliche Vorstellungen» nannte, die eine «ideologische» Funktion ausüben. Dumézil fehlte allerdings eine explizite Theorie des Mythos. *Die sozialpsychologische Analyse* (Fischer, Jacobs) war – im Gegensatz zur Psychoanalyse – an der konkreten Überprüfung ihrer Thesen interessiert. Sie tendierte direkt zur ethnographischen Arbeit. *Die Morphologie* (Propp) schließlich erarbeitete die Funktionskonstanten des Märchens. Propps Formalismus abstrahierte aber weitgehend vom konkreten Objekt der Analyse.

In einigen Aufsätzen[63] hat Lévi-Strauß seine Methodologie expliziert, bevor die immense Arbeit der *Mythologica* in Angriff genommen wurde.

---

[63] The Structural Study of Myth, in: Myth, A Symposion, Journal of American Folklore, Bd. 78, Nr. 270, Philadelphia 1955. (Die Struktur der Mythen, SA I, Kap. 11, 226–254); Die Religion schriftloser Völker, in: SA II, Kap. 5, 76–84; Das wilde Denken, Die Wissenschaft vom Konkreten, Kap. 1, 11–48.

In *Die Struktur der Mythen* wird die Eigenart der Mythen zunächst noch in der Qualität der Geschichte gesucht, die sie erzählen, und nicht so sehr in dem Stil oder in der Syntax des Erzählten. Die Eigenart des Inhalts soll dann erst hinterher durch die Analyse ihrer Struktur erklärt werden. «Der Mythos ist eine Sprache; aber eine Sprache, die auf einem sehr hohen Niveau arbeitet, wo der Sinn ... sich vom Sprachuntergrund ablöst, auf dem er uranfänglich lag.»[64] Diese recht elementare, aber dafür wichtige Feststellung präzisiert Lévi-Strauß in *Die Religion schriftloser Völker*. Hier nennt er den Mythos eine «Metasprache»: «Er macht ausgiebigen Gebrauch von der Rede, lokalisiert aber die bezeichnenden Gegensätze, die ihm eigen sind, auf einer Ebene von größerer Komplexität als derjenigen, die von der Sprache erheischt wird, wenn sie profanen Zwecken dient.»[65] Das eigene *Sprachniveau* des Mythos und die Hypertrophie, ja Redundanz seines disparaten Inhaltes lassen einige Anleitungen erkennen, die bei seiner Untersuchung eingehalten werden müssen. Der Sinn des Mythos liegt nicht in einem seiner Einzelelemente, sondern in der Weise ihrer Zusammensetzung; die nicht-determinierbaren Varianten des Mythos verbieten die Suche nach einem Ursprung, sondern erfordern den Vergleich eines ganzen Mythos mit anderen Mythen, in welche er transformiert würde. Trotzdem muß Lévi-Strauß eine Ebene der Analyse freilegen, eine konstitutive Einheit, die überhaupt einen Anfang der Lektüre des Mythos ermöglicht: den linguistischen Klassifikationen in Phonem, Morphem und Semantem analog segmentiert er den Mythos auf seinem Satzniveau und nennt die *Elemente* des Mythos «Mytheme». Letztere können aber gemäß dem Grundsatz der Nicht-Isolierbarkeit nicht als Fragment innerhalb *eines* Mythos signifikant sein, sondern erst als Konvolut oder Beziehungsbündel thematischer Art, das mehreren Mythen gemeinsam ist, und in der Kombination mit anderen die «Bedeutung des Mythos» erst erscheinen läßt. Der Mythos wird also bewußt «manipuliert». Um die Unverständlichkeit der meisten Mythen zu umgehen, wenn man sie diachronisch, d.h. auf dem Niveau des Gesprochenen (der parole) liest, werden ihre Mytheme auf dem Niveau der Sprache (der langue) in synchronen Vertikalen aufgelistet. Hierdurch entsteht das Bild einer Partitur, welche erst einen harmonischen Sinn ergibt, wenn sie sowohl diachron als auch synchron «gelesen» wird.

Bei den Bororo bzw. bei den Transformationen ihrer Mythen in der Gé-sprachlichen Gruppe – Gegenstand der Mythologica – sind die

<hr />

[64] a.a.O. 231.    [65] a.a.O. 83.

Mytheme nach einer binären Logik sinnlicher Qualitäten angeordnet: Roh/Gekocht, Geräuchert/Gesotten, Verfault/Verbrannt. Sie werden erst dann im Gesamt des Mythos signifikant, nachdem man sie synchron und in Anlehnung an die Sprachwissenschaft oppositiv bzw. binär geordnet hat, so daß die *Logik* des Mythos und die *Logik* der mythischen Lektüre komplementär werden. Die berühmte Analyse des Ödipusmythos in der *Strukturale(n) Anthropologie I*[66] verdeutlicht diese Methode auf einfache Weise. Lévi-Strauß hat den Mythos in vier Spalten zerlegt, welche die Mytheme jeweils unter eine Thematik subsumieren: die erste Spalte (z.B. Kadmos sucht seine von Zeus entführte Schwester Europa) gruppiert *überbewertete Verwandtschaftsbeziehungen*; die zweite Spalte (z.b. Ödipus erschlägt seinen Vater Laios) sammelt *unterbewertete Verwandtschaftsbeziehungen*; die dritte Spalte (z.b. Kadmos tötet den Drachen) betrifft die Vernichtung von «*Ungeheuern*», und die vierte Spalte (z.B. «Labdakos», «Laios») indiziert Namen, die auf die Schwierigkeit, aufrecht zu gehen, hindeuten. Die zwei letzteren Spalten sind häufig repräsentiert in der gesamten Mythologie[67] und bedeuten *die Verneinung bzw. die Beständigkeit der Autochthonie des Menschen.* Das nun aber thematisieren in der umgekehrten Reihenfolge die ersten zwei Spalten ebenfalls. Das Problem, worauf der Mythos für Lévi-Strauß zwar keine direkte Antwort gibt, aber das er durch sein *logisches* Instrumentarium zu deuten versucht, ist die Frage, ob das Selbst aus dem Selbst oder aus dem Anderen geboren wird. «Die Überbewertung der Blutsverwandtschaft verhält sich zu ihrer Unterbewertung wie die Bemühung, der Autochthonie zu entgehen, zu der Unmöglichkeit, dies zu erreichen.»[68] Die verschiedenen Varianten und Abweichungen, welche die Versionen des Ödipusmythos konstituieren – Lévi-Strauß vergleicht die Zuni-Mythen der Weltentstehung mit den griechischen Fassungen des Mythos – sind dann gewissermaßen irrelevant geworden für das jeweilige Oberthema des Mythenkomplexes. Sie spiegeln höchstens lokale Traditionen und Problematiken wider. Legt man die beliebigen Versionen übereinander, zeigt sich, «daß die differentiellen Abstände, die man immer beobachten kann, bezeichnende Korrelationen zeigen, die es gestatten, das Ganze durch allmähliche Vereinfachungen logischen Operationen zu unterwerfen, so daß man schließlich das Strukturalgesetz des betreffenden Mythos erhält.»[69] Alle Fassungen des Mythos sind dann insofern Bestandteile des Mythos, als es keine ursprüngliche Fassung gibt: diese würde für Lévi-Strauß der Beobach-

---

[66] a.a.O. 234–238.    [67] So bei den Pueblo-Indianern.
[68] a.a.O. 238.    [69] Ebd. 240.

tung widersprechen, daß der Mythos die Tendenz hat, Vergangenheit und Gegenwart bzw. die Dimensionen der Sprache und des Gesprochenen zu amalgamieren. *Der Mythos ist demnach die durch eine invariante Elementarlogik des Denkens und des Geistes gebildete Antwort auf gattungsgeschichtlich konstante Problematiken der Selbst- und Weltstabilisierung mittels divergenter, nicht an die Struktur der Frage gebundener und insofern arbiträrer Inhalte.* Die konkrete Logik des Mythischen unterscheidet sich «weniger in der Qualität der intellektuellen Operation als in der Natur der Dinge, auf die sich diese Operationen richten ... von dem positiven Denken ... Der Fortschritt (der Neuzeit; J.-P. Wils) hätte nicht das Bewußtsein, sondern die Welt als Aktionsraum, in der eine mit konstanten Begabungen ausgestattete Menschheit im Laufe ihrer langen Geschichte mit immer neuen Objekten ringen müßte.»[70]

Wenn Lévi-Strauß die Mythenbildung als eine «bricolage» oder als eine Art «intellektueller Bastelei»[71] bezeichnet, dann wird diese Benennung durch die obigen Prinzipien der Mythenforschung bestätigt, insofern man sich auf die Abundanz und Kontingenz der Mythen*inhalte* konzentriert. Die «bricolage» weist jedoch auf einen besonderen *epistemologischen* Status des Mythischen hin: wie das Material einer bricolage schon in einem zeitlich ursprünglicheren Zusammenhang signifikant ist, jedoch für das (mythische) Projekt aus seinem primären Zusammenhang gelöst und andersartig verwendet wird, so arbeitet auch der Mythos (und der Mythologe) nach einem ähnlichen Prinzip.

«Die Eigenart des mythischen Denkens besteht, wie die der Bastelei auf praktischem Gebiet, darin, strukturierte Gesamtheiten zu erarbeiten, nicht unmittelbar mit Hilfe anderer strukturierter Gesamtheiten, sondern durch Verwendung der Überreste von Ereignissen; *odds and ends,* würde das Englische sagen, Abfälle und Bruchstücke, fossile Zeugen der Geschichte eines Individuums oder einer Gesellschaft.»[72] Die projektive Transposition des Materials in eine Logik des Mythischen (in das Konstrukt der bricolage) entfernt die Materialien aus ihrem objektsprachlichen, sinnlichen, bildhaften Kontext. Sie nähert sie dem Status des Begriffs an, ohne diesen in seiner transparenten Allgemeinheit zu erreichen. Das Band, das der Mythos zwischen Bild und Begriff (bzw. Idee oder Frage, auf die der Mythos die «hinausgezögerte» Antwort ist) knüpft, entspricht für Lévi-Strauß der Zeichendefinition de Saussures als

---

[70] Ebd. 254.
[71] Das wilde Denken, a.a.O. 29.
[72] Ebd. 35.

Einheit von Signifikant und Signifikat.[73] Gerade aber dieses Band macht für ihn das mythische «Proprium» aus: «Das Zeichen ist, ganz wie das Bild, etwas Konkretes, aber es ähnelt dem Begriff durch seine Fähigkeit des Verweisens: beide beziehen sich nicht ausschließlich auf sich selbst, sie können für anderes stehen. Doch besitzt der Begriff in dieser Hinsicht eine unbegrenzte Fähigkeit, während die des Zeichens begrenzt ist.»[74]

Die *Adäquatheit* der Zeichenkomponenten im Sinne ihrer Verbegrifflichung bildet in diesem Kontext das Bestreben der Wissenschaft, ihre *Unausgewogenheit* die Domäne des Mythischen. Erstere macht die Entmythologisierung des Selbst und der Welt sub specie aeternitatis vel dei[75] aus, letztere den prekären Status des Humanen, *insofern* das Zeichen für die signifikante aber defiziente Prägbarkeit der Wirklichkeit durch den Menschen steht.

Während der Begriff für Lévi-Strauß eine *semantisches Universalität* ist, die noch vor-semiotisch elementare Bedeutungsperspektiven des Selbst und seiner Welt (des Anderen) eröffnet, ist es das Zeichen, das durch seine indefinite Verweisungsarbeit Varianten und Umwandlungen des Begriffsinhalts produziert. Das Zeichen schematisiert, dem kantischen Schematismus analog, die Bilder der Objektsprache einerseits und die begriffliche Intentionalität andererseits. Dieses geschieht aber asymptotisch und approximativ und insofern dem kantischen Schematismus entgegengesetzt. Der Mythos, eine Zeichenhandhabung und Zeichenkombination par exellence, erscheint als diffiziles und differentielles Schema der Weltauslegung.

Die *Mythologica* selber beschreiben eine binäre Logik sinnlicher Qualitäten, anhand welcher die systemische und sukzessive Transformation des Referenzmythos (der Vogelnestausheber im Bororo-Mythos) und seine Varianten im Feuer-Mythos der Gé ihr Universum organisieren und sich den Übergang von Natur in Kultur vorstellen. Die Opposition *roh/gekocht* ist eine alimentäre Codierung, welche die elementare Trennung von Natur und Kultur symbolisiert. Das Paar *Honig/Asche* dynamisiert diesen Übergang durch den Hinweis auf eine stetige abwärtsgerichtete Tendenz zur Natur (Honig) einerseits und auf eine Entwicklung in die Richtung einer Über-natur (Tabak) andererseits. Das Buch *Der Ursprung der Tischsitten* thematisiert den Versuch der Mythen, Kontinuität und Dis-

---

[73] Der Mythos partizipiert an dem Überschuß des Signifikanten, wegen der Überfülle seines Materials.

[74] Ebd. 31.

[75] Insofern «Gott» die Wahrheit der Welt signifiziert.

kontinuität in der Ordnung der Zeit zu finden und durch ein Vokabular der «guten Manieren» den Hiatus von Natur und Kultur auf eine moralisch plausible Ebene zu heben. In *Der nackte Mensch* schließlich ist die Mythenanalyse von Lévi-Strauß in Nord-Amerika angekommen, wo der komplementäre Code zu dem ersten Band auftaucht: die Opposition *nackt/bekleidet* schließt sich an die elementare Unterscheidung des Rohen und Gekochten an, diesmal allerdings in einem vestiären Vokabular.

Die große, formale Konstante dieses Opus (und des Mythos) ist der «binäre Operator», der von Lévi-Strauß als der Kern des mythischen Vorgehens betrachtet wird. «Kein Merkmal ist an sich selbst prägend, und erst die perzeptive, bereits kombinatorische, auf der Ebene der Sensibilität zu einer logischen Tätigkeit fähige Analyse verleiht, vom Verstand weitergetragen, den Phänomenen eine Bedeutung und setzt sie in einen Text um… Sagen wir also, daß die binären Operatoren diejenigen sind, die nicht darauf warten, daß die transzendentale Deduktion eingreift und sich an die Arbeit macht, sondern sich bereits als Algorithmen der empirischen Deduktion erweisen. Damit sind sie die elementaren Teile jener immensen kombinatorischen Maschine, die jedes mythische System bildet.»[76] Die erkenntnistheoretische These dieses Zitats wird erst deutlich, wenn man sie in den weiteren Zusammenhang von Geistestätigkeit und Mythentheorie stellt. Ihm hat Lévi-Strauß in den *Mythologica* wichtige Überlegungen gewidmet.

In dem Kapitel «Der einzige Mythos»[77] hat er diese Interdependenz mit einer explizit bewußtseinsphilosophischen These verbunden. Für jedes mythologische System gibt es demnach nur eine absolut unentscheidbare Sequenz: die Aussage des Gegensatzes als erste aller Gegebenheiten, welche die Disparatheit und Asymmetrie der Welt (und des Denkens) in sich ausdrückt. «Diese dem Realen innewohnende Disparität hält die mythische Spekulation in Bewegung, jedoch nur deshalb, weil sie, diesseits des Denkens selbst, die Existenz jedes Denkobjekts bedingt. Eine *Apparatur von Gegensätzen*, gewissermaßen *vorab* im Verständnis aufgebaut, *funktioniert*, wenn rekurrente Erfahrungen, die biologischen, technologischen, ökonomischen, soziologischen usw. Ursprungs sein können, das Getriebe in Gang setzen, wie jene angeborenen Verhaltensweisen, die man den Tieren zuschreibt und deren Phasen automatisch ablaufen, sobald geeigneter Umstand sie auslöst. Desgleichen setzt sich unter diesen oder jenen empirischen Umständen die begriffliche Maschi-

---

[76] Der nackte Mensch. IV, 2, 654–655.    [77] Ebd. 657–731.

nerie in Gang: aus jeder konkreten Situation, so komplex sie sein mag, extrahiert sie unermüdlich *Sinn* und macht sie zu einem Gegenstand des Denkens, indem sie sie nach den Imperativen einer formalen Organisation auslegt.»[78]

Die Genese des Mythos und des Denkens sind für Lévi-Strauß auf diesem Niveau identisch, weil beide an dem *konstitutiven Absoluten des als Gegensatz begriffenen Anderen* (des Selbst) partizipieren. Nicht die Dialektik von Ich und Anderem, sondern die innere Differenz des Selbst und des Anderen selbst bzw. des Anderen seines Selbst ist bedeutungskonstitutiv in einem noch elementaren Sinne. *«Wenn das Sein nicht als Beziehung faßbar wäre, käme es dem Nichts gleich.»*[79] Weil Lévi-Strauß hier explizit an transzendentalphilosophische Überlegungen anknüpft, hätte er sie weiter verfolgen können. Er tut dies aber nicht, sondern münzt sie in ein Argument für die «mythopoetische» Verbundenheit von Mythos und Mytho*logie* um. Weil der Mythos ad limen der Logik des Denkens zugeordnet wird, ist die Mythologie selber ein Element der unhintergehbaren, mythischen Explikation der Welt. Die Bemerkung von Lévi-Strauß, seine Mythologica seien selber ein Mythos[80], läßt die Auffassung G. Steiners, diese Mythologie sei «eine in die Länge gezogene poetische Metapher»[81], als stilistisches Urteil gelten. Sie ist jedoch weit davon entfernt, das Begreifen des Mythos an eine narrative Regression des Denkens zu binden. Diese Bemerkung unterstreicht vielmehr die gemeinsame intellektuelle Natur des Begreifens und des Begriffenen.[82] Lévi-Strauß steht mit dieser Auffassung bezüglich der Verfaßtheit des Geistes in bester Gesellschaft. Nachdem Dürer in den *Vier Büchern von menschlicher Proportion*, Goethe in der *Metamorphose der Pflanzen* und Rousseau in seiner *Botanik* die kombinatorische und durch Relationen bestimmte Transformationsfähigkeit des Geistes und seiner Gegenstände betont hatten, waren es vor allem die «zoologischen Transformationen» von D'Arcy Wentworth Thompson, die den kontinuierlichen Übergang von lebendigen Formen durch die *Manipulation* des Parameters ihres Koordinatenraums bewiesen. In dieser Tradition steht die Entdeckung des genetischen Codes, der, der Sprache analog, wiederum die *objektive* Grundlage der Kombinationsfähigkeit anhand von distinktiven Gegensätzen im Bereich des Geistes und der Natur nachwies.

---

[78] Ebd. 705.    [79] Ebd. 706.

[80] Das Rohe und das Gekochte, a.a.O. 17; Der nackte Mensch, IV, 2, 658.

[81] G. Steiner, Ein Orpheus mit seinen Mythen: Cl. Lévi-Strauß, in: Sprache und Schweigen, Frankfurt a.M. 1973, 154.

[82] a.a.O. 783.

Zwischen das Sinnliche und das Intelligible schiebt sich dadurch ein *Text* ihrer Annäherung, im Falle des Mythos ein Text metaphorischer Art: er «subsumiert die Individualitäten unter das Paradigma, erweitert und verarmt gleichzeitig die konkreten Gegebenheiten, indem er sie zwingt, die diskontinuierlichen Schwellen eine nach der anderen zu überschreiten, welche die empirische Ordnung von der symbolischen Ordnung, dann von der imaginären[83] Ordnung, schließlich vom Schematismus trennen.»[84] Die Mythen *funktionieren* demnach als kodierte, schematisierte und regulierte Bilderproduktionen. Die Bilder überführen die virtuellen Deutungs- und Ordnungstypen des binären, logischen Schematismus in die Aktualität ihrer konkreten Geltung.Dabei scheint für Lévi-Strauß das mit diesem Binärismus verbundene Elementarbedürfnis das Bedürfnis nach Ordnung und Stabilisierung überhaupt zu sein.

Der Mythos ist somit metaphysisch abstinent und unspezifisch. Er sagt nichts über die Bestimmung der Welt und des Menschen aus, sondern liefert Hinweise auf die Funktionsfähigkeit von Gesellschaften, Sitten und Institutionen. Über die elementare Ordnungs- und Klassifikationsfähigkeit[85] (den Sinn der Mythen) scheint Lévi-Strauß dabei nicht hinausgehen zu wollen oder zu können. So abundant der Erzeugungsprozeß der Mythen auch ist – ein Prozeß, der nach dem Muster «erzählen» (raconter), «wiederholen» (conte redire) und «widersprechen» (contredire) abläuft –, so schmal ist eben die Basis seines Sinns. Wenn für Lévi-Strauß der Mythos ein in Bildern codiertes (geistiges) Schema ist und der Erzähler/ Zuhörer dessen virtuelle Bedeutung erst durch die Produktion neuer Bilder entdeckt und schafft, dann stehen die Einfachheit des Schemas und die Hypertrophie des Inhalts (der Bilder) in gewissem Sinn nebeneinander. Das «Erzählen» wird in einer zweiten Bewegung, neben seiner primären klassifikatorischen Tendenz der Stabilisierung des Selbst und seines Anderen, zur Arbeit des Vergessens der basalen, dafür aber enttäuschenden Struktur des Mythos selbst. Das Erzählen der Mythen wird ein Aufschieben ihres programmierten Todes. «Die fehlende Beziehung zum Laut wird … durch die Redundanz der verbalen Formeln, der Wiederholungen und Wiederaufnahmen kompensiert, Alliterationen und Paronomasien schaffen einen Überschwang an rekkurenten Assonanzen und Klängen, die das Ohr berauschen…»[86]

[83] Hier im Sinne der klassischen Einbildungskraft.    [84] Ebd. 797–798.

[85] «Wie immer eine Klassifizierung aussehen mag, sie ist besser als keine Klassifizierung… Diese Forderung nach Ordnung ist die Grundlage des Denkens, das wir das primitive nennen, aber nur insofern, als es die Grundlage jedes Denkens ist.» Das wilde Denken, a.a.O. 21.

[86] a.a.O. 760.

*Das wilde Denken*

Die prinzipielle Differenz von «wildem Denken» und «analytisch-synthetischer Vernunft», wie sie Lévi-Strauß in *Geschichte und Dialektik*[87] beschrieben hat, läßt sich nach den Ausführungen zu den Mythologica besser verstehen. Die Rationalität des «Primitiven» bestimmt er als zugleich «anekdotisch» und «geometrisch», so daß das «zugleich» die höchste Leistung dieses Denkens im *Schematismus* von ikonolatrischer Produktion und binärer Logik ausdruckt. Die dialektische Vernunft dagegen nennt Lévi-Strauß «konstituierend» und «inert»: «zusammengekrümmt unter der Anstrengung, über sich hinauszuwachsen»[88] und dadurch letztlich das Konstituierte – die Universalien der unbewußten klassifikatorischen Logik und die Empirizität – in einer vergeblichen Anstrengung ignorierend. «Die dialektische Vernunft darf sich nicht durch ihren Schwung fortreißen lassen, und das Verfahren, das uns zum Verständnis einer Fremd-Wirklichkeit führt, darf dieser zu ihren eigenen dialektischen Eigenheiten nicht solche hinzufügen, die eher zum Verfahren denn zum Objekt gehören: aus der Tatsache, daß jede Erkenntnis des Anderen dialektisch ist, folgt nicht, daß das Ganze des Anderen vollständig dialektisch ist.»[89] Im Vordergrund steht die der Linguistik entlehnte Tatsache, daß das Sprechen nie aus der bewußten Totalisierung der Sprachgesetze erfolgt, und daß die Sprache selbst eine nicht-reflexive Totalisierung ist, die *in ihren Fundamentalregularitäten* für das sprechende Subjekt apodiktisch ist. Lévi-Strauß behauptet daher die Priorität eines Konstituiert-seins des Menschen ohne Aussicht auf ausdrückliche, integrale Interiorisierung. Konsequenterweise ist der Sinn, den das historische Bewußtsein am Leitfaden einer konstituierenden Intentionalität erschließt, *aleatorisch* und für Lévi-Strauß dann bestenfalls eine erfolgreiche Fehlleistung. Er steht in dem Verdacht, nur noch das Refugium eines *transzendentalen Humanismus* zu sein. Wenn dagegen das «wilde» Denken quantifizierend ist[90] und für Lévi-Strauß dadurch nur die Kehrseite einer quantifizierten Welt darstellt -«Damit die Praxis als Denken gelebt werden kann, muß zunächst (in einem logischen und nicht historischen Sinn) das Denken existieren: seine Ausgangsbedingungen müssen also in der Form einer objektiven Struktur des psychischen Mechanismus und des Gehirns gegeben sein, ohne die es weder Praxis noch Denken geben würde.»[91] –, dann ist das *wilde* Denken «Analogiedenken». Es produziert

---

[87] Das wilde Denken. Kap. IX, a.a.O. 282–310.    [88] Ebd. 283.    [89] Ebd. 288.
[90] Eine Auffassung, die M. Mauss, E. Durkheim und Cl. Lévi-Strauß gemeinsam ist.
[91] Ebd. 304.

*imagines mundi* als Ausdruck seiner medialen Verfaßtheit als einer konstituierten Homologie von Sein und Denken. Obwohl die von Lévi-Strauß verwendete Begrifflichkeit (vor allem der Terminus «dialektisch») weitgehend unterbestimmt bleibt, werden aus dem Analogiedenken «drei Quellen des Widerstands gegen die Entwicklung»[92] abgeleitet: der Wille zur Einheit, die Ehrfurcht vor der Natur und die Ablehnung der Geschichte. Die drei Komponenten stehen untereinander *insofern* in einem konsequenten Zusammenhang, als der kosmisch-soziale Integrationswille auf eine stationäre Regelmäßigkeit der Bilderwelt angewiesen ist, die nur die Natur liefern kann. Diese Regelmäßigkeit setzt ihrerseits die Konstanz größerer Zeiträume voraus. Die Reduktion von Komplexität (Luhmann) ist in primitiven Gesellschaften tendenziell vertikal, ihre akkumulativ-synthetischen Fähigkeiten sind für Entwürfe historischen Werdens zu wenig ausgeprägt. Trotzdem sind für Lévi-Strauß diese Gesellschaften nicht geschichtslos. Sie sind wie ihre Bilderwelt nur «stationär»: ein im interkulturellen Vergleich stets relatives Prädikat, da die Ereignisarmut oder der Ereignisreichtum einer Kultur keine objektive Grundlage ist, sondern Funktion des Standorts des Beobachters: «Für den Beobachter der physikalischen Welt erscheinen die Systeme, die sich in gleiche Richtung bewegen wie das eigene, als immobil, während die schnellsten diejenigen sind, die sich in andere Richtung wie unsere eigene entwickeln, und stationär, wenn ihre Entwicklungsrichtung von der unseren abweicht. Aber in den Humanwissenschaften hat der Faktor *Geschwindigkeit* natürlich nur einen metaphorischen Wert.»[93]

Die standortbedingte Relativität des Urteils über die evolutiven Fähigkeiten von Gesellschaften begründet dann umgekehrt ihre prinzipielle Gleichheit, solange sie ihren Bestand durch Strategien evolutionstheoretischer, historischer oder kosmologischer Art sichern können und ein Gleichgewicht zwischen dem elementaren Ordnungsbedürfnis des Geistes und dem des Sozialen herstellen. Diese Ausgleichungsproblematik, die bei Lévi-Strauß notwendigerweise durch die These hervorgerufen wird, die binäre, quasi-mathematische Grundstruktur des Geistes sei psycho-physiologisch verankert und somit auch eine Eigenschaft der Welt, führt nun aber zu einer Entleerung der indikatorischen Leistung der Theorie. W. Lepenies und H.H. Ritter kann man zustimmen, wenn sie diesem Ansinnen, insofern es kultur-philosophische Aussagen prägen will, entgegenhalten:

---

[92] in: Die kulturellen Diskontinuitäten und die ökonomische und soziale Entwicklung. SA II, Kap. 17, 351–362.
[93] a.a.O. Rasse und Geschichte, Kap. 18, 363–407, 383.

«Das Programm einer allgemeinen Gesellschaftstheorie und das Programm einer Theorie des Geistes sind miteinander verträglich nur auf Kosten einer Reduktion des Begriffs der Gesellschaft auf ihren integrativen und kommunikativen Aspekt, der inhaltslos ihre Totalität ausdrückt.»[94]

## §2 Roland Barthes:
## Die Freistellung von der Oppression des Sinnes

«Seine ganze Arbeit hat, das ist offensichtlich, eine *Moralität* des Zeichens zum Gegenstand (Moralität ist nicht Moral). In dieser Moralität hat der Schauer des Sinns als häufig auftretendes Thema einen doppelten Platz; er ist dieser erste Zustand, demzufolge das *Naturhafte* beginnt, in Bewegung zu geraten, zu signifizieren (wieder relativ, historisch, idiomatisch zu werden): die (verabscheute) Illusion des Es-versteht-sich-von-selbst splittert auf, bricht, die Maschine der Sprachen setzt sich in Bewegung, die *Natur* überläuft ein Schauer von all der in ihr kompromittierten, in Schlaf versunkenen Gesellschaftlichkeit: das *Natürliche* der Sätze läßt mich erstaunen, sowie der alte Grieche bei Hegel vor der Natur erstaunt und in ihr den Schauer des Sinns hört. Doch auf diesen anfänglichen Zustand des semantischen Lesens, dem zufolge die Dinge auf dem Weg zu *wahrem* Sinn (dem von Geschichte) begriffen sind, antwortet anderswo und fast im Widerspruch dazu ein anderer Wert: bevor der Sinn in der Nicht-Signifikanz zugrunde geht, erschauert er noch einmal: Sinn gibt es, doch dieser Sinn läßt sich nicht *fassen*; er bleibt fließend, in einem leichten Sieden erbebend. Der ideale Zustand der Gesellschaftlichkeit erklärt sich so: ein weites unaufhörliches Säuseln belebt zahllose Sinngebungen, die aufbrechen, knistern, aufflackern, ohne jemals die endgültige Form eines mit einem Signifikat traurig beladenen Zeichens anzunehmen, ein glückliches, unmögliches Thema, denn dieser ideal erschauernde Sinn wird unerbittlich von einem soliden Sinn eingeholt (dem der Doxa) oder von einem nichtigen Sinn (dem der Mystiken der Befreiung) (Gestalten dieses Erschauerns: der Text, die Signifikanz und vielleicht: das Neutrum)». (Roland Barthes, Über mich selbst, München 1978, 107.)

---

[94] W. Lepenies/H. H. Ritter (Hg.), Orte des wilden Denkens, Zur Anthropologie von Cl. Lévi-Strauß. Einleitung, Frankfurt a.M. 1974, 39.

## Die soziale Mythologie [1]

Die frühen Arbeiten von R. Barthes, *Am Nullpunkt der Literatur*[2] und die *Mythen des Alltags*[3], befassen sich eingehend mit der gesellschaftlichen Applikation der Semiologie. Vor allem letztere Arbeit versucht, in ihrem Unterfangen, die gesellschaftliche Produktion von «mythischem» Bewußtsein in seinen divergenten Äußerungsmodalitäten zu identifizieren und zu analysieren, die praktische Applikation einer «Sem-analyse» unter Beweis zu stellen. Diese praktisch-semiologische Lektüre will die Struktur des Mythischen als *Aussage(system)* auf die soziale Produktion bzw. Überproduktion von zeichenhaft vermitteltem Sinn (auf die Oppression, auf das *Wuchern* des Sinnes) beziehen. Sie will diese Struktur auf die Ebene ihrer «wahren» Funktion reduzieren und ihn insofern «neutralisieren».

In den *Mythen des Alltags* hat Barthes das erste Mal praktiziert, was er später eine «strukturalistische Tätigkeit»[4] genannt hat: die durch Zerlegung und Arrangement des Objekts geleitete Herstellung eines «simulacrums», das die Intelligibilität des (natürlichen) Objekts in seiner die Bedeutung erzeugenden *Struktur* sicherstellt. Vor allem jener Teil des Buches[5], der an Hand semiologischer Begrifflichkeit den als Aussage und Mitteilungssystem verstandenen Mythos behandelt, stellt immer noch ein Muster struktualer Analyse dar.

Der Mythos wird hier auf seine formale Grenze hin untersucht: d.h. er wird weder als Objekt einer historisch interessierten Rekonstruktion, noch als Begriff oder Idee eines kategorial defizienten Bewußtseins, sondern als geschichtlich motivierte, durch ein bedeutungsgebendes Bewußtsein konstruierte Botschaft verbaler und visueller Art verstanden. Insbesondere die semiologische Kritik ist für R. Barthes *ein Pendant* zur historischen Kritik (als Kritik der historischen Genese von Sozialgebilden, wie man die Arbeiten Foucaults teilweise verstehen kann) und *keine Alternative* zur Historie: «sie untersucht Ideen *in Form*»[6] und zwar in dem dreidimensionalen Schema von Bedeutendem, Bedeutetem und Zeichen als deren Einheit (de Saussure). «Der Mythos ist insofern ein besonderes System, als er auf einer semiologischen Kette aufbaut, die bereits vor ihm

---

[1] Wir halten uns in diesem Zusammenhang an Barthes' eigener Einteilung seiner Arbeit in Phasen. (Über mich selbst, München 1978, 158).

[2] Am Nullpunkt der Literatur. Objektive Literatur, Zwei Essays. Hamburg 1959. (Le degrè zéro de l'écriture. Paris 1953).

[3] Mythen des Alltag , Frankfurt a.M. 1981. (Mythologies, Paris 1957).

[4] R. Barthes, Die strukturalistische Tätigkeit, in: Kursbuch 5 (1966), 190–196. (L'activité structuraliste, in: Essais critiques, Paris 1964, 213–220).

[5] Vor allem die Seiten 85–151.     [6] Ebd. 90.

existiert; er ist ein sekundäres semiologisches System. Was im ersten System Zeichen ist (das heißt assoziatives Ganzes eines Begriffs und eines Bildes), ist einfaches Bedeutendes im zweiten.»[7] Demnach konstituiert sich der Mythos durch eine doppelte semiologische Verkettung: der Endterminus des objektsprachlichen Systems (Zeichen) wird zum Anfangsterminus eines metasprachlichen sekundären Rasters. In diesem sekundären System wird das objektsprachliche Zeichen zum einfachen Bedeutenden (Signifikanten) und bildet es durch Konnotation mit einem ebenfalls sekundär Bedeuteten (Signifikat) ein neues Zeichen: *den Mythos.*[8] Den Endterminus des primären Systems nennt Barthes «Sinn». Der Verschiebung auf der zweiten Ebene entsprechend, wird er in dem mythischen System zur *Form* bzw. zum Signifikanten. Das Bedeutete bzw. das Signifikat im zweiten System, die mythische Konnotation (die «parasitäre» Sinnschicht), ist dann der «*Begriff*» des Mythos. Die Einheit von Sinn/Form und Begriff impliziert dann das mythische Zeichen, nämlich *die mythische Bedeutung.*

Ausgehend von diesem einfachen Instrumentarium, beschreibt Barthes das Funktionieren von «Mythen»: Die *Form* bzw. der Sinn des objektsprachlichen Systems ist einerseits, weil «geliehen», *erfüllt* durch seine Reminizenz an seine Funktion als Komponente der ersten Ebene. Andererseits aber, da er als Form in ein zusätzliches System aufgenommen wird, ist er gewissermaßen «leer» bzw. «entleert» und offen gegenüber der virtuellen Verwendbarkeit in einer Zusatzschicht. Er ist dem «Begriff» des Mythos ausgeliefert. Durch eine «Regression» wird der Sinn zur Form entleert, und ist er auf eine neue Bedeutung angewiesen. Der Mythos funktioniert jedoch nur, wenn der verabschiedete Sinn in der Leerheit seiner Form als Erinnerung an seine Funktion als Signifikat in einem primären System wenigstens virtuell gegenwärtig ist: der Mythos lebt in dieser Perspektive von der Operation einer Zweckentfremdung des «Sinns», von der Sinnambiguität vermischter Systeme.

«Doch der entscheidende Punkt bei alledem ist, daß die Form den Sinn nicht aufhebt; sie verarmt, sie entfernt ihn nur, sie hält ihn zur Verfügung. Man glaubt, der Sinn stirbt, aber es ist ein aufgeschobener Tod. Der Sinn verliert seinen Wert, aber er bleibt am Leben, und die Form des Mythos nährt sich davon. Der Sinn ist für die Form wie ein Vorrat an Geschichte, wie ein unterworfener Reichtum, der in raschem Wechsel zurückgerufen

---

[7] Ebd. 92. Dazu die Auffassung von Lévi-Strauß, der Mythos würde sich auf die «odds and ends» eines *vor ihm* existierenden Systems beziehen; J.-P. Wils.
[8] Dazu das Schema auf der folgenden Seite, Anmerkung 11.

und wieder entfernt werden kann. Die Form muß unablässig wieder Wurzel im Sinn fassen und aus ihm sich mit Natur nähren können, und insbesondere muß sie sich in ihm verbergen können. Es ist dieses unablässige Versteckspiel von Sinn und Form, durch das der Mythos definiert wird.»[9] Gleichwohl, die Abstraktheit der Form erheischt einen neuen situativen und geschichtlichen Gehalt: *den Begriff* des Mythos. Aber im Gegensatz zu der objektsprachlichen Essenz, zu der fast dennotativen Kenntnis des Realen, ist das «Wissen» im Begriff durch eine exzessive Konnotation geprägt: es ist konfus und lebt von unbestimmten Assoziationen, deren Denotat ebenfalls unbestimmt bleibt. Dies ist die Verschleierungsfunktion des Mythos. Dieses sekundäre Wissen nennt Barthes dann auch «angepaßt» oder «eine Intention des Verhaltens».[10]

Hierdurch entsteht nun eine eigenwillige Proportionierung in der mythischen Zeichenrelation: Während der Begriff *quantitativ* wesentlich ärmer ist als seine (bedeutende) Form (die mythische Hülle ist nicht zuletzt bedeutungserzeugend wegen ihrer *objektiven* Austauschbarkeit), die ihn (den Begriff) fast beliebig repräsentieren könnte, entspricht umgekehrt der qualitativen Armut der Form, die lebt vom usurpierten Sinn des ersten Systems, die *qualitative* Fülle des Begriffs, die wuchernde Konnotativität als die eigentliche Intention des Mythos. Der Sinn wird zu einem diffusen Konglomerat von Überzeugungen, die sich der Überprüfbarkeit sträuben. Während in der Objektsprache von einer redlichen Proportionierung von Signifikant und denotiertem Signifikat ausgegangen werden kann, ist deren quantitatives und qualitatives Differieren, die Disproportion ihrer Ausdehnungen, das Kennzeichen des Mythos als Bedeutung. Deshalb aber partizipiert für Barthes, im Gegensatz zu Lévi-Strauß, die Korrelation von Form und Begriff im Mythos nicht an der Struktur des Unbewußten, sondern ist sie konstitutiv durch eine Intention vermittelt.[11]

---

[9] Ebd. 97f.     [10] Ebd. 99.
[11] «Es gibt keinerlei Latenz des Begriffs in bezug auf die Form, man bedarf durchaus nicht eines Unbewußten, um den Mythos zu erklären.» (102) Das Schema des Mythos sieht so aus:

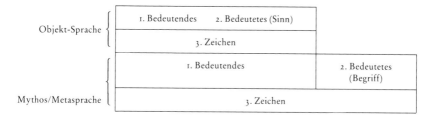

Die Modi der Präsenz dieser Komponenten sind dabei sehr unterschiedlich: der Verheißung der Natürlichkeit der mythischen Aussage entsprechend (ihrem Bezug auf die usurpierte Objektsprache gemäß), ist die Präsenz der Form des Mythos für Barthes räumlicher Art: eindimensional in der Rede, mehrdimensional im visuellen Mythos. Der Begriff dagegen, entsprechend der qualitativen Fülle seiner Assoziationen, ist global, gedächtnishaft und de-formiert (entwendet die Form der ersten Ebene), entfremdet den Sinn. Der Mythos alterniert also zwischen dem bedeutenden Bewußtsein der Objektsprache und dem bilderschaffenden Bewußtsein der Metasprache. Gerade diese Oszillation, die er nicht benennen kann, macht seine ideologische Existenz aus. Die Form der Objektsprache ist stets präsent, aber «leer», ihr Sinn ist stets abwesend, aber seiner vergangenen Erfüllung und deren Reminiszenz wegen, in seiner virtuellen Gegenwart das *Alibi* des Mythos. «Ich bin nicht dort, wo man glaubt, daß ich bin (nämlich im abwesend-erfüllten Sinn; J.-P. Wils), sondern ich bin dort, wo man glaubt, daß ich nicht sei (nämlich in der anwesend-leeren Form; J.-P. Wils)».[12] Diese konstitutive Ambiguität der Struktur erklärt im Mythos den zweifachen Charakter der Bedeutung. Diese ist zugleich *Nachricht* (eines durch die Form des Mythos de-formierten Sinns) und *Feststellung oder Urteil* (einer durch den Begriff verwendeten Form) und somit imperativisch bzw. interpellatorisch. Die zentrale Aussage Barthes in diesem Kontext ist aber die Feststellung, daß diese Ambiguität und Doppeldeutigkeit der mythosinternen Zeichenrelation von der *Motivierung* dieser Relation zehrt: im Gegensatz zu der Arbitrarität der Zeichenkonstitution auf der objektsprachlichen Ebene suggeriert der Mythos eine Analogie zwischen Sinn und Form bzw. zwischen Begriff und Form.

«Vom ethischen Gesichtspunkt ist das Störende im Mythos gerade, daß seine Form motiviert ist. Denn wenn es eine *Gesundheit* der Sprache gibt, wird sie durch die Willkürlichkeit des Zeichens begründet. Das Widerwärtige im Mythos ist eine Zuflucht zu einer falschen Natur, ist der Luxus der bedeutungsvollen Formen, wie bei jenen Objekten, die ihre Nützlichkeit durch einen natürlichen äußeren Schein dekorieren. Der Wille, die Bedeutung durch die ganze Bürgschaft der Natur schwerer zu machen, ruft eine Art von Ekel hervor: der Mythos ist zu reich, und gerade seine Motivierung ist zuviel an ihm.»[13] Entsprechend dieser struk-

[12] Ebd. 104.
[13] Ebd. 108. Anmerkung 8. Dazu auch in *Über mich selbst*: «Wenn ich der Analogie widerstehe, widersetze ich mich in Wirklichkeit dem Imaginären, nämlich der Koaleszenz des Zeichens, der Ähnlichkeit von Signifikantem und Signifikat, dem Homöomorphismus der Bilder, dem Spiegel, der Täuschung, die in ihren Bann schlägt.» (49).

turalen Konstitution des Mythos ist die Lektüre des Mythos divergierend. Wenn man sich auf die Form konzentriert, wird der Mythos symbolisch und die Lektüre zynisch (um das Beispiel Barthes zu verwenden: der die französische Fahne grüßende Neger repräsentiert die französische Imperialität). Stellt man ausdrücklich die Entstellung des Sinns durch die Form fest, wird der Mythos ein Alibi und die Lektüre entmystifizierend und kritisch-dekonstruktiv.[14] Erlebt man die Bedeutung des Mythos als Ganzes von Sinn und Form bzw. von Begriff und Form, ist die Lektüre des Mythos «real», seine Intention ist erfüllt und er stellt die Präsenz einer Konnotation her: der grüßende Neger *ist* die Gegenwart der französischen Imperialität. Der Mythos ist also *ein sekundäres semiologisches System*. Sein *Begriff*, seine Intention, würde sich auf der unmotivierten, objektsprachlichen Ebene entweder im *Sinn* entschleiern oder in der Form verschwinden. Deshalb wird er auf der mythischen Ebene (für den Verbraucher) als motiviert und natürlich dargestellt und dort als «Begründung» gelesen: «Der Mythos ist eine *exzessiv gerechtfertigte* Aussage... Was dem Leser ermöglicht, den Mythos unschuldig zu konsumieren, ist, daß er in ihm kein semiologisches, sondern ein induktives System sieht. Dort, wo nur eine Äquivalenz besteht, sieht er einen kausalen Vorgang. Das Bedeutende und das Bedeutete haben in seinen Augen Naturbeziehungen ... jedes semiologische System ist ein System von Werten. Der Verbraucher des Mythos faßt die Bedeutung als ein System von Fakten auf.»[15]

Diese *mythische* Faktizität und ihre ungerechtfertigte Aura des Tatsächlichen werden für Barthes nicht zuletzt durch die Expressivität und Überschwenglichkeit der mythischen Sprache provoziert, die dadurch ihren primären, objektsprachlichen Sinnhorizont – im Falle des Mythos – für usurpierte Konnotationen öffnet. Barthes erblickt deshalb in der Sprache der Mathematik (der symbolischen Logik) wie auch tendenziell in der Poesie der Moderne Sprachen im «Nullzustand». Durch ihre latente Sinnabstinenz sind sie wie die mathematische Sprache «abgeschlossen» oder stoßen wie die Poesie als ein «regressiv semiologisches System» den «Sinn» der Wörter zugunsten einer unvermittelten Begegnung mit den «Dingen» zurück, «sich zu einem essentiellen System zusammenziehend.»[16] Zwar sind diese Sprachen durch ihre «Askese» zunächst antimythisch, für Barthes jedoch können sie gerade durch diese Widerstandsleistung zu einer *unfreiwilligen Einwilligung* in den Mythos werden, näm-

---

[14] Der die französische Fahne grüßende Neger *soll* die französische Imperialität repräsentieren.
[15] Ebd. 115.    [16] Ebd. 119.

lich im Moment ihrer reduplizierten Bedeutung. Mathematik und moderne Lyrik sind nicht nur Konnotationsabstinent (und insofern analytisch), sondern häufig auch Denotationsabstinent (und deshalb unterschwellig selber mythisch),*wenn sie anfangen, sich selber zu bedeuten.* Barthes schlägt deshalb, weil die Sprache generell eine mythische Latenz im Sinne der virtuell unaufhebbaren Disproportion der Elemente der Zeichenrelation besitzt, eine auf den ersten Blick überraschende Lösung vor: nämlich die Bildung eines *künstlichen Mythos,* einer dritten semiologischen Kette, welche die *Mystifikation des Mythos* selbst darstellen würde. Der erste Mythos wäre in dieser Handlung als «angeschaute Naivität» als solche «gesetzt», seine Naturhaftigkeit wäre erneut naturalisiert und somit aufgehoben, die oppressive Sinnhaftigkeit des primären Mythos wäre neutralisiert. So plausibel dieser Ansatz zunächst erscheinen mag, ihm inhäriert eine elementare Schwäche. Ohne die Konstruktion einer objektsprachlichen Ebene, die quasi als «regressives» Kriterium angenommen werden muß, wird die Rede vom Mythos sinnlos. Nun hat die wissenschaftstheoretische Diskussion um den Logischen Positivismus des Wiener Kreises und den Kritischen Rationalismus gerade die Unmöglichkeit vor Augen geführt, zur Verifikation oder – in unserem Fall – zur Falsifikation von Aussagesystemen (Theorieannahmen, Mythen) auf empirische Basal- oder Elementarsätze zurückzugreifen. Zwar meint Barthes mit *Objektsprache* nicht den gänzlichen Konnotations*mangel* von Sätzen, sondern nur deren prinzipielle Fähigkeit, den Konnotations*grad* am Denotatscharakter ihrer Sätze zu überprüfen. Gerade seine durchaus zutreffende Unterstellung aber, sogar das mathematische Kalkül sei nicht gegen seine mythische Hypertrophierung gefeit, macht die Rede von einer *semiologisch* gesicherten Objektsprache nahezu unmöglich. Wenn aber die Objektsprache nur ein methodisches Konstrukt ist, dann ist jede nicht-abstrakte Sprache immer *konnotativ* und nur mehr oder weniger denotativ: sie ist somit latent mythisch. Die Rede von einem «Mythos» ist bei Barthes überschwenglich und so weit gefaßt, daß das Kriterium des Nicht-Mythischen zu verschwinden droht und die Mythenanalytik selber zu einem Mythos vom Mythischen wird.

Zwar vermag die Konstruktion von mythischen *Etagen* die Bewegung der sprachimmanenten Allusionen und Konnotationen zu veranschaulichen, die *referentielle* Wertskala, die ihr eigen ist, läßt sich aber nicht rechtfertigen.

## Semiologie und Subjektivität

Eine zweite Periode der Arbeiten von R. Barthes ist vor allem durch Reflexionen zum Strukturalismus und zur Semiologie[17] – weniger durch direkte Applikationen der Theorie[18] – und durch Überlegungen zur Methode und zum Status der Literatur[19] gekennzeichnet.

In dem berühmten, anfangs erwähnten Aufsatz *L'activité structuraliste* hat Barthes eine zunächst überraschende Definition dieser Tätigkeit angegeben. Sie vermag die Auffassung, der Strukturalismus sei eine «Sichtweise» oder ein bestimmter Modus der Wahrnehmung, zu rechtfertigen: «A la limite, on pourrait dire que l'objet du structuralisme, ce n'est pas l'homme riche de certains sens, mais l'homme fabricateur de sens, comme si ce n'était nullement le contenu des sens qui épuissait les fins sémantiques, de l'humanité,mais l'acte seul par lequel ces sens, variables historiques, contingents, sont produits. *Homo significans*: tel serait le nouvel homme de la recherche structural ... l'homme structural, défini, non par ses idées ou ses langages, mais par son imagination, ou mieux encore son imaginaire , c'est-à-dire la façon dont il vit mentalement la structure.»[20]

Diese Umschreibung überrascht zunächst durch einige Akzente, die der Auffassung, der Strukturalismus zeichne sich durch eine Annihilation des Subjekts oder der Subjektivität als bedeutungskonstituierendes Element aus, teilweise widersprechen: eine anthropologische Konstante (l'homme fabricateur de sens, homo significans) wird beschworen, eine Modalität, ja ein anthropologisches *Vermögen* (l'imagination, l'imaginaire) und eine durchaus selbstrepräsentative Erlebnisweise (la façon dont il vit *mentalement* la structure). Darüber hinaus wird der Sinn unter dem Gesichtspunkt seiner *akthaften Produktion* betrachtet: er ist das historisch-kontingente Faktum einer Hervorbringung (und nicht sosehr eine Kontinuität, an welcher nur partizipiert werden kann). Der Stellenwert der Struktur kann dabei nur *ausgehend* von der tätigen Imagination des strukturalen Menschen verdeutlicht werden: «Le structuralisme est essentiellement une activité. L'homme structural prend le réel, le décompose, puis le récompose ... La création ou la réflexion ne sont pas ici *impression* original du monde, mais fabrication véritable d'un monde qui ressemble

[17] R. Barthes, Die strukturalistische Tätigkeit, in: Kursbuch 5 (1966), 190–195; Ders., Elemente der Semiologie, Frankfurt a.M. 1979. (resp. PariS 1964 und 1965).
[18] Rhétorique de l'image, communications 4 (1964), 40–51; Ders., Introduction à l'analyse structurale des récits, communications 8 (1966), 7–58; Ders., Système de la mode, Paris 1967.
[19] Ders., Essais critiques, Paris 1964.
[20] In: Essais Critiques, Paris 1964, 213–220, 218 (bis zur Interpunktion) und 214.

au premier, non pour le copier mais pour le rendre intelligible ... fondée non sur l'analogie des substances ... mais sur celle des fonctions.»[21]

Weil aber in obiger Umschreibung der strukturale Mensch das *Objekt* des Strukturalismus genannt wird, muß die Interpretation an dieser Stelle modifiziert werden. Obwohl und gerade weil das Subjekt dieser Objektivierung selber an der strukturalen *Aktivität* partizipiert, wird es in einem Rückschlag, indem es dem Niveau der Gegenständlichkeit angehört – die crux einer jeden anthropologischen Annäherung – mit dem Anspruch konfrontiert, selber *Objekt* der eigenen *Tätigkeit* zu sein. Deshalb trifft auf die strukturale Konstellation das zu, was R. Barthes an anderer Stelle[22] bezüglich des Binärismus und Digitalismus in der Linguistik die «Zirkularität zwischen dem Analogischen und dem Unmotivierten» genannt hat: das Amagalmieren des Natürlichen mit dem Intelligiblen und Unmotivierten. Ohne zu übersehen, daß das Natürliche in Barthes' Umschreibung die Tätigkeit des homo significans ausmacht, rechtfertigt die objekthafte Annäherung an diese Tätigkeit (und somit ihre virtuelle Naturalisierung) die Übertragung: das Strukturale ist ein mittleres Niveau, auf dem sich die Komplementarität des naturalisierten Unmotivierten (des Subjektiven) und der intelligibilisierten Natürlichkeit (des Objektiven) ausdrückt: «eine überwachte Freiheit.»[23]

In *Kritik und Wahrheit*[24], welches die später in S/Z[25] durchgeführten methodischen Reflexionen zur Literaturtheorie vorwegnimmt und eine Replik auf das Buch von Raymond Picard *Nouvelle critique ou nouvelle imposture* (Paris 1965) ist, hat Barthes, vor allem in dem Kapitel *Die Kritik*, diesen originären Status der strukturalen *Subjektivität* näher bestimmt. Sie ist für ihn eine *systematisierte* Subjektivität, aus dem autonomen Spiel der sprachimmanenten Bewegung der Stilfiguren hervorgegangen: *systematisiert*, weil nicht außerhalb des sprachlichen Werdens des Sinns (des Signifikats) identifizierbar, eine *Subjektivität*, weil die Sprache nichts anderes als die Umkreisung jener *Leerstelle* ist, die als Subjektivität die menschliche Sprache von der autarken Geschlossenheit und Sinn-Repetition eines *natürlichen* Codes der Kommunikation unterscheidet.

«Das Subjektive ist keine individuelle Fülle, die in die Sprache zu entleeren man das Recht hat oder nicht ..., sondern im Gegenteil eine Leere,

[21] Ebd. 214–216.
[22] Elemente der Semiologie, a.a.O. 45.
[23] Elemente der Semiologie, Ebd. 57.
[24] Frankfurt a.M. 1980 (Critique et vérité. Paris 1966.)
[25] Frankfurt a.M. 1976. (Paris 1970). S/Z ist der Titel dieser Schrift und keine Abkürzung, wie sie für Heideggers «Sein und Zeit» üblich ist.

die der Schriftsteller mit Wörtern einkreist, so daß jede Schreibweise, die nicht lügt, nicht die inneren Attribute des Subjekts bezeichnet, sondern seine Abwesenheit. Die Redeweise ist nicht das Prädikat eines Subjekts, eines unausdrückbaren oder das auszudrücken es dient; sie ist das Subjekt. Wenn es nur darum ginge, die gleicherweise erfüllten Subjekte und Objekte auszudrücken (wie eine Zitrone) durch Bilder, wozu dann die Literatur? Wovon das Symbol getragen wird, ist die Notwendigkeit, unablässig die Leere des Ich zu bezeichnen, das ich bin.»[26]

Die Bezeichnungsarbeit oder die Tätigkeit der Kritik trifft aber als Ganze auf die strukturale Aktivität zu. Auch ihre Intention richtet sich auf die Intelligibilität der formalen Symbolreihen und Beziehungshomologien und erst in zweiter Instanz auf die des Inhalts (insofern ist sie keine Interpretation). Die strukturale Aktivität und ihre *schematisierte* Subjektivität erreichen *allerdings* nicht den konstitutiven Grund ihres Gegenstandes, «denn dieser Grund ist das Subjekt selbst, also seine Absenz. Jede Metapher ist ein Zeichen ohne *Grund*: gerade dieses Fernsein des Bedeuteten wird durch die Fülle der Symbole bezeichnet.»[27] Barthes macht die Glossematik Hjelmslevs hier sowohl für eine strukturale Literaturtheorie als auch für die Frage nach dem Status der *systemischen* Subjektivität der strukturalen Tätigkeit transparent.

Für Barthes muß das Symbol das Symbol suchen und austreiben[28], ohne daß die Aussicht gegeben wäre, daß die Ebene seiner Buchstäblichkeit als Reduktionsebene erreichbar wäre (sie wäre als *Grund* des Symbols geradezu seine Liquidation). Darüber hinaus ist für den *Strukturalisten* nicht so sehr das Bedeutete (der Symbolgehalt) als vielmehr seine *Logik* oder *notwendige Form* interessant. Deshalb stellt sich das Niveau der Vermitteltheit der Subjektivität als strukturierter Intentionalität wieder her. Ohne daß ein letzter Gehalt den Grund seiner Erscheinung exhaustiv explizieren und eine Subjektivität die Gehalte und Prädikationen eines Textes auf die eigene Intention lenken könnte, wird das «Ich» als abwesende, aber umkreiste Subjektivität bezeichnet. Die Form ihres Konstituiertseins, der diese Subjektivität gleichwohl produktiv inhäriert, läßt in der Distanz zu ihrer dortigen Vermitteltheit eine «vermittelte», schöpferische Abwesenheit zu. Schematisiert und als Komplementarität von Arbitrarität und Quasi-Natürlichkeit des Sinns im Sinne der Ineinsbildung von subjektiver *Intentionalität* und auf die Kette der Signifikanten *restringierter* Subjektivität ist ihre Subjektivität gleichwohl real.

[26] Kritik und Wahrheit, a.a.O. 82f.     [27] Ebd. 84.
[28] «in der Spur der Symbole zu lesen», Ebd. 66.

In dem Aufsatz *Die Imagination des Zeichens*[29] hat Barthes die anthropologische Annäherung aus *Die strukturalistische Tätigkeit* wieder aufgegriffen und – den Primat des Zeichenbegriffs vor dem Strukturbegriff ausdrückend -die formalen Konstanten der internen Zeichenrelation in Beziehung zu Bewußtseinsmodalitäten gesetzt. Eine ontische Annäherung an den Strukturbegriff (Gruvitsch) wäre somit unterbunden.

Entsprechend den drei im Zeichenbegriff implizierten Relationen des *Symbolischen* (der inneren Beziehung des Bezeichnenden mit dem Bezeichneten), des *Paradigmatischen* (der Relation des Zeichens mit der Virtualität seiner vertikalen, semantischen Vermitteltheit) und des *Syntagmatischen* (der Verknüpfung des Zeichens mit seinem aktuellen, horizontalen Umfeld) unterscheidet Barthes drei ihnen korrespondierende Bewußtseinsformen, wobei «der Strukturalismus insbesondere *historisch* definiert werden kann als der Übergang vom Symbolbewußtsein zum Paradigmabewußtsein; es gibt eine Geschichte des Zeichens, die die Geschichte der Arten seines Bewußtseins ist.»[30]

*Das Symbolbewußtsein* (wobei hier mit Symbol nicht, wie häufig im Zusammenhang mit der Zeichenlehre, das Zeichen oder der Signifikant überhaupt gemeint ist, sondern die Partizipation des Symbolisierenden an dem Symbolisierten) ist für Barthes durch seine Tiefendimension gekennzeichnet. Weil das Symbol solitär ist und eine vertikale Analogie zwischen Form und Gehalt insinuiert, ist auch das Symbolbewußtsein weniger eine Kommunikationsform als ein affektives Element der Teilhabe: «das Symbolbewußtsein ist wesentlich eine Zurückweisung der Form.»[31]

Das *Paradigmabewußtsein* dagegen – und hier macht sich der Einfluß Hjelmslevs' wiederum deutlich bemerkbar – ist für Barthes wesentlich gekennzeichnet durch den Umstand, daß das Bezeichnete nicht durch seine Überlagerung mit einem Bedeutenden (also zweiseitig), sondern durch eine «homologische Koexistenzmodulation» zwischen der Signifikantenkette und der Signifikatsebene definiert wird. Neben Hjelmslevs' Glossematik wären hier vor allem die Totemanalysen Lévi-Strauß' zu nennen.

Das *Syntagmabewußtsein* ist «das Bewußtsein von den Beziehungen zwischen den Zeichen auf der Ebene des Diskurses, das heißt wesentlich der Zwänge, Toleranzen und Freiheiten für die Verknüpfung der Zeichen.»[32] Auf das Bedeutete wird hier am stärksten verzichtet, weshalb es

[29] In: Literatur oder Geschichte, Frankfurt a.M. 1981, 35–43, (franz.: L'imagination du signe. In: Essais critiques, Paris 1963, 206–213).
[30] Ebd. 38.        [31] Ebd. 39.        [32] Ebd. 40.

Barthes nicht ein semantisches Bewußtsein, sondern ein strukturales Bewußtsein nennt, das mit operationellen und komplexen Ganzheiten und Klassifikationen arbeitet. Repräsentativ für diese Bewußtseinsmodalität wären die linguistische Schule von Yale, Propps Märchenanalysen, die Mythenreihen von Lévi-Strauß und nicht zuletzt wohl Foucaults epistemische Archäologie.

Diese Bewußtseins- und Zeichenmode sind für Barthes nun aber gleichzeitig Ausdruck ihnen zugeordneter «Imaginationstypen»: «Das Zeichen ist eine anschauliche Idee.»[33]

Dem Symbolbewußtsein entspräche eine *Tiefenimagination*, die in der Expressivität der Sprachen und der Künste die Souveränität des Signifikats und die Macht der Subjektivität andeutet. Die Imagination des Paradigmabewußtseins dagegen wäre eine «*formale, perspektivische*», wie sie in den Kommunikationsästhetiken und in der Analyse der Variation rekursiver Elemente auftritt (wie in der Analyse des Traumbewußtseins). Das Syntagmabewußtsein schließlich zeitigt *eine funktionale Imagination*: «Das Zeichen sieht es im voraus in seiner Ausdehnung... Es handelt sich um eine *stemmatische (in graphischer Form erstellte*; J.-P. Wils) Imagination, die der Kette oder des Netzes. Daher ist die Dynamik des Bildes hier die eines Zusammenfügens beweglicher Teile, deren Kombination Bedeutung hervorbringt oder allgemeiner ein neues Objekt. Es handelt sich also um eine produzierende ... Imagination.»[34]

Diese funktionale Form der *Einbildungskraft*, wie sie in der seriellen Musik oder in den strukturalen Kompositionen eines Mondrian vorliegt, ist nicht zuletzt in Barthes Theorie der «*Textualität*» exponiert, in der die Theorie der Literatur und der ihr entsprechenden «Subjektivität» nun in die pragmatische Dimension der konkreten «Lektüre» gewendet wird.

## Die Textualität

«Ich sage nicht: *Ich werde mich beschreiben*, sondern: *Ich schreibe einen Text, und ich nenne ihn R.B.* Ich komme ohne Imitation aus (ohne Beschreibung), und ich vertraue mich der Nennung an. Weiß ich doch, daß in dem Feld des Subjekts es keinen Sprachreferenten gibt! Das (biographische, textuelle) Faktum vernichtet sich im Signifikanten, weil es unmittelbar mit ihm eins ist ... ich bin selbst mein eigenes Symbol, ich bin die Geschichte, die mir geschieht: im Freilauf der Sprache, nichts habe ich, mit dem ich mich vergleichen könnte; und in dieser Bewegung stellt

---

[33] Ebd. 41.     [34] Ebd. 42.

sich das Pronomen *ich* als impertinent, das Symbolische wird buchstäblich unmittelbar.»[35]

In *S/Z*[36], einer strukturalen Lektüre von Honoré de Balzacs *Sarrasine*, hat Barthes seine Texttheorie, zusammen mit den formalen Mitteln der Analyse, am ausführlichsten dargestellt. Die Theorie der «Textualität» resorbiert den Charakter der literarischen «Subjektivität». Diese wird nun endgültig eine der Sprache generell als Immanenz zuzurechnende Größe. Die Applikation der strukturalen Textanalyse hat Barthes am radikalsten in der Lektüre des Exerzitienbüchleins des Ignatius von Loyola[37] durchgeführt: der Text wird selbst die Subjektivität und befreit letztere von der *Bürde*, das sinntragende Zentrum eines Selbst zu sein. Die Theorie der Textualität als Theorie der Zerstreuung (dissémination; J. Derrida) des Sinns auf der Oberfläche des Textes ist die Zurückdrängung dessen, was von Barthes die «Oppressivität des Sinns» genannt wird. Darauf wird am Ende des Abschnitts im Zusammenhang mit dem Buch *Das Reich der Zeichen*[38] noch einzugehen sein.

In der Definition dessen, was ein «Text» sei, unterscheidet Barthes zwei Formen: *den lesbaren Text*, konstituiert durch eine Individualität und gekennzeichnet durch die Trennung von Produzent und Verbraucher, und *den schreibbaren Text*, am sinnpluralen Universum der *Schreibbarkeit* und an der Unendlichkeit der Sprache partizipierend. «Dieser Text ist eine Galaxie von Signifikanten und nicht eine Struktur von Signifikanten. Er hat keinen Anfang, ist umkehrbar... Er setzt Codes in Bewegung, deren Profil man aus dem Auge verliert, sie sind nicht unterscheidbar (der Sinn wird dabei niemals einem Entscheidungsprinzip untergeordnet) ... Es geht darum, gegen jede In-differenz das Sein von Pluralität zu bestätigen.»[39]

Zugang zu diesem pluralen Text bietet *die Konnotation*.Sie ist für Barthes die Spur einer Polysemie und stellt eine dem Textsubjekt (und nicht dem Subjekt des Textes) immanente Korrelation dar. *Analytisch* gesehen ist die Konnotation eine «Wucherung» des Sinns (sie hält sich nicht an der bloßen Referenz des Denotats), *topologisch* gewährleistet sie eine begrenzte Dissemination (Derrida) der Sinne an der Textoberfläche, *semiologisch* ist sie eine code-artige Artikulation einer im Text «eingewebten Stimme». *Von der Dynamik her* ist sie der Ort der Betörung, des Überwältigtseins, *von der Geschichte her* führt sie einen aufgreifbaren Sinn ein,

[35] Über mich selbst, a.a.O. 62.
[36] S/Z, Frankfurt a.M. 1976 (Paris 1970).
[37] Sade/Fourier/Loyola, Frankfurt a.M. 1974. (Paris 1971).
[38] Das Reich der Zeichen, Frankfurt a.M. 1981. (L'empire des signes, Genève 1970).
[39] a.a.O. 10.

*von der Funktion her* jedoch verändert sie die Reinheit der Kommunikation, ja sie stört sie gewissermaßen. Weil die Konnotation eine textimmanente Bewegung ist, die gerade den denotativen Verweisungsbezug der Zeichenrelation übersteigt (und damit die Rede von «Literatur» erst sinnvoll macht), verneint sie das Korrelat des Denotierten, nämlich die bedeutungskonstitutive Punktualität eines Ichs oder die Purifikation einer dem Text bloß äußerlich anhaftenden Subjektivität. Letztere ist somit nur eine Funktion der Textpluralität. «Die Fülle ist verlogen, ist nur die hinterlassene Spur aller Codes, die mich zusammensetzen, so daß meine Subjektivität letztlich etwas von der Allgemeinheit von Stereotypen hat.»[40] Genauso imaginiert wäre für Barthes die «Objektivität» eines Textes. Im Gegenteil, die Produktion von Textualität ist ein Vorgang, der die Tätigkeit von Autor und Leser als getrennte Konsumenten des Textes übergreift. Sie ist die Arbeit des Vergessens eines singulären Sinns, «eine Benennung im Werden, eine metonymische Arbeit.»[41]

Die kritische Dekomposition eines Textes geschieht dementsprechend nicht am Leitfaden einer narrativen Logik oder Struktur: gerade sie würde logisch als Bezugspunkt das Subjekt des Textes voraussetzen. An Hand von Lexien (Leseeinheiten) soll der Text in «Digressionen» des Sinns aufgelöst werden, deren Diversität durch *Codes* aufgesucht und gesichert wird. *Der hermeneutische Code* umfaßt die Terme und Einheiten, die auf ein Zentrum des Verstehens ausgerichtet sind, die Bedeutungseinheit des Zu-verstehenden verzögern oder dechiffrieren (in unserem Fall die Rätselhaftigkeit des Namens «Sarrasine»). *Der semantische Code* registriert die durch Konnotation hervorgerufene *Signifikate* einer Einheit: z.Bsp. die konnotierte «Weiblichkeit» Sarrasines.

*Der symbolische Code*, für Barthes Ort der Multivalenz und der Umkehrbarkeit und somit die Zerstreuung des Sinns verstärkend, macht das Feld der rhetorischen Figuren aus. *Der Aktcode* oder *Handlungscode* zeigt auf «die empirische Ansammlung von Informationen unter dem Namen einer Handlung». *Der kulturelle oder Referenzcode* bezieht schließlich den Diskurs auf ein Arsenal gesellschaftlichen und moralischen Wissens.

Die fünf Codes nun bilden ein grobmaschiges Netz, eine Topik. Innerhalb von diesem Netz ereignet sich ein «ständiges Flechten»[42] des Sinns (Lacan: das Flottieren des Sinns) inmitten der Stimme der Wahrheit (der Hermeneutismen), der Person (der Seme), der Empirie (der Handlungen), der Wissenschaft (der kulturellen Referenzen) und der Symbolismen.

---

[40] Ebd. 14.    [41] Ebd. 15.    [42] Ebd. 24.

«Es geht in der Tat nicht darum, eine *Struktur* deutlich zu machen, sondern so weit es geht, eine *Strukturation* zu produzieren[43]. Die weißen und unscharfen Stellen der Analyse werden die Spuren sein, die die Flucht des Textes signalisieren. Denn wenn der Text einer Form unterworfen ist, so ist diese Form nicht einheitlich architektonisches Gebilde oder abgeschlossen; sie ist ein Bruchstück, ein Teilstück, ein abgeschnittenes, verschwindendes Netzwerk, jede Bewegung und Inflexion eines groß angelegten *fading*, das zugleich das Übereinandergreifen und den Verlust der Mitteilungen festlegt... Der Code ist eine Perspektive aus Zitaten, eine Luftspiegelung von Strukturen ... Merkpunkt einer virtuellen Abschweifung.»[44]

In dieser Perspektive ist es obsolet, nach der ursprünglichen Intention eines Textes oder nach der *Absicht* hinter einem Text zu fragen. Stattdessen spricht in diesem pluralen Text *die Sprache als autonome Gestalt selber*. Sie untersagt es, nach einer konstitutiven Subjektivität außerhalb der Sprache zu fragen. Der Sinn eines Textes ist dann nicht länger eine ihm gegebene Deutung (Interpretation) – sie wäre im Sinne Barthes nur leistbar durch die (falsche) Annahme eben jener konstitutiven Subjektivität –, sondern das diagrammatische Ganze seiner in den Codes gesicherten Lesearten: «man kann nicht die Hülle der Dinge authentifizieren, die dilatorische Bewegung der Signifikanten zum Stillstand bringen.»[45] Nicht eine Struktur oder ein Schema wird gesucht, sondern eine Synthese von Sinngebungen ohne transzendentale Synthesis: ein Paradoxon, in welchem das Ich als «moralische Freiheit mit Beweggründen» verschwindet. Die Sprache und die dazugehörende Lektüre ist dann a-moralisch geworden, aber nicht unbedingt un-moralisch. Dabei wird allerdings *die generelle Moralfähigkeit* eines Subjekts *ohne* Beweggründe, das der Bewegung des Textes wesentlich nichts entgegenzusetzen hat, fraglich. *Das Ich als nicht-textuelle Referenz der Sprachwerdung ist für Barthes dann auch nichts anderes als eine mit hypertrophem Sinn ausgestattete Person; Ich-Sagen nichts anderes*

---

[43] *Die durch Strukturation zu entziffernde Produktion von Sinn im Gefüge des Textes stand auch bei Barthes' Exegese des «Kampfes des Jakob mit dem Engel» (Gen. 32, 23–33) zentral.* «L'analyse textuelle *(textuelle* est dit ici par référence à la théorie actuelle du texte, qui doit être entendu comme production de signifiance et pas du tout comme objet philologique, détendu de la lettre); cette analyse textuelle cherche à *voir* le texte dans sa différence – ce qui ne veut pas dire dans son individualité ineffable; car cette différence est *tissée* dans des codes connus; pour elle, le texte est pris dans un réseau ouvert, qui est l'infini même du language, lui-même structuré sans clôture; l'analyse textuelle cherche à dire, non plus d'où vient le texte (critique historique) ni même comment il est fait (analyse structurale), mais comment il se défait, explose disséminé: selon quelles avenues codées il s'en va.» (La lutte avec l'ange: analyse textuelle de Genèse 32.23–33. In: R.Barthes, F. Bovon, J. Starobinski, Analyse structurale et exégèse biblique. Essais d'interprétation, Neuchâtel 1971, 27–40, 28.

[44] a.a.O. 25.     [45] Ebd. 125.

*als die Hyperbolie der Selbstausstattung mit unfehlbaren Prädikaten; Person nur das Produkt einer Kombinatorik von biographischen, psychologischen und zeitlichen Zuschreibungen.* Stattdessen erscheint als textuelle Referenz die *Figur*: «eine nicht standesgemäße, unpersönliche, achronische Konfiguration symbolischer Beziehungen»[46], eine im Text auf verschiedenen Niveaus und in verschiedenen Codes verortete *transitorische Stelle.* Die Dyade von Subjekt und Prädikat, die Syntax von Nomen und Verb faßt Barthes dann auch als eine auf die abendländische Metaphysik und Grammatik verweisende Reminiszenz auf (cfr. E. Benvenistes sprachontologische Untersuchungen). Sie wäre der (moralischen) Struktur der «Erzählung», die auf dem Schema «Erwartung-Ordnung-Entscheidung» aufbaut, analog. Im Gegensatz dazu ist gerade die *«Unentscheidbarkeit»* ein Tun, welches das metonymische Gleiten des Sinns *begleitet* und den polysemischen Ablauf der Textstrukturation *sekundiert.*

Die Bestimmung der A-moralität bzw. der «Unentscheidbarkeit» (≠ Unentschiedenheit!) involviert wiederum eine *anthropologische* Annäherung, die den Status der Textimmanenz bzw. der Textualität wenigstens prinzipiell zugunsten einer metasprachlichen Vergewisserung überschreitet: «Die Vollkommenheit ist ein Endpunkt der Codes; sie macht in dem Maße überschwenglich (oder euphorisch), wie sie der Flucht der Repliken ein Ende setzt, die Distanz zwischen Code und Performanz, zwischen Ursprung und Produkt, zwischen *Modell* und Kopie abschafft; da nun diese Distanz zum Status des Menschseins gehört, befindet sich die Vollkommenheit, die sie annulliert, außerhalb der anthropologischen Grenzen, in der Übernatur ... denn Leben, Norm und Menschsein sind nur intermediäre Wanderungen im Feld der Repliken.»[47]

Die Vollkommenheit ist daher für Barthes eine moralische Kategorie, die – jenseits ihrer Verwendung im Kontext einer faktischen Moral oder Moralität – die meta-physische Einheit von esse reale und esse perfectum als faktische anthropologische Grenze darstellt. Sie ist im Kontext des Wertgesetzes des Lesbaren nichts anderes als das *Lesen* im Sinne der kausalen Entschlüsselung einer endgültigen Prädikation, die der Beherrschung des Sinns entspricht. Dagegen ist die «Unentscheidbarkeit» ein Tun (und nicht ein Nicht-Tun), das als Improvisorium die Zerstreuung (Dissémination) der Sinngebungen in der Distanz von Modell und Applikation aufrecht erhält und die *Schreibbarkeit* als (ethische) Kompetenz der Partizipation an der aktuellen Sprach*werdung* des Sinns anvisiert.

---

[46] Ebd. 71f.     [47] Ebd. 75.

Die beschriebene Textualität und die ihr korrespondierende *Moral der Unentscheidbarkeit* – das plurale Universum der *Genese* der Text*handlung* im Sinne der *signifikanten Überdeterminierung des Signifikats* – findet man mustergültig in der Lektüre der Exerzitien des Ignatius von Loyola repräsentiert. Diese Analyse der komplexen Strukturierung eines *literarischen* Werkes gehört zu den Höhepunkten struktural er Analyse überhaupt. Die Abwehr einer Oppressivität des Sinns und die dadurch bedingte Neutralisierung bzw. Unentscheidbarkeit des Tuns spielen hier eine zentrale Rolle.

Dementsprechend behandelt Barthes die Sprache der Exerzitien nicht als die symbolische Verschlüsselung und als das nichtsignifikante Instrument einer *im* oder *hinter* dem Text sich vollziehenden Gottesbegegnung, sondern als die «ornamentale» und redundante Strukturierung der textuellen Verzögerung der Revelation Gottes. Die multiple, sinnheterogene Sinnschichtung dokumentiert die vierfache Textschichtung: den wörtlichen Text (zwischen Ignatius und dem geistlichen Vater der Klause), den semantischen Text (die Argumentation zwischen dem geistlichen Vater und dem Exerzitanten), den allegorischen Text (der aus Meditationen, Gesten und Praktiken bestehende, getane Text, an die Gottheit gerichtet) und den anagogischen Text (die Antwort Gottes an den Exerzitanten). Barthes sichtet in dem Text strukturelle Ungewißheiten, die ihn dramatisieren. Die Empfehlungen des geistlichen Vaters sind dem Exerzitanten unbekannt, seine Sprache wird nicht assertorisch beendet. Stattdessen muß er die Begründetheit seiner Sprache in der Anrede und der wahrscheinlichen Replik der Gottheit suchen.

Die komplexe Immanenz der Sprache bedingt also ihre Priorität *vor* dem Wert des gesuchten und vermuteten Inhalts. Nicht zu Unrecht nennt Barthes den Exerzitanten dann auch einen *Sprachbildner* oder einen *Logotechniker*.

Während die Form der Exerzitien sie als eine methodisch angeleitete Mantik der Gottesbefragung verstehen läßt, sorgt die technisch-rhetorische Struktur dieser Form dafür, die Applikation des Verhältnisses *zur* Gottheit prinzipiell zu verunsichern. Die Gliederung von Frage und Antwort – der Mangel an einem assertorischen Abschluß der Befragung – involviert *die Suche* nach dem Willen Gottes: «Die interrogative Struktur gibt den Exerzitien ihre historische Einmaligkeit. Bis dahin ... kümmerte man sich eher darum, den Willen Gottes zu erfüllen. Ignatius will vielmehr diesen Willen finden.»[48]

---

[48] R. Barthes, Sade, Fourier, Loyola, Frankfurt a.M. 1974, 56.

Die komplexe Strukturierung der Exerzitien unterstützt diese Bewegung für Barthes nachhaltig. Neben den drei Wegen der mystischen Theologie (dem reinigenden, erleuchtenden und vereinigenden; für Barthes auf der Figur der rhetorischen Dispositio, dem logischen Syllogismus und der dialektischen Idee der Reifung beruhend) steht – in einer taxinomischen Spannung zu ihnen – das Schema der vierwöchigen Dauer der jeweiligen Übungen. Dabei findet am Ende jeder zweiten Woche die Wahl als binäre Entzifferung des Willens Gottes statt, sich an die binäre Form der Struktur der Frage und der Antwort angleichend. Barthes nennt den Raum, der dadurch in den Exerzitien entsteht, «vor jeder Semiophanie liegend.»[49]. Das Ich des Ignatius ist daher – der Textualität analog – wiederum nur die transitorische Stelle des Sprachereignisses der Exerzitien. In dem Raum der Sprache entfaltet sich die kultivierte Imagination des Ignatius. Die präzise Imagination der Bilder der Christusimitationen[50] des Exerzitanten, die Verknotungen und Verzweigungen der binär und antithetisch strukturierten Übungen (Barthes weist darauf hin, daß im 14. und 15. Jahrhundert der Begriff «binär» die einer Gewissensentscheidung vorangehende Wahl bedeutet), die narrative und topographische Sequenz der Imaginationen, ihre zusätzlichen Gliederungen durch die Topik der zehn Gebote und der sieben Todsünden, die durch Wiederholung und Erzählung vermittelte phantasmatische Projektion der Imaginationen auf eine *Szene* –, alles dies tendiert durch die dadurch bedingten Verschiebungen nicht sosehr auf eine Gottesbegegnung als auf eine distanzierte Gottesbefragung apotropäischer (Unheil abwehrender) Art. Die Phantasmen lassen die Exerzitien zu einer kodierten Produktion von «Lust» werden.[51]

Die Verzweigung ihrer immanenten Struktur läßt die Exerzitien zu einem «Organigramm» werden, das die Anfrage des Exerzitanten transformiert: «Die Exerzitien ähneln einer Maschine im kybernetischen Sinn des Wortes; man führt in sie einen unbearbeitenden Fall ein, den Stoff der Wahl. Und herauskommen soll zwar nicht eine automatische Antwort, aber eine codierte und damit akzeptable Antwort.»[52] Es verzögert den assertorischen Abschluß. Dafür wird der Exerzitant gewissermaßen entschädigt durch die phantasmatische Analogisierung mit der Körperlich-

---

[49] Ebd. 60.
[50] Im 18. Jahrhundert wurden die in den Exerzitien enthaltenen Evangeliumszenen durch den Jesuiten Naval in Kupferstichen veranschaulicht.
[51] R. Barthes zitiert an dieser Stelle den Kommentar des Jesuiten Francois Courel, der in seiner Einführung zu den Exerzitien (Exercices spirituels, 1960) schrieb: «Die Exerzitien sind ein furchterregender und begehrenswerter Ort zugleich.»
[52] Ebd. 68.

keit Christi. Diese transformiert ihrerseits die Antwort der Gottheit in die unabschließbare Produktion von Bildern: «Das Bild ist in der Tat von Natur her deiktisch, es bezeichnet, aber definiert nicht. *Es gibt in ihm immer einem Rest an Kontingenz, auf die nur mit dem Finger hingewiesen werden kann.* Semiologisch gesehen treibt das Bild, immer weiter als das Signifikat, zur reinen Materialität des Erzählten hin.»[53]

Die A-moralität der Unentscheidbarkeit ist chiffriert in der ästhetischen Phantasmagorie der Bilderproduktion. Sie neutralisiert die Oppressivität einer möglichen Antwort Gottes, indem die Fülle der Bilder die (jesuitische) Indifferenz der Wahl, welche die Exerzitien strukturell vorbereiten, bestätigt.

Die In-differenz des Sinns bzw. des abschließenden Signifikats ist eine in der ästhetisch-deiktischen Funktion des Bildes *provisorisch* festgehaltene Handlungsentscheidung. Dieses hat Barthes in seinem vielleicht schönsten Buch *Das Reich der Zeichen*[54] zu einem Lob der absoluten, sekundären Verfaßtheit des Sinns angesichts seiner autonomen Zerstreuung (Dissémination; Derrida) auf der Oberfläche der sichtbaren Signifikantenrelation der japanischen Sprache und Kultur veranlaßt. Die entidealisierte *Verstofflichung* und die Entäußerung des Signifikats an die *Materialität* seines Trägers müssen dann zu der Betonung der Genealogie und ihres Pendants, nämlich der Körperlichkeit, führen.

*Die Moralität des Sinns zwischen Neutralisierung und Körperlichkeit*

«Die Wahrheit ist in der Stofflichkeit, sagt Poe (Eureka).Wer also nicht die Stofflichkeit erträgt, verschließt sich einer Ethik der Wahrheit; er läßt das Wort los, den Satz, die Idee, sobald sie gerinnen und zum festen Zustand übergehen, den des Stereotyps. (stereos heißt fest)»
(Wahrheit und Stofflichkeit; R. Barthes, Über mich selbst, 64)

Eine letzte Phase der Arbeiten von R. Barthes – zu nennen wären *Arcimboldo. Rhetoriker und Magier*[55], *Die Lust am Text*[56], die *Fragments d'un discours amoureux*[57], die Antrittsvorlesung am Collège de France[58] und *Über mich selbst*[59] – befaßten sich schwerpunktmäßig mit dem

[53] Ebd. 74.
[54] Frankfurt a.M. 1981, (L'empire des signes, Genève 1970).
[55] In: Franco Maria Ricci (Hg.), Die Zeichen des Menschen. Arcimboldo, Parma/Genf 1978.
[56] Frankfurt a.M. 1982, (Le plaisir du texte, Paris 1973).
[57] Paris 1977.
[58] Leçon/Lektion. Antrittsvorlesung am Collège de France, Frankfurt a.M. 1980. (Leçon, Paris 1978).
[59] München 1978, (R. Barthes par R. Barthes, Paris 1975).

Zusammenhang von textueller Neutralisierung (Ent-wertung) und ethischer Versinnlichung. Die Entwertung als intendierter Verlust der theoretischen und praktischen Idealität des Bedeutens führt zu der «Körperlichkeit» als *Ableseorgan* der nicht-idealisierbaren Motiviertheit der Wahrheit und des Handelns bzw. zu der Identifikation ihrer faktischen *Entstellungen*. Barthes knüpft wieder an eine Thematik an, die ihn in seinem frühen Buch *Michelet*[60] schon gefesselt hatte. Dieser schrieb in seiner *Geschichte des Neunzehnten Jahrhunderts*: «Jedes noch so niedrige Wesen hat eine besondere, individuelle Seele, welche nicht als dieselbe wiederkehrt und die man bemerken müßte, wenn dieses Wesen vorbeizieht und in die unbekannte Welt dahingeht.»[61] *Seele* bedeutet hier nichts anderes als jene Stofflichkeit der Wahrheit, die als Physiognomie der historischen Individuen deren Geschichte als Reminiszenz ihrer porträthaften Materialität begründet.

Wie für Michelet ist auch für R. Barthes *der Körper* die Instanz der Einzigartigkeit des Individuums. Er bewahrt dieses vor dem Vergessen. Dies leistet also nicht *seine Subjektivität*, worunter beide die «unendliche Allgemeinheit»[62] einer abstrakten Idealität verstehen, welche die Anthropodizee ermöglicht. Mit den Worten Barthes': «Der menschliche Körper ist somit in seiner Gesamtheit ein unmittelbares Urteil, sein Wert ist jedoch existenzieller, nicht intellektueller Art.»[63]

Das Phänomen der *Neutralisierung*, des «Nullpunktes» des Sinns bedeutet in allen Arbeiten Barthes' den *Abbau der Überdeterminierung des Signifikanten durch das Signifikat*. Die *Dekomposition jener Oppressivität in Richtung einer strukturierten Dezentrierung der Subjektivität* versteht er deshalb als die *Rekomposition der Bewegung des Sinns in dem Provisorium seiner Stofflichkeit*. *Subjektivität* betrachtet Barthes stets als die *Instanz einer abstrakt-allgemeinen Usurpation der 'Bewegung' des Signifikats mittels der Liquidation seiner Kontingenz* (mittels der Vernachlässigung der Nichttransparenz der Zeichenrelation). Neutralisierung selber ist zunächst ein linguistischer Begriff, der den kontextbedingten Verlust der Relevanz einer Opposition betrifft, die durch den Schwund ihrer Markierung einer neuen Markierung harrt. Übertragen in die Texttheorie Barthes heißt dies: nachdem in der multiplen Strukturation des Textes sich das Ich zugunsten der unpersönlichen Figur der transitorischen Stelle aufgelöst

[60] Frankfurt a.M. 1980, (Michelet par lui-même, Paris 1944).
[61] Michelet, Histoire du XIX siècle, 1872, Bd. II, «Le Directoire», Vorrede, 11. Zitiert bei R. Barthes, a.a.O. 123.
[62] Michelet, Histoire de France, Bd. IV, Buch VII, Kap. 1, 102. Zitiert bei R. Barthes, Ebd. 125.
[63] R. Barthes, Ebd. 116.

hat (cfr. *S/Z*), entsteht eine Leerstelle, die aber mehr ist als nur die abstrakte Ortung der Verknotung und der Konfiguration der symbolischen Ketten des «Textvorgangs». Diese implizite Kritik an *S/Z* wird deutlich in der Schrift *Die Lust am Text*. Zunächst heißt es dort noch: «Text heißt Gewebe; aber während man dieses Gewebe bisher immer als ein Produkt, einen fertigen Schleier aufgefaßt hat, hinter dem sich, mehr oder weniger verborgen, der Sinn (die Wahrheit) aufhält, betonen wir jetzt bei dem Gewebe die generative Vorstellung, daß der Text durch ein ständiges Flechten entsteht und sich selbst bearbeitet; in diesem Gewebe – dieser Textur – verloren, löst sich das Subjekt auf wie eine Spinne, die selbst in die konstruktiven Sekretionen ihres Netzes aufginge.»[64] Die Signifikanz wird nun aber nicht länger als unsinnliches Produkt dieser Signifikantenverkettung gesehen, sondern die transitorische Stelle wird als Versinnlichung des hervorgebrachten Sinns materialisiert. Die Prädikaten dieser Versinnlichung sind dann auch der Körpersprache und deren Apersonalität entnommen. Die Allgemeinheit der Subjektivität wird in die «individuelle Allgemeinheit» der Körpersprache transponiert: die bloße Suspension dieser Allgemeinheit, die bloße Aufkündigung dieser Analogizität mit dem Anderen würde die Sprache und ihre Sinnkonstituierung in die Privatheit des Un-sinns zurückstoßen. «Eine gewisse *Lust* gewinnt man aus einer bestimmten Art, sich als Individuum vorzustellen, eine letzte Fiktion seltenster Art zu erfinden: das Fiktive der Identität. Diese Fiktion ist nicht mehr die Illusion einer Einheit; sie ist im Gegenteil das *Gesellschaftsspiel*, indem wir unser Plural auftreten lassen: unsere Lust ist individuell – aber nicht personal.»[65]

Diese Lust als die Empfindungsqualität einer individuellen (textuellen), aber nicht personalen (synthetisierenden, semantisch subjektivierenden) Applikation des Textganzen auf die *textuelle* Referenz ist dabei keine Lust am phäno-textuellen oder grammatischen Funktionieren des Textes. Der nicht-physiologisch reduzierbaren «Körperlust» entsprechend, gleicht sie einer *materialisierenden Imagination*, welche die Regelhaftigkeit des Textes, die von der grammatischen bis zur kulturellen Referenz des Textes reicht, in *die tendenzielle Subjektivitätslosigkeit* einer triebähnlichen Attributation aufhebt. Dabei droht die «Lust» bei Barthes die textuell aufgelöste Subjektivität zu ersetzen. «Die Lust am Text, das ist jener Moment, wo mein Körper seinen eigenen Ideen folgt – denn mein Körper hat nicht dieselben Ideen wie Ich … Die Lust ist eine Suspensionskraft … eine regelrechte epochè.»[66]

[64] R. Barthes, Die Lust am Text, a.a.O. 94.
[65] Ebd. 91f.     [66] Ebd. 95 und 26.

Für Barthes ist diese «Lust» insofern keine intellektuelle Hyperästhesie, als sie die Erfahrung einer widerspruchsvollen Verschiebung der textimmanenten, kulturell restringierten Empfindungsqualität des Textes in Richtung einer imaginierten, nicht vermittelten Wollust am Text involviert. Der Projektionsraum dieser Wollust ist der Körper, der die synthetische Unaufhebbarkeit der Triebmaterialität zum Ausdruck bringt.

Barthes rekurriert also auf eine anthropologische und metasprachliche Prämisse: auf die nicht-stabilisierbare Oszillation von Triebstruktur und kulturell vermittelter Intellektualität. Diese außertextuelle Instanz wird *trotzdem* zu der textuellen Referenz einer letztlich meta-textuellen Bewegung *am* Text. Dies ist ein ebenso faszinierendes wie widerspruchsvolles Unternehmen, die Konkretion einer symbolisch-literarischen Identität als eine nicht-austarierbare, materialisierte Dezentrierung der synthetisierenden Funktionen einer konstituierenden Subjektivität zu denken.

Die offenkundige *Unterbestimmung* dessen, was das *Konstituierende* an dieser Subjektivität ausmacht – ihre Synthesisfunktion identifiziert Barthes ständig mit der kategorialen und biographischen Autarkie einer «Instanz» –, zwingt ihn jenseits einer semiologischen Annäherung zu dem Rückgriff auf eine ebenso unterbestimmte wie scheinbar autarke Gestalt der triebhaften Implikate des Bedeutens. Der Körper und seine Textur sind dann auch für ihn *atopisch*, im Gegensatz zu der vom intellektualisierten Sinn reaktiv und taktisch getragenen *Utopie* als Vollkommenheit der «geistigen» Intentionalität des Textes: «die Lust am Text ist ... so etwas wie ein plötzliches Auslöschen des kriegerischen Wertes, ein Sinken des Mutes»[67], eine vorläufige Verabschiedung der Topoi der moralischen und politischen Kultur («Die Regel ist der Mißbrauch, die Ausnahme ist die Wollust»[68]).

Weil die verbürgende Instanz der Bedeutung für Barthes fehlt, ist das Zeichen dann auch gegenüber der Sinn-Pertinenz apophatisch (verneinend). Es ist für Barthes das Ende der nach einer allgemeinen Wahrheit strebenden Aussagefunktion der Sprache. Wenn für Barthes die «Werthaftigkeit» die signifikante Markierung der Welt nach dem Paradigma von Geschmack und Abscheu (im *Sinne einer verallgemeinert geltenden Moral*) ist, dann werden die Atopie der materialisierenden, bildhaften und «körperlichen» Imagination und ihre Askese gegenüber einer intendierten (moralischen) Signifikanz zu dem «Ort» der sich in die sinnliche Konkretheit einschreibenden «Moralität» einer ästhetischen Existenz. Diese macht die

---

[67] Ebd. 47.    [68] Ebd. 62.

Empfindung zu der imaginierten Qualifikation der jeweiligen Applikation der Regelhaftigkeit (für Barthes auch Modellhaftigkeit) sprachlich
vermittelter Entitäten: «die Wollust ist nicht das, was auf das Verlangen
antwortet (es befriedigt), sondern das, was es überrascht... Man muß sich
den Mystikern zuwenden, um eine gute Formulierung dessen zu finden,
was so das Subjekt ablenken kann: Ruysbroek: *Ich nenne Trunkenheit des
Geistes den Zustand, in dem die Wollust über die Möglichkeiten hinausgeht,
die das Verlangen erblickt hat.*»[69]

## §3 Michel Foucault:
## Archäologie einer transzendental-empirischen Doublette

«Ich ziehe durch die Vergangenheit, wie ein Ährenleser über die Stoppeläcker, wenn der Herr des Landes geerntet hat; da liest man jeden Strohhalm auf.» (Hölderlin, Hyperion)

*Archäologie als historisch-apriorische Praxis*

In dem Aufsatz *Das Denken des Außen*[1] wird – im Gegensatz zur ständigen Bedrohtheit des philosophischen Diskurses durch die logische Antinomie des «Ich lüge» – die moderne Spracherfahrung im nicht-antinomischen bzw. nicht-antinomisierbaren «Ich spreche» (Nietzsche, Mallarmé,
Artaud, Bataille) thematisiert. Michel Foucault beschreibt das Phänomen
einer Sprachautonomie, die ihr Selbstverständnis dahingehend ausdrückt,
dem Ort einer als «Repräsentation» verstandenen Subjektivität entkommen
zu sein. «Nicht Reflexion, sondern Vergessen; nicht Widerspruch, sondern vernichtende Leugnung; nicht Versöhnung, sondern Wiederkäuen;
nicht der Geist auf der mühsamen Suche nach seiner Einheit, sondern die
endlose Erosion des Außen; nicht die Wahrheit, die schließlich aufleuchtet, sondern das Rieseln und die Dürftigkeit einer Sprache, die immer
schon begonnen hat.»[2] Diese Bemerkung ist kein literarisches Aperçu,
sondern kennzeichnet die moderne linguistische, literarische und philosophische Ortung der konstitutiven Geschlossenheit des Gesprochenen in

---

[69] R. Barthes, Über mich selbst, a.a.O. 122. In «Leçon/Lektion» nennt Barthes diesen Vorgang eine
«Semiotropie»: «dem Zeichen zugewandt, wird sie von ihm in den Bann geschlagen und ... imitiert es
bei Bedarf wie ein imaginäres Schauspiel.» a.a.O. 59.
[1] M. Foucault, Das Denken des Außen. In: Ders., Von der Subversion des Wissens, München 1974,
60–82.
[2] Ebd. 62.

der Autarkie der Sprache. «Das Sein der Sprache kommt für sich selbst nur im Verschwinden des Subjekts zur Erscheinung.»[3] Die Bemerkung zielt aber auf die Tätigkeit von Foucault selber: ein Denken, das genealogisch die «Unstimmigkeit des Anderen»[4] im Sinne der radikalen Dezentrierung und Zerstreuung des «Inneren» am «Außen» zu rekonstruieren versucht. Foucault weigert sich, die Einmaligkeit der Ereignisse der abstrakten Finalität und Allgemeinheit totalisierender Teleologien geschichtsphilosophischer Art zu subordinieren. Er macht sich die Subjektivitätskritik Heideggers insofern zu eigen, als auch für ihn «Subjektivität» der Oberbegriff eines nomothetisch-doxographischen Vorgehens ist, das sich an dem Vorgang der Repräsentation ablesen läßt. Die Repräsentation gehört allenfalls der vergangenen Epoche der «Klassik» an, der Bewußtseinsphilosophie von Descartes bis Hegel. Stattdessen favorisiert Foucault die *Genealogie*, die seit Nietzsche als philosophisches Verfahren eine *äußerliche Interpretation* der Phänomene ist (z. Bsp. der Moral). Sie unterwirft den Inhalt des Interpretierten nicht sosehr seiner immanenten Stimmigkeit, sondern seiner *äußeren Motiviertheit* als Kriterium des Urteils. «Wo sich die Seele zu einen behauptet, wo sich das Ich eine Identität oder Kohärenz erfindet, geht der Genealoge auf die Suche nach dem Anfang – nach den unzähligen Anfängen, die jene verdächtige Färbung, jene kaum merkbaren Spuren hinterlassen, welche von einem historischen Auge doch nicht übersehen werden sollten. Die Analyse der Herkunft führt zur Auflösung des Ich und läßt an den Orten und Plätzen seiner leeren Synthese tausend verlorene Ereignisse wimmeln.»[5]

Damit die umfassenden Analytiken in ihrer eigenwilligen Ausdrucksweise und Systematisierungen verständlich werden, müssen zunächst das theoretische Vokabular und die methodologischen Grundsätze dargelegt werden, so wie Foucault sie selber in ständig neuen Überlegungen vorgelegt hat.[6] Die *Archäologie des Wissens* stellt eine detaillierte Untersuchung jener Begrifflichkeit dar, welche die Phänomene des «Bruchs», den historisch-diskontinuierlichen *Raum* diskursiver *Transformationen* anstelle des

---

[3] Ebd. 57.
[4] Ders., Nietzsche, Die Genealogie, die Historie. In: a.a.O. 83–109, 86.
[5] Ebd. 89.
[6] Vor allem: Antwort auf eine Frage. In: Linguistik und Didaktik 3 (1970), 228–239 und 4 (1970) 313–324; Archäologie des Wissens, Frankfurt a.M. 1973; «Die Ordnung der Dinge». Ein Gespräch mit R. Bellour. In: A. Reif (Hg.), Antworten der Strukturalisten, Hamburg 1973, 147–156; Über verschiedene Arten Geschichte zu schreiben, in: a.a.O. 157–175; Strukturalismus und Geschichte, in: a.a.O. 176–184; Angèle Kremer-Marietti, Michel Foucault. Der Archäologe des Wissens, Frankfurt/Berlin/Wien 1976; J.J. Garcie, Die Archäologie des Wissens. Zu M.Fs. Theorie der Wissensbildung, München 1975; M.G. Feige, Geschichtliche Struktur und Subjektivität. Eine transzendentalphänomenologische Kritik an M.Fs. «Archäologie des Wissens», Köln 1978.

linearen Feldesgeschichtlich-kontinuierlichen Werdens diskursiver *Formationen* beschreiben möchte. Auch die jüngere Wissenschaftsgeschichte ist stärker interessiert an *Schwellen* und *epistemologischen Brüchen* als an der Darstellung von *Entwicklungen*. *Alexandre Koyré* hat in seinem Buch *Von der geschlossenen Welt zum unendlichen Universum*[7] durch eine strenge Korrelierung naturwissenschaftlicher und philosophischer Theoreme die ontologischen und kosmologischen Differenzen zwischen Mittelalter und Neuzeit so analysiert, daß sie sich nicht länger in eine *Entwicklungslogik* der Wissenschaften eingliedern lassen. Der Einfluß von *Gaston Bachelard* auf Foucault ist unverkennbar und erstreckt sich zum Teil auf die Terminologie. Das monumentale Werk *Die Bildung des wissenschaftlichen Geistes. Beitrag zu einer Psychoanalyse der objektiven Erkenntnis*[8] führt den Begriff des «epistemologischen Hindernisses» (obstacle épistémologique) ein, um in einem der Psychoanalyse analogen Prozeß den Erwerb wissenschaftlicher Erkenntnisse zu illustrieren: «Man erkennt *gegen* ein früheres Wissen»[9]. Die bruchartige Überwindung vielförmiger Widerstände, welche «die Betrachtung des Gleichen zu verlassen und das Andere zu suchen, die Erfahrung zu dialektisieren»[10] veranlaßt, deutet bei Bachelard darauf hin, daß die einheitliche und pragmatische Erkenntnis selbst ein fundamentales Hindernis darstellt, um die objektive Entstehungsgeschichte wissenschaftlicher Gegenstände und die Geschichte einer Wissenschaft überhaupt denken zu können. Für Bachelard ist sowohl die wissenschaftliche als auch die wissenschaftstheoretische Absicht, auf eine Persistenz der Objekte in einer Geschichte ihres ununterbrochenen Werdens zu drängen, stets eine Zurechtlegung ex post facto. Diese ist insofern kontraproduktiv, als sie den schwierigen Werdegang von Wissenschaften, die ihren Gegenstandsbereich, also ihre ontische Region häufig noch zu entdecken und zu bestimmen haben, einer abstrakten Urteilsinstanz unterwirft. «Ohne diesen ausdrücklichen Verzicht, ohne diese Entäußerung der Intuition, ohne diese Aufgabe von Lieblingsideen, verliert die objektive Forschung unverzüglich nicht nur ihre Fruchtbarkeit, sondern den eigentlichen Vektor der Entdeckung, den induktiven Elan. Den Augenblick der Objektivität immer zu leben, ständig im Entstehungszustand der Objektivierung verharren, das erfordert eine unablässige Bemühung um Entsubjektivierung.»[11] Die Geschichte der Wissenschaft wäre

---

[7] A. Koyré, Von der geschlossenen Welt zum unendlichen Universum, Frankfurt a.M. 1980.
[8] G. Bachelard, Die Bildung des wissenschaftlichen Geistes, Frankfurt 1978. Zu dem Begriff «Kontrainduktivität»: P. Feyerabend, Wider den Methodenzwang, Frankfurt a.M. 1976.
[9] a.a.O. 48.     [10] Ebd. 50.     [11] Ebd. 357.

somit die Abfolge von *epistemologischen Profilen*, die sich gegen die Kontinuierung des Objekts des *vergangenen* Paradigmas sträuben, weil die epochal restingierte Erfahrungsmodalität eine *generelle*, überepochale Einordnung des Objekts verhindert.[12]

*George Canguillem* faßt die Wissenschaftsgeschichte als die Theorie der ausdrücklich *krisenhaften* Geschichte der fortschreitenden und unabgeschlossenen Gegenstandskonstitution dieser Wissenschaften auf, so daß es kein *transzendentales Signifikat* als gegenstandskonstiuierenden Bezugspunkt gibt, sondern nur Deplazierungen, Transformationen, mikro- und makroskopische Abstufungen und Neueinteilungen. Die Wissenschaftsgeschichte ist dann nicht länger das Protokoll sich überholender Annäherungen an einen idealen Wahrheitspunkt, sondern *Gedächtnis*: «Auf seiten des Urteils ist der Irrtum ein mögliches Mißgeschick, auf Seiten des Gedächtnisses trifft die Abweichung das Wesentliche.»[13] *Michel Fichant* und *Michel Pêcheux* lehnen *die* Modelle akkumulations- und evolutionstheoretischer Art ab, welche die Einheit des Geistes aus der Einheit des Wissens garantieren und auf einen «Zeitpunkt effektiver Präsenz einer Wissenschaft und Kopräsenz aller Wissenschaften» abzielen. Sie führen stattdessen den Begriff der *Rekurrenz* ein. Sie ist das Verhältnis von Begründendem und Begründetem im Sinne der Reziprozität von Wissenschaften und ihrer Konstruktion von Begriffsensembln und Produktionsregeln. Statt einer Teleologie – «jenes äußere Band, das das Frühere an das Spätere knüpft, indem es, unter den Auspizien von Präformation, Präfiguration und Antizipation, das Frühere auf das Spätere zurückführt»[14] – wird eine Theorie der spezifischen Begriffsproduktion und der Theoriebildung einer jeden Wissenschaft eingeführt. Anstelle einer «Dialektik der Liquidation der Vergangenheit»[15] entsteht eine aktuelle Vergangenheit[16]. Letztere weist somit auf die prinzipielle Uneinholbarkeit *historischer* Objekte der Wissenschaft bzw. der Wissenschaftsgeschichte und auf die Irreduzibilität des «Wahrheitsstatus» des Vergangenen auf das Kriterium seines Vergangen-seins hin. Diese Objekte sind nicht situuierbar in einer vergangenen Vergangenheit, sondern zeigen auf die paradigmatische Struktur und somit auf den relativen Bestand der aktuellen Wissen-

---

[12] G. Bachelard, Philosophie des Nein. Versuch einer Philosophie des neuen wissenschaftlichen Geistes, Frankfurt a.M. 1980.
[13] G. Canguillem, Wissenschaftsgeschichte und Epistemologie. Gesammelte Aufsätze, W. Lepenies (Hg.), Frankfurt a.M. 1979, 39. Ebenfalls: Ders., On the Normal and the Pathological. Introduction by M. F., Dordrecht 1978, 9–20.
[14] M. Fichant/M. Pêcheux, Überlegungen zur Wissenschaftsgeschichte, Frankfurt a.M. 1977, 81.
[15] Ebd. 83.     [16] Ebd. 84.

schaft in Hinblick auf ihre Vorgeschichte. Nicht zuletzt sei *Thomas S. Kuhns* Theorie des Paradigmawechsels hier deshalb erwähnt.[17]

Das Unternehmen einer Archäologie ist die Beschreibung des *Archivs* im Sinne der *Gesamtheit von Regeln*, die in einer Epoche die Grenzen und die Formen des *Sagbaren*, der *Konservierung*, des *Gedächtnisses*, der *Reaktivierung* und der *Aneignung* definieren. Dieses Unternehmen ist bei Foucault durch eine Wende in der Art der Betrachtung der Vergangenheit motiviert. Statt Kausalitäts-und Ausdrucksbeziehungen sollen «Serien und Schichten» multiplikativer Dauer und differenzierender Niveaus beschrieben werden. Die Diskontinuität («zeitliche Verzettelung»[18]) wird als überlegte Operation und Spezifikation der historischen Arbeit betrachtet. Statt einer «globalen» Geschichte wird eine «allgemeine» Geschichte als Totum zeitlich und räumlich inkohärenter Schichten konstruiert. Das Ergebnis dieser neuen Einstellung betrachtet Foucault als eine Neubewertung des *Moments*, dessen Existenzbedingungen anstelle der kommentierenden Orientierung an *Dokumenten* untersucht werden sollen. Diese «Sehweise» stellt einen Versuch dar, durch radikale Liquidation von an Lebensmetaphern orientierten Totalisierungen «das Andere, das Dezentrierte» zu erforschen. Foucault betrachtet seine Arbeit also als eine historische und deskriptive Praxis der Suche nach den Regularitäten von Diskursen und der nicht-subjektiven Determination der Gegenstände dieser Diskurse. «Aus der historischen Analyse den Diskurs des Kontinuierlichen machen und aus dem menschlichen Bewußtsein das ursprüngliche Subjekt allen Werdens und jeder Anwendung machen, das sind die beiden Gesichter ein und desselben (falschen; J.-P. Wils) Denksystems.»[19]

Foucault unterscheidet vier Bedingungen dieser Vorgehensweise. Zuerst müsse man die *diskursiven Regelmäßigkeiten* darstellen: die «Einheit» eines Diskurses wird nicht konstituiert durch das, was er das «allegorische» Motiv des Denkens nennt, welches das Gesagte hermeneutisch auf seine verborgene Intention hin hinterfragt, um diese dann a posteriori zu synthetisieren in einer «Entwicklung» oder in einer «Geschichte des Geistes». Ein (wissenschaftlicher) Diskurs wird nicht primär *beherrscht* durch eine konstituierende Intentionalität, welche das allegorisierte Signifikat als Motiv oder Synthesis der Formation den nur instrumentalen Regeln seiner Gewinnung unterwirft. Es sind vielmehr *die Regeln der Formation*, die das Vorkommen und die Modalitäten ihrer Gegenstände

---

[17] Th. S. Kuhn, Die Struktur wissenschaftlicher Revolutionen, Frankfurt a.M. 1978.
[18] M. Foucault, Archäologie des Wissens, a.a.O. 17.
[19] Ebd. 23.

bestimmen und äußerlich-deskriptiv zu erfassen sind: «einen weißen, indifferenten Raum ohne Innerlichkeit und Verheißung»[20]. Die Gegenstände und die diskursiven Formationen gestalten sich also gegenseitig, indem diese Formationen Strukturen bereitstellen, die den Gegenstand gewissermaßen *generieren*, während umgekehrt die Gegenstände über gewisse Zeiträume hinweg die Konstanz des Diskurses ermöglichen. Wenn Foucault daher fordert, sich «gänzlich der Dinge zu enthalten», sie zu «entgegenwärtigen», dann müssen die semantischen Inhalte zugunsten der Regeln, die der diskursiven Praxis immanent sind, eingeklammert werden.

Zweitens sind es *die Äußerungsmodalitäten* (wer spricht, in welcher institutionellen Kondition, unter welchen situativen Vorzeichen, im Verhältnis zu welchen Gruppen von Gegenständen), die, in der Sprache Foucaults, *eine Dispersion und zerstreute Positionalität der Subjektivität als Diskurskontingenz* bedingen. Die Frage nach den Modalitäten eines Diskurses soll die Suche nach einem denkenden, erkennenden und sprechenden Subjekt, dessen Manifestation der Diskurs wäre, ersetzen. Drittens ist es *die Formation der Begriffe*, welche die Eigenart der genealogischen Vorgehensweise verdeutlicht. Uninteressant ist für Foucault daher die Frage nach der *Idealität* der Kategorien. Stattdessen gelte es, diese zu registrieren auf die Formen ihrer Abfolge, Anordnungen und Koexistenz. Sie werden analysiert auf einer «vorbegrifflichen» Ebene, auf dem Niveau ihres Vorkommens diesseits einer «Mentalität» oder eines Bewußtseins desjenigen, der sie gebraucht. «Sie auferlegen sich folglich gemäß einer Art uniformer Anonymität allen Individuen, die in diesem diskursiven Feld sprechen.»[21]

Viertens nennt Foucault die *«Formation der Strategien»*. Er meint damit die «Brennpunkte» eines Diskurses: dort, wo der Gegenstand und die Methode inkongruent werden (die sogenannten *Ad-hoc-Strategien*), wo nach der Funktion und Aneignung eines Diskurses in einer nicht-diskursiven Praxis gefragt wird und seine symbolische oder normative In-Anspruch-nahme erfolgt. Das, was Foucault «Diskurs» nennt, ist *das gegenstandsspezifische Aussagensystem dieser verschiedenen Modalitäten*.

Zusammenfassend kann man sagen, daß die diskursiven Regelmäßigkeiten *beschreibbare Systeme* sind, welche die Bedingungs- und Erscheinungsweise von Aussagen, also ihren Ereignischarakter und die Verwendungsmöglichkeiten dieser Aussagen, also ihren Dingcharakter aus-

[20] Ebd. 60.     [21] Ebd. 93.

machen. Alle diese Aussagensysteme machen das *Archiv* einer Epoche aus, ihre «Positivität» oder ihr «historisches Apriori». «Ich will damit ein Apriori bezeichnen, das nicht Gültigkeitsbedingung für Urteile, sondern Realitätsbedingung für Aussagen ist. Es handelt sich nicht darum, das wiederzufinden, was eine Behauptung legitimieren könnte, sondern die Bedingungen des Auftauchens von Aussagen, das Gesetz ihrer Koexistenz mit anderen, die spezifische Form ihrer Seinsweise und die Prinzipien freizulegen, nach denen sie fortbestehen, sich transformieren und verschwinden. Ein Apriori nicht von Wahrheiten, die niemals gesagt werden oder wirklich der Erfahrung gegeben werden könnten; sondern eine *Geschichte*, die gegeben ist, denn es ist die der wirklich gesagten Dinge … kurz, es muß die Tatsache erklären, daß der Diskurs nicht nur einen Sinn oder eine Wahrheit, sondern eine Geschichte, und zwar eine *spezifische* Geschichte, die ihn nicht auf die Gesetze eines unbekannten Werdens zurückführt, hat… Darüber hinaus entgeht dieses Apriori nicht der Historizität, es konstituiert nicht über den Ereignissen und in einen Himmel, der unbeweglich bliebe, eine zeitlose Struktur… Das Apriori ist selbst ein transformierbares Ganzes.»[22]

Die Archäologie ist also eine deskriptive, historische Praxis, die das Archiv als das allgemeine System der Formation und der Transformation der Aussagen untersucht. *Insofern* kann sie als eine Variante des Neopositivismus angesehen werden, als der *Archäologe* – in diesem Fall Foucault selber – auf die Komponente der Subjektivität verzichtet, welche die Inhalts*konstitution* einer Ideengeschichte motivieren könnte. Sie ist eine Analyse und eine regulierte Transformation dessen, was in seinen noch zu entdeckenden Modalitäten inhaltlich bereits geschrieben ist und in der Form von Aussageperioden noch rekonstruiert werden muß. Ausgehend davon können dann archäologische Isomorphismen zwischen verschiedenen Diskursen festgestellt werden, die zusammen mit den diskursiven Modalitäten *das Wissen*, über das eine Epoche verfügt, präfigurieren. Wenn man das Wissen in verschiedenen Schwellen hierarchisiert, wie Foucault dies tut, und diesen Schwellen verschiedene Formen der Wissenschaftsgeschichte zuordnet, dann wird der restringierte Charakter einer Archäologie deutlich, die sich ausdrücklich nur mit der ersten dieser *Schwellen* beschäftigen will. Es gibt nämlich für Foucault *eine Schwelle der Positivitäten*, wo eine diskursive *Praxis* sich installiert oder sich transformiert und einem Wissen und seinem Gegenstand *Raum* gibt. Ihr ent-

---

[22] Ebd. 184f.

spricht die archäologische Geschichte als Theorie der *faktischen* Gegenstandsproduktion. Es gibt eine *Schwelle der Epistemologisierung*, die Verifikations- und Kohärenznormen formuliert, die über einen Diskurs eine beherrschende Funktion ausüben. Ihr entspricht die zwischen Wahrheit und Irrtum unterscheidende epistemologische Geschichte (ihr Äquivalent wäre eine Theorie des *Wissens um* die Gegenstandsproduktion und des Ausschlusses theoriefremder und insofern inkonsistenter Gegenstände). Es gibt eine *Schwelle der Wissenschaftlichkeit*, die formale Kriterien und Konstruktionsprinzipien für Propositionen definiert. Ihr entspricht die historische Analyse (wie wird ein metaphorischer Begriff zu einem Terminus der Wissenschaft «gesäubert»?) Sie etabliert eine Theorie, die äußerlich die formalen Kohärenzbedingungen der Gegenstände und ihrer Verbegrifflichung beschreibt. Zuletzt gibt es eine *Schwelle der Formalisierung*, die den Meta-Diskurs einer Wissenschaft ausmacht und nur in einer rekursiven Analyse, die im schon konstituierten Feld einer Wissenschaft sich bewegt, erfaßt werden kann. Sie ist die Theorie der wissenschaftstheoretischen Selbstreflexion einer Wissenschaft.

*Das Verhältnis, das, ausgehend von den Positivitäten, diese Schwellenphänomene zueinander einnehmen, ist schließlich die Episteme:* «Unter Episteme versteht man ... die Gesamtheit der Beziehungen, die in einer gegebenen Zeit die diskursiven Praktiken vereinigen können, durch die die epistemologischen Figuren, Wissenschaften und vielleicht formalisierten Systeme ermöglicht werden.»[23] Sie ist also für Foucault kein Stadium einer metahistorischen Vernunft, noch ein epochales Transzendentales oder eine Meta-theorie, sondern ein komplexer Raum der dispersiven und ununterbrochenen Verschiebungen, dessen formalen, aber nicht transzendentalen Konstitutiva erfaßbar wären. Die Episteme als Ganze ist dann nur rekonstruierbar im Ausgang von den Positivitäten des Archivs. Die übrigen Schwellen müssen dann – und dieses ist bei Foucault nicht ohne Widerspruch denkbar – in eine sie übergreifende Episteme eingeordnet werden, ohne daß für die archäologische Vorgehensweise auch nur die Möglichkeit bestünde, den Einfluß der von ihr nicht analysierten Schwellen auf das Niveau der Positivitäten und auf die Episteme überhaupt abzuschätzen. Die Sprache Foucaults, die sich häufig bewußt zwischen weitschweifender Verwendung literarischer Anklänge und wissenschaftlicher Diskursivität ansiedelt, bedingt nicht zuletzt manche Unschärfen in der Argumentation.

[23] Ebd. 273.

Eine erste Phase der Arbeiten Foucaults, welche die Schriften *Psychologie und Geisteskrankheit*[24], *Wahnsinn und Gesellschaft*[25] und in minderem Maße *Die Geburt der Klinik*[26] umfaßt, könne man mit seinen eigenen Worten als «die Geschichte des Anderen, dessen, was für eine Zivilisation gleichzeitig innerhalb und außerhalb steht»[27] bezeichnen. Foucault will hier die Kultur über ihre Grunderfahrungen befragen: über ihre im Wahnsinn und in der Krankheit beheimatete *Struktur des Tragischen im Verhältnis von Vernunft und Unvernunft.*

Diese Befragung ist deshalb eine kulturelle Befragung, weil der Wahnsinn und die Krankheit in der Art ihres Wahrgenommenseins und in ihrer Behandlung Rückschlüsse auf das Vernunftapriori einer Kultur erlauben sollen. Es wird zu erweisen gesucht, daß die Struktur der Krankheit und des Wahns «die Abtrennung der glücklichen Welt der Lust»[28] von der Vernunft als dem stets Anderen des Wahns und dem Anderen der Krankheit in ihrer kulturellen Spezifikation bedingt.

*Psychologie und Geisteskrankheit* will die Ursprünge der *Psychopathologie* in der historisch lokalisierbaren Beziehung des Geistesgestörten und des davon Ausgenommenen, des *Gesunden*, aufspüren. Foucault untersucht diese Abhängigkeit zunächst auf dem Niveau der Pathologie der Geistesstörung und deren Interdependenz mit den Strukturen der organischen Medizin. Beide haben nach ihm das Wesen der Krankheit «in der kohärenten Gruppierung der sie indizierenden Zeichen zu entziffern»[29] versucht und von daher Symptomatologien und Nosographien erstellt. Die allgemeine Pathologie postuliert dabei, daß eine Krankheit durch eine Essenz konstituiert wird, durch eine durch die Symptome identifizierbare Entität, die naturalistisch – der botanischen Spezies analog und je nach nosographischer Gruppe – in eine mit Untergruppen versehene Gattung transkribierbar ist. Nach Foucault entsteht um 1930 herum, unter dem Druck des ungelösten Problems, das Organische und das Pathologische, das bis dahin lediglich parallelisiert wurde, zusammenzudenken, «das konkrete Individuum» und verschwindet die Ausrichtung an den äußeren Erscheinungsformen der Krankheit immer mehr. In der Psychopatholo-

---

[24] Psychologie und Geisteskrankheit, Frankfurt a.M. 1980 (Paris 1954).
[25] Wahnsinn und Gesellschaft. Eine Geschichte des Wahns im Zeitalter der Vernunft, Frankfurt a.M. 1981. (Paris 1961).
[26] Die Geburt der Klinik. Eine Archäologie des ärztlichen Blicks, Frankfurt a.M. 1976 (Paris 1963).
[27] Die Ordnung der Dinge, Frankfurt a.M. 1978, 27.
[28] Wahnsinn und Gesellschaft, a.a.O. 10.
[29] Ebd. 11.

gie reduziert sich die Vielfalt der Klassifikationen auf zwei, die psychopathische Totalität des Individuums tangierende Kategorien: auf *die Psychose und die Neurose*. Der Ganzheitsbegriff, der vor allem bei V. von Weizsäcker eine zentrale Rolle spielt, verändert demnach das Wahrnehmungsfeld. «Je mehr die Einheit des Menschen als ein Ganzes aufgefaßt wird, desto mehr verflüchtigt sich die Wirklichkeit der Krankheit als einer spezifischen Entität; und umso vordringlicher wird anstelle der Analyse der natürlichen Formen der Krankheit die Beschreibung des Individuums in seinen pathologischen Reaktionen auf seine Situation.»[30] Die Psychopathologie konzentriert sich nun auf Bedeutungseinheiten der *Verhaltensweisen*, die ihrerseits als *Schnittpunkte umweltbezogener Suggestibilität aufgefaßt werden. Sie motivieren die Frage nach der Spezifität der Geisteskrankheit als Frage nach der krankhaften Persönlichkeit.*

Michel Foucault hat die Veränderungen in der psychologischen Dimension der Geisteskrankheit untersucht und sich abschließend der Psychopathologie als *Faktum der Zivilisation* zugewandt. Die Krankheit ist nach der Konversion der Psychopathologie in Richtung einer Betrachtung des «Ganzen» einer Krankheit nicht länger mehr ein Defizit, das ein Vermögen betrifft, sondern eine Entität, einordnungsfähig in eine *Entwicklungslogik*, in einen Prozeß, der in seiner Progression die natürliche Entwicklung regressiv durchläuft. Bei zunehmender Krankheit werden immer archaischere Entwicklungsmomente angetroffen: «jedes Stadium der Libido ist eine virtuelle pathologische Struktur. Die Neurose ist eine spontane Archäologie der Libido.»[31]

Diese allgemeingültige Desintegration findet jedoch ihren «individuellen» Zusammenhalt in der *Erlebniseinheit* der kranken Persönlichkeit, so daß die Analyse *sich der Geschichte des Individuums zuwendet*, um die historische und notwendige Signifikanz der Krankheit zu erklären. Die Regression ist dann «nicht ein natürlicher Sturz in die Vergangenheit; sie ist eine intentionelle Flucht aus der Gegenwart – eher Rückgriff als Rückkehr ... nicht bloß eine Virtualität der Entwicklung, sie ist die Konsequenz der Geschichte.»[32] Im Gegensatz zu dem gesunden Individuum, das die Erfahrung eines Widerspruchs bewältigen kann, macht das kranke Individuum eine widersprüchliche Erfahrung, die zu einem pathologischen Konflikt führt. Die Frage aber, warum die Erfahrung des Widerspruchs bei dem einen Individuum zu einer widersprüchlichen, nicht integrationsfähigen Erfahrung führt, wird einer existenziellen Hypothese

---

[30] Ebd. 21.     [31] Ebd. 39.     [32] Ebd. 55/59.

unterworfen. Der Übergang von der Entwicklung als einem überindividuellen, allgemeinen Raster zu der Geschichte des kranken Individuums geschieht dann auch als Interiorisierung der Krankheit im *Medium der Angst*. «Wenn die Angst die Geschichte eines Individuums erfüllt, so deshalb, weil sie Prinzip und Grund dieser Geschichte ist; sie bestimmt von vornherein einen bestimmten Stil der Erfahrung ... sie ist gleichsam ein Apriori der Existenz. Die Analyse der Entwicklung legte die Krankheit als eine Virtualität fest; die individuelle Geschichte erlaubt, sie als ein Faktum des psychologischen Werdens aufzufassen.»[33] Die existentiale Deutung des Transgressionsgrundes, in welchem sich Evolution und Geschichte verzahnen, veranlaßt Michel Foucault – auf Jaspers «Allgemeine Psychopathologie» zurückgreifend – nach der naturalistisch-objektivierenden und der historisch-erklärenden Krankheitsdeutung, nun eine dritte Auffassungsmöglichkeit, nämlich die intuitiv-intersubjektive bzw. die phänomenologische Annäherung zu postulieren. Weil der Kranke für Foucault innerhalb seiner Krankheit meistens ein Bewußtsein von der Krankheit hat, wird in dieser phänomenalen Sicht, die auf den Begriff «Erlebnis» rekurriert, von dem *Phänomenologen* gewissermaßen eine *äußere* Introspektion abverlangt. Als Außenstehender muß er die innere Erlebniswelt des Kranken zu deuten versuchen. Gerade die Logifizierung des im Erlebnis erfaßten Phänomens, das Paradoxe der phänomenologischen Einstellung als Objektivation des nur subjektiv zu Erlebenden (die Introspektion) und Erlebten, bringt den Archäologen der Krankheit in die Nähe der kranken Erlebniswelt. Die klassifikatorische Absicht ist dann fallengelassen. Die Anleihen bei der Phänomenologie bei Foucault werden nun besonders deutlich. Demnach gibt es eine *noetische* Analyse, die den subjektiven Pol des kranken Bewußtseins betrifft und auf eine «allusive Erkenntnis, diffuse Wahrnehmung einer krankhaften Szenerie, von der die pathologischen Themen sich abheben» und auf «ein ozeanisches Gefühl der Krankheit»[34] stößt. Die *noematische* Analyse hinwieder betrifft *die Strukturen* des pathologischen Universums. Sie bringt eine Stockung des linearen Zeitbewußtseins, eine Hypertrophie des Gegenwartsempfindens, eine Verzerrung der Raumwahrnehmung, das Syndrom der symbolischen Entwirklichung des Anderen und die Erfahrung der maschinenartigen Verkettung des Selbst mit dem Außen zutage. Es entsteht also eine «private Welt» auf der Seite des Noetischen und die «Verfallenheit» an eine Uneigentlichkeit der

---

[33] Ebd. 70.    [34] Ebd. 75/79.

äußeren Dimensionen auf der Seite des Noematischen. L. Binswanger nannte dieses Phänomen «Verweltlichung»: die Figur einer extremen Subjektivität und einer totalen Objektivierung. Diese Stellen, die sich teilweise als die psychopathologische Bestätigung der Dialektik der Aufklärung lesen, leiten Foucault dazu an, noch einen weiteren Schritt, nämlich den von der «Phänomenologie des kranken Bewußtseins» zu einer kulturell-zivilisatorischen Lektüre der Krankheit als das Pendant zur kulturell pragmatisierten Definition von Vernunft zu unternehmen. «Die krankhafte Welt ist nicht erklärt durch die historische Kausalität einer (individuellen; J.-P. Wils) Geschichte, vielmehr ist diese nur möglich, weil jene Welt existiert: sie stiftet die Verbindung von Ursache und Wirkung, von früher und später.»[35] Für Foucault drückt sich eine Gesellschaft und ipso facto die *Vernunft als die in Geltung befindliche theoretisch-praktische Synthesis des jeweiligen Wahrheitsbestandes dieser Gesellschaft* in der Erlebniswelt des Kranken als «Unvernunft» positiv aus. Die Geisteskrankheit war vom 15. bis zum 17. Jahrhundert ein «Erlebnis im Zustand der Freiheit», eine öffentliche und sprachmächtige Gestalt, die um 1750 herum plötzlich nur noch in Internierungshäusern vorkommt. Letztere spiegeln die Umstrukturierung des sozialen Raums und die veränderte Einschätzung individuellen Verhaltens wider und üben über diejenigen eine moralische Kontrolle aus, die als Müßiggänger nicht am ökonomischen Akkumulationsprozeß teilnehmen. Foucault sieht hierin die moralisch-gesellschaftliche Assoziation von Schuld und Wahnsinn realisiert. Die Reformen der Internierung bei Pinel in Frankreich, Tuke in England und Wagnitz in Deutschland drücken für ihn deshalb die tiefe Ambivalenz der philanthropischen Diskurse jener Zeit aus. Die Humanismuskritik und die Distanz zur Funktion der Humanwissenschaften sind hier bei Foucault schon grundgelegt. Die Irren werden die «priviligierten» Erben der Maßnahmen der Exklusion (ihrer Unvernunft) in der Inklusion des Asyls, das neben einer materiellen Armatur der Aussperrung aus der Gesellschaft eine Infantilisierung und unterwerfende Moralisierung der kranken Unvernunft in die Wege leitet. «Der Arzt in der Irrenanstalt ist ein Agent der Moralsynthesen.»[36] Der homo psychologicus und damit die Psychologie als Disziplin – und dieses ist die Generalthese Foucaults – sind das Resultat der objektiven Reduktion der Geisteskrankheit auf das Gefälle der Ausschließung und der moralischen Erniedrigung des Kranken. Nicht der gesellschaft-

[35] Ebd. 88–89.   [36] Ebd. 110.

lich symbolisierte Umgang mit der Geisteskrankheit als einer äußeren Vorkommensweise, nicht eine Ethik der Toleranz und des lebenspraktischen Einverständnisses, sondern die moralische Verinnerlichung der Krankheit, die sowohl die Seele als auch die Schuldfähigkeit und die Freiheit des Kranken affiziert, bedingt die Wahrnehmung der Demenz.

Es liegt Michel Foucault fern, den Wahnsinn zu romantisieren als wahre Vernunft, auch wenn er von dem «nicht psychologischen, *weil* nicht moralisierbaren Verhältnis zwischen der Vernunft und der Unvernunft» und der «großen tragischen Begegnung mit dem Wahnsinn»[37] spricht, geschweige denn das Phänomen einer pathologischen Verfaßtheit der Psyche zu leugnen. Es kommt ihm aber darauf an, die Perzeption, die Strukturierung und Erfahrung der Geisteskrankheit streng zu korrelieren mit der Erfahrung *mit* der Geisteskrankheit: die Unvernunft des kranken Geistes ist stets *auch* die Folge der Exklusion des von der Vernunft als Unvernunft Inkludierten. «Wenn die Krankheit in der Verflechtung widersprüchlicher Verhaltensweisen eine bevorzugte Ausdrucksart findet, so bedeutet das nicht, daß die Elemente des Widerspruchs als Segmente des Konflikts im menschlichen Unbewußten nebeneinander stehen, es bedeutet nur, daß der Mensch eine widersprüchliche Erfahrung vom Menschen macht.»[38] Aber das Aussehen dieser Erfahrung hat sich geändert. Am Schnittpunkt divergenter Niveaus – hier kommt das archäologisch-epistemische Anliegen Foucaults zum Tragen –, am Schnittpunkt der Brüche im medizinisch-psychopathologischen Vokabular, der Entwicklungslogik und der individuellen Geschichtslogik der Krankheit, der phänomenologischen Deutung in Verbindung mit historisch-situierbaren Ausschließungstechniken *ist die Geisteskrankheit zu einer degenerierten Repräsentation der Vernunft geworden und entsteht im humanwissenschaftlichen Diskurs der homo psychologicus*, «dem es aufgegeben ist, die innere, fleischlose, ironische und positive Wahrheit allen Selbstbewußtseins und aller möglichen Erkenntnis in sich zu versammeln: in der weitesten Öffnung schließlich ist es dasjenige Verhältnis, durch welches der Mensch sein Verhältnis zur Wahrheit ersetzt hat, indem er diese in das grundlegende Postulat entfremdete: er selbst sei die Wahrheit der Wahrheit ... zu der Zeit nämlich, wo die große Konfrontierung der Vernunft mit der Unvernunft sich nicht länger in der Dimension der Freiheit abgespielt hat, wo die Vernunft für den Menschen aufgehört hat, eine *Ethik* zu sein, um statt dessen eine Natur zu werden.»[38]

37 Ebd. 114.    38 Ebd. 125.

176

In dem Moment, wo die *Wahrheit* nicht länger mehr der äußerliche Rahmen einer Gesellschaftsformation, ihre theoretisch-praktische Konvenienz und der nichthinterfragte Konsens ihrer Selbst- und Weltdeutung ist, wird die Wahrheit als Frage *epistemologisch* gewendet (spätestens seit Descartes) und als *transzendentale Annäherung interiorisiert*. In der faktischen Auseinandersetzung *um* die Wahrheit wird der Unterlegene notfalls pathologisch qualifiziert. Wird die Wahrheit zur wissentlich-willentlichen Aneignung des Wissenden, dann ist ihr Gegensatz bloße *Natur*, unwillentlich, moralisch fragwürdig und der instrumentellen Analytik freigegeben.

Am Ende dieser Schrift läßt Foucault dann auch die Thematik seines weiteren Forschens anklingen: die Frage nach der zunehmenden Naturalisierung des Menschen in den Humanwissenschaften und nach der damit zusammenhängenden Ersetzung des Ethischen – der symbolischen und institutionellen Filiation von Vernunft und Unvernunft – durch Strategien der faktischen Analyse und der Therapieformen. In *Wahnsinn und Gesellschaft. Eine Geschichte des Wahns im Zeitalter der Vernunft*[40] und *Die Geburt der Klinik. Eine Archäologie des ärtzlichen Blicks*[41] wurden die vorher nur thesenartig vorgetragenen Ansichten durch umfassendes Material zu bestätigen versucht. Foucault fragt dabei immer nach der Relation von Erkenntnisformen und deren lebenspraktischer Umsetzung. Die Hypothese dieser Forschungsintention könnte man folgendermaßen umschreiben. *Die 'Ethik des Denkens' war dasjenige Verhältnis zur Wahrheit, das deren praktische Dimensionierung als die in pragmatischen Diskursen (wie die ars erotica) überlieferte, lebenspraktische Bewältigung der theoretischen Perspektiven verstand. In der Neuzeit, infolge der Dissoziation und Ausdifferenzierung des 'Gewußten' und des 'Getanen', wie sich dies in der Ablösung der Vollkommenheitsethik durch eine transzendental stabilisierte Pflichtethik seit Kant abzeichnet, wird die 'Ethik des Denkens' durch eine 'gedachte Ethik' ersetzt, welche die Empirie als die Dimension der Realisierung dieses Wissens einer ethikabstinenten Analytik überläßt* (wie in der scientia sexualis).

Auf den Wahnsinn bezogen heißt das: «Als reiner Unterschied, Fremder par exellence, *Anderer* mit doppelter Kraft, wird der Irre in dieser Rückwärtsbewegung Objekt rationaler Analyse, der Erkenntnis dargebotene Fülle, evidente Perzeption; und dies wird er in dem Maße sein, wie er jenes ist ... die moralische Negativität des Irren (wird) nur noch ein

---

[40] Frankfurt a.M. 1981 (Histoire de la folie, Paris 1961).
[41] Frankfurt/Berlin/Wien 1976, (Naissence de la clinique, Paris 1963).

und dasselbe sein wie die Positivität dessen, was man von ihm wissen kann.»[42] Diese Positivität, zunächst gebunden an die Internierung, wird für Foucault in der Moderne den Diskurs der Anthropologie bestimmen.

## Epistemologie der Inexistenz des Menschen [43]

«daß, wo das Zeichen herrscht, der Mensch nicht sein kann, und daß dort, wo man die Zeichen sprechen läßt, der Mensch zu schweigen hat.»[44]

Die Schrift *Die Ordnung der Dinge. Eine Archäologie der Humanwissenschaften* fragt nach der Reziprozität zwischen der *taxis* (Ordnung) und den Fragmenten der Wirklichkeit, nach der Regelmäßigkeit und der definierbaren Systematik einer vor-empirischen Ordnung und der dadurch ermöglichten Form empirischen Wissens. Diese Ordnung, wäre sie gefunden, würde «ein positives Unbewußtes des Wissens»[45] freilegen, einen archäologischen Raum, der epochal differiert und ein historisches Apriori bildet, welches das positive, wissenschaftliche Wissen und die Art seiner Wahrnehmung strukturell schematisiert. Dieses Apriori soll ein transzendentales Bewußtsein, das die Geschichte in ihrer Intelligibiliät ursprungshaft aus sich entläßt, überflüssig machen. Dieser fundamentale und codierende Rahmen, der unterhalb der «spontanen» Ordnungen der Kultur zu suchen wäre, ist die *Episteme*: «So gibt es zwischen dem bereits kodierten Blick und der reflektierenden Erkenntnis (epistemologisch) ein Mittelgebiet, das die Ordnung in ihrem Sein selbst befreit … Was wir an den Tag bringen wollen, ist das epistemologische Feld, die episteme, in der die Erkenntnisse, außerhalb jedes auf ihren rationalen Wert oder ihre objektiven Formen bezogenen Kriteriums, ihre Positivität eingraben und so eine Geschichte manifestieren, die nicht die ihrer wachsenden Perfektion, sondern eher die der Bedingungen ist, durch die sie möglich werden.»[46]

Nun hat Foucault zwei epistemische Schwellen und, diesen entsprechend, drei Epochen systematischer Gleichzeitigkeiten untersucht. In diesen Epochen hat er jeweils wissenschaftliche Thematiken (Sprache, Ökonomie und Biologie) situiert, die im 19. Jahrhundert als Gegenstand ihres Wissens *den Menschen* bedingen. Der Weg dorthin wird sich als ebenso mühsam wie faszinierend erweisen. Zunächst jedoch gilt nur diese von

---

[42] Wahnsinn und Gesellschaft, a.a.O. 179.

[43] Den Titel entnehme ich P. Sloderdijks Aufsatz: M. Fs. strukturale Theorie der Geschichte, in: Phil. Jahrb. 1980 (87), 161–183, 164.

[44] Die Ordnung der Dinge. Ein Gespräch mit R. Bellour, in: A. Reif (Hg.), Antworten der Strukturalisten, Hamburg 1973, 155.

[45] O. D., 11.    [46] O. D., 23ff.

Foucault ausgesprochene Vermutung: «seltsamerweise ist der Mensch, dessen Erkenntnis in naiven Augen als die älteste Frage seit Sokrates gilt, wahrscheinlich nichts anderes als ein bestimmter Riß in der Ordnung der Dinge, eine Konfiguration auf jeden Fall, die durch die neue Disposition gezeichnet wird, die sie unlängst in der Gelehrsamkeit angenommen hat. Daher stammen alle Schimären neuer Humanismen, alle Leichtigkeiten einer *Anthropologie*, wenn diese als allgemeine Reflexion (halb positivistisch, halb philosphisch) über den Menschen verstanden wird. Indessen gibt es eine Stärkung und tiefe Beruhigung, wenn man bedenkt, daß der Mensch lediglich eine junge Erfindung ist, eine Gestalt, die noch nicht zwei Jahrhunderte zählt, eine einfache Falte in unserem Wissen, und daß er verschwinden wird, sobald unser Wissen eine neue Form gefunden haben wird.»[47]

Die erste von Foucault behandelte Epoche ist die Renaissance. Das historische Apriori oder die Episteme, welche diese Epoche bestimmt, nennt er die der *Ähnlichkeit*. Eine Angabe der historischen Quellen, welche die Auffassung leqitimieren könnten, ist allerdings nur sehr spärlich vorhanden[48]. Entsprechend vielfältig ist das semantische Inventar ausgefallen, das diese Bewegung von «Verkettungen und Reduplikationen» beschreibt. Foucault unterscheidet vier Typen der Ähnlichkeit im Wissen der Epoche: die convenientia, die analogia, die aemulatio und die sympathia. Diese vier Typen sichern sowohl die formale als auch die inhaltliche Kohärenz und Verweisungsstruktur der von ihnen bezeichneten Entitäten. Die (verborgenen) Ähnlichkeiten in den Relationen der Dinge, in ihren jeweiligen regionalen Ontologien und zwischen diesen, werden erst sichtbar durch die *Signaturen*. Sie werden «hieroglyphische» Zeichen genannt, die Rede vom «offenen Buch» der Welt legitimierend, die bis zum Barock als Metapher lebendig blieb. Diese Signaturen sind aber selber erst durch ihre Ähnlichkeit mit dem Angezeigten signifikant, das selber eine Ähnlichkeit darstellt und somit enthüllend- verweisend ist. Die Signatur ist also nichts anderes als eine Ähnlichkeit,diesmal aber eine reduplizierte. Während also die Ähnlichkeit die Struktur des faktischen bzw. des ontischen Bestandes der Wirklichkeit sichert, sind die Signaturen gewissermaßen deren «hermeneutische Verdopplung». *Verstehen* heißt,

[47] O. D., 26f.

[48] Die Autoren, die von Foucault bemüht werden, sind zum größten Teil unbekannt und werden in den Anmerkungen meistens auch nur genannt. Deshalb ist es aussichtslos, die Bemerkungen zur «Ähnlichkeit» zu konkretisieren, zumal erst die dritte Episteme in unserem Zusammenhang wichtig ist. Diese Tatsache schmälert aber nicht die bewundernswerte Kohärenz und Originalität der Überlegungen.

den Verweisungszusammenhang der Dinge, ihre Ähnlichkeit als «Verweisung» lesen, heißt, die Zeichen ihrer Ähnlichkeit «sehen». Hermeneutik und Semiologie überlagern sich. «Den Sinn zu suchen, heißt an den Tag zu bringen, was sich ähnelt. Das Gesetz der Zeichen zu suchen, heißt die Dinge zu entdecken, die ähnlich sind. Die Grammatik der Wesen ist ihre Exegese. Die Sprache, die sie sprechen, erzählt nichts anderes als die sie verbindende Syntax. Die Natur der Dinge, ihre Koexistenz, die sie verknüpfende Verkettung, durch die sie kommunizieren, ist nicht von ihrer Ähnlichkeit verschieden. Diese erscheint nur in dem Netz der Zeichen, das von einem Ende der Welt zum anderen verläuft.»[49]

Der Primat der semiologischen *Lektüre* bei Foucault wird hier besonders deutlich. Das Wissen des sechzehnten Jahrhunderts ist dadurch, daß die Ähnlichkeit das Band zwischen Zeichen und Bezeichnetem darstellt, erfüllt und monoton zugleich, weil sich im Grunde in den unendlichen Verwandlungen stets die gleiche Sache redupliziert. Die Vorliebe dieser Epoche für das Mikrokosmos- und Makrokosmosmotiv ist daher evident: denn dieses Motiv enthält sowohl eine Aussage über das ontologische Strukturgitter der Wirklichkeit als auch über ihre (platonische) Erkennbarkeit. Erkennen ist dann im engsten Sinne des Wortes keine produktive, methodisch angeleitete Leistung, sondern ein Verstehen als Interpretieren. Die Sprache ist deshalb im sechzehnten Jahrhundert kein System arbiträrer Zeichen, sondern eine Entität, die selber zur Wirklichkeit gehört. Sie würde die innere Transparenz und die offenkundige Verstehbarkeit des «Seins» widerspiegeln, wäre nicht der «Sündenfall» als conditio sine qua non der faktischen und offenkundigen Nicht-Transparenz der Welt dazwischengekommen. Die adamitischen Theorien der Sprachentstehung und die kabbalistische Theorie der Physiognomik des Buchstabens, wie sie noch von Walter Benjamin vertreten wurden, haben hier ihren Ursprung. Sie sind nur die esoterische Ausformulierung einer Auffassung, für welche die Sprache dem ontologischen Raster der Dinge selbst angehört. Nach Foucault ist deshalb die *Schrift* der privilegierte Ort der Koinzidenz des Gesehenen und des Gelesenen, der *Kommentar* die unendliche Interpretation eines authentischen Textes, welcher der wirkliche Bestand der Welt wäre. Die Struktur der Sprache wäre demnach ternär: in ihrer Gleichwertigkeit stünden das formale Gebiet der Zeichen, das des durch sie bezeichneten Inhalts und das der Ähnlichkeiten als Bezug des Zeichens zu seinem bezeichneten Gegenüber nebeneinander.

[49] O. D., 60.

Die Geschichte der Hermeneutik, wie sie von Dilthey und Gadamer dargelegt worden ist, geht stets bis auf diese *Quelle* als auf eine trotz aller Differenzierungen gültige Ontologie des Kommentars und der Interpretation zurück. Die Philosophie Hamanns und Schlegels wäre ohne sie undenkbar.

Ab dem 17. Jahrhundert, in der Logik von Port-Royal greifbar, wird das Problem der Ähnlichkeit in das Gebiet der «Bedeutung» verlagert. Das Zeichen und seine Bedeutung sind nun das binäre Gerüst, in welchem anstelle der Ähnlichkeit das Theorem der *Repräsentation* gefaßt wird: das Zeichen repräsentiert das Bezeichnete, ist aber nicht dessen aufzeigendes Bild (Signatur). Das Zeichen ist seinerseits zu bestimmen durch drei Variablen. Entscheidend wird zunächst der Gewißheitsgrad des Zeichens als Pendant der Frage nach dem Gewißheitsgrad des Wissens seit Bacon und Descartes. Die substitutive Beziehung zwischen bereits bekannten Entitäten in der Zeichenrelation wandelt sich in Richtung der Priorität ihres *Erkanntseins*. «Es gibt keine divinatio, keine Einreihung in den rätselhaften,offenen Raum der Zeichen mehr, sondern eine kurze und in sich selbst gedrängte Erkenntnis: die Kurzform von einer langen Folge von Urteilen in der schnellen Figur des Zeichens.»[50] Als zweite Variable gilt der Typ der Verbindung innerhalb des gesamten Zeichens: das Bezeichnende kann dem Bezeichneten inhärent sein oder von ihm getrennt sein. Dadurch wird die analytische und kombinatorische Ordnungsfähigkeit des Zeichens angedeutet. Schließlich als dritte Variable wäre der Ursprungstyp zu nennen: das Zeichen kann natürlich oder konventionell sein, eine zwar schon seit Platons Kratylos bekannte Thematik, die jetzt aber erst durch ihren klassifikatorischen Nutzen das Theorem der Arbitrarität in vollem Umfang ermöglicht.

Die Konzentration auf den Zeichenbegriff führt zu einer Aufhebung der Hermeneutik in die Semiologie. Dazu bedarf es aber einer umfassenden Reflexion in der Logik von Port-Royal.[51] Die Repräsentation wird »redupliziert» in einer Zeichentheorie, die sowohl die Semiologie bis de Saussure als auch die Bewußtseinstheorie des Rationalismus und des Idealismus prägen wird. Ohne vermittelnde Gestalt (die Ähnlichkeit) ist das Zeichen eine im Innern der Erkenntnis situierte Verbindung zweier[52] Vor-

---

[50] O. D., 94.
[51] Antoine Arnauld, Die Logik oder die Kunst des Denkens, Darmstadt 1972, vor allem Teil I. Kap. IV, 41–44.
[52] «Das Zeichen enthält genaugenommen *in sich* zwei Ideen, die des Dinges, das darstellt, und die des dargestellten Dinges; seine Natur besteht darin, die zweite Idee durch die erste anzuzeigen.» A. Arnauld, a.a.O. 41.

stellungen oder Ideen (die des Repräsentierenden und die des Repräsentierten). Die Reduplizierung besteht darin, daß das Zeichen nur bezeichnet, wenn seine repräsentierende Funktion ihrerseits repräsentiert ist. Ohne diesen selbstreferentiellen Status des Zeichens, der die Ähnlichkeit ersetzt, wäre die Zeichenrelation in ihrer Modalität als Bezeichnungsgehalt willkürlich. Diese Reduplizierung ist genau der Strukturrelation von Selbst-Bewußtsein abgebildet, denn das Selbst des Bewußtseins ist formal nichts anderes als die im Innern des Bewußtseins angesiedelte Re-präsentation des Bewußtseins als einfacher Repräsentation von Signifikant und Signifikat. Die Aktualität des Selbstbewußtseinstheorems seit Descartes und die repräsentierende Zeichenrelation überlappen sich demnach.

«Eine Vorstellung (idée) kann das Zeichen einer anderen nicht nur deshalb sein, weil sich zwischen ihnen eine Verbindung der Repräsentation ergeben kann, sondern weil diese Repräsentation sich selbst stets im Innern der Idee, die repräsentiert, repräsentieren kann; oder auch, weil in ihrem eigenen Wesen die Repräsentation immer senkrecht zu sich selbst steht: sie ist gleichzeitig Indikation und Erscheinen, Beziehung zu einem Gegenstand und Manifestation ihrer Selbst. Vom klassischen Zeitalter an ist das Zeichen die Repräsentativität der Repräsentation, insoweit sie repräsentierbar ist.»[53]

Trotzdem können Fragen, die den bedeutungskonstituierenden Akt einer spezifischen Bewußtseinsaktivität oder seine Genese im Bewußtsein betreffen, noch nicht entstehen. Genausowenig wie die Repräsentation einen in einer impliziten Präsenz vorhandenen Sinn denken kann, der in einem ihr vorgängig existierenden transzendentalen Diskurs beheimatet ist (Husserl), kann Bedeutung als Komponente eines intentionalen Bewußtseins in einer Repräsentation entstehen, die über das Vermögen verfügt, sich selbst zu repräsentieren. Vor allem die Philosophie Derridas kann als ein Versuch gewertet werden, Theoreme der Bewußtseinsphilosophie (vor allem Husserls) unter Zuhilfenahme einer Zeichentheorie, wie sie schon in Port-Royal vorgebildet war, neu zu lesen. Wenn aber das Bezeichnete selber zeichenhafter Natur ist und sich des Bewußtseinstheorems noch entschlagen kann, dann besteht sein Sinn nur in der Totalität der in ihrer Verkettung repräsentierenden Zeichen: diese Totalität ist das Tableau als Bild der Dinge. Die Omnipräsenz der Dinge, die von dem Tableau als umfassender Präsentation der von ihr vergegenwärtigten Seinsregion realisiert wird, entspricht dem Ort des Selbstbewußtseins-

[53] O. D., 99.

theorems in der klassischen Erkenntnistheorie. Das Wesen der klassischen Wissenschaft – bei Foucault verdeutlicht für die Biologie in der *Naturgeschichte*, für die Ökonomie in der *Geld- und Werttheorie* und für die Sprache in der *allgemeinen Grammatik* – besteht dann in ihrer Einheit von «mathesis», «taxinomia» und «Genese». Die einfachen Größen (natures simples) werden geordnet durch eine mathesis, ihre universale Methode ist die Algebra. Die komplexen Repräsentationen werden in einer Taxinomie niedergelegt, die ein Zeichensystem impliziert. Die Genese als Theorie des Erkenntnisursprungs garantiert die sukzessive Serie der Ordnungen von den empirischen Folgen her.

Das Tableau ist der Raum, das zeitgleiche System der dreifach garantierten Ausbreitung der Erkenntnisse.

Die *allgemeine Grammatik* (Condillac, Destutt de Tracy, Abbé Roch-Ambroise Sicard), die *Naturgeschichte* (Tournefort, Linné, Buffon), die *Analyse der Reichtümer* (Montanari, Turgot, Mirabeau, Hume) werden sich dieser Mittel bedienen.

Ohne daß es auch nur andeutungsweise möglich wäre, an dieser Stelle die detaillierten Analysen Foucaults nachzuzeichnen, sollten die *Grenzerfahrungen* der Repräsentation, welche die zweite Schwelle ausmachen und zur dritten Episteme überleiten, dargelegt werden.

Solange die Repräsentation nämlich in diesen divergenten Systematiken deren Inhalte in die Omnipräsenz *einer* das ganze Tableau determinierenden Kraft hineinzieht, ist die Sprache nur die Repräsentation der *Wörter*, die Natur nur die Repräsentation der *Wesen*, das Bedürfnis nur die Repräsentation des *Bedarfs*. Das, was sich in der Sprache, in der Natur und in der Analyse der Reichtümer repräsentiert und deren Inhalte auf sich (Re-präsentation) bezieht, ist eine quasi-anthropologische Größe (das Wort, das Wesen, der Bedarf), das zeitlose Zertifikat der komplexen Relationen des Tableaus.

Ricardo, Cuvier und Bopp sind für Foucault jene Namen, welche die neuen *Empirizitäten* Arbeit, Leben und Sprache signalisieren und die endgültige Emanzipation des Bedürfnisses vom Bedarf, der Natur vom Wesen und der Sprache von den Wörtern indizieren.

Die Positivität dieser Empirizitäten und die Transzendentalität als das Nicht-Empirische, als dessen Bedingungszusammenhang seit Kant, fallen nach der Liquidation der Repräsentation, die das Empirische und das Transzendentale ohne deren genaue begriffliche Distinktion zusammenfaßte, auseinander. Sie amalgamieren aber in einem Wissen, das Foucault die «Anthropologie» nennt: «Es ist zweifellos nicht möglich, den empirischen Inhalten einen transzendentalen Wert zu geben, noch, sie in Richtung auf eine konstituierende Subjektivität zu verlagern, ohne wenigstens verschwiegen einer Anthropologie Raum zu geben, das heißt einer Denkweise, in der die de-jure-Grenzen der Erkenntnis und infolgedessen jeden empirischen Wissens – gleichzeitig die konkreten Formen der Existenz sind, so wie sie sich genau in demselben empirischen Wissen ergeben.»[54]

An der Sprache läßt sich die epistemische Wende am besten illustrieren. Abgelöst von der Repräsentation wird die Sprache seit Rask, Grimm und Bopp als eine Gesamtheit von phonetischen Elementen behandelt. Mit rein linguistischen Mitteln lassen sich die konstante Komposition und die Gesamtheit der möglichen Modifikationen der der Sprache innerlichen Elemente feststellen. Durch die Analyse der Wurzel der Verben wird offenkundig, daß die Sprache nicht «verwurzelt» ist in den signifizierten Dingen, sondern im aktiven Subjekt. In der gleichen Bewegung wird sie aber endgültig zum Objekt: die *Theorie der Verwandtschaft* löst die Theorie der Derivation ab, *die Theorie des Stamms (radical) und der Wurzel (racine)* die der Bezeichnung, die Untersuchung der *inneren Variation* der Sprache die der Gliederung der Repräsentation, *die innere Analyse der Sprache* steht der Vormachtstellung des Verbs «sein» gegenüber.«Der ontologische Übergang, den das Verb *«sein»* lange zwischen Sprechen und Denken sicherte, ist gebrochen. Die Sprache erhält plötzlich ein *eigenes Sein. Dieses Sein enthält die Gesetze, die es beherrschen.*»[55] Die Positivität dieser Sprachbetrachtung hat im Laufe der Entwicklung der Sprachwissenschaft die philosophisch signifikante Verweisungsstruktur der Sprache, ihre ontologische Transparenz in die Geschlossenheit einer funktionalen Regularität zurückgenommen. Eine gewisse Kompensation erblickt Foucault in dem Versuch, die Sprache entweder als kritische Hermeneutik vergangener Derivation (Nietzsche, Freud, Marx), als autonome Literatur (Mallarmé, Baudelaire) oder als Reflex einer Universalstruktur des Denkens zu fassen, die in einer algebraischen Logik purifiziert oder in Basalsätzen als Minimalität falsifizierbarer Wahrheit festgehalten ist (Cuvier, Boole, Wittgenstein, Popper, Carnap). Die Sprache existiert dann nur noch als eine «multiple Seinsweise».

Das Ende der Episteme der Repräsentation verbindet Foucault mit dem (wissenschaftlichen) Anfang dessen, was emphatisch «der Mensch» heißt und komplementär zu der *Kraft des Lebens, der Fruchtbarkeit der*

---

[54] *O. D., 306.*    [55] *O. D., 360.*

*Arbeit und der Historizität der Sprache* auftritt. Damit ist gesagt, daß weder der Mensch als privilegierter Ort der Kristallisation der *Ähnlichkeitsverweise* noch der Mensch als Ort der Reduplikation der Zeichenrepräsentation ein erkenntnistheoretisches Bewußtsein *vom* Menschen als solchem aus sich freisetzen konnte. «In der großen Disposition der klassischen Episteme sind die Natur, die menschliche Natur und ihre Beziehungen funktionale, definierte und vorgesehene Momente. Der Mensch als dichte und ursprüngliche Realität, als schwieriges Objekt und souveränes Subjekt jeder möglichen Erkenntnis findet darin keinen Platz.»[56] Die Endlichkeit als faktische, nicht nur *theologische* Gestalt des Menschen ist somit unausweichlich geworden. Das Selbstbewußtseinstheorem der klassischen Epistemo*logie* wird aus der Empirizität des humanwissenschaftlichen Denkens gebannt und verliert hier seinen konstitutiven Sinn. Das Tableau erfüllte diese Funktion in seiner *faktischen Unendlichkeit*, führte die in ihm gefaßten Inhalte zu ihrer zu Ende gedachten und veranschaulichten Teleologie. Zurückblickend auf Foucaults Arbeiten über die Demenz, in welchen er die These einer konstitutiven Bezogenheit von Epistemologie und Psychopathologie aufstellte, kann man das Faktum des dualen Komplexes von Epistemologie und unabhängiger Empirie nicht ohne aufzuhorchen zur Kenntnis nehmen. Die Epistemologisierung der Wahrheitsfrage seit Kant und Fries wird eine Empirie freisetzen, die, wegen der Ausweisung der Teleologie aus der Ontologie, philosophisch nicht integrierbar geworden ist und nun Gegenstand analytischer Rationalität wird. Diese Evolution ist zugleich die Geburt des *Menschen*, der sich sowohl auf Grund seiner Faktizität wie auch auf Grund seiner Meta-Empirizität nicht länger in einer vorgegebenen, geschlossenen Kosmologie oder Ontologie denken läßt. Für Foucault war in dem «klassischen» Diskurs der Analyse der Reichtümer *der Bedarf* der Signifikant oder die Repräsentation des Bedürfnisses. In der klassischen Sprachphilosophie war *das Wort* die Repräsentation der Sprache. In der Naturgeschichte war *das Wesen* die Repräsentation der Natur. Eine Analytik der Endlichkeit war jedoch nicht möglich: das menschliche Subjekt war zwar dem Bedürfnis, der Natur und der Sprache unterworfen, stand aber als deren Repräsentation im «Bedarf», in der Lehre vom «Wesen» und im signifikanten «Wort» zugleich der Begründung nach außerhalb. Es war, wie Foucault sagt, ein «betrachteter Betrachter, ein unterworfener Souverän». In dem Moment, wo das Leben selbst (Cuvier) und nicht sein «Wesen», wo die

[56] O. D., 375.

Arbeit selbst (Ricardo) und nicht der abstrakte Bedarf, wo die Sprache selbst (Bopp) und nicht ihre unhistorische Universalgrammatik sich von der Repräsentation lösen und sich gemäß der autonomen Gesetzlichkeit ihrer repräsentationsunabhängigen Empirie manifestieren, wird die Endlichkeit des Menschen seine nicht nur theologische, sondern faktische Kondition sein. «Man weiß, daß der Mensch endlich ist, so wie man die Anatomie des Gehirns, den Mechanismus der Produktionskosten oder das System der indoeuropäischen Konjugationen kennt ... man begreift die Endlichkeit und die Grenzen, die sie auferlegen.»[57]

Die Natur als Körper des Menschen, das Verlangen als Bedürftigkeit utilitaristischer Provenienz und die Sprache als Instrument der Kommunikation sind *vorgegeben*, und weil sie nicht repräsentiert werden in einem nicht-analytischen Merkmal des Menschen (Bedarf, Wesen, Wort), fallen sie auf den Menschen in seiner bloßen *Positivität* zurück. Weil keine Repräsentation in Sicht ist, die prinzipiell dem Zugriff analytischer Rationalität und Instrumentalität schon ab ovo entkommen ist und den Menschen als Repräsentierenden und seine Welt als Repräsentierte repräsentieren könnte, ist es der Mensch selbst, der als *nackte Empirizität* seine Wirklichkeit zu verantworten hat.

Genau diese Analytik konstituiert das, was Foucault einen «reduplizierten Bezug» nennt. Die Endlichkeit des Wissens und die Positivität von Arbeit, Leben und Sprache sind jetzt reziprok. Das Ende der «Metaphysik» ist somit gekoppelt an die *Emanzipation der Empirizitäten aus der Repräsentation*. Diese Emanzipation ist das epistemische Apriori auf der Ebene der Archäologie und das *Ereignis des Auftauchens des Menschen*: «die moderne Kultur kann den Menschen denken, weil sie das Endliche von ihm selbst ausgehend denkt.»[58]

Foucault zieht nun drei wichtige Schlußfolgerungen aus dem Tatbestand, daß der Raum der Repräsentation in eine philosophische Epistemologisierung der Wahrheit (ihr Übergang zur Erkenntniskritik) einerseits und eine analytische Positivität (die Analytik der Endlichkeit) andererseits zerfällt.

*Erstens*: der Mensch kommt nur noch als eine «*empirisch-transzendentale*» *Doublette* vor. Gemeint ist hiermit die für die Anthropologie konstitutive und zugleich schwierige Tatsache, daß der Mensch «ein solches Wesen ist, in dem man Kenntnis von dem nimmt, was jede Erkenntnis möglich macht.»[59] Die philosophische Anthropologie (Scheler, Plessner,

---

[57] O. D., 397.     [58] O. D., 384.     [59] Ebd.

Gehlen) stellt den vorläufig letzten Versuch dar, diese Identität von Erkennendem und Erkanntem auf den Begriff zu bringen. Statt *einer* Analytik der Endlichkeit existieren also zwei Analytiken. Ein reduktiver Diskurs taucht auf, der das Wissen vom Menschen auf seine physiologisch-analytischen Bedingungen restringiert, auf ein im weitesten Sinne empirisches Substrat und «Diskurs des *Positivismus*» genannt werden darf (Littré, Taine, Renan, Mill, Spencer, Dühring, Godl etc.). Ein, wie Foucault sagt, *eschatologischer* Diskurs fungiert als eine Art von transzendentaler Dialektik (Kant), welche die transzendentale Geschichte der historisch, gesellschaftlich und ökonomisch bedingten Verfaßtheit des Wissens schreibt (Feuerbach, Ruge, Bauer, Strauß).

Die Wahrheit des Menschen gehört also entweder zur Ordnung der Objektivitäten oder zur Ordnung der diskursiven Antizipation, die Natur und Geschichte konvergieren läßt, ohne allerdings eine empirische Verifikation zu erlauben.

Nach Foucault führt der Mensch also die Doppelexistenz einer empirischen Reduktion und einer transzendentalen Verheißung. Ihre Ineinsbildung als «eschatologischer Positivismus» (oder umgekehrt als positivistische Eschatologie) sieht er bei Marx und Comte realisiert. Die Phänomenologie als Analyse des Erlebten wäre in diesem Kontext ebenfalls eine empirisch-transzendentale Gradwanderung. Sie versucht ebenfalls, zu den Inhalten des Erlebten («zu den Sachen selbst»; Husserl) zurückzukehren, aber über die Vermittlung der transzendentalen, in der Einstellung der Epochè vergegenwärtigten Form dieser Inhalte: das Erleben drückt als Begriff diese Vermittlung aus.[60]

*Zweitens:* die wesentliche Unvermitteltheit von Empirie und Transzendentalität führt zu dem zweiten Gegensatzpaar: «*das Cogito und das Ungedachte*». Der Mensch ist demnach zwar der Ort kognitiven Erfassens, zugleich aber vermag er die Unabhängigkeit und Mächtigkeit seiner empirischen Seinsfülle nicht kognitiv zu vermitteln, so daß ihm zwar das Erkennen eigen ist, das *Verkennen* aber die davon abweichende Regel darstellt. Mit den Worten Foucaults: «Die Frage lautet nicht mehr, wie die Erfahrung der Natur notwendigen Urteilen Raum gibt, sondern wie es kommt, daß der Mensch denkt, was er nicht denkt, wie er auf die Weise einer stummen Besetzung in dem wohnt, was ihm entgeht, in einer geron-

---

[60] «In der Tat ist das Erlebte gleichzeitig der Raum, in dem alle empirischen Inhalte der Erfahrung gegeben werden; es ist auch die ursprüngliche Form, die jene Inhalte im allgemeinen möglich macht und ihre erste Verwurzelung bezeichnet.» O. D., 387.

nenen Bewegung jene Gestalt seiner Selbst belebt, die sich ihm in der Form einer hartnäckigen Exteriorität prägentiert.»[61]

Es entsteht jetzt erst eine *Ontologie des Ungedachten*, die als strukturelles Merkmal vor allem das Verfahren der *Reduktion* und der *Genealogie* ausübt (Nietzsche, Feuerbach, Freud, Marx). Man kann sie deshalb Ontologien nennen, weil diese Denker davon ausgehen, daß das Ungedachte eine nicht gänzlich aufhebbare, aber *wesentliche* Sedimentierung und Alienation des Denkens darstelle. Es ist das Nicht-Evidente als die persistente Durchkreuzung des Evidenten und als dessen potenzielle Wahrheit.

Für Foucault nun sind »der Mensch» und das Ungedachte bzw. das Unbewußte archäologisch äquivalent, weil gerade in der Blockierung des Bewußt*seins* der Mensch die Mächtigkeit der Bewußt*werdung* – «Ein Imperativ, der das Denken von innen heimsucht»[62] – erfährt. Dieser Imperativ ist aber nicht einer des Denkens (gen. subj.), sondern des Gedachten (und *nicht* ein gedachter Imperativ): Bewußt*werdung* impliziert schon logisch eine Modifikation des Bewußtgemachten. Foucault knüpft daran die These, daß in der Moderne Reflexion und Ethik zu einem unauflöslichen Ganzen praktischer Theorie und theoretischer Praxis amalgamieren: Statt der Ohnmacht einer gedachten Ethik gäbe es nur noch als noch nicht existierende Alternative eine *Ethik des Denkens* (gen. objek.), weil Denken in der praktischen Analytik der Moderne kein Schauen, sondern Eingriff ist. «Für das moderne Denken gibt es keine *mögliche* Moral, denn seit dem neunzehnten Jahrhundert ist das Denken bereits in seinem eigenen Sein aus sich selbst *herausgetreten*, es ist nicht mehr Theorie. Sobald es denkt, verletzt es und versöhnt es, nähert es und entfernt es, bricht es, dissoziiert es, verknüpft es oder verknüpft es erneut. Es kann nicht umhin, entweder zu befreien oder zu versklaven.Noch bevor es vorschreibt, eine Zukunft skizziert, sagt, was man tun muß ... ist das Denken auf der einfachen Ebene seiner Existenz, von seiner frühesten Form an, in sich selbst eine *Aktion*, ein gefährlicher Akt.»[63] Die wissenschaftstheoretische Diskussion der Gegenwart kann als ein später Reflex betrachtet werden, das normative Fundament und das normative Implikat des Denkens als solches zu reflektieren (vor allem P. Feyerabend und J. Mittelstraß).[64]

*Drittens*: es gibt ein «*Zurückweichen und eine Wiederkehr des Ursprungs*». Um dieses zu verdeutlichen, muß man auf die Tableaus der

[61] o. D., 390.     [62] O. D., 394f.     [63] O. D., 395f.

[64] P. Feyerabend, Wider den Methodenzwang, Frankfurt 1976; J. Mittelstraß, Die Möglichkeit von Wissenschaft, Frankfurt a.M. 1974; Ders., Wissenschaft als Lebensform, Frankfurt a.M. 1981.

klassischen Wissenschaften von der Sprache, den Lebewesen und der Ökonomie zurückgreifen. Das Tableau war die räumliche, omnipräsente Entfaltung der Wesensaussagen und zwar in einer dreidimensionalen Klassifikation (mathesis, taxinomia, Genese). Diese Omnipräsenz und Gleichzeitigkeit begründeten die präsentische Vollkommenheit der Tableaus bzw. der in ihnen festgehaltenen Welt. Für Foucault impliziert das eine zweifache Präsentation des *Ursprungs* als *Grund* des Seins: einerseits steht der Ursprung außerhalb der realen Zeit, weil er die teleologische Vollkommenheit des Tableaus und dessen Welt idealiter garantiert. Andererseits ist er das teleologische Ende der nicht übersehbaren Historizität des Dargestellten und bewegt sich deshalb *im* Tableau. In der Moderne jedoch muß die Frage nach dem Ursprung erst motiviert werden, weil der Mensch seinem Ursprung nicht länger zeitgenössisch ist. Er lebt nicht länger in einem Raum aufzeigbarer Teleologien (ihre Möglichkeit muß erst transzendental legitimiert werden). Es ist erst die positive Historizität nicht aufhebbarer Sedimentierungen, die auf den Ursprung als Frage nach dem konstituierenden Ort des Menschen als *Problem* aufmerksam macht. Die Sprache, die Natur und die Arbeit haben schon begonnen. Trotzdem gibt es das Unternehmen einer Art Wiederaneignung (die Wiederkehr des Ursprungs), weil der Mensch beispielsweise in einer sprachlichen Welt lebt, «in der er Wörter in noch nie gesprochenen Sätzen ... zusammensetzt, die älter sind als jede Erinnerung»[65] Gleichzeitig bleibt diese Aneignung in dem Sinne prekär, daß die Sprache, die Natur und die Arbeit sich zwar der kompetenten Gestaltungskraft des Menschen überlassen, sich aber nicht als teleologisch zugeschnitten auf denjenigen, der aktuell mit ihnen umgeht, erweisen. Sie sind diskontinuierlich: «sie (die Welt; J.-P. Wils) ist völlig bevölkert mit jenen komplexen Vermittlungen, die in ihrer *eigenen* Geschichte die Arbeit, das Leben und die Sprache gebildet und niedergelegt haben.»[66] Bevor der Mensch sie aneignet, ist er schon von ihnen angeeignet worden. Nach Heidegger spricht nur die Sprache in einem eigentlichen Sinne, nicht der Mensch. Deshalb weicht der Ursprung, den die esoterische Sprachphilosophie der Kabbala, Hamanns und Benjamins in der glottogonischen, hieroglyphischen Vergangenheit der Wörter suchte, zurück: Der Mensch lebt im Horizont einer Aneignung, die ihrerseits nicht außerhalb seiner Sprache aneignen kann, wie es die Metaphysikkritik des späten Wittgenstein zu bestätigen versuchte.

---

[65] O. D. 398f.    [66] Ebd.

Diese Dialektik von Wiederkehr/Aneignung und Zurückweichen des Ursprungs nennt Foucault mit Heidegger einen Ort der *Differenz*, einen *Riß* im Menschen: «das Äußerste ist also das Nächste.»[67] Deshalb ist die Zeit nicht länger mehr die lineare Abfolge der Repräsentationen in ihrem teleologischen Werdegang, sondern als Zeit des Menschen die *Zeitlichkeit* als Interiorisierung und Relativierung seiner Zeit. Erst auf dem Hintergrund dieser Ursprungsdialektik wird Heideggers Rede von der verbergend-entbergenden Geschichte des Seins plausibel.

Die drei hier thematisierten Paare weisen auf eine veränderte Bezugnahme des Selbst auf das Andere. Während bei Hegel *das Selbst im Anderen das Andere seines Selbst* erblickte, *ist* für die Moderne *das Andere das Selbst*. Die Ordnung der «Positivitäten» (das Empirische, das Ungedachte und der zurückweichende Ursprung) und die Ordnung der Grundlagen (das Transzendentale, das Cogito, der Ursprung) überlappen sich, ohne daß eine positivistische Identifizierung oder eine idealistische Aufhebung in Aussicht gestellt werden kann. Für Foucault ist die philosophische Anthropologie dann auch eine nicht legitimierbare und nicht verifizierbare Vermischung dieser Polaritäten. Für sie ist die Empirie philosophisch integrierbar und die philosophische Essenz als Wesenslehre vom Menschen empirisch transkribierbar. Die Devise lautet dann auch: «In unserer heutigen Zeit kann man nur noch in der Leere des verschwundenen Menschen denken.»[68]

Dieser Satz läßt sich aber erst verstehen, wenn man, wie Foucault es unternommen hat, den prekären Status der Humanwissenschaften als *Logien über den Menschen* genau bestimmt. Er gliedert die moderne Episteme in drei wissenschaftliche Schwerpunkte: die mathematischen und nicht-mathematischen Naturwissenschaften, die Wissenschaft von der Sprache, welche sich bewegt zwischen theoretischer Konstruktivität/Deduktion und empirischer Verifikation (was ebenso für die Biologie und die Wirtschaftswissenschaft gilt), und die philosophische Reflexion. Letztere wendet sich – die Empirizitäten betreffend – regionalen Ontologien zu (Sprachphilosophie, Lebensphilosophie, Gesellschaftsphilosophie) und mischt sich dort in die Grundlagendiskussion ein. Sie bemüht aber auch eine Formalisierung des Denkens, zum Teil in einer symbolischen Logik (wovon die philosophische Handlungstheorie teilweise betroffen ist) und in einer konstruktiven Theorie der Wissenschaften und des Handelns (normative Logik als Logik des Normativen; Schwemmer, Loren-

---

[67] O. D., 403.     [68] O. D., 412.

zen). Die Humanwissenschaften haben nun für Foucault nicht etwa deshalb einen schwierigen Status, weil ihr Objekt, der Mensch, im Vergleich zu den nichtmenschlichen Entitäten einer ungewöhnlichen Komplexität unterliegt – und die wissenschaftstheoretische Diskussion der letzten Jahre scheint dies zu bestätigen –, sondern weil das Empirische und das Transzendentale im Menschen kaum ausbalanciert werden können (die Erklären-Verstehen-Debatte in der Wissenschaftstheorie ist dafür ein wichtiges Beispiel) und das fast akzelerierende Material sich gegenseitig falsifizierender Empirizitäten in dieser Frage ohnehin keine Gewichtszuweisung erlaubt.

In dem Programm der Humanwissenschaft kommen sowohl die mathematische Formalisierung (Ethnologie, Linguistik) wie auch die Anleihe bei Modellen der Biologie, der Ökonomie und der Sprachwissenschaft vor (Systemtheorie, Handlungstheorie etc.). In einem permanenten Gegenzug dazu steht die ständige *Demathematisierung* durch Theoreme der Hermeneutik (Apel, Habermas). Die Humanwissenschaft befindet sich als ganze Disziplin gegenüber diesen Wissenszweigen in der «Position der Reduplizierung» (Foucault), sie ist «reaktiv» (Habermas).

Die Psychologie, die Soziologie und die Analyse der sprachlichen Dimension von Kulturen und Individuen (Literaturwissenschaft, Ethnologie, Mythologie) gehören nun für Foucault zu den wichtigsten dieser Forschungsbereiche. Die konstituierenden Modelle, deren sich diese Wissenschaften ihren empirischen Grundlagenwissenschaften entsprechend bedienen, sind die Paare: Funktion-Norm (der Biologie entlehnt), Konflikt-Regel (der Ökonomie entlehnt) und Bedeutung-System (der Sprachwissenschaft entnommen). Die Bevorzugung des jeweils zweiten Paarbegriffs (Norm, Regel, System) hat wegen der Betonung der immanenten und strukturellen Kohärenz der Gegenstände dieser Wissenschaften – unter Ausklammerung des Problems des expliziten Bewußtseins – zu einer Annäherung an das Repräsentationsproblem geführt. Vor allem Luhmanns «Supertheorie» mit ihrem Anspruch auf einen selbstreferentiellen Status geht deutlich in diese Richtung.[69] Wegen der Ausklammerung von Fragen, die sich auf das immediate Wissen *um* die Norm, die Regel und das System beziehen, haben sie sich dem Gebiet des Unbewußten (Lévi-Strauß, Lacan) angenähert.

*Die Repräsentation – das Unbewußte – der Komplex 'Norm-Regel-System': die Humanwissenschaften sind an sie gebunden.* «Was sie in der

---

[69] N. Luhmann/S. Pfürtner, Theorietechnik und Moral, Frankfurt a.M. 1976.

Tat möglich macht, ist eine bestimmte Situation der Nachbarschaft zur Biologie, zur Ökonomie und zur Philologie. Sie existieren nur, insoweit sie neben diesen stehen – oder vielmehr unterhalb, im Raum ihrer Projektion.»[70]

Es ist also diese «archäologische» Konfiguration (auf der Ebene der Episteme), die sowohl die Humanwissenschaften ermöglicht als sie auch im strengsten Sinne des Wortes verhindert. «Es ist also nicht die Irreduzibilität des Menschen, das, was man als seine unüberwindliche Transzendenz bezeichnet, noch seine zu große Komplexität, die ihn daran hindert, zum Gegenstand der *Wissenschaften* zu werden. Die abendländische Kultur hat unter dem Namen des Menschen ein Wesen konstituiert, das durch ein und dasselbe Spiel von Gründen positives Gebiet des Wissens sein muß und nicht Gegenstand der Wissenschaft sein kann.»[71] Die Suche des Menschen nach einer mit ihm *essentiell* verbundenen Historizität wird zu einer «anthropologischen» Enttäuschung: das Theorem der Geschichtlichkeit, das den Begriff des «Geschichtlichen» seit Dilthey, York von Wartburg und Heidegger beharrlich begleitet, gibt hiervon deutliches Zeugnis. Der Mensch ist somit in der von ihm independenten Historie der Sprache, des Lebens und der Arbeit wesentlich enthistorisiert. Gerade deshalb aber, weil beispielsweise das Gesetz der Sprache nicht in der *konstituierenden* Instantanität des Sprechenden ruht, besitzt letzterer die Distanz, das Signifikat in der geschlossenen Kette der Signifikantenstruktur *flottieren* zu lassen. Der Sprechende ist es, der «in jedem der gesprochenen Wörter auf die Sprache einen konstanten inneren Druck ausüben kann, der sie unmerklich in jedem Augenblick der Zeit in sich selbst gleiten läßt.»[72] Gerade die *epistemische* In-existenz des Menschen, seine Nicht-lokalisierbarkeit und Relativität zeigt auf eine zwar systemische, normierte und regulierte, aber *nicht reduzierte* Subjektivität als Regelkompetenz. Sein Erscheinen ist relativ zu der beschriebenen epistemischen Konfiguration, er ist relativiert und wegen seiner *objektiven* Nicht-existenz ermöglicht. Diese Art *unhistorischer Historizität* (Geschichtlichkeit) ist für Foucault ein Indiz dafür, daß der Mensch dem «Ereignis» ausgesetzt ist. Die Positivität des Gegenstandes der Humanwissenschaften ist somit nur ein synchronischer Ausschnitt der sie destabilisierenden Diachronie der menschlichen Existenz als solcher. Die Konsequenz der diachronen Unfaßlichkeit des Menschen bedingt aber für Foucault auf der Ebene der wissenschaftlichen Erfaßbarkeit die radikale Wende zur

[70] O. D., 438f.    [71] O. D., 439.    [72] O. D., 443.

Psychoanalyse, Ethnologie und Linguistik als Bedeutung ermöglichenden Systemen, Konflikt bedingenden Regeln und Funktionen regulierenden Normen. Das *Unbewußte als konstituiertes Bewußtsein* hätte somit die «Schimäre» der Anthropologie als das zweifelhafte Objekt der Humanwissenschaft zu überschreiten. Nicht ohne Provokation läßt sich die Ahnung des Kommenden aussprechen in einer von Foucault intendierten Dubiosität. «So ist der letzte Mensch gleichzeitig jünger und älter als der Tod Gottes; da er Gott getötet hat, ist er selbst für seine eigene Endlichkeit verantwortlich. Da er aber im Tod Gottes spricht, denkt und existiert, ist seine Tötung selber dem Tode geweiht. Neue Götter, die gleichen, wühlen bereits den künftigen Ozean auf. Der Mensch wird verschwinden.»[73]

## Die Inklusion des Exkludierten

Während schon in den Arbeiten über die Geisteskrankheit nach den Gründen der Modifizierung jener Regeln gesucht wurde, welche die als wissenschaftlich wahr anerkannten Aussagen auf die kulturell und epistemisch bedingte Wahrnehmung beziehen, hat Foucault in seinen späteren Schriften *Überwachen und Strafen. Die Geburt des Gefängnisses*[74], *Der Fall Rivière*[75] und *Sexualität und Wahrheit. Der Wille zum Wissen*[76] die archäologische Arbeit zunehmend durch eine nicht-juridische Theorie der Macht ersetzt. Foucault versteht die Macht als ein komplexes Dispositiv von Diskursen, Strategien, Normalisierungstechniken und Internalisierungspraktiken, welches nicht monokausal oder reduktiv – etwa auf den juridischen Diskurs bezogen – aufgelöst werden kann. Die Macht ist in Foucaults Verständnis weder eine ideologische, noch eine politische oder eine ökonomisch determinierbare Größe, sondern die vielschichtige Amalgamierung aller dieser Entitäten, inklusive deren Einfluß auf die wissenschaftliche Diskursivität. Weder eine konstituierende Initiative, noch ein bestimmter Gegenstand oder eine bestimmte Institution kann zur Identifizierung der Macht angeführt werden. Nur das Verfahren der Genealogie, wie Nietzsche es exemplarisch in «Der Wille zur Macht» praktizierte, soll die Motiviertheit der Macht*ausübung* an den Tag bringen. Die Genealogie ist allerdings wegen ihrer Abstinenz gegenüber einer idealen Sphäre der Bedeutung und der Gegenstandskonstitution angewiesen auf ein *deskriptives* Verfahren, das im Laufe der Beschreibung den «Willen» in seiner Absicht offenbart. Foucault möchte die technisch-positive Organisiertheit der

[73] O. D., 460.      [74] Frankfurt a.M. 1976.
[75] Frankfurt a.M. 1975.      [76] Frankfurt a.M. 1977.

Macht *beschreiben*. Der «Genealoge» aber muß diese Deskription an einem nicht-idealen Gegenstand durchführen, um die Ein- und Entstellungen der Macht zu positivieren. Der von der Genealogie intendierte Ort der Lektüre ist der *Leib*, sein positives Pendant, ebenfalls seit Nietzsche, *die Ästhetisierung der Wahrheit*.[77]

Wenn die Geschichte für Foucault dementsprechend teleologisch nicht strukturierbar ist, sondern vielmehr eine Ursprungslosigkeit am Leitfaden von Mächten und Ohnmächten, ein «Leib des Werdens» darstellt, dann impliziert diese Metapher eine nicht-metaphorische Interpretation. Die Kohärenz einer metaphysischen Ich-Identität, die für Foucault die Idealität eines *Ursprungs* sichert, wird zugunsten der *Analyse der Herkunft* aufgegeben. «Der Leib ... ist der Ort der Herkunft. Am Leib findet man das Stigma der vergangenen Ereignisse, aus ihm erwachsen auch die Begierden, die Ohnmächte und die Irrtümer; am Leib finden die Ereignisse ihre Einheit und ihren Ausdruck, in ihm entzweien sie sich aber auch und tragen ihre unaufhörlichen Konflikte aus. Dem Leib prägen sich die Ereignisse ein (während die Sprache sie notiert und die Ideen sie auflösen). Am Leib löst sich das Ich auf. Er ist eine Masse, die ständig abbröckelt. Als Analyse der Herkunft steht die Genealogie also dort, wo sich Leib und Geschichte verschränken.Sie muß zeigen, wie der Leib von der Geschichte durchdrungen ist und wie die Geschichte am Leib nagt.»[78]

Bevor aber vor allem an *Sexualität und Wahrheit* die Tragweite dieser Behauptungen verifiziert wird und in diesem Kontext der Begriff «Macht», der bei Foucault zu einem transzendentalen Positivum zu werden droht, näher betrachtet wird, ist zunächst die Inauguralvorlesung am Collège de France vom 2. Dezember 1970, *Die Ordnung des Diskurses*[79], zu berücksichtigen. Hier hat Foucault das Verhältnis von Wissen und Disziplinierungsmacht behandelt. Die *Ordnung* eines Diskurses ist für Foucault die in seiner Produktion von Wissen gleichzeitig enthaltene Reduktion, Selektion und Kanalisation von Inhalten und Formen dieses Wissens. In der *Ausschließung* manifestiert sich demnach die Tabuisierung des Gegenstandes des Diskurses, in seiner *Ritualisierung*, in der *Präzisierung der Rechte* der sprechenden Subjekte, in der *Grenzziehung* und *Verwerfung* von Gegenständen wird der Ausschluß von Entitäten (Vernunft con-

---

[77] Michel Foucaults Schriften zur Literatur, Frankfurt/Wien/Berlin 1979, werden im Zusammenhang dieses Kapitels nicht behandelt.
[78] Nietzsche, die Genealogie, die Historie, in: Von der Subversion des Wissens, Frankfurt a.M. 1978, 91f.
[79] Reihe Anthropologie, (Hg.) W. Lepenies und H. Ritter, München 1974.

tra Wahnsinn) institutionalisiert. Obwohl Foucault davon ausgeht, daß es auf der Ebene der Urteilsfindung und der kognitiven Erfassung des Gegenstandes keine Beliebigkeit in der Wahl zwischen wahr und falsch gibt, unterstellt er die Existenz eines Willens bzw. einer Motivation zur Manifestierung der Wahrheit. Hierin käme die historische und institutionelle Motiviertheit der Wahrheit zum Ausdruck. Demzufolge würde unabhängig von der (angemessenen) Frage nach dem sich in der Urteilsform aussprechenden *Wahrheitsbezug* eines Diskurses eine zweite Ebene existieren, *die Wille zur Wahrheit* heißt und von Foucault «subversiv» genannt wird.

Auf dieser Ebene wird das Umfeld einer Wissenschaft – die nicht methodisch disziplinierte Erfahrung, die Wirkung der Einbildungskraft und der Phantasie, die althergebrachten Überzeugungen etc. – ihre «Teratologie» (Bereich der Mißbildungen) also den Erfordernissen der Zugehörigkeit zu einer Disziplin angepaßt.

Noch lange bevor die Werthaftigkeit oder Wertneutralität einer Wissenschaft als wissenschaftsimmanente Fragestellung thematisiert werden kann, existiert in dieser Perspektive eine *Produktion* von Themen. Diese werden auf einer Ebene hervorgebracht, welche die mit einer Disziplin einhergehende Ausschließung von Themen als die rationale Bedingung der Wahrheitsfähigkeit eines Gegenstandes sublimiert. Die Verknappungsstrategien werden in die Qualität der immanenten *Diskursivität* einer Wissenschaft transponiert.

Die Wahrheitsbedingungen eines Diskurses sind dann *nicht allein* dem Erfordernis nach diskursiver Rationalität entnommen. Sie bilden vielmehr Strategien aus, welche die Wahrheitsfrage, jenseits der epistemologischen und diskursimmanenten Adäquatheit des Gegenstandes, als motiviert erscheinen lassen.

*Sexualität und Wahrheit* sucht nach dem Motiv, nach dem Willen zum Wissen im sogenannten *Sexualdispositiv* der Moderne. Es stellt diesen Willen als Willen zur Macht dar. Die zugunsten der Beschreibung der komplexen, *äußeren* Konfiguration eines Diskurses und der politisch-strategischen Bedingungen von Thematiken aufgehobene Priorität der Kohärenz des Gegenstandes in seiner theoretischen Erfaßtheit und die Darstellung der zufälligen und institutionell veranlaßten Verfaßtheit des Wissens anstelle der Performanz seines Gegenstandes sollen den Willen zum Wissen in seiner motivierenden Konfiguriertheit entblößen. «Den Zufall, das Diskontinuierliche und die Materialität in die Wurzel des Diskurses einlassen, heißt dann die

Perspektivität des Wissens nicht nur betonen, sondern vor Augen führen.»[80]

Diese Materialität erscheint am augenfälligsten an dem, was Foucault die «politische Ökonomie des Körpers» nennt und am prägnantesten in *Sexualität und Wahrheit* durchgeführt hat.[81] Ausgehend von der These, «daß der Sex nicht unterdrückt wird oder besser, daß er nicht über die Unterdrückung an die Macht gebunden ist»[82], sondern über seine zunehmende Diskursivierung zu einem öffentlichen Interesse geworden ist, analysiert Foucault zunächst die institutionell sanktionierten Formen der Versprachlichung seit dem 17. Jahrhundert.

Zwar gesteht Foucault der sogenannten «Repressionsthese» zu, daß sich eine im Vokabular ersichtliche restriktive Ökonomie, eine Säuberung der Rhetorik der Anspielungen und der Metapher durchgesetzt hat. Gleichzeitig aber betont er, daß es eine in der katholischen Beichtpastoral (P. Segneri, Unterricht für Beichtende, Regensburg 1852; A.M. von Luguori, Praktische Unterweisung für Beichtväter, Regensburg 1854) sich dokumentierende Unterwerfung des Sexes unter ein neutral-analytisches Vokabular gegeben hat, das den Sex moralisch akzeptierbar und technisch nützlich machte. Nicht eine allgemeine Theorie der Sexualität, sondern Formen quantifizierender, kausaler und klassifizierender Untersuchungen (A. Tardieu, Die Vergehen gegen die Sittlichkeit in staatsärztlicher Beziehung betrachtet, Weimar 1860; G.H.G. von Justi, Grundsätze der Policy-Wissenschaft, Göttingen 1759) befördern das Faktum, daß der Sex zu einem ökonomisch und bevölkerungspolitisch relevanten Verhalten wird. In der Demographie, Biologie, Medizin, Psychiatrie, Moralistik und Pädagogik entstehen umfangreiche Abhandlungen, die als «Verstreuung der Brennpunkte» des Sexes wiederum zu einem polymorphen Anreiz werden, den Diskurs weiter zu entfalten.

«Nun müßte man aber gerade die geläufige These in Zweifel ziehen, wonach der Sex außerhalb des Diskurses steht und man nur über die Beseitigung eines Hindernisses und den Bruch seines Geheimnisses den Weg zu ihm finden kann. Gehört nicht diese These zu dem Imperativ, durch den man den Diskurs hervortreibt? Die modernen Gesellschaften zeichnen sich nicht dadurch aus, daß sie den Sex ins Dunkel verbannen,

---

[80] a.a.O. 45.
[81] Nicht zuletzt aus Gründen der Ökonomie muß an dieser Stelle auf eine Behandlung der Arbeiten über «Der Fall Rivière»,»Überwachen und Strafen», «Mikrophysik der Macht. Über Strafjustiz, Psychiatrie und Medizin» und « J. Bentham. Le Panoptique. Précède de l'oeul du pouvoir. Entretien avec M. F.» (Belfond 1977) verzichtet werden.

sondern daß sie unablässig von ihm sprechen und ihn als *das* Geheimnis geltend machen.»[82]

In diesem Zusammenhang analysiert Foucault die Tatsache, daß um die genital zentrierte Sexualität herum als jene Form, die der Ökonomie der Reproduktion unterworfen ist, sich eine Fülle von in der Nachbarschaft von Demenz und Delinquenz angesiedelten Perversionen ansiedeln, die bis dahin nur im kanonischen Recht, im Zivilrecht und in der Pastoraltheologie vorkamen. Eine *Einkörperung* der Perversionen (somit entfernt von ihrer moralischen Wahrnehmung) und eine *Spezifizierung* der Individuen (C. Westphal, Die conträre Sexualempfindung, in: Archiv für Psychiatrie und Nervenkrankheiten 2, Berlin 1870, 73–108) lassen im Homosexuellen eine «Morphologie mit indiskreter Anatomie und möglicherweise rätselhafter Physiologie (wahrnehmen; J.-P. Wils) … schamlos steht sie (seine Sexualität, J.-P. Wils) ihm ins Gesicht und auf den Körper geschrieben, ein Geheimnis, das sich immerfort verrät. Sie ist ihm konsubstantiell, weniger als *Gewohnheitssünde* denn als *Sondernatur.*»[83]

Gerade diese Vermehrung spezifischer Sexualitäten und nicht ihre Rückführung auf die Einehe mittels Verbote stellt für Foucault das Faktum einer Liaison von Lust und Macht dar. Das Anwachsen der Perversionen, die Wucherung der Lustarten ist deshalb *zunächst* kein moralisches Problem, sondern sichert einen «Instrumental-effekt». «Durch die Isolierung, Intensivierung und Verfestigung der peripheren Sexualitäten verästeln und vermehren sich die Beziehungen der Macht zum Sex und zur Lust, *durchmessen den Körper und durchdringen das Verhalten* … Seit dem 19. Jahrhundert wird diese Verkettung von unabsehbaren ökonomischen Profiten gesichert, die dank der Vermittlung von Medizin, Psychiatrie, Prostitution und Pornographie sich gleichzeitig aus der analytischen Vermehrung der Lust und einer Steigerung der sie kontrollierenden Macht ableiten lassen.»[84]

Foucault beschreibt dann auch den Weg der *ars erotica* zu der *scientia sexualis*, die am Leitfaden des *Geständnisses* sowohl das Subjekt zum Objekt seiner Selbstexplikation macht, als auch durch die damit einhergehende virtuelle Gegenwart einer Instanz, die Sexualität zu der willfährigen Rede einer «obskuren Familiarität»[85] erniedrigt. Dies geschieht nicht zuletzt deshalb, weil das Geständnis, ersichtlich in allen modernen Techniken der Psychotherapie, durch das Versprechen einer medizinischen Wirkung einen therapeutischen Effekt verspricht. Die Sexualität verliert

---

[82] a.a.O. 48f.    [83] Ebd. 58.    [84] Ebd. 65.    [85] Ebd. 80.

in dem Maße die Dimension ihrer metaphorischen und gewiß verschlüsselten Versprachlichung und die Würde einer moralisch-öffentlichen Qualifikationen, als sie «ein für pathologische Prozesse offenes Gebiet, das dementsprechend nach therapeutischen oder normalisierenden Eingriffen ruft, ein Feld von zu entschlüsselnden Bedeutungen, ein Ort von durch spezifische Mechanismen verdeckten Prozessen»[86] wird.

An Hand dieses «Sexualdispositivs» entwickelt Foucault seine «Analytik der Macht». Die forensische Definition der Macht, die sich für Foucault im Vertragsgedanken am Tauschprozeß der Güterzirkulation formal orientiert, lehnt er ab. Der juridischen Auffassung, welche die Beziehung zwischen Macht und Sex *negativ* versteht und die Macht als «Regelinstanz», «Untersagungszyklus» und «Zensurlogik» auffaßt, stellt er die Frage entgegen: «Würde die Macht akzeptiert, wenn sie gänzlich zynisch wäre? ... Würden sie (die Unterworfenen; J.-P. Wils) denn die Macht akzeptieren, wenn sie darin nicht eine einfache Grenze für ihr Begehren sähen, die ihnen einen unversehrten (wenn auch eingeschränkten) Freiheitsraum läßt?»[87]

Eine politische Kritik, die sich der juridischen Reflexion mittels einer theoretischen Privilegierung des *Gesetzes*, des *Rechts* und der *Strafe* bedient, soll demnach ersetzt werden durch die oben angeführten Topoi *«Normalisierung, Technik und Kontrolle»*. Foucaults Definition der Macht ist seinem Selbstverständnis nach eine streng nominalistische: «Die Macht ist nicht eine Institution, ist nicht eine Struktur, ist nicht eine Mächtigkeit einiger Mächtiger. Die Macht ist der Name, den man einer komplexen strategischen Situation in einer Gesellschaft gibt.»[88] Durch die Hysterisierung des weiblichen Körpers, die Pädagogisierung des kindlichen Sexes, die Sozialisierung des Fortpflanzungsverhaltens und die Psychiatrisierung der perversen Lust entsteht *eine Produktion von Sexualität*. Diese löst das *Allianzdispositiv* ab, das sich durch Systeme des Heiratens, der Festlegung der Verwandtschaften und der Übermittlung von Namen und Gütern an die Ökonomie anschloß. Es entsteht das *Sexualdispositiv*, das vor allem am produzierenden und konsumierenden Körper interessiert ist. Statt Regelsysteme des Erlaubten und Verbotenen ruft das Sexualdispositiv eine «repressive Entsublimierung»[89] hervor. Ausgehend von H. Kaans *Psychopathia sexualis* von 1846 geht diese Entsublimierung mit einer zunehmenden Liquidation der moralischen Kategorien der *Ausschweifung* und der *Hurerei* einher. Eine am Komplex Perversion-Vererbung-Entartung orien-

---

[86] Ebd. 88.    [87] Ebd. 107.    [88] Ebd. 114.    [89] Ebd. 138.

tierte *Medizin der Perversionen und der Programmatiken der Eugenik* nimmt deren Stelle ein. Nach Foucaults Auffassung verschwindet dann auch das asymmetrische Recht auf Leben und Tod («der Souverän übt sein Recht über das Leben nur aus, indem er sein Recht zum Töten ausspielt – oder zurückhält.»[90]) zugunsten einer das Leben verwaltenden und bewirtschaftenden Macht, die ihre politische Anatomie des menschlichen Körpers und ihre Bio-Politik der Bevölkerung theoretisch in den Philosophien von Quesnay und Süssmilch (sic!) reflektiert.

Die Repressionsthese der Macht und des Sexes ist somit für Foucault nur eine historisch-transitive Erscheinung. Die Entkonkretisierung des Machtbegriffs im Sinne seiner Ablösung von lokal verifizierbaren Gesellschaftstypen und Instanzen der Souveränität und seine anthropologisch-genealogische Bindung an Strukturen des Wissens und des Begehrens sichern eine analytisch-epistemische und zutiefst historische Arbeit ab. Letztere postuliert nicht nur eine «archäologische» Verankerung der Humanwissenschaften in diesem neuen Machttypus, sondern situiert begriffsgeschichtliche Untersuchungen, wie sie P. Freund für den Normbegriff geleistet hat, in ihrem politischen, historischen und machttechnischen Umfeld. «Eine Folge dieser Entwicklung der Bio-Macht ist die anwachsende Bedeutung, die das Funktionieren der Norm auf Kosten des juridischen Systems des Gesetzes gewinnt. Das Gesetz kann nicht unbewaffnet sein, und seine hervorragendste Waffe ist der Tod. Denen, die es übertreten, antwortet es in letzter Instanz mit dieser absoluten Drohung. Hinter dem Gesetz steht immer das Schwert. Eine Macht aber, die das Leben zu sichern hat, bedarf fortlaufender, regulierender und korrigierender Mechanismen. Es geht nicht mehr darum, auf dem Feld der Souveränität den Tod auszuspielen, sondern das Lebende in einem Bereich von Wert und Nutzen zu organisieren. Eine solche Macht muß eher qualifizieren, messen, abschätzen, abstufen, als sich in einem Ausbruch manifestieren. Statt die Grenzlinie zu ziehen, die die gehorsamen Untertanen von den Feinden des Souveräns scheidet, richtet sie die Subjekte an der Norm aus, indem sie sie um diese herum anordnet. Ich will damit nicht sagen, daß sich das Gesetz auflöst oder daß die Institutionen der Justiz verschwinden, sondern daß das Gesetz immer mehr als Norm funktioniert, und die Justiz sich immer mehr in ein Kontinuum von Apparaten (Gesundheits-, Verwaltungsapparaten), die hauptsächlich regulierend wirken, integriert. Eine Normalisierungsgesellschaft ist der historische Effekt einer auf das Leben gerichteten Machttechnologie.»[91]

[90] Ebd. 162.    [91] Ebd. 171–172.

## §4 Jacques Lacan: «Je est un Autre» (Das Ich ist ein Anderer)

«Denn niemand lebt wirklich in Unkenntnis der Gesetze, weil das Gesetz des Menschen das Gesetz der Sprache ist, seit die ersten Wörter des Erkennens den ersten rituellen Gaben vorangingen.»[1]

Bei J. Lacan, dem Gründer der «École freudienne de Paris», stößt man auf einen in sich konsequenten bis rigiden Versuch, in Anknüpfung an Freud die Basiskategorien der Psychoanalyse in Analogie zu der linguistischen Strukturgesetzlichkeit der Sprache zu verstehen. Die Wirkung der Strukturgesetzlichkeit der Sprache auf das Unbewußte bzw. das Unbewußte *als* ein Element der Sprachwirkung wird untersucht. Diese vor allem gegen die New Yorker Gruppe der Ich-Psychologie (H. Hartmann, E. Kris, R. Löwenstein) gerichtete Forschungsintention[2] hat nicht nur einen Neuzugang zu den Quellen der Psychoanalyse bedingt, sondern einen diffizilen Entwurf einer Theorie des Subjekts (und des Selbstbewußtseins) hervorgebracht. Letzteres wird uns stärker interessieren als die durch Lacan in Frankreich ausgelöste Freudrenaissance. Weil das Werk, das in den *Schriften*[3] und in den *Seminaren*[4] vorliegt, nicht nur durch die oft änigmatisch anmutende Sprache Lacans schwer zugänglich ist, sondern durch seine diffuse Themenbehandlung zwingend eine Rekonstruktion der Gesamtthematik auferlegt, haben wir uns an die Einteilung gehalten, die A. Mooij in seinem Buch *Taal en verlangen. Lacans theorie van de psychoanalyse*[5] verwendet. Auf Grund dieses *Rasters* wird erst eine problemorientierte, synchrone Darstellung möglich.

### Das Imaginäre

Die Überlegungen, die Lacan zu dem entwicklungspsychologisch zentralen Moment des «Spiegelstadiums»[6] durchgeführt hat, führen unmittelbar in das Zentrum seines Forschens hinein.

Ausgangspunkt ist das Verhalten des Kleinkindes (zwischen 6 und 24 Monaten) vor einem Spiegel, das schon von Ch. Darwin, dann ausführ-

---

[1] J. Lacan, Schriften I, Olten 1973, 112.
[2] Die wichtigsten Schüler Lacans, die auch in der BRD bekannt sind, sind S. Leclaire (Das Reale entlarven, Olten/Freiburg 1976; Der psychoanalytische Prozeß, ebd. 1971), J. Laplanche (Leben und Tod in der Psychoanalyse, ebd. 1974) und J. B. Pontalis, der mit Laplanche zusammen das zweibändige «Vokabular der Psychoanalyse» veröffentlicht hat (Frankfurt a.M. 1982).
[3] Schriften I, Olten 1973; II, 1975; III, 1980.
[4] Freuds technische Schriften, Olten 1978; Das Ich in der Theorie Freuds und in der Technik der Psychoanalyse, Olten 1978; Die vier Grundbegriffe der Psychoanalyse, Olten 1980.
[5] Boom Meppel 1979.
[6] J. Lacan, Das Spiegelstadium als Bildner der Ichfunktion, Schriften I, 61–70.

lich von H. Wallon analysiert wurde. Es läßt sich als eine spiegelbildliche (imaginäre), exterozeptive Primäridentifikation des Kindes mit einem Bild seines Körpers umschreiben. Diese Verwandlung durch die Aufnahme eines Bildes im *infans stadium* ist für Lacan insofern bedeutsam, als sich hier ex negativo das darstellen läßt, was später in der psychischen Genese die Umwandlung der imaginären *Ich-Funktion* in die symbolisch (sprachlich) vermittelte *Subjektfunktion* erbringen wird. Die Strukturierung konstituiert das Ich (Ego) als «Gestalt der Totalität des Körpers». Wegen der Situierung auf einem *fiktiven, imaginären* Niveau *vor* jeglicher gesellschaftlichen Determination wird die Ich-Erfahrung typisiert als «Ideal-Ich». Dieses ist eine Mischung von Antizipation und Alienation zugleich. Das Spiegelstadium (und seine Bildfunktion) bedingt eine «mentale Permanenz des Ich und präfiguriert gleichzeitig dessen entfremdende Bestimmung: sie geht schwanger mit den Entsprechungen, die das Ich vereinigen möchte mit dem Standbild, auf das hin der Mensch sich projiziert.»[7] Diese Identifizierung im räumlichen, noch nicht propriozeptiv vermittelten Realismus der Außenwelt ist für Lacan die Folge einer natürlichen (vor-dialektischen) organischen Unzulänglichkeit, welche die Konsequenz der spezifischen Vorzeitigkeit der menschlichen Geburt (Foetalisation) ist. «Die Funktion des Spiegelstadiums erweist sich uns nun als ein Spezialfall der Funktion der *Imago*, die darin besteht, daß sie eine Beziehung herstellt zwischen dem Organismus und seiner Realität – oder ... zwischen der Innenwelt und der Umwelt.»[8] Die Retardierung des Zustandekommens dieser Relation läßt nachträglich die dem Spiegelstadium *vorausgehende* Körpererfahrung als «Zerstückung» interpretieren, die gerade in Bildern einer aggressiven Desintegration des Individuums in dessen Träumen wiederkehrt. Korrelativ zu diesem «corps morcelé», bedingt durch die entwicklungspsychologisch defiziente, später durch den *Bildkörper* integrierte Perzeption, entstehen Lacan zufolge «wahnhafte» Imaginationen, die er «Panzer» nennt. Die durch den Bruch von Innenwelt und Außenwelt hervorgerufenen *Ichprüfungen* legen sich diese «Panzer» als Ersatz der fehlenden Bildfunktionen zu. «Entsprechend symbolisiert sich die Ich-Bildung (formation du je) in Träumen als ein befestigtes Lager, als ein Stadion, das geteilt ist in zwei einander gegenüberliegende Kampffelder, wo das Subjekt verstrickt ist in die Suche nach dem erhabenen und fernen inneren Schloß, dessen Form ... in ergreifender Weise das Es symbolisiert.»[9]

---

[7] Das Spiegelstadium, a.a.O. 65.
[8] Ebd. 66.      [9] Ebd. 67.

Die imaginäre Normalisierung der *primitiven* Libido (des nackten Begehrens und Strebens) durch das erblickte Objekt des Anderen/des Selbst – die Bilder *sind* das Kind – und das analog dazu entstehende «Spiegel-Ich» (je spéculaire) sind aber keine Bausteine einer nun einsetzenden Ich-Genese herkömmlicher Art. Für Lacan ist die im Spiegelstadium begründete, fiktive «Verkennung» des Ich konstitutiv und wird auch später in der symbolischen Identifikation mit der Imago des Nächsten im sozialen Ich (je social) nicht aufgehoben. Im Gegenteil, die Trägheit dieser foetal bedingten Verkennungen macht aus diesem Ich einen «Knoten imaginärer Knechtschaft»[10]. Die wesentliche, durch die äußerliche Bildidentifikation des Selbst bedingte Entfremdung des Ich in dieser biologisch und somit konstitutiv prädeterminierten Situation (das Ich *ist* für Lacan Entfremdung und deshalb imaginär!) wird für ihn in der symbolischen, weil sprachlichen Dialektik sozialen Verhaltens zwar umgelotet, zugleich aber auch weiterhin erhalten.

«Dieser Augenblick (der sozialen Anerkennung; J.-P. Wils) läßt auf entscheidende Weise das ganze menschliche Wesen in die Vermittlung durch das Begehren des Andern umkippen, konstituiert seine Objekte in abstrakter Gleichwertigkeit durch die Konkurrenz der Andern und macht aus dem Ich (je) jenen Apparat, für den jede instinktive Regung auch dann eine Gefahr bedeutet, wenn sie einem natürlichen Reifeprozeß entspricht – wobei selbst die Normalisierung dieses Reifens von nun an beim Menschen von einer kulturellen Umsetzung abhängt wie beim Sexualobjekt im Ödipuskomplex zu sehen ist.»[11] Im Seminar über die *Topik des Imaginären*[12] hat Lacan die gedrängten Gedanken des Aufsatzes in extenso vorgetragen und von eimem Urbild[13] des Ich in der imaginären Identifikation gesprochen. Im Spiegelstadium wird sich das Subjekt seines Körpers als Totalität bewußt, antizipiert die Vollendung der psychologischen und der motorischen Beherrschung *imaginär*. «Das ist das ursprüngliche Abenteuer, in dem der Mensch zum erstenmal die Erfahrung macht, daß er sich sieht, sich reflektiert und sich als anders begreift als er ist – die wesentliche Dimension des Menschlichen, die sein ganzes Phantasieleben strukturiert.»[14] Die imaginäre Gleichung zwischen dem Wahrnehmenden und seinem Bild ist also eine persistierende Erfahrung, welche die imaginäre Besetzung von Objekten der Außenwelt als Äquivalenten der primären «narzistischen» Identifikation mit dem Bild noch anleitet. Die Aus-

---

[10] Ebd. 70    [11] Ebd. 68.
[12] In: Freuds technische Schriften, a.a.O. 97ff.
[13] Ebd. 99.    [14] Ebd. 105.

stoßung und Projektion des libidinösen Begehrens auf Objekte und ihre symbolische Introjektion und Einverleibung machen das «Spiel des Imaginären» aus. Solange das Sprechen bzw. die Sprache nicht an diesem imaginären Index haftet, bleibt das Ich für Lacan im «Leeren», im Bereich einer Un-ordnung und somit für den Anderen und für das Selbst inexistent.

«Die Entwicklung findet nur in dem Maße statt, wie sich das Subjekt in das symbolische System integriert, sich darin übt, sich darin durch die Ausübung eines wahrhaften Sprechens bejaht.»[15] Statt des imaginären Ideal-Ich wird es darin die Sphäre des *Ich-Ideals* und des Determinismus des *Über-Ich* antreffen. Weil Lacan davon ausgeht, daß die imaginären, libidinösen Referenzen in der Umkehrung von Ideal-Ich in Ich-Ideal nicht verschwinden, daß sie im Gegenteil durch die libidinöse Besetzung der Außenwelt zu einem hohen Maße zu dem Realitätsgrad der Welt beitragen, bleibt der Status des Ich-Ideals und des Über-Ichs (des Gesetzes) prekär. Die imaginären Reste halten sich durch, weil die Dichte des primären Narzißmus der unvermittelten Bild- und Objektlibido in der schon im Spiegelstadium erfolgten elementaren Funktion der «Reflektion auf den Anderen» aufgehoben bleibt. Beim Menschen stellt die primäre Libido sogar eine sich durchhaltende noetische (!) Möglichkeit dar.

«Die narzißtische Identifizierung, diejenige des zweiten Narzißmus ist die Identifizierung mit dem Anderen, der, im Normalfall, dem Menschen erlaubt, seinen imaginären und libidinösen Bezug zur Welt überhaupt präzis zu situieren. Sie erlaubt ihm, an seinem Ort sein Sein zu sehen und es als Funktion dieses Ortes und seiner Welt zu strukturieren ... Das Subjekt sieht sein Sein in einer Reflektion im Bezug auf den Anderen, das heißt im Bezug auf das Ich-Ideal.»[16]
Das Duale des Bildes als Konjunktion von Objektlibido und narzißtischer Libido ist deshalb beim Menschen nahezu grund-sätzlich fragmentiert, wodurch sich die *Erfahrung* des «corps morcelé» allererst erklären läßt. Die Fragmentierung, welche die desintegrative, vor-imaginäre Parzellierung des Körpers ausmacht, wird durch die imaginäre Primäridentifikation zwar optisch bzw. bildhaft integriert. Sie kehrt aber prinzipiell in der symbolischen, sprachlichen Erfahrung des *Anderen* wieder und läßt sich ebensowenig in der virtuellen Subjektivität des spiegelbildlich erblickten Anderen seiner Selbst leugnen.[17] In die duale Situation der Bildlibido des Imaginären führt die «transzendente» Ordnung des Sym-

---

[15] Ebd. 114.     [16] Ebd. 163.     [17] Dazu: Ebd. 180f.

bolischen (der Sprache) ein weiteres Element ein: den noch näher zu bestimmenden «*Anderen*». Der Andere ist für Lacan zunächst das Ich-Ideal im Sinne der normierenden Kraft der symbolisch, d.h. sprachlich stabilisierten und sublimierten Bezeichnungsgefüge der Mitteilung. In dem sprachlichen und symbolischen Austausch wird die Imagination der Libido (des Ideal-Ichs) eingebunden (aber nicht absorbiert) und in die Struktur einer identifizierbaren Subjektivität eingeführt[18], welche die *ikonische*, bildliche Identifikation partiell durch (sprachliche) Anerkennung ersetzt.

## Die Sprache und das Unbewußte

Die Überlegungen zum «Imaginären» unterscheiden sich allerdings erst dann von einer entwicklungspsychologischen Sozialisationstheorie, wenn man sie mit Lacans Auffassung der Sprache und des Unbewußten konfrontiert.

Der Satz Sigmund Freuds, «daß das Ich kein Herr sei in seinem eigenen Haus»[19], wird von Lacan gedeutet als «Primat der symbolischen Ordnung» vor der kompetenten Interventionsfähigkeit dessen, der sich dieser Ordnung (der Sprache) bedient: «Le sujet est parlé, plûtot qu'il ne parle.»[20] Die Vorgegebenheit der Sprache ist aber an dieser Stelle nicht mit ihrer gesellschaftlichen, ihrer überindividuellen und biographisch übergreifenden Funktion zu verwechseln.

Entgegen dieser banalen Feststellung exponiert sich der Primat des Signifikanten anders. «Es spricht im Andern, sagen wir, und bezeichnen mit dem *Andern* eben den Ort, den der Rückgriff auf das Sprechen evoziert in jeder Beziehung, in die er interveniert. Wenn Es im Andern spricht, egal, ob das dann vom Subjekt mit den Ohren vernommen wird oder nicht, dann deswegen, weil das Subjekt in ihm seine signifikante Stellung findet durch etwas, das jedem Erwecken des Signifikats logisch vorausgeht... Dieses Erleiden, diese Passion des Signifikanten wird von da her zu einer neuen Dimension der Conditio humana: *sofern nämlich nicht einfach der Mensch spricht, sondern Es in dem Menschen und durch den Menschen spricht.*»[21] Während das Ich für Lacan ein imaginäres Objekt ist, situiert sich die «Subjekt-Funktion» durch ihre signifikante Ortung in der

---

[18] Dazu: Ebd. 183.
[19] G.W. XII, 11.
[20] Mooij, a.a.O. 97.
[21] Schriften II, 12.

Perspektivität der Sprache «exzentrisch»[22], so daß «der Mensch ein dezentriertes Subjekt ist.»[23]

Die Faszination der imaginären Ich-Identifikation bedingt für Lacan auf der Achse der «Wissens» eine anfängliche Erkenntnis der Totalität des Körpers. Dagegen liegt die symbolisch vermittelte Subjektivität auf der Achse der *Wahrheit* als Mitte zwischen Anerkanntsein und Anerkanntwerden.[24] Das Ich als identisches Korrelat des begehrten Objekts weicht dann der Mittelbarkeit (und Distanziertheit) des Objekts des begehrenden Andern. «Das Subjekt setzt sich als operant, als menschlich, als ich von dem Moment an, da das symbolische System auftaucht. Und dieser Moment läßt sich aus keinem Modell ableiten, das von der Ordnung einer individuellen Strukturierung ist.»[25] Die meta-individuelle Strukturiertheit der symbolischen Ordnung läßt sich erst am Begriff des «differentiellen» Zeichens und der Zeichenkette (chaîne des signifiants) präzisieren. Nach einer Definition von O. Ducrot und T. Todorov, die sich an Hjemlsjevs Zeichentheorie anlehnt, ist die Einheit der Zeichenrelation in einem Sinne zu denken, der dem latenten Psychismus de Saussures expressis verbis entgegengesetzt ist: «L'unité pertinente n'est plus le signe lui-même (par exemple, le mot du dictionaire) mais la chaîne signifiante.»[26] Diese Kette begründet die Differenz des Zeichens: das Zeichen ist nicht die bloße Einheit eines psychischen Bildes mit einem Laut bzw. eine nichtredundante Korrelation von Wort und Realität, sondern eine oppositive Kombination von Lauten mit Lauten einerseits, von Bedeutung mit Bedeutung andererseits und deren komplexe (differentielle) Zuordnung (Hjelmsjev). Die Disponiertheit der Signifikanten zueinander und die daraus folgende Konstellation des Signifikats machen erst das Zeichen aus. Die Konsequenz, die Lacan aus dieser sprachtheoretischen Einsicht zieht, ist nur für denjenigen überraschend, der die strukturale Sprachwissenschaft mit einer Auffassung von Sprache als *Sprache ohne Subjekt* verwechselt. «In einer Sprache gewinnen Zeichen ihren Wert aus ihrem wechselseitigen Verhältnis in der lexikalischen Verteilung ihrer Semanteme ebenso wie in der positionellen oder flexionellen Verwendung ihrer Morpheme. Das setzt sie in einen Gegensatz zu der Starrheit der Kodierung... Die Form, in der sich Sprache ausdrückt, definiert durch sich selbst *Subjektivität*.»[27] Damit das sprachlich symbolisierte und dadurch seines Gebrauchsstatus

[22] Das Ich, a.a.O. 61.     [23] Ebd. 64.
[24] Ebd. 68ff.     [25] Ebd. 70.
[26] Dictionaire encyclopédique des sciences du langage, Paris 1972, 440.
[27] Schriften I, a.a.O. 141.

enthobene Objekt zu einem bedeutenden Wort wird, muß die phonologische Differenz als kleinste bedeutungsgenerierende Einheit sich virtuali-
sieren, d. h. als materielle lautliche Opposition verschwinden. Das Wort
als «anwesende Abwesenheit» des Objekts kommt nur dann zu einer symbolischen Dauer, wenn es in der *Sprachkette* die Anwesenheit des abwesenden oppositiven Pols (dessen Virtualität) realisiert. Freud hatte diese Dialektik in *Jenseits des Lustprinzips* bei einem achtzehn Monate alten Kind
beobachtet, das die schmerzhafte An- und Abwesenheit der Mutter im
Fortwerfen und Zurückholen einer an einem Faden befestigten Spule
durch die phonematische Opposition «Fort/Da» symbolisierte.

Diese komplexe Verweisungsfunktion der Sprache in ihrem nicht-
abbildenden, sondern das Signifikat distanzierenden und soweit idealisierenden Status, kommt in folgendem Satz Lacans zum Ausdruck: «Durch
das, was nur als Spur eines Nichts Gestalt annimmt und dessen Basis sich
infolgedessen nicht verändern kann, erzeugt der Begriff, indem er die
Dauer (durée) des Vergänglichen bewahrt, die Sache... Es ist vielmehr die
Welt der Worte, die die Welt der Dinge schafft – die zuerst im hic et nunc
eines werdenden Ganzen ununterscheidbar sind –, indem sie ihrem
Wesen konkretes Sein verleiht und ihrem Immerseienden überall seinen
Platz zuweist. κτῆμα ἐς ἀεί. Der Mensch spricht also, aber er tut es, weil
das Symbol ihn zum Menschen gemacht hat.»[28]

Der Mensch ist somit in einem Netz von Symbolen eingehüllt, das er
der Welt überstülpt, das sich aber auch *ihm* überstülpt. Er verliert zwar
dadurch als *Subjekt* eine extramundane, außersprachliche Autarkie, die er
auch als *transzendentale Synthesis* für Lacan nie besessen hat, gewinnt aber
in dem distinkten, bedeutungsverleihenden Intervall der Sprachbewegung
und im dadurch bedingten Akt des Sprechens seine (durch die 'Allgemeinheit' der Sprachregel) *konstituierte Subjektivität* (Individualität als Regelapplikation). Über der Ebene der opaken Realität siedelt sich dann das
Symbolische an, als die distanzierte Ausdeutung dieser Realität.[29] Lacan
vertritt an dieser Stelle exakt die Auffassung Hegels, wonach die Zeit der
Begriff ist[30], indem sie das Signifikat da sein läßt, während es im gegenständlichen Sinne nicht da ist. Diese Identität (*ideale Anwesenheit*) in der
Differenz (*der Abwesenheit der Sache, des Signifikats*) ist es, wodurch die
Sprache insgesamt die reine, eigentliche Zeit der Dinge ist, die als bloße
Dinge in der «uneigentlichen» Zeit existieren. Lacan hat auch für das

---

[28] Ebd. 117.
[29] Freuds technische Schriften, a.a.O. 328f.
[30] G. W. F. Hegel, Phänomenologie des Geistes, Werke 3, 584.

Unbewußte diese Auffassung reklamiert. Das Unbewußte ist insofern gerade nicht zeitlos. Lacan erinnert in diesem Zusammenhang an die Unterscheidung von manifestem Traumgehalt und latentem Traumgedanken in Freuds Traumdeutung. «Das Sprechen setzt sich als solches in die Struktur des semantischen Welt ein, die die der Sprache ist. Das Sprechen hat nie einen einzigen Sinn, das Wort eine einzige Verwendung. Jedes Sprechen hat immer ein Jenseits, unterhält mehrere Funktionen, umschließt mehrere Bedeutungen. Hinter dem, was ein Diskurs sagt, gibt es das, was er bedeutet,und hinter dem, was er bedeutet, gibt es noch eine andere Bedeutung, und nichts daran kann je ausgeschöpft werden – es sei denn, man ge-langt dahin, daß das Sprechen schöpferische Funktion hat, und daß es die Sache selbst auftauchen läßt, die nichts anderes ist als der Begriff.»[31] Die doppelte Dezentrierung, welche Lacan bezüglich des Subjekts im Verhältnis zu seiner Sprache vorgenommen hat, läßt die schöpferische Funktion dieses Sprechens allerdings vorsichtig taxieren. Sowohl die Netzstruktur der Sprache, welche die differentiellen Elemente (Phoneme) nach Gesetzen einer geschlossenen Ordnung zirkulieren läßt (die Kompetenz des Sprechenden ist hier gleich Null), wie auch die vertikale Ungesichertheit des Sprechens aufgrund seiner semiotischen Motiviertheit und seiner semantischen Determinanten, lassen die Signifikantenkorrelationen als primordial und in ihrer Verkettung als sinnantizipierend erscheinen. «Man kann also sagen, daß der Sinn in der Signifikantenkette *insistiert*, daß aber nicht ein Element der Kette seine *Konsistenz* hat in der Bedeutung, deren es im Augenblick gerade fähig ist. Es drängt sich also der Gedanke auf, daß das Signifizierte unaufhörlich unter dem Signifikanten *gleitet.*»[32] Zwei Komplexe, der von *Metonymie* und *Metapher* einerseits und der mit den sogenannten *Indexwörtern* verbunden, können dieses *Flechten* der Sprache (R. Barthes) verdeutlichen.

R. Jakobson betrachtet das Sprechen als die Einheit von «Selektion» bzw. «Substitution» der Elemente des vertikalen Paradigmas und «Kombination» der Elemente des horizontalen Syntagmas. Erstere Sprachachse nannte er «metaphorisch», letztere «metonymisch». Die Metonymie, auf der kombinatorischen Achse liegend und der Syntax analog, führt in die Sinnkonstitution (Bedeutungsgenese) auf dem Niveau des sprachlichen Textes das Element der Kontinuität ein, während sie das Realitätsniveau unterbricht und das Signifikat minimalisiert. Die Metapher, der Lexik

---

[31] Freuds technische Schriften, a.a.O. 304.
[32] Schriften II, a.a.O. 27.

analog, läßt den Sinn auf eine andere Weise *gleiten*: sie ist ihrer Struktur nach diskontinuierlich, sie führt jedoch das Substituierte von Natur aus als solches stets bei sich, nicht zuletzt deshalb, weil keiner von den beiden Signifikanten von sich aus für die metaphorische Funktion auserwählt ist. Lacan hat in einer symbolischen Logik die beiden Funktionen dargestellt. Die Metonymie wird als F(S....S')S=S(–)s vorgestellt: als Funktion einer Reihe von Signifikanten, welche keine (–) neue Bedeutung inaugurieren. Die Metapher hinwiederum als $f(\frac{S'}{S})S=S(+)s$ deutet an, daß die Substitution einen Bedeutungsüberschuß mit sich führt. In Bezug auf das Objekt- und Bedeutungsbegehren des Subjekts läßt sich dies dann präzisieren. Die Struktur der Metonymie zeigt an, «daß die Verbindung des Signifikanten mit dem Signifikanten die Auslassung möglich macht, durch die das Signifikante den Seinsmangel (manque de l'être) in die Objektbeziehung einführt, wobei es sich des Verweisungswerts der Bedeutung bedient, um sie mit dem Begehren zu besetzen, das auf diesen Mangel zielt, den es unterhält.» Für die Metapher gilt, «daß in der Substitution des Signifikanten durch einen Signifikanten ein Bedeutungseffekt erzeugt wird, der poetisch oder schöpferisch ist, anders gesagt: Heraufkunft der in Frage stehenden Bedeutung.»[33] Gerade die Überschreitung als Übergang des Signifikanten ins Signifizierte in der Metapher und die metonymische «Streckung», die den Seinsmangel des fertigen Signifikats andeutet, werden von Lacan als *Platz des Subjekts* verstanden, das sein Begehren im Sinne der imaginären Libido in der Symbolik der Sprache bricht. Zwar scheint ihm die cartesianische Gewißheit des «Cogito, ergo sum» als existentielle Bindung des Subjekts an den Entwurf seines Denkens in seiner *Aktualität* unumstößlich, das «Gleiten» des Sinns aber – der Sinn ist stets auch die Qualität des Begehrens – unterwandert die Evidenz außerhalb ihrer Instantaneität durch das Nicht-Denken oder durch die nicht aktuell einholbare Bedingung seiner Möglichkeit: durch die «Empirizität« seiner Strukturiertheit und das konstitutive Fehlen des Signifikats. Die Frage scheint daher berechtigt: «Ist der Platz, den ich als Subjekt des Signifikanten einnehme in bezug auf den, den ich als Subjekt des Signifikats einnehme, konzentrisch oder exzentrisch?»[34] Das signifikante Spiel von Metonymie und Metapher, das den Sinn (das Sein als Mangel des bloß anwesenden Signifikats) «insistieren» läßt, veranlaßt Lacan zu folgender Bemerkung: «Ich denke, wo ich nicht bin, also bin ich, wo ich nicht denke.»[35] Das linguistische Problem des Ich(je)-Begriffs vermag

---

[33] Schriften II, 41.      [34] Ebd. 42.      [35] Ebd. 43.

dies zu verdeutlichen. Jespersen nannte das Wort *Ich* ein *shifter*, und meinte damit alle Kodewörter, die nur dann einen Sinn annehmen, wenn sie durch Attribuierung und Datierung ein Koordinatennetz der Mitteilung mit sich führen. In der peirceschen Zeichenklassifikation wäre das *Ich* ein Indexsymbol, da es sowohl eine konventionelle als auch eine existentielle Verweisungsfunktion besitzt. Lacan nennt dieses Phänomen «autonym», da hier das Signifikante und nicht sein Signifikat Gegenstand der Kommunikation ist, wobei die Verwechslung dieses Signifikanten mit dem nicht bedeuteten, aber auch nicht erfragten Signifikat seiner Meinung nach die Entifizierung des «Ich»-Begriffs verursacht.

Die Unterscheidung von «Ich» als «sujet de l'énoncé» (das «Ich» als Element der Sprache) und «Ich» als «sujet de l'énonciation» (das «Ich« als «Ich» sagend) -«Ich ist ein Verbalterm, dessen Gebrauch in einer bestimmten Referenz auf den anderen, die eine gesprochene Referenz ist, erlernt wird»[36] – verdeutlicht die hier notwendige Entmischung. Das grammatikalische Subjekt (sujet de l'énoncé) designiert das sprechende Subjekt (sujet de l'énonciation), re-präsentiert es, ohne es direkt als ein bloßes Denotat zu signifizieren. Diese Auffassung ist die unmittelbare Konsequenz aus dem «differentiellen» Zeichen, insofern auch dieses das Denotat nicht direkt intendiert als vielmehr den es repräsentierenden Signifikanten. Lacan formuliert dann auch sehr präzis: «Aber, was ist das, ein Signifikant? ...nicht für ein anderes Subjekt, sondern für einen anderen Signifikanten (un signifiant est ce qui représente un sujet, pour qui? – non pas pour un autre sujet, mais pour un autre signifiant). Das Subjekt entsteht dann, wenn auf dem Feld des Andern (im Diskurs; J.-P. Wils) ein Signifikant auftaucht. Aus dem selben Grund aber gerinnt – was vordem nichts war, wenn nicht künftiges Subjekt – zum Signifikanten.»[37] Mit anderen Worten: wenn der Verbalterminus «Ich» das sprechende Subjekt (sujet de l'énonciation) in der Signifikantenkette repräsentiert, dann ist das Subjekt im engeren Sinn *abgeleitet*. Ihm wird keine Bedeutung präsentiert, sondern es wird selbst in der Ordnung des Symbolischen *re*präsentiert und somit als Signifikat *zunächst* ausgeschlossen.

Die prinzipielle Retardierung des Sinnes (des Signifikats) gegenüber dem Signifikanten kommt bei Lacan nun zentral zum Tragen in seiner Deutung des Unbewußten[38]. Sie stellt sich als eine Analogie zu Freuds

---

[36] Freuds technische Schriften, a.a.O. 213.
[37] Vier Grundbegriffe, a.a.O. 208.
[38] Dazu: J. Laplache/S. Leclaire, «L'inconscient, une étude psychoanalytique». In: Les temps modernes, 17, 1, 1961/62, 81–129; J. Laplanche, Das Vokabular der Psychoanalyse, Bd. II, «Unbewußt, das Unbewußte», a.a.O. 562–565.

Auffassung dar, derzufolge der Traum ein Bilderrätsel (Rebus) ist, das nicht signifikant ist in seiner manifesten Bilderwelt, sondern in seiner latenten Zeichenstruktur. «Das Unbewußte, das sind die Wirkungen, die das Sprechen auf das Subjekt hat, das ist die Dimension, in der das Subjekt sich bestimmt in der Entfaltung der Sprechwirkungen, woraus folgt, *daß das Unbewußte strukturiert ist wie eine Sprache.* Damit ist eine Ausrichtung gegeben, die die Aufgabe hat, jeden Begriff des Unbewußten von einer Realitätsauffassung fernzuhalten, die eine andere als die der Subjektkonstituierung wäre.»[39] In *Das Ich in der Theorie Freuds und in der Technik der Psychoanalyse* erläutert Lacan dies dahingehend, «daß die axiale Realität des Subjekts nicht in seinem Ich liegt ..., daß das Unbewußte jenes dem Ich unbekannte, vom Ich *verkannte* Subjekt ist, *der Kern unseres Wesens.*»[40] Das Unbewußte ist insofern nicht eine wie immer geartete Ursprünglichkeit der Triebe, weil es, *wie* eine Sprache, eine Totalität signifikanter Elemente[41] ist. Die psychoanalytische Lektüre des Unbewußten wird zu einer Symptomatologie situierbarer Signifikanten.

Freud selber wurde auf das Unbewußte in Momenten des Versprechens, des Lapsus, des Mißlingens intentionaler Leistungen aufmerksam. Diese Phänomene offenbaren für Lacan eine Dimension eigener Zeitlichkeit, eine im Vergleich zum diachronen Diskurs des «Bewußten» diskontinuierliche Synchronie. «Es ist also Diskontinuität die wesentliche Form, in der das Unbewußte sich uns zuerst zeigt, in der Diskontinuität manifestiert sich etwas als ein Flimmern, ein Schwanken.»[42] Wie das symbolische Andere der Sprache, ihre Präsubjektivität, gehört auch das Unbewußte zu dem Bereich des «Anderen». Aber zu welchem Anderen? Das Unbewußte als *psychische Modalität* der signifikanten, differentiellen Leerstelle (Kluft/béance) der Sprache, als signifikanter «Seinsmangel» der möglichen Bewußtheit der Signifikantenrelation, führt bei Lacan zu einer quasi-ontologischen Aussage über die Konstitution menschlichen Sinns. Das Unbewußte ist der Sitz einer wesentlichen, unaufhebbaren Verkennung und Retardierung des Sinns gegenüber der virtuellen Präsenz des Signifikanten. Es ist als «Kluft» dem semiotischen Intervall, d.h. dem «Differentiellen» des Zeichens streng kongruent. *Insofern* Lacan den Sinn als Signifikat mit dem Objekt des libidinösen, symbolisch gelenkten Begehrens identifiziert – ein Begehren, das erst durch die unmittelbare *Absenz* des Signifikats in der Sprache logisch ermöglicht

---

[39] Vier Grundbegriffe, a.a.O. 165; Schriften II, a.a.O. 19.
[40] Schriften II, 59.     [41] Ebd. 48.
[42] Schriften I, a.a.O. 97/Schriften II, a.a.O. 31.

wird – wird die Strukturhomologie von Sprache und Unbewußtheit zu einer aufregenden Lektüre des Psychischen. «Präontologisch»[43] nennt Lacan diese Funktion des Unbewußten, «da (es) weder um ein Sein geht, noch um ein Nicht-Sein, sondern um ein Nicht-Realisiertes»[44]: das Begehren. Im Gegensatz zu der Lust, die homöostatisch ist – «das, wodurch die menschliche Skala in ihrer Reichweite limitiert ist» –, ist das Begehren für Lacan ein «Eingezirkeltes, das sein festes Verhältnis findet, seine Grenze, und sich in der Beziehung auf diese Grenze behauptet als Begehren, im Übertreten der Schwelle, die das Lustprinzip setzt.»[45] Das Begehren wird, wie bei Platon, aus einem «Fehlen» (manque) geboren. Es ist seiner Logik nach teleologisch nicht aufhebbar. Es ist die Funktion der Persistenz des Imaginären und wird «eingekreist» durch den «Namen des Vaters», durch das (sprachaffine) Gesetz des Symbolischen (Oedipus). Es hinterläßt das «Sündenbewußtsein». Ohne allerdings diesen Gedankengang weiter auszuführen, betont Lacan hier die «ethische» Verfaßtheit dieses Unbewußten.

Die *Rhetorik des Unbewußten*[46] entfaltet am Leitfaden der Traumarbeit, die den Gesetzen der Signifikanten folgt, die Logik einer «imaginären Zerlegung», die der Traum, als Ort der Lektüre des Unbewußten, mit der Realität vornimmt. Wiederum sind es die Topoi «Metapher» und «Metonymie», die Lacan verwendet, um die *Entstellung* (transposition), die die Signifikantenstruktur auf das Signifikat ausübt, zu beschreiben. Die psychoanalytische Kategorie der «Verdichtung» (condensatio) korrespondiert mit der «Überbelastungsstruktur der Metapher», die «Verschiebung» (Déplacement) mit der «Umstellung der Bedeutung» durch die Metonymie.

«Wenn Es im Anderen spricht ... dann deswegen, weil das Subjekt in ihm seine signifikante Stellung findet durch etwas, das jedem Erwecken des Signifikats logisch voraufgeht.»[47] Das (psychoanalytische) Sprechen ist also aus dem konkreten Diskurs des Bewußtseins verdrängt und nistet sich in der metaphorisch-metonymischen Verfaßtheit des Symptoms ein. «*Das Symptom ist hier Signifikant eines aus dem Bewußtsein des Subjekts verdrängten Signifikats.*»[48] Der freudsche Begriff der *Vorstellungsrepräsentanz* hat im Kontext dieser Verdrängung seinen konkreten Ort. Die Vorstellungsrepräsentanz nimmt in der Interpretation Lacans an der oedipa-

---

[43] Ebd. 35.    [44] Ebd. 36.    [45] Ebd. 37.
[46] «Dieser Traum lehrt uns also dies – was im Spiel ist in der Funktion des Traums, ist jenseits des Ego, was im Subjekt vom Subjekt ist, ist nicht vom Subjekt, es ist das Unbewußte.» Das Ich, a.a.O. 205.
[47] Schriften II, a.a.O. 125.    [48] Schriften I, a.a.O. 122.

len «Urverdrängung» teil, die die *Mutter* als imaginäres Objekt «a» des signifikanten Fort/da des Kleinkindes betrifft. Die Spule als signifikantes Symbol der Mutter (des fehlenden Signifikats also) verursacht für Lacan im Unbewußten ein Begehren gemäß der Struktur des Phantasmas[49] (des imaginären Objekts) *durch die signifikante Wirkung des «Fort/da»*. Ein längeres, gewiß schwieriges Zitat, das anspielt auf den Oedipuskomplex, soll die zentrale Stellung dieses Problems illustrieren.

«Diese Vorstellungsrepräsentanz läßt sich auf unserem Schema der Ursprungsmechanismen der Alienation in jener ersten signifikanten Koppelung lokalisieren, die uns einen Begriff davon geben kann, wie das Subjekt zuerst im Andern auftaucht, sofern nämlich der erste Signifikant, der einzige Signifikant/le signifiant unaire (die Mutter), auf dem Feld des Andern auftaucht und das Subjekt für einen anderen Signifikanten (das Fort/da) repräsentiert, der wiederum die Aphanisis (das Verschwinden; J.-P. Wils) des Subjekts bewirkt. Daher die Teilung des Subjekts – wenn das Subjekt irgendwo als Sinn auftaucht, manifestiert es sich anderswo als *fading*, als ein Schwinden. Man kann also sagen, daß es auf Leben und Tod geht zwischen dem signifiant unaire/dem einzigen Signifikanten und dem Subjekt als signifiant binair /binären Signifikanten, der Ursache für sein (des einzigen Signifikanten; J.-P. Wils) Schwinden. *Die Vorstellungsrepräsentanz ist der binäre Signifikant.* Dieser Signifikant bildet dann den zentralen Punkt der Urverdrängung (der Mutter; J.-P. Wils)»[50]

Für Lacan situiert sich das Begehren des Subjekts im Intervall zweier Signifikanten (fort/da). Die Symptomatologie des Unbewußten als Unbewußtheit der sprachaffinen Intervallstruktur des Begehrens ist dann die verzifferte Struktur eines zu entziffernden Diskurses[51], der die «Freiheit des Subjekts»[52] konkretisieren wird. «Wenn sich das Subjekt befreien soll, dann von der Aphanisiswirkung des binären Signifikanten.»[53] Diese Aphanisiswirkung ist aber exakt die Doppelstruktur der Anwesenheit/ Abwesenheit der «Sache» (des Signifikats) in der «Zeit» des Begriffs (des Signifikanten). Lacans Auffassung bezüglich der *Konstituiertheit* der Subjektivität in der Immanenz des Werdens des Signifikanten/des Begriffs steht somit in formaler Analogie zu der Resorbierung der *Subjektivität* in die Logik des Begriffs bei Hegel. Die Unmöglichkeit der Befreiung ist

[49] Schriften II, a.a.O. 190.
[50] Vier Grundbegriffe, a.a.O. 229.
[51] Schriften II, a.a.O. 10.
[52] Dazu Lacans Theorie des Selbstbewußtseins, siehe später.
[53] Vier Grundbegriffe, a.a.O. 230.

aber schon signalisiert durch das Faktum, daß dieser Binärismus seinerseits – sowohl im «normalen» als auch im «pathologischen» Diskurs (der
Sprache und des Unbewußten) – als Fehlen (manque) des unmittelbaren,
imaginären Signifikats nur die *symbolische* Befreiung von der narzißtischlibidinösen Ich-Imagination ermöglicht. Die Befreiung des Subjektes von
dieser binär-symbolischen Befreiung würde es in die Dämmerung der
spiegelbildlichen Identifikationen stoßen, weil der Verlust des primären
Signifikanten (die Mutter als imaginäres Objekt a) das Subjekt erst in
einem distanzierten Diskurs zu sich selbst kommen läßt. Dieses Zu-sichkommen bleibt aber prekär und weit von der möglichen Synthesiswirkung eines transzendentalen Ichs entfernt. Weil die Sprachwirkung der
Metapher und der Metonymie (der Verdrängung und der Verschiebung)
die Sprache und das Unbewußte generell prägt, und zu deren unableitbarer und nicht auflösbarer Strukturation gehört, ist die Grenze zwischen
dem «gesunden» und dem «kranken» Diskurs fließend. Während die
Metapher als Signifikant die Vorstellungsrepräsentanz des verdrängten,
aber latenten Signifikats ist, stellt die Metonymie/Verschiebung die *Logik*
der Vorstellungsrepräsentanz des begehrten Objekts dar und erinnert
daran, daß die Befreiung als Aufhebung der Kluft/béance imaginär bleibt.
Lacan kann insofern sagen, daß die endlosen Verschiebungen des Begehrens in der Metonymie den Seinsmangel in die Relation des Objekts[54]
«installieren». Gerade der Satz, «daß das Begehren beim Menschen das
Begehren des Andern ist», deckt im Begriff des Andern die Vergeblichkeit, ja glückliche Tragik dieser Bewegung auf. *Das Begehren* ist für Lacan
nämlich radikal vom *Bedürfnis* verschieden, welches das Objekt seiner
Befriedigung wenigstens prinzipiell erreichen kann. Es ist aber auch von
dem Anspruch auf einen Liebesbeweis getrennt («Dies Privileg des
Andern umreißt so die radikale Gestalt der *Gabe* dessen, was es nicht hat,
das heißt dessen, was man seine Liebe nennt»[55]), da das Begehren als
«metonymische Struktur» gerade die *immerwährende* Nicht-Erfüllung
ausdrückt. Sehr treffend charakterisiert Lacan dies als das Auftauchen der
«Macht des reinen Verlustes ... aus dem Überrest einer Obliteration (Tilgung; J.-P. Wils). Dem Unbedingten des Anspruchs substituiert das
Begehren die absolute Bedingung: diese Bedingung entbindet in der Tat,
was im Liebesbeweis gegen die Bedürfniserfüllung rebelliert. Daher ist
das Begehren weder Appetit auf Befriedigung, noch Anspruch auf Liebe,
sondern vielmehr die *Differenz*, die entsteht aus der Substraktion

54 Ebd. 44.    55 Schriften II, a.a.O. 127.

der ersten vom zweiten, ja das Phänomen ihrer Spaltung selbst... Das Auseinanderklaffen in diesem Rätsel zeigt, wodurch es determiniert ist, in der einfachsten Formel, die es offenlegt: daß nämlich weder das Subjekt noch der Andere (für jeden der Beziehungspartner) sich damit zufrieden geben können, Subjekte des Bedürfnisses oder Objekte der Liebe zu sein, sondern einzig und allein damit, Statthalter zu sein für die Ursache (cause) des Begehrens.»[58] Gerade die Differenz *im* Begehren oder die Differenz *als* Begehren (die Verankerung von Libido und distinktem, semiotischem Intervall) wird von Lacan der klassischen Koadaption bzw. Ko-Naissance von Subjekt und Objekt als Beziehung des Seins zum Sein gegenübergestellt. Dieser Mangel als Verlust der symbiotischen Imagination und als Bedingung des Eintritts in die symbolische Signifikantenkette der Sprache, die ihr Signifikat *als abwesendes* vergegenwärtigt, ist jenseits jeglicher direkten Vergegenwärtigung situiert. Nur der (unmögliche) Austritt aus der Ordnung des Symbolischen (der Sprache), als pathologischer Regress in die Dimension infantiler Imagination (im Sinne der narzißtisch-libidinösen Objektidentifikation), würde diesen Mangel imaginär aufheben. Der Zusammenhang mit der Neurosenlehre wird hier deutlich. Diese These des Mangels modifiziert Lacan nun zu einer *quasi-ontologischen* Aussage über das *Sein*. Der manque/Mangel bzw. die bedeutungskonstitutive Abwesenheit des *bloßen* Signifikats wird zu einem Seinsmangel.

«Das Begehren, die zentrale Funktion für jede menschliche Erfahrung, ist Begehren nach nichts Benennbarem. Und es ist dieses Begehren, das gleichzeitig an der Quelle jeglicher Lebendigkeit ist. *Wäre das Sein nur das, was es ist, dann gäbe es nicht einmal den Platz, um von ihm zu reden.* Das Sein kommt zu Existieren gerade in Abhängigkeit von diesem Mangel. In Abhängigkeit von diesem Mangel in der Erfahrung des Begehrens kommt das Sein zu einem Gefühl von sich in bezug auf das Sein. Von der Verfolgung dieses Jenseits, das nichts ist, kommt es zurück zum Gefühl eines *selbstbewußten Seins*, das nur sein eigener Reflex in der Dingwelt ist. Denn es ist der Gefährte von Seienden, die da vor ihm sind und die sich in der Tat nicht wissen.»[59] Das Sein, von dem Lacan hier spricht, ist aber keine Rehabilitierung einer Metaphysik, sondern an die Ordnung der Sprache gebunden, an das Sprechen selbst, das gerade in das Reale (das, was bloß ist) das «Klaffen des Seins»[60] eingräbt und es dadurch erst signifikant werden

[58] Ebd. 127f.
[59] Das Ich in der Theorie Freuds..., a.a.O. 284.
[60] Freuds technische Schriften, a.a.O. 289.

läßt. Das Sein des Subjekts wäre dann das, «was sich höhlt in der Erfahrung des Sprechens.»[61] Diese generelle Erfahrung der sprachgebundenen (und insofern einer *konstituierenden* Subjektivität entgegengesetzten) Konstitution einer in der Sprache «ausharrenden» Subjektivität (diesmal als Analyse der defizienten Wirkungen der Verschiebungen und Verdichtungen intendiert), die das Subjekt zu einer «Funktion» des autonom gewordenen, ihn deformierenden Diskurses macht, versteht Lacan auch als Objekt der Psychoanalyse: «Wenn man ... an der Verbindung rührt, die der Mensch mit dem Signifikanten unterhält ... ändert man den Lauf seiner Geschichte, modifiziert man die Vertäuung seines Seins.»[62]

Lacan spricht hier aber von einer *Modifikation*. Er schränkt somit die Erfahrung der Verschränkung der Sprache mit dem Begehren (des Signifikats) im Schwinden des Objekts in der «Zeit» des Begriffs *und* deren psychoanalytisch relevante Deformation auf die *Anerkennung* der imaginären Struktur des Begehrens im symbolischen Netz ein. «Jedenfalls, der Mensch kann nicht die Absicht haben, ganz zu sein, sobald das Spiel der Verschiebung und der Verdichtung, dem er in der Ausübung seiner Funktionen unterworfen ist, seine Beziehung als Subjekt zum Signifikanten markiert.»[63] *Der Status des Subjekts* in Bezug auf diesen Signifikanten ist also in einem gewissen Sinne *zweitkonstituiert*, denn es konstituiert sich erst im Übergang zur symbolischen Ordnung, wo das grammatische Subjekt (sujet de l'énoncé) sich vom sprechenden Subjekt (sujet de l'énonciation) trennt. Das Symbol für das Subjekt ist bei Lacan dann auch S($): es deutet die Gebundenheit an die Signifikantenkette des Unbewußten und die Verschiedenheit dieses Subjekts als shifter oder Indikativ vom aktuellen Sprechen an. Diese Zweitkonstituiertheit des Subjekts gegenüber der ihm vorgängigen Ordnung des Symbolischen ist sein *Konstituiertsein* (seine Ungleichzeitigkeit mit sich) in diesem Signifikantennetz. Aufgrund des Seins- oder Sinnmangels in diesem Netz, wegen der «Verspätung» des Signifikats gegenüber der Präsenz der Signifikantenkette gibt es für Lacan kein präsentes und immediates Wissen des Subjektes um sich. Wenn der Begriff als die Zeit (Hegel) das Signifikat als Abwesendes erst idealiter faßt, dann impliziert dies für Lacan, daß das Subjekt außerhalb der bloß punktuellen Instantaneität seines Sprechens (und dort wäre es nur eine opake Gewißheit) kein unmittelbar gültiges Wissen von sich hat. Die

---

[61] Ebd. 292.
[62] Schriften II, a.a.O. 53. «Der Einschnitt der signifikanten Kette allein verifiziert die Struktur des Subjekts als Diskontinuität im Realen.» (175).
[63] Ebd. 128.

symbolische, sprachliche Intersubjektivität der Anerkennung ist somit die Kehrseite einer Sprachtheorie, die das differentielle Zeichen als Virtualisierung (An-/Abwesenheit) des Signifikats versteht. «Daraus folgt, daß der Ort des Unter-sagten (inter-dit), den die Zwischenrede (intra-dit) eines Zwischen-zwei-Subjekten bildet, eben der Ort ist, an dem sich die Transparenz des klassischen Subjekts aufspaltet.»[64] Das Nicht-Gesagte wird somit zur strengen Bedingung des Sagbaren in einem zweifachen Sinne. Der Signifikant bleibt in der Ordnung des Symbolischen als Anwesenheit des abwesenden Signifikats auf dieses angewiesen, da es das imaginäre Korrelat des Begehrens ist, das erst das bloße Reale bedeutungsvoll macht. Das Unbewußte seinerseits enthält – verhüllt – die Wahrheit des sprechenden Subjekts, das durch das Indexsymbol «Ich» in der Grammatik vertreten, sein *Eigentliches* in den Identifikationen und Objektivationen der Sprache verliert. Die Sprache *als* Sprache ist also bei Lacan nicht nur das Modell für die Behandlung des Unbewußten *wie* eine Sprache, sondern *der reale Grund* dafür, daß das Unbewußte wie eine Sprache behandelt werden *kann*. Das Unbewußte ist dann nicht länger die Verlängerung der Natur im Menschen, sondern die sowohl kulturell bedingte als auch von der Kultur separierte, geortete und geordnete Persistenz des Begehrens als Mangel des Signifikats (als Überschuß des Signifikanten), wie es der Oedipusmythos erzählt. «Die imaginäre Beziehung ist beim Menschen abgelenkt, insofern sich da die Kluft auftut, wodurch sich der Tod vergegenwärtigt. Die Welt des Symbols ... ist entfremdend für das Subjekt, oder genauer, sie ist Ursache dafür, daß das Subjekt sich immer anderswo realisiert und daß seine Wahrheit ihn immer in irgendeinem Teil verschleiert ist.»[65]

Das Unbewußte ist also für Lacan noch vor seiner Qualifizierung als Ort der *therapeutischen* Diagnostik der Psychoanalyse, aufgrund des Symbolischen als Koadaption von Sprache und Begehren, der wesentliche Verlust des unmittelbaren (nur in der Imagination illusionär zugänglichen) Gegenstandes, des referenziellen Signifikats. Aber erst wegen dieser «Kluft» (béance), die sowohl das bedeutungskonstitutive Intervall der Signifikanten als auch die dem Subjekt zunächst wesentliche Verkennung seines Selbst impliziert, wird das «Sein» überhaupt *signifikant*. Das Subjekt entpuppt sich also als ein «Knoten von Differenzen» im Sprach-

---

[64] Schriften II, a.a.O. 174.
[65] Das Ich..., a.a.O. 267; an anderer Stelle sagt Lacan: «Es ist das, was dem Subjekt fehlt, wenn es sich als von seinem Cogito ausgeschöpft vorstellen will, d.h. das, was es an Undenkbarem ist.» Schriften II, a.a.O. 196.

system und nicht als Ort einer Transparenz oder Synthesisfunktion. Die Evidenz und Transparenz eines «transzendentalen Ego» würde Lacan mit einer außersprachlichen, vor-kategorialen und somit nicht-signifikanten Purifikation vergleichen. Die Gewißheit des Cogito hätte allenfalls für den Akt des Aussagens (so wie es bei Descartes intendiert war), während der «énonciation», Bestand. Eine humanistische Referenz auf dieses Subjekt im Sinne des klassischen Personbegriffs würde er dann konsequenterweise für überflüssig halten, da *sie* nichts *erklärt*. Nochmals ein längeres Zitat soll, in der Lacan eigenen Dichte, das Bisherige rekapitulieren und auf seine Selbstbewußtseinstheorie hinweisen.

«Die Sprachwirkung ist die ins Subjekt eingeführte Ursache. Vermöge dieser Wirkung ist dieses nicht Ursache seiner selbst... Seine Ursache nämlich ist der Signifikant, ohne den kein Subjekt im Realen wäre. Dies Subjekt ist aber, was der Signifikant repräsentiert, und zu repräsentieren vermag dieser nichts, es sei denn, für einen anderen Signifikanten. Auf diesen reduziert sich folglich das Subjekt, das zuhört. Man spricht folglich nicht zum Subjekt. Es spricht von ihm, und genau da bekommt das Subjekt sich zu fassen, und das um so zwingender, als es, bevor es ... als Subjekt unter dem Signifikanten verschwindet, zu dem es wird, absolut nichts war. Aber dieses Nichts behauptet sich durch seine Heraufkunft, die nun ausgelöst wird durch den Appell, der im Andern an den zweiten Signifikanten ergeht. Sprachwirkung darin, daß es aus diesem ursprünglichen Spalten entsteht, übersetzt das Subjekt eine signifikante Synchronie in jene ursprüngliche zeitliche Schwingung, die das konstituierende fading seiner Identifizierung darstellt. Dies wäre die erste Bewegung. In der zweiten indessen kehrt, während das Begehren sich vom signifikanten Schnitt her einnistet, in dem die Metonymie entsteht, die Diachronie (die sogenannte Geschichte), welche sich im fading einschrieb, zurück in jene Unzerstörbarkeit, die Freud dem unbewußten Wunsch zugeschrieben hat.»[66]

Letzteres deshalb, weil das Begehren des Anderen für Lacan es dem begehrenden Subjekt untersagt, sich zu *wissen* als das, was es ist. In einer interessanten Spannung zu diesem *verbauten* Zugang eines sich selbst transparenten Wissens und zu der Rede von der Sprachwirkung – interessant, weil alle Selbstbewußtseinstheoreme der Tradition auf diese Transparenz wenigstens als internes Moment ihrer Argumentation rekurrieren – steht die im Zitat enthaltene Behauptung, die Transposition der signifi-

---

[66] Ebd. 213f.

kanten Synchronie (des Sprachnetzes) in die *Zeit* des hermeneutisch-aktuellen Umgangs mit dieser Synchronie sei *konstitutierend* und nicht durch die Sprachwirkung selber schon konstituiert. Lacan suggeriert also einen Vorgang, der verhindern soll, daß man seine sprachtheoretisch-psychoanalytische Subjektkonstitution als eine Expropriation eben dieses Subjekts verstehen würde. Die Stellung dieses Subjekts ist aber nicht leicht zu bestimmen. Es ist quasi «gespreizt» in der subjektindependenten Regelstruktur der Sprache (des Symbolischen), seine Identifikationen laufen in einem Netz von Signifikanten ab, die in ihrer *Inter*subjektivität einen Geltungsstatus erlangt haben, der sie der formalen und inhaltlichen *Manipulation* des *Sprechenden* entzieht. Obwohl Lacan also das Subjekt als eine «Signifikantenwirkung» deutet, als Repräsentationsvorgang zweier Signifikanten, überführt das Subjekt das synchrone Gefüge der Sprach-und Symbolelemente aus seiner strukturell verbürgten semantischen Virtualität in die («schwingende») Aktualität seiner jeweiligen Verwendung. Das Subjekt zieht sich zwar einerseits zurück in die Unauslotbarkeit des distinkten Intervalls der Signifikanten, es verschwindet zwar prima facie in der differentiellen Zeichenrelation, gewinnt aber andererseits aus dieser Kluft/béance heraus jene Sprach- und Identitätsmächtigkeit, die es als *volle, bedeutungsgesättigte* Einheit unausweichlich verlieren würde. Im Sinne Lacans wäre es dann nur noch opak. Durch eben dieses Geschehen bedingt kommt das Subjekt für Lacan als «Distanz» (Seinsmangel) nie gänzlich zu sich selbst in einem gehaltvollen, definitiven Bezug. Man könnte sogar behaupten, daß das Subjekt als *Seinsmangel*, als konstitutive *Leerstelle* der Bedeutung, das Sein erst *bezugsfähig* macht.

In dem Aufsatz *Subversion des Subjekts und Dialektik des Begehrens im Freudschen Unbewußten*[67] taucht in anderer Formulierung das gleiche Problem auf. Was vorher «Synchronie der Signifikanten» hieß, nennt Lacan nun «Hort des Signifikanten» als synchronische, abzählbare Ansammlung durch Opposition organisierter Elemente: (A). Die *Interpunktion* (s(A)) wäre jenes Moment, das im Gegensatz zu der «räumlichen Geschlossenheit» des «Signifikantenhortes» die Bedeutung in actu als Überführung der signifikanten Synchronie in Aktualität konstituiert. Gerade aber diese von Lacan angenommene *konstituierende* Produktion bereitet nicht geringe Schwierigkeiten. Auf der einen Seite scheint die «Unterwerfung» des Subjekts unter die signifikanten Strukturen unter dem Vorzeichen einer fast spieltheoretischen Kombinatorik zu stehen.

---

[67] Schriften II, a.a.O. 165–204.

Lacan verwendet für diesen Vorgang die symbolische Logik der wechselseitigen Implikation: (A)⇄ s(A) –, wobei die Assertation und Skandierung (die Subjektivität als Interpunktion des geschlossenen Signifikantennetzes) s «allein auf ihre eigene *Antizipation* in der Komposition des Signifikanten verweist, die in sich insignifikant ist»[68]. Weil aber andererseits
diese spieltheoretische «Quadratur des Kreises» in der Antizipation eines
*nur strukturell nicht zu Antizipierenden* (nämlich die Subjektivität der
Regel*applikation*) nicht gelingen kann, muß «das Subjekt, um sich konstituieren zu können, sich ihr entziehen und an ihre Vollständigkeit *entscheidend* rühren (muß), muß es doch gleichzeitig sich einerseits dazu rechnen
und andererseits als Mangel fungieren.»[69] Lacan löst diese Aporie durch
die Einführung der Fiktionsstruktur der nicht mehr primären, weil durch
Signifikanten modulierten «imaginären» Identifikation auf, die das Ich
(je) als «Metonymie seiner Bedeutung» (shifter) realisiert. Er setzt
dadurch im Grunde voraus, was erklärt werden sollte, abgesehen davon,
daß die mit libidinösen «Resten» behaftete Bildstruktur des imaginären
Ich, weil der Ontologie des Begehrens verhaftet, nicht schon als solche
das Symbolennetz in einer *signifikanten*(!) Dynamik aktualisieren kann.
An dieser Stelle weist Lacan eine Theorie des Selbstbewußtseins ab, weil
sie in der Nachfolge des cartesianischen Cogito die Selbstgewißheit des
Ich (je) in actu (sujet de l'énonciation) «auf Kosten der opaken Qualität
des Signifikanten»[70] überbetonen würde. In ihrer Hegelschen Variante
würde dies eine teleologische Konvergenz des Realen und des Symbolischen voraussetzen unter nur instrumenteller Verwendung des Imaginären
als eines aufzuhebenden und aufgehobenen Nicht-Signifikanten. Gänzlich überraschend aber ist die Schlußfolgerung Lacans, «woraus sich ent-
nehmen läßt, daß dieses Subjekt bereits vollkommen da ist und die
Grundhypothese dieses ganzen Prozesses darstellt. Es ist in der Tat
bestimmt als dessen Substrat (sic!) und nennt sich *Selbstbewußtsein*, das
seiner selbst bewußte, allbewußte Sein.»[71]

Lacans Präzisierung der subjektiven, konstituierenden Produktion
bleibt aber nur schwer verständlich, so daß er im Seminar *Die vier Grundbegriffe des Psychoanalyse* sich genötigt sah, eine eigene Theorie des Selbstbewußtseins zu entwickeln. Ausgehend von M.Merleau-Pontys unvollen-
detem Werk *Das Sichtbare und das Unsichtbare*[72] nennt Lacan das Phänomen *Selbstbewußtsein* «die Abhängigkeit des Sichtbaren, die Abhängigkeit

---

[68] Ebd. 181.  [69] Ebd.  [70] Ebd. 185.
[71] Schriften II, a.a.O. 172.
[72] Le visible et l'invisible, Paris 1964.

von dem, was unter das Auge des Sehenden stellt»[73]. Es wäre abhängig von der «Präexistenz» eines Blicks, der von Lacan «Form einer befremdlichen Kontingenz, jener konstitutive manque/Fehl der Kastrationsangst»[74] bezeichnet wird. Was bedeutet diese befremdliche Formel, die auf die Tradition der Augenmetapher (Fichte) zurückgreift, aber eine 'Metabasis eis allo genos', nämlich von der Bewußtseinstheorie zu der Kastrationsangst, enthält? Lacan, wie so oft, liefert keinen kohärenten Diskurs, sondern versucht durch vielfältige Annäherungen die Thematik zu umkreisen.

Eine erste Möglichkeit stellt die Erfahrung dar, daß «Bewußtsein» zwar stets ein «Sehen» impliziert, ebenso aber auch ein «Gesehen-werden». Das «Bewußtsein» stellt uns stets in einen Horizont hinein, bei dem der «Sehende» nicht außerhalb steht und blickt, sondern gleichzeitig *im* Horizont des Sehens sich befindet und insofern als *selber* «erblicktes», angeschautes Wesen nicht die Sicherheit eines Standpunktes außerhalb des «Blickgeschehens» beanspruchen kann. Ebenso aber scheint das Bewußtsein, in einer «naiven» Reflexion, ein Geometralpunkt zu sein. Bei näherem Zusehen jedoch, sagt Lacan, ist dieser Schein nur möglich, weil jene Erfahrung eines «Sehraums» ausgelassen wird. Im Traum aber ist öfters jenes Sehen wiederum präsent, das «sich jener Art Sehen entzieht, das sich selbst genügt, indem es sich als Bewußtsein imaginiert.»[75]

Jeder kennt das Geschehen, das Lacan so beschreibt: «Das Subjekt sieht nicht, wohin *es* führt, das Subjekt folgt nur, kann sich gelegentlich zwar davon lösen, kann sich sagen, das sei nur ein Traum, aber keinesfalls könnte das Subjekt sich im Traum so begreifen, wie es sich im cartesianischen cogito als Denken begreift.»[76]

Das Subjekt gerät also in einen Sog hinein, der durch das Wissen um ein Getriebensein durch einen Blick entsteht, der nicht fixierbar ist und geortet werden kann. Außerhalb des Traums könnte man ein Äquivalent in der Struktur des Symbolischen entdecken. Der Zugang zur symbolischen Ordnung, die bei Lacan stets die Sprache meint, bedingt den Verlust der unmittelbaren Präsenz des Signifikats. In die analytische Erfahrung transponiert ist es für Lacan das Fehlen des imaginären Objekts «a» (die Mutter), das sich in der ödipalen Situation als Kastrationsangst (Gesetz des Vaters = das Symbolische) ausdrückt, ein Fehlen, worin sich «der Fall, der Sturz des Subjekts, la chute du sujet»[77] ereignet. Das Fehlen des imaginierten Objekts bleibt aber für Lacan als *Imagination* des Objekts

---

[73] Vier Grundbegriffe, a.a.O. 78.
[74] Ebd. 79.     [75] Ebd. 80.     [76] Ebd. 82.     [77] Ebd. 83.

(Sehen; das Imaginieren der Anwesenheit des Signifikats in seiner virtuellen Abwesenheit in der Signifikantenkette) noch in der Ordnung des Symbolischen lebendig. Diese Persistenz des Sehens impliziert aber für ihn keine ausdrückliche Gegenwart des Subjekts – dessen Gegenwart ist immer auch die des Bildes im Stadium des Imaginären und somit selbst imaginär – sie konstituiert jenen im Traum beobachteten «Blickraum», worin Bewußtsein *impliziert* ist. Gerade diese Implikation bleibt aber grundsätzlich dunkel, wenn sie, wie Lacan es hier nahelegt, eine «Funktion» des Symbolischen ist. Abgesehen von der äußerst schwierigen Verständlichkeit der knappen Aussagen Lacans – die obigen Ausführungen sind vorsichtige Interpretationsversuche des Autors -ist hier nur eine *negative* Bewußtseinstheorie vorhanden, geschweige denn eine *Selbst*bewußtseinstheorie.

An anderer Stelle wird das Selbstbewußtsein («Ich sehe mich mich sehen») als Privileg des Subjekts in einer zweipoligen reflexiven Beziehung gesucht, die bewirkt, daß der Punkt der Wahrnehmung *den Besitz* der Vorstellungen impliziert.

Ganz im Sinne Sartres läge hier der Ort einer «präsumptiven» Idealisierung vor, nämlich jenes «Nichtungsvermögen» (pouvoir de néantisation), wodurch für Lacan das Subjekt der Gewißheit «aktives» Nichten wird. Trotzdem ist für ihn diese Erfahrung nicht ursprünglich. Rekurrierend auf M. Merleau-Ponty und in deutlicher Absetzung von Sartre nun, wird der Ausgang dieser Erfahrung umschrieben als «Substanz ohne Namen ... aus der ich selbst, als Sehender, mich ausziehe. Aus Netzen ... aus Streifen, aus einem chatoiment/einem Schillern, dessen Teil ich erst bin, tauche ich auf als *Auge*, nehme gewissermaßen Ausgang aus dem, was ich die Funktion der Sichtung/voyure nennen könnte.»[78] Die Augen-Metapher taucht an exakt jener Stelle auf, wo Fichte die reflexions- und produktionstheoretische Schlüssigkeit seiner Selbstbewußtseinstheorie(n) nicht länger begründen konnte. Dies geschieht allerdings bei Lacan mit der umgekehrten Konsequenz, daß das Selbstbewußtsein nämlich als Phänomen verloren zu gehen droht und nur noch als «Illusion» gehandhabt wird. Diese «Illusion» des Bewußtseins läge dann in der Umkehrung der Struktur dieser Erfahrung, nämlich in der Blick-konstituierenden Funktion des «Auges» bzw. in dieser für Lacan falschen *Interpretation* der Erfahrung der angeblichen Priorität des subjektiven Blickpunkts.

[78] Ebd. 88.

Auf der Ebene der psychoanalytischen Erfahrung korrespondiert dem Verzug des Signifikats *die Funktion des Phallus* und der Kastrationsangst, *insofern* der Phallus *nicht* den männlichen Penis symbolisiert, sondern die Reihe der verlorenen Objekte seit der symbolkonstituierenden Distinktion des «Fort/da». Der Phallus ist das Fehlen der Mutter *schlechthin*, wobei das Kind diesen Mangel ausgleichen möchte.

Der Blick als das *Erblickte* des Objekts a (der Mutter) mit dem phallischen Manko als «Seinsmangel» (des Signifikats) ist also das apperzeptive und psychische Korrelat der signifikanten Gegenwart und Abwesenheit des Anderen als Signifikat überhaupt: «jenes punktförmige Objekt, jener schwindende Seinspunkt, mit dem das Subjekt sein eigenes Schwinden verwechselt. Auch ist der Blick von allen übrigen Objekten, in denen das Subjekt die Abhängigkeit, in der es im Register des Begehrens ist, erkennen kann, dadurch unterschieden, daß er nicht zu fassen ist. Er wird daher mehr als jedes andere Objekt verkannt, und vielleicht ist auch dies Grund, weshalb das Subjekt so gerne den ihm eigenen Zug des Schwindens und der Punktualität in der Illusion des Bewußtseins, sich sich sehen zu sehen symbolisiert, in der der Blick elidiert wird.»[79]

Eine weitere Möglichkeit, die «Bewußtseinsillusion»« aufzulösen, stellt für Lacan die Entflechtung zweier optischer Schemata dar, deren Verkennung den «Selbstbewußtseinsschein» zu evozieren scheint. Gleichzeitig zu der Entwicklung der Cogito-Philosophie Descartes' entstanden nämlich Untersuchungen zu den geometralen Gesetzen der Perspektive (da Vinci, Vignola, Alberti). Das cartesianische Subjekt stellt nun für Lacan eine strenge Analogie zu dem «Geometralpunkt» oder «Perspektivenpunkt» dieser Konzepte dar, deren Struktur sich in der dreigliedrigen Reihe «Geometralpunkt – Bild – Objekt»[80] fassen läßt.

Die *phänomenologische* Struktur des Sehens ist für Lacan allerdings eine andere: das Auge als Lichtpunkt/Blickpunkt würde demnach durch die Vermittlung eines «Schirms» (eines physiologischen Rasters) das Tableau des Gesehenen wahrnehmen, wobei das Subjekt der Vorstellung (der Geometralpunkt) im Tableau[81] und nicht außerhalb des Horizontes des Gesehenen stünde. «Denken wir daran, daß unser Auge eine Schale

[79] Ebd. 90.
[80]

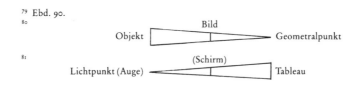

[81]

ist … aus der das Licht überquilt … Ich bin nicht einfach jenes punktförmige Wesen, das man an jenem geometralen Punkt festmachen könnte, von dem aus die Perspektive verlaufen soll. Zwar zeichnet sich in der Tiefe meines Auges das Bild/tableau. Das Bild ist sicher in meinem Auge. Aber ich bin im Tableau. Was Licht ist, blickt mich an, und dank diesem Licht zeichnet sich etwas ab auf dem Grunde meines Auges … die Impression, das Rieseln einer Fläche, die für mich nicht von vornherein auf Distanz angelegt ist. Dabei kommt etwas ins Spiel, was beim geometralen Verhältnis elidiert wird – die Feldtiefe in ihrer ganzen Doppeldeutigkeit, Variabilität, auch Unbeherrschbarkeit.»[82] Die Vermittlung von Blick bzw. Licht und Tableau wäre nicht der geometrale Raum der Optik, sondern der durchlässige Schirm/écran.

Trotzdem erklärt die bloße Feststellung der Kombination zweier differenter Schemata als Ursache der Bewußtseinsillusion noch nicht den *Grund der Möglichkeit ihrer Kombinierbarkeit.* Die Erklärung, welche Lacan dafür bereithält, restituiert zwar nicht das Moment der geometralen Abstraktion, liest sich aber genauso unvermittelt wie obige Rede von der Substanz-Natur des Subjekts: «Nun das Subjekt – das menschliche Subjekt … unterliegt im Gegensatz zum Tiere, nicht ganz (sic!) diesem imaginären Befangensein. Es zeichnet sich aus. Wie das? In dem Maße, wie es die Funktion des Schirms (als bloße physiologische Vermittlung der Sehwellen; J.-P. Wils) herauslöst und mit ihr spielt. Tatsächlich vermag der Mensch mit der Maske zu spielen, ist er doch etwas, über dem jenseits der Blick ist.»[83] Diese doch sehr allusiv geprägte Aussage macht deutlich, daß das Selbstbewußtseinstheorem, wenn auch nicht unbedingt kohärent thematisierbar, doch nur zureichend erfaßt werden kann, wenn man es wenigstens auf den Kontext seiner Interpretation in der Philosophie Kants, aber vor allem Fichtes bezieht. Lacan war insofern selber dem Problemstand dieser Philosophien sehr nahe, als der Übergang der kantischen Reflexionstheorie genau zu jenem Problem und zu jener Metapherbildung führte, die *das* bildlich ausdrückt, was Lacan als «Spalte», «Differenz» und «Seinsmangel» bezeichnet. An dieser Stelle möchten wir es bei diesem gewissermaßen *negativen* Fazit bewenden lassen. Erst später wird diese Thematik ausführlicher behandelt. Wichtig dennoch ist die Feststellung, daß auch eine sprachtheoretisch motivierte Subjektivitätstheorie nicht ohne die Frage nach der Bedingung der Möglichkeit von Selbstbewußtsein auskommt. Lacan ist ganz und gar kein Antipol zur Bewußt-

[82] Ebd. 102.     [83] a.a.O. 114.

seinsphilosophie, auch wenn die ausschließliche Orientierung an der Erfahrung des «Sehens» ihn zu einer zentralen Verkennung führt. Das Selbstbewußtseinstheorem ist zunächst *nicht* ein «sich sich sehen sehen», sondern ein «sich *als* sich wissen»!

### Das Symbolische und die Genese des Subjekts

Auf der Linie der Verschränkung von Sprache und Unbewußtem entfaltet Lacan die Struktur der ödipalen Situation. Aus dem Bisherigen wurde klar, daß der Zugang zur Ordnung des Symbolischen (der Sprache) zugleich einen Verlust des imaginären Objekts und die Verwandlung des Ideal-Ichs in das Ich-Ideal, in das Subjekt bedingt. «Das Symbol stellt sich so zunächst als Mord der Sache dar und dieser Tod konstituiert im Subjekt die Verewigung seines Begehrens.»[84] Die Sprachwelt initiiert den «Ödipuskomplex», insofern sie den «Seinsmangel» ihres in der Ordnung des Signifikanten weilenden Subjekts determiniert. Die Sprache ist für Lacan stets auch das den Objektverlust bedingende Gesetz (être tout pour la mère, être le phallus). Die Einheit von Objektlibido und Narzißmus wird durch das Auftreten des «Gesetzes» (des Symbolischen; «im Namen des Vaters»), auf dessen Seite der Phallus vermutet wird, «gespalten». Da das Phallische für Lacan nur eine Metapher für den Verlust der Unmittelbarkeit des Signifikats in der Ordnung des Signifikanten ist, spricht er auch vom «Namen des Vaters»: «*Im Namen des Vaters* müssen wir die Grundlage der Symbolfunktion erkennen, die seit Anbruch der historischen Zeit seine Person mit der Figur des Gesetzes identifziert… Symbole hüllen das Leben des Menschen so vollständig ein in ihr Netz, daß sie, noch bevor er auf die Welt kommt, diejenigen zusammenführen, die ihn aus Knochen und aus Fleisch zeugen.»[85]

Für diesen ödipalen Kasus hat Lacan folgende Formel entwickelt:

$$\frac{\text{Namen-des-Vaters}}{\text{Begehren der Mutter}} \cdot \frac{\text{Begehren der Mutter}}{\text{dem Subjekt signifiziert}} \rightarrow \text{Namen-des-Vaters}\left(\frac{A}{\text{Phallus}}\right) \quad [86]$$

Der Name des Vaters, als Signifikant für den Phallus, ist Objekt des Begehrens der Mutter. Die Verkennung dieser Situation beim Kind besteht dann darin, daß es das Verlangen der Mutter als Signifikant seines eigenen Begehrens auffaßt, als «imaginäre Selbstidentifikation».Stattdessen erscheint aber der «Name des Vaters», der den Phallus in die symboli-

---

[84] Schriften I, a.a.O. 166.
[85] Ebd. 120.
[86] Schriften II, a.a.O. 90.

sche Ordnung integriert (A), auf Kosten des Phallus selber als imaginäres Objekt. Wie schon in der Sprache durch die Stellvertreterfunktion des grammatikalischen Ichs als Spaltung vom aktuellen, sprechenden Ich eine *Teilung* des Subjekts entstand, wird auch hier eine Trennung, dieses Mal vom imaginierten Objekt vorgenommen. Dieses Geschehen bedingt die positive Implikation, daß das Subjekt durch das Paradox der Strukturierung seines Begehrens durch die Stütze des Gesetzes des Vaters für sein *eigenes* Begehren frei wird.[87] Weil wir schon früher das Desiderat einer genauen Bestimmung dessen, worin die *konstituierende* Kompetenz des Subjekts gegenüber der Ordnung des Symbolischen bestünde, bei Lacan vermißt haben und seine Gedanken stets extrapolieren müßten, um eine gewisse Transparenz des Gedankengangs zu erreichen, bleibt auch an dieser Stelle die Rede von der «Freiheit» paradoxer Natur: «Das Infunktiontreten des symbolischen Systems in seinem radikalsten, absolutesten Gebrauch, hebt so vollständig das Tun des Individuums auf, daß es zugleich seine tragische Beziehung zur Welt vernichtet. Ein paradoxes und absurdes Äquivalent des *Alles, was wirklich ist, ist vernünftig.* Die strikt philosophische Betrachtung der Welt kann uns in der Tat in eine Art Ataraxie versetzen, wo jedes Individuum gerechtfertigt ist gemäß den Motiven, die es handeln lassen, und die als es vollkommen determinierend begriffen sind. Jedes Tun, als List der Vernunft, ist gleich gültig. Der extreme Gebrauch des radikal symbolischen Charakters jeder Wahrheit führt also zu einem Verlust seiner Pointe im Verhältnis zur Wahrheit.»[88]

Trotzdem bleibt die vermittelnde Funktion des Symbolischen zentral – vielleicht die tragische Abhängigkeit und Endlichkeit des Lacanschen Subjekts andeutend –, weil es durch Einführung eines *dritten* Terms die duale Dichte und Konfusion des Imaginären aufhebt. Der Phallus nämlich ist jene Repräsentanz, welche die Trennung der imaginären Relata und in einem dazu die Trennung dieser Relation von ihrer symbolischen Repräsentation ist. A. Mooij spricht in diesem Zusammenhang vom Phallus als «differenzierende Repräsentation».[89] Der Phallus nimmt also in der Ökonomie des Psychischen eine ähnlich zentrale Stellung ein wie das Null-Phonem in der Sprachtheorie Jakobsons als «bedeutungskonstituierende Leerstelle». «Es ist der Signifikant, der bestimmt ist, die Signifikatswirkungen in ihrer Gesamtheit zu bezeichnen, soweit der Signifikant diese konditioniert durch seine Gegenwart als Signifikant.»[90]

---

[87] Vier Grundbegriffe, a.a.O. 41.
[88] Das Ich, a.a.O. 216.    [89] a.a.O. 142.
[90] Schriften II, a.a.O. 126.

Der Phallus ist für Lacan der *große Andere* als Korrelat des unbekannten, aber sprachmächtigen Subjekts des Symbolischen. L'Autre[91] (das/der Andere) ist nicht nur die Struktur des metonymischen Charakters des Begehrens, nicht nur das Feld der intersubjektiven Anerkennung, des Unbewußten und der symbolischen Ordnung als Ursache des Begehrens, sondern das Begehren der Mutter (gen. subj. *und* obj.) und das Gesetz, der *Name des Vaters*, der sowohl das distanzierte Benennen[92] und Begehren, wie auch deren glückliche Vergeblichkeit installiert.

## § 5  Jacques Derrida[1]:
### Elemente einer poststrukturalen Selbstreflexion

«Das Ende des Menschen (als faktisch anthropologische Grenze) tut sich dem Denken kund seit dem Ende des Menschen (als bestimmte Eröffnung oder Unendlichkeit eines Telos). Der Mensch ist das, was einen Bezug auf sein Ende hat, im grundlegend äquivoken Sinn des Wortes. Seit jeher. Das transzendentale Ende kann nur unter der Bedingung der Sterblichkeit, des Bezugs auf die Endlichkeit als Ursprung der Idealität, erscheinen und sich entfalten.»[2]

«Weil nämlich jene Einheit der bezeichnenden Form sich nur durch ihre Iterierbarkeit konstituiert, durch die Möglichkeit, nicht allein in Abwesenheit ihres *Referenten* wiederholt zu werden, was sich von selbst versteht, sondern auch in Abwesenheit eines bestimmten Bezeichneten oder der augenblicklichen Bedeutungsintention, wie auch jeder gegenwärtigen Kommunikationsintention. Diese strukturelle Möglichkeit, dem

---

[91] A. Mooij, a.a.O. 144.

[92] «Auf der imaginären Ebene stellen sich die Objekte des Menschen immer nur in verschwindenden Beziehungen dar. Er erkennt hier seine Einheit wieder, aber einzig außen... Das percipi des Menschen vermag sich nur innerhalb einer Zone der Benennung zu halten... Stünden sie nur in einer narzißtischen Beziehung zum Subjekt, dann würden die Objekte immer nur in instantaner Weise wahrgenommen... Der Name ist die Zeit des Objekts.» Das Ich, a.a.O. 216.

[1] J. Derrida, Randgänge der Philosophie, Frankfurt a.M./Berlin/Wien 1976 (Marges de la philosophie, Paris 1972). Vor allem: Die différance, 8–37; Finis hominis, 88–124; Ousia und gramme, 38–87; Signatur-Ereignis-Kontext, 124–155; Le supplement du copule, la philosophie devant la linguistique, in: Marges, a.a.O., 209–246; La mythologie blanche, la métaphore dans le texte, in: Marges, 247–324; Die Schrift und die Differenz, Frankfurt a.M. 1976 (L'écriture et la différence, Paris 1967); Die Stimme und das Phänomen, Frankfurt a.M. 1979 (La voix et le phénomène, Paris 1979); Grammatologie, Frankfurt a.M. 1974. (De la grammatologie, Paris 1976); La dissémination, Paris 1972; Positions, Paris 1972; Titel noch zu bestimmen/Titre à préciser, in: F. A. Kittler (Hg.), Austreibung des Geistes aus den Geisteswissenschaften, Paderborn 1980, 15–37. Die Schriften Glas (Paris 1974), Eperons, les styles de Nietzsche (Paris 1978) und Die Postkarte (Berlin 1982/Paris 1980) werden nicht berücksichtigt.

[2] Finis hominis, a.a.O. 106.

Referenten oder dem Bezeichneten (also der Kommunikation und seinem
Kontext) entzogen zu werden, macht, wie mir scheint, jedes Zeichen
(marque) auch ein mündliches, ganz allgemein zu einem Graphem, das
heißt, ... zur nicht-anwesenden Übriggebliebenheit eines differentiellen,
von seiner angeblichen *Produktion* oder seinem Ursprung abgeschnitte-
nen Zeichen (marque). Und ich werde dieses Gesetz sogar auf jede *Erfah-*
*rung* im allgemeinen ausdehnen, es gibt keine Erfahrung von reiner Anwesenheit, sondern nur Ketten von differentiellen Zeichen (marques)».[3]

### Strukturalismus: eine Sehweise

Mit dem Denken J. Derridas ist der sogenannte «Strukturalismus» in die
Phase jener «philosophischen» Besinnung getreten, die es erlaubt, Thematiken der Philosophie (bei Derrida vor allem Theoreme M. Heideggers
und E. Husserls) in Hinblick auf die epistemologische und hermeneutische Stringenz einiger ihrer Hauptgedanken zu diskutieren. Obzwar Derrida den Begriff «Philosophie», wegen einer für ihn vorhandenen Konnotation mit einer «Metaphysik des Präsens/der Präsenz» durchaus ablehnt,
sucht er mittels einer entschieden philosophischen Ausdeutung des Zeichenbegriffs einen Anschluß an Themen der Subjektivitäts- und Transzendentalphilosophie, wenn auch über die Vermittlung entschiedener Kritiker (Heidegger, Husserl, Lévinas). Sein Denken ist dadurch zu einer
«fundamental-semiologischen Herausforderung» der abendländischen
Philosophie geworden.[4]

Der Begriff des *Zeichens* erreicht deshalb bei Derrida jene Reflektiert-
heit, die es ermöglicht, das schillernde, kontextabhängige Theorem *Struk-*
*tur* als Problemindikator zugunsten einer präzisen Kennzeichnung seiner
*apriorischen* Innenseite, nämlich zugunsten des Zeichens zu relativieren.
Darüber hinaus erlaubt es der Zeichenbegriff, einen epistemologischen
Schlüsselkomplex so zu thematisieren, daß die Behauptung, Derridas
Denken wäre *selbstreflexiv,* nicht nur die re-flectio des Strukturalismus im
Sinne einer kritischen Selbstbesinnung, sondern die *Krise* des Strukturalis-
mus als Radikalisierung des Phänomens *Selbstreflexion* indiziert.

Ihn selber, den sogenannten Strukturalismus, kennzeichnet Derrida als
ein «*Wagnis in der Sehweise*»[5], als ein katastrophisches-dekadentes
Bewußtsein, das sich anstelle der ausbleibenden Kadenz der Schaffens-

[3] Signatur-Ereignis-Kontext, a.a.O. 124–155.
[4] M. Frank, J. Derrida. Eine fundamental-semiologische Herausforderung der abendländischen
Wissenschaft. In: Phil. Rundschau 23, 1976, 1–16.
[5] Kraft und Bedeutung. In: Die Schrift und die Differenz, 9–52, 9.

kraft nun der *Form* zuwendet und hier dann entstrukturierend wirkt, («man nimmt die Struktur in der Instanz der Bedrohung wahr»[6]), um in einer rettenden und nicht-restituierenden Kritik jene de-kadente und deshalb bedrohte Institution zu verstehen, welche abendländische Philosophie heißt.

Das Denken Derridas entzündet sich dann auch immer an der Lektüre traditioneller Texte: an Husserls «Logische(n) Untersuchungen», an Rousseaus «Essai sur l'origine des langues» oder an bewährten Themenkomplexen, wie dem des Zeitbegriffs. Das Kapitel aus E. Husserls «Logisch(n) Untersuchungen II/1. Untersuchungen zur Phänomenologie und Theorie der Erkenntnis» mit der Überschrift «Ausdruck und Bedeutung» und dort vor allem der Abschnitt «Die wesentlichen Unterscheidungen»[7] ist Gegenstand der epochalen Schrift *Die Stimme und das Phänomen. Ein Essay über das Problem des Zeichens in der Philosophie Husserls*[8].

Wegen der überaus *fundamentalen* Stellung, die diese Arbeit in dem Diskurs zwischen Sprachwissenschaft und Philosophie einnimmt, ist ihr der größte Teil unserer Derrida-Lektüre gewidmet. Weil Derridas Husserl-Lektüre letzterem durchaus *kongenial* ist, sie trotzdem ein Meta-Diskurs bleibt, sind die (zweifellos geringeren) Husserlkenntnisse des Autors (J.-P. Wils), um einen weiteren Meta-Diskurs zu vermeiden, *direkt* in die Darstellung eingegangen, nicht zuletzt, um Derridas gewiß schwierige Husserldiskussion etwas zu verflüssigen. Nur so ließen sich zwei Analyse-Ebenen gegenüber der Philosophie Husserls vermeiden. Zwei Exkurse sollen den Zugang erleichtern.

*Exkurs: Der Zeichenbegriff in der Philosophie E. Husserls*

In seiner Abhandlung über die «Philosophie der Arithmetik», die den Titel «Zur Logik der Zeichen (Semiotik)»[9] trägt, sagt Husserl: «Die Zeichen und Rudimente vertreten die wirklichen Begriffe, aber *daß* sie sie vertreten, merken wir nicht.»[10] An dieser Stelle interessiert uns noch nicht die in der Verhältnisbestimmung von Zeichen und Begriff sich latent anbahnende Präokkupation, sondern die Forderung einer Axiomatik des Zeichens für das, was Husserl später «Philosophie als strenge Wissen-

[6] Ebd. 13.
[7] Tübingen 1980 (1901), 23–61.
[8] A.a.O. Anmerkung 1.
[9] E. Husserl, Philosophie der Arithemetik (1890–1901), Den Haag 1970, 340–373.
[10] Ebd. 352.

schaft»[11] nennt. Bekanntlich unterscheidet Husserl dann in den *Logischen Untersuchungen* zwischen Zeichen als *Ausdruck* und Zeichen als *Anzeichen*. Dabei wird die *Bedeutung* oder der *Sinn* (im Gegensatz zu G. Freges Bestimmungen hier identisch) durch das *Zeichen als Zeichen für etwas ausgedrückt*. Die *Anzeige*, von Husserl auch Kennzeichen oder Merkzeichen genannt, drückt dagegen nichts aus, es sei denn, ihre Bedeutungsfunktion käme für Husserl quasi zufällig hinzu. Das Bedeuten ist zwar Husserl zufolge in der mitteilenden Rede mit der Anzeichenfunktion verknüpft, die Ausdrücke jedoch «entfalten ihre Bedeutungsfunktion aber auch im einsamen Seelenleben, wo sie nicht mehr als Anzeichen fungieren».[12] Dagegen liegen die Motive bzw. liegt die Konventionalität des *Anzeichens* «nicht im Denkbewußtsein als logische Gründe», sondern die aktuelle Kenntnis irgendwelcher Gegenstände oder Sachverhalte indiziert den nicht-aktuellen Bestand anderer Gegenstände oder Sachverhalte so, daß *die Überzeugung* des Seins ersterer zum *Motiv* wird für die Präsumption des Seins der angezeigten anderen. Die Motivierung ist also für Husserl im Sinne eines Urteilsaktes eine nur deskriptive, ja fast psychologische Einheit zwischen zwei zunächst unabhängigen Sachverhalten. Wenn er sie dann auch als Derivat früherer aktueller Beweisführungen oder als Resultate autoritätsgläubigen Lernens darstellt, dann liegt es nahe, sie in die Assoziationspsychologie abzudrängen und aus der transzendentalen Idealität zu entfernen. Die Motivation ist dann für Husserl «unmittelbar fühlbar»[14], was allerdings den zutiefst nicht-psychischen Charakter der idealen Bedeutung in der Phänomenologie Husserls, aufgrund der Äußerlichkeit der Anzeichen, nicht tangieren kann. Die bedeutsamen Ausdrücke in der *Rede* (die nicht tatsächlich stattfinden muß!) sind im Bewußtsein der sich Äußernden «mit den geäußerten Erlebnissen *phänomenal* eins.»[15] Diese Distinktionen sind für Husserl aber noch zu rudimentär. Die *Ausdrücke* unterscheiden sich dann auch in der phänomenologischen Betrachtung hinsichtlich des Aktes der Kundgabe (der psychischen Erlebnisse), des bedeutend-bedeuteten Inhaltes *(Sinn bzw. Bedeutung)* und des «Genannten» *(des Gegenstandes der Vorstellung)*.

In den sinnverleihenden Akten der Kundgabe wird der Lautkomplex aufgrund des Erlebnisses bedeutend , so daß in der Einheit von phy-

[11] Frankfurt a.M. 1965 (Erstausgabe, Logos, Bd. I, 1910/11), Zu dieser Verhältnisbestimmung: «Sprache, im weitesten Sinne des Wortes, ist der Ausdruck unserer Gedanken durch willkürliche Zeichen», J. G. Fichte, Von der Sprachfähigkeit und dem Ursprung der Sprache, Werke Bd. VIII, Berlin 1971, 301–341, 302.
[12] Log. Unt. II/1, 24.      [13] Ebd. 27.      [14] Ebd. 30.      [15] Ebd. 31.

sischem und psychischem Erlebnis *die Kommunikation* des Erlebnisses möglich wird. Diese Kommunikation ist für Husserl aber keineswegs *bedeutungskonstitutiv*. Auch wenn die Einheit von Selbst- und Fremderfahrung in den *Cartesianischen Meditationen*[16] als «Urstiftung» verstanden wird, geschieht dies doch nur, damit vermieden wird, daß die *mittelbare* Intentionalität der Fremderfahrung bzw. die «Appräsentation», die Husserl eine «analogische» Apperzeption nennt, als ein Analogieschluß mißverstanden werden könnte. Das «einsame Seelenleben» als die Domäne des transzendentalen Ego ist insofern konstitutiv, als die Bedeutung (der Sinn) nicht mit der kundgebenden Leistung ihrer Kommunikabilität zusammenfällt. «Das Dasein des Zeichens motiviert nicht das Dasein, oder genauer, unsere Überzeugung vom Dasein der Bedeutung... Hier (in der einsamen Rede; J.-P. Wils) begnügen wir uns ja, normalerweise, mit vorgestellten, anstatt mit wirklichen Worten... Die fraglichen Akte (der Bedeutungskonstitution; J.-P. Wils) sind ja im selben Augenblick von uns selbst erlebt.»[17]

Ferner haften dem Ausdruck, neben seiner physischen Erscheinung im Lautgebilde, noch ein sinngebender Akt und ein sinnerfüllender Akt an. Ersterer repräsentiert die bloße Bedeutungsintention, letzterer im «vollen» Ausdruck deren Erfüllung. Die phänomenologische Bewegung dieser Akte geht so vor sich: «Erlebt ist beides, Wortvorstellung und sinngebender Akt; aber während wir die Wortvorstellung erleben, leben wir doch ganz und gar nicht im Vorstellen des Wortes, sondern *ausschließlich* im *Vollziehen* seines Sinns, seines Bedeutens... Die Funktion des Wortes ... ist es geradezu, *in* uns den sinnverleihenden Akt zu *erregen*... Vielmehr ist das Ausdruck-sein ein *deskriptives* Moment in der Erlebniseinheit zwischen Zeichen und Bezeichnetem... Es konstituiert sich hierdurch, ohne daß irgendeine erfüllende oder illustrierende Anschauung auftreten müßte, ein Akt des Bedeutens, der im anschaulichen Gehalt der Wortvorstellung seine *Stütze* findet, aber von der *auf das Wort selbst gerichteten anschaulichen Intention wesentlich verschieden ist*.»[18] Der Ausdruck und seine Bedeutung sind bei Husserl dann auch als ideale Einheiten zu verstehen, «in specie» und nicht «hic et nunc».

Zuletzt sei noch das Problem der *Gegenständlichkeit* der Ausdrücke gestreift. Wie wir gesehen haben, fällt der Gegenstand bei Husserl nicht mit seiner Bedeutung zusammen. Er ist nicht nur das, worüber der Aus-

---

[16] Vor allem die fünfte Meditation, in: E. Husserl, Cartesianische Meditationen, Hamburg 1977 (1931), 91ff.
[17] Log. Unt. II/1, 36f.    [18] Ebd. 39f.

druck das «*Was der Bedeutung*» aussagt, sondern auch dasjenige, was *nur mittels* der ausgedrückten Bedeutung intendierbar ist. Das *Wesen* des Ausdrucks ist für Husserl dann auch die Bedeutung, nicht der Gegenstand, nicht er selbst, sondern sein ideales Korrelat: *der erfüllte Sinn*. Eine eigentümliche Komplexität ergibt sich bei dem, was Husserl die «wesentlich okkasionellen Ausdrücken» nennt, die in die Nähe des Shifterbegriffs Jespersens und Jacobsons und der «indices» bei Peirce kommen. Ein subjektiver und okkasioneller Ausdruck ist jeder Ausdruck, «dem eine begrifflich-einheitliche Gruppe von möglichen Bedeutungen so zugehört, daß es ihm wesentlich ist, seine jeweils aktuelle Bedeutung nach der Gelegenheit, nach der redenden Person und ihrer Lage zu orientieren.»[19]

Sämtliche Personalpronomen, also auch das Wort «Ich», gehören hier hin. Das Wort «Ich» hat nicht die Kraft, die analytisch mit ihr zu verknüpfende Individualvorstellung *direkt* zu erwecken, so daß hier eine notwendige Bedeutungsäquivokation vorliegt. Es ist eine «anzeigende Funktion, welche dem Hörenden gleichsam zuruft: dein Gegenüber meint sich selbst.»[20]

*Exkurs: Das Zeichen in der Philosophie:*
*Hegel, Cassirer, Parret und Merleau-Ponty*

Der Begriff des Zeichens wird sich in den gewiß dichten Überlegungen Derridas zu Husserl als «epistemologisch» zentral erweisen. Obwohl der Terminus «Philosophie» in seiner Dekomposition der «Metaphysik» stets eingeklammert werden muß, wird der Zeichenbegriff die Unmöglichkeit vor Augen führen, die Metaphysik und die Subjektivitätsphilosophie *außerhalb* ihrer Begrifflichkeit zu kritisieren. Nicht zuletzt Heidegger selbst verstand seine Kritik als Teil der «Verbergungs- und Entbergungsgeschichte der Metaphysik» selbst. Anders als *A. Gätschenberger*, der in dem Buch *Zeichen, die Fundamente des Wissens. Eine Absage an die Philosophie*[21] die Semiologie als Ende des philosophischen Denkens propagiert, wird sich das Zeichen, im Unterschied zum polysemischen Strukturbegriff, als Anlaß einer innerphilosophischen Reflexion erweisen.

Für *G. W.F. Hegel*, im Kapitel über den «Chemismus» in der Wissenschaft der Logik, gleicht das Zeichen bzw. die Sprache der *Transparenz des Wassers* in der körperlichen Natur. Es ist die abstrakte Neutralität und das Element einer primären theoretischen Pazifizierung, in dem «die gespann-

---

[19] Ebd. 81.　　[20] Ebd. 83.
[21] Stuttgart 1932 (1977², mit einer Einführung von K. Lorenz).

ten Objekte», die sonst «nur durch äußere Gewalt in der Absonderung voneinander»[22] gehalten werden, zusammengeschlossen sind. Gerade die Zeichendefinition der *Grundlinien der Philosophie des Rechts* bestätigt die Gewalttätigkeit des Noch-nicht-Bezeichneten und die im Zeichenbegriff befindliche ethische Idealität: «Der Begriff des Zeichens ist nämlich, daß die Sache nicht gilt als das, was sie ist, sondern als das, was sie soll.»[23]

Diese Idealität ist für Hegel kein bloß asymptotischer Wert, noch viel weniger nur die Formalisierung einer äußerlichen Realität, sondern die auf den Begriff gebrachte und somit aufgehobene *Gewalt des bloß Faktischen*, des Unbegriffenen. In einem Zusatz der *Enzyklopedie* heißt es dann auch entsprechend: «Das Zeichen muß für etwas Großes erklärt werden. Wenn die Intelligenz etwas bezeichnet hat, so ist sie mit dem Inhalte der Anschauung *fertig* geworden und hat dem sinnlichen Stoff *eine ihm fremde Bedeutung zur Seele gegeben*.»[24] Das Zeichen ist demnach ein ursprünglicher Akt der gewaltigen («etwas Großes») Idealisierung und somit virtuellen Abwesenheit der Sache selbst («fertig geworden») als Beseelung («Bedeutung zur Seele gegeben») der Gewalt der unbegriffenen Faktizität der Sachen.

*Die Zeichenbildung* ist bei Hegel eine Aufgabe der Einbildungskraft. Nachdem *die reproduktive Einbildungskraft* als formelle Tätigkeit die verschiedenen «Bilder» der Sachen hervorgerufen hat, *die assoziierende Einbildungskraft* sie aufeinander bezogen hat und zu *allgemeinen* Vorstellungen gemacht hat, ist es *die symbolisierende und zeichenmachende Phantasie, welche die allgemeine Vorstellung mit dem Besonderen des Bildes* identifiziert. Diese Vereinheitlichung ist aber gleichzeitig ein Vorgang der Intelligenz und insofern als *«produktive* Einbildungskraft» zu verstehen.

«Diese Einheit, die Verbildlichung des Allgemeinen und die Verallgemeinerung des Bildes kommt näher dadurch zustande, daß die allgemeine Vorstellung sich nicht zu einem neutralen, sozusagen chemischen Produkte mit dem Bilde vereinigt, sondern sich als *die substantielle Macht* über das Bild betätigt und bewährt, dasselbe als *ein Akzidentelles sich unterwirft*, sich zu dessen Seele macht, in ihm für sich wird, sich erinnert, sich selber manifestiert.»[25] Während die Bewährung durch die Intelligenz für Hegel im *Symbol* noch subjektiv durch das Bild vermittelt wird, ist sie im Zeichen mittels der allgemeinen Vorstellung «objektiv, an und für

[22] Wissenschaft der Logik II, Werkausgabe Bd. 6, Frankfurt 1970, 430f.
[23] Grundlinien der Ph. des Rechts, Bd. 7, 128.
[24] Enzyklopädie der philosophischen Wissenschaften III, Bd. 10, 269.
[25] Ebd. 267, Hervorhebung von mir, J.-P. Wils.

sich»[26]. Die *Selbst*manifestation des Begriffs *im* Zeichen als dessen anschauliche Intelligenz tilgt somit den *unmittelbaren* Inhalt der Vorstellung in der *Allgemeinheit* der Vorstellung, so daß ihr «ein(en) ander(en)er Inhalt zur Bedeutung der Seele»[27] gegeben wird.

Die substantielle «Gewalt» des Begriffs *im* Zeichen und *über* das Zeichen als Vermittlung der Anspruchsgestalt der Vernunft *in* und *mit* der bildlichen Verbesonderung der «Gewalt» des Faktischen präfiguriert nicht nur die Gestalt praktischer Philosophie, wie sie in der Rechtsphilosophie vorliegt, sondern indiziert in Hegels äußerst präzisen Formulierungen den funktionalen und akzidentellen Stellenwert des Zeichens angesichts der substantiellen Logik der Vernunft. Obwohl Hegel die Zeichen schaffende Tätigkeit der Intelligenz «*produktives* Gedächtnis»[28] nennt, ist in diesem Zusammenhang dann auch die Nähe zu Husserls «Ausdrücken im einsamen Seelenleben» unübersehbar. Die mnemosynische Komponente der *Produktion* vermag die latente Instrumentalität des Zeichens nicht zu durchbrechen, im Gegenteil: «Die Anschauung gilt aber in dieser Identität *nicht* als positiv und sich selbst, sondern *etwas anderes* vorstellend. Sie ist ein Bild, das *eine selbständige Vorstellung* der Intelligenz als Seele *in sich empfangen* hat, seine Bedeutung. Diese Anschauung ist das Zeichen.»[29]

Bei *E. Cassirer* wäre man geneigt, von einem «unproduktiven» Gedächtnis zu sprechen, wenn er die «glückliche Gabe des Vergessens»[30] als Liquidation der Individualität der Fälle bei der Begriffsbildung rühmt. Gerade die außerordentlich problematischen Strukturen des Husserlschen Zeichenbegriffs wiederholen sich in gewandelter Form und Begrifflichkeit im ersten Teil der *Philosophie der symbolischen Formen*[31].

Zunächst wird die *Simultaneität* von Zeichengebung und begrifflicher Fixierung betont[32], dem Zeichen *als solchem* eine ideelle, beharrende Bedeutung zugesprochen[33], dann aber nur die Fixierung der Bedeutung dem Zeichen zugedacht, weil «die Grundfunktionen des Bedeutens selbst schon *vor* der Setzung des einzelnen Zeichens vorhanden und wirksam»[34] sind. Das Problem der Temporalisation, in diesem Fall das Problem der Vergegenwärtigung, das bei Husserl die Präsenz der Idealität im Aus-

[26] Ebd. 269.    [27] Ebd. 270.
[28] Ebd. 271. Auch in der *Philosophische(n) Enzyklopädie für die Oberklasse* (1808) wird das Zeichen unter dem Stichwort «Gedächtnis» behandelt. (Nürnberger und Heidelberger Schriften, 1808–1817, Werkausgabe Bd. IV, 51).
[29] a.a.O. 270.
[30] E. Cassirer, Substanzbegriff und Funktionsbegriff, Darmstadt 1980 (Berlin 1910), 23.
[31] Bd. 1, Die Sprache, Darmstadt 1977.
[32] Ebd. 18.    [33] Ebd. 22.    [34] Ebd. 42.

druck zugunsten der Wiederholungsstruktur als ihrer Vor-bedingung verschieben wird, taucht bei Cassirer in einer Plötzlichkeit auf, die *keine* Vermittlung mit der Intention der vorhergehenden Gedanken zuläßt. «Denn jede ... Reproduktion[35] des Inhalts schließt schon eine neue Stufe der *Reflexion* in sich. Schon indem das Bewußtsein ihn nicht mehr einfach als gegenwärtigen hinnimmt, sondern ihn als etwas Vergangenes und dennoch für es selbst nicht Verschwundenes im Bilde vor sich hinstellt, hat es durch dieses veränderte Verhältnis, in das es zu ihm tritt, sich und ihm eine *veränderte ideelle Bedeutung* gegeben.»[36]

Während bei Hegel die stufenförmige Sukzessivität der Vermögen die mit der Idealität der Bedeutung verbundene Sachproblematik der Zeichenrelation als Frage nach dem Zusammenhang der Vermögen behandelt und das Zeichen als deren Instrument diskutiert wird, hat Cassirer das Problem der Zeichen*re*produktion und der damit zusammenhängenden Bedeutungskonstitution als Problem stehen lassen.

Der belgische Philosoph *H. Parret* hat schon in einem 1969 erschienenen Aufsatz *Im Zeichen des Zeichens*[37], also zehn Jahre vor Derridas Essay zu Husserl, den «klassischen» Zeichenbegriff mit dem «strukturalen» Zeichenbegriff verglichen. Parret ging davon aus, daß die epistemische Aufmerksamkeit[38], die vom Zeichenbegriff ausgeht, eine Wende im Denken desjenigen Denkens ist, das für ihn als «Metaphysik», «Humanismus», «Bewußtseinsphilosophie» und «Subjektivitätsphilosophie» eine einzige Konfiguration darstellt. Die Einheit dieser Konfiguration wird im wesentlichen bestimmt durch die Transzendenz der Bedeutung (als ideale Präsenz) gegenüber dem Zeichen als deren Mittel. Das Ende dieser Einheit sieht Parret in dem, was man als *epistemologische Inversion der Zeichenrelation* bezeichnen könnte: die Zeichenrelation wird seit Peirce philosophisch selbstexplikativ und selbstreferentiell. Parret betrachtet das Strukturdenken als abschließende Apotheose jener Haltung, für welche der «grundkategoriale»[39] Charakter der Bedeutung noch unbestritten ist. Der Strukturbegriff lehnt sich ihm zufolge stets einer erkenntnistheoretischen Konzeption an[39] und vermag wegen seiner Polysemie nur wenige Differenzierungen anzubringen. Stattdessen könnte die Zeichenlehre die philo-

---

[35] Cassirer nennt diese Reproduktion ausdrücklich eine «Iteration», ebd. 22.
[36] Ebd. 23.
[37] H. Parret, In het teken van het teken. Een confrontatie van het klassiek-wijsgerig denken en het structurele denken. In: Tijdschrift voor Filosofie 1969, 232–260.
[38] Fr. Wahl, Die Philosophie diesseits und jenseits des Strukturalismus. In: Ders. (Hg.), Einführung in den Strukturalismus, Frankfurt a.M. 1973, 323–408.
[39] Dieses bestätigen die Ausführungen über die Äquivokationen im Strukturbegriff.

sophisch-humanwissenschaftliche «Zeit der Theorie» durch eine «post-theoretische» Zeit ersetzen. Um diese gewiß schwerwiegende These zu stützen, bemüht sich Parret um eine Typologie der Zeichenrelation. Die Rede von der «Vorstellung» nennt Parret «asymmetrisch», die strukturale Zeichenrelation spätestens seit Hjelmslev «reziprok» und die Dichotomie ihrer Relata «symmetrisch» und «isomorph», weil in der strukturalen Zeichenrelation nur die Immanenz der Struktur und des Systems der Differenzen der Signifikanten und der Signifikate zählt. Nur die Immanenz des Zeichens und nicht länger mehr die Möglichkeit des Durchgangs zur «Transzendenz der Bedeutung» bleibt dann erhalten. Die Nähe zu Heidegger und Beaufret ist unübersehbar. Für Parret impliziert die «Vorstellung» die Unterstellung eines «hypokeimenon», das sein Privileg der Anwesenheit durch die Präsentifikation des Vorgestellten unterstreicht, während der präsentifizierende Terminus bzw. die im Zeichen beheimatete *signifikante* Vorstellung als «anwesend-stellender»[40] Pol der Erkenntnisrelation gegenüber der anwesenden Subjektivität selber *im Grunde* als abwesend vorgestellt wird. Das Zeichen ist nur das Mittel zu dem Zweck der Bedeutung und provoziert dadurch andauernd einen Verlust seines selbst. Die Folgerung ist schwerwiegend: «Die Faszination des Ursprungs bleibt notwendigerweise eine teleologische Nostalgie; nur in der Sphäre der Vorstellung existiert ein ungreifbarer Ursprung und somit eine teleologische Gerichtetheit und also Geschichte.»[41] Im Sinne Derridas, aber mit ungleich abenteuerlicherer Geschwindigkeit, wird die Ontologisierung des Denkens, die Logifizierung der Grammatik und die Phonetisierung der Schrift in die Konsequenz dieser Teleologie gestellt. Der Logos wird von Parret dann auch als transzendental-phänomenologische *Stimme* verstanden, die als pneumatische Intention den Leib der Wörter zur geistigen Leiblichkeit umformt[42] und dazu führt, daß die Linearität der Wörter im Satz die «natürliche» Folge der Gedanken im Geist imitiert.[43]

---

[40] a.a.O. 240. Dazu auch unlängst: R. Rorty, Der Spiegel der Natur. Eine Kritik der Philosophie, Frankfurt 1980.

[41] a.a.O. 239.

[42] Dazu Hegel, Phänomenologie des Geistes, Werke Bd. III, 233: «Dies Sein, der Leib der bestimmten Individualität, ist die Ursprünglichkeit derselben, ihr Nichtgetanhaben. Aber indem das Individuum zugleich nur ist, was es getan hat, so ist sein Leib auch der von ihm hervorgebrachte Ausdruck seiner selbst; zugleich ein Zeichen, welches nicht unmittelbare Sache geblieben, sondern woran es nur zu erkennen gibt, was es in dem Sinne ist, daß es seine ursprüngliche Natur ins Werk richtet.»

[43] Wichtig scheint mir folgender Gedankengang aus der Grammaire von Port-Royal zu sein: «Ce que nous avons dit cy-dessus de la Syntaxe, suffit pour en comprendre *l'ordre natural,* lors que touts les parties du discours sont *simplement* exprimées, *qu'il n'y a aucun mot de trop ny de trop peu, qu'il est conforme à l'expression naturelle de nos pensées».* Grammaire général et raisonnée, Paris 1676, 158.

Im Gegensatz dazu versteht Parret die Behandlung der Sprache seit Humboldt als einen einzigen Hinweis auf die autonom-systemische Regularität ihrer Ordnung und betrachtet er den immanenten und differentiellen Charakter des Zeichens seit de Saussure als die «Selbstbezeichnung des Zeichens». Wie wir sehen werden, läßt sich dieser Selbstbezug des Zeichens nicht ohne den Problemhorizont der Phänomenologie und der Transzendentalphilosophie *zureichend* denken. Die Folgen dieser Auffassung führen Parret zu der Alternative «Positivismus« oder «Mystik». Einerseits fordert er eine Einheitswissenschaft «mit der Tendenz, eine Einheitswirklichkeit als unterliegendes Relatum zu unterstellen»[44] (doch wohl die genaue Umkehrung und somit Kontinuierung der Subjektivitätsphilosophie!) und eine durch die Reziprozität der Relata der Zeichenrelation bedingte Einheitssprache als Metasprache. Diese «idealistische» Inkonsequenz entschuldigt Parret selber mit der Zugehörigkeit dieser Wissenschaft zu dem (obsoleten) Vorstellungs-Struktur-Komplex des Zeichens. Andererseits favorisiert er eine in den Werken von Sollers und Mallarmé repräsentierte post-theoretische Zeit am Leitfaden des «Nichts der Bedeutung» als absolute Sprachautonomie, weil «jedes hypokeimenon, wegen seiner sprachlichen Phänomenalität, seine Kohärenz von der strukturellen Artikulation bekommt.»[45] Die philosophische Anthropologie, wie Philosophie überhaupt, wird dann zu einem regionalen «Spiel der Sprache». Zugleich aber entsteht bei Parret, wegen der Notwendigkeit der Vereinheitlichung der Sprachregionen, eine der Intention nach *positiv* zu qualifizierende, aber *metaphysisch totgeborene* Entität: die Hypostase «Mensch». «Weil die Philosophie sich entfaltet innerhalb der Sphäre des Bezeichnens und das Denken immer und notwendig eine Artikulation ist, wird der Mensch als Mensch auch nicht innerhalb der Philosophie rekuperiert.»[46]

In der Philosophie M. Merleau-Pontys wurden schon sehr früh, etwa in der *Phänomenologie der Wahrnehmung* (1945), jene Themen behandelt, die Derrida in *Die Stimme und das Phänomen* diskutiert[47], vor allem die

---

[44] a.a.O. 250.
[45] Ebd. 252. Dazu: «Kategorien wie *Subjektivität* sind die notwendige Folge einer der explizitierenden Artikulation immanenten Forderung.» (256).
[46] Ebd. 257.
[47] Phänomenologie der Wahrnehmung, Berlin 1966 (Paris 1945). Die überragende Bedeutung Merleau-Pontys für das strukturale Denken findet seinen Niederschlag in dem Buch: M. Merleau-Ponty und das Problem der Struktur in den Sozialwissenschaften, (Hg.) R. Grabhoff/W. Spondel, Stuttgart 1976. Darin vor allem die Aufsätze von J. Tamineaux, Über Erfahrung, Ausdruck und Struktur, 95–107; B. Waldenfels, Die Offenheit sprachlicher Strukturen bei M.-P., 17–28 und J. J. Kockelmans, Strukturalismus und existentiale Phänomenologie, 1–16.

Frage nach der phänomenologischen Bedingung der «Verunreinigung» der reinen Idealität der Bedeutung.

Ausgehend von der primären Erfahrung des Leibes und des Anderen, hat Merleau-Ponty jenes «unmotivierte(s) Entspringen»[48] (cfr. Husserl: genesis spontanea, Urzeugung) der Signifikanz der Welt thematisiert und dessen Korrelat als das «schweigende Cogito» bezeichnet, eine Problematik, die sich bis zu dem unvollendeten Spätwerk *Le Visible et l'Invisible*[49] durchhält und einer kontinuierlichen sprachtheoretischen Klärung zugeführt wird.

Der Leib ist für Merleau-Ponty eine jenseits von Subjekt und Objekt zu situierende «dritte Seinsweise», die den transparenten Erkenntnisbezug und die Evidenz des Subjekts trübt. Das Bewußtsein ist dann auch nicht konstituierend, sondern perzeptiv bzw. dem Leib gegenüber «zweitkonstituiert». Der Übergang von der bloßen Wahrnehmung zu dem Gedanken wird von Merleau-Ponty als das Werk «eines Denkens …, das älter ist als ich selbst und dessen bloße Spuren die Organe sind»[50] bezeichnet. Dieses *Leibapriori* (K. O. Apel) entwertet dann auch die Gewißheit des Cogito als eines von der Welt stets schon überholten Prinzips *fundamental*, bedingt aber als *finite* Erkenntnisvermittlung die *Bedeutsamkeit* menschlichen und somit endlichen Wissens. Der Leib, der Andere und letztlich auch der Tod[51] sind die Bedingungen der Möglichkeit jener Erkenntnis, die sich schon immer in *mundane* Unabhängigkeit der Bedeutungen *von* der Konstitution *im* Cogito begeben hat. «Möglich ist die Evidenz des Anderen dadurch, daß ich mir selbst nicht transparent bin und auch meine Subjektivität stets auch ihren Leib nach sich zieht.»[52] Das Cogito ist für Merleau-Ponty eher eine schwer zu benennende «Bewegung des Transzendierens», die das Selbst *und* die Welt *gleichursprünglich* berührt, weshalb der Selbstbezug *wesentlich äquivok* bleiben muß.[53]

Die Selbstgenügsamkeit des «Bewußtseins», d.h. seine Transparenz noch *vor* der Konkretion seiner «weltlichen» Einschreibung stellt Merleau-Ponty deshalb überraschend auf eine Stufe mit dem «Unbewußten», weil seiner Ansicht nach beide der retrospektiven Illusion unterliegen,

---

[48] a.a.O. 11.
[49] Le Visible et l'invisible, Paris 1964.
[50] Phän., a.a.O. 403.
[51] Vor allem: Phän., 417!
[52] «Habe ich selbst kein Außer-mir, so haben die Anderen kein In-sich.» Ebd. 425.
[53] In dem Aufsatz «La métaphysique dans l'homme» (Sens et non-sens, Genève 1965, 145–172) wird die Nicht-Absolutheit des Selbstbezugs als Voraussetzung einer Ethik verstanden, weil der Andere sonst nur ein Derivat, eine List der eigenen Vernunft wäre.

a priori als Gegenstand dasjenige explizit zu unterstellen, was erst *in der Folge* erfahren wird.

Im Bereich der Sprache wird sich diese Gleichursprünglichkeit in der Einheit der aktuellen Ausdrucksleistung mit dem an Nicht-Aktuellem partizipierenden Ausgedrückten niederschlagen. Die Spontaneität des Sprechens (parole) gegenüber der konstitutiven Schwere des Gesprochenen (gegenüber der historischen und differentiellen Determiniertheit des Semantischen) stellt für Merleau-Ponty ein streng mit der Verwobenheit von Bewußtseinsdependenz *und* -independenz des Erkennens zu analogisierendes *letztes Faktum* dar. Gerade die Gleichursprünglichkeit von Spontaneität (Bewußtsein; cogito) und Determiniertheit (Leib; der Andere; der Tod) macht die Leistung endlichen Sprechens und Erkennens wesentlich «dunkel».

Gerade die Offenheit des Sinns (der Sprache, der Erkenntnis), seine «Transzendenz» versteht Merleau-Ponty in dieser Koinzidenz als eine der Sprache immanente Bewegung. *Sie ist es, welche die Konkordanz meines Selbst mit mir und dem Anderen (als Welt) inszeniert* und wegen der thematisierten Gleichursprünglichkeit die Gleichzeitigkeit des Bewußtseins *mit* sich (Subjektivität als transzendentale Apperzeption) *wesentlich* verunmöglicht bzw. dezentriert. Das, was Merleau-Ponty «ewigkeitliche Interpretation des Cogito» nennt, wird deutlich auf dem Hintergrund der Tatsache, daß seit Kant die im Selbstbewußtseinstheorem vorliegende «Selbstaffektion» am Modell der Zeit als innere Selbstaffektion rekonstruiert wird. Präziser noch: wenn die Gleichursprünglichkeit die Simultaneität der Pole der Sprache und des Denkens ausdrückt, dann kann *die* (transzendentale) Distanz *nicht* vorliegen, die benötigt wird, um die Gleichzeitigkeit des Bewußtseins *mit* (!) sich/seinem Selbst diskursiv zu erfassen. «Jede aufgehende Gegenwart versenkt sich wie ein Keil in die Zeit und beansprucht Ewigkeit.»[54]

Das, was «ewigkeitliche Interpretation» des Cogito heißt, verdeutlicht Merleau-Ponty nun *semiologisch*. Der Bezug auf eine ursprüngliche expressive Einheit von Zeichen und Bezeichnetem als Forderung eines «erfüllten» Bewußtseins ist für ihn *deshalb* vergeblich, weil die Sprache erst dann *als* Zeichenrelation erscheint, *nachdem* sie die Genese von Bedeutungen bereits ins Werk gesetzt hat. Für Merleau-Ponty ist dies ein «Schweigen des Bewußtseins», aber ein solches, das die Differenz zu Derrida und Lacan, trotz einer gewissen terminologischen Nähe, offenkundig

---

[54] a.a.O. 448.

macht: «Jenseits des ausgesprochenen cogito, desjenigen, das sich in Aussagen und Wesenswahrheiten umsetzt, gibt es ein stillschweigendes cogito, eine Erfahrung meiner selbst durch mich selbst. Doch diese undeklinierbare Subjektivität hat bei sich selbst und bei der Welt nur einen gleitenden Anhalt. Sie konstituiert nicht die Welt, sondern errät sie als ein sie umgebendes Feld, daß nicht sie selbst sich gegeben hat... Das schweigende Bewußtsein erfaßt sich nur als ein Ich-denke überhaupt von einer konfusen Welt als *zu denken*.»[55]

Die Metapher von der «Höhlung des Subjekts», die Merleau-Ponty in diesem Zusammenhang verwendet, widerspricht zwar der synthetischen Aktivität des Bewußtseins und legt die vorgängige Bedeutungsträchtigkeit der Zeichen nahe, impliziert aber die Gegenwart der Welt als Ort der anwesenden Signifikation und nicht die prinzipielle Verspätung des Signifikats gegenüber dem Signifikanten. Was in der Präsenz der Signifikation als Bewegung der Bedeutungskonstitution zwischen «parole» und «langage» aber nicht präsent wird, ist der konstitutive «Schnitt» des Bewußtseins, der Subjektivität selbst: er ist «ewigkeitlich».

Eine direkte Auseinandersetzung mit dem philosophischen Implikat der Sprachwissenschaft generell, der Semiologie im speziellen und mit dem diakritischen Charakter des Zeichens im besonderen bieten die Aufsätze «Le langage indirect et les voix du silence»[56] und «Sur la phénoménologie du langage»[57] in der berühmten Aufsatzsammlung *Signes*.

Die Autonomie der Sprache wird hier von Merleau-Ponty nun stärker betont – «il y a donc une opacité du langage, nulle part il ne cesse pour laisser place à du sens pur, il n'est jamais limité que par du langage encore.»[58] Der systematisch-differentielle Status des Zeichens wird radikal ausgelotet: «Le sens n'apparaît donc qu'à *l'intersection* et comme dans *l'intervalle des mots*... elle (la parole; J.-P. Wils) n'est jamais qu'un *pli dans l'immense tissu du parler*... Le sens est *le mouvement total de la parole* et c'est pourquoi *notre pensée traîne dans le langage*... c'est par *un blanc entre les mots* qu'il passe dans le langage.»[59] Diese zuerst von Hjelmslev in der Nachfolge de Saussures hinreichend thematisierte Konzeption betont die Sprach*abhängigkeit* des Denkens und die Bedeutungskonstitution des *Intervalls als Ort der Subjektivität der Sprache bzw. des Denkens. Wiederum wird der Quellgrund der Signifikation ein «Schweigen», eine «Stille» (silence) genannt, wobei Merleau-Ponty die Aktivität dieser Quelle als die Aktion des*

---

[55] Ebd. 460.   [56] Signes, Paris 1960, 49–104.
[57] Ebd. 105–122.   [58] a.a.O. 53.
[59] Ebd. 53ff.; «Il n'y a dans la langue que des différences de signification». a.a.O. 110.

*Wortes* bezeichnet, welche die Umsetzung sedimentierter Bedeutung («l'action de culture, la vie sourdre»[60]) in Bedeutung «in statu nascendi» bewerkstelligt. Gerade die Betonung der Rede (parole), die sowohl bei de Saussure als auch bei Derrida eine eher geringe Rolle spielt – Derrida wird gerade die «Schrift» als «geprägte Vorgängigkeit» betonen –, ist ein Hinweis darauf, daß für Merleau-Ponty das Sprechen die Unbewußtheit nicht reflektieren will und kann, welche die Verspätung des Signifikats gegenüber dem Signifikanten sonst notwendig impliziert (Lacan). *Das Sprechen spricht deshalb als Präsenz aus der Nichtpräsenz mit sich heraus*, es ist eine *dunkle* Leistung. «Il y a une signification *langagière* du langage qui accomplit la médiation entre mon intention encore muette et les mots, de telle sorte que *mes paroles me surprennent moi-même et m'enseignent ma pensée… La signification anime la parole comme le monde anime mon corps*: par une sourdre présence qui éveille mes intentions sans se déployer devant elles. L'intention significative en moi *n'est sur le moment*, et même si elle doit ensuite fructifier en pensées – *qu'un vide déterminé*, a combler par des mots.»[61]

Diese signifikative Präsenz der leeren, durch Wörter determinierten Intentionalität als sprachliche Übermächtigung des Denkens hat Merleau-Ponty in *Le Visible et l'Invisible* immer stärker zugunsten dessen zurückgedrängt, was die «Verräumlichung»[62] und die «Temporalisation» bei Husserl und Derrida in der transzendentalen Sinnkonstitution an unausweichlichen Konsequenzen mit sich brachte. «Il faut passer de la chose (spatiale ou temporelle) comme identité, à la chose (spatiale ou temporelle) comme différence, i.e. comme transcendance, i.e. comme toujours *derrière*, au-delà, lointaine… Dire qu'il y a transcendance, être à distance, c'est dire que l'être est ansi gonflé de non-être ou de possible, qu'il n'est pas ce qu'il est seulement.»[63] Die ewigkeitliche Interpretation ist selber stiller geworden: «Le cogito tacite doit fair comprendre comment la langage n'est pas impossible, mais ne peut faire comprendre comment elle est possible», denn «il n'y a que des différences de signification.»[64] Das Cogito rückt in die Nähe jenes rätselhaften Vermögens, welches «Einbildungskraft» genannt wird, «jenes *wesentliche Nichts*, aufgrund dessen alles in Erscheinung zu treten vermag.»[65]

---

[60] Ebd. 93ff.    [61] a.a.O. 111f.
[62] Nicht umsonst sind die Freudschen Topiken an diese Struktur gebunden.
[63] Le Visible et l'Invisible, a.a.O. 249ff.
[64] Ebd. 229 und 225.
[65] J. Derrida, Kraft und Bedeutung, in: Die Schrift und die Differenz, a.a.O. 9–53, 17.

*«Die Stimme und das Phänomen»:*
*Derridas transzendental-semiologische Husserllektüre*

Ziel dieser Schrift ist es, am Leitfaden der Zeichenkonzeption Husserls dessen phänomenologische Metaphysikkritik als ein internes Moment bzw. als Restitution der metaphysischen Selbstvergewisserung zu erweisen. Tatsächlich hatte Husserl noch in den *Cartesianischen Meditationen* deren Ergebnisse als «metaphysisch, wenn es wahr ist, daß letzte Seinserkenntnisse metaphysisch zu nennen sind»[66] bezeichnet. Es ist letztlich der Modus der Idealität der Bedeutungen, ihre Nicht-Mundanität, wie sie in der Identität einer Präsenz wiederholbar ist, die für Derrida das «Letzte» bzw. das «Metaphysische» dieser Seinserkenntnis ausmacht. Die Phänomenologie repräsentiert in dieser Perspektive in ihrer Ausrichtung auf das Präsenz des lebendig *im Erlebnis* Präsenten *die ideale Form*, die in der Struktur der Wiederholung der Akte der Intentionalität die Einheit des Unendlichen und des idealiter Seienden angesichts der «Bedeutung» sichert.

«Die letztbegründende Form (forme ultime) der Idealität, in welcher in letzter Instanz die Wiederholung antizipiert oder erinnert werden kann, die Idealität der Idealität ist das lebendige Präsens, die Selbstpräsenz des transzendentalen Lebens.»[67] Die in minuziöser Kleinarbeit zu rekonstruierende These Derridas lautet demgegenüber, daß durch das Problem der *Temporalisation*, des Übergangs der Retention zur Vergegenwärtigung in der Konstitution der Präsenz eines zeitlichen Gegenstandes (in «Zur Phänomenologie des inneren Zeitbewußtseins»[68]) und durch das in den «Cartesianischen Meditationen»[69] behandelte Problem der *Appräsentation* des *alter ego* als Bedingung der Möglichkeit der Konstitution von Objektivität und *a fortiori* von idealer Gegenständlichkeit, daß also durch den Modus der *Ver-gegenwärtigung* und der *Ap-präsentation* in die Präsentation eine konstitutive Nicht-Präsenz eingeführt wird. Diese Nicht-Präsenz, weil *konstitutiv*, bedingt zwar die Präsenz, «spaltet»[70] diese aber *a priori* (Derrida). Obwohl die Apodiktizität der phänomenologisch-transzendentalen Erfahrung wegen der Apriorität dieser «Spaltung» Derrida zufolge nicht gefährdet ist, wird die semiologische Bestimmung

---

[66] E. Husserl, Cartesianische Meditationen. § 60, Hamburg 1977, 142.
[67] St./Phän., a.a.O. 54.
[68] E. Husserl, Vorlesungen zur Phänomenologie des inneren Zeitbewußtseins, Tübingen 1980 (1928).
[69] Cart. Med. 91ff.
[70] St./Phän. 55.

dieser gewiß schwierigen These nicht unerhebliche Modifikationen zutage fördern.

In unserem Exkurs zu Husserls Zeichenlehre hat dessen Auffassung bezüglich des Verhältnisses von Sprache/Wort/Zeichen zu der «Bedeutung» auf das Faktum aufmerksam gemacht, daß für Husserl in der Ausdrucksfunktion – dem deskriptiven Moment in der *Erlebniseinheit* von signans und signatum – eine Teleologie zum Tragen kommt, welche die *Logizität* als Normalfall der Sprache betrachtet.[71] Die Sprache erscheint als Synthesis von «Leben» und «Idealität» (und somit als Komplement der Idealität des transzendentalen Lebens). Die Idealität als das «rein Logische» beansprucht die Dignität einer Norm, die sich in *der* Sprache realisiert. Die Sprache ist Ausdruck einer Lebendigkeit[72], die Husserl «transzendentales Leben» nennt – repräsentiert im Theorem des Bewußtseins als Möglichkeit der Selbst-präsenz des Präsenten im lebendigen Präsens. Diese Präsenz spricht sich phänomenal in jenem Element der Signifikation aus, das die Idealität als lebendige Unmittelbarkeit in der «phonè», der «Spiritualität des Atems»[73] bzw. der Stimme erfahrbar zu machen beansprucht. Der Begriff des Lebens ist bekanntlich in der Philosophie Husserls jene zentrale Kategorie, welche die *Differenz* der durch jeweilige «epochè» (Einklammerung der Seinsgeltung) freigelegten Sphären der reinen *Psychologie* zur reinen *Phänomenologie* ermöglicht (Ideen zu einer reinen Phänomenologie und phänomenologischen Philosophie, § 53 und § 54). Husserl bezeichnet letztere als eine «neuartige unendliche Seinssphäre»[74], die, wie die reine Psychologie, den apperzipierten Gegenstand in seiner eidetischen Charakteristik wahrnimmt. Weil sie sich in der Bewegung der re-flectio aber dem apperzeptierenden Bewußtsein *als solchem* zuwendet, findet die *reine* Phänomenologie dann auch jene «Zuständlichkeitsapperzeption eines absoluten Erlebnisses»[75] vor, welche die Differenz zu der reinen Psychologie kennzeichnet.

Diese Differenz, die *zunächst* eine Differenz *zur* reinen Psychologie ist, beschreibt Derrida als «die Möglichkeit der Freiheit selbst. *Funda-*

---

[71] Husserl redet in den Logischen Untersuchungen dann auch von dem «reinlogisch Grammatischen» (II/1, 57) als dem logischen Apriori der Sprache.
[72] Für K. O. Apel ist der Tod als Leibapriori der Endlichkeit eine ideale faktisch-psychologische Bedingung der Möglichkeit von Ideen-Erkenntnis, so daß in seiner Interpretation der Semiotik die Sprache als transzendentales Kommunikationsapriori an der Spiegelgestalt des Todes, der Lebendigkeit als «context of discovery» partizipiert. (K. O. Apel, Ist der Tod eine Bedingung der Möglichkeit von Bedeutung? In: Vernünftiges Denken. Studien zur praktischen Philosophie und Wissenschaftstheorie, Festschrift W. Kamlah, (Hg.) J. Mittelstraß/M. Riedel, Berlin/New York 1978, 467–499.
[73] St./Phän. 59.
[74] Cart. Med. § 12. Idee einer transzendentalen Erkenntnisbegründung, 29.
[75] Ideen, a.a.O. 104.

*mentale Differenz* also, ohne die keine andere Differenz der Welt *als solche* irgend Sinn noch Erscheinungsmöglichkeit hätte.»[76] Die Parallelität *und* Differenz von reiner Psychologie und reiner Phänomenologie sollen die transzendental-semiologische Lektüre der Husserlschen Zeichenlehre vor Augen führen.

Was Derrida also bezweifelt, ist *nicht* Husserls Versuch, eine transzendentale Sphäre idealer Logizität zu thematisieren, als vielmehr dessen Auffassung, sie ohne die *wesentlich anzeigende Funktion* des sprachlichen Zeichens in einem direkten Zugang zu der «Bedeutung» des Ausdrucks einzuholen.

Den Grund dazu aber – und dieses ist die Originalität einer Kritik, die sich weit entfernt von einem sprachanalytischen Sinnlosigkeitsverdacht – sieht Derrida darin, daß die Sprache selber die Existenz jener Transzendentalität im wahrsten Sinne des Wortes *anzeigt*.

Das, was diese Transzendentalität von der reinen Psychologie trennt, nennt Derrida ein «supplementäres Nichts»[77] (Differenz). Die Entgegensetzung von psychologischem Ich und transzendentalem Ego in der transzendentalen re-flectio, die Thematisierung dieses transzendentalen Ego, das «als solches» um sich weiß, lebt (!) von dieser Differenz, welche die Idealität der Bedeutungen konstituiert und das transzendentale Ich aus der Dimension psychologischer Beschreibbarkeit entfernt. Die Inkommensurabilität der Sprache gegenüber dieser «transzendentalen Operation» erblickt Derrida darin, daß die Sprache selber der Ort der Ent-faltung dieser Differenz ist. Die bedeutungskonstitutive Figur des «Intervalls» und der «Leere» der immanenten Zeichenrelationierung von de Saussure über Hjelmslev bis zu Merleau-Ponty deutet dies an. Die Sprache kann deshalb diese Entfaltung ihrerseits *nicht* adäquat thematisieren. Diese Entfaltung muß trotzdem sprachimmanent rekonstruiert werden, sonst fiele sie dem semantischen Sinnlosigkeitsverdacht des späten Wittgenstein anheim.

Die Sprache ist letztendlich deshalb unzureichend, weil sie selber, wie die Glossematik Hjelmslevs zeigte, ein System reiner Differenzen ist und sie deshalb die Analogizität von reiner Psychologie und transzendentalem Ich zerstört. Sie selber ist der Ort der in der «re-flectio» (in der reinen Apperzeption *als solcher*) indizierten Differenz. «Die Sprache hütet die Differenz, die die Sprache hütet.»[78] Sie wäre zumindest das «ursprüngliche» Modell der Struktur der Selbstreflexion. Deshalb entsteht nun das

---

[76] St./Phän. 61.    [77] St./Phän. 63.    [78] St./Phän. 64.

Problem, daß die unter der Obhut des Bewußtseins stehende Präsenz der Idealität der Gegenstände im sprachlichen Ausdruck der Meinungsakte in die Nicht-Präsenz bzw. in die (reine) Differenz der Zeichen und der Sprache gerät. Die Idealität kollidiert mit dem, was sprachtheoretisch «Aufschub des Signifikats» bzw. *Verspätung* des Signifikats gegenüber dem Signifikantennetz genannt wird. Philosophisch wird dieses Problem seit Schelling als «Mangel an Sein» bezeichnet. Für Derrida ist die Verbindung von logos und phonè der mißlungene Versuch der Stabilisierung dieser Verschiebung in der zu restituierenden Präsenz. Im Zeichenbegriff diagnostiziert Derrida deshalb eine «Ansteckung» der logischen Reinheit der Bedeutung als Möglichkeitsbedingung der Präsenz des logos, weil – wie Husserl selber zugibt – «das Bedeuten – in mitteilender Rede – *allzeit* mit einem Verhältnis jenes Anzeichenseins verflochten ist.»[79]

Obwohl die Rigorosität der Unterscheidung von Ausdruck und Anzeichen bekanntlich bei Husserl dadurch nicht in Frage gestellt ist, muß für Derrida der *Rechtsgrund* dieser Unterscheidung *in der Sprache selbst* gesucht werden.

«Da diese Verunreinigung sich in der tatsächlich stattfindenden Mitteilung ständig wiederherstellt ... ist es die kommunikationslose Sprache (langage), der monologische Diskurs, die im «einsamen Seelenleben» lautlose Stimme, in denen die vom Ausdruck unzersetzte Reinheit aufgespürt werden kann. Auf eigentümlich paradoxe Weise vermag das Bedeuten einzig dann die gesammelte Reinheit seiner Ausdrücklichkeit (expressivité) zu isolieren, wenn seine Beziehung zu einem bestimmten Außen suspendiert ist, freilich zu einem bestimmten Außen, denn diese Reduktion wird die Beziehung zum Gegenstand niemals tilgen, sondern diesen in der reinen Ausdrücklichkeit vielmehr enthüllen: das Vermeinen einer objektiven Idealität, die der Bedeutungsintention Genüge leistet.»[80]

Ihre Paradoxie ist aber das eigentümliche Vorhaben der Phänomenologie, nämlich in einer durch «Einklammerung» bedingten Erschlossenheit eines in sich geschlossenen, idealen Seinszusammenhangs, im Akt der transzendentalen Vernichtung der «natürlichen» Eingestelltheit, jene *Intentionalität* zutage zu fördern, welche die Absolutheit des Bewußtseins, seine «proximité à soi» als *gegen*wärtigendes *Vergegen*ständlichen dokumentiert. Husserl nennt diese Intentionalität auch «Ich-Blick *auf* etwas»[81] und «im geistigen Auge haben.»[82]

---

[79] E. Husserl, Log. Unt. II/1, 24.
[80] St./Phän. 74.     [81] Ideen, § 37, 65.     [82] Ebd.

Was Derrida vermutet, ist also zugleich die formale Unmöglichkeit der Argumentationsfigur *und* des in ihr vorhandenen Sachverhalts *wie auch* die Unterordnung des Zeichenproblems unter die Wahrheitsfrage. Umgekehrt wäre in seinem Sinne nach der Priorität der Zeichenfunktion und ihrer Bedeutungskonstitutivität zu fragen. Der Grund der Ausblendung der Funktion des Anzeichens wäre demnach präziser zu bestimmen und die irreduzible Verflechtung von Anzeichen und Ausdruck nachzuweisen.

Die Argumentation Derridas wird nun sehr diffizil. Er weist darauf hin, daß Husserl in seinen Erläuterungen zum Zeichenbegriff die Motivierung (s.o.), die zwei Urteilsakte im «weil»[83] zu einer Einheit führt, als eine ideale Gesetzmäßigkeit bestimmt hat. Deren *Form* hat er als die überempirische Allgemeinheit des Urteils über das hic et nunc des Urteilsaktes hinaus attestiert. Für Derrida impliziert das aber, daß im Gegensatz zu der apodiktisch-evidenten Struktur der Idealität des objektiven Inhaltes die ideal-objektiven Akte der Motivation der nicht-evidenten, weil kontingent-empirischen (arbiträren, motivierten) Struktur der Anzeige, worin sich die Form *äußert*, zugehören müssen. Eine Feststellung, welche die radikale Trennung von Anzeige- und Begründungszusammenhang bei Husserl verdeutlicht (Husserl markiert sie als Unterschied von *Hinweis* und *Beweis*[84]). Die Aktualität des psychischen Erlebnisses partizipiert in dieser Perspektive, auch noch in der idealen Ordnung der Bedeutung, an den Verkettungen der Anzeige, die Husserl allerdings in den Bereich der Äußerlichkeit abdrängt. Dieser muß wegen seiner mundanen Verfaßtheit den Reduktionen des transzendentalen Aktes der epochè anheimfallen.

Derrida versucht nun nachzuweisen, daß die «Spaltung» (écart) nicht nur in der Gegenüberstellung von Ausdruck und Anzeichen, sondern *im* Ausdruck, im bedeutsamen Zeichen selber offenkundig wird. Im Ausdruck, in der Rede, die für Husserl nicht *tatsächlich* stattfinden muß, konspirieren für Husserl Bedeutung und Zeichen so, daß die Ent-Äußerung des Aus-drucks das Bedeuten als «Außen-sein» des idealen Gegenstandes ist. Währenddessen spielt sich dieses Bedeuten, weil es nicht auf innerweltliche Artikulation angewiesen ist, *im* Bewußtsein ab.[85]

Mit anderen Worten, die Objektivitätsrelation ist bei Husserl in einer «vor-ausdrücklichen» Intentionalität fundiert, die den *Sinn meint* und erst im *Ausdruck zum Bedeuten* kommt: «Die Schicht des Ausdrucks ist nicht

---

[83] «Weil» der aktuelle Bestand da ist, supponiert man in der *Anzeige* den nicht-aktuellen Bestand.
[84] Log. Unt. II/1, 25ff.
[85] In den *Ideen zu einer reinen Phänomenologie und phänomenologischen Philosophie* wird diese «Intrinsität» als «noetisch-noematische Einheit des Bewußtseins» behandelt, Kap. 3, 179–201.

produktiv. Ihre Produktivität, ihre noematische Leistung, erschöpft sich im Ausdrücken und der mit diesem neu hereinkommenden *Form* des Begrifflichen.»[86]

In dieser Form des Begrifflichen wird die Geistigkeit des Ausdrucks als bewußte Intention deutlich, denn Ausdrücke sind «im Bewußtsein des sich Äußernden mit den geäußerten Erlebnissen phänomenal eins.»[87] Derrida dagegen erblickt hierin eine voluntaristisch motivierte Komponente in der Argumentation Husserls, einen «Willen zur Wahrheit» (Foucault), der den Diskurs Husserl nun bestimmt: «Beim Ausdruck aber ist die Intention absolut absichtlich, da er eine *Stimme* belebt, die gänzlich innerlich bleiben kann, und das Ausgedrückte eine Bedeutung, d.h. eine nicht-innerweltliche Idealität ist.»[88]

Die «Stimme» ist dann jenes Medium, welches das Instrument dieser Motivation darstellt. Während Derrida die Tatsächlichkeit des Diskurses, genauso wie Husserl, mit dem Bereich der Assoziation in der Zeichenrelation verbindet, liiert er die Sphäre der Intentionalität und der Idealität bei Husserl mit der Schicht des *Willentlichen*: «Der Sinn *will* sich bezeichnen, und er drückt sich nur in einem sagen-wollenden Be-deuten aus, das ein Sich-selbst-sagen-Wollen der Präsenz des Sinns ist.»[89] Um diesen Verdacht zu erhärten, muß Derrida nun seine Argumentation *insofern* nach innen verlegen, als er das konkrete Funktionieren der Bezeichnungsarbeit nun seinerseits rekonstruieren muß.

Die mundane Einschreibung, zu welcher Husserl auch das Mienenspiel und die Geste als Ausdruck (!) rechnet, steht der transzendentalen, idealen «Aus-schreibung» als gewolltem Ausdruck der Bedeutung entgegen: erstere sind für ihn geradezu bedeutungslos.[90] Das Gesten- und Mienenspiel ist Derrida zufolge für Husserl *deshalb* bedeutungslos, weil sie als *unwillkürliche* Begleiterscheinungen des Ausdrucks nichts ausdrücken *wollen* und somit dem Telos der Sprache als Äußerung der reinen Bedeutung widersprechen. Wenn aber diese «unbedeutenden» Gesten, obwohl auch ihnen kaum eine Motiviertheit zuzusprechen ist, für Husserl der Ausdrucksleistung *im Grunde* fernbleiben, dann drängt sich für Derrida die Vermutung auf, daß geradezu umgekehrt es die Irreduzibilität der Anzeige ist, die *fundamental* ist. *Insofern* ist ihr Gegenteil, die «restlose» Idealität des Ausdrucks, bloß motiviert und gewollt.

---

[86] Ideen, 258.
[87] Log. Unt. II/1, 31.          [88] St./Phän. 86.
[89] St./Phän. 87.          [90] Log. Unt. II/1, 31.

Derrida erinnert daran, daß die Rede ein beträchtlicheres Maß an Nicht-Ausdrückbarem enthält als die nicht-diskursiven Zeichen wie Geste und Mienenspiel. In dem Abschnitt 7 der *Logischen Untersuchungen* mit der Überschrift «Die Ausdrücke in kommunikativer Funktion»[91] rechnet Husserl diese als Mitteilung oder Kundgabe zu dem Bereich der Anzeichen. Er garantiert *dadurch* die Reinheit und Logizität der Bedeutung, daß er die kommunikative Form hier suspendiert. «Es ist der große Unterschied zwischen dem wirklichen Erfassen eines Seins in adäquater Anschauung und dem vermeintlichen Erfassen eines solchen auf Grund einer anschaulichen, aber inadäquaten Vorstellung. Im ersteren Falle erlebtes, in letzterem Falle supponiertes Sein, dem Wahrheit überhaupt nicht entspricht.»[92]

Gerade die Un-durchsichtigkeit, die Nicht-Transparenz des Anschaulichen als verunreinigende Körperlichkeit der Kommunikation, wozu die Mitteilung *jeden* Ausdruck in ihrer anzeigenden Verfahrensweise zwingt[93], macht für Derrida die *Nicht-Präsenz* der bei-sich-seienden Intention reiner Geistigkeit aus. Sogar in den *Cartesianischen Meditationen*, wo Husserl die analogische Appräsentation des Anderen und dessen nur mittelbar zugängliche Intentionalität, also die Domäne der Intersubjektivität thematisiert, sind die Anklänge an diese Aporetik unmißverständlich.

«Jede Erfahrung ist angelegt auf weitere, die appräsentierten Horizonte erfüllend-bestätigende Erfahrungen, sie beschließen potentiell bewährbare Synthesen einstimmiger Forterfahrung, sie beschließen sie in Form *unanschaulicher Antizipation*. Hinsichtlich der Fremderfahrung ist es klar, daß ihr erfüllend bewährender Fortgang nur durch synthetisch einstimmig verlaufende neue Appräsentationen erfolgen kann und durch die Art, wie diese ihre Seinsgeltung *dem Motivationszusammenhang* mit den beständig zugehörigen, aber wechselnden eigentlichen Präsentationen verdanken.»[94]

Das Telos der Fremderfahrung liegt in der unanschaulichen Präsenz. Husserl nennt sie, im Gegensatz zu ihrer Gegenwärtigkeit in der Selbsterfahrung, *Antizipation*. Durch die Anknüpfung an die *Motivationsstruktur*

---

[91] Log. Unt. II/1, 32–35 («daß alle Ausdrücke in der kommunikativen Rede als Anzeichen fungieren».)

[92] Ebd. 34–35.

[93] «Was den geistigen Verkehr allererst möglich und die verbindende Rede zur Rede macht, liegt in dieser durch die physische Seite der Rede vermittelten Korrelation zwischen den zusammengehörigen physischen und psychischen Erlebnissen der miteinander verkehrenden Personen.» (Ebd. 33).

[94] Cartes. Medit. 117 (Hervorhebung von mir, J.-P. Wils).

der Präsentation aber stellt sich die Konnotation mit der «Anzeige»[95] wieder her. Gleichzeitig mit dem Anheben der kommunikativen Funktion, die in das «Exil des Anzeichens»[96] führt, wird der Ausdruck verunreinigt. Seine Nicht-Präsenz in der Anzeige als motiviertem (in der Psyche) Bezug der internen Zeichenrelation (die *als* Relation zweier Relata, des Signifikanten und des Signifikats, selbstverständlich unmotiviert im Sinne ihrer Arbitrarität sind) veranlaßt einen «Mortifikationsprozeß (Kränkung; J.-P. Wils) des Zeichens».[97] Der Ausdruck gehört für Husserl, aufgrund der angenommenen Differenz der *Bedeutung* des Ausdrucks zu dem *Ausdruck* der Bedeutung (letzterer ist in der Geltungsordnung nur das «Ausdrücklich-Sein der Bedeutung»), *eigentlich* in die Sphäre idealer Selbigkeit und Wiederholbarkeit.

In dem inneren Monolog des «einsamen Seelenlebens» fungieren die Worte zwar als «Hinzeigen»[98], wie Husserl sagt, nicht aber als Anzeigen, denn das «Hinzeigen» lenkt das Interesse von sich ab und auf den Sinn/die Bedeutung zu: die Worte sind nicht empirisch, da nur vorgestellt. «Die Nicht-Existenz des Wortes stört uns nicht. Aber sie interessiert uns auch nicht. Denn zur Funktion des Ausdrucks als Ausdruck kommt es darauf gar nicht an.»[99] Die Imagination des Wortes als Korrelat der «Wahrnehmung der idealen Bedeutung» macht das imaginierte Wort im eigentlichen Sinne überflüssig, da diese Imagination, als Form der Bedeutung, unmittelbar an deren Präsenz und Idealität teilhat. Sie ist, wie Derrida zutreffend bemerkt, «lebendiges Bewußtsein»[100], das die Vorstellung als *Noema*[101], als nicht-*reelle* Komponente, auffaßt. Indem de Saussure das Lautbild und nicht das tatsächliche Wort als Ausdruckswert des Signifikanten bezeichnete, machte er im Grunde dieselbe Unterscheidung. Im inneren bzw. transzendentalen Diskurs gibt es also nur Imagination und Repräsentation, der psychische Akt ist hier *unmittelbar erlebt* (die Grundbedingung der Rede von der Phänomenologie und der epochè der Realität in § 8). Die imaginäre Repräsentation als neutralisierende Vergegenwärtigung umschreibt Husserl dann auch folgendermaßen: «das Phantasieren überhaupt (ist) die Neutralitätsmodifikation der *setzenden Vergegenwärtigung.*»[102]

An dieser Stelle versucht Derrida, diese Distinktionen auf die Sprache zu beziehen. *Derrida bestimmt die Sprache als Einheit von Re-präsentation und Realität.* Die Unmöglichkeit eines bloß idiomatischen Zeichens und die

---

[95] Log. Unt. II/1, § 2.   [96] St./Phän. 94.   [97] Ebd.
[98] Log. Unt. II/1, 36.   [99] Ebd.   [100] St./Phän. 98.
[101] Ideen, § 102, 213–214.   [102] Ideen § 111, 224.

darin implizierte Notwendigkeit, die unmittelbare Abwesenheit des Signifikats in der Wiederholbarkeit des Signifikanten zu repräsentieren, um als Zeichen kommunikabel und bedeutend zu sein, verdeutlichen, daß die in der tatsächlichen Wiederholung («Iteration») gesicherte semantische Identität des Zeichens einerseits und seine Idealität bzw. seine Repräsentation qua Vorstellung andererseits als gleichursprünglich betrachtet werden müssen. Wenn aber, und dieses ist Derridas gewichtige Folgerung, die *faktische* Wiederholungsstruktur des Zeichens ursprünglich ist, dann wäre die «tatsächliche» Sprache ebenso imaginär, wie der imaginäre Diskurs der noetisch-noematischen Transzendentalität in Husserls Phänomenologie «tatsächlich» sein müßte. Die Tilgung der faktischen Zeichenrelation zugunsten der idealen Präsenz des Sinns/der Bedeutung wäre ihrerseits zu tilgen.

«Die Ursprünglichkeit und den nicht-abgeleiteten Charakter des Zeichens gegen die klassische Metaphysik ins Recht zu setzen, heißt folgerichtig, durch ein offensichtliches Paradox hindurch *den* Begriff des Zeichens zu tilgen, dessen ganze Geschichte und dessen ganzer Sinn dem Abenteuer einer Präsenzmetaphysik verhaftet sind.»[103]

Mit anderen Worten, das «Als» der Bedeutung im Sinne ihrer phänomenologischen Nicht-Mundanität ist erst in der zeitlich verfaßten, nicht bloß imaginierten Iteration sichergestellt. Die Konsequenz für die Vorstellung qua Präsentation ist dann diese, daß sie *als* Vorstellung, und das heißt eben *als* imaginierte und re-präsentierte – sonst besäße sie keinerlei Idealität –, daß sie *als* Vorstellung ihrerseits an der Wiederholung als Vergegenwärtigung (Zeitigungsbewegung) teilhat.[104] «Die Präsenz-der-Präsenz ist von der Wiederholung und nicht umgekehrt ableitbar.»[105] Die Wiederholung (Iteration) zeitigt die Idealität der Vorstellung somit in der Nichtpräsenz des Präsentierten. Sowohl das Signifikat als auch derjenige, der das Zeichen verwendet, sind *in ihrer bloßen Präsenz* für die *Idealität* des Signifikats geradezu unerheblich. Wie schon die Zeichenlehre Hegels verdeutlicht hat, ist die Anwesenheit der Sache (der Referenz, des Gegenstandes) des Signifikats in der die Idealität (Begrifflichkeit) des Signifikats ausmachenden «Arbeit der Signifikanten» unwichtig: der «Begriff» ist mit der Sache «fertig geworden» (s.o.).

Ohne zu übertreiben, könnte man sagen, daß die Wiederholung das in der bloßen Wahrnehmung «Gestellte» (Festgehaltene) wieder hervo*r*holt

---

[103] St./Phän. 105.
[104] Neben dem schon angedeuteten Problem der analogischen Appräsentation.
[105] St./Phän. 106.

und es zur Vorstellung des Wiederholenden (Apperzeption) macht. Gerade die *Wiederholbarkeit* des Zeichens impliziert demnach die *mögliche* Abwesenheit desjenigen, der sich der Iteration bedient. Sie deutet darauf hin, daß seine Gegenwart für die Idealität der Bedeutung nicht konstitutiv ist. An dieser Stelle amalgamieren die Transzendentalität und die Faktizität (ohne die «transzendentale» Faktizität bzw. Endlichkeit der Iteration des Anzeichens keine Transzendentalität des «Als» der Bedeutung), die Epistemologie und die Anthropologie, weil ohne die Transzendentalität der Bedeutung kein *Bezug* zum «Ende» des Menschen vorliegen könnte.

Die bestürzende Schlußfolgerung Derridas ist die, daß hinter dem Sein als Präsenz und als Idealität die Wiederholbarkeit als die Beziehung zu meinem Tode steht (cfr. Apel, a.a.O.)[106] und der Tod bzw. die Endlichkeit zu der Bedingung der Möglichkeit der Idealität wird.

«Die Möglichkeitsbedingung des Zeichens ist eben dieser Bezug zum Tod... Wenn die Möglichkeit meines Verlöschens in einer bestimmten Weise (in der Weise der epochè der natürlichen Eingestelltheit; J.-P. Wils) erlebt werden muß, damit eine Beziehung zur Präsenz überhaupt sich einstellen kann, so ist die Behauptung nicht länger möglich, daß die Möglichkeit meiner absoluten Vergängnis (meines Todes) an mich herantritt, ein Ich bin überkommt und ein Subjekt modifiziert.»[107] Die Analogien zu Theoremen der Philosophie Heideggers lassen sich nicht übersehen: die Problematik der Wiederholung als Zuspitzung der Frage nach der Zeit, das «Sein zum Tode» und die Frage nach dem «Ende» des Menschen, nach der «Subjektivität» und dem «Humanismus». Derrida versteht dieses Verhältnis zum Tode jedoch nicht existential, sondern streng epistemologisch[108], auch wenn er die Differenzierungen im Zeichenbegriff auf den Akt des sprechenden Subjekts bezieht. Auch hier wird man die gleiche Bedingungshierarchie entdecken: «Nun muß aber die ursprüngliche Wiederholungsstruktur, deren Gültigkeit für das Zeichen wir nachgewiesen haben, die Gesamtheit der Bedeutungsakte bestimmen. Das Subjekt vermag nur dann zu sprechen, wenn es sich Repräsentation beimißt; diese ist deshalb kein bloßes Akzidens... Man kann daher ebensowenig einen tatsächlichen Diskurs ohne Selbstrepräsentation, wie eine Repräsentation des Diskurses ohne tatsächlichen Diskurs (die Repräsentation ist gebunden an die Verzeitlichungsbewegung der Wiederholung) sich vorstellen.»

---

[106] Anmerkung 71.    [107] St./Phän. 109.
[108] «Epistemologisch» wird hier unter Vorbehalt verwendet, da es für Derrida in die kritisierte Präsenzmetaphysik gehört.

Diskurs und Diskursrepräsentation sind somit für Derrida eine Einheit, denn «der Diskurs repräsentiert sich, er ist seine Repräsentation, ja, der Diskurs ist die Repräsentation seiner selbst.»[109]

Die Repräsentation, das Raster jeglicher Selbstbewußtseinstheorie, wird ebenso zu einer immanenten Struktur des Diskurses bzw. der Sprache, *wie* zu einer anthropologischen Ausstattung des Sprechenden. Solange die Präsenz der Selbstpräsenz, nicht nur im Diskurs, sondern auch im Bewußtsein, sich als Nicht-Präsenz des in der Wiederholung Repräsentierten erweist (und sowohl die Präsenz als auch die (virtuelle) Nicht-Präsenz (des Signifikats) sind hier phänomenal eins), werden der Augen-blick und die Metapher des Auges, wie schon bei Fichte[110], sich als Ausdruck der Aporetik dieser Situation hervortun und den Mangel wissender Transparenz *metaphorisch* kompensieren. Denn auch im Selbstbewußtsein liegt einerseits ein unmittelbares Wissen von sich vor (sonst wäre das Ich mit *sich* nicht vertraut und somit unidentisch), eine unmittelbare Präsenz (proximité à soi). Andererseits, weil im Sich-*wissen* das Sich als «Objekt-Subjekt» dieses Wissens distanziert ist, existiert hier eine (epistemologische) Nicht-Präsenz. Im Akt der Re-präsentation, in der Wiederholung der Nicht-Präsenz als Ausdruck der Distanz der Wissensrelation zu der Präsenz des Zielortes der Repräsentation, wird sich das Bewußtsein seines Selbst bewußt, ohne sich selbst, wegen der Zeitlichungsbewegung des Aktes der Repräsentation in der Wiederholung, im Wissen transparent zu sein.

In der Zeitvorstellung muß das Zeichenproblem sich demnach aufhellen. Derrida geht dann auch davon aus, daß die Selbstpräsenz des Bezeichneten (der Bedeutung) sich in die ungeteilte Einheit einer temporalen Präsenz, nämlich in das «Jetzt» oder in die Punktualität des Moments zurückziehen muß, in die Stütze jener von Heidegger[111] als vulgär apostrophierten Zeitlichkeit, um nicht in die Mittelbarkeit der Zeichenrelation zu fallen. Husserl selbst hebt dann auch hervor – trotz der Erkenntnis, daß der Zeitfluß (das Ablaufphänomen) eine untrennbare Kontinuität bildet –, «daß die Ablaufsmodi eines immanenten Zeitobjektes einen Anfang haben, sozusagen einen *Quellpunkt*. Es ist derjenige *Ablaufmodus, mit dem das immanente Objekt zu sein anfängt*. Es ist charakterisiert als *Jetzt*... Das aktuelle Jetzt ist notwendig und verbleibt ein Punktuelles, *eine verharrende Form* für immer neue Materie... Aber diese Jetzt-Auffas-

[109] St./Phän. 112.
[110] J. G. Fichte, Wissenschaftslehre 1801, Werke Bd. II, Berlin 1961, 1–164, 18.
[111] Dazu Kap. II.

sung ist gleichsam *der Kern* zu einem Kometenschweif von Retentionen, auf die früheren Jetztpunkte der Bewegung bezogen.»[112]

Gemäß der oben von uns entworfenen Dialektik von Präsenz und Nicht-Präsenz betont Derrida dann auch ausdrücklich, daß es philosophieimmanent keine Einwände gäbe gegen die Privilegierung der Jetzt-Präsenz in diesen Sätzen. Sie betonen jene Sicherheit und Evidenz, die ein Denken der Nicht-Präsenz *als* Grad des Unbewußten[113] am Bewußten abweisen müßte. Husserl lehnt dann auch die Temporalitätsstruktur ab, die mit dem Bewußtwerden eines Unbewußten verbunden ist.[114] Er lehnt aber die Temporalisationsstruktur, die gerade aus dem Zusammenschluß von Retentionen (in der primären Erinnerung) und Protentionen (in der Erwartung), also aus dem Eins-werden von Nicht- und Noch-nicht-Präsentem besteht, nicht als solche ab. Sie ist eine «nicht-aktuelle Präsenz»[115], wie Derrida sagt, in welcher sich die Wahrnehmung auf Gegebenheitsunterschiede bezieht, die in der Nicht-Wahrnehmung des Nicht-mehr- oder des Noch-nicht-Wahrgenommenen vorliegen. Die Diskrepanz zwischen der dadurch bedingten Auflösung jeglicher direkten Identität des Selbstbezugs der Wahrnehmung und der noch in den Präfixen der *Re*tention und der *Pro*tention festgehaltenen Forderung der Präsenz des wahrgenommenen und «bezogenen» Signifikats -für Derrida eine Tatsache, die eine Erschütterung des Ausdruckszeichens in seiner behaupteten Unmittelbarkeit impliziert –, wird offenkundig in folgendem zentralen Zitat aus den *Vorlesungen*. Anläßlich des Abschattungsphänomens im Kontinuitätsfluß sagt Husserl: «Aber *prinzipiell* ist keine Phase dieses Flusses auszubreiten in eine kontinuierliche Folge, also der Fluß so umgewandelt zu denken, daß diese Phase sich ausdehnte in *Identität mit sich* selbst. Ganz im Gegenteil finden wir prinzipiell notwendig einen Fluß *stetiger Veränderung*, und diese Veränderung hat das Absurde, daß sie genau so läuft, wie sie läuft und weder «schneller» noch «langsamer» laufen kann. Sodann fehlt hier *jedes* Objekt, das sich verändert; und sofern in jedem Vorgang «etwas» vorgeht, handelt es sich hier um keinen Vorgang. *Es ist nichts da, das sich verändert, und darum kann auch von etwas, das*

[112] E. Husserl, Vorlesungen zur Phänomenologie des inneren Zeitbewußtseins, Tübingen 1980 (1928), 389 und 391. Der mittlere Satz ist den «Ideen» § 81, 164, Tübingen 1980 (1913) entnommen.

[113] Derrida kommt, wenn man umgekehrt das Unbewußte als das Nicht-Präsente betont, Lacans Auffassung des Unbewußten sehr nahe.

[114] «Es ist eben ein Unding, von einem unbewußten Inhalt zu sprechen, der erst nachträglich bewußt würde. Bewußtsein ist notwendig *Bewußt*sein in *jeder* seiner Phasen... Retention eines unbewußten Inhaltes ist unmöglich.» (Vorlesungen, a.a.O., Beilage IX, 472–473).

[115] St./Phän. 120.

*dauert, sinnvoll keine Rede sein. Es ist also sinnlos, hier etwas finden zu wollen, was in einer Dauer sich einmal nicht verändert...* Wir können nicht anders sagen als: dieser Fluß ist nichts zeitlich Objektives . Es ist *die absolute Subjektivität* und hat die absoluten Eigenschaften eines im *Bilde* als *Fluß* zu Bezeichnenden, in einem Aktualitätspunkt, Urquellpunkt, *Jetzt* Entspringenden usw. Im Aktualitätserlebnis haben wir den Urquellpunkt und eine Kontinuität von Nachhallmomenten. *Für all das fehlen uns die Namen.*»[116]

Aus dieser Unruhe Husserls, ja aus dem Geständnis, eine nur in der Unmittelbarkeit des Ausdrucks aus-zu-drückende zeitlose Selbstidentität eines idealen Objekts wäre prinzipiell im *konstituierenden* Fluß der Zeit *nicht* möglich, folgert Derrida vorsichtig, daß die in der Retention und Protention sich zeigende Wiederholungsbewegung der zeitlichen Genesis des Objekts der Wahrnehmung als Struktur in einer der «Jetzt-Aktualität» vorgängigen Nicht-Präsenz wurzelt, in einer wesentlichen «Differänz».[117] Diese nicht unmittelbar bezeichnungsfähige (quasi-ontologische), vorkategoriale «Differänz», die nur «bildhaft» zu benennende Struktur der *absoluten* Subjektivität, wäre somit die «ontologische» Kehrseite der kategorialen Bewegung der Wiederholung, die sich ihrerseits als die Irreduzibilität der Funktion des Anzeichens erwiesen hat. Wahrheit im phänomenologischen Sinne würde somit auf der Endlichkeitsstruktur der Retention und der Zeitigungsbewegung überhaupt beruhen. Der Komplex der «Präsenz-Repräsentation-Selbstpräsenz», in der Tradition wesentlich verknüpft mit der «Zeit als Selbstaffektion»[118] (Kant) als Gitter der Selbstbewußtseinstheorie, wäre *logisch* liiert mit einer vorgängigen Nicht-Präsenz und Nicht-Identität: mit der «Differänz».

Für Derrida nun ist es das Phänomen der «Stimme» (phonè), das diese Unruhe im Diskurs Husserls zum Schweigen bringt, indem die Beziehung zum «Anderen in mir» (dem Nicht-Präsenten) im Medium der anzeigenden Mitteilung zugunsten der Ausdrucksschicht des Sinns/der Bedeutung ausgeschlossen wird. Husserls Zeichenlehre hatte dies hinreichend dokumentiert, die Probleme der von Husserl selbst in einem Zusammenhang damit gebrachten «Temporalisation» und «Appräsentation» hatten es noch bestärkt.[119]

---

[116] Ideen § 35 und § 36, Hervorhebung von mir, J.-P. Wils.
[117] Zu diesem Neologismus, siehe später.
[118] Dazu Kant (siehe Kapitel über die Subjektivitätsphilosophie).
[119] «So wie sich in meiner lebendigen Gegenwart, im Bereich der *inneren Wahrnehmung*, meine Vergangenheit konstituiert vermöge der in dieser Gegenwart auftretenden einstimmigen Erinnerungen, so kann sich in meiner primordialen Sphäre durch in ihr auftretende, vom Gehalt derselben motivierte

Mit anderen Worten: die Stimme bildet bei Husserl das Modell einer Instantaneität der Sinnschicht, die vorsemiotisch im «einsamen Seelenleben» die Lebendigkeit der idealen Bedeutung zum «Tönen» bringt. Der mögliche Diskurs im «einsamen Seelenleben» ist für Husserl darüber hinaus praktischer, axiologischer, wertgebender Art («das hast du schlecht gemacht»[120]), was nicht zuletzt die Ausweisung des theoretischen Kerns der Anzeige aus dem Bereich des theoretischen Ausdrucks beweist.[121]

Die Ausschließung der theoretischen zugunsten einer praktischen Struktur des innersten Kerns der Bewegung der Signifikation ist insofern aufschlußreich, als im «Idealismus» die theoretische Aporetik des Selbstbewußtseins (des Kerns der transzendentalen Argumentation) ebenfalls auf die Ebene der praktischen Philosophie verlagert wird. Der Versuch, die «Differänz» der *absoluten* Subjektivität praktisch zu überbrücken, ist demnach deshalb möglich, weil der normativen Rede prinzipiell und generell die Subjekt-Prädikat- und die Indikativ-Präsenz-Struktur fehlt. Dies ist unabhängig davon, daß Husserl das Subjekt explizit ohne Personalpronomen und somit objektiv verstanden haben wollte[122], weil die Identität von logischer Bedeutung und Ausdruck anders nicht gewahrt bleiben konnte.

Derrida macht darauf aufmerksam, daß in der «praktisch-axiologischwertgebenden» Sphäre der Signifikation, weil «Sein» hier weder eine begriffliche Allgemeinheit noch ein bloßes Denotat «ausdrückt», der *Sinn/die Bedeutung* von Sein und das *Wort* «Sein» irreduzibel eins sind. Die Einheit von Gedanke und Ausdruck in der «Stimme des Logos» ist deshalb besonders eklatant. Das Telos des integralen Ausdrucks[123] appelliert also sowohl an die Präsenz des objektiven Sinns als auch an die Selbst-Nähe des letzteren in der Innerlichkeit. Der integrale Ausdruck ist im Medium der Stimme als présence-à-soi unmittelbar eins. Die Stimme ist demnach für Derrida dasjenige Vermögen, das, der Bedeutung von «Phänomenologie» strukturell entsprechend, sowohl die intuitive Präsenz des «Objekts» als auch die aktuelle Selbst-Präsenz des «Erlebenden»

Appräsentationen in meinem Ego fremdes Ego konstituieren, also in Vergegenwärtigung in meiner eigenheitlichen Sphäre betrachtet, ist das zugehörige zentrierende Ich das eine identische Ich-selbst. *Zu allem Fremden aber gehört, solange es seines notwendig mitzugehörigen appräsentierten Konkretionshorizont innehält, ein appräsentiertes Ich, das ich selbst nicht bin, sondern mein Modifikat, anderes Ich».* (Cart. Meditationen, a.a.O. § 52, 118. Hervorhebung von mir, J.-P. Wils).
[120] Log. Unt. II/1, 36.     [121] Ebd. und 35.
[122] «Schon jeder Ausdruck, welcher ein Personalpronomen enthält, entbehrt eines objektiven Sinns.» (Log. Unt. II/1, 82).
[123] Ausdrücke sind «im Bewußtsein des sich Äußernden mit den geäußerten Erlebnissen phänomenal eins» (Log. Unt. II/1, 31).

garantiert.[124] «Zwischen dem Lautelement (im phänomenologischen Sinne und nicht im Sinne der Akustik) und dem Ausdruck-Sein, d. h. der Logizität eines belebten Signifikanten angesichts der idealen Präsenz einer Bedeutung» (die sich selbst auf ein Objekt bezieht), besteht nach Derrida ein notwendiges Verhältnis, «die erscheinende Transzendenz der Stimme ist an den Umstand gebunden, daß das Signifikat, das stets ideal ist, oder die *ausgedrückte* Bedeutung dem Ausdrucksakt unmittelbar präsent ist. Diese unmittelbare Präsenz wiederum rührt daher, daß sich der *phänomenologische* Körper der Signifikanten in dem Augenblick auszulöschen scheint, in dem er hervorgebracht wird. Er scheint von nun an dem Element der Idealität zuzugehören. Er reduziert sich phänomenologisch selbst und transformiert die opake Struktur seines Körpers in reine Durchsichtigkeit. Diese Tilgung des sinnlichen Körpers und seiner Äußerlichkeit ist für das Bewußtsein die eigentliche Form der unmittelbaren Präsenz des Signifikats.»[125]

Das Sich-sprechen-hören ist für Derrida eine Figur der Selbstaffektion par excéllence, die aufgrund der Interiorität (des Innen-seins) der Signifikate, sowohl die Fremdheit (die Appräsentation des alter ego) als auch die Temporalisation vermeiden zu können glaubt. Das Phonem oder die Stimme entpuppt sich dann auch als die «beherrschte Idealität des Phänomens»[126], als «disponible signifikante Substanz»[127].

In dieser phänomenalen Struktur sieht Derrida deshalb die «Subjektivität als das Für-sich der Philosophie» begründet. Die Reinheit der phonè als internes Moment des Selbstbewußtseins macht das Signum der kategorialen Universalität des Signifikats aus. Sie ist die Bedingung der Möglichkeit, daß die absolute Nähe des Signifikats und die Transparenz des Signifikanten auf dieses hin sich in der be-deutenden Einheit einer Intentionalität «vermeinen» können. «*Diese Universalität bedingt, daß strukturell kein Bewußtsein ohne die Stimme möglich ist. Die Stimme ist das Bei-sich-sein in der Form der Universalität, das Mit-Bewußtsein (conscience).*»[128]

Derrida leugnet also nicht die Möglichkeit der «Präsenz» als Bewußtseinsmodalität der Bedeutung (sonst wäre die «Stimme» nur eine «phänomenale» Täuschung, d. h. nicht phänomenal), als vielmehr die Selbstgenügsamkeit der Präsenz alleine. Er rekurriert deshalb auf die konstitutive

---

[124] Zu der Zusammengehörigkeit von Objektivität und Selbst-Nähe: M. Heidegger, Nietzsche Bd. II, Pfullingen 1961, vor allem «Die Metaphysik als Geschichte des Seins» (399–454) und «Entwürfe zur Geschichte des Seins als Metaphysik» (455–480).
[125] St./Phän. 133f.     [126] Ebd.
[127] St./Phän. 136.     [128] St./Phän. 127.

Bedeutung der Nicht-Präsenz als logische Modalität der Selbst-Affektion, auf die «différance» (Differänz, Aufschub).

Dem Aktualitätscharakter des Selbstbewußtseins entsprechend, nennt er die Selbst-Affektion «keine Erfahrungsmodalität, die ein bereits zuvor als Selbst (autos) verfaßtes Seiendes charakterisierte. Sie bringt das Selbst als Beziehung zu sich in der Differenz mit sich, das Selbst als das Nicht-Identische hervor.»[129].

Derrida erinnert in diesem Kontext zurecht an Heideggers Kant-Buch, wo dieser in Übereinstimmung mit der Argumentationsbewegung von «Sein und Zeit» die Selbst-Affektion in der Zeitlichkeit gründen ließ. Der Moment der Selbst-Affektion (das Jetzt als Quellpunkt der Zeitlichkeit) befindet sich demnach logisch und phänomenal in einer ihn zeitigenden Bewegung der «Differänz», die der Selbst-Affektion logisch und phänomenal *zuvorkommt* und innerhalb dieser Selbstaffektion, als Moment ihrer idealen Bedeutungsintentionalität, nicht aussagbar ist: sie wäre somit «transzendental». Husserl hatte für diese Absolutheit, die bei ihm auch «absolute Subjektivität» (s. o.) heißt, die Metapher der Urzeugung verwendet: «die Urimpression ist der absolute Anfang dieser Erzeugung, der Urquell, das, woraus alles andere stetig sich erzeugt. Sie selber aber wird nicht erzeugt, sie entsteht nicht als Erzeugtes, sondern durch *genesis spontanea*, sie ist *Urzeugung*.»[130]

Die absolute Spontaneität dieses *konstituierenden* Werdens zwingt das Selbst (der Subjektivität) dazu, anstelle der bloßen Selbigkeit der Identität stets *das Andere* seines Selbst zu sein, weil der absolute Anfang bzw. die Urzeugung nicht ihrerseits erzeugt sein kann in dem Selbst. In dieser Zeit-aporetik bündeln sich nicht nur Grundfragen des abendländischen Zeit-Denkens, sondern spiegelt sich das Scheitern einer «negativen Philosophie» (Schelling) als Reflexionsphilosophie angesichts der «Unvordenklichkeit des Seins». Die Temporalisation im Husserlschen Sinn muß demnach das Jetzt als Quellpunkt der «absoluten» Subjektivität *kategorial* epizentrieren. Derrida nennt diese Epizentrierung «retentionale Spur» oder «Urschrift» des Prozesses der Bedeutung (Signifikation). Die Intervall-struktur der Zeitigungsbewegung ist in dieser Metapher der *Schrift* enthal-ten und setzt die Struktur der «Verräumlichung» frei: «Das Sich-spre-chen-Hören meint nicht die in sich selbst verschlossene Innerlichkeit eines Innen, sondern vielmehr die in diesem Innen geschehende Öffnung

[129] St./Phän 140.
[130] Vorlesungen, a.a.O. 451.

das Auge und die Welt im Medium der Rede. Die phänomenologische Rede ist ein Schauplatz (scène).»[131]

Diese Öffnung der Präsenz durch die Bewegung der Nicht-Präsenz, das «Klaffen» der Differänz (Derrida schreibt bewußt Differänz, um auf ihren transzendentalen Status aufmerksam zu machen) nennt Derrida auch «Supplementarität» oder «Stellvertreter» für die ihrer selbst ermangelnde ursprüngliche Präsenz. Sie begründet metakategorial (und deshalb, wie Husserl selber sagt, nur bildhaft ausdrückbar) die Struktur des «Für etwas» des Zeichens überhaupt und des *Selbst*bewußtseins im besonderen: «wir wollen ferner zu bedenken geben, daß dieses Für-sich der Selbstpräsenz, das traditionell in der Dimension des Dativs als phänomenologische, reflexive oder präreflexive Selbstgebung gedacht wurde, erst in der Bewegung der Supplementarität als ursprüngliche Substitution in der Form des *für etwas*, d.h. ... *erst mit der Operation der Bezeichnung überhaupt ins Spiel gekommen ist.* So wäre das Für-sich-Sein ein Am-Platz-seiner-selbst-Sein: *für sich* statt selbst gesetzt sein. Hier wird die befremdliche Struktur des Supplements deutlich: eine Möglichkeit erzeugt aufschiebend das, wovon es heißt, daß sie sich diesem hinzufügt.»[132]

Somit wäre nicht der Ausdruck fundamental, sondern *zunächst* das Anzeichen, das von diesem Aufschub (seines Signifikats) gleichsam lebt. Die semiologische Lektüre Derridas, vor allem von einer entschieden philosophischen Ausdeutung der Theoreme de Saussures und Hjelmslevs inspiriert, hätte in einer quasi-paradoxalen Handlung, durch Umkehrung der Husserlschen Zeichenvalorisierung, *wesentliche* Aporien der Phänomenologie zu durchleuchten vermocht.

Zuletzt sei noch hingewiesen auf das Problem der «wesentlich okkasionellen» Ausdrücke. Es sind jene Ausdrücke, die, wie die Personalpronomen, ihre Bedeutung verändern, wenn sie durch eine objektive Begrifflichkeit substituiert werden. Der Okkasionalität ihrer Bestimmung entsprechend, ist ihre Charakterisierung als «Nullpunkt des subjektiven Ursprungs, das Ich, das Hier und Jetzt»[133] zutreffend. Für Husserl ist zum Beispiel der Ich-Begriff deshalb «okkasionell», weil er seine Bedeutung für hinreichend bestimmt hält in der «einsamen Rede»: der Umstand des Sprechenden wäre idealiter der entsprechende Umstand seiner Bestimmung.

---

[131] St./Phän. 144. Auf die Metapher des Auges, welche sowohl bei R. Barthes, M. Foucault, G. Bataille und J. Lacan eine zentrale Erklärungsfunktion hat, kommen wir in dem Kapitel «Subjektkonstitution und Ethik in der Tradition der Neuzeit» zu sprechen.
[132] St./Phän. 146.   [133] St./Phän. 153.

Im Gegensatz zu Husserl sind diese Ausdrücke für Derrida auch außerhalb ihrer jeweiligen *Präsenz*, noch in der Abwesenheit der lebendigen Intuition, verständlich.

«*Kann ich, wenn ich ich sage – und sei es in einsamer Rede –, meiner Aussage einen anderen Sinn verleihen als so, daß ich in ihr – wie auch sonst – die mögliche Absenz des Diskursgegenstandes, in diesem Fall also meiner Selbst, impliziere? Erlangt doch, wenn ich zu mir selbst «Ich bin» sage, dieser Ausdruck, wie – Husserl zufolge – alle Ausdrücke, nur dann den Status des Diskurses, wenn er angesichts der Absenz des Gegenstandes und der intuitiven Präsenz, in diesem Fall also meiner selbst, intelligibel ist. Eben dadurch wird das ego sum in der philosophischen Tradition heimisch und ein Diskurs über das transzendentale Ego möglich.*»[134]

Nachdem wir die konstitutive Funktion der «Absenz» in der Transzendentalität der Idealität semiologisch verfolgt haben und dabei die strukturelle Analogie zu dem Selbstbewußtseinsproblem immer wieder hervortrat, muß an dieser Stelle der «anthropologische» Kern der Argumentation hervorgehoben werden. Die Möglichkeit des Todes bzw. der radikalen Nicht-Intuition konstituiert die Bedeutung. Für Derrida ist sie sogar eine strukturelle Notwendigkeit für die Äußerung des Ichs[135] so wie allgemein die Aktualität einer Wahrnehmung nicht konstitutiv ist für den signifikanten Wert ihrer Aussage.

Anders dagegen bei Husserl, dessen Wahrheitskriterium der Evidenz und der Apodiktizität und dessen Verkennung der Wichtigkeit des Symbols[136] für Derrida eine Verschiebung des «Eidos» in das «Telos», der Sprache, in das Wissen darstellt. Das Präsent-Lebendige in der Fülle des Vermeinens eines sich-selbst-präsenten Selbstbewußtseins in der Repräsentation wäre demnach das Proprium der Metaphysik und der Phänomenologie zugleich.

Die Differänz als reine und vorgängige Differenz zur Idealität und Nicht-Idealität kommt jener objektiven Vernunft, die Husserl selbst «schrankenlos» nennt, und die dem Ideal der Erkennbarkeit an sich verpflichtet ist, noch *a priori* zuvor. Sie erweist noch ihre Pertinenz im Eingeständnis der Vergeblichkeit, die Modalitäten der «wesentlichen» Okkasionalität zugunsten des Ideals zu streichen.[137] Wie wir gesehen haben,

---

[134] St./Phän. 153f.
[135] «als ob das Ich von einem Unbekannten geschrieben wäre», Ebd. 155.
[136] Log. Unt. II/1, 44.
[137] «Man streiche die wesentlich okkasionellen Worte aus unserer Sprache und versuche irgendein subjektives Erlebnis in eindeutiger und objektiv fester Weise zu beschreiben. Jeder Versuch ist offenbar vergeblich.» (Log. Unt. II/1, 91).

kommt dadurch die Endlichkeit, ja die iterative Konstituiertheit jeglicher Idealität wieder ins Spiel. Für Heidegger wird im vorlaufend-*wiederholenden* Augenblick der Tod antizipiert und gelangt das Dasein in sein Eigentliches als «Ganz-sein-können». So ist es auch der Tod als Symbol der *Sedimentiertheit* des Zeichens als Graphem (und nicht als Phonem der Präsenz), der in der Iteration der Zeichenverwendung die Dialektik von Anwesenheit und Abwesenheit des Bezeichneten ausmacht und als Wiederholung die Korrelate der Intentionalität erst in die Möglichkeit ihrer Idealität versetzt. «Nur die Beziehung zu meinem Tod (ma mort) kann die unendliche Differänz der Präsenz erscheinen lassen. Zugleich wird diese Beziehung zu meinem Tod – im Hinblick auf die Idealität des positiv Unendlichen – zum Akzidenz der endlichen Empirizität. Das Erscheinen der unendlichen Differänz ist selbst unendlich. So wird die Differänz, die außerhalb dieser Beziehung nichts wäre, zur Endlichkeit des Lebens, des Lebens als wesentlicher Beziehung zu sich als zu seinem Tode. Die unendliche Differänz ist endlich. Dann freilich kann man sie nicht länger in der *Entgegensetzung* von Endlichkeit und Unendlichkeit, von Absenz und Präsenz, von Negation und Affirmation denken.»[138]

Dem Neologismus «Differänz» (différance) müssen an dieser Stelle noch einige Gedanken gewidmet werden.[139] Im Französischen ist der Unterschied zwischen a und e in différence/différance nicht hörbar. Diese Unhörbarkeit ist für Derrida jene nicht vernommene Differenz, die als Interpunktion, Intervall oder Opposition die bedeutungsgenetische Struktur des Zeichens ausmacht.[140]

Zugleich erinnert das französische «différer» sowohl an «Aufschiebung», «Verzögerung» im Sinne einer Temporalisation als auch in seiner gewöhnlichen Bedeutung von Anders-sein an eine Distanz bzw. an ein Verräumlichungsphänomen: an jene zwei Elemente, die in der Phänomenologie Husserls – in Derridas Interpretation – das Phänomenale erst ermöglichen und die erst in der Wiederholung «Bedeutung» im Sinne von Idealität konstituieren.

[138] St./Phän. 162.
[139] Die différance, in: Randgänge der Philosophie, a.a.O. 6–37.
[140] «Alles Vorausgehende läuft darauf hinaus, daß es in der Sprache nur Verschiedenheiten gibt. Mehr noch: eine Verschiedenheit setzt im allgemeinen positive Einzelglieder voraus, zwischen denen sie besteht; in der Sprache aber gibt es nur Verschiedenheiten ohne positive Einzelglieder. Ob man Bezeichnetes oder Bezeichnenden nimmt, die Sprache enthält weder Vorstellungen noch Laute, die gegenüber dem sprachlichen System präexistent wären, sondern nur begriffliche und lautliche Verschiedenheiten, die sich aus dem System ergeben. Was ein Zeichen an Vorstellung oder Lautmaterial enthält, ist weniger wichtig als das, was in Gestalt der anderen Zeichen um dieses herum gelagert ist.» (F. de Saussure, Grundfragen, a.a.O. 143ff.)

«Ein Intervall muß es von dem trennen, was es nicht ist, damit es es selbst sei, aber dieses Intervall, das es als Gegenwart konstituiert, muß gleichzeitig die Gegenwart in sich selbst trennen, und so mit der Gegenwart alles scheiden, was man von ihr her denken kann, das heißt, in unserer metaphysischen Sprache, jedes Seiende, besonders die Substanz oder das Subjekt.»[141] Die Differänz ist also, und das erklärt die eigentümliche Schreibweise, die reine Möglichkeit des (sprachlichen) Spiels der Differenzen als Ausdruck der Vorgängigkeit und der Nachträglichkeit der Bedingtheitsstruktur der Signifikation. «Die différance ist nicht … als stets differierende stellt die Spur sich nie als solche dar.»[142] In der Nähe zur ontisch-ontologischen Differenz Heideggers und zu der «räumlichen» Verschiebung bei Freud steht sie selber, als deren Bedingung, außerhalb des Begrifflichen: «Eine solche différance, älter noch als das Sein, hat keinen Namen in unserer Sprache. Aber wir wissen bereits, daß sie nicht nur vorläufig unnennbar ist, weil unsere Sprache diesen Namen noch nicht gefunden oder empfangen hätte, oder weil er in einer anderen Sprache, außerhalb des begrenzten Systems der unseren, gesucht werden müßte. Denn es gibt keinen Namen dafür, selbst nicht den der différance, die kein Name, die keine reine nominale Einheit ist und sich unaufhörlich in eine Kette von differierenden Substitutionen auflöst.»[143]

### Die Wissenschaft von der Schrift: die Grammatologie

Ausgehend von J.J. Rousseaus Diktum, die Schrift sei ein «Supplement» des gesprochenen Wortes, hat Derrida die historische und epistemologische Folgerichtigkeit dieser *Funktionalisierung* der Schrift als bloße Übersetzung oder Interpretation eines ursprünglichen, präsenten oder selbst der Interpretation entzogenen, gesprochenen Wortes verfolgt. Nachdem wir die phänomenologische Ausrichtung des Sinnes an der Lautsubstanz (der Stimme) bei Husserl untersucht haben, und Derrida ihre Zugehörigkeit als «Phonozentrismus» oder «Logozentrismus» aufgezeigt hat, soll nun die Rede von der «Schrift» gelten als symbolische Markierung der nicht-präsenten Verräumlichung und Verzeitlichung, die sich in dem Prozeß der Signifikation (s.o.) abspielt.

---

[141] Die différance, a.a.O. 19f.
[142] Ebd. 29/31.
[143] Ebd. 35.

«Die Exteriorität des Signifikanten ist die Exteriorität der Schrift im allgemeinen.»[144]

Ohne daß wir dieses an dieser Stelle im einzelnen nachweisen können, hat Derrida jene «phonozentrische»[145] Tradition rekonstruiert, die seit Platons Phaidros (278a)[146] eine kontinuierliche Herabsetzung der Schrift bzw. die Gegenüberstellung einer «pneumatologischen-hieratischen», natürlichen oder guten Schrift im metaphorischen Sinne und einer schlechten, künstlichen Schrift als Technik der Transposition betreibt. Die semiologische Lektüre der Phänomenologie wird in der «Grammatologie» traditionskritisch gewendet, um die «Schrift» als Signifikant eines Sinnes aus ihrer Abhängigkeit von einem präexistenten Signifikat zu lösen.

»Es muß ein transzendentales Signifikat geben, damit so etwas wie eine absolute und irreduzible Differenz zwischen Signifikat und Signifikant zustandekommt. (Und somit eine eindeutige Ontologie der Zeichenrelation; J.-P. Wils) Es ist kein Zufall, wenn das Denken des Seins als das Denken dieses transzendentalen Signifikats sich vornehmlich in der Stimme kundtut: das heißt in einer Wortsprache. In nächster Nähe zu sich selbst vernimmt sich die Stimme – womit zweifellos *das Gewissen* gemeint ist – als völlige Auslöschung des Signifikanten: sie ist reine Selbstaffektion, die notwendigerweise die Form der Zeit annimmt, die sich außerhalb ihrer selbst, in der Welt oder in der Realität, keines zusätzlichen Signifikanten, keiner ihrer eigenen Spontaneität fremden Ausdruckssubstanz bedient.»[147] Die vortheoretische, hermeneutische und vorsemiologische «Erschlossenheit» des Seins wäre demnach nur möglich unter Akzeptanz dieser Bedingung. Wie in der Spätphilosophie Heideggers wären es die hermeneutische Mächtigkeit und Autarkie des «Seins», die den Maßstab des Handelns dem Gewissen mitteilen würden.

---

[144] J. Derrida, Grammatologie, Frankfurt a.M. 1974 (De la Grammatologie, Paris 1967), 29. Derrida zitiert in diesem Zusammenhang aus Aristoteles' De Interpretatione I, 16a3 und Hegels Ästhetik («Diese ideelle Bewegung, in welcher sich durch ihr Klingen gleichsam die einfache Subjektivität, die Seele dem Körper äußert, faßt das Ohr ebenso theoretisch auf als das Auge Gestalt oder Farbe und läßt dadurch das Innere der Gegenstände für das Innere selbst werden.» (Bd. III, Einleitung, Werke Bd. 14, 256).

[145] «Die Stimme als Zentrum habend».

[146] «Daß, wenn Lysias oder irgendein anderer jemals geschrieben hat oder schreiben wird in besonderer Angelegenheit oder im öffentlichen, indem er Gesetze vorschlagend ein staatliches Schriftwerk verfaßt und er nun der Ansicht ist, es sei irgend große Zuverlässigkeit und Deutlichkeit darin – daß in diesem Fall – den Schreibenden ein Vorwurf treffe, möge es ihm jemand sagen oder nicht. Denn vom Gerechten und Ungerechten und vom Schlechten und Guten wachend und schlafend nichts zu wissen, das kann man doch nicht umhin für vorwurfsvoll zu halten.» (Platon, Sämtliche Werke, Berliner Ausgabe, Bd. II, 479.)

[147] Derrida, a.a.O. 38.

Wie wir sahen, werden auch in der Sprachtheorie de Saussures der Primat der Rede und die Auffassung der Deriviertheit der Schrift nicht hinterfragt: «Sprache und Schrift sind zwei verschiedene Systeme von Zeichen, das letztere besteht nur zu dem Zweck, uns das erstere zu (repräsentieren) darzustellen. Nicht die Verknüpfung von geschriebenem und gesprochenem Wort ist Gegenstand der Sprachwissenschaft, sondern nur das letztere, das gesprochene Wort allein ist ihr Objekt... In der Sprache gibt es also unabhängig von der Schrift eine Überlieferung, und diese ist zuverlässiger als die schriftliche. Aber die Geltung der geschriebenen Form läßt das leicht übersehen ... die Schrift maßt sich eine Bedeutung an, auf die sie kein Recht hat.»[148] Die Auffassung de Saussures, das Zeichen sei *die Einheit* von Vorstellung und Lautbild, von Signifikat und Signifikant, bestätigt diese Wertung, obwohl er wie keiner vor ihm den diakritischen Charakter des Zeichens betont hat. Entgegen de Saussures Auffassung hält Derrida den Arbitraritätscharakter des Zeichens für eine *allgemeine* Dekonstruktion der Einheit Signifikant/Signifikat, während de Saussure *innerhalb* der «natürlichen» Beziehung von phonè und Sinn im allgemeinen die Arbitrarität dem Verhältnis und der Relation der determinierten Signifikanten und Signifikate vorbehielt. Derrida dagegen hält schon die *Idee* der Vereinbarung (der Unmotiviertheit, der Arbitrarität), auf Grund der differentiellen und distributiven Strukturiertheit dieser «Willkür», für unvereinbar mit einer wie immer gearteten natürlichen Relationierung von Ausdruck und Sinn.

«Tatsächlich aber verweist der *graphische* Signifikant in der phonetisch genannten Schrift durch ein mehrdimensionales Netz auf das Phonem, das er wie jeden Signifikanten mit anderen geschriebenen und oralen Signifikanten in das Innere eines *totalen* Systems bindet, von dem wir sagen können, daß es für alle nur erdenklichen Sinnbesetzungen offensteht. Wir müssen von der Möglichkeit dieses totalen Systems ausgehen.»[149] Wenn der Begriff der «Schrift» für das Eingraviertsein in der Totalität dieses Systems steht, dann verändert sich die «Vereinbarung» der internen Zeichenrelation (der Verweisungsbezug von Signifikant und Signifikat) in eine vereinbarte *Spur*, die der Sinn (das Signifikat) hinterläßt als auf sich verweisendes «Derivat» in der komplexen Relationierung der Signifikanten. Derridas Interpretation verläßt dann auch an keiner Stelle den Rahmen dessen, was linguistisch verifizierbar ist. Wenn nämlich die

---

[148] F. de Saussure, Grundfragen der allgemeinen Sprachwissenschaft, Berlin 1967, 28.
[149] Grammatologie, Ebd. 80.

Anwesenheit von «Sinn» von der virtuellen Abwesenheit des Signifikats im Hier und Jetzt der signifikanten Kettenbildung «lebt» (und dieses vermochte die Zeichenlehre Hegels schon zu veranschaulichen), dann ist der Sinn nur in der Retention einer Verweisungsstruktur als «Spur» enthalten, die *als* Differenz im dia-kritischen Sinne den Spielraum der «Bedeutung»/ des «Sinns» eröffnet. Für Derrida ist die Spur nichts anderes als das Signum der Unmotiviertheit des «Sinns» im semiotischen Spiel der virtuellen Abwesenheit des transzendentalen Signifikats als Referenz der Bedeutung.

«Es gibt also keine Phänomenalität, welche das Zeichen oder den Repräsentanten reduziert, um schließlich das bezeichnete Ding im Glanz seiner Präsenz erstrahlen zu lassen. Das sogenannte 'Ding selbst' ist immer schon ein representamen, das der Einfältigkeit der intuitiven Evidenz entzogen ist. Das representamen kann nur funktionieren, indem es einen Interpretanten hervorbringt, welcher seinerseits zum Zeichen wird und so ad infinitum. Die Identität des Signifikats mit sich selbst verbirgt und verschiebt sich unaufhörlich. Das Eigentliche der representamen ist es, nicht eigentlich, das heißt vollkommen bei sich zu sein. Das Repräsentierte ist immer schon ein representamen.»[150]

Diese von Peirces Transformationen der Transzendentalphilosophie und von Morris' semiotischen Differenzierungen nicht unbeeinflußte Wendung vermag auch Heideggers Rede von der Verbergung und Entbergung der Seinsgeschichte semiotisch als philosophisches Interpretament der Verschiebung des Sinns zu erhellen. Für Derrida beinhaltet die «Spur» nicht zuletzt eine Dezentrierung einer konstituierenden Subjektivität, wodurch die Präsenz einer Onto-Theologie oder einer Metaphysik im Sinne Heideggers verunmöglicht wird.

Derridas Argumentation richtet sich aber nicht so sehr an dem Problem der «Vereinbarung» aus, sondern an der These des diakritischen und differentiellen Charakters des Zeichens als «Quelle des sprachlichen Werts».[151] Die «Differänz» ist somit im «*Grunde*» ein Riß in der Sprache. Sie ist als Bedingung der Möglichkeit der Signifikation den Funktionen des Zeichens, insoweit dieses «Repräsentation» und «Darstellung» ist, vorgängig. Sie spannt die Dichtheit der Relationen in die Kontingenz ihrer tatsächlichen Sinn-gebung aus. Derrida nennt sie auch «Urschrift».

---

[150] Grammatologie, Ebd. 86.
[151] Bezüglich der sprachlichen Signifikanten bemerkt de Saussure: «Seinem Wesen nach ist er keineswegs lautlich, er ist unkörperlich, er ist gebildet nicht durch seine stoffliche Substanz, sondern einzig durch die Verschiedenheiten, welche sein Lautbild von allen anderen trennen» (a.a.O. 142).

«Die Urschrift aber wäre in der Form und der Substanz nicht nur des graphischen, sondern auch des nicht-graphischen Ausdrucks am Werk. Sie soll nicht nur das Schema liefern, welches die Form mit jeder graphischen oder anderen Substanz verbindet, sondern auch die Bewegung der *signifunction*, die den Inhalt an einen – graphischen oder nicht-graphischen – Ausdruck bindet... Die Urschrift, Bewegung der Differenz (différence; J.-P. Wils), irreduzible Ursynthese, die in ein und derselben Möglichkeit zugleich die Temporalisation, das Verhältnis zum Anderen und die Sprache eröffnet, kann, insofern sie die Bedingung für jedes sprachliche System darstellt, nicht selbst ein Teil davon sein und kann ihm folglich nicht als ein Gegenstand einverleibt werden.»[152]

Derrida stellt die Rede von der Urschrift demnach ausdrücklich der transzendentalen Erfahrung zur Seite, weil sie jene «Nicht-Gegenwart» andeutet, die dem transzendentalen Leben (Husserl) «ursprünglich» zuerkannt werden muß. Im *internen* Spiel der Sprache stellt sie sich dar als die Bewegung der Formation der Form und als Abdruck (empreinte). Ohne die *markierende* zeitliche Erfahrung des Anderen als des Anderen des Selbst in der «Diskretion» der Signifikantenkette könnte der Sinn/die Bedeutung nicht erscheinen. Die Differänz ist demnach die transzendentale Zeitigung als Bewegung der Bedeutung in der Geschlossenheit des Netzes der Signifikanten. Ohne die reelle, nicht reale, aber «erlebte» Gestaltung des Lautbildes als von der «Differänz» geprägte Materialisation des Sinns würde auch der phonetisch, real vernommene Laut «stumm» bleiben, weil er sich in ein Universum opaker und somit bedeutungsloser Sonorität auflösen würde.

«In Wirklichkeit ist die Spur der absolute Ursprung des Sinns im allgemeinen; was aber bedeutet, daß es einen absoluten Ursprung des Sinns im allgemeinen nicht gibt. Die Spur ist die Differenz, in welcher das Erscheinen und die Bedeutung ihren Anfang nehmen. Als Artikulation des Lebendigen am Nicht-Lebendigen schlechthin, als Ursprung der Wiederholung, als Ursprung der Idealität ist die Spur so wenig ideal wie reell, intelligibel wie sinnlich, und so wenig transparente Bedeutung wie opake Energie... Unerhört bleibt die Differenz zwischen den erfüllten Einheiten der Stimme.»[153]

Für Derrida ist damit eine wesentliche *Passivität*, eine absolute Vergangenheit gegeben. Einerseits widersteht sie der Resorbierung in einer Präsenz. Andererseits fügt sie als Differenz und Verzögerung zwischen dem

---

[152] Derrida, a.a.O. 105.    [153] Ebd. 114.

Phonetischen (der erscheinenden Sinnlichkeit) und dem psychischen Eindruck (dem erlebten Erscheinen)/bzw. der idealen Signifikanz die temporalisierende Synthese ein, welche *die Wirkung* der Differenz in der Kette der Signifikanten ermöglicht. Weil die Rede von der «Vergangenheit» und mit ihr die Rede von der «Zeit», auch wenn sie als retentional-passive *Zeitlichkeit* verstanden wird, für Derrida noch zu sehr mit der Konnotation der Gegenwart befrachtet sind, durchstreicht er den Namen «Vergangenheit», ähnlich wie Heidegger in seiner Schrift an E. Jünger das «Sein» durchgestrichen hatte. Es bleibt nur übrig, diese Purifikation der Differenz als «Differieren» zu bezeichnen, so daß sie im eigentlichen Sinne jene Passivität nicht *ist*. Während letztere an die Verwurzelung der Rede (parole) in der *fundamentalen* Unbewußtheit der Sprache (langue) erinnert, ähnelt die «Differänz» den Leerstellen, Interpunktionen, Intervallen, kurzum der «toten» Zeit der Skandierung als conditio sine qua non der «Bedeutung».

Aus beiden Gründen muß die Wirkung der «Ur-schrift» oder der «Differänz» die Dislokation eines endlichen Subjekts als präsenter Identität angesichts der «absoluten Subjektivität» (Husserl) – des Ursprungs (der genesis spontanea) – evozieren. Diese Distanz zur Präsenz des Absoluten kann als Ort der sprachlich-signifikativen «Kompetenz» einer «endlichen Subjektivität» angesichts der Dichte der komplexen Relationierung der Signifikantenbildung und ihrer Welt verstanden werden. Denn Derrida hält sowohl an der Wiederholungs- und Zeitigungsstruktur des Idealen und des *Allgemeinen* fest – die Iteration ist «vor» der unmöglichen Präsenz des Idealen und des Allgemeinen deren Bedingung – als auch an der Besonderheit und Individualität des *jeweiligen Ortes des «Differierens»*. Er tut dies deshalb, weil beide Komponenten ohne ihre beiderseitige Schematisierung im strengsten Sinne des Wortes bedeutungslos werden würden. Weil aber diese «Schematisierung» stets nur ihre problematische, sprachliche *Vereinheitlichungsbewegung* darstellt, «insistieren» das Subjekt des Sprechens und sein Signifikat als Verzögerung angesichts einer «idealen» Präsenz.

*«Als Verhältnis des Subjekts zu seinem eigenen Tod ist dieses Werden gerade die Begründung der Subjektivität – auf alle Organisationsstufen des Lebens, das heißt der Ökonomie des Todes. Jedes Graphem ist seinem Wesen nach testamentarisch. Die eigentümliche Abwesenheit des Subjekts der Schrift ist auch die Abwesenheit der Sache oder des Referenten... Die Bedeutung bildet sich also nur in der Einbuchtung der Differenz\*: der Diskontinuität und der Diskretion, der Aufschiebung und der Zurückhaltung dessen, was nicht in Erscheinung tritt.»*[154]

[154] Ebd. 120ff.

Das Werden des Subjekts als das Werden der Bedeutung ist demnach *in der signifikanten Skandierung* der anwesenden Signifikantenketten durch die virtuelle Abwesenheit des unmittelbaren Signifikats (der Referenz der Intention) nichts anderes als die «Subjektivität» als die Bewegung eines «individuellen Allgemeinen» (Frank). Die Aufhebung dieses «Schematismus» führt dann in die Indifferenz eines bloßen Allgemeinen oder eines bloßen Besonderen. Der theologische Begriff für das Verschwinden dieser Differänz in die Präsenz einer erfüllten Identität ist «Gott», entweder verstanden als ontologische Allgemeinheit oder als personale Besonderheit, beide Male als infinite Aufhebung der «finiten» Nicht-Präsenz. Gerade die christliche Trinitätslehre dürfte als ein bedeutsamer Versuch verstanden werden, die theologische Begründbarkeit von «Subjektivität als Freiheit» im Sinne einer «Schematisierung» von ontologischer Allgemeinheit und personaler Besonderheit zu denken.

Am Ende dieser Überlegungen läßt sich das Gesagte, im Übergang zu Derridas Auseinandersetzung mit Lévinas' Ethik, auf eine ethische Schlußfolgerung beziehen.

Wenn es stimmt, daß «das Bewußtsein Erfahrung einer Selbstaffektion ist, *Erfahrung* der Selbstpräsenz des Subjekts im Gewissen oder im Gefühl»[155], dann müssen sich die Differenzierungen, die Derrida an dem Theorem der «Präsenz» bei Husserl vorgenommen hatte, auch in der «praktisch-axiologisch-wertgebenden» Sphäre (Husserl) bemerkbar machen. Der Ort der *Überbrückung* der «Differänz» in der Nicht-Präsenz des Selbstbewußtseins wird sich noch in der Thematisierung der Subjektivitätsphilosophie der Neuzeit genauer situieren lassen, hatte aber noch bei Husserl (s. o.) Züge einer «praktischen» Lösung angenommen. Er läßt sich auch von der «phänomenal» durchaus motivierbaren «Unmittelbarkeit» der Gewissenspräsenz her denken. Derrida insistiert aber auch hier auf genauere Unterscheidungen.

Ausgehend von einer Anekdote aus Lévi-Strauß' «Traurige Tropen», in der die tabuisierten Eigennamen verraten wurden, stellt Derrida der «Unmittelbarkeit» der Gewissenspräsenz einen «dreifachen Ursprung der Gewalt» gegenüber, und zwar ausgehend von dem Satz: «Was das Verbot (den Eigennamen preiszugeben; J.-P. Wils) entscheidend prägt, ist der Akt, der ausspricht, was als Eigenname fungiert. Diese Funktion ist aber das Bewußtsein selbst.»[156]. Der Eigenname fügt den Träger in eine verborgene Klassifikation und Zugehörigkeit ein: *in ein System sprachlich-sozialer*

---

[155] Ebd. 157f.    [156] Ebd. 196.

*Differenzen wird das Eigene des Selbst eingeschrieben.* Die Benennung als solche ist aber für Derrida ein Akt der Ur-gewalt, weil sie als Eigenname den «absoluten» Vokativ zugunsten einer «Prägnierung» oder «In-schrift» aufhebt, welche die vokative Selbstpräsenz dezentriert. Eine zweite «Gewalt» wäre dann die geltende «Moral» als die tabuisierende Legitimation der Diskretion der Eigennamen. Eine dritte, eigentliche Gewalt wäre die Bewegung einen Indiskretion, mit dem Zweck, «die Ur-gewalt zu offenbaren, die das Eigene seiner Eigentlichkeit und seiner Geeignetheit beraubt hat. Dritte Reflexionsgewalt …, welche die eingeborene Nicht-Identität, die Klassifizierung als Denaturierung des Eigenen und die Identität als abstraktes Moment des Begriffs bloßstellt»[157]

In dieser gegen Hegel gerichteten Wendung wird eine Ethik der «Schreibweise» (Barthes) bzw. eine Moral der «Differänz» als eine Moral «differierender Subjektivität» (der jeweiligen Applikation der Allgemeinheit der Regelgestalt) verfochten, die gerade die Unverfügbarkeit (Verborgenheit) des Sinns bzw. die Nicht-Reduzierbarkeit des Individuellen auf das Allgemeine in der Metapher der «Seins-differänz» als «Ur-gewalt» zu fassen versucht. Im Gegensatz zu Lévinas' Ethik, die den Ursprung des moralischen Bewußtseins in einer «prä-ontologischen» Domäne der Eigentlichkeit im Antlitz des Anderen situiert, geht Derrida davon aus, daß die Bewegung der Schrift als Differänz, Aufschub und Abwesenheit des Signifikats (und darin erst als Präsenz *des Anderen*), die Ethik erst strukturell ermöglicht. Die *Phänomenalität* des Ethischen, die an den Anderen appelliert, auch wenn dieser nur das Andere meines Selbst bzw. das andere Selbst in der Selbstverantwortung wäre, als auch die *Struktur* des «Sollens», die sich erst in einer vorgängigen Differenz bestimmt, scheinen diesen Gedanken Derridas zu bestätigen.

Gerade die Frage nach der gedanklichen Aufweisbarkeit der Phänomenalität des Ethischen muß an dieser «initialen» Verschiebung interessiert sein, weil ohne diese gewissermaßen «transzendentale Distanz», ohne diese fundamentale Nicht-Präsenz-bei-sich die Erfahrbarkeit[158] und die Phänomenalität des Ethischen als die Struktur der *Abwesenheit* des *Gesollten* nicht gewahrt werden kann. Es handelt sich also um einen *fundamentalen, transzendentalen Schnitt*: Lacan paraphrasierend könnte man sagen: «wäre das Sein nichts als Sein, gäbe es keinen Platz, um von Ethik zu

---

[157] Ebd. 197.
[158] Die Mitleidsethik Rousseaus erinnert an die Notwendigkeit einer Distanzerfahrung, weil man den Anderen zunächst als Gegenstand eines fundamentalen Bruches wahrnimmt.

reden». Über die konkrete, moralische Applikation ist damit noch nichts ausgesagt.

Mit anderen Worten: Ebenso wie der Sinn selbst im Gewebe der Signifikantenkette (Lacan) sich in das diskrete Intervall einer oppositiven, differentiellen oder diakritischen Strukturiertheit zurückzieht und deshalb gerade keine bloße Funktion oder ein schlichtes Denotat (Referenz) *eines* Signifikanten ist, sondern als Iteration des regelhaft Allgemeinen dessen wieder-geholte Ursprünglichkeit (Wiederholung ist keine Repetition) darstellt, ebenso ist das Ethische ohne *eine diskrete Distanz im Sein* nicht denkbar. Diese «Distanz» virtualisiert die Präsenz des Signifikats in dem seine Abwesenheit vertretenden Signifikanten und indiziert den Sinn erst als einen «Angestrebten» bzw. «Gesollten». Das Ethische ist somit, wie die Sprache, weder identisch mit der Regel der Vernunftallgemeinheit (*das Ethische setzt die Vernunft- oder Begriffsallgemeinheit – als seine Bestimmung (!) – gerade als Abwesenheit voraus*) noch mit der unvernünftigen Punktualität des bloß Individuellen, sondern ist die Spannung von Allgemeinheit und individueller Applikation, die gerade das Phänomen der Wiederholung ausmacht. Derridas Differänz ist die transzendentale Thematisierung dieses In-Differenz-sein von Allgemeinheit und Besonderheit.

*Ethik und Ontologie: J.Derridas*[159] *Kritik der Philosophie von E.Lévinas*[160]

Die Philosophie von E. Lévinas weist augenfällige Konvergenzen mit Themen des Denkens von Derrida auf: die fundamentale Ontologiekritik, die Rezeption und die Kritik der Philosophie Husserls (Lévinas was Student bei Husserl im WS 1928/29, zu der Zeit als Heidegger dort seine Tätigkeit aufnahm) und die dadurch bedingte phänomenologische Einstellung, nicht zuletzt der zentrale Begriff der «Spur» sind ihnen gemeinsam. Die Einheit dieser Philosophie konstituiert sich gewiß in ihrem ethischen Erkenntnisinteresse, das Derrida dann auch in seinem Essay zum Schwerpunkt seiner Kritik macht. Die Frage, ob die Ontologie fundamental ist, hängt für Lévinas mit der Frage zusammen, ob das Verstehen einer prim-

[159] J.Derrida, Gewalt und Metaphysik. Essay über das Denken. E. Lévinas. In: Die Schrift und die Differenz, a.a.O. 121–235.
[160] Der Kürze halber beziehen wir uns in unserem Exposé nicht auf das Hauptwerk «Totalité et infini. Essai sur l'extériorité» (The Hague, 1961) oder auf die für die Ethik zentralen Schriften wie «Humanisme de l'autre homme» (Montpellier 1972), sondern auf die in «En découvrant l'existence avec Husserl et Heidegger» (Paris 1982) veröffentlichten Beiträge, welche in deutscher Übersetzung vorliegen in «Die Spur des Anderen. Untersuchungen zur Phänomenologie und Sozialphilosophie» (München 1983). Vor allem: Ist die Ontologie fundamental? (103–119), Der Untergang der Vorstellung (120–140), Die Philosophie und die Idee des Unendlichen (185–209), Die Spur des Anderen (209–235).

ordialen Ordnung angehört. Kritisch lautet zugleich die Feststellung: «Die Wahrheit ist nicht, weil es den Menschen gibt. Es gibt die Menschheit, weil das Sein überhaupt von seiner Erschlossenheit unabtrennbar ist, weil es Wahrheit gibt, oder weil, wenn man so will, das Sein einsichtig ist.»[161]

Die unüberhörbare Kritik an Heideggers Hermeneutik seit «Sein und Zeit» bedingt eine Antwort, die ab ovo an einem ethischen «Sprachspiel» partizipiert. Im «Anderen» sieht Lévinas nämlich eine «Gründung» der Sprache, die früher ist als das Verstehen und keiner Vernunft «erschlossen» ist. Der «Andere» affiziert demnach nicht auf der Basis einer Begrifflichkeit, sondern aufgrund einer nicht interessenneutralen *Anrufung*: «Er ist seiend und gilt als solcher.»[162] Das Verstehen des «Anderen» ist deshalb *meta*- oder *vorkategorial*, weil es der sprechend-ausdrückenden Bewegung der Sprache nicht schon bereits in einer vorgängigen kategorialen Erschlossenheit *zuvorkommt*, sondern der komplexen Sprachwerdung streng *gleichzeitig* ist. Dagegen sieht Lévinas *generell* in dem «vorgängigen» Verstehen bzw. in der hermeneutischen Erschlossenheit des Selbst- und Fremdbezugs einen *Akt der Gewalt* und nicht nur ein (notwendiges) Vor-urteil zur weiteren Erschließung der Wirklichkeit des «Zu-verstehenden».

*Das Antlitz* dagegen ist für ihn ein ethisch-situativer Bezug unmittelbarer Art, in dem sich das Seiende als *solches* in der Ereignishaftigkeit einer Rede und eines Anspruchs offenbart. *Die Frage, wie sich ohne hermeneutische Erschlossenheit ein «Seiendes» als solches überhaupt zeigen kann, wird in der ethischen Ausrichtung der Frage überspielt.* Nicht ohne gewollte Provokation sagt Lévinas dann auch: «Es handelt sich vor allem darum, dem Menschen den Platz ausfindig zu machen, wo er aufhört, uns vom Horizont des Seins her anzugehen, d.h., sich unserem Können darzubieten... Was von ihm *dem Verstehen entgeht*, das ist er selbst, das Seiende.»[163]

Weil dieses Wesen dem begriffenen Bezug zum Sein «entkommen» ist, kann Lévinas von ihm behaupten, es könne der partiellen Verneinung als Subordination unter das Allgemeine des Begriffs entgehen. Seine Negation dagegen könnte dann nur noch *total* sein, nämlich als «Mord».

Der Andere wäre demnach ein «Loch im Horizont»[164] der Begriffsbildung und des Verstehens, dessen Begegnung im Antlitz des leidenden Anderen die Moralität jenseits ihrer begrifflichen Fassung erst freisetzt.

An dieser Stelle taucht aber schon eine erste Schwierigkeit auf, denn die unmittelbare Verschränkung eines logischen bzw. eines epistemologi-

---

[161] Ist die Ontologie fundamental? a.a.O. 105. Ebenfalls: «Das Sein verstehen heißt existieren.» (106).

[162] Ebd. 110f.    [163] Ebd. 115f.    [164] Ebd. 116.

schen Argumentes, das sich auf das begriffliche Verstehen bezieht und dieses als *Zugriff* auf das Verstandene versteht, mit einem ethischen Argument, ist eine Konnotation, die nichts anderes als eine *Metabasis eis allo genos* darstellt. Diese Konnotation ist darüber hinaus «prinzipiell», weil sie von Lévinas so intendiert und gewollt ist.

In der Rezeption Husserls betont er deshalb häufig jene Stellen, wie jene der «Temporalisation» und der «Appräsentation» des Anderen, die bei Derrida ebenfalls Gelenkstellen der Kritik sind. In der glänzenden Beschreibung der Phänomenologie in «Der Untergang der Vorstellung» betont er dann auch, «daß dieses Denken einem anonymen und dunklen Leben verpflichtet ist, abhängig von vergessenen Landschaften, die dem Gegenstand selbst, den das Denken in seiner Fülle zu besitzen scheint, zurückerstattet werden müssen.»[165] In einer mit Derrida durchaus kongruenten Weise resümiert Lévinas als Fazit seiner Phänomenologiekritik deren dialektisches Paradoxon: «das Sein wird nicht mehr als dem Denken korrelativ gesetzt, sondern als Grund des Denkens selbst, durch welches das Sein allerdings konstituiert wird.»[166]

Das Problem eines *im* Denken diskursiv zu konstituierenden Seins *vor* dem Denken, einer reflexiven *Rekonstruktion* eines dem Denken vorgängigen Signifikats *im* Denken, dieses Problem wird spätestens seit Schellings Spätphilosophie als «Seinsmangel» des Denkens erfahren. Das Entstehen der Phänomenologie, welche diese Aporie quasi-logisch in sich enthält, deutet sowohl für Derrida als auch für Lévinas auf das Ende einer Philosophie der Totalität hin und auf das Ende der Aktualität der Präsenz des transzendentalen Signifikats. Lévinas aber praktiziert ein dieses Denken verlassendes Philosophieren, ohne daß er, wie Derrida, den kritischen Anschluß an die Intentionen der «Transzendentalphilosophie» wieder sucht. In «Die Philosophie und die Idee des Unendlichen» nennt Lévinas den ethischen Aspekt hinter der Intention des «klassisch» philosophischen Denkens «Autonomie» und akzentuiert diese als «Reduktion des Anderen auf das Selbe» bzw. als «Verselbigung des Verschiedenen».[167]

Weil die Kritik *wesentlich* ethisch motiviert ist, fällt die nähere Kennzeichnung dieser Autonomie radikal aus: als «Sterben des Nicht-Ich in

---

[165] a.a.O. 130. Dazu auch Seite 135: «Diese Umwendung, die macht, daß das Sein den Akt begründet, der es entwirft, daß die Gegenwart des Aktes – seine Aktualität – sich in Vergangenheit verkehrt, daß aber sogleich das Sein des Objekts sich vollendet in der Einstellung, die ihm gilt, und daß die Vorgängigkeit des Seins aufs neue Herkunft wird – diese Umwendung, die macht, daß das menschliche Verhalten als ursprüngliches Erfahren statt als Ergebnis der Erfahrung verstanden wird, diese Umwendung, das ist die Phänomenologie selbst.»
[166] Ebd.          [167] a.a.O. 186f.

der Evidenz», als «Atheismus», als Liquidation der «haecceitas durch das Neutrum».

Einen Ausweg aus diesem Denken erblickt Lévinas dann auch in der Umkehrung der Struktur des klassischen ontologischen Gottesbeweises. Die Idee der Unendlichkeit enthüllt das «absolut Andere» ab-solvierend, weil im Denken der Idee des Unendlichen mehr gedacht wird, als das Ich denkt. In der Idee des Unendlichen hat sich nicht der *Begriff* des Unendlichen, weil er derjenige ist, über den größeres nicht hinaus gedacht werden kann, als der wirklichste ergeben, sondern die Idee des Unendlichen ist deshalb die des Absoluten, weil sich das Absolute darin schon immer selbst ab-solviert hat. In der Idee des Unendlichen erfährt der so Denkende demnach seine Ohnmacht, das Sein des Unendlichen zu denken. Der «Seins-Überschuß» im Denken der Idee des Unendlichen gegenüber diesem Denken konfrontiert das Denken generell mit seinem für Lévinas fundamentalen Seinsmangel. Schon die «Idee» dieses Unendlichen betrachtet er als «hineingelegt» und somit als der «Autonomie» gegenüber fremd. Auch an dieser Stelle wird das ethische Anliegen unmittelbar transparent, denn komplementär zu dieser «Autonomie» und der ihr sekundierenden Haltung des «Mords» wird die Ohnmacht angesichts der Idee des Unendlichen zugleich als «Tötungsverbot» in der sozialen Beziehung zum Anderen expliziert. Das Antlitz des Anderen offenbart in seiner Ohnmacht und ethischen Anspruchsgestalt die *Spur* des sich ab-solviert habenden Absoluten *unmittelbar*. Hier verdichtet sich Lévinas' Versuch einer vor-begrifflichen und vor-ontologischen Grundlegung der Ethik im Ab-soluten. «Der ethische Widerstand ist es, der die Dimension des Unendlichen selbst öffnet, den Bereich dessen, was dem unwiderstehlichen Imperialismus des Selbst und des Ich Einhalt tut... Wäre der im Antlitz lesbare Widerstand gegen den Mord nicht ethisch, sondern wirklich, so hätten wir Zugang zu einer sehr schwachen oder sehr starken Wirklichkeit.»[168] Entsprechend der «Absolvenz» des Unendlichen in der Idee konkretisiert sich das moralische Bewußtsein an dem Phänomen des Begehrens. «Es ist der Mangel im Sein, das vollständig ist und dem nichts mangelt.»[169] Dieser Mangel läßt es als fundamental unbefriedet erscheinen. Sowohl von der Bewegung des Unendlichen *vor* der Freiheit der Autonomie dynamisiert als auch beunruhigt und angezogen von der Spur des Gewesenseins des Absoluten *im* Anderen, erfährt es sich als eine «Höhlung», eine «Kontraktion», die nicht «enthüllt».

---

[168] Ebd. 199.  [169] Ebd. 202.

Auf die Frage, ob es ein Bedeuten gibt, das nicht auf die Verwandlung des Anderen in das «Selbst» hinausläuft, antwortet Lévinas deshalb mit einer phänomenologischen Umschreibung der «ethischen Handlung». In der Handlung überspringe das Ich seine eigene Zeit zu der Zeit des Anderen. Der Handelnde «zielt ab auf diese Welt ohne Ich, er intendiert eine Zeit jenseits des Horizontes seiner Zeit».[170] Ob Lévinas diese «Erfahrung» als Epiphanie, Heimsuchung oder Nacktheit des Antlitzes – «es handelt sich um die Infragestellung des Bewußtseins und nicht um ein Bewußtsein der Infragestellung»[171] – oder als nicht-kategorialisierbare Haltung charakterisiert, stets ist der Andere eine nicht bezeichnungsfähige, unvordenkliche Vergangenheit. Eine Spur ist er, die eher Fremdheit als Eigenheit enthält. Die personale Ordnung, die sich hier ausdrückt, nenne Lévinas im Gegensatz zu der «Ipseität» der selbst-bezogenen Denktradition der abgelehnten abendländischen Philosophie fast a-personal «Illeität». Die dritte Person sprengt die Ordnung des Bedeutens[172] und entreißt sich der Relation der Zeichengebung, die für Lévinas wenigstens auf die virtuelle Anwesenheit de Bezeichneten pocht: «Über das hinaus, was das Zeichen bezeichnet, ist es der Vorübergang dessen, *von dem das Zeichen stammt. Das Bedeuten der Spur tritt zur Bedeutung des Zeichens, das zum Zwecke der Mitteilung gesetzt wird, hinzu. Das Zeichen hält sich in dieser Spur... Die Spur als Spur führt nicht zur Vergangenheit, sondern ist *das Übergehen selbst* zu einer Vergangenheit, die entfernter ist als alle Vergangenheit und als alle Zukunft, welche noch zu meiner Zeit gehören, zur Vergangenheit des Anderen... Aber das Antlitz leuchtet in der Spur des Anderen: *was in ihr sich darbietet, ist auf dem Wege, sich von meinem Leben abzulösen, und sucht mich heim als ein solches, das schon absolviert ist. Jemand ist schon vorübergegangen.*»[173]

Es wäre nicht verfehlt, an dieser Stelle, *die überdeutlich die jüdisch-alttestamentliche Gotteserfahrung wiedergibt*, von einem semiologischen Begründungsversuch der Ethik zu sprechen. Die Kritik von Derrida, wie er sie in «Gewalt und Metaphysik»[174] vorgetragen hat, wollen wir auf zwei wesentliche Argumente reduzieren. Sie vermögen, wie wir meinen, zentrale Anliegen Lévinas, wenn nicht zu widerlegen, dann doch ernsthaft in Frage zu stellen.

---

[170] Die Spur des Anderen, a.a.O. 217.    [171] Ebd. 223.
[172] «In der Spur ist die Beziehung zwischen dem Bedeuteten und der Bedeutung nicht eine Korrelation, sondern die eigentliche Unrichtigkeit.» (228).
[173] Ebd. 231ff.    [174] s.o., Anmerkung 159.

Zurecht nennt Derrida die Absicht, die Ontologie und das Objektivitätsbewußtsein bzw. Vorstellungsbewußtsein zugunsten eines moralisch qualifizierten, vor-objektiven und insofern irreduziblen *Aktbewußtseins* aufzulösen, die Erstellung einer «Ethik der Ethik».[175] Nicht eine Theorie der Ethik, sondern eine ethische Haltung bestimmt dann die Destruktion einer *zuvor* ethisch zurechtgerückten Ontologie. Diese ethische Kritik fällt dann auch entsprechend dem für Lévinas ausgemachten Totalitätscharakter der Ontologie eben «total» aus und distanziert sich von jener seit Platon bestimmenden Tradition, die das Gute als eine Qualität des Wahren diskursiv zu präzisieren versucht. Bedenken ruft bei Derrida das Anliegen von Lévinas hervor, die in jeder Epistemologie enthaltene Distanz des Erkennenden gegenüber dem Erkannten, die «Exteriorität» zugunsten der unmittelbaren, positiven Fülle der Unendlichkeit des Anderen (des Antlitzes) zu negieren. Nicht nur, daß diese Negierung des «Raums» die für Derrida irreduzible Metapher der Sprache als Schrift (s. o.) zerstört und die Sprache in eine sprachlose, distanzlose Unmittelbarkeit der reinen Ursprünglichkeit aufhebt, sondern auch das Kreisen um die Idee des Unendlichen herum hält Derrida für verfehlt: «Das unendlich Andere wäre nicht, was es ist: anders –, wäre es positive Unendlichkeit und enthielte es nicht in sich *die Negativität des Un-bestimmten*, des ἄπειρον. *Unendlich anders*, ist das nicht in erster Linie *das, dem ich trotz einer endlosen Arbeit und Erfahrung nicht beikommen kann?* Kann man den Anderen *als* Anderen achten und gleichzeitig die Negativität, *die Arbeit an der Transzendenz* vertreiben, wie Lévinas es möchte? ... Von dem Augenblick an, wo man das Unendliche als *positive Fülle* zu denken sucht..., wird der Andere undenkbar, unmöglich und unaussagbar... Die metaphysische Transzendenz kann nicht zugleich Transzendenz zum Anderen als Tod und zum Anderen als Gott sein. Es sei denn, Gott hieße Tod, was nach alledem nur vom Ganzen der klassischen Philosophie, in der wir Gott als Leben und Wahrheit des Unendlichen und der positiven Präsenz verstehen, ausgeschlossen wurde. Was bedeutet aber dieser Ausschluß anders als der Ausschluß jeder besonderen Bestimmung? *Wenn Gott deshalb nichts (Bestimmtes) ist, kein Lebendiges, weil er alles ist, heißt das nicht, daß er gleichzeitig das Ganze und das Nichts, Leben und Tod ist? Das bedeutet, daß Gott in der Differenz zwischen Allem und Nichts, Leben und Tod usw. ist, erscheint oder benannt wird. In der Differenz, und im Grunde als die Differenz selbst. Diese Differenz ist das, was man Geschichte nennt. Gott ist in ihr eingeschrieben.*»[176]

[175] a.a.O. 169.
[176] Ebd. 174ff., Hervorhebung von mir, J.-P. Wils.

Derrida reklamiert den Begriff «Gott» für die Abwesenheit jenes «transzendentalen» Signifikats, das in seiner Nicht-Präsenz jene Distanz/ jenes Intervall in die geschlossene Signifikantenordnung einführt, welche diese erst in actu für die Bedeutungsintention einer Subjektivität bedeutend macht, die sich als die aktuelle Produktion von «Sinn» versteht. Dann aber muß der Ausfall der «Arbeit an der Transzendenz» bei Lévinas zum Ausfall der bedeutungskonstitutiven «Markierung» in der Verwendung des Signifikantennetzes führen, so daß im Verschwinden der «Differänz» als «Gott» zugleich der Andere als *bedeutsames* Gegenüber sich *in die Sprachlosigkeit einer opaken, ungedeuteten Begegnung auflöst.*

Zugleich problematisiert Derrida die vorschnelle Ablehnung der *Vorstellung* als «Fesselung» des Vorgestellten/des Anderen und die Ablehnung der phänomenologischen Intentionalität. Er erblickt hierin zurecht eine Verwechselung von Geltungsfragen (quaestio juris) mit Faktizitätsaussagen (quaestio facti)[177]. Abgesehen davon vermerkt Derrida, daß bei Husserl die mit der Intentionalität zusammenhängenden Konstitutionshorizonte nicht ihrerseits zum Gegenstand einer intentionalen Konstitution werden können.

*Das heißt aber, daß die Intentionalität, weil nicht ihrerseits einholbar, als die Achtung vor der Irreduzibilität des Anderen als Anderen erscheint und nicht als dessen Aufhebung.* Zentral ist die Auffassung Derridas, daß *demnach* das Noem der Ethik mit der transzendentalen Möglichkeit des Noems im Allgemeinen beginnen muß, weil *bestimmte*, d.h. endliche Äußerungen sonst ethisch nicht aussprechbar sind. Dieser Hinweis Derridas auf den gleichzeitigen Ur-sprungsgrund von theoretischer und praktischer Vernunft, wie dieser in der Neuzeit seit Descartes maßgebend geworden ist, erinnert daran, daß die Ethik sich sonst in eine stumme Tautologie und Repetition verlieren würde. Wenn die konstitutive *Differenz von endlicher und unendlicher Positivität* nicht ausgehalten wird, wird Ethik entweder «Archäologie» (Foucault) oder «Eschatologie» (Bloch, Benjamin).

In der Konsequenz dieser Bedenken muß dann auch die von Lévinas praktizierte Ablehnung gesehen werden, im Anderen eine Modifikation des Ego zu erblicken. Abgesehen von der Faktizitätsabstinenz transzendentaler Fragen, muß der Andere *als* Anderer (und somit auch als Ego) verschwinden, wenn er nicht als Phänomen *für* ein Ego erscheinen darf.

---

[177] «Die transzendentale Neutralisierung ist prinzipiell und ihrem Sinn nach jeder Faktizität, jeder Existenz gegenüber wesensfremd.» Ebd. 185.

«Würde der Andere nicht als transzendentales alter ego anerkannt, ginge er vollständig in der Welt unter und wäre, wie ich selbst, nicht Ursprung der Welt.»[178]

Mit anderen Worten, die Nicht-Phänomenalität des Anderen, seine Alterität wird erst recht *dann* liquidiert, wenn dieser nicht als intentionales Phänomen für ein Ego befragt wird. Weil die Argumentation Derridas hier gewichtig ist, sei eine Stelle zitiert, welche die Gefahr dieser Grundlegung der Ethik betont.

«Es gibt eine transzendentale und vor-ethische Gewalt, einen Symmetrieriß (im allgemeinen), dessen Archie das Selbst ist, und der später den entgegengesetzten Symmetrieriß ermöglicht: die Gewaltlosigkeit, von der Lévinas redet. Es gibt in der Tat entweder das Selbst – es kann dann aber selbst nicht mehr in Erscheinung treten und genannt werden oder Gewalt ausüben (Unendlichkeit *oder* reine Endlichkeit) –, oder es gibt das Selbst *und* das Andere, dann aber kann der Andere der Andere – das Selbst – nur sein, wenn er das Selbst ist (als ihm selbst dasselbe: ego), wenn er das Andere des Anderen ist: alter ego... Ohne diese Evidenz könnte ich den Anderen in dem ethischen Symmetrieriß nicht begehren oder *achten*.»[179]

Aus dieser Sicht muß eine Ethik – und Lévinas' Denken ist eine Ethik – als semiologisch verfehlt erscheinen, die meint, vom Zeichen und der Zeichenarbeit zugunsten einer «reinen», «vor-semiologischen» und *deshalb undeutbaren* «Unmittelbarkeit» des Absoluten abstrahieren zu können. Wenn der diakritische und differentielle Charakter des Zeichens, der immer an die besondere Allgemeinheit der Struktur seiner Verwendung appelliert, mißachtet wird, hat die Ethik angesichts einer «Heteronomie» zu bestehen, vor deren «Fülle» sich nicht standhalten läßt.

[178] Ebd. 190.    [179] Ebd. 194.

# IV. Strukturalistische Subjekttheorie zwischen Subjektivitätsreduktion und -ermöglichung

*Die Arbeit von Claude Lévi-Strauß* läßt sich in zweifacher Hinsicht betrachten: hinsichtlich ihrer inhaltlichen Ergebnisse und ihrer methodisch-philosophischen Gestalt. Dabei sind die meisten der ethnologischen und mythologischen Inhalte aufgrund der hohen Komplexität des Materials nur sehr schwer zu würdigen.

Zunächst läßt sich die multiple Struktur sozialer Phänomene feststellen, die im Falle der Verwandtschaftsstruktur die Dependenz von Inzestverbot, Exogamie, Tausch und Wohnsitzregel aufdecken ließ. Das soziale Feld erscheint als ein Terrain pluriformer Überdeterminierung und nichtmonokausaler Lenkung, welches es untersagt, Bereiche wie Gesellschaftsformen, Ökonomietypen oder Moralsysteme als geschlossene Regelkreise zu betrachten und es a fortiori verbietet, sie als Extrapolationen natürlicher Regelmäßigkeiten zu verstehen. Diese Einsicht wäre nun relativ banal, würde sie nicht zugleich ein überraschendes Komplement enthalten, das zu der Redundanz und Hypertrophie des Aufwandes an Bildern und legitimierenden Selbstdeutungen in der sprachlichen Fassung dieser Muster in einer gewissen Spannung steht. Gemeint ist hier die relative Elementarität der ihnen korrespondierenden Bedürfnisse, die die Lektüre des Mythos im Gegensatz zu dessen Ikonolatrie zu einer mythoklastischen Operation werden läßt, welche das fundamentale Ordnungs- und Stabilisierungsbedürfnis hinter den Phänomenen aufdeckt.

Die Prämisse einer Elementarlogik des Geistes, welche die Herkunft ihrer Konstanten (die distinkten oder bedeutungsunterscheidenden Oppositionen, Paradigma und Syntagma) aus der Linguistik ausdrücklich mitthematisiert, von Lévi-Strauß aber als Axiom und somit unausgewiesen verwendet wird, konturiert umso einprägsamer die Struktur produktiver Verausgabung der Explikationen, Ideologien und Inhalte einerseits und die häufig nur mathematisierbar faßbare Komplexität ihrer konkreten Entwicklung. Dies darf allerdings nicht über den grundsätzlich unbewußten Status der wesentlichen Operationen hinwegtäuschen. Die Unbewußtheit sichert als methodisches Postulat die virtuelle Objektivität der Aussagen, weil Beobachter und Beobachtetes beide an ihr partizipieren. Sie geht deshalb aber in eine ontologische Aussage über, welche die Intellektualität als Identität von Intelligenz und Natur sichert. Diese Intellektualität ist wegen der strikten Bevorzugung des Binärismus die dem Ich und dem Anderen (des Selbst oder des Objekts/der Natur) immanente *Differenz* als conditio sine qua non der Signifikanz generell, als primäre Schematisierung des Geistes.

Diese Schematisierung, die von Lévi-Strauß nie auf ihre Tradition hin reflektiert wird, führt in den ethnologischen und mythologischen Arbeiten – trotz oder wegen der reduktiven und ent-täuschenden Art der Einsichten – zu eindrucksvollen Ergebnissen. Sie vermag aber sowohl die Komplexität moderner Gesellschaften, als auch den häufig selbstreflexiven Status gegenwärtiger Theoriegebilde, wie ihn die Systemtheorie Luhmanns und die kritische Gesellschaftstheorie Habermas' zu leisten versuchen, nicht zu erreichen. Sie ist nur gewillt, die fundamentale Kommunikationsform der Stabilisierung zu berücksichtigen. Sie muß die Ausdifferenzierung autonomer Prozesse stets zurückbeziehen auf ein *ursprüngliches* integratives Niveau, ohne zu bedenken, daß Integration und Desintegration eine Funktion wechselnder und partieller Institutionen und Mechanismen sozialer, psychologischer und reflexiver Art sind.Die Feststellung, daß «zwischen Praxis und Praktiken immer ein Vermittler eingeschaltet ist, der das Begriffsschema darstellt, durch dessen Wirken eine Materie und eine Form, die beide jeder unabhängigen Existenz ermangeln, sich zu Strukturen ausbilden, d. h. zu empirischen und zugleich intelligiblen Wesen» (Das Wilde Denken, 154), muß dann von Fall zu Fall ihre Leistungsfähigkeit unter Beweis stellen. Die Distanz von Bild und Begriff, die Lévi-Strauß als Ausdruck der Funktion dieses Schemas identifiziert, bedingt die wesentliche Verzögerung des Geistes und die virtuelle Anfälligkeit der Gebilde seiner vor-reflexiven (des Mythos) oder seiner reflexiven Objektivationen. Das Unbewußte dagegen als das regulierte Andere des Begriffs und als dessen semantische Bedingung zugleich, ist für Lévi-Strauß die Bedingung einer Ethik der Demut vor dem Leben, die die Verbegrifflichung des «Seins» als Instrumentalisierung des Lebens entschieden ablehnt. Die Transparenz des Selbst, die der Begriff als das Allgemeine stets verficht, denkt Lévi-Strauß ausschließlich in der Dimension der Reduzierung des Anderen, des Noch-nicht-Begriffenen auf das Selbst. Anstelle der Schematisierung des Begriffs als Ineinsbildung von Allgemeinheit und Besonderheit ist sie für ihn die vorbegriffliche, ontologische Kondition des Seins (des Geistes und der Natur). *Das Wissen um diese Kondition* muß jedoch den Status des Schemas entscheidend tangieren. Die hierin enthaltene Erinnerung an die Begrifflichkeit philosophischer Subjektivitätstheorie macht die Verwiesenheit dieses Denkens auf Theoreme der «klassischen» Philosophie deutlich, zumal der selbstreferentielle Status der Theorie (s. o.), mittels welcher die Identität von Methode und Gegenstand bei Lévi-Strauß supponiert wird, diese Verwiesenheit noch zu unterstreichen vermag.

*Das semiologische Denken von Roland Barthes* orientiert sich unter den von uns behandelten Autoren am engsten an der strukturalen Sprachwissenschaft bzw. an der Semiologie. Das Generalthema dieses Denkens, von Barthes selbst als «Oppressivität des Sinns» bezeichnet, wäre ohne dessen sprachtheoretisches Korrelat, die sogenannte «Neutralisierung» oder den «Nullgrad», nicht vorstellbar.

Die Sprache enthält nämlich zwei Oppositionsarten: die von Trubetzkoy entdeckten und systematisierten Phonemoppositionen einerseits, die bedeutungsunterscheidend (distinktiv) sind und die kleinste lautlich signifikante Einheit der langue darstellen, und die schon von de Saussure behandelten Morphemoppositionen andererseits, die bedeutungstragend (signifikativ) und die kleinsten bedeutungstragenden Einheiten einer Sprache sind (der Sprachgebrauch ist hier schwankend, Barthes nennt sie Moneme). Ebenso wie diese Oppositionen nun in der Sprache bedeutungskonstitutiv sind, können sie kontextbedingt ihre oppositive Relevanz verlieren, wodurch die Bedeutung oder der Sinn «neutralisiert» wird und gewissermaßen entschwindet. Dieser Nullpunkt steht der «Wucherung» des Sinns, seiner Oppressivität gegenüber. Barthes transponiert hiermit ein sprachtheoretisches Theorem in eine Theorie des semiologisch-semantischen Universums. Sowohl die theoretischen Reflexionen als auch die Mythen- und Texttheorie Barthes' sind ein Versuch, Systeme festgeschriebenen Sinns und sinngeleiteten Verhaltens (im Sinne sanktionierter Moralität) zu verflüssigen und das Unterpfand dieser Systematizität – für Barthes die signifikante, bedeutungstragende und -restringierende Subjektivität – zugunsten einer autonomen Bewegung subjekt- und sinndistanzierter Sprache und einer ästhetischen «Phantasmorgie» der Bilderproduktion aufzulösen.

Weil der Zugang zu dieser autonomen Sprachlogik aber nur mittels Heranziehung hochsystematisierter Theoriekomplexe (wie die strukturale Sprachwissenschaft) gelingt, kann die «Sinnvollstreckung» nur als «geregelte Freiheit» oder schematisierte, durch die Allgemeinheit subjektindependenter Strukturen vermittelte Individualität bezeichnet werden. Bei Barthes aber scheint aufgrund seiner Distanz zu Reflexionen der Subjektivitätsphilosophie der Neuzeit ein Vertrauen auf die spracheigene Tendenz zur Destabilisierung des Sinns vorzuliegen. Genauso aber wie die Denkform der Genealogie (Nietzsche, Foucault), zwingt diese Faszination von der Neutralisierung des Sinns zu der Suche nach einer «alternativen» Instanz der schlichten Identifikation des Sinns. Wie bei Nietzsche und Foucault (und bei letzterem wird das von Barthes' beschriebene Syntagma-Bewußtsein besonders deutlich), führt die «stemmatische», textuell abhängige Phantasie dann als Frage nach den Zwängen und Verknüpfungen der Bilder zu der Instanz des Körpers, die vermeiden sollte, daß die autonome Bilderproduktion regellos und kriterienlos wird. Die Alternative zum Wahrheitsbewußtsein führt all diese Autoren zum «ästhetischen» Körperdenken. Der Körper – und das machen die späten Arbeiten von Barthes wie auch die Schriften Foucaults zur Literatur besonders klar[1] – wird der Ort der Lektüre der Welt. Damit die körperhafte Diagnostik nicht in die Gewalt der nackten Empirizität führt, muß ihr Pendant die ästhetisch-literarische Existenz werden. Die Subjektivität als traditionelle Sinninstanz wird dann zu einer sprachlich eingekreisten Eventualität, die außerhalb ihrer Funktion als eines methodischen Korrelats der Sprachsystematik keinen konstitutiven Ort innehat. Das Ich ist dann jene transitorische Stelle, welche die Rekomposition der Bewegung des Sinns in dem Provisorium der Stofflichkeit des Bildes anleitet. Das Ich wird von Barthes «anthropologisch» als Distanz zur Vollkommenheit verstanden. In einer «Ethik der Unentscheidbarkeit» verschlüsselt es seine Vorläufigkeit metaphorisch.

*Michel Foucaults Archäologie* läßt sich als eine «genealogische» Kulturphilosophie bezeichnen: ein genealogisches Verfahren, das seit Nietzsche die Priorität der Herkunftsfrage vor der Wahrheitsfrage bzw. die Zurückführung letzterer auf ihr Woher impliziert.

Foucault hat diese Vorgehensweise zu einer komplexen Theorie der Kultur (im speziellen der abendländischen Historie seit der Renaissance) entwickelt. Sie untersucht als Archäologie die Schwellen und diskursiven Regelmäßigkeiten von Epochen dahingehend, daß sie unabhängig von der Frage nach der «Wahrheit» *die sie ermöglichenden, unbewußten Konfigura-*

---

[1] Michel Foucault, Schriften zur Literatur, Frankfurt a.M./Berlin/Wien 1979.

*tionen* und die strukturelle Schematisierung als ihr *apperzeptives Apriori* thematisiert. Diese umfassende, historische *Hermeneutik des Verdachtes* soll die Formationsregeln zutagefördern, welche die signifikante Identität oder das Selbstverständnis einer Epoche in Richtung auf das Andere ihres Selbst dezentrieren: auf die umfassenden Realitätsbedingungen und Realisierungskonditionen ihrer Aussagen. Während die Arbeiten zur Psychopathologie und Demenz die These einer prinzipiellen Oszillation von Vernunft und Unvernunft bzw. von rational restringiertem Sprachgebrauch und Sprachautonomie vertreten, wird seit der «Ordnung der Dinge» diese These in das Programm eines Verflochtenseins der jeweiligen Rationalität in sie umfassenden Konfigurationen abgewandelt. Bedeutsam ist die von Foucault festgestellte Differenz einer Ethik, die von Kant bis Hegel sich am Repräsentationsstatus der vernünftigen Subjektivität orientierte (Ethik als praktische Repräsentation der Axiomatik der Vernunft), zu einer modernen Rationalität, die an der Trias «System-Regel-Norm» ausgerichtet, die Rede von der Humanität auf die analytische Praxis der Vernunft einerseits und auf den unsicheren Status der Anthropologie andererseits bezieht. Wenn die Vernunft der Humanwissenschaften und der analytisch verfahrenden Wissenschaft überhaupt deshalb eine *Ethik* ist, weil ihre Analytik ab ovo den Charakter eines praktischen Eingriffs besitzt, und Vernunft und Ethik durch ihre Instrumentalität amalgamieren, muß eine «Ethik» im emphatischen Sinn als Theorie der Meliorisation menschlichen Lebens die Frage nach der Modalität ihrer Rationalität eigens stellen. Foucaults *Ethik der Vernunft* als *prohibitive* Moral des Denkens anstelle einer in der Epoche des stetigen Eingriffs wirkungslos gewordenen «gedachten» Ethik bleibt jedoch unklar. Die von Foucault angebotene, alternativische Konsequenz scheint zumindest fragwürdig (im zweifachen Sinne): die Wende zur Unbewußtheit (zur Psychoanalyse, Ethnologie und Linguistik) soll in die nicht «bewußt» repräsentierbare Domäne eines nicht-konstitutiven Bewußtseins hineinleiten, das die Erfahrung einer zunächst nur literarisch faßbaren Andersheit der Vernunft verheißt. Sie führt mit aller Konsequenz in die neuerdings wieder entfachte Mythosdiskussion hinein. Foucault betrachtet diese «Andersheit» allerdings als eine konstituierte, die zunächst nur einer literarischen Auslegung unterliegt und von dem Möglichkeitssinn (Musil) eines vorsystemischen Wissens berichtet. Die jeweils epochal schematisierte Vernunft scheint einen überepochalen Dialog im Medium ihrer selbst zu verunmöglichen: daher die radikale Ablehnung jeglicher Hermeneutik. Literatur und Mythos werden zu einer Gegenvernunft, welche die Konsequenz ihrer Verabschiedung humanwissenschaftlicher Rationalität mit der Konsequenz des Ausschlusses ethischer Rationalität aus dem konkreten Handlungszusammenhang betreibt. Aussichtsreicher ist die zweite Seite dieses Vorgehens: das Programm einer Geschichte des *Leibes* als Gegenstand des Wissens und der Konkretheit der Machtentfaltung dieses Wissens. Der Leib nämlich ist die primäre Region des praktischen Eingriffs und als «Leibapriori» (Apel) der unmittelbare Reflex der Wissenspraxis des Menschen. Die Reduktion des Wissens als ein «Wissenwollen» auf seine Machtkomponente ist aber durch den Rückgriff auf den Leib nicht schon von selber einleuchtend, wenn man mit Foucault die Auffassung der ausschließlich *genealogischen* Verfaßtheit der Wahrheit nicht teilt. Trotz des Reichtums teilweise genialer Einsichten in die konkrete *Organisation des Wissens* impliziert das Programm Foucaults, die Historie einer jeweils schematisierten Vernunft zu schreiben, eine Ergänzung durch die Kriteriologie eines vernunftimmanenten Schematismus, wie ihn die komplexe Geschichte der neuzeitlichen Subjektivitätsphilosophie vor Augen zu führen vermag. Die Vernunft wird sonst retrospektiv auf Faktizität und Deskription reduziert, und die Beurteilung der Historie führt dann zu einem Positivismus des Außen, der das Beurteilte immer erst ex post facto zu Gesicht bekommt.

*Jacques Lacans Theorie der Psychoanalyse*, die uns hauptsächlich unter dem Gesichtspunkt der *Subjekt*-Konstitution interessierte, ist die am konsequentesten durchgeführte Adaption der strukturalen Linguistik auf nicht-linguistische Theoreme. Betrachtet man die Lacansche Topik des Imaginären und des Symbolischen weniger in ihrer entwicklungsgeschichtlich relevanten Struktur psychischer Genese, als vielmehr als Theorie der Subjektwerdung und der Signifikanz, dann muß die Beharrlichkeit, mit der Lacan die linguistischen Kategorien und die diakritische Zeichentheorie für eine durch die Sprache bedingte Theorie des Wissens und des Begehrens fruchtbar macht, eigens beachtet werden.

Wenn Lacan sagt, daß «die Form, in der sich Sprache ausdrückt, durch sich selbst Subjektivität definiert» (s. o.), dann enthält dieser Satz eine sonst nur bei Derrida präzis ausformulierte Dezentrierung eben jener Subjektivität. Denn wenn die Sprache eine geschlossene Kette bedeutungskonstitutiver, im Akt des Sprechens virtualisierter Oppositionen ist, deren syntagmatische und paradigmatische Verlaufsformen den Sinn oder das Signifikat «flottieren» lassen (Insistenz des Sinns in der Signifikantenkette), dann ist die instantane Gleichzeitigkeit von Sprache und Wirklichkeit semantisch nur ein asymptotisches Ideal, das in den Wissenschaften mittels ihrer diskursiv restringierten Sprachspiele und Codes erstrebt wird. Sie impliziert notwendig die Verspätung des Subjekts angesichts seiner sprachlichen Welt. Der Mangel an Sein/des Signifikats als Signifikanz des Sinns involviert die Zweitkonstituiertheit und Ungleichzeitigkeit des Subjekts mit sich selbst und läßt das selbstbewußte Sein als «Reflex» in der Dingwelt erscheinen, wie es die Selbstbewußtseinstheorien Lacans zu zeigen versuchten. Diese konstitutive Verspätung bedingte das Scheitern des transzendentalen Idealismus bei Fichte und Schelling als Ungleichzeitigkeit von Signifikant und Signifikat in den Selbstbewußtseins-und Ethiktheoremen. Sie konstituiert aber durch das Phänomen der darin enthaltenen «transzendentalen» Distanz des Subjekts zu sich selbst jene retardierende Differenz (Derrida), welche die semantische Identifikation des Subjekts «als» ein Selbst und die ethisch unmittelbar relevante «Bezugsfähigkeit» des Seins erst logisch und transzendental ermöglicht unter der Bedingung des Konstituiertseins des Subjekts als Endlichkeit. Diese Ungleichzeitigkeit des Subjekts mit sich und seiner Welt macht letztere nicht nur erst semantisch identifizierbar, sondern qualifiziert die Existenz als Alienation *und* als Freiheit *zu* sich und *zu* der Welt. Der Mensch ist jener Riß im Sein, der das Sein erst signifikant macht: «Wäre das Sein nur das, was es ist, dann gäbe es nicht einmal den Platz, um von ihm zu reden.» Diese Zweitkonstituiertheit des Subjekts angesichts der Welt der Signifikanten, die sich in der Sprache in der grammatischen Repräsentation des Ich ausdrückt und sich philosophisch als Differenz von Wissensgrund und Seinsgrund aufdrängt – Lacans Rede vom Unbewußten signifiziert diese zeitliche und transzendendale «Kluft» – ruft zugleich die Kompetenz des Subjekts (seine Subjektivität) angesichts des «Mangels an Sein» und *als* «Mangel an Sein» hervor. Die schon in der Patristik geläufige Metapher vom überströmenden Lichtglanz Gottes und die Metapher des Auges in der Philosophie seit Plotins Eneaden signalisieren eine Seinsfülle, angesichts deren Fülle das endliche Subjekt nicht existieren könnte bzw. mit Blindheit geschlagen wäre. Der Mangel «im Subjekt» und der «Mangel an Sein» sind demnach eine streng reziproke Beziehung, weil die Subjektivität (der Sprache) die markierende Leerstelle/das Intervall in der Zeichenrelation ist, die in der Distanz der Zeichen ihre Bedeutung zum «Flottieren» bringt. Es ist dann einerseits die Kompetenz dieses Subjekts, die «eine signifikante Synchronie in jene ursprüngliche zeitliche Schwingung bringt, die das konstituierende fading seiner Identifizierung darstellt» (Lacan, s. o.). Andererseits aber repräsentiert die metonymische Verschiebung die Tragik des entkommenen Anderen, des Mangels an

Sein: sie untersagt es dem Subjekt, sich zu wissen, als das, was es ist. Als Objekt und Subjekt einer (sprachlichen) Schematisierung entsteht Subjektivität bei Lacan als Duplizität von Gebundenheit und Freiheit, als «individuelle Allgemeinheit» (Frank), die sich in der Koinzidenz von Eigentlichkeit und Uneigentlichkeit auslegt und sich in der Welt der Signifikanten stets zu rekonstruieren hat.

*Die philosophische Semiologie Jacques Derridas* hat unmittelbar in die *transzendentale* Begründungsgestalt von Subjektivität und Ethik hineingeführt.

Derrida versuchte den Nachweis zu führen, daß in der Philosophie Husserls die Sphäre idealer Bedeutungskonstitution, deren Signum das Ausdruckszeichen ist, nur durch die teleologische Abstraktion eines «Phonetismus» ihr Eingebunden-sein in die Sphäre anzeigender Mitteilbarkeit leugnen kann. Wenn aber das Zeichen, wie die Sprache generell, die Identität und Idealität des repräsentierten Signifikats nur sichern kann durch eine faktische Iteration bzw. Wiederholung, muß die Amalgamierung von transzendentaler Subjektivität und Temporalisation notwendigerweise zu einer fundamentalen Endlichkeit führen. Diese kann ihre transzendentale Bedeutung oder ihr ideales Signifikat nur sichern als wiederholende Bewegung und Markierung des Signifikats in der differentiellen Zeichenkette. Die Idealität bzw. die Allgemeinheit der Bedeutung wird also erst in der nicht-präsenten Differenz der Wiederholung konstituiert, ja die präsente Allgemeinheit oder ideale Unendlichkeit des Signifikats wird als solche erst identifizierbar durch ihre Differenz zur faktischen Nicht-Präsenz in der Wiederholung. Auch die in der normativen Rede intendierte Selbstaffektion in der Präsenz offenbarte ihre Angewiesenheit auf die Nicht-Präsenz als logisch-transzendentale Modalität der Selbstaffektion (eine Problematik, die vom cartesianischen Cogito bis zur Wissenschaftslehre Fichtes reicht). Diese Nicht-Präsenz weist auf eine Temporalisation hin, die als «retentionale» Spur die Öffnung der präsenten Subjektivität auf die Intervallstruktur einer Differenz-bewegung bedingt. Die Endlichkeit als aktuelles Fehlen des transzendentalen Signifikats im allgemeinen und als Möglichkeit des Todes im besonderen erwies sich dadurch als epistemologisches und anthropologisches Faktum jeglicher Idealität.

Auf die Ethik bezogen ließ sich diese «initiale» Verschiebung als Einheit von Präsenz und Nicht-Präsenz im Sinne der Präsentation der Differenz zum nicht-präsenten Anderen fassen: Derrida hält eine Grundlegung normativer Rede nur möglich in der transzendentalen Subjektivität als Egologie – sie bedingt die Präsenz des *intentionalen* Anderen entgegen der bloßen Supplementarität des Ego in der *faktischen* Endlichkeit oder in der positiven Unendlichkeit des Anderen und ratifiziert das Allgemeine der Idealität als epistemologische Basis des «Sollens». Zugleich aber wird das Sollen erst signifikant in der Differenz dieses Ego zum alter Ego als dem Besonderen der mitkonstitutiven Endlichkeitsbedingung jeglicher Normativität. Während also die Endlichkeit ihren Forderungscharakter ohne ihre Angewiesenheit auf die gewissermaßen «imperativische» Universalität und Allgemeinheit der Idealität verliert – vorausgesetzt man hält eine Begründung der Ethik durch vor-neuzeitliche Ontologien oder Teleologien für überholt –, muß die Allgemeinheit der Forderung ihre Bedeutung (ihre ethische Signifikanz) einbüßen, wenn sie nicht schon in ihrer Begründungsgestalt – und nicht erst in einer faktischen Adaption des Allgemeinen – der besonderen Endlichkeit als Einholung des Allgemeinen Rechnung trägt. Die Auseinandersetzung mit Schleiermacher wird verdeutlichen, daß diese *Begründungsgestalt* sich schon in der *Entdeckungsgestalt* des Normativen erweisen wird und sich erst *nach* dem *phänomenalen* Aufweis des Normativen als das «individuelle Allgemeine» endlicher Idealität darstellt. Die Subjektivität läßt sich dann als Gestalt endlichen Wissens und Handelns, als das transzendentale Raster einer individuellen Allgemeinheit als Grund des Selbstbewußtseins und der Ethik im Sinne einer «diskreten Distanz im Sein» verstehen. Die virtuelle Abwesenheit des Signifikats bildet dann jene Verzögerung, die sowohl eine endliche Subjektivität identifizierbar macht als auch das Ethische als jenes Phänomen konstituiert, das die Vernunft- oder Begriffsallgemeinheit als seine Bestimmung in ihrer Abwesenheit voraussetzt.

# V. Subjektkonstitution und Ethik in der Tradition der Neuzeit

§ 1 Die komplexe Konstitution von Subjektivität und Ethik

## I. Kant

Kaum besser als L. Brunschvig kann man die kopernikanische Wende der Philosophie Kants und ihr anspruchsvolles Programm zusammenfassen: «Eine Metaphysik des Geistes muß sich ... im Rahmen der formellen Subjektivität konstituieren... Und zu diesem Zweck gibt es kein anderes Mittel, als die Ergebnisse der Deduktion der Kategorien registrieren zu wollen, als die gesetzmäßige Existenz jener ursprünglichen Apperzeption zu sanktionieren, die ebensowenig den Kategorien unterworfen werden kann, wie ein Schöpfer sich von seinen Geschöpfen beherrschen läßt, und deren Existenz eine Bewußtseinstätigkeit bezeugt, die nicht auf die Phänomenalität des empirischen Selbstbewußtseins reduziert werden kann und doch von ihm nicht numerisch verschieden ist.»[1]

Brunschvigs Hinweis auf jene Stelle der Kritik der reinen Vernunft, die als Angelpunkt des gesamten Idealismus die genannte Wende sanktioniert, und die Bedingung der Möglichkeit der Erkenntnis als Bedingung der Möglichkeit der Gegenstände der Erkenntnis ausweist, nämlich *die transzendentale Deduktion der reinen Verstandesbegriffe* (A95-A130/B130–B169), lenkt die Aufmerksamkeit auf Kants Theorie des Selbstbewußtseins als Theorie der transzendentalen Apperzeption. Die erste Kritik, die, ausgehend von der Frage «Wie sind synthetische Urteile a priori möglich?», die emphatische Naturteleologie, wie Kant sie noch in der *Allgemeine(n) Naturgeschichte und Theorie des Himmels*[2] vertrat, auf die Frage

[1] Der Fortschritt des Bewußtseins in der abendländischen Philosophie – der kritische Idealismus. In: J. Kopper/R. Malter (Hg.), Materialien zu Kants Kr.d.r.V., Frankfurt a.M. 1980, 67–95.
[2] Werkausgabe Bd. I, Vorkritische Schriften bis 1768, W. Weischedel (Hg.), Frankfurt a.M. 1978, 225–399.

nach erfahrungserweiterndem notwendigen Wissen restringierte und die transzendentale Apperzeption zu ihrem Eckstein machte, findet hier zunächst unsere Aufmerksamkeit. Dies geschieht nicht zuletzt deshalb, weil die Äquivokationen im Begriff «Subjektivität» sich als abhängig von den Schwierigkeiten, «Selbstbewußtsein» denken zu können, erweisen werden. Die Einschätzung der «Subjektivität» als Pendant zu einer «Kontrollvernunft»[3], zu einer «technomorphen Erkenntnisphysik» (E. Topitsch)[4], zu einem Herrschaftsdenken (B. Liebrucks)[5] oder als Repristinierung einer theologischen Tradition (M. Puder, E. Topitsch)[6] hängt wesentlich von der Stringenz der Apperzeption bzw. von ihrer «problematischen» Berechtigung ab. Die Apperzeption wäre sonst ein Epiphänomen. Kants Weg dorthin in der *Kritik der Vernunft* sollte deshalb zunächst kurz umrissen werden.

Die Vorstellung «Ich bin», welche «alle meine Urteile und Verstandeshandlungen begleitet», die Kant «das intellektuelle Bewußtsein meines Daseins» (BXL, Anmerkung) nennt, ist für ihn bekanntlich keine «intellektuale Anschauung»: sie hängt mit der «inneren Anschauung» zusammen, die ihrerseits «sinnlich und an Zeitbewegung gebunden ist» (ebenda). Die Zeit, die für Kant zu der reinen Anschauung als reiner Sinnlichkeit gehört, und insofern eine transzendentale Idealität ist, ist geortet in der *Selbstaffektion*: sie ist die *Form* des inneren Sinns, «des Anschauens unserer Selbst und unseres inneren Zustandes» (A33).

Weil der innere Sinn aber bei Kant mit dem äußeren Sinn zusammenhängt – seine Relationierung als Affektion wäre phänomenal nicht anders vorstellbar und äußert sich in der Anleihe, die die Zeitvorstellung bei der Sukzession der Zeitlinie macht –, ist die Vorstellung des «Ich bin» nicht identisch mit jenem «Ich denke», das «alle meine Vorstellungen muß begleiten *können*» (B132) und als «Spontaneität» von Kant «transzendentale Apperzeption» genannt wird.

In der *Anthropologie in pragmatischer Hinsicht* hat Kant diese Differenz folgendermaßen beschrieben: «Das Ich in jedem Urteile ist weder (die) eine Anschauung noch ein Begriff (sondern) und gar keine (auf irgend ein

[3] O. Marquard, Skeptische Methode im Blick auf Kant, München 1982.
[4] E. Topitsch, Die Voraussetzungen der Transzendentalphilosophie. Kant in weltanschaulicher Beleuchtung, Hamburg 1975.
[5] B. Liebrucks, Irrationaler Logos und rationaler Mythos, Königshausen 1982.
[6] Für M. Puder (Kant. Stringenz und Ausdruck, Freiburg 1974) ist die erste Kritik sowohl eine «Desillusionierung» des Ich als auch als Transzendentalphilosophie eine *zweite* Naivität nach der Naivität mit «Gott»; Zu den theologischen Voraussetzungen und Unterschieden: R. Spaemann, Reflexion und Spontaneität. Studien zu Fénelon, Stuttgart 1963.

Objekt bezogene) Bestimmung irgend eines Objekts sondern ein Verstandes Akt des bestimmenden Subjekts überhaupt und das Bewußtsein seiner selbst die reine Apperzeption selbst mithin bloß (logisch) zur Logik (ohne alle Materie und Inhalt) gehörig. Das Ich dagegen des inneren Sinnes d.i. der Wahrnehmung und Beobachtung seiner Selbst ist nicht das Subjekt des Urteils sondern ein Objekt. Das Bewußtsein des sich selbst Beobachtenden ist eine ganz einfache Vorstellung des Subjekts im Urteile überhaupt wovon man weiß, wenn man es bloß denkt; aber das von sich selbst beobachtete Ich ist ein Inbegriff von so viel Gegenständen der inneren Wahrnehmung.»[7]

In dem Zitat wird dasjenige, was die «Deduktion» in zwei Anläufen zu bewältigen versuchen wird, als scheinbar unproblematisch dargestellt.

Die Deduktion beschreibt den Weg jener dreifachen Synthesis entsprechend den von Kant angenommenen Vermögen der Erkenntnis (Sinn, Einbildungskraft und Verstand): die Synopsis des Mannigfaltigen der Sinnlichkeit a priori durch den Sinn als Synthesis der Apprehension in der Anschauung; die Synthesis der Mannigfaltigkeit durch die Einbildungskraft als Synthesis der Reproduktion und die Einheit dieser Synthesis durch die «ursprüngliche Apperzeption» als Rekognition im Begriff[8] als Leistung des Verstandes. Die Begriffe bzw. die Kategorien des Verstandes, die als «allgemeine Regel» aus den Urteilsfunktionen gewonnen werden, bekommen erst in der transzendentalen Apperzeption die Struktur ihrer *Notwendigkeit.*

«Aller Notwendigkeit liegt jederzeit eine transzendentale Bedingung zum Grunde. Also muß ein transzendentaler Grund der Einheit des Bewußtseins, in der Synthesis des Mannigfaltigen aller unserer Anschauungen mithin auch, der Begriffe der Objekte überhaupt, folglich auch aller Gegenstände der Erfahrung, angetroffen werden, ohne welchen es unmöglich wäre, zu unseren Anschauungen irgendeinen Gegenstand zu denken: denn dieser ist nichts mehr, als das Etwas, davon der Begriff eine solche Notwendigkeit der Synthesis ausdrückt.» (A106).

In der Einheit der Apperzeption als «durchgängige Einheit» des Selbstbewußtseins befindet sich also der Grund der Einheit und Notwendigkeit der Kategorien, bzw. umgekehrt beweist die Apperzeption ihre durchgängige Identität in ihrer Synthesis nach Begriffen (A112). Die Verknüpfung von Selbstbewußtseinstheorie und Gegenstandstheorie, die sich als

---

[7] I. Kant, Anthropologie in pragmatischer Hinsicht, Werkausgabe, Bd. XII, 395–690, 428.
[8] Prolegomena zu einer jeden künftigen Metaphysik, Hamburg 1976, 134.

Grund der «Reflexionstheorie» der kantischen Bewußtseinslehre etabliert, wird hier schon besonders deutlich.

Abgesehen von der nicht geklärten Frage, ob dieses Bewußtsein «einfach» oder «numerisch identisch» sei, muß die Zirkularität der Formulierung auffallen: Kant sah sich deshalb genötigt, die Identität dieses Selbstbewußtseins a priori darzutun. Dieses synthetische Prinzip, das die Mannigfaltigkeit unter die apriorische Einheit des Kategorialen bringt, setzt, weil es seine Einheit nicht *am* Gegenstand eruieren kann, wiederum eine Synthesis *voraus*. Weil für Kant die Einbildungskraft das Vermögen der Synthesis überhaupt ist, muß besagte Synthesis, weil sie aufgrund ihrer Notwendigkeit nicht empirisch bzw. reproduktiv sein darf, eine *produktive*, und als Bedingung der Möglichkeit der Apperzeption, eine «transzendentale» sein.

«Also ist das Prinzipium der notwendigen Einheit der reinen (produktiven) Synthesis der Einbildungskraft *vor* der Apperzeption der Grund der Möglichkeit aller Erkenntnis, besonders der Erfahrung.» (A118). Während die reproduktive Einbildungskraft die empirische *Assoziation* des Mannigfaltigen angesichts des Begriffs bewerkstelligt, muß die «reine», «produktive» Einbildungskraft die *Assoziabilität* des Mannigfaltigen als Folge der transzendentalen Affinität (Zweckmäßigkeit als Gesetzlichkeit des Zufälligen) hervorrufen. Weil die Affinität nur eine *Idee* der Vernunft ist, kann die produktive Einbildungskraft nicht unter der Botmäßigkeit des Verstandes stehen, obwohl die Apperzeption diese Einbildungskraft erst «intellektual» macht. (A124) In der «B-Deduktion» wird dieses Verhältnis nur noch komplexer. Kant macht dort zunächst zwei Synthesen aus: die «figürliche» Synthesis als Synthesis des Mannigfaltigen in der sinnlichen Anschauung und die «synthesis intellectualis» als Verstandesverbindung (Apperzeption). Wenn die «figürliche» Synthesis auf die synthetische Einheit der Apperzeption geht, von ihr also «bestimmt» wird, darf sie «transzendentale Einbildungskraft» genannt werden (B151). Sofern sie also auf die «Verstandesspontaneität» der Apperzeption abgestimmt wird, erfährt sie eine Aufwertung, sie wird als «produktive Einbildungskraft» bezeichnet und nun scharf von der «empirisch»-reproduktiven Einbildungskraft unterschieden, die «in die Psychologie gehört» (B152).

Die Verwechselung von «innerem Sinn» und «Apperzeption» erblickt Kant dann auch hauptsächlich in den «Systemen der Psychologie» (B153). Der «innere Sinn» wird aber aus der Domäne der Sinnlichkeit der reproduktiven Einbildungskraft zu einer *bestimmten* Erfahrung des «Selbst»

erst durch die «transzendentale Handlung der Einbildungskraft (synthetischer Einfluß des Verstandes auf den inneren Sinn).» (B154)

Der innere Sinn als «empirisches Bewußtsein meines Selbst» (als
Selbstaffektion unter der Form der Zeit) wird demnach von der Verstan-
desapperzeption bestimmt, denn sie leitet in der B-Deduktion, im Unterschied zur A-Deduktion, die transzendentale Einbildungskraft an. Die
Schwierigkeiten bezüglich des Verhältnisses von Apperzeption und produktiver Einbildungskraft treten auch hier auf.

«So ist seine (des Verstandes; J.-P. Wils) Synthesis ... nichts anderes,
als die Einheit der Handlung, deren er sich, als einer solchen, auch ohne
Sinnlichkeit bewußt ist, durch die er aber selbst die Sinnlichkeit innerlich
in Ansehung des Mannigfaltigen, was der Form ihrer Anschauung nach
ihm gegeben werden mag, zu bestimmen vermögend ist. *Er also übt, unter
der Benennung einer transzendentalen Synthesis der Einbildungskraft* diejenige Handlung aufs passive Subjekt, dessen Vermögen er ist, aus, wovon
wir mit Recht sagen, daß der innere Sinn dadurch affiziert werde.»
(B153–154) Während also die Bestimmung der Sinnlichkeit durch ein
«Bewußtsein *überhaupt*»[9] vorzüglich den inneren Sinn eben als «empirisches Bewußtsein» betrifft, ist letzteres, seiner Form nach als innere
Affektion der Zeit nur eine *bestimmte Selbst*-Affektion, bestimmt eben
durch die «reine» synthesis speciosa oder «transzendentale» Einbildungskraft, die vom Verstand «benannt» wird. Kant, der im Gegensatz zu dieser Komplexität, die Selbstaffektion phänomenologisch für völlig unproblematisch hielt, folgerte hieraus die Dualität und Einheit von «angeschautem» Ich (phänomenalem Ich) und «denkendem» Ich (noumenalem
Ich). Dabei betrachtete er das «erscheinende» Ich (als phänomenales Ich) in
der Ordnung der Erkenntnis als ein Letztes und hielt es insofern für keine
Erkenntnis, die sich auf das noumenale Ich bezöge. «Das Bewußtsein seiner
selbst ist also noch lange nicht eine Erkenntnis seiner selbst.» (B158).

Diese überblickartige Darstellung einiger wesentlicher Gedanken der
Deduktion vermag wenigstens ein Bewußtsein hinsichtlich der Komplexität des Phänomens Selbstbewußtsein anzudeuten[10]. Diesen Tatbestand
kann man, unabhängig von seiner phänomenologischen Aporetik, in

---

[9] Prolegomena, a.a.O. 56.
[10] Vor allem D. Henrich hat die Deduktion einer eingehenden Lektüre unterzogen: Die Beweisstruktur von Kants transzendentaler Deduktion, in: G. Prauss (Hg.), Kant. Zur Deutung seiner Theorie von Erkennen und Handeln, Köln 1973, 90–104. Ders., Identität und Objektivität. Eine Untersuchung über Kants transzendentale Deduktion, Heidelberg 1976. Dazu auch: G. Kimmerle, Kritik der
identitätslogischen Vernunft. Untersuchung zur Dialektik der Wahrheit bei Descartes und Kant, Mei-
senheim/Glan 1982.

einer «transzendental-semantischen» Deutung erhellen. Abgesehen von der logischen Notwendigkeit, bei der Rede von der Einheit des Selbstbewußtseins eine «transzendentale» (vorgängige) Differenz anzusetzen – letzteres deuten die Duplizität von phänomenalem und noumenalem Ich und die Rolle der zweifachen Einbildungskraft an –, zeichnet sich in Kants *Zeichenlehre* eine überraschende Analogisierung ab.

In seiner «Anthropologie in pragmatischer Hinsicht» (1798) hat Kant das Bezeichnungsvermögen (facultas signatrix) als «Vermögen der Erkenntnis des Gegenwärtigen, als Mittel der Verknüpfung der Vorstellung des Vorhergesehenen mit der des Vergangenen»[11] definiert. Wegen der angenommenen Identität von Denken und (innerem) Sprechen hat er es der reproduktiven Einbildungskraft als «Gedächtnis» zugestellt. Letzteres ist aber bekanntlich an die empirische, faktische Differenz der Mannigfaltigkeit der Sinnlichkeit bzw. der Zeichen als deren re-produktive, sprich wiederholende Synthesis gebunden. Auf der transzendentalen und semantischen Ebene der kantischen Philosophie drängt sich eine Problemkonstellation analoger Art auf. Im «Selbstbewußtsein» macht sich die nicht auslotbare Differenz der Einheit/Identität des denkenden Selbst als apperzeptiver Synthesis der Allgemeinheit der Kategorien/der Verstandesbegriffe zu dessen Erscheinung im «empirischen» Bewußtsein des «inneren» Sinns als einer durch ersteres bestimmten Affektion der sukzessiven, zeitlichen Differenz der reproduktiven Einbildungskraft transzendental sichtbar. Es ergibt sich in der Semantik eine ähnliche Differenz der Allgemeinheit/Identität der Bedeutung/des Bezeichneten als ideeller Einheit des Zeichens einerseits zu der in der empirisch-faktischen Kontinuierung als im Akt der Wiederholung des Zeichens reproduktiv gesicherten Identität des besonderen Signifikats andererseits.

Für ein Endlichkeitsbewußtsein, das über keine intellektuale Anschauung verfügt, ist die Einheit und Differenz von «wissendem Ich» (als Ich denke als das *unmittelbare Wissen* von sich, repräsentiert im «Ich denke» als Einheitsgrund der kategorialen Verstandesallgemeinheit) und «angeschautem Ich» (das Ich bin als das differierende *Sich im* Gewußten, repräsentiert im «Ich bin» als Besonderung des Identifikationsbezugs des Wissens in der Selbstaffektion, welche im Übergang der reproduktiven zur transzendentalen, produktiven Einbildungskraft ein «bestimmtes»/«wissendes» Selbst wird) unaufhebbar. Fichtes «Sollen» wird in der Wissenschaftslehre unter der gewandelten Bedingung einer Produktionstheorie

---

[11] Anthropologie in pragmatischer Hinsicht. a.a.O. 497.

des Selbstbewußtseins dieser Differenz Rechnung tragen. Genauso aber bleibt ein Zeichen insignifikant, wenn die abstrakte Allgemeinheit seines idealen Signifikats *auf Kosten* der seine Identifikation (als Signifikant) *als solche* bedingenden faktischen Besonderung in der «Wieder-holung» seiner Differenz zum Allgemeinen gesichert wird. Die Analogisierung wird noch in der kantischen Charakterisierung der «Einbildungskraft» (der produktiven) als «das Vermögen, einen Gegenstand auch ohne dessen Gegenwart in der Anschauung vorzustellen» (B151) deutlich: denn in der signifikanten Idealisierungsleistung des Zeichens wird die unmittelbare Präsenz der Referenz, die allerdings in der faktischen Wiederholungsleistung der Zeichenverwendung «wieder-geholt» wird, im Akt der produktiven Verallgemeinerung virtualisiert.

Mit anderen Worten: die Einheit und Differenz des «noumenalen» Ich als Einheitsgrund der Verstandesallgemeinheit mit dem «phänomenalen» Ich der Besonderheit der Selbstaffektion des inneren Sinns strukturiert bei Kant das Selbstbewußtsein als «unmittelbares Wissen von Sich» sowohl semantisch als auch logisch. Wegen der noumenalen Nicht-Einholbarkeit dieses Verhältnisses als Ganzes wird dabei jene Differenz statuiert, die das im Selbstbewußtsein ausgesagte Selbst-verhältnis erst strukturaInl ermöglicht: in einer intellektualen Anschauung als Einheit von Unendlichkeit und Endlichkeit bzw. von Begriff und Anschauung könnte das Selbstbewußtsein nicht bestehen. Die kantische Bewußtseinslehre kann den Vereinheitlichungsgrund des Subjekts nur aus einer transzendentalen Differenz heraus thematisieren und nimmt in ihrer Komplexität jenes linguistische Theorem vorweg, das die Subjektivität der Sprache als die *Einheit und Differenz* von Regelallgemeinheit einerseits und von in der Zeichenkette diakritisch georteter, verbesondernder Applikation als signifikanter Präsenz andererseits versteht. W. Marx ist zuzustimmen, wenn er die transzendentale Unhintergehbarkeit dieser Differenz folgendermaßen umschreibt: «Die logische Erzeugung der Differenz hebt Transzendentalität auf; fraglich ist aber, ob eine solche Theorie konsequent zu konstruieren ist. Bevor diese Frage nicht eindeutig entschieden ist, behält eine Philosophie, die sich stellt unter das Faktum der Differenz, das Recht einer Instanz.»[12]

[12] W. Marx, Zur Präsenz der transzendentalen Differenz in der dialektischen Vernunft, in: Subjektivität und Metaphysik. Festschrift für W. Cramer, Frankfurt a.M. 1966, 248. Siehe auch H. Heimsoeth, Die sechs großen Themen der abendländischen Metaphysik, Stuttgart 1955. In seiner Kommentierung des leibnizschen Individualprinzips «principium individuationis idem est quod absolutae specificationes, qua res ita sit determinata, ut ab aliis omnibus distingui possit» sagt Heimsoeth: «Dieser Grund muß vielmehr in einer Differenz liegen, die den Dingen selber und in ihrer Ganzheit zugehört.» (190). Diese Differenz nennt er dann auch «Spaltung» (198).

*Exkurs*:

Weil das Phänomen «Selbstbewußtsein» nur pluriform eingekreist werden kann und seine Konstanten die Rede von der «Autonomie» neuzeitlicher Subjektivität zumindest genauer zu konturieren vermögen, soll die Frage nach dem Selbstbewußtsein in der Deutung D. Henrichs, die als die zur Zeit philosophisch eindrucksvollste bezeichnet werden kann, nochmals kurz aufgegriffen werden.

In «*Über die Einheit der Subjektivität*» (1955)[13] hat Henrich in Auseinandersetzung mit Heideggers Kantbuch betont, daß das «Faktum der Freiheit» in der praktischen Philosophie Kants ein Problem ist, das erst durch das Faktum der Verpflichtung gestellt wird. Als moralisches Phänomen hängt es mit der Unmöglichkeit zusammen, die menschliche *Vernunft* als «Substanz» zu *demonstrieren*. «Im kategorischen Imperativ wird also gleichsam das Selbstbewußtsein sich als Substanz *gewiß*, da es auch Akzidenz oder Zustand einer nicht vernünftigen transzendenten Materie sein könnte.» (41) Das Selbstbewußtsein bezeichnet Henrich dann auch als «leer» und angewiesen auf ein Medium der Realisation, auf die transzendentale Sinnlichkeit als Synthesis der produktiven Einbildungskraft. Das Ich kann sich infolgedessen den Grund seiner Möglichkeit nicht außerhalb einer in der Kr. d. r. V. angenommenen «innersubjektiven Teleologie» vergegenwärtigen, die es dem Subjekt ermöglicht, «im Übersinnlichen den Vereinigungspunkt aller unserer Vermögen zu suchen, weil kein anderer Ausweg übrig bleibt, die Vernunft mit sich selbst einstimmig zu machen». (Kr. d. r. V. 139) In «*Selbstbewußtsein. Kritische Einleitung in eine Theorie*»[14] wird der Komplex außerhalb der kantischen Bedingungen diskutiert. Das Phänomen, daß «im Bewußtsein kein Erscheinen ohne ein Erscheinen des Bewußtseins selber» (260) sei, wird von Henrich sowohl in seinen ego-losen Interpretationen (Brentano, Schmalenbach, James) als auch in egologischen Deutungen (Russel, Kant, Paton, Shoemaker) diskutiert. In den ersten Deutungen wird Bewußtsein als Relation von «Inhalten zu sich selbst», als «ichlos und ursprünglich synthetisch» oder als «moralische Eigenschaft von Sachverhalten» interpretiert und die phänomenale und unverzichtbare Komponente des Selbst negiert. Dagegen leiden die egologischen Theorien laut Henrich an der Zirkularität sämtlicher Reflexionstheorien. Entweder ist das Ich mit sich schon bekannt, was vor-

---

[13] Philosophische Rundschau 1955(5), 28–69.
[14] In: Hermeneutik und Dialektik, Festschrift für H. G. Gadamer zum 70. Geburtstag, Tübingen 1970, 257–284. Dazu auch: D. Henrich, Zwei Theorien zur Verteidigung von «Selbstbewußtsein», in: Grazer Phil. Studien 7/8 1979, 77–99.

ausgesetzt werden muß, wenn das Ich sich als Ich identifizieren will. Dabei geht dann die Theorie von einer petitio principii aus. Oder diese Bekanntheit liegt nicht vor: die mit dem Ich argumentierende Reflexionstheorie wird dann unmöglich. Henrich folgert daraus, daß Bewußtsein als «Vertrautheit mit sich» nicht introspektiv aufgelöst werden kann. *Das Bewußtsein wäre also unmittelbar bekannt, aber nur mediat gegeben.* Henrich hält es dann auch für opportun, «vom *Leistungsbewußtsein eines Ichprinzips* abzusehen» (275). Dadurch würde nur die «Egozentrik» als Erklärungsansatz, nicht aber das Ich als Phänomen verschwinden, weil «das Gewahren dieses aktiven Prinzips als solches keine aktive Leistung ist... Die Idee des Selbst ist so sehr mit der Möglichkeit der frei vollzogenen Reflexion verbunden, daß eine Versuchung dahin zieht, auch noch die ursprüngliche Verfügung des Selbst über sich als ein Produkt seines selbst aufzugeben. Das Wissen des Selbst von sich ist aber eine Grundsituation, die nur etwa durch seine Funktion als organisierendes Prinzip des *ichlosen* Bewußtseins verstanden, aber nicht vom schon vorausgesetzten Ich abgeleitet werden kann.» (276) Das Bewußtsein ist also nicht der Herr im Haus, weil weder produktive Selbsterzeugung (es wäre eher eine «genesis spontanea») noch ein adäquates Schema seiner Transparenz vorliegen. Reflexion bleibt demnach das Grundphänomen des Bewußtseins, allerdings nicht als selbstgenügsames Prinzip. In *«Die Grundstruktur der modernen Philosophie»*[15] hat Henrich dann in der Auseinandersetzung mit Heidegger der Auffassung widersprochen, Selbstbewußtsein sei reduzierbar auf «Selbsterhaltung» und somit ein Implikat der «Subjektivität», weil die Macht dieser Subjektivität die Welt zu einer «gemachten» macht. Er hat hier die Passivität noch stärker betont. Für Henrich ist das neuzeitliche Problem der Selbstkontinuierung angesichts des Nominalismus erst der Auslöser für die Versuche einer Erstellung von Selbstbewußtseinstheorien. Die Aktivität der Kontinuierung im Selbstbewußtsein ist dann nicht identisch mit der Selbstermöglichung dieser Aktivität eines Selbstverhältnisses. «Selbstbewußtsein kommt überhaupt nur in einem Kontext zustande, der sich aus seiner Macht und Aktivität nicht verstehen läßt. Und es kommt in ihm so zustande, daß es von dieser Dependenz ursprünglich weiß. Deshalb hat es sich aus der Notwendigkeit zur Selbsterhaltung zu verstehen... Das um seinen Bestand im Blick auf eigene Kri-

---

[15] In: D. Henrich, Selbstverhältnisse, Stuttgart 1982, 83–108; Auch dazu H. Ebeling, Erhaltungssätze als Grundsätze einer Theorie der Subjektivität, Kantstudien, 1973(64), 466–483, und C. F. v. Weizsäcker, Kants Erste Analogie der Erfahrung und die Erhaltungssätze der Physik, in: G. Praus, a.a.O. 151–166.

terien der Richtigkeit besorgte Selbst möge am Ende einen internen Grund seiner Möglichkeit finden, der ihm nicht ebenso fremd und gleichgültig entgegenkommt wie der Aspekt der Natur, gegen den es die Energie seiner Selbstbehauptung zu kehren hat. Selbstbewußtsein erwartet eine Vernunft seines eigenen Wesens und Leistens in dem es gründenden Zusammenhang, von dem es zugleich weiß, daß es sinnlos wäre, ihn als einen weiteren Zusammenhang beherrschbarer Gegenständlichkeit vorzustellen.» (101)

Das Fazit, daß das Bewußtsein schon in der «Deduktion» seine phänomenale Ungegenständlichkeit anzeigt, rettet dieses Bewußtsein zugleich vor der von Kant durchaus begründeten «Kontrollvernunft» und vor dem Versuch einer quasi-göttlichen Selbstsublimation. Es repristiniert darüber hinaus eine Einsicht der «Anthropologie», die Kant in seiner Logik[16] als eine die Metaphysik noch umfassende Disziplin bezeichnet hatte. Denn das Faktum, daß «die Beobachtung an sich schon den Zustand des beobachteten Gegenstandes alteriert und verstellt»[17], entspricht der Differenzerfahrung des Bewußtseins als einer *ungegenständlichen Gegenständlichkeit*. Die Phänomenalität des Selbstbewußtseins, also seine *partielle* Gegenständlichkeit, bleibt in der Kritik der reinen Vernunft an die den inneren Sinn als Affektion (Form der Zeit) betreffende Einbildungskraft gebunden. Sie muß die Aufmerksamkeit auf das «Schematismuskapitel»[18] lenken.

Das transzendentale Schema ist das Dritte, das vermittelnd und insofern an beiden partizipierend, die Kategorien des Verstandes als Regeln der Allgemeinheit mit der Erscheinung der Sinnlichkeit zusammenfügt. Es ist das Produkt der bestimmenden Urteilskraft, die dem gegebenen Allgemeinen das Besondere «subordiniert». Während die reproduktive Einbildungskraft schon von der transzendentalen Idealität der Zeit abhängt, wird auch das Schema als «Produkt der Einbildungskraft» (A 140) eine transzendentale Zeitbestimmung als Folge dieser transzendentalen Synthesis enthalten müssen. Diese transzendentale Zeitbestimmung erhält die Dignität der Kategorien, weil sie für Kant nach einer allgemeinen, apriorischen Regularität «abläuft». Zugleich ist sie mit der Erscheinung liiert, *insofern* die Zeit stets mit einer empirischen Mannigfaltigkeit verbunden ist. «Die Schemata sind daher nichts als Zeitbestimmungen

[16] Logik (ed.Jäsche), Akademieausgabe IX, Berlin 1923, 25.
[17] Metaphysische Anfangsgründe der Naturwissenschaft, in: Werkausgabe, IX, 16.
[18] Kr.d.r.V., 196–205. W. H. Walsch nennt es in dem Aufsatz «Schematism«, Kantstudien (49) 1957/58, 95–106, «highly obscure». (95).

a priori nach Regeln» (A145), d.h. sie sind die Bedingungen, unter welchen die Kategorien zu den Objekten kommen und diese «bedeutungsvoll» machen. Dies macht in einem gewissen Sinne die «semantische Transzendentalität der Schemata» aus. An dieser Stelle tritt aber das gleiche Problem hinsichtlich der Priorität des Verstandes (bzw. der Apperzeption) oder der Einbildungskraft wieder auf. Denn Kant sagt eindeutig, daß es die transzendentale Zeitbestimmung ist, welche die Erscheinungen unter die Kategorien subsumiert und daher auch letztere auf die Sinnlichkeit restringiert: «die Kategorien sind daher am Ende von keinem anderen, als einem möglichen empirischen Gebrauche, indem sie bloß dazu dienen, durch Gründe einer a-priori notwendigen Einheit (wegen der notwendigen Vereinigung alles Bewußtseins in einer ursprünglichen Apperzeption) Erscheinungen allgemeinen Regeln zu unterwerfen» (A146). Die Frage muß also zumindest offen bleiben, ob nicht die Kategorien in ihrer allgemeinen Regelhaftigkeit (bzw. in ihrer semantischen Idealität) erst dann signifikant werden, *nachdem* sie mittels der transzendentalen Zeitbestimmung des Schemas ein Produkt der transzendentalen Assoziabilität und Wiederholbarkeit durch die produktive Synthesis der Einbildungskraft geworden sind. F. Kaulbach nennt das Schema «die Melodie, nach welcher sich das spontan agierende, punktuelle «Ich denke» selbst zur inneren Erfahrung bringt».[19] Diese innere Erfahrung kann aber bei Kant als *innerer Sinn* der empirisch-reproduktiven Einbildungskraft zugeordnet werden. Damit entsteht wiederum der Zusammenhang von Idealität und Faktizität als Einheit und Differenz von Allgemeinheit und Besonderung. Kant selber hat allerdings den Schematismus als «eine verborgene Kunst in den Tiefen der menschlichen Seele» (A141) bezeichnet.

Das «Bild» ist im Unterschied zum «Schema» das Produkt der empirischen, reproduktiven Einbildungskraft: «das Schema sinnlicher Begriffe (als der Figuren im Raume)» (A142). Es wird also von der Allgemeinheit des Begriffs nur mittelbar diszipliniert und das auch nur im Falle einer Subsumption der Bilder unter die Kategorie. Die *Kritik der Urteilskraft* nimmt für die ästhetische Urteilskraft eine «Schematisierung ohne Begriff» in Anspruch, wodurch die Einbildungskraft das «subjektive Allgemeine» des Geschmacksurteils bedingt.[20]

---

[19] F. Kaulbach, Schema, Bild und Modell nach den Voraussetzungen des Kantischen Denkens, in: G. Praus, a.a.O. 105–129, 114.
[20] Kr.d.U., Hamburg 1974, 137.

In dem Abschnitt 59 «Von der Schönheit als Symbol der Sittlichkeit»[21] hat Kant das Schematismusproblem als eine «analogische Schematisierung» thematisiert, die in die praktische Philosophie das Problem der Funktion der Einbildungskraft zwischen der Apperzeption als Einheitsgrund der Allgemeinheit und der sinnlichen Besonderheit hineinträgt.

Der Symbol-Begriff wird dort folgendermaßen umschrieben: «Alle Anschauungen, die man Begriffen a priori unterlegt, sind also entweder Schemata oder Symbole, wovon die ersteren direkte, die zweiten indirekte Darstellungen des Begriffs enthalten. Die ersten tun dies demonstrativ, die zweiten vermittelst einer Analogie (zu welcher man sich auch empirischer Anschauung bedient), in welcher die Urteilskraft ein doppeltes Geschäft verrichtet, erstlich den Begriff auf den Gegenstand einer sinnlichen Anschauung, und dann zweitens die bloße Regel der Reflexion über jene Anschauung auf einen ganz anderen Gegenstand, von dem der erstere nur das Symbol ist, anzuwenden.»[22]

Die Identität von Schönheit und Sittlichkeit, die aufgrund des Symbolbegriffs nur partiell sein kann, wird durch ihre beiderseitige «Unmittelbarkeit» (in der Anschauung bzw. für die Sittlichkeit im Begriff), *durch* ihre «Interessenlosigkeit», ihre «Freiheit» und ihre «Allgemeinheit» gesichert. Ihre Differenz bezüglich der Freiheit liegt darin, daß diese bei der Schönheit als Einstimmigkeit mit der Gesetzmäßigkeit des Verstandes, bei der Sittlichkeit als Einstimmigkeit des Willens nach allgemeinen Vernunftgesetzen, bezüglich der Allgemeinheit sich im einen Fall als «subjektive», im anderen Fall als «objektive» erweist.

Die Schönheit ist daher allein aufgrund ihrer formalen Bestimmtheit partiell «deckungsgleich» mit der Domäne der Sittlichkeit, und *insofern* gehört sie dann auch wesentlich zu dem «Ent-deckungszusammenhang» der Sittlichkeit hinzu. Freilich erhält letztere ihre Dignität unmißverständlich von dem objektiven Vernunfturteil. Eine Redewendung von F. Kaulbach variierend, könnte man dann sagen, daß das *Symbol die nicht auf die begriffliche Allgemeinheit restringierte Melodie ist, nach welcher sich das spontan agierende, punktuelle Ich selbst zur inneren, ästhetischen und ethischen Erfahrung bringt.* In dem Aufsatz «Schema, Bild und Modell»[23] hat Kaulbach aus dieser Einsicht heraus eine «Philosophie des Modells»

---

[21] Kr.d.U. § 59; in «Was heißt sich im Denken orientieren?» nennt Kant das Schema eine «bildliche» Vorstellung (267). In der Dissertation «de mundis sensibilis atque intelligibilis forma et principiis» nennt Kant die Begriffe «symbolisch» (cognitio symbolica), Hamburg 1958, 30f.; Die Terminologie ist also schwankend.

[22] Kr.d.U., a.a.O. 60      [23] Anmerkung 19.

entwickelt. Er setzt dieses Modell dem Schema als «transzendentale Technik» der Fesselung der Natur entgegen. *Das Modell wäre demnach das Resultat einer produktiven, bildenden Vernunft, welche die freie Natur moduliert.* Sowohl der Freiheitscharakter als auch die «Naturhaftigkeit» weisen dabei schon phänomenologisch auf die Sittlichkeit und auf die Ästhetik hin. «Das Modell bietet den Raum für Möglichkeiten, es repräsentiert den Weg des Suchens und Experimentieren ... Durch das Verfahren des Modulierens gewinnt das Denken die Möglichkeit, die undurchsichtige Wirklichkeit am Leitfaden durchsichtiger Strukturen aufzuschlüsseln.»[24] Die im «Modell» thematisierte *Möglichkeit* garantiert der Vervollkommungstendenz der Ästhetik und der Meliorisierungstendenz der Ethik ein Korrelat in der Realität. Die Transparenz der Strukturen bleibt dabei zugleich Folge ihrer prinzipiellen Bindung (vor allem in der Sittlichkeit) an eine vernünftige Allgemeinheit. Die Amalgamierung von Idealität und Faktizität, die Einheit und Differenz zwischen der (prospektiven) Allgemeinheit der Idealität als Produktivität der Forderung und der Reproduktion der Idealität in der Besonderheit ihrer empirischen Identifikation *als* «Forderung an» bilden *die besondere Allgemeinheit* der Gestalt dieser Sittlichkeit in ihrer signifikanten Prägnanz.

Man kann mit D. Henrich davon ausgehen, daß in der kantischen Ethik «erstmals in der Geschichte der Philosophie die vernünftige Subjektivität zur Grundlage der Ethik gemacht wurde»[25]. Demzufolge müssen sich der «theoretischen» Philosophie analoge Probleme einstellen, vor allem hinsichtlich der Deduktion des höchsten Prinzips dieser Ethik, hinsichtlich der Freiheit als Analogon der Spontaneität der Apperzeption. Dabei weist erst die im Phänomen der sittlichen Verbindlichkeit «aufgewiesene» Freiheitsproblematik phänomenologisch auf die Funktion der Spontaneität des Selbstbewußtseins hin (cfr. Henrich a.a.O.). Erst die Freiheit des Menschen stimuliert ihn, seine Handlungen nicht als An-sich-Bestimmungen einer Kausalität, sondern als Erscheinungen einer Freiheit zu betrachten.

«Das Selbstbewußtsein würde es zwar zu einem denkenden Automaten machen, in welchem aber das Bewußtsein seiner Spontaneität, wenn sie für Freiheit gehalten wird, bloße Täuschung wäre.»[26]

Erst der «intellektus archetypus», woran die reine praktische Vernunft aufgrund der von ihr notwendig vorausgesetzten *Freiheit* partizipiert –

---

[24] Ebd. 123ff.

[25] D. Henrich, Das Prinzip der kantischen Ethik, in: Phil. Rund. (2) 1954/55, 20–39, 34.

[26] Kritik der praktischen Vernunft, Hamburg 1974, 117.

für sie eine konstitutive Idee, im Gegensatz zu der bloß regulativen Funktion der Ideen im Bereich der theoretischen Vernunft – wird die Zulässigkeit der Freiheitsidee in der reinen Vernunft aufweisen.

Diese Auffassung bezüglich der Interdependenz von reiner und praktischer Vernunft gehört aber der Zeit der *Grundlegung der Metaphysik der Sitten* (1785) an. Die ersten Anläufe Kants im Bereich der Ethik hatten sich vor allem mit den Vollkommenheitsethiken eines Leibniz, Clarke und Wollaston einerseits und mit der einflußreichen englischen Tradition der «morale sense»-Ethik, deren hervorragender Vertreter Hutcheson war, auseinanderzusetzen.[27]

Schon in der Preisschrift von 1763, die *Untersuchungen über die Deutlichkeit der Grundsätze der natürlichen Theologie und Moral,* war es Kant in der Konfrontation mit Hutcheson[28] deutlich geworden, daß eine Gefühlsethik, aber auch eine ontologische und teleologische Vorgabe der Unbedingtheitsstruktur der sittlichen Erfahrung, dem «principium executionis bonitatis» nicht angemessen sei. In den *Beobachtungen über das Gefühl des Schönen und Erhabenen* (1764) wurde das «allgemeine moralische Gefühl» nur als hilfreiches «Supplement» zu den Grundsätzen der Ethik zugelassen. Die Schrift *Über den Gemeinspruch: Das mag in der Theorie richtig sein, taugt aber nicht für die Praxis.* (1793) hat das Gefühl dann auch nur als *Folge* des sittlich bestimmten Willens toleriert.[29] Das «principium diiudicationis bonitatis», das Beurteilungsprinzip, war Kant aber schon in den «Beobachtungen» aufgegangen: nämlich als Kriterium der Qualität des Willens, als «in consensu mit dem allgemeinen Willen», als innere Allgemeinheitsstruktur des Willens.[30]

Hierdurch sichert Kant zunächst die Apriorität und Transzendentalität des ethischen Prinzips. «*Principium morale est intellectuale internum.*»[31] Denn der Wille ist jene praktische Kehrseite der theoretischen Subjektivität, die, wie das Ich, die Einheit und Differenz von Subjektivität und Objektivität zugleich enthält – das wissende Ich und das gewußte Ich bzw. der wollende Wille und seine «Phänomenalität» sind eine Einheit

---

[27] Zu den einflußreichsten Strömungen der Ethik gehören auch A. A. C. Shaftesburys «A letter concerning Enthusiasm» (1708), «The Moralist. A Philosophical Rhapsody» (1709) und Adam Smiths «Theory of Moral Sentiments» (1759) (Theorie der ethischen Gefühle, Hamburg 1977), welche Kant kannte und in welcher die dem kategorischen Imperativ logisch nahestehende Theorie des neutralen Beobachteres als Beurteilungskriterium das erste Mal entwickelt wurde.

[28] Akademieausgabe, II, 299.

[29] Weischedelausgabe, Bd. XI, a.a.O. 127,175, 137.

[30] Dazu: D. Henrich, Über Kants früheste Ethik. Versuch einer Rekonstruktion, Kantstudien, 1963(54), 404–431. Ders., Hutcheson und Kant, Kantstudien 1957/58(49), 49–69.

[31] P. Menzer (Hg.), Eine Vorlesung Kants über Ethik, Berlin 1924, 17.

verschiedener Dimensionen. Auch der Wille wird, wie der Ichbezug, unmittelbar als «mein» Wille gewußt und zugleich als eine reale Tendenz, damit er als *mein* Wille *als solcher* erscheint und einen Gegenstandsbezug aufweist. Die exponierte Stellung des Willensproblems im gesamten Idealismus – noch Heidegger wird den Zusammenhang von Subjektivität und Willen als *die* Pathologie der Neuzeit diagnostizieren – liegt in dieser phänomenologischen Nähe zur Apperzeption.

Die Rede von der Autonomie wird diese Union von Ich/Selbständigkeit/Freiheit einerseits und Gesetz/Objektivität als Gesetz jenes Selbst andererseits begrifflich anzeigen[32]. Denn für Kant sichert nur die strenge Allgemeinheit als Form die Apriorität des Selbst oder des Willens, m. a. W. seine Freiheit. Diese Einsicht wird in der *Grundlegung zur Metaphysik der Sitten* erstmals extensiv dargelegt: das Faktum der Verpflichtung kann die Vernunft nur dann denken, wenn sie sich auf den Standpunkt der Verstandeswelt stellt. Die Allgemeinheit als Aufweis der Forderungsqualität und Independenz des Sittlichen erlaubt erst, die Sittlichkeit zu *reflektieren* und ermöglicht die Einbeziehung mehrerer Komponenten. Sie *qualifiziert* den sittlichen Willen anthroplogisch als Distanz zur Triebverfaßtheit («Der allgemeine Wille des Menschen besteht in dem Gegenstande oder der Form der Handlungen, dadurch er unabhängig von jeder besonderen Neigung wird»[33]). Sie erklärt den Unbedingtheitsstatus des Sittlichen bzw. seine «vis obligandi», die, wie[34] die Naturgesetzlichkeit im Bereich der reinen theoretischen Vernunft, den synthetisch-apriorischen Charakter der Sittlichkeit gegen ihre analytische Reduktion in Systemen ontologischer oder anthropologischer Bedingtheit des Ethischen sichert. Sie drückt den transzendental-logischen Ort von Normativität aus: die Allgemeinheit oder die Norm sichert die logische Kohärenz der notwendigen, aber doch nicht hinreichenden Bedingungen moralischen Handelns. «Das ist eine unmoralische Handlung, deren Intention sich selbst aufhebt und zerstört, wenn sie zur allgemeinen Regel gemacht wird.»[35] Die Wider-

[32] Dazu: D. Henrich, Ethik der Autonomie, in: Ders., Selbstverhältnisse, Stuttgart 1982, 6–56.
[33] Texte zur Moralphilosophie aus Kants handschriftlichem Nachlaß, in: (Hg.) R. Bittner und K. Cramer, Materialien zu Kants «Kritik der praktischen Vernunft», Frankfurt a.M. 1975, 83.
[34] «Principium objektivum: die Übereinstimmung der Freiheit mit der allgemeinen Gesetzmäßigkeit der Natur. 1. Muß diese Einstimmung freiwillig sein; 2. nicht mit den Naturgesetzen, sondern bloß der allgemeinen Gesetzmäßigkeit der Natur, so daß die Maxime unserer Handlungen mit unserem Willen ein allgemeines Naturgesetz sein könne.» Texte, a.a.O. 86.
[35] Eine Vorlesung Kants über Ethik, a.a.O. 53. Die Kontroversen um die Stringenz und um das Verständnis dieser Richtschnur haben seit den Anfängen eine Flut an Interpretationen hervorgerufen. Dazu: Chr. A. Thilo, Die Grundirrtümer des Idealismus in ihrer Entwicklung von Kant bis Hegel und Schleiermacher auf dem Gebiete der praktischen Philosophie, in: Materialien, a.a.O. 384–403, 384ff.; G. Krüger, Philosophie und Moral in der kantischen Kritik. Tübingen 1967; L. W.

spruchslosigkeit der Intention ruft dann auch die «vernünftige» Selbstschätzung als «Würdigkeit zur Glückseligkeit» erst hervor.[36] Die Freiheit selber aber, deren Deduktion Kant in der «Grundlegung» noch in Aussicht gestellt hatte, läßt sich über das Faktum der Verpflichtung hinaus nicht ableiten. Sie ist nur aufweisbar, wie die transzendentale Apperzeption in der Deduktion, innerhalb des kognitiven Rahmens der Allgemeinheitsstruktur der sittlichen Selbstverpflichtung (wie die Apperzeption zunächst innerhalb des Rahmens ihrer Funktion in den Kategorien). Sie ist somit ein «Faktum der Vernunft»[37] und kann, dem Selbstbewußtseinstheorem strukturell analog, nur phänomenologisch innerhalb der Willensproblematik eingekreist werden. Als causa noumenon bringt sie erst die Wirklichkeit dessen, was sie erklären soll, hervor, ist also in einem strikten Sinne nicht theoriefähig und -bedürftig. Diese *ursprüngliche* Ungegenständlichkeit der Freiheit analogisiert sich mit der voregologischen und deshalb nicht deduzierbaren Ursprünglichkeit des Selbstbewußtseins, von der es heißt, daß «es im Bewußtsein kein Erscheinen ohne ein Erscheinen des Bewußtseins» gibt (Henrich). Während die ursprüngliche Differenz (W. Marx) die diskursive Thematisierung des Bewußtseins im Kontext des Begriffs (der Verstandesallgemeinheit) freisetzt, präjudiziert der Kontext der Verstandesallgemeinheit in der Ethik Kants die Generalisation als transzendentales Kriterium und die Ausrichtung seiner Ethik als imperativisch. Die nachkantischen Systeme werden in der Bewußtseinsdifferenz selber das Problem der praktischen Philosophie entfalten.

Die Freiheit und das Ich sind dann die Pole eines Phänomens, das nur in der von Kant abgelehnten «intellektualen Anschauung» noumenal gewußt würde. Erkenntnis unter endlichen Bedingungen würde von dieser «intellektualen Anschauung» zugleich annihiliert werden.

Beck, Kants Kritik der p.V., München 1974; H.J. Paton, Der kategorische Imperativ, Berlin 1962; G. Patzig, Die logischen Formen praktischer Sätze in Kants Ethik, in: Kant, (Hg.) G. Praus, a.a.O. 207–221; O. Schwemmer, Vernunft und Moral. Versuch einer kritischen Rekonstruktion des kategorischen Imperativs bei Kant, in: G. Praus, a.a.O. 255–273; G. Ebinghaus, Die Formeln des kategorischen Imperativs und die Ableitung inhaltlich bestimmter Pflichten, in: G. Praus, a.a.O. 275–291; M. Fleischer, Das Problem der Begründung des kategorischen Imperativs bei Kant, in: G. Praus, a.a.O. 387–404; N. Hoerster, Kants kategorischer Imperativ als Test unserer Pflichten, in: M. Riedel (Hg.), Rehabilitierung der praktischen Philosophie, Bd. II, Freiburg 1974, 455–478. Vor allem H. G. Gadamer (Über die Möglichkeit einer philosophischen Ethik, in: Sein und Ethos, Untersuchungen zur Grundlegung der Ethik, (Hg.) P. Engelhardt, Mainz 1964, 11–24) und R. Bubner (Handlung-Sprache-Vernunft. Grundbegriffe praktischer Philosophie, Frankfurt a.M. 1982) gehen auf die aristotelische Phronesis-Tradition zurück als Komplement zur formalen Allgemeinheit der kantischen Ethik.
[36] Grundlegung, 70ff./Kr.d.p.V. 55; 65; 77.
[37] Metaphysik der Sitten, Hamburg 1966, 19.

«Erscheinungen sind Vorstellungen, sofern wir affiziert werden. Die Vorstellung von unserer freien Selbsttätigkeit ist eine solche, da wir nicht affiziert werden, folglich ist sie nicht Erscheinung, sondern Apperzeption. Nun gilt der Satz des zureichenden Grundes nur als principium der Exposition der Erscheinungen, folglich nicht als Exposition der ursprünglichen Anschauungen.»[38] Das Zurücktreten einer Erklärung ist dabei nicht die Folge einer Unzulänglichkeit der Methodologie oder der Theorie, sondern bedingt durch das Phänomen als Ganzes: die *Unerklärlichkeit* der Freiheit, die *Unverstehbarkeit* des Interesses am sittlich Guten (die geradezu zunimmt bei reduktiven Erklärungen), die *ursprüngliche* Billigung des Guten, das nur in der Zustimmung sichtbar wird und die konstitutive Struktur der *Selbsthaftigkeit* dieser Billigung, die als Autonomie die immanente Kondition der Sittlichkeit selbst aufweist, sind also nur verschiedene Dimensionen einer Wirklichkeit.[39]

Trotzdem bleibt das Problem der Allgemeinheit der Norm als Richtschnur der Beurteilung der Intention[40] einerseits und ihrer konkreten Adaption andererseits bestehen. Das «Schema» hatte allerdings unter Wahrung der Priorität des Allgemeinen die In-eins-Bildung von Kategorialität und Sinnlichkeit in der reinen theoretischen Vernunft zu leisten versucht. Dabei hatte es den Status der Besonderheit der Sinnlichkeit kategorial zu integrieren unternommen. Für die praktische Vernunft ist es *der Typus des Sittengesetzes*, der in der praktischen Urteilskraft – und das ist eben die Differenz zum «Schema» – keine Funktion der Einbildungskraft ist, etwa als Subsumption eines Falles unter das Gesetz, sondern ein Schema des *Gesetzes selbst* darstellt, weil Kant zufolge das Gute in seiner Unbedingtheit nicht angeschaut werden kann. Diese restringierende Verstandeshandlung – sie unterlegt die Allgemeinheit der Naturgesetze der Maxime des Handelns – ist im Grunde nur der konkrete spontane Vollzug der Beurteilung der sittlichen Situation nach dem Prinzip der Universalisierbarkeit[41]: sie ist der kategorische Imperativ in actu in der Spontaneität der «gemeinen» Vernunft. Die Rede von Bildern im praktischen Diskurs erlaubt Kant dagegen nur für die motivationale Seite sittlichen

---

[38] Texte zur Moralphilosophie, a.a.O. 39.
[39] Dazu: D. Henrich, Der Begriff der sittlichen Einsicht und Kants Lehre vom Faktum der Vernunft, in: Die Gegenwart der Griechen im neueren Denken. Festschrift für H. G. Gadamer zum 60. Geburtstag, Tübingen 1960, 77–116; Ders., Die Deduktion des Sittengesetzes. Über die Gründe der Dunkelheit des letzten Abschnitts von Kants Grundlegung zur Metaphysik der Sitten, in: Denken im Schatten des Nihilismus, Darmstadt 1975, 55–122.
[40] Dazu: Logik, a.a.O. 15.
[41] Vor allem Kr.d.p.V., 79–84, Von der Typik der reinen praktischen Urteilskraft.

Handelns, bleibt aber als Stimulation des sittlichen Gefühls an die Unbedingtheitsstruktur des sittlichen Urteils gebunden: «Die Möglichkeit, nach motivis intellectualibus zu handeln und also independenter a stimulis, ist das Fundament eines jeden praktischen Urteils; also ist die Freiheit eine anticipatio practica. Es ist so, wie wir nicht allein eine sinnliche und intellektuelle Vorstellungskraft haben, sondern auch ein Vermögen, durch die letztere die Sinnlichkeit zu analogischen und erläuternden Vorstellungen zu *exzitieren*; e. g. *Bilder*, die eine Analogie mit den Erkenntnissen des Geistes haben.»[42]

Die Differenz von ästhetischer Idee und ästhetisch-praktischer Symbolik wird dadurch wieder größer. Denn während der Typus eine spontane Vergegenwärtigung des kategorischen Imperativs im konkretisierend-vergegenwärtigenden Urteilsakt darstellt und somit eine Verstandeshandlung ist, die auf strenger Universalisierbarkeit zugleich beruht *und* auf sie tendiert, beruht die ästhetische Idee auf einer nur subjektiven Urteilsqualität. Dies impliziert ihre nur partielle Begrifflichkeit und bedingt die Stilisierung der Sinnlichkeit als eine *mögliche* Allgemeingültigkeit unter dem Gesichtspunkt der Lust oder der Unlust, d. h. unter dem Gesichtspunkt des Geschmacks. Die in der Symbolik angesprochene Gemeinsamkeit von Ästhetik und Ethik ist in der Perspektive der letzteren nur ihrem uneigentlichen Teil zugedacht. Die Autonomie der Ethik vermag ihre Geltung nur in der den Naturgesetzen entlehnten Form strenger Allgemeinheit des Objektbezugs zu wahren. Sie ist im Falle der Sittlichkeit die Beschaffenheit des Willens als praktisches Implikat des Ichs, während die ästhetische Urteilskraft sich als «heautonom»[45] konstituiert. Sie stellt die autarke Handlung der Einbildungskraft dar, die sich selbst unabhängig vom Objektbezug ein Gesetz gibt und ihre Geltung somit von der nur partiellen, möglichen Allgemeingültigkeit des Geschmacksurteils abhängig macht. In der Rede von der Autonomie entspricht die unbeliebige

---

[42] Texte zur Moralphilosophie, a.a.O. 104. Von diesem Schematismus ist auch in «Die Religion innerhalb der Grenzen der bloßen Vernunft» (Hamburg 1978, 69) die Rede; dort fungiert er als «Erläuterung».

[43] Siehe oben.

[44] «Unter einer ästhetischen Idee aber verstehe ich diejenige Vorstellung der Einbildungskraft, die viel zu denken veranlaßt, ohne daß ihr doch irgendein bestimmter Gedanke, d.i. Begriff, adäquat sein kann, die folglich keine Sprache völlig erreicht und verständlich machen kann.» (K.d.U., 168). «Hier ist nun allererst zu merken, daß eine ästhetische Allgemeinheit, die nicht auf Begriffen von Objekten ... beruht, gar nicht logisch, sondern ästhetisch sei, d.i. keine objektive Quantität des Urteils, sondern nur eine subjektive enthalte; für welche ich auch den Ausdruck Gemeingültigkeit, welcher die Gültigkeit nicht von der Beziehung einer Vorstellung auf das Erkenntnisvermögen, sondern auf das Gefühl der Lust und Unlust für jedes Subjekt bezeichnet, gebrauche.» (Kr.d.U., 52).

[45] K.d.U. Vorrede, XXXVII–XXXVIII, 22.

Selbstexplikation des moralischen Ichs im Sinne der Selbst-gesetzlichkeit unter der apriorischen Geltungsform des allgemeinen Gesetzes der genauen Form der Selbstexplikation des Bewußtseins, das seine Identifikation kategorial im Kontext einer Reflexionstheorie kategorialer Verstandesallgemeinheit (seines *Wissens* um sich) ebenfalls in einem – zwar aporetischen – Objektbezug (das Sich als das Andere des Selbst im Selbst) vollziehen kann und somit seine Geltung als innersubjektive Anerkennung und Adäquation konstituiert. Die «Heautonomie» dagegen enthält aufgrund der radikalen *Auto*-nomie ihres Gegenstandes, der sich außerhalb der Adäquationsfrage stellt, ständig eine «objektive» Suspendierung ihrer Geltung. Trotzdem muß die symbolische Analogisierung von Ethik und Ästhetik als ein Ungenügen an der alleinigen Vorherrschaft der Geltungs- und Urteilsrationalität in «rebus morum» interpretiert werden. Die Rede von der «Kontrollvernunft» läßt sich allerdings in einem weiten Sinne – dem Motivations- und Entdeckungszusammenhang der Ethik gegenüber – kaum vermeiden. Der Status der Besonderheit gegenüber der transzendentalen Allgemeinheit der Geltung bleibt in der kantischen praktischen Philosophie somit unklar.

### J. G. Fichte

In der Philosophie J. G. Fichtes[46] hat sich gegenüber Kant in zweierlei Hinsicht ein bedeutsamer Wandel vollzogen. Zunächst wird der Boden einer Epistemologie, die sich als relational versteht, zugunsten einer Theorie des Wissens als *Produktion* verlassen. Darüberhinaus aber wird das praktische Wissen als Sittlichkeit in den Rahmen der Entfaltungsbedingungen dieser Produktion fester eingebunden. Es wird sich im Laufe der Entwicklung der Fichtschen Philosophie als deren Eckstein statuieren. Die *Produktionstheorie des Wissens* distanziert sich von der *Reflexionstheorie* des Wissens als Wissen des Selbstbewußtseins um sich (Kant). Diese Theorie stellt sich die Selbstbeziehung nach dem Muster einer *intimen* Gegenstandsbeziehung vor und unterläßt es somit, sie als *Beziehung identischer Relata* zu denken. Die Zirkularität dieser Theorie besteht in der

---

[46] Die wichtigsten Impulse der Fichte-Forschung gingen von der sogenannten *Heidelberger Schule* aus, deren wichtigsten Repräsentanten sind: W. *Cramer* (Die Monade, Das philosophische Problem vom Ursprung, Stuttgart 1954; Grundlegung einer Theorie des Geistes. Frankfurt a.M. 1957; Das Absolute und das Kontingente. Untersuchungen zum Substanzbegriff, Frankfurt a.M. 1959), U. *Pothast* (Über einige Fragen der Selbstbeziehung, Frankfurt a.M. 1971) und D. *Henrich* (Fichtes ursprüngliche Einsicht, in: Subjektivität und Metaphysik. Festschrift für W. Cramer, Frankfurt a.M. 1966,188–232). Letzterem wichtigen Aufsatz verdankt der Autor einige elementare Gedanken dieses Abschnitts.

zweifachen petitio principii, daß die Reflexion das voraussetzt, was sie erklären soll, nämlich die wissende Selbstbeziehung, und daß sie ihr Ich-Objekt nur *wissen* kann aufgrund der apriori angenommenen Identität des Ich=Ich[47].

Um diesen Zirkel zu vermeiden, muß der Standpunkt eines nicht-thematischen Wissens eingenommen werden, das im Laufe seiner Entfaltung erst die Relation der Relata hervorbringt. Diesem Versuch liegt das Denken Fichtes zugrunde.

Jener «Grundsatz, der nicht erwiesen wird»[48], sondern vorausgesetzt wird und von Fichte ausdrücklich als ein Faktum des menschlichen Geistes bezeichnet wird, lautet: «Das Ich setzt sich selbst.»[49] Er ist die erste elementare «Thathandlung» des Selbst. In der tätigen Produktion wird das Ich als Produkt «gesetzt» und erscheint als Wissen vom Akt dieser Produktion. Das Wissen als *That*bewußtsein des Ich ereignet sich also im Akt des Produzierens (des Setzens), gibt aber keine Auskunft über den *Wissensgrund* selbst, der nicht *gewußt* wird, sondern sich in der Simultaneität von Produktion (Setzen des Ich) und Produkt (das Ich als sich setzend) als tätiger *erweist*. Wenn das Ich sich schlechthin setzt, dann *erscheint* das Ich als grundlos (ohne es deshalb zu sein) im Sinne der nicht gewußten Ge-gründetheit dieses «Für sich». Bekanntlich lautet der zweite Grundsatz der Wissenschaftslehre: «Ich ist Nicht-Ich». Er drückt die Bestimmtheit des Ich als das Ausgestoßensein in der Vorstellung aus. Das Ich und das Nicht-Ich bestimmen sich also gegenseitig. Es entstehen zwei Reihen, die sich unter der absoluten Priorität des ersten Grundsatzes wie folgend ausnehmen: das Ich setzt sich *als* bestimmt durch das Nicht-Ich; das Ich setzt sich als bestimmend das Nicht-Ich.

«Insofern das Ich absolut ist, ist es unendlich und unbeschränkt. Alles, was ist, setzt es; und was es nicht setzt, ist nicht, *(für* dasselbe; und *außer* demselben ist nichts). Alles aber was es setzt, setzt es als Ich; und das Ich setzt es, als das, was es setzt. Mithin faßt in dieser Rücksicht das Ich in sich alle, d.i. eine unendliche, unbeschränkte Realität. Insofern das Ich sich ein Nicht-Ich entgegensetzt, setzt es nothwendig *Schranken*, und sich selbst in diese Schranken. Es vertheilt die Totalität des gesetzten Seins

---

[47] «Subjektivität wird als faktische Aktuosität gedacht, die ihren Platz in der Sphäre der Gegenstände hat. Wer sie denkt, setzt deshalb immer schon ein denkendes Subjekt (nämlich sein eigenes) voraus, für das sie ein Objekt ist.» D. Henrich, a.a.O. 195.
[48] J. G. Fichte, Über den Begriff der Wissenschaftslehre von 1794 (1798), Werke Bd. I, (Hg.) I. H. Fichte, Berlin 1961, 27–82.
[49] Ders., Grundlage der gesammten Wissenschaftslehre.(1794), Bd. I, 83–328, 96.

überhaupt an das Ich und an das Nicht-Ich; und setzt demnach insofern sich nothwendig als endlich.»[50]

Die Bewegung, die nun zwischen der Unendlichkeit des reinen Ich und der Endlichkeit des bestimmten Ich entsteht, muß nun, falls sie die absolute Form und den absoluten Gehalt des ersten Grundsatzes behaupten will, unter der Botmäßigkeit des reinen Ich *gefordert* werden. Sie läßt sich also nur als ein *Sollen* formulieren: «jene Forderung, daß alles mit dem Ich übereinstimmen, alle Realität durch das Ich schlechthin seyn solle, ist die Forderung dessen, was man praktische Vernunft nennt.»[51] Die zweite Reihe ist die Reihe des Unendlichen, des Gesollten, des Idealen und des Praktischen, welche die erste Reihe des theoretischen, des «wirklichen», des «intelligenten» Ich, des Realen bestimmen *soll*. Fichte bezeichnet das Ich der idealen Reihe deshalb ausdrücklich als eine *Idee*[52]. Der praktische Gehalt dieser Deduktion ist an dieser Stelle bei Fichte noch durchaus funktional, er sichert den Tätigkeitscharakter des ersten Grundsatzes. Erst im Laufe der weiteren Entwicklung seiner Philosophie wird Fichte die Sittlichkeit als eigenständige Größe einführen.

Seit 1797 ändert sich die Formulierung des ersten Grundsatzes. Das Ich ist nunmehr «ein sich Setzen *als* setzend.»[53] Der Repräsentationspartikel deutet darauf hin, daß der Wissensbezug, welcher der Selbstbeziehung phänomenologisch entspricht, in der Tätigkeit wiederum stärker betont wird. In dieser Repräsentation ist *die Distanzierung* als Bedingung des Wissens *und* der Freiheit mit eingeschlosgen. Sie ermöglicht die Duplizität und Gleichzeitigkeit von Anschauung und Begriff. Dabei entspricht das «Sich» dem Anschauungsstatus der Selbstbeziehung, insofern sie *wirklich* ist, das «als» dagegen entspricht dem Begriffsstatus, insofern der Selbstbezug *gewußt* wird. Der tätige Grund des früheren Grundsatzes muß also die Gleichursprünglichkeit der Tätigung des Sich-setzens und des Wissens im Sinne der im «als» eingeschlossenen Repräsentation leisten. Er wird aber auch hier *als* Grund *nicht gewußt*, sondern nur *getätigt* vom Ich. Mit *D. Henrich* läßt sich dann sagen: «Die Bedingung seiner Einheit ist ... nicht sein Thema, sondern nur sein Ursprung.»[54]

Es entsteht also eine Differenz zwischen Ich-Tätigkeit und Ich-Produkt, welche sich als unaufhebbar konstituiert. Sie läßt sich mit *Derrida*

[50] Ebd. 255
[51] Ebd. 263. Dazu die «Erste Einleitung in die Wissenschaftslehre» (1797), Bd. I, 417–450, 427: «Mich selbst an sich aber habe ich nicht gemacht, sondern ich bin genöthigt, mich als das zu bestimmende der Selbstbestimmung voraus zu denken.»
[52] a.a.O. 277
[53] Versuch einer neuen Darstellung der Wissenschaftslehre. (1797), Bd. I, 519–534, 528.
[54] D. Henrich, a.a.O. 206.

«transzendental», weil «ursprünglich» nennen. Desweiteren erweist sich nun aber diese Differenz als die transzendentale Unvordenklichkeit des Seins, als Seinsmangel im Wissen (vorzüglich im Sich-Wissen). Dadurch vollzieht sich eine «ursprüngliche» Bewegung, die als «gleichursprüngliche» Distanz des getätigten Seinsgrundes zum tätigen Wissen *das Wissen als Wissen* (um sich selbst) ermöglicht. Quasi paradoxal läßt sich dann sagen, daß die absolute Simultaneität des Seins- und des Wissensgrundes das (menschliche) Wissen in der Undurchsichtigkeit und Transparenz des Seinsgrundes verschwinden lassen würde, denn nach einer guten theologischen Tradition schlägt das *Sehen* des Absoluten mit *Blindheit*. Den Charakter der ontologischen Priorität der Tätigkeit vor dem Wissen wird Fichte in der praktischen Philosophie ab 1797 stärker ausbauen. Schon in der *Zweiten Einleitung in die Wissenschaftslehre* aus dem selben Jahr läßt er die «intellektuelle Anschauung» als die Gleichzeitigkeit von Anschauung und Begriff sich im «Sittengesetz» gründen. Dort heißt es: «den *Glauben* an ihre Realität, von welchem der transcendentale Idealismus nach unserem eigenen ausdrücklichen Geständnisse ausgeht, durch etwas noch höheres zu bewahren.... Dies geschieht nur lediglich durch Aufweisung des Sittengesetzes in uns, in welchem das Ich als etwas über alle ursprüngliche Modification durch dasselbe Erhabenes vorgestellt, in welchem ihm ein absolutes, nur in ihm und schlechthin in nichts anderem begründetes Handeln angemuthet, und es sonach als ein absolut Thätiges charakterisiert wird... ich habe das Leben in mir selbst, und nehme es aus mir selbst. Nur durch dieses Medium des Sittengesetzes erblicke ich mich.»[55]

Vor allem *das System der Sittenlehre von 1798* hat die nun eingetretene *praktische* Wende im Denken Fichtes vollzogen. Die Freiheit des Ich erweist sich von nun an als eine Bestimmung seines «Wollens», ja das Sich-finden ist für Fichte nun identisch mit dem «Sich-wollend-finden». Das primordiale Faktum des Bewußtseins wird nun ausdrücklich als ein «Wollen» bezeichnet, so daß das Faktum des Bewußtseins «im Grunde» ein Faktum der Sittlichkeit geworden ist. Nichts weist so unmittelbar auf die praktische Dignität der «absoluten» Vernunft hin als die Tatsache, daß die «intellektuelle Anschauung« für Fichte nun nur noch die Form der absoluten Spontaneität des tätigen Ich ist, während ihr Inhalt besagt, «daß die Intelligenz sich selbst das unverbrüchliche Gesetz der absoluten

[55] Zweite Einleitung in die Wissenschaftslehre. (1797), Bd. ), 451–518, 466.

Selbsttätigkeit geben *müßte.»*[56] Die Bewegung des Unendlichen auf das Endliche (und umgekehrt) als Synthesis einer intelligiblen und einer sinnlichen Welt, die schon bei Kant das Sittliche konstituierte, wird von Fichte nun expressis verbis als eine sittliche Bewegung bezeichnet.

«Das Princip der Sittlichkeit ist der nothwendige Gedanke der Intelligenz, daß sie ihre Freiheit nach dem Begriffe der Selbstständigkeit, schlechthin ohne Ausnahme, bestimmen solle ... Der Inhalt dieses Gedankens ist, daß das freie Wesen solle; *denn Sollen ist eben der Ausdruck für die Bestimmtheit der Freiheit;* daß es seine Freiheit unter ein Gesetz bringen solle; daß dieses Gesetz kein anderes sey, als der Begriff der absoluten Selbstständigkeit; endlich, daß dieses Gesetz ohne Ausnahme gelte, weil es die ursprüngliche Bestimmung des freien Wesens enthält.»[57]

Die *Bestimmung des Menschen* von 1800 hat diese Tendenz noch verstärkt. Abgesehen von der Einteilung in «Verstand», «Wissen» und «Glauben», welche die Kehre Fichtes zu einer Philosophie des Absoluten (gen. obj.) verdeutlicht, werden auch hier der Wille und die *geglaubte* Freiheit als identisch mit der selbständigen Vernunft gesetzt und zwar im «Dritten Buch» des «Glaubens». Was uns hier interessiert, ist die Tatsache, daß Fichtes *Wende zur Sittlichkeit* zugleich eine *Wende zur Metaphorik* ist, denn gleich zu Anfang des *Glaubensbuchs* taucht die berühmte Augenmetapher auf. Angesichts der Erfahrung des inneren Triebes zur absoluten Selbsttätigkeit heißt es: «Ich ... setze gleichsam dem an sich blinden Triebe Augen ein, durch den Begriff»[58] – und zwar, weil dieser praktisch ist, durch den *Zweckbegriff.*

Fichte hatte schon in der Sittenlehre von 1798, im Zusammenhang mit der Frage nach der Freiheitskonstitution, den Satz geprägt: «Es werden Augen eingesetzt dem Einen.»[59] Während in der ersteren Formulierung das Ich den Zweckbegriff in den Trieb einführt und ihn dadurch *praktisch* bestimmt, ist die letztere Formel, die allerdings die frühere ist, nur schwer zu entziffern.Sie suggeriert zumindest, daß an dem Ort, wo das Sein zum Sehen kommt, – und dieser ist für Fichte der Ort der Freiheit als «intelligible» Tätigkeit des Ich –, daß dort dieses Sehen letztlich keine Leistung der Tätigkeit des Ich ist. Die Tat-Welt gleicht einem geschlossenen Kreis, dessen Grund nicht gesetzt wird, sondern in dem Faktum der Sittlichkeit als der eigentliche Eckstein des Systems aufgezeigt werden kann.

[56] System der Sittenlehre nach den Principien der Wissenschaftslehre (1798), Bd. IV, 1–366, 48.
[57] Ebd. 59f.
[58] Die Bestimmung des Menschen (1800), Bd. II, 165–320, 249.
[59] System der Sittenlehre, a.a.O. 32.

Seit der Wissenschaftslehre von 1801 wird nun jene Formel vorherr-schen, die in der späten Sittenlehre von 1812 lautet: «Kraft, der ein Auge eingesetzt ist».[60] Kraft bzw. Tätigkeit und Auge sind nun zu einer Einheit verschmolzen, die den Grund des Wissens als ein Tun darstellt, wobei zwar das Auge bzw. der Begriff das Tun *leitet*, die Einheit beider von Fichte allerdings als eine Passivität verstanden wird. Diese Passivität hängt eng mit der Bedeutung zusammen, welche Fichte in dieser Phase seines Denkens dem Absoluten zukommen läßt: «Das Absolute ist weder Wis-sen, noch ist es Seyn, noch ist es Identität, noch ist es Indifferenz beider, sondern es ist durchaus bloss und lediglich das Absolute.»[61] Weil das Wis-sen deshalb nicht länger selber das Absolute *ist*, ist es nur noch absolut in seiner transzendentalen Reziprozität mit dem Absoluten selbst («Wissen des Wissens»). «In der Erhebung über alles Wissen, im reinen Gedanken des absoluten Seyns und der Zufälligkeit des Wissens ihm gegenüber ist *der Augpunct* der Wissenschaftslehre, sie besteht daher im Denken dieses Denkens selbst; sie ist blosses reines Denken des reinen Denkens oder der Vernunft, die Immanenz, das Fürsich dieses reinen Denkens. Mithin ist ihr Standpunct derselbe, den ich oben als den der absoluten Freiheit angab.»[62]

Auf dem *stehenden Punkt* oder im Augen-blick der absoluten Freiheit ist es das Absolute selbst, das sich im reinen Wissen *repräsentiert*, ohne allerdings letzteres zu *sein*. Das Auge selbst ist deshalb dem «lebendig sich Durchdringen der Absolutheit selbst»[63] vorbehalten.

Die Einheit von Kraft (Tätigkeit) und Auge (Begriff) führt zugleich zu einer weiteren Komplizierung in der Theorie des Selbstbewußtseins. Denn das Auge ist nun sowohl a) die Tätigkeit selbst, b) ihr Angeschaut-werden, c) die gedachte Tätigkeit, als auch d) die begrifflich gewußte als solche. Auffallend ist aber, daß die *Selbsthaftigkeit* dieses Bezugs hier nicht mitbedacht wird. Fichte hat dann auch bis zuletzt in seiner Philosophie die fünffache Struktur des Selbstbewußtseins betont[64]. Das fünfte Moment ist deshalb die «unmittelbare Wechselbeziehung von Anschau-ung und Begriff». Diese kann allerdings den Zirkel der Reflexionstheorie, die unmittelbar ein Wissen von «Sich» voraussetzt, um zu einem Wissen *von* Sich zu kommen, nicht vermeiden. D. Henrich hat diesen Sachverhalt, der offensichtlich nicht hintergangen werden kann, so ausgedrückt: «So

---

[60] Das System der Sittenlehre (1812), Bd. XI, 1–118, 17.
[61] Darstellung der Wissenschaftslehre (1801), Bd. II, 1–164, 13.
[62] Ebd. 161.    [63] a.a.O. 19.
[64] Das System der Sittenlehre (1812), a.a.O. 10.

macht das unmittelbare Wissen des Ich erst das *als* des Begriffs möglich. Denn kraft seines stehen im Ich, also nicht in Beziehung auf ein Ich, Anschauung und Begriff in Relation miteinander. Diese Relation kann als das *Sich* der Ichheit bezeichnet werden.»[65]

Weil das Ich, scheinbar unsere intimste Wesenheit, sich im Diskurs des theoretischen und des praktischen Wissens nicht deduzieren läßt – denn die fünffache Relationierung des Selbstbewußtseins erlaubt zwar ein Wissen, enthält aber kein Ich –, bleibt nur die *Metaphorisierung* als letzte Möglichkeit übrig. Sie erweist sich als der Sache durchaus angemessen. Die Unverfügbarkeit des Absoluten als Unverfügbarkeit der *Ichheit* wird deshalb das ganze spätere Denken Fichtes bestimmen. Die *Wissenschaftslehre in ihrem allgemeinen Umrisse* (1810) trägt diesem Sachverhalt insofern Rechnung, als sie sich als «Schemalehre» darstellt. Fichte nennt das Wissen jetzt ein « Bild» oder ein «Schema» Gottes, weshalb das Wissen dann auch *ein Wissen unter «bedingten Gesetzen»* genannt wird. «Soll das und das wirklich werden, so muß unter dieser Bedingung das Vermögen so und so wirken.»[66] Dabei ist es unselbständig, weil «zu seinem Dasein eines Seyns ausser sich bedürftig.»[67]

Zwar kann dieses unselbständige Wissen seinerseits seinen Schemacharakter schematisieren, weil sich sonst die Selbstreflexion aufheben müßte. Dadurch aber wird es umso nachhaltiger genötigt, seine Unselbständigkeit zu vollziehen. Das Wissen kann diese zweifache Schematisierung wiederum nur vollziehen, weil es sie vollziehen *soll*, wobei das Wissen sich dann als *Schema Gottes weiß* und sich als absolute Freiheit unter dem Soll der zweifachen Schematisierung konstituiert als unter der doppelten Schematisierung *konstituiertes* («Ich bin nur Schema des Schemas»[68]). Die Priorität des Sollens, der sittliche Impetus sich Vollziehens *als* Freiheit, bleibt hier streng eingehalten. «Das sich Sehen als sollendes und könnendes Vermögen und die wirkliche Vollziehung dieses Vermögens, falls auch die letztere gesehen werden soll, fallen auseinander, und die factische Möglichkeit des letzteren ist durch die geschehene Vollziehung des ersteren bedingt.»[69]

Das Ich als Seiendes, das «Ich bin»[70], ist somit für Fichte in der praktischen Idealität, eben als «Idee» des Ich, lebendig und zugleich als Idee

[65] D. Henrich, a.a.O. 23.
[66] Die Wissenschaftslehre in ihrem allgemeinen Umrisse (1810), Bd. II, 613–709, 696.
[67] Ebd. 698.    [68] Ebd. 707.    [69] Ebd. 699.
[70] «In diesem beschriebenen Denken denke ich bloß das Wissen als Schema des göttlichen Lebens seyn könnend und, da dieses Können der Ausdruck Gottes ist, der auf das Seyn geht, als dasselbe seyn sollend; keinesweges aber bin ich es.» (706).

eines schematisierten Schemas ein «doppelt ertödtete(n)r Begriff(e) ... ein Soll des Ersehens.»[71]

Das System der Sittenlehre von 1812 hat die sittliche Konstituiertheit, den «Soll-charakter» des Ich, am radikalsten gefaßt. Fichte hatte hier als *Faktum* der Sittenlehre die *Tatsache* bezeichnet, daß der Begriff (bzw. der *Zweckbegriff* als Idealität) Grund der Welt sei und daß diese «Tatsache» (!) mit absolutem Bewußtsein gewußt sei. Letzteres konstituiert sich somit als absolute Selbstbestimmung durch die Idealität des Begriffs als «Wollen». Fichte legte diese gedrängte Komplexität in folgendem Gedankengang, den wir wegen seiner Bedeutsamkeit in voller Länge zitieren, auseinander.

«Das ideale Sein *setzt sich als schlechthin* im realen. Das Ich ist *ganz und gar Ausdruck und Stellvertreter des Begriffs*, um ihm zu verschaffen, was er durch sich, als ideales, nicht vermag. *Das Ich ist also real was der Begriff ideal ist*; durchaus nur *entstanden* durch diese *Absetzung*: also in der That *abgesehen, heraus- und hingesehen. Der Grund und der Sinn dieses Hinsehens ist der, daß das Ich erschaffe das Entsprechende*; dies ist der Sinn des Absehens, oder *die Absicht...* Dies sieht man freilich nur ein auf dem *Standpunkte, wo man das Bild in der That als das Erste und Ursprüngliche, und als den Grund der Welt begreift...* Das Ich soll wollen nach dem *vorausgesetzten* Begriffe. *Dieses Soll ist das innere Wesen, und der Sinn seines Daseins. Das Dasein des Ich geht selbst im reinen Begriffe auf:* dieses ist sein qualitativer Inhalt, und sein Dasein ist nur die Fassung dieses Begriffs in einem objektiven Bewußtsein... Nun ist der Begriff wirklich und in der That Grund nur im Absetzen eines Ich zu dieser Bestimmung. *Dieses Grundsein, die absolute Bestimmung des Ich, oder das Soll, muß darum wirklich eintreten in's Bewußtsein, und zwar als Grund des weiter folgenden Gliedes, der Selbstbestimmung oder des Wollens; außerdem ist nicht der Begriff selbst eingetreten als Grund in das Bewußtsein. Das Ich muß darum sich bewußt sein seiner Bestimmung, als Grund seines Daseins, dies zu wollen und zu vollbringen, und der muß sich bewußt sein, daß es lediglich dieser Einsicht zufolge wolle; außerdem ist das Bewußtsein nicht Bewußtsein des Begriffs als unmittelbaren Grundes, sondern eines Anderen.»*[72]

Das Ich ist demzufolge die dem Begriffe immanente, sich realisierende Teleologie und somit gegründet in einer Absicht, nämlich in dem *Sehen des Abstandes* des Idealen und des Realen. Es ist selber die «idealisierend-

[71] Ebd. 705.
[72] Das System der Sittenlehre (1812), a.a.O. 22–24, Hervorhebung von mir, J.-P. Wils.

realisierende Tendenz» (Schelling), die sich ihm (dem Ich) nicht verdankt, sondern laut Fichte nur ein-gesehen wird auf dem Standpunkt (auf dem stehenden Punkt, Augen-blick) einer (praktisch-) ontologischen Supposition bezüglich der Begriffsbestimmtheit der Welt und des Selbst. Diese ideale Gegründetheit wird aber erst real und somit auch gewußt-existent in der bewußten Vollziehung des Gesollten als Teleologie des Begriffs, ohne daß der Grund selbst bzw. der Begriff im wissenden Vollzug seiner Realisation *als* Begriff gewußt wird. Der freie, weil sich selbstbestimmende Vollzug des *Sich stellens unter die Botmäßigkeit des gesollten Begriffs* macht zwar die Absolutheit des Ich aus, *ist* jedoch als Schematisieren (bewußtes Vollziehen) des Schemas (des realisierten und somit partiellen Begriffs) nicht selber *das Absolute*. Das Selbstbewußtsein, das erst als praktische, sittliche Bestimmtheit sich *im Vollzug* konstituiert, kann den Grund seines Selbst nicht manifestieren. Die Nähe zu sich selbst (proximité à soi) ist zugleich die weiteste Ferne, weil der unmittelbare Grund auf-grund seiner Un-mittelbarkeit verborgen bleibt. Mit anderen Worten: *in einem gewissen Sinne ist das Selbstbewußtsein sich selber unmittelbar grund-los und repräsentiert diesen Grund nur in dem sittlichen Bewußtsein des Gesollten.* Zwischen der Repräsentation und dem Repräsentierten befindet sich demnach eine diskursive *Leerstelle, eine ursprüngliche Differenz*, die somit nicht überbrückbar ist. Sie ermöglicht allerdings erst die Rede *von* dem Selbst, das sich erst in dieser Distanz identifiziert *als* Selbst. Zugleich aber konstituiert sie die *Selbstlosigkeit* des Selbst, weil der distanzierte Bezug bzw. die bezogene Distanz von Grund und Gegründetem im Selbstbewußtsein die Anonymität der vor-egologischen Leerstelle im repräsentierenden Selbstbezug nicht besetzen kann bzw. sie nicht besetzen soll, wenn die Selbstidentifikation phänomenologisch als Tathandlung nicht obsolet werden darf. Gleichwohl muß der Abstand unter dem Gebot des Sollens als überbrückbar *erscheinen*, wenn der *Aktcharakter* der Identifikation das Selbst vor der Liquidation in einem ich-losen, anonymen Gegründeten bewahren will.

Die *transzendentale*, weil ursprüngliche Differenz *stiftet* deshalb als Bedingung der Möglichkeit die Sittlichkeit phänomenal. Letztere ist dann kein «Mythos der praktischen Vernunft» (W. Becker)[73] als bloßes Epiphänomen des Wissensproblems. Diese Differenz analogisiert vielmehr die im Bereich der theoretischen, reinen Vernunft als Selbstbewußtsein auf-

---

[73] W. Becker, Fichte und der Mythos vom Primat der praktischen Vernunft, in: M. Riedel (Hg.), Rehabilitierung der praktischen Philosophie, Freiburg 1974, 593–615.

tretende *Distanz* der Allgemeinheit/Ichlosigkeit/Anonymität des Grundes zu der Besonderheit seiner ichhaften Aneignung einerseits mit der im Bereich der praktischen, sittlichen Vernunft vorliegenden *Spannung* zwischen der universalen, teleologischen Strukturiertheit und Allgemeinheit der inneren Konstitution des Phänomens «Sittlichkeit» und der Besonderheit ihrer Aneignung andererseits. Das «Sollen» wird so erst erfahrbar und als Phänomen *real*, und der Forderungsstatus des Selbstbewußtseins, wie es bei Fichte gedacht wird, plausibel. Die Differenz und das «Sollen» stellen deshalb jene reziproke Beziehung dar, die sowohl das Selbstbewußtseinstheorem als auch das Sittlichkeitstheorem (und Phänomen) «ursprünglich» vereinigt. Dieser Sachverhalt macht die Rede einer transzendentalen «Verzögerung» verständlich, welche die Zeitstruktur des inneren Sinns, nicht nur empirisch (Kant), sondern als apriorische Differenz der Form des Selbstbewußtseins konstituiert und bei Husserl, in den Cartesianischen Meditationen, in der Rede von der «Appräsentation» als analoger Apperzeption[74] intersubjektiv gewendet wird. Sie macht ebenfalls die scheinbar paradoxe Rede einer egolosen Struktur des Selbstbewußtseins verständlich, wie sie bei Sartre[75] und Henrich[76] vorliegt.

Sie ruft erst das Bedürfnis nach einer Hermeneutik hervor, die in der bloßen Allgemeinheit und in der bloßen Besonderheit des Wissens nicht bestehen könnte, und liefert ihr zugleich ein formales Schema, woran sie sich kriterienhaft orientieren kann. Die Differenz als die anonyme Ursprungshaftigkeit des Selbstbewußtseins fördert aber zugleich die metaphorische, bildhafte Annäherung zutage, die Fichte in der Augenmetapher vollzog. Die Struktur ihrer Anonymität macht die Existenz jener Theorien verständlich, die, wie bei N. Luhmann und U. Pothast, als neurologische, kybernetische oder systemtheoretische Erklärungsansätze einen Ersatz[77] einer Theorie des Selbstbewußtseins bilden.

*Exkurs*: Das Verhältnis von Allgemeinheit und Besonderheit impliziert die Frage nach dem Status der empirischen Individualität bzw. des empirischen Ich in diesen transzendentalen Gedanken. Fichte hatte dazu in seinem «Sonnenklaren Bericht an das grössere Publicum über das eigentliche

---

[74] Siehe das Kapitel über Derrida.
[75] J.P. Sartre, Bewußtsein und Selbsterkenntnis, Hamburg 1973.
[76] «Selbstbewußtsein. Kritische Einleitung in eine Theorie», a.a.O.
[77] «Die wissende Selbstbeziehung, die in der Reflexion vorliegt, ist kein Grundsachverhalt, sondern ein isolierendes Explizieren, aber nicht unter der Voraussetzung eines wie immer gearteten, implizierten Selbstbewußtseins, sondern eines (impliziten) selbstlosen Bewußtseins von Selbst.» (280). Dazu auch die Kritik von J. Habermas, in: Theorie des kommunikativen Handelns, Bd. I, Frankfurt a.M. 1981, 526ff.

Wesen der neuesten Philosophie» (1804) anläßlich der Frage nach der Struktur des «klaren und vollständigen Selbstbewußtseins» den Rat gegeben,« schneide eben ... alles Individuelle rein ab.»[78] Das Adverb *rein* deutet darauf hin, daß die vorgenommene Operation eine transzendentale, die Allgemeinheit somit eine transzendentale Bestimmung ist, die durchaus mit der empirischen Individualität bestehen kann und sogar muß, insofern das Verhältnis stets auch und immer individuell und ichhaft vollzogen wird, während umgekehrt der individuelle Vollzug des Transzendentalen *als solcher* stets ein allgemein-gültiger ist. Das transzendentale Ich ist, wie Fichte sagt, «Nichts weiter, als die Identität des Bewußtseyenden und Bewußten.»[79]: die Relationierung von Allgemeinheit und Besonderheit ist selber eine allgemeine, der Transzendentalität immanente Operation, die insofern außerhalb der Fragestellung ihres jeweils individuellen Vollzugs steht. In seiner Schrift «Die Thatsachen des Bewußtseins» hat Fichte diese Problematik so verdeutlicht: «Die allgemeine (Form) giebt her das Vermögen überhaupt, die individuelle die Bestimmtheit derselben, ohne welche es zu einer *factischen* Äußerung der Kraft gar nicht kommen könnte.»[80]

### F. W. J. Schelling

«Durch alles durchgehen und nichts seyn, nämlich nichts so seyn, daß es nicht auch anderes seyn könnte ... dieses ist die Forderung ... ich muß eben das Indefinible, das nicht zu Definierende des Subjekts selbst zur Definition machen... Es ist nichts, das es wäre, und es ist nichts, das es nicht wäre. Es ist in einer unaufhaltsamen Bewegung, in keine Gestalt einzuschließen, das Unfaßliche, das wahrhaft Unendliche ... hier gilt es alles zu lassen – und nicht bloß, wie man zu reden pflegt, Weib und Kind, sondern was nur ist, selbst Gott.»[81]

Schelling hat die Stringenz und die Grenze des Idealismus im Laufe der Entwicklung seines Denkens wie kein anderer vor Augen gehabt. Gleichzeitig hat er das Bedingungsganze von Subjektivität und Wollen, von theoretischer und praktischer Vernunft an zentralen Stellen entwickelt. In den beiden Frühschriften *Über die Möglichkeit einer Form der Philosophie überhaupt* (1794) und *Vom Ich als Princip der Philosophie oder über das Unbedingte im menschlichen Wissen* (1795) ist Fichte noch omnipräsent,

---

[78] Bd. II, 322–420, 361.
[79] Ebd. 382.
[80] Die Thatsachen des Bewußtseins, Bd. II, 535–692, 641; Hervorhebung von mir, J.-P. Wils.
[81] F. W. J. Schelling, Initia philosophiae universae, Erlanger Vorlesung WS 1820/21, (Hg.) H. Fuhrmans, Bonn 1969, 15–17.

nämlich in der Suche nach einer «wissenschaftlichen» Selbst-und Letztbegründung der Philosophie.

Diese von Schelling so genannte «Philosophia prima» oder «Wissenschaft κατ'ἐξοχήν» sollte die seiner Ansicht nach prinzipienlose, aber
formreiche Philosophie Kants und die formlose, aber inhaltsreiche «Ele-
mentarphilosophie» Reinholds durch ein höchstes Prinzip und eine unbedingte Form überbieten, die zugleich der allen Wissenschaften vorauslie-
gende letzte Inhalt wäre.

Der Grundsatz *Ich ist Ich* realisiert diese Forderung der Identität von
Form und Inhalt und entspricht als analytischer Satz dem logischen Satz
des Widerspruchs. Schelling «deduziert» aber noch zwei weitere, mit dem
ersten unmittelbar zusammenhängende Grundsätze: das Prinzip des den
Satz vom zureichenden Grund synthetisch abbildenden «Nichtich ist
Nicht-Ich» und den Grundsatz, der in analytischer und synthetischer
Form als «Ich ist Nicht-Ich» die logische Disjunktion enthält und von
Schelling als Begründung einer Theorie des Bewußtseins und der Vorstellung betrachtet wird. In der zweiten Schrift hat Schelling die unmittelbar
praktische Implikation dieses Theorems darin gesucht, daß der Aufweis
der «theoretischen» Unbedingtheit des menschlichen Wesens den Menschen unmittelbar zu deren praktischen, sittlichen Realisation befähigen
würde: «er muß theoretisch gut sein, um es praktisch zu werden … dahin
soll jeder Mensch kommen, daß Einheit des Wollens und des Handelns
ihm so natürlich wird als der Mechanismus seines Körpers und die Einheit seines Bewußtseins.»[82]

Diese Einheit des absoluten selbstmächtigen Ich, das als unbedingtes
Selbstsetzen seine Unverträglichkeit mit dem Nicht-Ich ausdrückt, wird
aber von Schelling vom Selbstbewußtsein getrennt. Dessen Mangel
besteht darin, daß es als *Selbst*-bestimmung auf das Nicht-Ich angewiesen
ist und insofern (logisch) unfrei ist. Die Freiheit bzw. Unbedingtheit des
Ich kann dann nur noch in dem vielzitierten Prinzip der «intellektualen
Anschauung» gewahrt werden. Deren theoretische Uneinlösbarkeit
zwingt Schelling zu einer für die praktische Philosophie des gesamten
Idealismus repräsentativen Konsequenz, die Heidegger in seinem Nietz-
sche-Buch zu deren Markierung als Pathologie der Neuzeit führte. Der
reflexiv unauflösbare Widerstreit des «reinen» und des «empirischen» Ich
wird unter der praktischen Gestalt des Sollens als versöhnt betrachtet.

---

[82] Vom Ich als Princip der Philosophie, Werke Bd. I, Darmstadt 1970, 29–125, 37.

«Das theoretische Ich nämlich strebt, Ich und Nicht-Ich zu setzen, also das Nicht-Ich selbst zur Form des Ichs zu erheben; das practische strebt nach reiner Einheit mit Ausschließung alles Nicht-Ichs, – beide nur insofern, als das absolute Ich absolute Causalität und reine Identität hat... Jene (die theoretische Philosophie) nämlich geht von Synthesis zu Synthesis fort, bis zu der bestmöglichen, in der Ich und Nicht-Ich gleich gesetzt wird (Gott), wo dann, da die theoretische Vernunft sich in lauter Widersprüchen endet, die practische eintritt, um den Knoten zwar nicht zu lösen, aber durch absolute Forderung zu zerhauen.»[83]

*Die absolute Kausalität des Ich aus Freiheit*, die also in der intellektualen Anschauung als Einheitsgrund von Begriff und Realität, von Intellekt und Sinnlichkeit und insofern von theoretischer und praktischer Realität geahnt wird – denn Schelling vergleicht sie mit einem «Zustand des Todes»[84] –, erweist sich als Postulat in der noch theorieabstinenten Erfahrung geforderter Sittlichkeit. Diese absolute Kausalität wird de facto aufgewiesen als Phänomen des Sollens, das de iure als Folge der Endlichkeitsbedingungen des (theoretischen) Bewußtseins gedeutet wird. Die Komplexität dieser Bedingungen haben wir bei Fichte ausführlich dargelegt.

Dem endlichen Ich als praktischer Möglichkeit im Sollen entspricht die Freiheit des empirischen Ich, dessen ambivalenten Status Schelling dann auch «empirisch-transzendental» nennt, im Wissen darum, daß die absolute Kausalität des absoluten Ich erst als Freiheit eines empirischen Ich transzendental wird. Die Einheit von transzendentaler Freiheit des Ichs und unübersehbarer Naturnotwendigkeit des *empirischen* Ichs legt Schelling ebenfalls in das absolute Ich, das die Beweislast für die prästabilierte Harmonie von Freiheit (Sittlichkeit) und Glückseligkeit (Natur) übernehmen muß.

Die *Neue Deduktion des Naturrechts* (1795) hat das Unbedingtheitspathos dieser Frühschriften drastisch ausgedrückt: «Strebe durch Freiheit deine Freiheit zur absoluten, unbeschränkten Macht zu erweitern... Die ganze Welt ist mein moralisches Eigentum.»[85] Die *moralische* Forderung absoluter Selbstheit ist aber für Schelling die Schranke des ethischen allgemeinen Willens in der Gestalt der anderen Person: «Du darfst schlechterdings nichts, wodurch die Individualität der Form nach aufgehoben wird.»[86] Das moralische Gebot des absoluten Selbst findet also seine

---

[83] Ebd. 56–57.
[84] Philosophische Briefe über Dogmatismus und Kritizismus (1799), Bd. I, 161–222, 205.
[85] Neue Deduktion des Naturrechts (1795), Bd.I, 125–161, 128.
[86] Ebd. 141.

Grenze in der ethischen Allgemeinheit, bestätigt aber in diesem höchsten Prinzip die Gültigkeit seiner Form und erweist sich somit als Neuformulierung des kategorischen Imperativs.

Schellings *Abhandlungen zur Erläuterung des Idealismus der Wissenschaftslehre* (1796/97) haben die praktische Philosophie beträchtlich weitergeführt, wobei auch hier die Theorie des Selbstbewußtseins den Zugang zur praktischen Philosophie bedingt. Schelling versteht das Selbstbewußtsein als eine «absolute Simultaneität von Unendlichkeit und Endlichkeit»[87]. Weil der *Geist* in der intellektualen Anschauung jegliche Differenz in der Absolutheit getilgt hat, muß ihm Bewußtsein im strengsten Sinne abgesprochen werden.

Erst das Abstrahieren (die Begriffsbildung), das Schelling ein «freies Wiederholen»[88] (!) nennt, das man als eine zeitliche Genesis der Begriffe (von Objekten) im Sinne des Werdens der Allgemeinheit in der Differenz ihrer Momente bezeichnen könnte, vermittelt mit dem Entstehen des Objekts das Bewußtwerden des (empirischen) Selbst als Reflex der Vorstellung. «Erst durch mein freies Handeln, insofern ihm ein Objekt entgegengesetzt ist, entsteht in mir Bewußtsein ... in unseren Vorstellungen ist eine *Sucsession*, an welcher unser eigenes Dasein sich erhält.»[89]

Obwohl Schelling davon ausgeht, daß es eine dem Denken vorausgehende, nicht erdachte Wirklichkeit gibt – diese zu leugnen wäre banal gewesen –, wird ihre objekthafte Gegenständlichkeit als Produkt der selbst-eigenen Synthesis des Ich betrachtet. Das Wissen, das zugleich ein Wissen des Selbst ist, wird als Folge der zeitlichen Genesis der Begriffe interpretiert: «eine ursprüngliche Thätigkeit der Seele.»[90]

Das Urteil jedoch ist jeweils instantan und das Urteilen deshalb kein ursprüngliches, sondern ein abgeleitetes Können, das in der Gefahr steht, den Begriff und sein Objekt in ihrem aktuellen, präsentischen Bezug aufgehen zu lassen (wodurch aus Schellings Perspektive gerade die Idealität des Begriffs sich aufheben würde). Deshalb muß die «produktive Einbildungskraft» als das Vermögen der freien Wiederholung, in welcher Notwendigkeit (Idealität) und Zufälligkeit (Individualität) geschieden werden,

---

[87] «Wo absolute Freiheit ist, ist absolute Seligkeit, und umgekehrt. Aber mit absoluter Freiheit ist auch kein Selbstbewußtsein mehr denkbar. Eine Tätigkeit, für die es kein Objekt, keinen Widerstand mehr gibt, kehrt niemals in sich selbst zurück. Nur durch Rückkehr zu sich selbst entsteht Bewußtsein. Nur beschränkte Freiheit ist Wirklichkeit für uns». Philosophische Briefe über Dogmatismus und Kritizismus, 1799, Bd. I, 204.

[88] Abhandlungen zur Erläuterung des Idealismus der Wissenschaftslehre (1796/97), Bd. I, 223–332, 250.

[89] Ebd. 250 und 264.  [90] Ebd. 269.

den Begriff (zeitlich) über die Schranken der Individualität hinausdehnen, so daß er als ein *Schweben zwischen Individualität und Allgemeinheit erscheint*. «So gelingt es ihr, indem sie die Regel, nach welcher das Objekt entsteht, sinnlich verzeichnet, durch einen eigentümlichen Schematismus Individualität und Allgemeinheit in einem Producte zu vereinigen.» Vorstellung und Gegenstand treffen sich aber erst dann, wenn die produktive Einbildungskraft «ein Bild (entwirft), wodurch der Begriff bestimmt und begrenzt wird. Im Zusammentreffen des Schemas und des Bildes liegt das Bewußtsein eines einzelnen Gegenstandes.»[91] Die Sprache und ihre Bezeichnungsarbeit, klassisch als die Tätigkeit der reproduktiven Einbildungskraft im Sinne eines Vermögens der Erinnerung verstanden, leben von dem gleichen *Schematismus*. Schellings Hinweis auf die Angewiesenheit des Schemas auf das individuelle Bild läßt auch die Sprachhandlung als *produktiv* bezeichnen. Dieser komplexe Werdegang der Erkenntnis, in dem sich sowohl das Wissen als auch das Selbstbewußtsein «generiert», erklärt aber nicht den Übergang des Geistes aus seiner intellektualen Anschauung in die Sphäre seiner die Selbst-bestimmung ihrerseits mitbedingenden Sinnlichkeit. Wie bei Fichte wird das Bewußtsein deshalb auch bei Schelling näher als *Tat*-bewußtsein qualifiziert. Das Wollen wird deshalb zu jener zentralen «Entität», die der theoretischen Reflexion faktisch und transzendental zuvorkommt. Aufgrund der phänomenalen Gebundenheit von Sittlichkeit und Wollen ist das *Prinzip* der Sittlichkeit als praktische Realisation des *Gewußten* in der Philosophie des Idealismus an Allgemeinheit bzw. Universalisierbarkeit gebunden.

*Die Universalisierbarkeit als das Explikat des «guten» Willens erhält eine Vorgabe von der inneren Struktur des Begriffs. Dessen Konkretion jedoch, die Schelling als das individuelle Allgemeine der produktiven Einbildungskraft beschreibt, bleibt unterhalb der intentional anvisierten Idealität. Ebenso ist die Konkretion der Sittlichkeit – Konkretion meint hier die transzendentale Struktur des Phänomens – nur selbstexplikativ im bildlichen Schematismus einer «besonderen Allgemeinheit», die ebenfalls unterhalb der Allgemeinheitsform der «reinen» Intention oder des «reinen» Willens angesiedelt ist.* In Schellings naturphilosophischen Schriften[92] vereinheitlicht die «Harmonie», als Voraussetzung für die idealisch-praktische Einheit der

---

[91] Ebd. 279.
[92] Vor allem die «Ideen zu einer Philosophie der Natur als Einleitung in das Studium dieser Wissenschaft» (1797), die «Einleitung zu dem Entwurf eines Systems der Naturphilosophie oder über den Begriff der spekulativen Physik und die innere Organisation eines Systems dieser Wissenschaft». (1799) und «Über den wahren Begriff der Naturphilosophie». (1801).

Philosophie, das Wissen als Tat und die Tat als Wissen. Sie führt zu dem Identitätssystem von 1800, zu dem System des transzendentalen Idealismus. Dabei wird das in den *Ideen zu einer Philosophie der Natur als Einleitung in das Studium dieser Wissenschaft* von 1797 ausgesprochene Prinzip der «Indifferenz des absoluten Wissens mit dem Absoluten» in Reflexionen zum Selbstbewußtsein und zur praktischen Philosophie entfaltet. Für Schelling ist nun nicht mehr das «*Ich ist Ich*», sondern das «Ich bin»[93] das «absolute Vorurteil», das als Apriori des Selbstbewußtseins zugleich die Gewißheit des Seins der Dinge außerhalb des Ich enthält. Schon die ontische Qualifizierung des Ich als notwendige Vorurteilsstruktur jeglichen Wissens kündigt vorsichtig die «Transzendenz» und Uneinholbarkeit des Wissensgrundes an, die Schellings Spätphilosophie als Thema beherrschen werden, obwohl die Explikation im System von 1800 den Rahmen transzendentaler Grundlegung im Ich des Selbstbewußtseins einzuhalten versucht. In der Aufgabenstellung der Transzendentalphilosophie wird dann auch die Ableitung bzw. Deduktion der Einheit von *Vorstellungsbewußtsein* als Aufweis der «Möglichkeit» der Erfahrung in der theoretischen Philosophie und *Gegenstandsbewußtsein* als Aufweis der «Wirklichkeit» der Erfahrung in der praktischen Philosophie in Aussicht gestellt. Aufgrund der «Vorurteilsstruktur» des «*Ich bin*» kann Schelling die theoretische Tätigkeit als ein «unbewußtes» Produzieren der Objektwelt qualifizieren, *das in der praktisch-bewußten Äußerung des Wollens erst zu sich kommt, im Sinne der Bewußtwerdung des Realen*. Die Aufgabe der Transzendentalphilosophie besteht dann darin, die Einheit und Differenz dieser doppelten Tätigkeit in der Subjektivität, im Selbstbewußtsein des Ich, nachzuweisen. Die unbewußte Modalität der theoretischen Produktion der Objektwelt einerseits und ihre bewußte praktische Aneignung andererseits, die relative Vorgängigkeit der praktischen Bewußtheit vor der noch unbewußten Welt der Objektivation, die nicht als gesetzt, sondern als «getätigt» erfahren wird, führen dazu, das Medium der Einheit beider nicht länger allein im Wissen zu suchen. Was sich hier als Primordialität des Praktischen auftut, wird die Spätphilosophie radikal in der Aufstellung einer «Positiven Philosophie» ausloten, die das Sein endgültig als Transzendenz versteht. An dieser Stelle bekommt aber die Kunst eine wichtige Aufgabe. «Die idealische Welt der Kunst und die reelle der Objekte sind (also) Produkte einer und derselben Thätigkeit; das Zusammentreffen beider (der bewußten und der bewußtlosen) ohne Bewußtsein gibt die wirkliche, mit

---

[93] System des transzendentalen Idealismus, 1800, Werke, Bd. II, 327–634, 344.

Bewußtsein die ästhetische Welt. Die objektive Welt ist nur die ursprüngliche, noch bewußtlose Poesie des Geistes; das allgemeine Organon der Philosophie ist die Philosophie der Kunst.»[94]

Die Kunst veranschaulicht im Akt der Einbildungskraft mit Bewußtsein die reale, aber unbewußte Einheit von *Wissen* und *Wollen*. Schönheit wird das Organon der Wahrheit und ist als Ästhetik das «Reflektiertwerden des absoluten Unbewußten ... um es in intellektueller Anschauung zu reflektieren.»[95]

Diese «ästhetische» Einholung des unbewußten Wissensgrundes wird in Schellings Spätphilosophie erst eigentlich zum Tragen kommen. Das Prinzip – die Kunst war nur das «Organon» – des transzendentalen Idealismus bleibt aber *das Ich ist Ich* des Selbstbewußtseins[96], allerdings mit der nun bedeutsamen Modifikation, daß das Ich als «intellektuale Anschauung» nicht demonstrabel ist und deshalb nur gefordert und postuliert werden kann. Die phänomenale und begriffene Seite des Selbstbewußtseins als Grund endlichen *Wissens* muß Schelling deshalb als Einheit und Differenz von Unendlichkeit und Endlichkeit setzen. Deren Einheit ist aber nur als Geschichte des Selbstbewußtseins aussagbar. Die transzendentale, zeitliche Genesis von Idealität und Begrifflichkeit als Werden der Notwendigkeit des Allgemeinen im Akt der Wiederholung, die den Begriff als «schwebendes Schema zwischen Allgemeinheit und Besonderheit» (s. o.) konkretisiert, impliziert also ein historisches Werden. Dieses legt eine genetisch-teleologische Entfaltung des Absoluten bzw. eine epochale Entfaltung des Selbstbewußtseins nahe. Schelling selber nennt diese theoretisch nicht vollendbare und uneinholbare Iteration des Selbstbewußtseins seine *erste Autonomie*, in welcher der Prozeß der Abstraktion (die Wiederholung) das Ich zwar bestimmend und ideell thematisiert, jedoch wegen der Transzendenz und wesentlichen Unbewußtheit des Wissensgrundes nicht *selbstreflexiv* einholt.

Dieses ist die Aufgabe der praktischen Philosophie. Sie kann zwar die Selbstanschauung des Selbst/des Ich nicht leisten. Weil sie aber ein Produzieren mit Bewußtsein ist, thematisiert sie die idealisierend-realisierende Tätigkeit dieses Ich praktisch. Diese zweite «Autonomie», wie Schelling

---

[94] Ebd. 349.
[95] Ebd. 351.
[96] «Ein solcher Begriff ist der eines Objekts, das zugleich sich selbst entgegengesetzt ist und sich selbst gleich ist. Aber ein solches ist nur ein Objekt, das von sich selbst zugleich die Ursache und die Wirkung, Producierendes und Product, Subjekt und Objekt ist... Der Begriff einer ursprünglichen Identität in der Duplicität, und umgekehrt, ist also nur der Begriff eines Subjekt-Objekts, und ein solcher kommt ursprünglich nur im Selbstbewußtsein vor.» (374).

sie nennt, ist jene, die im Phänomen des Sollens und im Vermögen des Wollens zu *fordern* wäre.

«Die absolute Abstraktion, d.h. der Anfang des Bewußtseins, ist nur erklärbar aus einem Selbstbestimmen, oder einem Handeln der Intelligenz auf sich selbst.»[97]

An dieser Stelle bekommt der Gedankengang bei Schelling eine zusätzliche Komplexität: wenn die Handlung der Selbstbestimmung im Akt der zweiten Autonomie als «Wollen» eine *freie* ist – was wegen des Charakters der absoluten Ursprünglichkeit dieser Handlung erforderlich ist –, muß das Wollen (als Vollzug) selber frei gewollt sein. Es muß ein freies Wollen als Bedingung der Möglichkeit der Selbstbestimmung im Wollen geben.

Der drohende Widerspruch und der sich abzeichnende regressus ad infinitum lassen Schelling nur diese Wahl: «Der Mittelbegriff für diesen Widerspruch ist der Begriff einer Forderung, weil durch die Forderung die Handlung erklärt wird, wenn sie geschieht, ohne daß sie deswegen geschehen müßte... Diese Forderung ist selbst aber nichts anderes als der kategorische Imperativ oder das Sittengesetz.»[98]

Die eigentliche Stringenz dieser Ableitung liegt nun aber darin, daß Schelling in ihr den Geltungsgrund der faktischen, phänomenologischen Dimension der Sittlichkeit aufweist. Erst die Erfahrung des Moralisch-gefordert-seins und der Akt der spontanen Billigung schließen sich gegenseitig so ein, daß die Sittlichkeit die Freiheit und *insofern* das Selbst phänomenologisch inauguriert: das Selbst konstituiert sich *faktisch* im Akt der Moralität. «Also ist das Sittengesetz, und die Freiheit, insofern sie aus Willkür besteht, selbst nur Bedingung der Erscheinung jenes absoluten Willens, der alles Bewußtsein constituiert, und *insofern* auch Bedingung des sich selbst Objekt werdenden Bewußtseins.»[99]

Die Sittlichkeit ist der Ort, wo in einer kategorischen Synthesis die nicht-kategorial einholbare Einheit des thetischen Ich über seine im «Wissen» nicht einholbare Differenz hinaus vollzogen werden soll. Der Forderungscharakter der praktischen Synthesis ist seinerseits auf die «Differenz» im Selbstbezug angewiesen, um sich *als* Forderung zu konstituieren, so daß die Forderung auch nur kategorisch sein kann. Sie bedingt aber die Unangemessenheit der konkreten, empirischen Handlung gegenüber der transzendentalen Willenslehre. Der praktische Vollzug der Sittlichkeit kann in der Kontingenz seiner Realisation die faktische Umset-

---

[97] Ebd. 532.   [98] Ebd. 542/574.   [99] Ebd. 577.

zung der transzendental-kategorischen Synthesis nicht leisten. Dieses Problem führt in der nachidealistischen Philosophie zu der Ausbildung der Dialektik und ruft unter Ausblendung der transzendentalen Fragestellung den historischen Materialismus hervor.

Sowohl die Frage nach der *faktischen* Umsetzung des kategorischen Imperativs als Rechtfertigung der Handlung, wie auch die Aufhebung der Differenz von transzendentaler Auslegung der Moralität und praktischer Realisation in der Einheit von absolutem Wissen und realer Inkarnation (Hegel), aber auch die direkte Übersetzung der Geltungsfrage in die materiale Dialektik realen Fortschritts (Marx) – nicht zuletzt durch Schellings »Identitätssystem«[100] evoziert – werden die konstitutiven «Aporien», wie wir sie bisher für die Selbstbewußtseinstheoreme und die Moralität thematisiert haben, aufzuheben versuchen.

Schelling selbst hatte in seiner Schrift *Über das Verhältnis der Naturphilosophie zur Philosophie überhaupt* (1802) die Macht der sittlichen Forderung gegenüber dem Wissen ausdrücklich und eindringlich formuliert, zugleich aber den Prozeßcharakter von Wissen *und* sittlicher Forderung in der «Hineinbildung» nicht unterdrücken können.

«Das angeborene Wissen ist nur eine Einbildung des Unendlichen oder Allgemeinen in das Besondere unserer Natur; die sittliche Anforderung geht unmittelbar durch sich selbst auf die Hineinbildung unseres Besonderen in das reine Allgemeine, das Wesen, das Unendliche: aber dieser Gegensatz des Wissens mit dem Sittlichen besteht auch nur für das Wissen und Handeln in der Zeit.»[101]

*Während der idealisierende Status des sittlich Allgemeinen/Unendlichen/ Vernünftigen die praktische «Beerbung» der Fragestellung der theoretischen Absolutheit einer transzendentalen Grundlegung verdeutlicht, markiert dieser Status darüber hinaus die immanente Struktur des Forderungscharakters der Sittlichkeit. Schellings Rede von der «Einbildung» des Besonderen in diese Allgemeinheit (nicht seine Subordination!) macht die Differenz im Akt*

---

[100] Vor allem die «Darstellung meines Systems der Philosophie» (1801) und die «Fernere(n) Darstellungen aus dem System der Philosophie» (1802), aber auch «Philosophie und Religion» (1804) könnten bei Nichtbeachtung der «Differenz» diesem Mißverständnis Vorschub leisten, weil das Absolute als «absolute Indifferenz» des Subjektiven und des Objektiven die Anforderungen an die praktische Einholung der Differenz eben absolut aufzustocken scheint. Wenn Schelling in den «Aphorismen zur Einleitung in die Naturphilosophie» die Idee als «Die Vollkommenheit der Dinge (beschreibt) und die Dinge nach den Ideen betrachtet, heißt die Dinge ihrer Position nach betrachten, wie sie in Gott an sich selbst sind, ohne Relation aufeinander» (Werke Bd. IV, 127–184, 149) auffaßt, dann muß der Druck auf die praktische Subjektivität als «Duplicität des idealisierenden und des realisierenden Ichs» enorm ansteigen.

[101] Werke III, 422–440, 439.

der *«Hineinbildung»* des Besonderen in das Allgemeine als Grund der *«gewußten»* Beanspruchung durch die Forderung als solche evident. Die fortschreitende Ontologisierung der praktischen Philosophie, welcher das Identitätssystem Vorschub leistete, führte bei Schelling zu Komplikationen, die in der Schrift *Philosophische Untersuchungen über das Wesen der menschlichen Freiheit* (1805) zum Tragen kamen. Die ontologische Prädikation des «Wollens» ist auch hier der Grund dieser Komplexität.

«Wollen ist Ursein, und auf dieses allein passen alle Prädikate desselben; Grundlosigkeit, Ewigkeit, Unabhängigkeit von der Zeit, Selbstbejahung.»[102] Das Wollen, worunter Schelling das «Ewige» oder «Gott» versteht, ist für ihn *unmittelbar* Grund seiner Selbst und insofern nicht gegründet (grundlos). Der Wille/das Wollen muß das, was es will oder bestimmt, in Freiheit wollen oder bestimmen, so daß das Bestimmte bzw. Gewollte seinerseits selbständig bleibt. Die Abhängigkeit vom «Grund» als dem Wollen Gottes signalisiert nur eine «daß»-Aussage über das Gegründete/Gewollte bzw. impliziert eine formale Aussage über den Status des Gegründeten als einer «derivierten Absolutheit» der Endlichkeit. Trotzdem läßt Schelling es bei dieser formalen Distinktion nicht bewenden. Sowohl wegen der ontologischen Qualifikation des Willens als auch wegen der nun aufkeimenden Theodizeefrage wird er genötigt zu differenzieren. Schelling macht nun *im* Absoluten eine weitere Unterscheidung, welche die ontologisch-praktische Wende in seinem Denken verschärft: nämlich die Unterscheidung zwischen Existenz (Gottes) als autarker Absolutheit und «Grund von Existenz» als Grund der Sehnsucht Gottes nach einer Selbstoffenbarung in der Kreatur. Schelling nennt diese Sehnsucht «einen ahnenden Willen, dessen Ahndung der Verstand ist ... ein wogend, wallendes Meer»[103], das Natur und Geist in der Leib-Seele-Einheit des Menschen vorzüglich bestimmt. Der ahnende Wille ist die Begierde und der Eigenwille der Kreatur, der Verstand als Ahndung ist dann *der Universalwille* als *die verständige Begierde*. In dieser Domäne ist die «Freiheit» des Menschen als Intelligibilität der Begierde dann auch gesichert, trotz der für das «Wissen» der Kreatur formalen, wenn auch zugleich ontologischen Abhängigkeit von der Existenz Gottes. «Das Wesen des Menschen ist wesentlich seine eigene That; dieses Bewußtsein als Selbstsetzen ist ein Ur- und Grundwollen, das sich selbst zu etwas macht.»[104]

---

[102] Werke IV, 275–360, 301.
[103] Ebd. 303/304.
[104] Ebd. 328.

Von nun an läßt aber diese Problematik Schelling keine Ruhe. In den *Stuttgarter Privatvorlesungen* von 1811 wird obige Distinktion durch den Begriff einer «Contraction» Gottes[105], einer freiwilligen Selbstbegrenzung ersetzt. Dadurch entsteht in Gott *eine Differenz (und insofern Bewußtsein)*, welche «die Simultaneität der Principien, so wie sie ursprünglich in ihm sind, aufhebt»[106] und sie in «Potenzen» als Perioden der Selbstoffenbarung Gottes auslegt, in «Weltalter», welche die Bewußtwerdung Gottes vollziehen. «Vor dieser Contraction ist Gott nur noch da als ein stilles Sinnen über sich selbst.»[107] Die Geschichte der Entfaltung des Bewußtseins hat sich nun in die Geschichte der Bewußtwerdung als Geschichte der Bewußtwerdung *Gottes* transponiert, wobei die Problematik der Bewußtseinsdifferenz als konstitutive Bedingung des *Selbst-Bewußtseins* in die ontologische *Contraction* Gottes hineinverlegt ist: indem sie als eine Tätigkeit der freiwilligen Selbstbegrenzung *Gottes* interpretiert wird, ist die Absolutheit dieser Setzung, die das endliche Subjekt nicht leisten konnte, wenigstens transzendent gesichert.

In der Schrift *Über die Natur der Philosophie als Wissenschaft* (1811) wird dieses Werden der absoluten Freiheit thematisiert. Die ontologischen Unterscheidungen bringen Schelling in nicht geringe Schwierigkeiten. Die absolute Freiheit ist nämlich als Freiheit des Absoluten zunächst ungegenständlich, kann also nur in einer geschichtlichen Entfaltung dieser absoluten Innerlichkeit zugleich als Entfaltung *im* menschlichen Selbstbewußtsein und als Selbsterkennen der ewigen Freiheit entwickelt werden.[108] Der Widerspruch nun, daß das Bewußtsein des Absoluten, die absolute Freiheit *als* Freiheit *gewußt* wird unter der Bedingung der Endlichkeit, führt zu einer Krise. Anders als in der hegelschen Logik, die gerade die Differenz *nicht* zu setzen braucht, weil sie die logische Prozeßhaftigkeit von Unendlichkeit und Endlichkeit als Werden der Bewußtwerdung der (noch abstrakten) Einheit annimmt, entsteht bei Schelling ein Widerspruch. Die *absolute* Differenz des Anfangs als Differenz des Absoluten zur endlichen Subjektivität statuiert zwischen dem absoluten Wissen und dem (absoluten) Nicht-Wissen des wissen-wollenden Subjekts

---

[105] Dazu: J. Habermas, Dialektischer Idealismus im Übergang zum Materialismus. Geschichtsphilosophische Folgerungen aus Schellings Idee einer Contraction Gottes. In: Theorie und Praxis. Frankfurt a.M. 1978, 172–227.
[106] Stuttgarter Privatvorlesungen, Werke IV, 361–428, 372.
[107] Ebd. 376.
[108] «Im Menschen rührt eine dunkle Erinnerung, einmal der Anfang, die Macht, das absolute Centrum von allem gewesen zu sein. Die absolute Freiheit des Anfangs ist dem Menschen nur als wiedergebrachte Freiheit gegenwärtig, als Ichheit oder Bewußtsein, er weiß aber sich nicht als solches.» (249).

einen Hiatus, der im Prozeß der geschichtlichen Entfaltung der Bewußt-werdung in der Aktualität des endlichen Wissens doch faktisch eingeebnet werden *soll*. Schelling sieht sich deshalb genötigt, die Bedeutung des Wissens bzw. des Bewußtseins zu «epizentrieren» und es als ein sekundäres Phänomen gegenüber einem «Unbewußten» als perennierenden Ausdruck der Differenz im Wissen zu statuieren. Dieses Unbewußte faßt er als Ort der Sukzessivität von Potenzen auf, welche die im Denken nicht einzuholende Zerrissenheit von Endlichkeit und Unendlichkeit als Werden der absoluten Bestimmung erheischen.

«Das Urbewußtsein, das wir als eine Anregung, als eine Meldung, als einen Zug in uns empfinden, ist die Vernunft. Hieraus erhellt die potentielle, die bloß leidende Natur der Vernunft, aber eben daraus auch, daß die Vernunft nicht das thätige Princip in der Wissenschaft sein kann.»[109] Die Unvordenklichkeit des Seins als die Unvordenklichkeit der Freiheit, die konstitutive Dopplung von Nicht-Wissen und Wissen, von Urbewußtheit bzw. von noch währender Unbewußtheit und erst werdender Bewußtheit markieren die *Krise* des Idealismus: anstatt sie als eine konstitutive Differenz in der «phänomenalen» Struktur des Selbstbewußtseins und der Sittlichkeit und als Ausdruck der Differenz des Unendlichen und des Endlichen zu betrachten, versucht Schelling sie mittels desjenigen Prinzips zu lösen, das sie erst eigentlich verschärft hatte. Denn auf die Frage, welches denn das «thätige Prinzip» sei, antworten die «Weltalter» (1813): «Aber im Wollen überhaupt liegt auch allein die Kraft eines Anfangs... Der Anfangspunkt keiner Bewegung ist ein leerer, unthätiger, sondern eine Verneinung derselben, die wirklich entstehende Bewegung eine Ueberwindung dieser Verneinung. War sie nicht verneint, so konnte sie nicht ausdrücklich gesetzt werden.»[110]

Das treibende Prinzip der Krisis ist das Wollen, wird aber von Schelling gemäß der Phänomenalität der Sittlichkeit als «Ich»[111] bezeichnet und nicht länger, wegen der zunehmenden Komplexität dieser Lösung, als eine Modalität Gottes aufgefaßt. Die Krise der theoretischen Subjektivität hatte seit der frühen Philosophie die praktische Subjektivität als deren eigentliches Prinzip involviert. Letztere wiederum scheiterte an der Beweislast, die sie seit dem Identitätssystem als Prinzip der «Einholung des Seins» bzw. der Vereinheitlichung von Endlichkeit und Unendlichkeit faktisch tragen mußte. Die Spätphilosophie Schellings wurde deshalb eine

[109] Ebd. 258.
[110] Die Weltalter, Bd. V, 1–130, 30.
[111] Philosophie der Mythologie, Bd. VI, 566.

«positive» Philosophie[112], weil sie das Sein ausdrücklich als Unvordenkliches setzte und die Transzendenz des Wissensgrundes somit als Philosophie der «Mythologie» und der «Offenbarung» anerkannte. Die ursprüngliche Unterscheidung zwischen theoretischer und praktischer Philosophie ist somit in die *negative* Philosophie eingegangen. «Sittlichkeit ist wie Krankheit und Tod allein den Sterblichen anheim gefallen.»[113] Die Spätphilosophie als «Voll-endung» des Idealismus ist dadurch zu einer Philosophie der «Voll-endlichkeit» geworden.»[114]

## §2 Subjektivität als Nihilismus: F.H. Jacobi

Neben J.G. Hamann ist es die Philosophie *F. H.Jacobis*, die in ihrer Reaktion auf Kant und Fichte eine der frühesten, dezidierten Auseinandersetzungen mit der Philosophie des Idealismus darstellt. Der Satz, daß «das Vermögen der Voraussetzung des Wahren, und mit und in ihm des Guten und des Schönen (heißet) Vernunft»[1] heißt, dürfte dem philosophischen Plausibilitätshorizont des Zeitalters zutiefst entgegengesetzt gewesen sein.

Für Jacobi war das Denken des Idealismus ein «weit geöffnete(n)r bodenloser *Abgrund einer absoluten Subjektivität.*»[2] Mit Hamann teilt er nicht nur die Auffassung der Primordialität der Sprache[3] vor dem Denken, sondern auch die zum Teil bissig vorgetragene Kritik an Kant und Fichte. «Unsere Philosophen allein bewohnen himmelsnahe Felsenhöhen, von keinem Dufte getrübt, rundum endlose Helle und Leere. Mir ginge da der Athem aus.»[4]

Die transzendentale Wende der Philosophie seit Kant läuft für Jacobi auf die annihilierende Konsequenz eines purifizierenden Denkens hinaus:

[112] «Wenn die positive Philosophie von dem, was außer allem Denken ist, ausgeht, kann sie nicht von einem bloß relativ außer dem Denken, sondern von dem absolut außer dem Denken befindlichen Sein ausgehen. Dieses Sein, außer allem Denken, ist nun aber ebensowohl auch über alle Erfahrung, als es allem Denken zuvorkommt, es ist das schlechterdings transcendente Sein, von dem also die positive Philosophie ausgeht.» (Phil. der Offenbarung, Bd. VIII, 129).
[113] Philosophie der Kunst, (1859), Bd. IV, 64.
[114] W. Schulz, Die Vollendung des Deutschen Idealismus in der Spätphilosophie Schellings. Pfullingen 1957, 300.
[1] F. H.Jacobi, Von den göttlichen Dingen und ihrer Offenbarung, in: Werke III, Darmstadt 1980, 247–462, 318.
[2] Ders., David Hume über den Glauben oder Idealismus und Realismus, in: Werke II, 3–310, 44.
[3] F.H. Jacobi und J.G. Hamann, Briefwechsel, in: Werke IV/3; J. G. Hamann, Schriften zur Sprache, Frankfurt a.M. 1967.
[4] Ders., Allwills Briefsammlung, Werke I, 3–226, 73.

auf den Sturz der Welt in das Nichts[5] der bloßen Reflexion. Vor allem die Einbildungskraft steht im Mittelpunkt einer Kritik, welche diese als ein «regelloses» Vermögen[6] versteht, das in der «Synthesis» die Welt und das Selbst in den Taumel der Selbstbegründung stürzt. Dabei hat Jacobi, wie kaum ein Anderer, den Stellenwert und Zusammenhang von Synthesis und Apperzeption in ihrer transzendentalen Logizität erfaßt.

«Sie (die Synthesis; J.-P. Wils) ist das bloße, reine, absolute Wiederholen selbst. Der Actus dieser Wiederholung ist dann auch der reine Actus des Selbstbewußtseins; und der reine Actus des Selbstbewußtseins ist der reine und alleine Actus jener Wiederholung *als* bloße Wiederholung.»[7] Obwohl Jacobi, der hier durchaus in die Nähe der Husserllektüre Derridas kommt, nicht nach der Phänomenalität dieses transzendentalen Vorgangs fragt, wird dieser als Akt des kalten Verstandes, als Ausdruck eines nur «logischen» Enthusiasmus verstanden, der am Leitfaden der Kausalität in die Grundlosigkeit der Selbstbegründung führt. Die kantischen Ideen, die dem Verstand asymptotisch zur Hilfe kommen, werden dabei «Kategorien der Verzweiflung»[8] genannt. In dem Schreiben an Fichte ergreift Jacobi dann aus dieser Verzweiflung heraus das Wort und bezeichnet den «Identitätstrieb» des Idealismus als «Nihilismus» einer nur noch sich selbst vernehmenden Vernunft. Der Schematismus der produktiven Einbildungskraft kommt dann auch der progressiven Vernichtung der Phänomene gleich: «aus Nichts, zu Nichts, für Nichts, in Nichts.»[9] Die Reflexion absorbiert für Jacobi das Besondere in das Allgemeine und degradiert die Wirklichkeit zu einem *Supplement* des Begrifflichen. Zwischen dem Allgemeinen und dem Besonderen auf die «logische Folter» gespannt, sieht Jacobi das Bild des Individuellen[10] als Substraktion verschwinden. Schon ganz in der Nähe der Subjektivitätskritik des jungen Hegel sieht er als Konsequenz des «epistemologischen Nihilismus» die «allgemeine» Welt und Menschheitsgeschichte als eine schreckhaft fortschreitende Annihilierung des Konkreten erscheinen. Für Jacobi muß dann auch die Wissenskritik in «Sinnkritik» übergehen, will sie dem, was

---

[5] «Der Verstand sieht auf die Einheit, worin dies geschieht, verbindet also nicht thätig, sondern identifiziert das Getrennte. Würde diese Identifikation je vollständig zu Stande kommen, so fiele die ganze Welt in ein Nichts des rein ununterbrochenen Raums, des leeren identischen Bewußtseins, zusammen»., in: Über das Unternehmen des Kritizismus, die Vernunft zu Verstande zu bringen, Werke III, 64–196, 163.

[6] Woldemar, Bd. V, 39 und 99: «eine reine Actuosität in reinem Bewußtsein.»

[7] Über das Unternehmen, 125 f.

[8] Von den göttlichen Dingen und ihrer Offenbarung, Bd. IV, 247–462, 435.

[9] Jacobi an Fichte, Bd. III, 22.

[10] Über das Unternehmen, 165 ff.

er «Ahndung» der Vernunft nennt, entsprechen. Seine *unmittelbare* Beweiskraft erhält dieses Theorem in der jeweiligen, lebensweltlichen Situierung der Wahrheit, in nämlich jenem «ursprüngliche(n), allgemeine(n), unüberwindliche(n) Vorurtheil,»[11] das mit der Vernunft zugleich das Recht der Meinung etabliert. Die hermetisch-hermeneutische Sprachtradition, an der Jacobi zusammen mit Hamann partizipiert, führt dann auch zwangsläufig zu der Auseinandersetzung mit dem, was in der Moderne die «Arbitrarität des Zeichens» heißt. Gerade die semiologische Kritik macht Jacobi zu einem Kritiker dieser Moderne. «So sind die Zeichen von Natur im Besitz eines gefährlichen Einflusses, der sich vermehrt, so wie sie sich selbst vermehren und immer willkürlicher werden – eine Fertigkeit der willkürlichsten Verknüpfungen im ganzen Gebiete des Denkens und des Begehrens.»[12] Die Emanzipation der Zeichenrelation aus ihrer *unmittelbaren* Verknüpfung mit einer *ontologischen* Referenz wird als Emanzipation aus Wahrheit und Moral schlechthin verstanden: die organische Qualität eines lebensweltlich und religiös situierten Sinns droht sich für Jacobi in die nun arbiträr gewordene und insofern für ihn beliebig-instrumentelle Verwendung der Zeichen zu verlieren. Er nimmt allerdings den anti-logischen Effekt in Kauf, daß die Wahrheit ihrerseits nun zu einem Epiphänomen von Instinkt und Meinung wird: sie wird lebensdienlich[13] und selber willkürlich. «Der Begriff einer wirklich, daseienden, aber von sich nichtwissenden Vernunft ist also kein widersinniger Begriff». Im Gegenteil, er ist das Signum einer «absolute(n), substantielle(n) Vernunft... Das bewußtlos unmittelbar Werktätige, das eben ist der Geist.»[14] Nicht zufällig muß Jacobi dann auch hinweisen auf das Versagen jener «abstrakten Reflexion», dort, wo die «unbewußte Vernunft» erst eigentlich zu Hause ist: im Schlaf und im Traum, im «Vorhof des Todes»[15], wo die Wahrheit und die Moral die Verheißung einer nicht durch Reflexion gebrochenen Unmittelbarkeit aufrechterhalten.

Im Bereich der Sittlichkeit wirkt diese Auffassung nachhaltiger als sonstwo: «Je umfassender, tief eingreifender, erhabener ein Gebot ist; je mehr es sich auf die innerste Natur des Menschen und ihre Verbesserung,

[11] Zufällige Ergießungen eines einsamen Denkers, Werke I, 254- 305, 274.
[12] Ebd. 278.
[13] «*Wahr oder falsch, der Nachdruck ist derselbe, wenn die Meinung lebendig ist*; denn in unserer eigentümlich, lebendigen Meinung, *sie sei beschaffen wie sie wolle*, erkennen wir uns, sie allein macht uns unser Dasein wahr und wirklich.» a.a.O. 280. Hervorhebung von mir, J.-P. Wils.
[14] Werke II, David Hume über den Glauben, oder Idealismus und Realismus. Ein Gespräch, a.a.O. 95f.
[15] F. H. Jacobi, Einige Betrachtungen über den frommen Betrug und über eine Vernunft, welche nicht Vernunft ist, Werke II, 455–500, 472.

auf Verstand und Wille, Tugend und Erkenntnis bezieht; desto weniger kann vor der Befolgung seine innere Güte von dem Menschen eingesehen werden, desto fähiger ist seine Vernunft, es zu billigen, desto mehr bedarf es Ansehen und Glauben.»[16]

Die direkte Theologisierung des Gesollten – bei Jacobi beabsichtigt im Blick auf die Rehabilitation der *Erfahrung* des Sittlichen – vollzieht sich im «moralischen Sinn» als Organ des Entdeckens des θεῖον des Geforderten. Die verhängnisvolle Konsequenz dabei ist Jacobis Vorordnung des Tuns und des Willens vor den Verstand[17] als ratio cognoscendi konkreter Sittlichkeit. Die Differenz zu Kant ist trotz der gemeinsamen Auffassung bezüglich der Faktizität der Freiheit als Faktum der Vernunft – «Es kann also die Möglichkeit absoluter Selbsttätigkeit nicht erkannt werden, wohl aber ihre Wirklichkeit, welche sich unmittelbar im Bewußtsein darstellt, und durch die That beweist. Sie wird *Freiheit* genannt»[18] – eklatant. Die Vernunft als Organ des Gefühls für das Übernatürliche ist für Jacobi ein praktischer «Instinkt», der das Pathos der Handlung, ihren Zusammenhang mit dem «Leben» an die Stelle des Verstandes*urteils* rückt und die Intensität einer Handlung zum Kriterium ihrer Rationalität macht. «Allwills Briefsammlung» und «Woldemar»[19] sind dann auch Zeugnisse für die literarische Ersetzung des Urteils durch Empfindsamkeit und für die Vermischung von Entdeckungszusammenhang und Begründungszusammenhang, der eine Moral anheimfallen muß, die das Problem der *diskursiven* Begründung der Subjektivität getilgt hat.

Die Moralität wird zu einem «Göttlichen» im Leben selbst. Weil die Zeichen*arbeit* als komplexes Zusammenspiel der Bedeutungsgenerierung zugunsten einer «natürlichen» Zeichenfunktion ausgeblendet wird, verschwindet die «vernünftige» Distanzierung (Hegel, Merleau-Ponty, Derrida), welche die Sprache zu ihren Objekten/Referenzen unterhält. Die Moralität wird zu einem archaischen ethischen «Nominalismus» des Sittlichen: die (notwendige) Willkür des Zeichens sichert dann nicht länger die Diskursivität und somit «Unwillkürlichkeit» des Phänomens, sondern verschwindet in der *willkürlichen*, weil nach dem Kriterium der Intensität ausgerichteten Versicherung der Moralität. Die der Transzendentalphilosophie vorgeworfene Tendenz auf Nihilismus hin erscheint am Horizont der jacobischen Philosophie selber: «Nicht die Identität des offen-

---

[16] Über die Lehre des Spinoza in Briefen an Herrn Moses Mendelson, Werke IV, 3–253, 243f.
[17] «Im Gegenteil entwickelt sich der Verstand des Menschen durch seinen Willen.», Ebd. 248.
[18] Über die Lehre des Spinoza, Ebd. 27.
[19] Bd. I, 3–226 und Bd. V.

baren Nichts; sondern die Identität des Unbedingten und des Bedingten, der Notwendigkeit und der Freiheit; in Wahrheit die Identität der Vernunft und der Unvernunft, des Guten und Bösen, des Dings und des . Undings»[20] ist das Ziel dieser Philosophie.


## §3 Hegels Subjekt-Substanz:
## der spekulative Begriff und die substantielle Sittlichkeit


Die Philosophie Hegels nimmt in der Frage nach dem Verhältnis von Subjekttheorie und Ethik eine zentrale Stellung ein. Der Begriff «Subjektivität» wird in der Differenzschrift von 1801 und vor allem in *Glauben und Wissen* (1802/3) zu einem theoretisch gesicherten Terminus (während er von Kant bis Schelling eher für die *Sache* ihres Denkens verwendet werden kann). Darüberhinaus führt gerade Hegels Subjektivitäts*kritik* (im zweifachen Sinne des Wortes) zu einer Kritik der praktischen Philosophie seiner Vorgänger, nämlich zu einer entschiedenen Ablehnung dessen, was O.Marquard den «Verleugnungszwang und Regressionseffekt des Sollensdenkens»[1] genannt hat. Hegel selber war in den frühen *Entwürfe(n) über Religion und Liebe* (1797/98) noch davon ausgegangen, daß «das Wesen des praktischen Ich im *Hinausgehen* der idealen Tätigkeit über das Wirkliche und in der Forderung (besteht), daß die objektive Tätigkeit gleich sein *soll* der unendlichen».[2] Er hatte damit das exakt zum Ausdruck gebracht, was er kaum drei Jahre später schon ablehnen würde. Die Integrierung dieser Maxime in eine «Dialektik der Liebe» hat Hegel daran gehindert, die seit Kant bestimmende Tradition der praktischen Philosophie fortzuführen. Das Ideal nämlich, heißt es schon hier, «können wir nicht außer uns setzen, sonst wäre es ein Objekt – nicht in uns allein, sonst wäre es kein Ideal».[3] Die eigentliche Begründung dieses Satzes hat Hegel erst in der «Logik des Begriffs» geliefert und in der Phänomenologie des Geistes und der Rechtsphilosophie expliziert. Bevor wir uns jedoch diesen Schriften zuwenden, wollen wir die Fichte-Kritik der Differenzschrift[4] und die Kant-Kritik der

---

[20] Von den göttlichen Dingen und ihrer Offenbarung, 394.

[1] O.Marquard, Hegel und das Sollen, in: Schwierigkeiten mit der Geschichtsphilosophie, Frankfurt a.M. 37–51, 47 (1973).

[2] G. W. F. Hegel, Entwürfe über Religion und Liebe (1897/98), Werke Bd. I, Frankfurt a.M. 1970, 241.

[3] Ebd. 244.

[4] Der vollständige Titel lautet: «Differenz des Fichteschen und Schellingschen Systems der Philosophie» (1801), Bd. II, 9–140.

Glaubensschrift[5] unter dem Gesichtspunkt der Konstitution einer Subjektivitätstheorie zur Kenntnis nehmen.

Hegel erblickt in dem Vermögen des *Verstandes* oder der *Reflexion*, das er als *das* Medium der Philosophie seit Kant betrachtet, die Herrschaft der Entgegensetzung und der Beschränkung, die das Bedürfnis der Philosophie nach einem Werden, worin sich die Unendlichkeit *im* Endlichen generiert («ihr Sein als Produkte als ein Produzieren»[6]), in dem starren Gegensatz von Endlichkeit (Notwendigkeit, Objektivität) und Unendlichkeit (Freiheit, Subjektivität) ausspannt. Stattdessen fordert er die Vereinigung und Aufhebung dieser Dualität in eine «absolute Identität», in das «Wissen der Vernunft», das als Bezug auf das Absolute sich als «Spekulation» realisiert und den Verstand entgrenzt. Dort, wo Fichte und der frühe Schelling eine *absolute* Begründung ihres Denkens suchten, nämlich in dem Bewußtseinstheorem des Ich=Ich, sieht Hegel nur eine bloße Verstandestätigkeit, die dem Satz vom Widerspruch unterworfen ist und, weil das Absolute nicht antinomisch sein *kann, nur subjektiv* ist.

Die Spekulation muß dann auch das bloße *Bewußtsein* der Vernichtung anheimfallen lassen, «in dieser Nacht der bloßen Reflexion und des räsonierenden Verstandes»[7], um es für das transzendentale Wissen als Identität von Begriff (Reflexion) und Anschauung (Sein) zu öffnen. Idealität und Realität, Freiheit und Notwendigkeit sind dann nicht länger mehr Gegensätze, sondern nur *Standpunkte* einer Identität, die sich in der Vernunft bzw. im Wissen *vollzieht* und in einer *prinzipiellen* Anwesenheit verharrt, weil «die Identität, die eine absolute sein *soll*, eine unvollständige ist.»[8]

Gerade diese nur geforderte Identität wollte Hegel in der Philosophie Fichtes par excellence festgestellt haben. Das Bewußtseinstheorem (Ich=Ich), in dem *sich* ein Subjekt Objekt wird, weil es *beides zugleich* ist, ist für ihn nur die Purifikation und reflexionstheoretische Schwundstufe einer *absoluten* Identität, weil das Bewußtsein hier außerhalb seines Selbst die Objektivität der Welt nur als unendlichen Verlust seines Selbst erfahren kann. Wenn Hegel sehr viel später von der «Furie des Verschwindens»[9] reden wird, ist das nur die praktische Schlußfolgerung dieser schon in der Theorie von ihm festgestellten Unzulänglichkeit: weil das

---

[5] Glauben und Wissen oder die Reflexionsphilosophie der Subjektivität in der Vollständigkeit ihrer Formen als Kantische, Jacobische und Fichtesche Philosophie, Bd. II, 287–433.

[6] Differenzschrift, 22.

[7] Ebd. 35.      [8] Ebd. 48.

[9] Phänomenologie des Geistes, Bd. 3, 436.

Bewußtsein *sich* nicht objektiv wird (und diese Feststellung Hegels ist zutreffend), wird die objektive Welt zu einem Faktor seiner Konstruktion.[10] Die produktive Einbildungskraft, bei Kant in der *Deduktion* das Zentrum der diskursiven Struktur der Synthesis, ist für Hegel dann auch nur noch ein Derivat, «ein Schweben zwischen absolut Entgegengesetzten, die sie nur in den Grenzen synthetisieren, aber deren entgegengesetzte Enden sie nicht vereinigen kann.»[11] Weil die Reflexion sich als Unendliches *setzen* kann (Fichte), aber als *Faktor* des Ideellen die Objektivität nicht einzuholen vermag, muß Fichte die Beschränkung durch das Objektive, die nur die Kehrseite der Beschränkung durch Freiheit in der Sphäre des Ideellen ist, als Erklärung für letztere Beschränkung bemühen. Dadurch wird der Gegensatz in die Intelligenz projiziert. Wie wir gesehen haben, führt das Scheitern der theoretischen Auflösung der Bewußtseinsantinomie bei Fichte in die praktische Philosophie: das Ich *soll* das Nicht-Ich zum Ich *machen*, oder wie Hegel sagt, «sich selbst in das Objekt metamorphosieren.»[12]

Gerade diese subjektive Entgegensetzung einer praktisch aufzuhebenden Dualität von «Ich» und «Welt», von Subjekt und Objekt, nennt Hegel « Subjektivität»: «ein subjektives Subjekt-Objekt».[13] Die Reflexion als Vermögen der Regel der formalen Einheit stellt sich nach Hegel die Identität als Kausalität des Subjektes auf das Objekt vor und perenniert dadurch gerade die Trennung, die wiederum als ein Zuüberwindendes aufgehoben werden *soll*. In einem einzigen Satz hat Hegel die umfassende Komplexität dieses für ihn falschen Ansatzes bei der «subjektiven» Identität von Subjekt und Objekt ausgedrückt: «Das aus ihm Deduzierte erhält hierdurch die Form einer Bedingung des reinen Bewußtseins, des Ich=Ich, und das reine Bewußtsein selbst die Form eines bedingten durch eine objektive Unendlichkeit, den Zeit-Progreß in infinitum, in dem die transzendentale Anschauung sich verliert und Ich sich in das Prinzip: *Ich soll gleich Ich sein*, verwandelt.»[14]

Hegel zieht nun hieraus eine interessante Konsequenz. Diese *Subjektivität* nämlich ist für ihn durch eine doppelte Beschränkung konstituiert:

[10] Dazu diese Stelle aus dem Nachlaß des Grafen Paul York von Wartenburg: «Weltfreiheit war der Grundcharakter der neuen Zeit und damit war das abstrakte Willensproblem in den Brennpunkt der geschichtlichen Aktion getreten ... Gewißheit war nur bei der Eigenschaft und durch sie garantiert nur ein Substrat, welches das Mittel der demiurgischen Tätigkeit gewährte... Nur vom Wollen her gesehen und bestimmt wurde der Zweck das universale Bindemittel. Die Grenzenlosigkeit der Tendenz sprach in Umkehrung aller Formanschauung dem Unendlichen positiven Wert zu. Der Raum mußte unbegrenzt sein, um einen ungehinderten Konstruktionsplatz zu gewähren.» In: Bewußtseinsstellung und Geschichte, (Hg.) I. Fetscher, Tübingen 1956, 142.
[11] a.a.O. 64.   [12] Ebd. 67.   [13] Ebd. 72.   [14] Ebd. 11.

durch die (sittliche) *Selbst*beschränkung der Freiheit (des ideellen Pols der Reflexion) einerseits, welche die Objektivität nur unter dem beschränkten Gesichtspunkt ihrer Funktion als *Erklärung* der Beschränkung der Freiheit des Subjekts betrachtet, und andererseits durch die Objektivität selbst. Unter der Herrschaft der Reflexion entsteht entsprechend der zweifachen Beschränkung eine *doppelte* Herrschaft: «die Herrschaft des Begriffs und die Knechtschaft der Natur.»[15]

Weil die Freiheit sich in der Reflexion laut Hegel nicht objektiv vermitteln kann, wird die Objektivität zu einer Domäne der Unfreiheit. In umgekehrter, aber folgerichtiger Bewegung wird die Freiheit dann personalisiert und die dem Subjekt eigene Objektivität tyrannisiert. Gerade die Pflichtenlehre als Sollenslehre ist für Hegel die praktische Applikation dieser Unvermitteltheit: Es entsteht «in der Sittlichkeit eine subjektive Herrschaft und Knechtschaft, eine eigene Unterdrückung der Natur.»[16]

Die Schrift *Glauben und Wissen* führt in ihrem Titel die nähere Bestimmung «Reflexionsphilosophie der Subjektivität». Reflexion wird auch hier von Hegel als die vollständige Entgegensetzung von Unendlichkeit und Endlichkeit bestimmt. Wenn Hegel den Begriff des Verstandes in diesem Zusammenhang «negativ» nennt, meint er damit wiederum seine Unvermitteltheit mit der Realität, die ihn zu einer «schlechten Unendlichkeit» macht und somit *im Grunde* endlich. Weil dem Verstandesbegriff *die bestimmte Negation* fehlt, wird die zu bestimmende Realität gewissermaßen begriffslos, und daher bleibt sie unbegriffen. Diese Unvermitteltheit führt dazu, daß *die Subjektivität* dann zu einer empirischen, eben unbegriffenen Modalität bloßer Vorhandenheit und *die praktische Philosophie*, neben ihrer formalen, transzendentalen Grundlegung, zum Empirismus ihres Inhaltes tendiert und kriterienlos wird. Die theoretische Philosophie des Begriffs wird zu einem skeptischen Idealismus, zu einem «Idealismus des Endlichen».[17] Die Überbrückung dieser Kluft wird dann zu einer postulatorischen Aufgabe der Vernunft und *in die praktische Extrapolation des Prozesses dimensioniert.*

An dieser Stelle des Gedankens bekommt der Begriff «Subjektivität» eine prägnante Fassung: «dieser unendlich leere Raum des Wissens (kann) nur mit der *Subjektivität des Sehnens und Ahnens* erfüllt werden.»[18]

---

[15] Ebd. 84.    [16] Ebd. 88.
[17] Glauben und Wissen, a.a.O. 298. «Es bleibt in diesen Philosophien das Absolutsein des Endlichen und der empirischen Realität und das absolute Entgegengesetztsein des Unendlichen und Endlichen, und das Ideale ist nur begriffen als Begriff.» (294).
[18] Ebd. 289.

In Hegels Kritik der kantischen transzendentalen Deduktion gestaltet sich die Auseinandersetzung erst auf dem Niveau, das auch die späteren Schriften prägen wird.

Die Frage «Wie sind synthetische Urteile a priori möglich?» hätte Kant laut Hegel folgendermaßen beantworten müssen: «Sie sind möglich durch die ursprüngliche absolute Identität von Ungleichartigem, aus welcher als dem Unbedingten sie selbst, als in die Form eines Urteils getrennt erscheinendes Subjekt und Prädikat, Besonderes und Allgemeines erst sich sondert. Das Vernünftige oder, wie Kant sich ausdrückt, das Apriorische dieses Urteils, die absolute Identität als Mittelbegriff stellt sich aber im Urteil nicht, sondern im Schluß dar; im Urteil ist sie nur die Kopula «Ist», ein Bewußtloses, und das Urteil selbst, ist nur die überwiegende Erscheinung der Differenz.»[19]

Als Negativfolie der Urteilslehre der «Logik» gelesen, ist dieser Satz ein Veto gegen Kants Lehre von der Kopula als *respectus logicus*. Für Hegel drückt das «Ist» im kantischen Urteil gerade die Unvermitteltheit des Begriffs mit der Realität und das Nichterkanntsein der «vernünftigen» Identität aus. Die Kopula *hält* die Besonderheit des Subjekts nur mit der Allgemeinheit des Prädikats *zusammen* und perpetuiert deshalb ihre Differenz[20]. Die Einbildungskraft, die die apperzeptive Einheit und Notwendigkeit der kantischen Kategorien sichert und als «synthesis intellectualis et speciosa» den Verstand mit der Anschauung «verbindet», faßt Hegel als eine «Vernunft ... erscheinend in der Sphäre des empirischen Bewußtseins»[21] auf. Weil sie als Vermögen selber unerkannt ist (und es in der kantischen Philosophie auch bleibt), kontinuiert sie den *Seinsmangel* der Kopula. Sie kann nicht verhindern, daß die Apperzeption einerseits, die Kant nicht kategorial bestimmen kann, weil sie erst die Bestimmtheit der Kategorien begründen *soll*, und die nicht-kategoriale Letztheit der Objektivität andererseits (das Ding an sich), nur formal, nach der Struktur der Kausalität, verbunden bleiben: «Eine solche formale Identität hat unmittelbar eine unendliche Nichtidentität gegen oder neben sich.»[22] Gerade diese Aporie wird Hegel dazu führen, das Bewußtsein zu deuten als Werden und Bewegung des Begriffs selber.

[19] Ebd. 307.
[20] «In dem Urteil zieht sich die Identität als Allgemeines zugleich aus ihrem Versenktsein in die Differenz, die auf diese Weise als Besonderes erscheint, heraus und tritt diesem Versenktsein gegenüber; aber die vernünftige Identität der Identität als des Allgemeinen und des Besonderen ist das Bewußtlose im Urteil und das Urteil selbst nur die Erscheinung desselben.» (307).
[21] Ebd. 308.   [22] Ebd. 312.

Weil Kant den in der transzendentalen Einbildungskraft liegenden Hinweis auf eine nicht «verständig» reduzierte Vernunft nicht beachtet hat, ist die Apperzeption nur *die Leere dieser Identität* und als Grund der Einheit und Notwendigkeit der Kategorien selber nur reine Allgemeinheit im Widerspruch zu ihrer unvermittelten Besonderung in der Mannigfaltigkeitsstruktur der Sinnlichkeit.

Die Spontaneität des «Ich denke» ist deshalb für Hegel nur eine «usurpierte», wobei das Bewußtseinstheorem seine Ohnmacht erst recht in seiner ethisch-praktischen Adaption als *Autonomie* erweisen muß: «als Freiheit soll sie sein absolut, da (doch) das Wesen dieser Freiheit darin besteht, nur durch ein Entgegengesetztes zu sein. Dieser diesem System unüberwindliche und es zerstörende Widerspruch wird zur realen Inkonsequenz, indem diese absolute Leerheit sich als praktische Vernunft einen Inhalt geben und in der Form von Pflichten sich ausdehnen *soll.*»[23]

Für Hegel führt die Transposition der theoretischen Differenz von kategorialer Allgemeinheit und sinnlicher Besonderung in die Domäne der praktischen Vernunft die Ohnmacht der Vermittlung mit sich und erweist sich dort als Ohnmacht des Sollens gegenüber der Realität. Das Urteil über die kantische «Verstandesphilosophie» ist dann auch vernichtend: «Ihre höchste Idee ist die völlige Leerheit der Subjektivität oder die Reinheit des unendlichen Begriffs, der zugleich in der Verstandessphäre als das Objektive gesetzt ist, doch hier mit Dimensionen der Kategorien, in der praktischen Seite aber als objektives Gesetz.»[24] Sowohl die Verstandesallgemeinheit der theoretischen als auch die der praktischen Philosophie sind Zeugen einer prinzipiellen Ohnmacht gegenüber der Besonderung.

Wie Hegel sich ihre In-einsbildung gedacht hat, wird in diesen frühen Schriften nur andeutungsweise expliziert, nämlich als Theorie der absoluten Identität im spekulativen Wissen. Wir wollen den Gedankengang an einigen wichtigen Stellen der Enzyklopädie, der Logik, der Phänomenologie und der Rechtsphilosophie verfolgen. Der Ordnung der Begründung gemäß wenden wir uns erst der Wissenschaft der Logik und der Philosophie des Geistes in der Enzyklopädie zu.

Dem nur reflektierenden Verstandesbegriff stellt Hegel *die Idee* gegenüber. Sie ist als sich entwickelnde *Totalität, das Werden* des Allgemeinen *und* des Besonderen, als *Einswerdung des Ideellen (des Abstrakten) und des Reellen (des Konkreten).*

[23] Ebd. 318.    [24] Ebd. 333.

«Der freie und wahrhafte Gedanke ist *in sich* konkret, und so ist er Idee, und in seiner ganzen Allgemeinheit die Idee oder das Absolute. Die Wissenschaft desselben ist wesentlich System, weil das Wahre als konkret nur als sich in sich entfaltend und in Einheit zusammennehmend und - haltend, d.i. als Totalität ist und nur durch Unterscheidung und Bestimmung seiner Unterschiede die Notwendigkeit derselben und die Freiheit des Ganzen sein kann.»[25]

Das Ich als Prinzip der vorhegelschen Subjektivitätsphilosophien hat seine Schuldigkeit dann damit getan, auf die «wahrhafte» Natur des Gegenstandes hingewiesen zu haben, nämlich auf seine Intelligibilität, ohne allerdings selber diesem Anspruch genügt zu haben. Das *Ich=Ich* des «idealistischen» Bewußtseinstheorems ist für Hegel nichts weiteres als die Abstraktheit bzw. die Allgemeinheit eines Selbstbezugs, der jegliche Partikularität (Individualität) abgestreift hat. «Erst der Mensch verdoppelt sich so, das Allgemeine für das Allgemeine zu sein... Ich ..das Denken als Denkendes ... Ich ist diese Leere, das Rezeptakulum für alles und jedes, für welches alles ist und welches alles in sich aufbewahrt. Jeder Mensch ist eine ganze Welt von Vorstellungen, welche in der Nacht des Ich begraben sind.»[26]

Hegels Hinweis auf die Sprache[27] – vorausdeutend auf den spekulativen Satz – will die Aufmerksamkeit dahin lenken, daß die Tätigkeit der Denkformen bzw. die Form des Denken *selber* das Absolute ist und diese, mit ihrer philosophischen *Kritik* vereinigt, das Wesen der *Dialektik* als *methodischen Vollzug der Entäußerung des Absoluten in seiner aufhebenden Vermittlung des Allgemeinen und des Besonderen* ausmacht. Gerade in diesem Zusammenhang hat Hegel die der Dialektik entgegenstehende Reflexion nochmals scharf attackiert: das Ich der Verstandeseinheit des Bewußtseins ist «der Schmelztiegel und das Feuer, wodurch die gleichgültige Mannigfaltigkeit verzehrt und auf Einheit reduziert wird».[28] Die reine Apperzeption nennt er «die Tätigkeit des Vermeinigens» und die dieser Reflexionsarbeit zum Opfer gefallene Realität der Welt «zerquetscht, d.h. idealisiert.»[29] Die «schlechte» *Subjektivität* ist somit eine «reine», weil unvermittelte und unbestimmte Negativität, die *Dialektik* dagegen das Werden des Absoluten als *bestimmte* Negation, die das von ihr Widersprochene im Sinne des Aufbewahrens zugleich aufhebt. Bekanntlich ist

[25] Enzyklopädie der phil. Wissenschaften, Bd. I, 99.
[26] Ebd. 82.
[27] «In der Sprache vornehmlich sind solche Denkbestimmungen niedergelegt.» (85).
[28] Ebd. 118.    [29] Ebd.

es für Hegel der *Begriff*, der die reflexionsbedingte Dualität von Idealität der Allgemeinheit und Realität der Besonderheit in seiner dialektischen Bewegung auflöst. Als Besonderung des Allgemeinen statuiert er deren Wahrheit als «konkretes Allgemeines» und überläßt die «schlechte Allheit» der Reflexionsallgemeinheit. «Die(se) Wahrheit der Notwendigkeit ist somit die Freiheit, und die Wahrheit der Substanz ist der Begriff, – die Selbständigkeit, welche das sich von sich Abstoßen in unterschiedene Selbständige als dies Abstoßen identisch mit sich, und diese bei sich selbst bleibende Wechselbewegung nur mit sich ist.»[30]

Diese Begriffs-Bestimmung impliziert eine folgenschwere Konsequenz. *Auf der Seite der theoretischen Philosophie bedeutet sie die Aufgabenstellung, das Subjekt als die Substanz zu denken und das Werden/die Bewegung des Begriffs in der Logik als die Wahrheit des Werdens des Absoluten zu betrachten. Auf der Seite der praktischen Philosophie – und Hegel macht in einem Zusatz sofort darauf aufmerksam[31] – führt sie zu einer «substantiellen» Sittlichkeit, die Hegel, hierin der transzendental-formalen Grundlegung der praktischen Philosophie seit Kant entgegengesetzt, als eine konkrete Begründungsgestalt im Sinne der konkreten Vermitteltheit des Begriffs versteht.* Die Rede von einer theoretischen *und* praktischen Philosophie wird dadurch im *Grunde* obsolet.[32] Entscheidend aber ist die spekulative Begründung, die Hegel dem Begriff gibt.

«Der Begriff als solcher enthält die Momente der *Allgemeinheit*, als freier Gleichheit mit sich selbst in ihrer Bestimmtheit, – *der Besonderheit*, der Bestimmtheit, in welcher das Allgemeine ungetrübt sich selbst bleibt, und *der Einzelheit*, als der Reflexion-in-sich der Bestimmtheiten der Allgemeinheit und Besonderheit, welche negative Einheit mit sich das an und für sich Bestimmte und zugleich mit sich Identische oder Allgemeine ist.»[33]

Auch wenn Hegel auf Rousseaus Distinktion von «allgemeinem Willen» (volonté général) und «Willen aller» (volonté de tous) hinweist, um

[30] Ebd. 303.

[31] «Dies ist die *Verklärung* der Notwendigkeit zur Freiheit, und diese Freiheit ist nicht bloß die Freiheit der abstrakten Negation, sondern vielmehr konkrete und positive Freiheit... *Der sittliche Mensch* ist sich des Inhalts seines Tuns als eines Notwendigen, an und für sich Gültigen bewußt und leidet dadurch so wenig Abbruch an seiner Freiheit, daß diese vielmehr erst durch dieses Bewußtsein zur wirklichen und inhaltsvollen Freiheit wird.» Ebenda. (Hervorhebung von mir, J.-P. Wils).

[32] D. Henrich hat den Sachverhalt folgendermaßen formuliert: «Die Substanz kann sich als Subjekt nicht durch ihre allem Wechsel enthobene Identität dem Bestimmungsgeschehen an ihr gegenüberstellen. Ihr eigener Begriff ist nur in Einem mit dem vollständigen Begriff ihres Bestimmens zu gewinnen.» D. Henrich, Hegels Logik der Reflexion, in: Die Wissenschaft der Logik und die Logik der Reflexion, Hegel-Tage Chantilly 1971, Bonn 1978, 209.

[33] Ebd. 311.

die wahre Allgemeinheit des Begriffs als Universelles von der (bloßen) Allgemeinheit oder Allheit der Verstandeskategorie zu trennen, macht die Formel der «Ungetrübtheit» des Allgemeinen dennoch Schwierigkeiten. An späterer Stelle werden wir in der «Wissenschaft der Logik» näher darauf eingehen müssen.

Wir können hier Hegels Urteilslehre nicht näher ausführen. Das Urteil betrachtet Hegel als den Begriff in seiner Besonderung, als Beziehung der sich unterscheidenden Momente der Allgemeinheit, der Besonderheit und der Einzelheit aufeinander (§ 166ff.). Wir wollen aber auf dem Hintergrund der Kopula-Kritik aus *Glauben und Wissen* die Bestimmung der Kopula als eine vorläufige Erhellung des Problems des Verhältnisses der Begriffsmomente betrachten.

Die Kopula will Hegel nicht auf ihre formallogische Funktion restringieren, sondern als Indiz für die substantielle Bewegung des Begriffs verstehen. «Die Kopula *ist* kommt von der Natur des Begriffs, in seiner Entäußerung identisch mit sich zu sein; das Einzelne und das Allgemeine sind als seine Momente solche Bestimmtheiten, die nicht isoliert werden können. Die früheren Reflexionsbestimmtheiten haben in ihren Verhältnissen auch die Beziehung aufeinander, aber ihr Zusammenhang ist nur das Haben, nicht das Sein, die als solche gesetzte Identität oder die Allgemeinheit. Das Urteil ist deswegen erst die wahrhafte Besonderheit des Begriffs, denn es ist die Bestimmtheit oder Unterscheidung desselben, *welche aber Allgemeinheit bleibt.*»[34]

Diese Bewegung, die für Hegel in ihrer Wahrheit (nicht in ihrer Erscheinung bzw. Phänomenologie) keine zeitliche ist, ist die Explikation der sich im Anderen als dem Anderen ihres Selbst anschauenden Idee. Im Unterschied zu der *schlechten* Subjektivität des Verstandes als Organ der Reflexion, nennt Hegel dieses Werden des Begriffs eine «*wesentlich* Subjektivität»[35]. Diese Subjektivität ist deshalb *wesentlich*, weil sie die Einheit von «Subjekt» und «Substanz» als Werden der absoluten Idee ist. Weshalb Hegel sie «Subjektivität» nennt, obwohl die (einseitige) *Subjektivität* für ihn doch die bloß formale Verstandesallgemeinheit suggeriert, wird im anschließenden Satz deutlich. Sie ist diesmal der ontologisch gesicherte Werdegang des Allgemeinen: «Nur der Begriff selbst ist frei und das wahrhaft Allgemeine; in der Idee ist daher seine Bestimmtheit ebenso nur er selbst, – eine Objektivität, in welche er *als* das Allgemeine sich fortsetzt und in der er nur seine eigene, die *totale* Bestimmtheit hat.»[36]

---

[34] Ebd. 317, Hervorhebung von mir, J.-P. Wils.      [35] Ebd. 372.      [36] Ebd.

Diese Objektivität des Begriffs ist gerade seine Besonderung und Vereinzelung, in der er *sich* allerdings *als* Allgemeines erhält. Sie bedingt seine wesentliche Differenz zu dem «Ich», das für Hegel sogar als Einzelnes wesentlich *nur* Allgemeines bleibt (weil gerade die *Einzelheit* des Ich-Bezugs allgemein ist und somit indifferent), obwohl dadurch die erste Stufe zur Idealisierung der Wirklichkeit ermöglicht wird, wie Hegel konzidiert.[37]

Hegels Lehre vom Selbstbewußtsein vermag diese Distinktion zwischen Begriffsallgemeinheit und Allgemeinheit des Ich zusätzlich zu präzisieren. Hegel räumt dem *Selbst*bewußtsein (Ich=Ich) wegen seiner *prinzipiellen* Unvermitteltheit mit der Mannigfaltigkeit seiner Welt und aufgrund seiner formalen Selbstidentifikation eine vorläufige Idealisierung des Wissens ein (Anmerkung 37). Er erblickt darin eine Überlegenheit gegenüber dem bloßen Bewußtsein, das wegen der Einfachheit des sich ungegenständlichen Ich, wegen dessen nur unperspektivischen Punktualität, gegenüber der Realität eine Kluft aufweist, ohne daß es die Möglichkeit einer abstrahierenden Ideation besitzt (es ist gleichsam eingelassen in seiner Welt, Enzy. III, §425). Während das Bewußtsein die Struktur einer schlichten Endlichkeit hat, die wegen des fehlenden Selbstbezugs die Welt nur als das Andere erfährt, ist es die Abstraktheit der Identität des *Selbst*bewußtseins, die für Hegel den Unterschied «vor lauter Selbst» nicht zu setzen vermag, sondern nur als *gesollten* (zu überwindenden) empfindet. Gerade in dieser Charakteristik wird der Übergang deutlich, den Hegel mit dem Theorem des Selbstbewußtseins unternommen hat. Sowohl in Kants Reflexionstheorie wie in Fichtes Produktionstheorie des Selbstbewußtseins war es gerade umgekehrt die phänomenale und diskursiv nicht einholbare Selbstbezüglichkeit des Selbstbewußtseins gewesen – die nicht dialektische Einheit von Differenz und Identität –, die das Sollen als Signum der «Kluft» des Selbstbezugs auf den Plan gerufen hatte. Für Hegel dagegen ist «im Ich=Ich des unmittelbaren Selbstbewußtseins (ist)

---

[37] «Ich ist ein vollkommenes Allgemeines, Einfaches. Wenn wir Ich sagen, meinen wir wohl ein Einzelnes; da aber jeder Ich ist, sagen wir damit nur etwas ganz allgemeines. Die Allgemeinheit des Ich macht, daß von allem es selbst von seinem Leben abstrahieren kann. Der Geist ist aber nicht bloß dies dem Lichte gleiche abstrakt Einfache, als welches er betrachtet wurde, wenn von der Einfachheit der Seele im Gegensatze gegen die Zusammengesetztheit des Körpers die Rede war; vielmehr ist der Geist ein trotz seiner Einfachheit in sich Unterschiedenes, denn Ich setzt sich selbst sich gegenüber, macht sich zu einem Gegenstande und kehrt aus diesem, allerdings erst abstrakten, noch nicht konkreten Unterschiede zur Einheit mit sich zurück. Dies Beisichselbstsein des Ich in seiner Unterscheidung ist die Unendlichkeit oder Idealität desselben. Diese Idealität bewährt sich aber erst in der Beziehung des Ich auf den ihm gegenüberstehenden unendlich mannigfaltigen Stoff. Indem das Ich diesen Stoff erfaßt, wird derselbe von der Allgemeinheit des Ich zugleich vergiftet und verklärt, verliert sein vereinzeltes, selbstständiges Bestehen und erhält ein geistiges Dasein.» (Enzyklopädie III, 21).

nur ein sein sollender, noch kein gesetzter, noch kein wirklicher Unterschied vorhanden».[38] Das Werden des Selbstbewußtseins, welches die *Logik* als die Wahrheit der Bewegung des Begriffs und die Phänomenologie als dessen Erscheinung thematisiert, besteht dann in der Angleichung von Bewußtsein und Selbstbewußtsein in der Bewegung der sich in realem Unterschied entwickelnden Idealität und der sich in die Idealität aufhebenden Objektivität. Der Begriffsdialektik entsprechend (das Selbstbewußtsein *ist* für Hegel die Bewegung des Begriffs) gibt es dann drei Entwicklungsstufen: das *An Sich* des einzelnen Selbstbewußtseins oder des *begehrenden* Bewußtseins, das *Für-sich* des anerkennenden Selbstbewußtseins (der beginnenden Vereinigung von Einzelheit und Allgemeinheit) und das *An und Für-sich* des allgemeinen Selbstbewußtseins oder des *substantiellen* Selbstbewußtseins der Sittlichkeit (§ 425, Enzy. III).

Während bei Kant, Fichte und Schelling das Selbstbewußtsein im phänomenalen, engeren Sinn der Ort der Gleichursprünglichkeit des theoretischen und des praktischen Denkens war und die dem Selbstbewußtsein eigene Aporetik einer wissenden Selbstidentifikation gleichzeitig der Grund der sittlichen Selbstverpflichtung war, ist es bei Hegel der spekulative Begriff[39], der als «Subjekt-Substanz» das Selbstbewußtsein in die Autarkie seiner onto-logischen Bewegung überführt hat. Hegel ist sich dabei völlig im klaren, das Selbstbewußtsein im eigentlichen Sinne hinter sich gelassen zu haben. «*Indem aber das Selbstbewußtsein zu dieser Allgemeinheit gelangt, hört es auf, Selbstbewußtsein zu sein, weil zum Selbstbewußtsein als solchem gerade das Festhalten an der Besonderheit des Selbstes gehört. Durch das Aufgeben dieser Besonderheit wird das Selbstbewußtsein zur Vernunft.*»[40]

Hegel hat in der «Wissenschaft der Logik», in der Lehre vom Begriff, das Verhältnis von Ich (Selbstbewußtsein) und Begriff eingehend erläutert[41], dabei ausdrücklich auf die Verwechselung des Begriffs mit der kate-

[38] Ebd. 214.
[39] Dazu: Hegel, «Wissenschaft der Logik» II, 253. «Der Begriff, insofern er zu einer solchen Existenz gediehen ist, ist nichts anderes als *Ich* oder das reine Selbstbewußtsein».
[40] Enzyklopädie III, § 437, 228.
[41] «aber Ich ist der reine Begriff selbst, der als Begriff zum Dasein gekommen ist... Ich aber ist endlich diese reine sich auf sich beziehende Einheit, und dies nicht unmittelbar, sondern indem es von aller Bestimmtheit und Inhalt abstrahiert und in die Freiheit der schrankenlosen Gleichheit mit sich selbst zurückgeht. So ist es Allgemeinheit; Einheit, welche nur durch jenes negative halten, welches als das Abstrahieren erscheint, Einheit mit sich ist und dadurch alles Bestimmtsein ı sich aufgelöst enthält. Zweitens ist Ich ebenso unmittelbar als die sich auf sich selbst beziehende I ;ativität Einzelheit, absolutes Bestimmtsein, welches sich dem Anderen gegenüberstellt und es aus ließt; individuelle Persönlichkeit. Jene absolute Allgemeinheit, die ebenso unmittelbar absolute reinzelung ist, und ein Anundfürsichsein, welches schlechthin Gesetztsein ist, macht ebenso die I ur des Ichs als des Begriffs aus.» (Enzyklopedie III, 253).

341

gorialen Allgemeinheit der kantischen Verstandesbegriffe hingewiesen. Er hat somit die Eigenart seines spekulativen Begriffs betont.

Wenn Hegel in diesem Zusammenhang die analogische Struktur des Selbstbewußtseins und des Begriffs in ihrem *Anundfürsichsein* erblickt, als Form des Allgemein-Besonderen, die das «*Gesetztsein als*» im Sinne der Ausdrücklichkeit des Selbstbewußtseins und des Begriffs ausmacht, dann darf die Differenz beider bezüglich dieser Identifikationsleistung nicht übersehen werden.

In der «Enzyklopädie» hatte Hegel, wie wir sahen, das Werden des Allgemeinen im Prozeß seiner Besonderung und Vereinzelung als «ungetrübt» bezeichnet, aber das Resultat seines Werdegangs die «als solche gesetzte Allgemeinheit» genannt. Das Geschick dieses Allgemeinen, das für Hegel vor den dialektischen Entfaltungen seiner Bestimmungen die Qualität des bloßen Verstandesbegriffs besitzt, faßt er in der «Logik» folgendermaßen: «Das Allgemeine hingegen, wenn es sich auch in eine Bestimmung setzt, *bleibt es darin, was es ist*. Es ist die Seele des Konkreten, dem es inwohnt, *ungehindert und sich selbst gleich* in dessen Mannigfaltigkeit und Verschiedenheit. *Es wird nicht mit in das Werden gerissen, sondern kontinuiert sich ungetrübt durch dasselbe und hat die Kraft unveränderlicher, unsterblicher Selbsterhaltung.*»[42]

Während die vorhegelschen Selbstbewußtseinstheoreme das Verhältnis von Allgemeinheit und Besonderheit vordialektisch als Einheit und Differenz beider verstanden und in dieser Unvermitteltheit diejenige Distanz thematisierten, welche die transzendental-semantische Identifikationsleistung des Selbstbewußtseins strukturell ermöglichen sollte, ist bei Hegel hieraus eine spekulativ-ontologische Identifikationsleistung geworden.[43] Sie vermittelt die subjektive Verstandesallgemeinheit nun zwar substantiell, an ihrem Status als Allgemeinheit aber wird nicht gerüttelt. Das «konkrete Allgemeine» an dem Ende der Bewegung des Begriffs deutet im Unterschied zu der abstrakten Allgemeinheit des Anfangs auf die *substantielle Realität* der *ungetrübten* Begriffsallgemeinheit hin.

[42] Logik II, 276. Dazu auch Logik I, 16: «Der Verstand bestimmt und hält die Bestimmungen fest; die Vernunft ist negativ und dialektisch, weil sie die Bestimmungen des Verstandes in nichts auflöst; sie ist positiv, weil sie das Allgemeine erzeugt und das Besondere *darin* begreift.»

[43] Wenn Hegel in der Enzyklopedie (I, § 163, 312) die wahre Allgemeinheit erst im Christentum realisiert sieht, liegt dem die gleiche Struktur zugrunde. Dazu auch M. Riedels anthropologische Deutung des Sachverhalts: «Der Mensch ist für Hegel noch immer Bild und Gestalt, ein Allgemeines, das im Verhältnis zum Seienden in sich zurückgeht und unbewegt in der Bewegung verharrt.» In: M. Riedel, Theorie und Praxis im Denken Hegels. Interpretationen zu den Grundstellungen der neuzeitlichen Subjektivität, Frankfurt a.M. 1976, (Stuttgart 1965), 169.

«Das Allgemeine ist somit die Totalität des Begriffs, es ist Konkretes, ist nicht ein Leeres, sondern hat vielmehr durch seinen Begriff Inhalt – einen Inhalt, in dem es sich nicht nur erhält, sondern der ihm eigen und immanent ist.»[44]

Hegel hat seine Kritik des Sollens aus den Schriften der Jenaer Zeit immer wieder aufgegriffen (Logik I, 142ff.).[45] In der Phänomenologie des Geistes wird der Zusammenhang hergestellt, der zwischen dem «abstrakten» Selbstbewußtsein und der absoluten Freiheit des «Schreckens» als Ausdruck des Sollens besteht. Dieser steht sowohl der konkreten Vermitteltheit des Begriffs als auch der konkreten Freiheit (der Sittlichkeit) gegenüber. Für Hegel stehen sich hier «unendliche Negativität» (als Dialektik von Subjektivitätshypertrophie und Weltverlust) und *bestimmte Negation* entgegen. Die nicht auf den Begriff gebrachte, aber deshalb nicht begriffslose Dialektik des abstrakten Selbstbewußtseins (als kategorialer Allgemeinheit) beschreibt Hegel so: «Das Fürsichsein aber, in welches das Sein für Anderes zurückgeht, das Selbst, ist nicht ein von dem Ich verschiedenes, eigenes Selbst dessen, was Gegenstand heißt; *denn das Bewußtsein als reine Einsicht ist nicht einzelnes Selbst*, dem der Gegenstand als ebenso eigenes Selbst gegenüberstände, sondern es ist der reine Begriff, das Schauen des Selbst in das Selbst, das absolute sich selbst doppelt Sehen; die Gewißheit seiner ist das allgemeine Subjekt und sein wissender Begriff das Wesen aller Wirklichkeit ... es ist *das allgemeine Selbst*.»[46]

Diese Kennzeichnung, die das Selbstbewußtsein als Phänomen zugunsten seiner Qualifizierung als eines abstrakten Begriffs ausklammert, muß in der Angleichung von *Selbst* und *Selbst* des Anderen (statt des *Anderen* seines Selbst) eine absolute, aber leere *Selbst*-Transparenz erblicken. Weil diese aber inexistent ist außerhalb ihrer nur geforderten Anwesenheit bzw. in ihrer Abwesenheit, etabliert sie sich als absolute Freiheit und allgemeiner Wille zu dieser Freiheit. Die formale Struktur des phänomenalen Selbstbewußtseins («Form der Allgemeinheit *und* des persönlichen Bewußtseins»[47]), die als *wissende* eben abwesend und deshalb gesollt ist, hat für Hegel in der Forderung seiner kategorial zu errichtenden Omni-

---

[44] Logik II, 277. Dazu auch Phänomenologie, 137ff.

[45] L. Eley hat die Problematik des Sollens in: Hegels Wissenschaft der Logik (München 1976, 37) präzise formuliert: «Dadurch, daß das Sollen den Widerspruch des Anfangs perenniert, statt ihn aufzulösen, bringt es den Widerspruch selber zur Darstellung; denn das Sollen ist einerseits das Unendliche als das Zu-bestimmende, andererseits ist im Sollen das Unendliche schon bestimmt; das bedeutet: es ist ihm gegenwärtig. Sollen ist somit das gegenwärtige Nichtgegenwärtige.»

[46] a.a.O. 432.     [47] Ebd. 434.

Präsenz den Gegensatz von allgemeinem Willen und einzelnem Willen «zur durchsichtigen Form»[48] herabgesetzt. Dieser wird die Substantialität des konkreten Begriffs geopfert und konstituiert sich moralisch als «Pflicht»: «Das Selbstbewußtsein weiß die Pflicht als das absolute Wesen ... die Pflicht kann nicht die Form eines Fremden für es erhalten.»[49] In der *Absolutheit* der Forderung, welche der Dialektik des spekulativen Begriffs als Forderung des *Absoluten* entgegengesetzt ist, geht «der Schrecken des Todes um» als «die Anschauung dieses ihres negativen Wesens.»[50]

Dagegen überträgt Hegel die Dialektik des Begriffs als die Bewegung der «Subjekt-Substanz» auf den Willen[51], um dort die gleiche Dialektik von Allgemeinheit, Besonderheit und Einzelheit als konkrete *Bestimmung und Bestimmtheit* dieses Willens festzustellen.

«Der Wille ist die Einheit dieser beiden Momente» (die abstrakte Allgemeinheit der reinen Reflexion des Ich, der negativen Verstandesarbeit – § 5 – und der besonderen Bestimmung des Ich in der Aufhebung der im Handeln (Willen) logisch enthaltenen Trennung – § 6 –), «die in sich reflektierte und dadurch zur Allgemeinheit zurückgeführte Besonderheit; – Einzelheit; die Selbstbestimmung des Ich, in einem sich als das Negative seiner selbst, nämlich als bestimmt, beschränkt zu setzen und bei sich, d.i. in einer Identität mit sich und Allgemeinheit zu bleiben, und in der Bestimmung, sich nur mit sich selbst zusammenzuschließen.»

Weil die Auto-nomie für Hegel buchstäblich an die Selbstgesetzlichkeit der kategorialen Allgemeinheit der Verstandesreflexion gebunden ist (und deshalb letztlich unbestimmt bleiben muß), kann dieser Terminus für die hegelsche praktische Philosophie prima facie nicht verwendet werden: Selbstbestimmung ist eben gebunden an das Schema der Bewegung des Spekulativen als Bestimmung des Begriffs. Die praktische Selbstbestimmung des Begriffs ist dann nichts anderes als die Phänomenalität der substantiellen Dimension seines Selbstbezugs, dessen Wahrheit (der Wirklichkeit) die Logik und dessen Wirklichkeit (der Wahrheit) die Phänomenologie des Geistes und die Rechtsphilosophie aufzuzeigen haben. «Ich bestimmt sich, insofern es die Beziehung der Negativität auf sich selbst ist; als diese Beziehung auf sich ist es ebenso gleichgültig gegen diese

---

[48] Ebd. 440f.    [49] Ebd. 442.    [50] Ebd. 437.
[51] Die Grundlinien der Philosophie des Rechts gehen vom Primat des Handelns *vor* dem Erkennen aus: § 4, Zusatz: «Das Theoretische ist wesentlich im Praktischen enthalten: es geht gegen die Vorstellung, daß beide getrennt sind, denn man kann keinen Willen ohne Intelligenz haben. Im Gegenteil, der Wille hält das Theoretische in sich: der Wille bestimmt sich; diese Bestimmung ist zunächst ein Inneres; was ich will, stelle ich mir vor, ist Gegenstand für mich.»

Bestimmtheit, weiß sie als die seinige und ideelle, als eine bloße Möglichkeit, durch die es nicht gebunden ist, sondern in der es nur ist, weil es sich in derselben setzt.» Zwar bleibt auch hier die Idealität des abstrakten Selbstbezugs als Bedingung der Möglichkeit der in jeder *Bestimmung* enthaltenen Idealisierung des zu Bestimmenden gewahrt (Hegel weist öfters darauf hin, daß die Allgemeinheit der «Reflexion» Zugang zum Reich der Wahrheit sei), die Bedingung der Möglichkeit der *Bestimmtheit* realisiert sich aber erst in der *setzenden* Besonderung der Allgemeinheit («Dies ist die Freiheit des Willens, welche seinen Begriff oder Substantialität, seine Schwere so ausmacht wie die Schwere, die Substantialität des Körpers.»)

Erst die Konkretion als Einheit von Allgemeinheit und Besonderheit macht für Hegel das «Wahre» aus als Einheit von Substanz und Subjekt: *die in die substantielle Sittlichkeit aufgehobene Moralität.* «Diese Einheit ist die Einzelheit (in einem handschriftlichen Zusatz nennt Hegel letztere *Subjektivität*; J.-P.Wils), aber sie nicht in ihrer Unmittelbarkeit als Eins, wie die Einzelheit in der Vorstellung ist, sondern nach ihrem Begriffe – oder diese Einzelheit ist eigentlich nichts anderes als der Begriff selbst.»[52]

## §4 Arthur Schopenhauer: Die Reontologisierung des Willens

In der Philosophie Arthur Schopenhauers avanciert die praktische Philosophie unter der Obhut des Theorems des *Willens* zu dem Mittelpunkt einer «Metaphysik»[1], die sich nur noch als ethisch konstituieren *will*. In der Schrift *Über die vierfache Wurzel des Satzes vom zureichenden Grunde* wurde die Sonderstellung des Willens besonders deutlich. Das *«principium rationis sufficientis fiendi»* ist dem *Verstand* zugeordnet als Kausalität im Bereich der empirischen Vorstellungen. Das «principium rationis sufficientis *cognoscendi*» ist der Vernunft zugeordnet als Wahrheit des Urteils im Bereich der Begrifflichkeit. Das «prinicpium rationis *essendi*» ist der Sinnlichkeit zugeordnet, bezeichnet deren in der Apriorität von Raum und Zeit geortete, kausale Materialität und ist *insofern* auch dem Verstand zugestellt. Das vierte Prinzip als Satz des zureichenden Grundes des Handelns (*agendi*) nimmt eine Sonderstellung ein. Seine Domäne ist die des *Selbstbewußtseins*, sein einziges Objekt ist für Scho-

---

[52] Alle Zitate aus der Philosophie des Rechts, §7, 54–55.
[1] «Nur die Metaphysik ist wirklich die Stütze der Ethik, welche schon selbst ursprünglich ethisch ist, aus dem Stoffe der Ethik, dem Willen, konstruiert ist.» (Über den Willen in der Natur, Kleine Schriften Bd. I, Zürich 1977, 101–342, 337).

penhauer das *Subjekt des Wollens*. Schopenhauers Argument in diesem Zusammenhang erfaßt präzise den Grund der Schwierigkeit des «Idealismus», die Subjektivität bzw. das Selbstbewußtsein kohärent zu denken. Er übernimmt die Transponierung der Selbstbewußtseinstheorien in die praktische Philosophie: «Jede Erkenntnis setzt unumgänglich Subjekt und Objekt voraus. Daher ist auch das Selbstbewußtsein nicht schlechthin einfach; sondern zerfällt, eben wie das Bewußtsein von andern Dingen ... in ein Erkanntes und ein Erkennendes. Hier tritt nun das Erkannte durchaus und ausschließlich als Wille auf. Demnach erkennt das Subjekt sich nur als ein Wollendes, nicht aber als ein Erkennendes. Denn das vorstellende Ich, das Subjekt des Erkennens, kann, da es als notwendiges Korrelat aller Vorstellungen, Bedingung derselben ist, nie selbst Vorstellung oder Objekt werden.»[2]

Die Frage sei beiseitegestellt, ob nicht in jener Aporetik *die* Verzögerung, *die* transzendentale Distanz des Selbst zu sich selbst angemessen ausgesprochen wird, welche die Phänomenalität des Selbstbewußtseins erst ermöglicht, weil sie die der Erkenntnisrelation des Selbstbewußtseins eigene opake Simultaneität des Subjekts *und* des Subjekt-Objekts *in der Rede von der «intellektualen Anschauung»* gerade vermeiden läßt. Schopenhauer knüpft jedenfalls an diejenige *Erfahrung* an, die das Selbst im Wollen und in der Sittlichkeit generell *in* sich und *mit* sich macht, nämlich sein Konstituiert*sein als Selbst*.

Der «Weltknoten», den Schopenhauer in der undurchsichtigen Identität von erkennendem Ich und wollendem Ich[3] vermutet, ist zwar für ihn unauflösbar, kann aber nur aus der praktischen Perspektivität des Selbstbewußtseins beleuchtet werden, die sich im «Willen» als Gesetz der Motivation kundtut. Im Willen und dessen Bewegt-sein (Motiv) liegt für Schopenhauer eine nicht auflösbare, undefinierbare Unmittelbarkeit vor, die dem unmittelbaren «Bekanntsein-mit-sich» des Selbstbewußtseins phänomenal entspricht. Schopenhauer verabschiedet das Problem der Erkennbarkeit dieser Relation mit dem Eingeständnis der Aporetik der diskursiven Fassung der Relation zugunsten der Konstruktion einer Ethik als Rekonstruktion der *Erfahrung* des Selbstbewußtseins.

«Verantwortlichkeit hat Freiheit, diese aber Ursprünglichkeit zur Bedingung. Denn ich will, je nachdem ich bin: daher muß ich seyn, je

---

[2] Über die vierfache Wurzel des Satzes vom zureichenden Grunde, Kleine Schriften, Bd. I, 9–179, 157.
[3] In *Die Welt als Wille und Vorstellung* nennt Schopenhauer dieses Ich als Indifferenz von Wollen und sein «das Wunder κατ' ἐξοχήν» (Werke II, 1, 236).

nachdem ich will. Also ist Aseität des Willens die erste Bedingung einer ernstlich gedachten Ethik.»[4]

In der «Preisschrift über die Freiheit des menschlichen Willens» (1839), die nach der *Quelle* und der Grundlage der Moral fragt, wird die Vor-ordnung des Willens vor dem Sein als Vorrang des Realgrundes der Ethik vor dem davon abhängigen Erkenntnisgrund des Seins betont. Die Dissoziation von theoretischer und praktischer Philosophie wird Schopenhauer zu jener Umkehrung führen, die den Willen als *das Ding an sich der Idee* auffaßt. Der Wille erscheint deshalb nicht mehr als ein Phänomen, das zwar nicht das Selbstbewußtsein selber ist, in der Erkenntnisrelation dieses Selbstbewußtseins aber identifizierbar ist. Er ist vielmehr *vor* dem Selbstbewußtsein als «Grund seines Bewußtseins»[5] situiert.

Während die objektive Möglichkeit des Willens sich in der «That» oder im «Motiv» äußert, bleibt er selbst dennoch unbekannt. Schopenhauer bezeichnet ihn als «die geheime Springfeder»[6] der Motive des Handelns. Nur das im Selbstbewußtsein liegende «Gefühl», daß das Gewollte auch getan werden kann, vermittelt eine Brücke zwischen dem unbekannten Innen und dem konstatierten Außen der Handlung.

Die Wirkung der Motive, welche doch die direkte Verkörperung des Willens sind, ist für Schopenhauer einer strengen Notwendigkeit unterworfen, weshalb für ihn der *Wille selbst* als unmittelbarer Grund dieser Notwendigkeit nicht frei sein kann: die Willensfreiheit (voluntas, Willenshandlung) ist dann auch für Schopenhauer eine contradictio in terminis, die einer Existenz ohne Essenz gleichkäme. Nur die «velleitas», die «Willensregung», die ihre substrathafte Verfaßtheit nicht zu leugnen vermag, kann im Selbstbewußtsein eher gefühlt als gewußt werden. Die moralische Triebfeder ist dementsprechend stets empirisch, während wiederum umgekehrt die Autonomie des Willens einem «Wollen ohne Motiv» gleichen muß.

Dieser Wille als Motiv erlaubt nur eine eigentümliche Fassung der sich aufdrängenden Frage nach der Verantwortlichkeit und Zurechnungsfähigkeit des *erregten Täters*. Wenn das Selbstbewußtsein nicht nur nicht kognitiv auslotbar ist, sondern dessen *Wesen* das unmittelbare Innewerden des Willens in der Velleität ist, dann ist Verantwortung nur als «Gefühl»[7] aussagbar. Der Ort des Schuldigwerdenkönnens ist dann in die charakteristische Verfaßtheit des Handelnden zu verlegen. Das Gewissen kann nur

---

[4] Über den Willen in der Natur, a.a.O. 338.
[5] Über die Freiheit des menschlichen Willens, Kleine Schriften II, 43–146, 60.
[6] Ebd. 72.    [7] Ebd. 134 und 136.

noch als nachträgliche Beurteilung der Tat thematisiert werden und die Freiheit die jeweilige Struktur des Charakters ausdrücken.

«Die Freiheit, welche daher im Operari (Handeln) nicht anzutreffen seyn kann, muß im Esse (Sein) liegen. Es ist ein Grundirrtum, ein ὕστερον πρότερον (eine Verwechselung von Grund und Folge) aller Zeiten gewesen, die Nothwendigkeit dem Esse und die Freiheit dem Operari beizulegen. Umgekehrt, im Esse allein liegt die Freiheit; aber aus ihm und den Motiven folgt das Operari mit Nothwendigkeit; und an dem, was wir thun, erkennen wir, was wir sind. Hierauf, und nicht auf dem vermeinten libero arbitrio indifferentiae, beruht das Bewußtsein der Verantwortlichkeit und die moralische Tendenz des Lebens. Es kommt darauf an, was Einer ist; was er thut, wird sich daraus von selbst erweisen, als ein nothwendiges Korrelarium.»[8]

Schopenhauer ist sich aber dessen bewußt, daß eine Ethik nicht ohne ein Kriterium auskommen kann und über die tatsächliche Verfaßtheit des Handelnden hinauskommen muß, wenn sie eine Ethik sein will. Die eigenwillige Umkehrung der für eine Ethik wesentlichen Kategorien zwingt ihn zunächst zu einer ebenso widerspruchsvollen wie eindrucksvollen Lösung. Weil «Subjektivität» als Begriff des *Selbst*-bezugs des Selbstbewußtseins eben für letzteres konstitutiv ist, ist der Egoismus für Schopenhauer die praktische Konsequenz dieser vor-praktischen Egoität. Moralität ist dann die Abwesenheit dieses Egoismus, wobei die Forderung dieser Abwesenheit ebenso einer Unmittelbarkeit unterliegen muß wie ihr Gegenteil. Ohne daß Schopenhauer bedenkt, daß in dieser Argumentationsfigur ein Übergang von den transzendentalen Konstitutionshorizonten der «Subjektivität» in die faktische Willensbestimmung der Handlung stattfindet, entwickelt er eine Mitleidsethik, welche die Unmittelbarkeit des Motivs darin realisiert sieht, daß das Leiden des Selbst und das des Anderen unmittelbar eins sind.[9]

Wegen der ontologischen Priorität des Willens und des von ihm bestimmten Charakters muß die Forderung, die das Mitleiden enthält, sich als eine Funktion desjenigen Willens ergeben, der sie als solche im gleichen Moment aufheben muß. Denn ausgehend von einer ontologischen Substanz «Willen» gilt es nichts zu fordern, weil ihr schon immer

---

[8] Ebd. 138.
[9] «Es ist das alltägliche Phänomen des Mitleids, d.h. der ganz unmittelbaren, von allen anderweitigen Rücksichten unabhängigen Theilnahme zunächst am Leiden eines Anderen und dadurch an der Verhinderung oder Aufhebung dieses Leidens, als worin zuletzt alle Befriedigung und alles Wohlseyns und Glück besteht.» (Preisschrift über die Grundlage der Moral, Werke VI, 143–317, 248. Ebenfalls: Parerga und Paralipomena, Bd. I, 1, 143.

entsprochen ist. Die von Kant so heftig attakierte Tautologie in der Begründung des Ethischen ist hier beispielhaft realisiert. Der Satz aus *Die Welt als Wille und Vorstellung*, «der Wille ist die Erkenntnis a priori des Leibes, und der Leib die Erkenntnis a posteriori des Willens»[10], markiert einen präzisen Übergang. Denn einerseits sichert er durch das «Leibapriori» (Apel) die Bedingung der (faktischen) Möglichkeit einer Mitleidsethik, deutet aber zugleich als die philosophische Wahrheit κατ' ἐξοχήν den Willen als das «An sich»[11], das in seiner «Grundlosigkeit» oder «Selbstbegründetheit» dasjenige hervorruft, was von ihm zugleich ermöglicht wird und überwunden werden soll, nämlich das Leiden.

Ohne die Priorität des Willens infolgedessen zu leugnen, wird Schopenhauer einen Keil in die zirkuläre Geschlossenheit seiner Argumentation und des dadurch bezeichneten Substrats schlagen müssen: eine Rückbeugung, die keine Funktion des Willens ist: eine re-flectio.[12]

Die Reflexion wird die *Aufhebung* (allerdings nur die des erscheinenden Willens) notwendig machen, um zu dem «An sich» des Willens durchzudringen, das für Schopenhauer dem Leiden entkommen ist. Weil der Wille als das An-Sich der Idee definiert wird, gibt es auch zwei Aufhebungsmodalitäten. Die Allgemeinheit der Idee *erscheint* als reine Objektivation des Willens in der Vorstellung bzw. in der Anschauung, weshalb der Anschauende hier «reines, willenloses, schmerzloses, zeitloses Subjekt der Erkenntnis» ist, ein «klares Weltauge». Letzteres, sich dieser Transparenz der zeitlosen Idee in der reinen Anschauung als *Kunst* vergewissernd, hat sich «der Subjektivität, dem Sklavendienst des Willens»[13] entrissen. Es befindet sich in einem dem princium individuationis enthobenen Bereich idealer Allgemeinheit. Ebenso wie der Wille als theoretische Erscheinung sich in die gereinigte Anschauung aufhebt, wird er sich als «wirkende Erscheinung» in die Wirkungslosigkeit seines An-sich zurückziehen müssen. Weil nun «die Gattung die in der Zeit auseinandergezogene Idee»[14] ist, muß das wollende Individuum sich in die Gattung aufheben. Hiermit sichert Schopenhauer den intersubjektiven Rahmen seiner Ethik als Mitleidsethik, kann aber die zugleich fortwährende Produktion dieses Leidens in der individuellen Objektivation des drängenden Willens dadurch abwehren, daß nun im «Quietiv»[15] des Willens der Wille zum Leben – und dieses bedeutet immer der Wille zur Individua-

---

[10] Die Welt als Wille und Vorstellung, Bd. I, 1, 143.
[11] Ebd. 146.     [12] Ebd. 154.     [13] Ebd. 232 und 240.
[14] Die Welt als Wille und Vorstellung, Bd. II, 2, 597.
[15] Die Welt als Wille und Vorstellung, I, 2, 359/386.

tion – sich selber in das An-sich seines Selbst, in das «ewige Weltauge» aufhebt.[16]

«Der Wille wendet sich nunmehr vom Leben ab; ihm schaudert jetzt vor dessen Genüssen, in denen er die Bejahung desselben erkennt. Der Mensch gelangt zum Zustande der freiwilligen Entsagung, der Resignation, der wahren Gelassenheit und gänzlichen Willenlosigkeit.»[17] Die Wahl des Nicht-Seins, die Abtötung des eigenen Willens ist zu derjenigen Bedingung geworden, die als Ver-endung der Egoität die Ethik in ihre Möglichkeit nach der Begnadigung vom «Reich der Notwendigkeit» entläßt. Mit Matthias Claudius nennt Schopenhauer sie «die katholische, transzendentale Veränderung.»[18]

Diese Konsequenz wurde aber durch die Einführung jener problematischen Distinktion eines erscheinenden und eines an-sich-seienden Willens gewonnen, als dessen Folge das Quietiv und die Reflexion erst ermöglicht werden.

Die Reflexion ist bei Schopenhauer eine aus dem Willen erst entlassene Funktion. Ihre epi-phänomenalen Auszeichnungen sind durch eine den Weltgrund ausmachende Entität fremdbestimmt, die zugleich Ursache der Existenz und des Aufhebens des Leidens ist. Die Widersprüchlichkeit, die darin impliziert ist, wird nur durch eine ontische Distinktion innerhalb der Voraussetzung des Systems vermieden. Die Simultaneität von Subjektivität und Sittlichkeit, welche die Philosophie des Idealismus kennzeichnete, wird in eine Sukzessivität und werthafte Vorordnung der Sittlichkeit vor Subjektivität transponiert, die dann nur noch metaphysisch expliziert werden kann, weil der Realgrund und der Geltungs- oder Erkenntnisgrund auseinanderfallen.


§ 5  Friedrich Nietzsche:
Zwischen «Ästhetisierung» und Gewalt


In Nietzsches Erstlingsschrift *Die Geburt der Tragödie oder Griechentum oder Pessimismus* steht der Satz: «Die Erkenntnis tötet das Handeln, zum Handeln gehört das Umschleiertsein durch die Illusion.»[1] Das Thema dieser Schrift ist der Kampf der theoretisch-abendländischen Weltanschauung, wie sie verkörpert ist in Apollon, mit der tragisch-konvulsivischen

---

[16] Ebd. 356.     [17] Ebd. 470.     [18] Ebd. 498.
[1] F. Nietzsche, Werke, Bd. I, München/Wien 1980 (Schlechta), 7–134, 48.

des Dionysos. Die mythische und zugleich den Mythos beseitigende Auseinandersetzung zwischen der Aufhebung der Individuation in der trunkenen, illusionsschweren Wucht des Willens und dessen Zeugungslust auf der einen Seite und der Geburt des theoretischen Menschen, des Apollon, des Archetypen des theoretischen Optimismus, des principium individuationis in der «Wucht» der Begrifflichkeit auf der anderen Seite, ist ihr Thema. Das Individuum ist für Nietzsche bekanntlich das «Gemaßregelte», eine ethische Existenz, eine «Subjektivität», die grell abweicht von der allgemeinen, transpersonalen «Ichheit» des mythischen Urgrundes. Die Unhaltbarkeit und Schwäche seiner theoretischen Daseinsrechtfertigung, seines «alexandrinischen Erdenglücks», stützt es durch die «Sklaverei» der Moral. In dieser wird der Sklavenstand sich des Unrechtes seiner Existenz bewußt und schickt als Rache an den kommenden Generationen diese unter dem Vehikel der «Würde des Menschen» ihrem Verderben entgegen.

Dementgegen steht für Nietzsche als einzig mögliche Rechtfertigung die ästhetische Daseinsbewältigung, für die er ein eindrucksvolles Bild verwendet; «in jenem Zustande ist er (der Genius; J.-P. Wils) wunderbarerweise dem unheimlichen Bild des Märchens gleich, das die Augen drehen und sich selber anschauen kann.»[2] Aber auch für den apollinischen, unekstatischen Genius läßt sich diese Augenmetapher verwenden, allerdings in einem anderen Sinne als für den orgiastischen Zustand des dionysischen Genius: Er ist «reines ungetrübtes Sonnenauge»[3], er versinnbildlicht die Transparenz des Wissenden im Wissen. In der *Genealogie der Moral* hat Nietzsche das Bild wieder aufgegriffen, allerdings jetzt deutlicher als Kennzeichnung dessen, was Wahrheit sei. Die im «Alexandrinismus» anvisierte reine Erkenntnis – die Philosophie schlechthin – ist hier wiederum der Gegner: «Hier wird immer ein Auge zu denken verlangt, das gar nicht gedacht werden kann, ein Auge, das durchaus keine Richtung haben soll, bei dem die aktiven und interpretierenden Kräfte unterbunden sein sollen, fehlen sollen, durch die Sehen doch erst ein Etwas-Sehen wird, hier wird also immer ein Widersinn und Unbegriff vom Auge verlangt. Es gibt nur ein perspektivisches Sehen, nur ein perspektivisches Erkennen; und je mehr Affekte wir über eine Sache zu Wort kommen lassen, je mehr Augen, verschiedene Augen wir uns für dieselbe Sache einzusetzen wissen, um so vollständiger wird unser Begriff dieser Sache.»[4] Es

[2] Ebd. 40.     [3] Ebd. 43.
[4] Zur Genealogie der Moral. Eine Streitschrift, Bd. IV, 761–900, 800f.

ist die grundsätzliche, lebensdienliche Perspektivität des Bewußtseins[5], der Wille zum Schein als der Wille des Lebens, sich in die ästhetische Illusionierung des Daseins zu steigern, der hier ausgedrückt wird: der Wille zum Vergessen gegen die lebensfeindliche Hortung der historischen Erkenntnisse, die zur Verkümmerung des Lebens in der Entzauberung durch den «historischen Sinn»[6] führen.

Die Ästhetisierung der Erkenntnis und des Lebens hat Nietzsche am eindringlichsten in *Über Wahrheit und Lüge im außermoralischen Sinne* beschrieben. Der Intellekt erscheint hier als Selbsterhaltung des Schwachen. Das Wort als flatus vocis ist eine bloße Phonetisierung eines Nervenreizes. Die Wissenschaft ist nur ein «Kolumbarium der Begriffe, die Begräbnisstätte der Anschauungen»[7]. Die Vorstellung hat hier die charakterstarke, maskenhafte Ver-stellung abgelöst und somit den Trieb zu Metaphernbildung in Mythos und Kunst durch den Begriff ersetzt. Diese Schrift hat Strukturalisten wie R. Barthes, M. Foucault und J. Lacan nachhaltig beeinflußt.

«Was ist also Wahrheit? Ein bewegliches Heer von Metaphern, Metonymien, Anthropomorphismen, kurz eine Summe von menschlichen Relationen, die, poetisch und rhetorisch gesteigert, übertragen geschmückt wurden und die nach langem Gebrauch einem Volk fest, kanonisch und verbindlich dünken: die *Wahrheiten* sind Illusionen, von denen man vergessen hat, daß sie welche sind.» Wahrheit ist also eine existenzsichernde, unbewußte Art, «nach einer festen Konvention zu lügen», so daß die individuelle Bilderfülle zu einem Schema erstarrt. «Sie ist das Residuum einer Metapher.»[8] Das Bewußtsein *bildet* sich für Nietzsche dann auch an der Äußerlichkeit dieser Bewegung und Erstarrung. Es ist ein Epiphänomen, eine Fiktion wie es das Subjekt als schlechter, illusionärer, nicht existierender Beziehungspunkt variabler Umwelteinflüsse und Haltungen[9] ist, dessen Innenwelt nicht gewußt, sondern gewissermaßen nur getan wird. Diese Innenwelt, deren Äquivalente «Bewußtsein», «Gewissen» oder «Seele» sind, faßt Nietzsche als Produkt einer Selbstpeinigung auf. Die relativierende Wirkung der Ästhetisierung ist für ihn deshalb nicht zuletzt vergleichbar mit einer Gesundung, welche die

---

[5] Dazu auch: Jenseits von Gut und Böse, Vorspiel einer Philosophie der Zukunft, Bd. IV, 56 ff.
[6] Siehe: Über Nutzen und Nachteil der Historie. In: Unzeitgemäße Betrachtungen, Bd. I, 135–434.
[7] Über Wahrheit und Lüge im außermoralischen Sinne, Bd. V, 309–322, 314.
[8] Ebd. 314f.
[9] Aus dem Nachlaß der Achtzigerjahre (Der Wille zur Macht), Bd. VI, 627/666. Dazu auch: Morgenröte, Gedanken über die moralischen Vorurteile. Bd. II, 1008–1281, 1090ff: «Die Unbekannte Welt des Subjekts.»

Hypertrophie des Innen radikal aufzuheben hätte. «Die ganze innere Welt, ursprünglich dünn wie zwischen zwei Häute eingespannt, ist in dem Maße auseinander und aufgegangen, hat Tiefe, Breite, Höhe bekommen, als die Entladung des Menschen nach außen gehemmt worden ist.»[10] Weil somit der Grund des zugrundeliegenden Subjekts ent-faltet ist, bleibt für Nietzsche außer der ästhetischen Rechtfertigung nur noch die *Ableitung* übrig. Ihre Gestalt ist die Genealogie als die «Naturgeschichte» der Phänomene. Ihre Hermeneutik kann nur eine Hermeneutik des Verdachtes sein, welche die Phänomene auf ihre naturhafte Substantialität zurückführt: auf den Willen zur Macht. Auf die Moral angewendet, impliziert diese Auffassung die Reduktion des Phänomens auf die «Geschichte der moralischen Empfindungen» als «Typologie» oder «Zeichensprache der Affekte».[11]

In der *Götzen-Dämmerung* hat Nietzsche diese Betrachtungsweise, die Moral als Phänomen auf ihre Entstehungsbedingungen reduziert, mit aller Deutlichkeit dargelegt. Ihre Komplementarität mit einem Subjektbegriff, der in dieser Perspektive nur die Chimäre einer autonomen Bilderproduktion und das Prinzip eines lebensfeindlichen Wahrheitswillens ist, ist eklatant.

«Moral ist nur eine Ausdeutung gewisser Phänomene, bestimmter geredet, eine Mißdeutung. Das moralische Urteil gehört, wie das religiöse, einer Stufe der Unwissenheit zu, auf der selbst der Begriff des Realen, die Unterscheidung des Realen und Imaginären noch fehlt: so daß «Wahrheit» auf solcher Stufe lauter Dinge bezeichnet, die wir heute «Einbildungen» nennen. Das moralische Urteil ist insofern nie wörtlich zu fassen: als solches enthält es immer nur Widersinn. Aber es bleibt als Semiotik unschätzbar: es offenbart für den Wissenden wenigstens die wertvollsten Realitäten von Kulturen und Innerlichkeiten, die nicht genug wußten, um sich zu verstehen. Moral ist bloß Zeichenrede, bloß Symptomatologie: man muß bereits wissen, worum es sich handelt, um von ihr Nutzen zu ziehen».[12]

Der Grund der Moral unter den Prämissen des Willens zur Macht und der Verdachtshermeneutik ist bei Nietzsche bekannt: als Widernatur gleicht sie einer Notlüge des Sklavenstandes. Sie ist eine Lebensvernei-

---

[10] Zur Genealogie der Moral, a.a.O. 761–900, 825.
[11] Zur Naturgeschichte der Moral, 643ff. In: Jenseits von Gut und Böse, Bd. IV, 563–786, 643ff.
[12] Götzendämmerung, oder: wie man mit dem Hammer philosophiert, Bd. IV, 939–1034, 979. Dazu: «Es gibt keine moralischen Phänomene, sondern nur eine moralische Interpretation dieses Phänomens. Diese Interpretation selbst ist außermoralischen Ursprungs.» (Nachlaß, a.a.O. 485).

nung, eine Verleumdung, ein Produkt des Ressentiments zur Bändigung des Stärkeren. Ihre Idealität stellt in dieser Perspektive eine «retrograde» Bewegung dar, ihr «Gewissen» eine masochistische Verinnerlichung. Gut und Böse sind wie Wahr und Falsch Instinkte eines Herdentiers, Werte wie Mitleid stellen Projektionen der dekadenten Erhaltungsbedingungen des Menschen auf das Sein dar. Die Freiheit des Willens ist ein «Irrtum des Organischen», ein «Kommandoaffekt». Sie gehört zu den idolhaften Irrtümern der imaginären Ursachen zur Erfindung der Verantwortlichkeit und der daraus folgenden Legitimation der Strafe. Das Kriterium der Generalisierung ist ein Ausdruck der Furchtsamkeit, wodurch seit Kant, dem «Automaten der Pflicht»[13], das Individuum sich zugunsten des «dividuums»[14] aufhebt. Dessen Vorstufe, das Christentum, gleicht einem «Monotono-theismus»[15], dessen Gott einem «Krankengott»[16], seine Botschaft einem «Dysangelium»[17]. Nietzsches Lehre von der Ewigen Wiederkehr, dessen Mächtigkeit sich stets in Momenten ekstatischer Versenkung zeigt – «nur sein Auge lebt, es ist ein Tod mit wachen Augen»[18] – ist nichts anderes als die konsequente Fassung der Lehre von dem Willen zur Macht: «Dem Werden den Charakter des Seins aufzuprägen – das ist der höchste Wille zur Macht... Daß alles wiederkehrt, ist die extremste Annäherung einer Welt des Werdens an die des Seins.»[19] Das Sein (der Wille zur Macht) bekommt umgekehrt dadurch, daß das Werden in der Wiederholung eine Seins-steigerung erfährt, eine teleologische und «ethische» Qualifizierung. In dem mit «Mittag» überschriebenen Abschnitt des Zarathustra wird die Schwere des Gedankens der ewigen Wiederkehr des Gleichen gewissermaßen kompensiert durch den Charakter der Vollkommenheit der Welt im Augen-blick des Innewerdens des «ungeheuerlichen» Gedankens.[20] Die ethische Exponierung dieser «Lehre» liegt wohl am eindringlichsten in der Fröhlichen Wissenschaft vor, in dem Abschnitt mit der Überschrift «Das größte Schwergewicht»:

«Wenn jener Gedanke über dich Gewalt bekäme, er würde dich, wie du bist, verwandeln und vielleicht zermalmen; die Frage bei allem und jedem «willst du dies noch einmal und noch unzählige Male?» würde als

---

[13] Der Antichrist. Fluch auf das Christentum, Bd. IV, 1061–1936, 1172.
[14] Menschliches. Allzumenschliches, Bd. II, 435–1008, 451.
[15] Der Antichrist, a.a.O. 1179.        [16] Ebd.        [17] Der Antichrist, 1200.
[18] Menschliches. Allzumenschliches, a.a.O. 996.
[19] Nachlaß, a.a.O. 895. Heidegger hat den Aspekt der Ewigkeit im Moment der Wiederholung als den Versuch Nietzsches gewertet, das Sein (der Wille zur Macht) als Zeit zu denken. (M. Heidegger, Nietzsche Bd. I, Pfullingen 1961, 27ff.)
[20] Also sprach Zarathustra. Ein Buch für Alle und Keinen. Bd. II, 275–561, 12.

das größte Schwergewicht auf deinem Handeln liegen! Oder wie müßtest du dir selber und dem Leben gut werden, um nach nichts mehr zu verlangen als nach dieser letzten Bestätigung und Besiegelung?»[21]

Die in der unendlichen Wiederholung sich ereignende Seinssteigerung ist für Nietzsche identisch mit der Schwere des Gedankens der unendlichen Wiederholung für das Handeln und bildet die *Struktur* der Verantwortung. Der Wiederholungsgedanke Nietzsches weist eine gewisse Affinität auf mit dem Generalisierungsgedanken in der Ethik, ist aber im Unterschied zu letzterem, der die transzendentale Bedingung der faktischen Handlung *vor* der Handlung selbst eruiert, von der «formalen» Subjektivität transzendentaler Begründung verschieden. Er ist als ontologisch-teleologische Qualifizierung eines *Vermögens, nämlich des Willens,* zu verstehen. Dessen Bejahung entläßt gerade aus sich das Gute, weil es ein Bejahtes ist, um es in die Un-schuld des Werdens freizusetzen.

Die «Schwere» einer Handlung als ihre «Moralität» ist dann schon immer vor-moralisch qualifiziert durch ihre Zweckdienlichkeit. Diese Unschuld des Werdens hat ihre Schuldigkeit schon deshalb getan bzw. abgestreift, weil sie sich dem (faktischen) Entschlußcharakter des Willens zu verdanken hat, seine Mächtigkeit zu bejahen. Die moralische Interpretation eines außermoralischen Phänomens läßt die Güte nur *das* sein, was sie schon *vor* ihrer moralischen Interpretation ist: das Hervorbringsel des Willens zur Macht. Das Moralische hat sein Kriterium dann außer sich, wobei dessen Bejahung sich erst aus einer vormoralischen Qualifikation des Seins ergibt. Historisch gesehen fällt Nietzsche damit auf die Stufe vorkantischer Vollkommenheitsethiken und deren Tautologien zurück: die Phänomenalität der ethischen Erfahrung versucht sich ihres noumenalen Seinsgrundes zu vergewissern auf Kosten der Erhaltung des Phänomens selber.

## §6 Søren Kierkegaard: Ethisierung der Subjektivität

«Wenn da alles still um einen geworden ist, feierlich wie eine sternenklare Nacht, wenn die Seele allein ist in der ganzen Welt, da zeigt sich vor ihr nicht ein ausgezeichneter Mensch, sondern die ewige Macht selbst, da tut sich gleichsam der Himmel auf, und das Ich wählt sich selbst, oder richtiger, es empfängt sich selbst. Da hat die Seele das Höchste gesehen, was

---

[21] Die fröhliche Wissenschaft, Bd. II, 7-274, 202f.

kein sterbliches Auge zu sehen vermag und was nie mehr vergessen werden kann, da empfängt die Persönlichkeit den Ritterschlag, der sie für eine Ewigkeit adelt. Zwar wird der Mensch damit kein anderer als er zuvor gewesen, aber er wird er selbst; das Bewußtsein schließt sich zusammen, und er ist er selbst.»[1]

Im Denken Søren Kierkegaards vollzieht sich insofern eine *Ethisierung* der Subjektivität, als an Stelle einer Thematisierung der Gleichursprünglichkeit von theoretischer und praktischer Vernunft die Ethik ausdrücklich außerhalb des Wissens angesiedelt wird. Die Transzendentalphilosophie wird in Existentialsätze transponiert.

In keiner seiner Schriften wird die gegen Hegel gewandte, fast invektivisch vorgetragene Kehrtwende deutlicher als in der *Unwissenschaftliche(n) Nachschrift* von 1846. Kierkegaard sichtet bei Hegel den Anspruch einer objektiven Vermittlung von Denken und Geschichte, einer Objektivität des Denkens und der Geschichte. Dieser Anspruch ist für ihn das primäre Obstakel gegenüber der Subjektivität. Die Exponenten dieses objektiven Denkens sind die *Reflexion* und die *Spekulation*. Erstere macht als Objektivität der Begriffsbestimmung für Kierkegaard das «Subjekt» zufällig (wobei allerdings für Hegel die Reflexion gerade ein «subjektives» Denken war). Die Spekulation führt zu jenem illusionären spekulativen Schein, der im Schutz der Abstraktion als Betrachtung der Welt sub specie aeternitatis die Vernichtung des Subjekts bedingt.

«Die Spekulation, welche die entseelte historische Individualität zu einer metaphysischen Bestimmung machen will, zu einer Art kategorischer Benennung des in Immanenz gedachten Verhältnisses zwischen Ursache und Wirkung.»[2]

Für Kierkegaard ist somit die Re-ontologisierung, in die Nietzsche und Schopenhauer den Willen zurückversetzten, einer Annihilation des Einzelnen gleichzusetzen, «weil ja Sein nicht besagt, daß der Denkende ist, sondern eigentlich nur, daß er ein Denkender ist.»[3] Das Pendant zur Spekulation ist die Weltgeschichte, die für Kierkegaard ein «phantastisch» objektives Leben führt. Hier ist der Ernst der ethischen Entscheidung, die stets die Angewiesenheit des Menschen auf sich selbst betont, untergegangen. Einer Ethik, die sich geschichtsphilosophisch legitimiert und deshalb angesichts der Mächtigkeit der fernen Teleologie objektivierend vor sich geht, ist laut Kierkegaard ein «schielendes» Auge eingesetzt, um «dem

---

[1] S. Kierkegaard, Entweder-Oder, II. Teil, Ästhetisches/Ethisches, München 1980, 729.
[2] Unwissenschaftliche Nachschrift, München 1979, 281.
[3] Ebd. 258.

Geist der Geschichte numerisch zu imponieren.»[4] Die Subjektivität, die Kierkegaard als eine Unvermitteltheit und Innerlichkeit auffaßt, ist zwar keine Einfachkeit als bloße Direktheit des Seins («ein Ausrufer der Sinnlichkeit ist ein sehenswertes Tier»[5]), aber doch eine durch «Doppelreflexion» oder «dialektische» Innerlichkeit bestimmte Unvermitteltheit. Sie drückt das *Verhältnis* des Denkenden zu der Gedachtheit seines Denkens, zu seiner Allgemeinheit in den Gedanken aus. Dieses Verhältnis ist für Kierkegaard *wesentlich* unvermittelt, da nicht in Denkbestimmungen aufgehoben, und bringt als inverse Teleologie die Reflexion zum Stehen. Es schlägt das Dasein als Existenz des Denkenden mit der «Wunde» der Negativität und macht es «unendlich endlich». Die Explikation dieser Negativität macht das ethische Interesse Kierkegaards deutlich. Denn in der «doppelten» Reflexion ist es gerade *das Verhältnis der wesentlich Verhältnislosen* (der Endlichkeit und der Unendlichkeit), welches das Paradoxon einer nicht-dialektisch vermittelten Koinzidenz von Endlichkeit und Unendlichkeit impliziert.[6] Diese Koinzidenz versteht sich «zeitlich» als nunc stans des Augenblicks[7], ethisch als Moment der unbedingten Entscheidung[8] und religiös als paradoxes Ergreifen der Absurdität des Gewordensein Gottes als «gewesener» Verzeitlichung der Ewigkeit.[9] Diese Wirklichkeit ist eine unbedingte. Der Aktcharakter dieser Situation, ihr *Ergreifen*, wird nicht dadurch erst möglich, daß sie *gewußt* wird als Moment der logisch-substantiellen Entfaltung von Denkbestimmungen. Sie würde dadurch für Kierkegaard der Endlichkeit anheimfallen. Sie realisiert sich vielmehr als eine Möglichkeit, die der Existenz als Verhältnis der unvermittelbaren Einheit von Endlichkeit und Unendlichkeit inhäriert. Diese Situation ist als ergriffene Situation instantan. Ihr Kriterium ist dann auch keines des Denkens[10], sondern der Inten-

---

[4] Ebd. 267.   [5] Ebd. 205.

[6] «Doppelreflexion, wo der Unterschied unendlich und damit die Identität gesetzt wird.» Ebd. 219.

[7] In der Schrift *Der Augenblick* (1855) wird er als *unbedingte Freiheit* bestimmt, seine ethisch charakterisierte Wahlform des Entweder-Oder als «Umarmung, welche das Unbedingte ergreift» (Werkausgabe Bd. II, Düsseldorf/Köln 1971, 30–568, 322).

[8] Die ethische Subjektivität, welche hier für Kierkegaard im Grunde eine Tautologie ist (in *Entweder-Oder* ist sie nur eine Vorstufe zur Religiosität), ist «unendliche Konzentration in sich selbst gegenüber der Vorstellung von dem höchsten Gute der Unendlichkeit.» (261).

[9] Die *Einübung in das Christentum* expliziert das Paradoxon und die Gleichzeitigkeit wechselseitig. Werkausgabe Bd. II, 5–308.

[10] Obwohl Kierkegaard in *Furcht und Zittern*, anläßlich der Abrahamsgeschichte, die Einbildungskraft ein «künstliches Gespinst» (Bd. I, 13–174, 18) nennt und sie dort die Unernsthaftigkeit des Denkens signalisiert, wird sie in der Nachschrift als «Ewigkeit der Phantasie» (338) das Medium der alles entscheidenden Leidenschaft, und ist sie insofern ethisch höchst relevant, während Kierkegaard das Fichtesche Ich=Ich als vergeblichen Versuch abtut, das Unendliche und das Endliche mittels einer schlechten Einbildungskraft zu identifizieren: «eine phantastische Übereinkunft in der Wolke, eine unfruchtbare Umarmung, und das Verhältnis des einzelnen Ichs zu dieser Lufterscheinung ist niemals angegeben.» (338)

sität: «Die Leidenschaft der Unendlichkeit ist das Entscheidende, nicht ihr Inhalt, denn ihr Inhalt ist eben sie selbst. Sie ist das subjektive Wie und die Subjektivität der Wahrheit.»[11] Die Existentialisierung von Kategorien, die hier zum Tragen kommt, wurde von Kierkegaard schon zwei Jahre vorher anläßlich der Bestimmung von Reflexion und Bewußtsein in den *Philosophischen Brocken* (1844) entschieden verfochten. Die Bestimmungen, die Kierkegaard dort vorgenommen hat, sind von entscheidender Tragweite. Er nennt die Reflexion eine dichotomische Form der Verhältnisbestimmung zweier sich Gegenüberstehenden (Realität/Idealität, Leib/Seele, Verstand/Gegenstand). Dieses «mögliche» Verhältnis wird aber für Kierkegaard erst signifikant und wirklich im *Bewußtsein*, das er trichotomisch als eine dreigliedrige Relation des «*Sich-als-etwas*-Bestimmen» auffaßt. Das Bewußtsein hat somit das «als» zu realisieren im Sinne des Wissens *um* die Relation der Reflexion. Weil Kierkegaard außerhalb der Verstandesreflexion keine diskursive oder auch spekulative Vernunft zuläßt, wird die «Möglichkeit» der Reflexion zwar in dem Bewußtsein wirklich, aber nicht als vermitteltes Verhältnis, sondern als «bewußter Gegensatz»: als «Widerspruch». «Die Reflexion ist die Möglichkeit des Verhältnisses. Dies kann man auch so ausdrücken: die Reflexion ist uninteressant. Das Bewußtsein hingegen ist das Verhältnis und damit das Interesse, eine Doppelheit, welche vollständig und mit prägnantem Doppelsinn ausgedrückt ist in dem Wort «Interesse» (interesse).»[12]

In der Philosophie des Idealismus von Kant bis Schelling konstituiert dieser «Widerspruch» das Bewußtsein als ein Phänomen des «inter-esse» zwischen endlicher und unendlicher Denkbestimmung. Er ist als «Inter-esse» das Soll einer nicht aufhebbaren Differenz, welche das Wissen und das Handeln transzendental in einer ihnen vorgängigen Differenz situiert, die deshalb auch nur bewußtseinsimmanent andeutbar ist. Bei Kierkegaard wird der konstitutive, transzendentale Widerspruch zu einer Aussage über die Verzweiflung des Denkens, eben zu einer *existentialen* Kategorie, die als *Verzweiflung* die ethische, absolute Wahl vorbereitet.

In den «Philosophischen Brocken» heißt es dann auch, «daß der Zweifel der Anfang ist zur höchsten Form des Daseins.»[13]

In diesem Kontext wird der zweite wichtige Begriff, der Begriff der «Wiederholung» eingeführt. In der Explikation dieser Wiederholung voll-

[11] a.a.O. 344.
[12] Philosophische Brocken, Frankfurt a.M. 1975, 194. Dazu auch: Philosophische Brosamen, München 1976, 37: «denn die absolute Verschiedenheit kann der Verstand nicht denken.»
[13] Philosophische Brocken, 155.

zieht Kierkegaard jene von ihm beobachtete Affinität des Selbstbewußtseins mit der Sprache, die wir in der *individuellen Iteration* des Allgemeinen als eine gleich-ursprüngliche Struktur der Sprache, des Bewußtseins
und der Ethik ausmachten. Diese Struktur bedingt die «Wiederholung»
(cfr. Derrida) als Folge des inter-esse (des Widerspruchs).

«Wenn die Idealität und die Realität einander berühren, so tritt die
Wiederholung in Erscheinung. Indem ich da im Moment z. B. etwas sehe,
tritt die Idealität hinzu und will erklären, es sei eine Wiederholung. Hier
ist der Widerspruch; denn das, was ist, ist zugleich auf eine andere Weise.
Daß das Äußere ist, das sehe ich, aber im gleichen *Augenblick* setze ich es
in Verhältnis zu etwas, das auch ist, etwas welches das Selbe ist und das
zugleich erklären will, daß das andere das Selbe sei. Hier ist eine Verdoppelung, hier ist die Frage nach einer Wiederholung. Die Idealität und die
Realität stoßen mithin zusammen; in welchem Medium... im Bewußtsein, da ist der Widerspruch.»[14]

Dieses Medium war aber von Kant bestimmt worden als «Einbildungskraft». Ohne sie zu erwähnen, wird sie in der Schrift *Die Wiederholung*
durch den Hinweis Kierkegaards angesprochen, die Wiederholung sei mit
der Erinnerung identisch. Das Vermögen zu erinnern wurde in der klassischen Zeichenlehre bekanntlich als *reproduktive* Einbildungskraft
bestimmt. Sie ist aber nicht eine schlichte Reproduktion, denn ohne ihre
synthetische In-eins-bildung als *Bewegung* der semantischen Bestimmung
des Besonderen durch das Allgemeine und der Identifikation des Allgemeinen *als* solchen in seiner Differenz zum Besonderen wäre sie undenkbar. Kierkegaard redet deshalb mit großer Präzision, wenn er sagt, daß
die Wiederholung «sich der Sache vorlings erinnert»[15], während die Erinnerung im eigentlichen Sinne retrospektivisch ist. In der Wiederholung
erinnert man sich, so könnte man sagen, der zukünftigen Präsenz der in
die Präsenz gerückten Sache. Sowohl die *Präsenz* als auch die *Wiederholung*, welche die Präsenz im Geschehen der Re-präsentation entstehen
läßt und somit die Zeit qualitativ in der Aufhebung ihrer Sukzessivität,
im «Augenblick» ausspannt, machen die «Schwere» dieses Geschehens
aus als das Resultat einer gegenseitigen Bestimmung. Denn ohne ihre Präsenz wäre die Wiederholung ein Spiel, ohne die Wiederholung wäre die
Präsenz unseriös, ja inexistent, denn sie wäre unauffindbar. Dieser phänomenologischen Überlegung gemäß sagt Kierkegaard: «Wer die Wiederholung will, ist im Ernst gereift.»[16]

---

[14] a.a.O. 156.    [15] Die Wiederholung, Düsseldorf/Köln 1955, 3.    [16] Ebd. 5.

Die Ansicht Kierkegaards, der Widerspruch des Bewußtseins sei ein Zweifel, läßt nun eine Spannung zum Gedanken der Wiederholung entstehen. In der Schrift *Der Begriff Angst* (1844) wird der epistemologische Zweifel des Bewußtseins existential als «Angst» gedeutet. Die Spekulation scheint ihr unmittelbares, aber wirkungsloses Produkt zu sein. «Die Negation, der Übergang, die Vermittlung sind drei vermummte, verdächtige Geheimagenten (agentia), welche sämtliche Bewegungen erwirken.»[17] Ihre Unaufhebbarkeit macht die Angst immerhin zu einer Kategorie der Möglichkeit als Voraussetzung der Unendlichkeit in der Wiederholung. In *Entweder-Oder* (1843) hatte Kierkegaard aber den Zweifel und die Angst als «Verzweiflung» gedeutet, als eine Gedankenverzweiflung und als Exponent des Verstandes. Das Ethische, das für ihn in dem Verstand «streng und hart»[18] ist, faß er als das «Allgemeine»[19], das die Diskontinuität des «Verhältnisses» (des Denkens zu dem Gedachten in der Reflexion) perpetuiert. Das Bewußtsein «schließt» sich demnach erst dann, nachdem die Verzweiflung *gewählt* ist, nachdem aus der Gedankenverzweiflung eine Verzweiflung *im* Absoluten geworden ist, wodurch der Wählende sich absolut wählt: die *absolute* Wahl ist die nicht-diskursive Herstellung eines existentiellen Verhältnisses zwischen den in der Reflexion Getrennten.

«Erst indem ich mich selbst absolut wähle, verunendliche ich mich selbst absolut, denn ich bin selbst das Absolute, denn nur ich selbst kann absolut wählen, und diese absolute Wahl meiner selbst ist meine Freiheit, und nur indem ich mich selbst absolut gewählt habe, habe ich eine absolute Differenz gesetzt, die nämlich zwischen Gut und Böse... Das Gute ist das An-und-für-sich-Seiende, gesetzt von dem An-und-für-sich-Seienden und das ist die Freiheit.»[20] In der Wahl, welche die Differenz des Guten und des Bösen setzt, wird der Widerspruch des Bewußtseins, seine Spaltung (différance; Derrida), «ethisch» durch einen dezisionistischen Kraft-akt eingeholt: das «inter-esse» wird aufgehoben. Somit aber verschwindet auch das *Interesse*, welches als Bestimmung des Bewußtseins in seiner Differenz doch erst das Ethische als die auch praktisch unaufheb-

---

[16] Ebd. 5.
[17] Der Begriff Angst, Werkausgabe Bd. II, 175–302, 263.
[18] Entweder-Oder, München 1975, 173.
[19] Das Ethische als das Allgemeine, in welchem Vermittlung und Objektivität herrscht, hat Kierkegaard in *Furcht und Zittern* als das «Offenbare» beschrieben, das erst als Resignation zu der Unmittelbarkeit der Subjektivität und des Glaubens führt, welche inkommensurabel mit der Wirklichkeit sind. (Werkausgabe Bd. I, 13–174).
[20] Entweder-Oder, a.a.O. 783.

bare Spannung zwischen dem Endlichen und dem Unendlichen konstituiert. Jene zentrale Reflexion, die Kierkegaard in *Die Krankheit zum Tode*
(1849) auf die Frage nach dem Wesen des Selbst anstellte, vermag – jenseits von der opaken existentiellen Unbedingtheit der Sätze aus *Entweder-
Oder* – das Inter-esse wieder in den Kontext seiner Konstitution einzuordnen, nämlich in die existentiell nicht einholbare Unvordenklichkeit
seines Seinsgrundes: «Das Selbst ist ein Verhältnis, das sich zu sein selbst
verhält, oder ist das an dem Verhältnis, daß das Verhältnis sich zu sich
selbst verhält: das Selbst ist nicht das Verhältnis, sondern daß das Verhältnis sich zu sich selbst verhält...; indem es sich zu sich selbst verhält, und
indem es es selbst sein *will, gründet sich das Selbst durchsichtig in der
Macht, welche es gesetzt hat.*»[21]

## §7 Ludwig Feuerbach: Der schale Sieg des Allgemeinen

«Aber welche Philosophie, ja, welche Wissenschaft überhaupt geht denn
nicht auf das Allgemeine?»[1]

In Feuerbachs berühmtester Schrift *Das Wesen des Christentums* (1841)
findet sich der markante Satz: «Das Wasser ist das Ebenbild des Selbstbewußtseins, das Ebenbild des menschlichen Auges.»[2] Die Augenmetapher,
jene seit Plotin elementare Verbildlichung der höchsten Leistung menschlichen Wissens, nämlich seiner lichtvollen Selbst-Transparenz, wird hier von
Feuerbach durch das Bild des Wassers als Klarheit und Durchsichtigkeit des
Geistes verdeutlicht. Diese Licht-fülle als Qualität menschlichen Bewußtseins – das Auge enthält in strenger Form das Prädikat der Selbsthaftigkeit,
auch wenn diese darin nicht auf den Begriff gebracht wird – verweist aber
bei Feuerbach gleichzeitig auf das Fehlen individueller Partikularität, nämlich auf die Allgemeinheit dieses Selbstbezugs. Die Aussage «Der Mensch
*ist* das Selbstbewußtsein»[3] zeigt für ihn nicht so sehr die differentia specifica
des Humanen – dessen bewußte Selbstrelationierung – an, sondern die
Gattungshaftigkeit[4] des Menschen und das Selbstbewußtsein überhaupt.

[21] Die Krankheit zum Tode, Bd. I, 383–556, 396ff.
[1] L. Feuerbach, Über Philosophie und Christentum in Beziehung auf den Hegelschen Philosophie gemachten Vorwurf der Unchristlichkeit (1839), Werke II, Frankfurt a.M. 1970, 261–330, 294.
[2] Das Wesen des Christentums, Werke V, 15; «Der Geist ist Auge und er ist Lichtquelle, Licht und
Gegenstand in einem.» (Über die Vernunft, Bd. I, 15–76, 37).
[3] Vorläufige Thesen zur Reformation der Philosophie (1843), Bd. III, 223–243, 241.
[4] «Das Bewußtsein im strengsten Sinne ist nur da, wo einem Wesen seine Gattung, seine Wesenheit
Gegenstand ist.» (Das Wesen des Christentums, a.a.O. 17.)

In der Dissertation *De infinitate, unitate atque communitate rationis* (Über die Vernunft) von 1828 hat Feuerbach schon die Weichen für seine gesamte Philosophie gestellt. Wenn das Selbstbewußtsein dort als ein «abstraktes Denken seines Selbst, ohne alle Bestimmtheit und Erkenntnis»[5] in Anlehnung an Hegel bestimmt wird, sind die Implikationen folgenschwer. Das Sich-selbst-Denken im Selbstbewußtsein, das sich auf die einfache Identität von Form und Inhalt bezieht, ist dann für Feuerbach nur unbestimmte Einfachheit, wie das bloße Sein. Weil das Selbstbewußtsein für ihn letztlich nur «Form» ist, ist das Selbst oder das Ich dieses Bezugs auch nur Form, besser, es ist «Nichts... Das eine Individuum ist nichts an sich selbst»[6]. Es ist nur *der Andere selbst* als die Allgemeinheit oder als die Gattungshaftigkeit dieser Form, die aufgrund ihrer Nicht-Individualität und Ungegenständlichkeit «unendlich» ist. Weil das Selbstbewußtsein für die Individualität in seiner Formstruktur «das Grab aller seiner (des Einzelnen; J.-P. Wils) Erkenntnisse»[7] ist, ist es für Feuerbach der Sitz einer Abtötung, die früher ist als der «natürliche» Tod und eine Unsterblichkeit der bloßen Besonderheit in der Gattung verheißt.

«Das Ich aber, dem du Gegenstand bist, ist nicht dieselbe Person mit dir, sondern, wie bereits erwähnt, *das allgemeine*, in allen Personen sich gleiche, reine Ich des Geistes selber, als Person, als Gegenstand bist du von ihm unterschieden, und dieser Unterschied hat eben seine sinnliche Erscheinung und Offenbarung im Tode, worin du bloßes Objekt wirst; *er ist bloß die Aus- und Abscheidung deiner Gegenständlichkeit von deiner reinen Subjektivität, die ewig lebendige Totalität und darum unvergänglich und unsterblich ist... Das Individuum stirbt, weil es nur ein sukzessives Moment in dem Erinnerungsprozeß ist.*»[8]

Sowie die Individualität sich in dieser Armatur des Denkens und der Geschichte auflöst, muß auch der Wille als die praktische Form der Bewußtseinsform sich in die reine Subjektivität aufheben lassen. Er muß bis zur Unkenntlichkeit seines Selbst sich der Allgemeinheit akkommodieren. Auch hier wird die Allgemeinheit als transzendentales Element *der Geltungsstruktur* eines Phänomens als die bloße Allgemeinheit ihres *faktischen* Vorkommens interpretiert. Obwohl Feuerbach den Willen als das Sich-selbst-Bestimmen der Individualität *definiert*, durch welchen ein bestimmendes Ich ein *bestimmtes* Ich, also eine Besonderheit, bestimmt, ist in seinen Augen der Akt des Bestimmens wieder wesentlich eine Moda-

---

[5] a.a.O. 31.  [6] Ebd. 29/43.  [7] Ebd. 34.
[8] Gedanken über Tod und Unsterblichkeit, (1830) Bd. I, 77–352,201/221 (Hervorhebung von mir, J.-P. Wils).

lität des Denkens und somit der Allgemeinheit: «Im Handeln muß ich mich selbst gewissermaßen nachahmen, um mir als Denkendem zu entsprechen.»[9]

Weil die Allgemeinheit bei Feuerbach nicht länger mehr nur eine transzendentale Struktur, sondern ein Prinzip buchstäblicher Substraktion ist[10], entsteht jene abstrakte, hermeneutische Schaltstelle, der «Theanthropos»[11], der den Primat einer ebenfalls abstrakten Sinnlichkeit verkörpert und zugleich die Simplifikationen des «Nichts-anderes-als» einer schlichten Verdachtshermeneutik provoziert. Denn wenn es in *Wider den Dualismus von Leib und Seele, Fleisch und Geist* (1846) heißt: «Wenn also auch gleich das *Ich denke* sich vom Leibe unterscheidet, folgt daraus, daß auch das *Es denkt*, das Unwillkürliche in unserem Denken, die Wurzel und Basis des *Ich denke*, vom Leibe unterschieden ist? ...aber unser Ich, unser Bewußtsein ist auch nicht der eigentliche Autor, sondern nur der Leser, das Publikum in uns»[12], dann ist jene Sinnlichkeit nur die selbst-bewußte Umkehrung, nur die bloße Materialisation der selbstbewußten Allgemeinheit als Absorption der *bloßen* ichhaften Bewußtheit.[13] Das Unendlichkeitsbewußtsein ist dann «nichts anderes als» das Bewußtsein der Unendlichkeit als Form des Bewußtseins. Die Sinnlichkeit handhabt in einer folgerichtigen, aber paradoxen Operation ihre angeblich ontische Priorität als Instrument reduktiver Interpretation[14] – vor allem in Feuerbachs Religionsschriften –, um das jeweilige Resultat wieder in die Allgemeinheit der «reinen» Subjektivität, des Selbstbewußtseins und der Gattungsgeschichte einzuschreiben. Die Indifferenz von Sein und Nichts[15] am Anfang der hegelschen Logik ist dann wiederum nur das Gattungsbewußtsein, ihre absolute Voraussetzungslosigkeit als Anfang der spekulativen Philosophie das Abbild der Aseität Gottes.[16] Die Religion ist deshalb das Produkt der (noch) bedürftigen Sinnlichkeit, kann auf letztere aber

[9] Über die Vernunft, a.a.O. 50.
[10] In der Schrift «Zur Beurteilung der Schrift *Das Wesen des Christentums*» (1842) bekundet Feuerbach selber, ihre Funktion sei gewesen, «zu reduzieren, zu simplifizieren», Bd. III, 210–222, 219.
[11] Über Philosophie und Christentum, a.a.O. 264.
[12] Bd. IV, 165–195, 171ff.
[13] Für die positive Philosophie seines Zeitalters (Schelling, Sengler, Deutinger), die doch gerade mit der Voraussetzungslosigkeit der Reflexionsphilosophie Schluß machen wollte, hat Feuerbach nur Hohn übrig: sie sei «die geniale Karnevalszeit, wo jeder tut und ist, was er will.» (Zur Kritik der positiven Philosophie (1838), Bd. II, 179–205, 189).
[14] «Das Abhängigkeitsgefühl des Menschen ist der Grund der Religion; der Gegenstand dieses Abhängigkeitsgefühls, das, wovon der Mensch abhängig ist und abhängig sich fühlt, ist aber ursprünglich nicht anderes als die Natur.» (Das Wesen der Religion, 1846, Bd. IV, 81–135, 81).
[15] Zur Kritik der Hegelschen Philosophie (1839), Bd. III, 7–134.
[16] Grundsätze der Philosophie der Zukunft (1843), Bd. II, 247–322, 263.

reduziert werden, während das Gottes- oder Unendlichkeits*bewußtsein* das seiner selbst bewußte Bewußtsein darstellt, dessen Allgemeinheit wiederum die Form der *generellen* hermeneutischen Funktion der Sinnlichkeit ist.

Bei Feuerbach hat die Subjektivität den Charakter der Selbstreflexion zugunsten der *Selbstreflexion* der Gattung eingebüßt. Die Kategorie der «Allgemeinheit» als notwendiger, aber nicht hinreichender Modus der Auslegung des Selbst *als* Selbst ist zu einer hermeneutischen Leistung geworden, der sich das Selbst der Subjektivität unterzuordnen hat, während die Ethik unter dem Primat der Sinnlichkeit die Wissenschaft der allgemeinen Eudämonisierung der abstrakten Sinnlichkeit wird.

# VI. Das «individuelle Allgemeine»: Subjektkonstitution zwischen Selbstbewußtsein, Ethik und Sprache: Friedrich Schleiermacher

## § 1 Zwischen Idealismus und Strukturalismus

Die Thematik der Subjektkonstitution als Frage nach dem Subjekt des Sinns hatte sich als die implizite oder explizite Konstante erwiesen, welche die so divergenten *strukturalen* Wissenschaften neben ihrer gegenstandsspezifischen Ausrichtung miteinander verbindet. Lévi-Strauß, Barthes und Foucault versuchten mittels unterschiedlich extensiver Verwendung von linguistischen Theoremen die Subjektivität zu *dezentrieren*: durch eine strukturale Unbewußtheit sprachtheoretischer Binarität (Lévi-Strauß), durch eine Semiotik und Texttheorie subjektdistanzierter Sprachautonomie (Barthes), durch eine Archäologie epistemischer Regelmäßigkeiten (Foucault). Dabei ersetzten Barthes und Foucault in ihren späteren Veröffentlichungen den partiellen Verlust der Subjekttheorie durch eine Theorie des Körpers. In diesem Zusammenhang waren die Ansätze einer Ethik des Mitleids (Lévi-Strauß), einer Ethik der *Unentscheidbarkeit des Tuns* (Barthes), einer Ethik des Denkens und einer ethischen Strategie des Körpers (Foucault), mit ihrem jeweiligen Begründungsdefizit herausgestellt worden.

Demgegenüber schienen Lacans Theorie des Subjekts als kohärente Bezugnahme sprachtheoretischer Elemente auf die Frage nach der psychoanalytischen Verfaßtheit der Subjektivität und Derridas Husserlinterpretation in der Lage, *der Sache nach* unmittelbar an die Fragestellung *klassischer* Subjektivitätstheorie anzuknüpfen. Elemente semiotischer Sprachtheorie vermochten eine Interpretation konstitutiver Probleme der neuzeitlichen Subjekt-philosophie zu erhellen: die Verspätung des Wissens im Akt der bewußten Selbstidentifikation gegenüber seinem «Seinsgrund». Diese Verspätung hatte im Unterschied zu Kant schon bei Fichte und bei Schelling zum Ansatz einer Metaphorik geführt, welche die praktische Fassung der theoretischen Denkschwierigkeiten in der Selbstbewußtseinstheorie begleitete. Zudem hatte die *Verspätung* des Wissens in Lacans ontologischer Interpretation der «Sinn-insistenz» als Seinsmangel und in Derridas Deutung der husserlschen Semiotik als Theorie der transzendentalen Absenz oder «Differänz» ein richtungweisendes Interpretament erhalten. Darüber hinaus führte Derridas Kritik der Grundlegungsfigur der Ethik bei Lévinas den Mangel einer nicht-transzendentalen Ethik im Kontext der Unmittelbarkeit einer ethischen «Seinserfahrung» vor Augen.

Die Lektüre einiger zentraler Texte der Philosophie der Neuzeit betonte die Äquivokation de Begriffs «Subjektivität». Sie reicht von einer programmatischen und/oder negativ-kritischen Konnotation bis hin zu der Theorie des Selbstbewußtseins und der Wahrheit (Hegel). Dabei erwies sich die Gleichursprünglichkeit theoretischer und praktischer Vernunft, welche die Variation transzendentaler bis hin zu substantieller Sittlichkeit (Hegel) umfaßte, als die formale Konstante und die problematische Gemeinsamkeit dieses Denkens.

Ohne daß wir an dieser Stelle einer vorschnellen Angleichung der Problematiken das Wort reden wollen (und können), hat sich herausgestellt, daß der Strukturalismus zwar nicht in jeder Hinsicht, aber doch in Bezug auf seine Subjekttheorie auf eine Kontinuierung der ebenso problematischen Subjektivitätsfrage seit Kant angewiesen ist. Vor allem in dem Denken von Lacan und Derrida vermag der Strukturalismus aber wesentliche Anstöße zu vermitteln.

Kant, Fichte und Schelling hatten gerade in der komplexen Aporetik ihrer unterschiedlichen Selbstbewußtseinstheoreme die phänomenale Ortung der Sittlichkeit bzw. der ethischen Erfahrung aufgewiesen. An Derridas Sprachgebrauch anknüpfend könnte man sagen, daß die diskursiv nicht aufhebbare und somit transzendentale Differenz im Bewußtseinstheorem der Grund einer Sittlichkeit ist, die strukturell und logisch von dieser *initialen Verschiebung* lebt. Sie zeigte sich bei Kant gerade durch die Beharrlichkeit, mit welcher die Kritiken sie stets weiterverfolgen. Bei Fichte erreichte die Problemlage der Subjektivität gerade in der Simultaneität von Wissen und Handeln wohl die subtilste Deutung, bevor sie in seiner Philosophie des Absoluten aufgelöst wurde, während Schelling die Differenz als das Motiv der sich ablösenden Entwürfe theoretischer und praktischer Philosophie mitthematisierte und sie in der doppelten Fassung seiner Spätphilosophie in einer positiven und einer negativen Philosophie auf einen «faktischen» Nenner brachte. Während Hegel die Frage der Vermittlung der kategorialen Verstandesallgemeinheit und der Besonderheit der sinnlichen Mannigfaltigkeit in die Theorie des spekulativen Begriffs aufhob und somit die Differenz in diesem Verhältnis zu einer Bewegung des Begriffs in dessen substantiellem Werden machte, ist sie in der Frage nach der strukturellen Verfaßtheit der Sprache und in der philosophischen Interpretation der Semiologie seit de Saussure das Zentrum der Sprachwissenschaft.

Die Sprache war aber bei Kant[1], Fichte, Schelling und Hegel eher marginal behandelt worden. Schelling hatte sie thematisiert in seiner *Philosophie der Kunst* (1802), im Zusammenhang mit der gegenseitigen Abgrenzung von Schema, Symbol und Allegorie. Er ordnete sie dem Schema zu: «Diejenige Darstellung, in welcher das Allgemeine das Besondere bedeutet oder in welcher das Besondere durch das Allgemeine angeschaut wird, ist Schematismus» (426). Zwar hielt Schelling das Schema für zutiefst unerforschbar – «was Schema und Schematismus sey, kann also jeder nur durch eigene innere Anschauung erfahren» –, in der Praxis der Sprache aber hielt er es für *aufweisbar*: «da aber unser Denken des Besonderen eigentlich immer ein Schematisieren ist, so bedarf es eigentlich bloß der Reflexion auf den beständig selbst in der Sprache geübten Schematismus, um sich der Anschauung davon zu versichern. In der Sprache bedienen wir uns auch zur Bezeichnung des Besonderen doch immer nur der allgemeinen Bezeichnung: insofern ist die Sprache nichts anderes als ein fortgesetztes Schematisieren.» (ebenda) Indem Schelling die Sprache dem Schematismus des Denkens unterordnete, ging er auch in seiner Theorie der Begriffsbildung nicht wesentlich über Fichte[2] hinaus. Hegel dagegen drückte das Verhältnis von Sprache und Denken in der Enzyklopädie in einer Identität aus, die die Sprache unproblematisch werden läßt und die Priorität des Allgemeinen nachdrücklich zu unterstreichen vermag. Seine Auffassung nimmt sich geradezu kontradiktorisch gegenüber Schleiermachers Ansichten aus.

«Indem die Sprache das Werk des Gedankens ist, so kann auch in ihr nichts gesagt werden, was nicht allgemein ist. Was ich nur *meine* ist *mein*, gehört mir als diesem besonderen Individuum an, wenn aber die Sprache nur Allgemeines ausdrückt,so kann ich nicht sagen, was ich nur meine

---

[1] I. Kant, Anthropologie in pragmatischer Hinsicht, a.a.O. 487.
[2] J. G. Fichte: «Sprache, im weitesten Sinn des Wortes, ist der Ausdruck unserer Gedanken durch willkürliche Zeichen.», in: Von der Sprachfähigkeit und dem Ursprung der Sprache, Werke VIII, Berlin 1971, 301–341, 309.

und das Unsagbare, Gefühl, Empfindung ist nicht das Vortrefflichste, Wahrste, sondern das Unbedeutenste, Unwahrste.»[3] Aufgrund dieser Auffassung und wegen der Re-ontologisierung des Verhältnisses von Allgemeinheit, Besonderheit und Einzelheit in der spekulativen Dialektik konnte Hegel die Subjektivitätstheorien seiner Vorgänger, wenn nicht als verfehlt, dann doch als aufhebenswürdig betrachten und die Grundlegung der praktischen Teile ihrer Philosophie einer scharfen Kritik unterziehen.

Die stets aporetische Fassung der Subjektivität in transzendentaler Hinsicht wurde nun zwar durch die Semiotisierung dieser Frage nicht begradigt, ihre konstitutive (!) Differenz, die Unvordenklichkeit des Seins als Transzendenz des Wissensgrundes, erhielt allerdings durch die Einbeziehung der Sprache eine unverhoffte Klärung. Die sprachlich beobachtbare Differenz von (Regel)Allgemeinheit und besonderer (Regel)Applikation stellte sich als nicht nur faktische und somit virtuell überholbare Defizienz der Begründung heraus, sondern als eine «transzendentale Differenz» (W. Marx, J. Derrida), die als *distanzierte Bezogenheit* sowohl die stets problematische Identifikationsleistung des Selbst-verhältnisses des Bewußtseins (als Primat der Subjektivität) wie auch die in der Uneinholbarkeit dieser theoretischen Differenz *geforderte* Selbstidentifikation des Selbst und seiner Welt erst zu einem Niveau adäquater Theoretisierung führte. Diese Differenz als die innere Struktur des *individuellen Allgemeinen* ist somit die Kehrseite der Iteration, die das Subjekt zwischen den Polen seiner Konstituiertheit als die Leistung seiner signifikanten *generalisierten Eigenheit* vollbringt. Kant, Fichte und Schelling haben im Rahmen dieser Problemstellung sowohl die theoretische als auch die praktische Aufgabe der Philosophie zu bewältigen versucht. Kierkegaards *Wiederholung* und Heideggers *Vorlaufen zum Tode* als Sitz des Gewissensrufs sind die ethisch-existentiellen Interpretamente dieses transzendentalen Problems. Die Philosophie des Zeichens, obwohl sie in sich nicht einheitlich ist – sie reicht von semiotischen Transformationen der Transzendentalphilosophie (Peirce, Habermas, Apel) bis zu semiotisch-phänomenologischen Interpretationen (Merleau-Ponty, Derrida etc.) – hat die linguistische Wende in der Sprachwissenschaft zu einer begründeten Einsicht in das sprachliche Fundament dieser Differenz ausgebaut. Dies kam ebenso in der zentralen Auseinandersetzung Derridas mit Husserls Zeichenlehre für die theoretische Philosophie zum Tragen, wie in Derridas Kritik an Lévinas für die praktische Philosophie. Die differentielle Zeichentheorie,

---

[3] G. W. F. Hegel, Enzyklopädie I, a.a.O. 74.

wie sie *spätestens* seit den Arbeiten von Hjelmslev vorliegt, stellt eine Interpretationsbasis für die subjektivitätstheoretische Frage zur Verfügung.

Schon *S. Maimon* hatte in seiner 1790 erschienenen Schrift *Über symbolische Erkenntnis und philosophische Sprache*[4] die Arbitrarität des Zeichens und dessen Situiertheit in einem Netz von «Kombinationen» erkannt. Dieses *Netz* kompensiert die relative Armut an phonetischem Material durch die von den einfachsten Phonemoppositionen bis hin zu den Satzformationen stets wachsende *subjektive* Lenkbarkeit der Sprache. Damit öffnet sich die immanente, distinktive Geschlossenheit des Netzes tendenziell auf eine *jeweilige*, nicht schon im geschlossenen Regelkreis der semantischen Oppositionen situierbare Modifikation des Sinns. Trotz dieser Einsicht erhoffte sich Maimon von der Konventionalität der Sprache, in der Nachfolge von Lullus und Leibniz, die Konstruktion eines wissenschaftlichen Sprachalgorithmus, den er selbst allerdings *faktisch* für eine Unmöglichkeit hielt.

Die Voraussetzung dieses Postulats ist logisch die Distinktion von Denken als zeitloser Axiomatik und Sprache als dessen Vehikel und Adaption. Dabei wird der Widerspruch in Kauf genommen, daß diese zu vollziehende Adäquation selber eine nicht restringierte sprachliche Leistung voraussetzt. Diese muß dann stets durch metasprachliche Kontrolloperationen ad infinitum sichergestellt werden, um die unauflösbare Verflechtung von Denken und Sprache in der Umgangssprache der Lebenswelt methodisch zu abstrahieren.

Die Unmöglichkeit dieser Operation weist ex negativo auf die *Subjektivität der Sprache* hin, die als variable Regelapplikation ausgedrückt werden kann. Hier läßt sich eine strenge Strukturanalogie mit der *subjektivitätstheoretischen Iteration* als Ausdruck des individuellen Allgemeinen feststellen.

Wie wir sahen, hat Kant die Selbstidentifikation im Kontext der Deduktion der Verstandeskategorien als deren Einheitsgrund thematisiert. Umgekehrt aber läßt sich eine phänomenologische Angewiesenheit dieser Selbst-identifikation auf die Allgemeinheit des Begriffs feststellen: die *Einheit* des Bewußtseins kann sich nur an der Einheit bzw. der Idealität des Begriffs generieren, weil die bloße Mannigfaltigkeit und Punktualität des Gewußten – obwohl man im strengsten Sinne hier nicht von

---

[4] «Die willkürlichen Zeichen ... müssen zwar erlernt werden, aber sie können auch richtig erlernt werden; von dieser Art ist die Sprache, welche eine Sammlung von, aus einer geringen Anzahl möglicher Töne, durch ihre mannigfaltigen Kombinationen entspringenden, Worten ist.», *Gesammelte Werke*, Bd. II, Hildesheim 1965, 267–332, 294.

einem Wissen sprechen darf – das Bewußtsein als Korrelat der Welt parzellieren würde. Dieses phänomenologische Argument der Generierung setzt nun aber logisch eine Distanz voraus, weshalb das Selbstbewußtsein nicht das Allgemeine *ist*, sondern die Struktur einer individuellen Applikation des Allgemeinen enthält: die Apperzeption als Einheitsgrund der Kategorien ist an die produktive Synthesis der Einbildungskraft gebunden, die ihrerseits das «noumenale Ich» (als Einheitsgrund der Kategorie) in die konstitutive Differenz *mit* und *zu* dem phänomenalen Ich in der reproduktiven Einbildungskraft einschreibt. In der Bewegung der Selbstidentifikation ist aufgrund dieser Differenz eine Alienation bzw. Distanz des Sich zu sich enthalten, die zugleich das «Als» der Signifikanz der Identifikation sichert, wodurch die im Bewußtseinstheorem logisch implizierte Bekanntheit *mit sich* (Henrich) erst zu einer semantischen, bedeutungsvollen Identifikation wird. Das transzendentale «Als» in dieser Bewegung impliziert also die Gleichursprünglichkeit von Distanz und Identität. Die «proximité à soi» des Selbstbewußtseins ist zugleich eine im Wissen uneinholbare Ferne (Distanz) zu dem Seinsgrund des Wissens um sich selber. Die fundamentale Verzögerung dieses Wissens, die Uneinholbarkeit des Seins in diesem Vorgang der Differenz, sichert also die transzendentale Leistung des «Als». Der Satz Kants, daß «das Bewußtsein seiner selbst (ist) also noch lange nicht ein Erkenntnis seiner selbst» (B159)[5] ist, trägt der Uneinholbarkeit dieser Differenz Rechnung.

Nun läßt sich in der Sprache ein ähnlicher Vorgang feststellen. Die Sprachwissenschaft beschreibt sie als ein System von Oppositionen, das von *einfachen* Phonemoppositionen bis zu paradigmatischen und syntagmatischen Ketten differentieller Art reicht und sich zunächst als ein geschlossenes System allgemeiner Regularitäten darstellt.

Trotzdem ist sie kein starres Gebilde invarianter Strukturen, sondern fast beliebig permutabel. Deshalb ist die Sprachkompetenz eine wahre Regel*kompetenz* und nicht eine bloße *Adaption* der Regel. Die sprachimmanente Verankerung dieser Kompetenz, die sich als Dialektik von *Identität und Differenz* umschreiben läßt, faßt E. Benveniste so: *«Die Sprache ist also die Möglichkeit der Subjektivität aufgrund der Tatsache, daß sie immer die ihrem Ausdruck angemessenen sprachlichen Formen enthält, und der Diskurs ruft das Auftreten der Subjektivität hervor aufgrund der Tatsache, daß er aus diskreten Instanzen besteht.»*[6]

⁵ I. Kant, Kritik der reinen Vernunft, Hamburg 1956, 176.
⁶ E. Benveniste, Über die Subjektivität in der Sprache, in: Ders., Probleme der allgemeinen Sprachwissenschaft, München 1974, 287–276, 293.

*Die Möglichkeit* der Subjektivität liegt in der *Vorgegebenheit* der sprachlichen Form (der Regelkonstitution als Allgemeinheit); *die Subjektivität* dieser Form liegt in ihrer diskreten Natur, die als Bedingung der Möglichkeit der *Bedeutung* des Zeichens, als Ausdruck ihrer differentiellen Verfaßtheit, *nicht* eine Funktion des Zeichens selber ist.

In der Leere zwischen den Zeichen, im Ort ihrer diskreten, semiotischen Verfaßtheit, situiert sich die semantische Kompetenz der Subjektivität als die Produktion von Sinn in der konkreten Verwendung der Regelhaftigkeit der Sprache als Struktur. Aufgrund dieser Diskretheit, noch vor der Funktion des Personalpronomens, ist die Sprache, wie das Bewußtsein, in einem signifikanten Sinne «selbstreferentiell». Allerdings äußert sich dies faktisch nur in der *rückbeugenden* Tätigkeit des Sprechenden in der Sprachverwendung. Sie ist der Sprache als Regelsystem nicht per definitionem immanent, sondern nur *aktuell* in dem, was Benveniste «das Zusammenfallen des beschriebenen Ereignisses mit der es beschreibenden Diskursinstanz»[7] nennt. Diese präsentische, zeitliche Referenz der Sprache realisiert sich letztlich in der Instantanität des *Ich-sagens*, ist aber in der *geronnenen* Präsenz poetischer Sprachverwendung noch stärker anwesend als in der bloß denotativen Funktion der Sprache. Das Personalpronomen «Ich» ist aber nur eine Funktion dieser Subjektivität der Sprache und keine sie erst verbürgende, außersprachliche Instanz. Die von Benveniste angesprochene «Präsenz» ist ebenfalls Ausdruck der zeitlichen Selbstreferenz des Sprechenden in der Sprache und nicht des außersprachlichen «Sein-bei-sich» einer die Sprache begründenden Subjektivität. Die Wiederholung des regelhaft Allgemeinen in der Besonderheit der instantanen Verwendung erweist sich somit als die, je nach Kontext und Funktion, existierende Variabilität der Regel, als die «individuelle Applikation des Allgemeinen». Diese applikative Kompetenz ist aber, weil situiert im *Intervall* der differentiellen *Zeichenkette*, restringiert und ungleichzeitig mit sich selbst. Die Subjektivität einer Sprache, die schon zu sprechen begonnen hat, ist epizentriert. Der Diskurs der Subjektivität ist dadurch stets konstitutiv (signifikant) verzögert, realisiert aber *wegen* dieser Verzögerung die Signifikanz, weil die buchstäbliche Präsenz des Allgemeinen die Sprache opak und bedeutungslos, die Subjektivität inexistent machen würde. Erst in dem bedeutungskonstitutiven Intervall, in der Diskretion und Differenz der Regelverfaßtheit, äußert sich die Subjektivität, das «Flottieren des Sinns» (Lacan) in der Signifikantenkette, vertreten durch

---

[7] Ebd. 292.

die Shifters (Jakobson, Lacan) und jeder abstrakten Autarkie beraubt. Der Sache nach ist es diese Sprach-erfahrung, die als das Unterwegssein des Verstehens die Irreduzibilität des Individuellen auf das Allgemeine anzeigt und als Dezentrierung der Subjektivität angesichts der Präsenz des Sinns das Verstehen als problematische Intention sprachlicher Vermitteltheit erst ermöglicht. Diese «Häkelnadel einer individuellen Sinnerschließung»[8] (M. Frank), welche die Subjektivität als Funktion und Träger einer *präzisen Phantasie* konstituiert, bestimmt das Verstehen als einen Akt produktiver Einbildungskraft, durch welche *Sinn* sich als abhängig von der Konstitutionsinitiative offener Regelapplikation erweist.[9] Man könnte hier von der «Anschauung der Regel» (Schelling) oder von dem «Lokalwert des Schemas» (Frank) sprechen. Schleiermacher nannte diese offene Applikation ein «fluktuierendes Schema» und betrachtete es als *das* transzendentale Raster, das in dem komplexen Zusammenspiel von kategorialer Allgemeinheit und sinnlicher Besonderung angesichts ihrer transzendentalen und *absoluten* Differenz der Sprache, dem Wissen und dem Handeln zu ihrer Signifikanz verhilft.

## §2 Elemente einer hermeneutischen Wendung der Subjektivität

Die Konstituiertheit der Subjektivität als *gebundene Freiheit* ist eine Konstante, die der Hermeneutik als Verstehenslehre immanent ist. Sie überführt den Prozeß der diskursiven Verständigung über die Letztbegründung der Subjektivität und der Ethik in *Sinnkritik*. Diese Sinnkritik bezieht die Reflexion oder die spekulative Deduktion auf die Frage der *sprachlichen Vermittlung* des Reflektierten oder des Deduzierten. Dabei variiert die Hermeneutik selber nicht unbeträchtlich, je nach der subjektivitätstheoretischen Vorgabe, von der sie ihrerseits ausgeht. Die Hermeneutik Schleiermachers ging nicht unwesentlich aus der Kritik der Hermeneutik des Schelling-Schülers Friedrich Ast hervor, der seine Verstehenslehre seinerseits ganz der geschichtsphilosophischen, hegelschen Schema-

---

[8] M. Frank, Der Text und sein Stil. Schleiermachers Sprachtheorie, in: Ders., Das Sagbare und das Unsagbare. Studien zur neuesten französischen Hermeneutik und Texttheorie, Frankfurt a.M. 1980, 21.

[9] A. Greimas, «Le sens n'est que cette possibilité de transcodage ... Le sens peut se définir comme possibilité de transformation du sens», Du Sens, Paris 1970, 13/15.

tik verschrieben hatte.[1] Die jeweilige Verfaßtheit dieser *hermeneutisch situierten Subjektivität* bedingt wiederum eine an ihr ablesbare Konzeption
von *Ethik*. Bevor wir uns unter dem Gesichtspunkt der Interdependenz
von Sprache, Subjektivität und Ethik dem Oeuvre Schleiermachers
zuwenden, sollen einige moderne Autoren unter dieser Perspektive kurz
diskutiert werden.

## *H. Lipps und die hermeneutische Logik*

Die hermeneutische Logik[2] von J. König, G. Misch und H. Lipps entstand
im Umfeld der Lebensphilosophie. G. Misch verfolgte das Ziel eines
Rückgangs des Wissens aus seiner vergegenständlichenden Intentionalität
zu einer vor-intentionalen, vor-theoretischen Ungeschiedenheit des Wissens und des Lebens. Diese «Logik» orientierte sich deshalb an dem Phänomen des spontanen, evozierenden Ausdrucks. *H. Lipps* hat die Konzeption am konsequentesten durchgeführt.

Lipps trennt zwischen der bloßen Konventionalität des Zeichens und
einer prä-semischen, auf keiner Arbitrarität des Zeichens beruhenden
Semantik. Diese künstliche Trennung, die P. Ricoeur in seiner Kritik des
Strukturalismus ebenfalls handhabt, macht für Lipps die der Sprache
immanente «Verbindlichkeit» aus. «Das Zuwortkommen eines Gedan-
kens geschieht aber als Verantwortung… Im Unterschied zu der Bedeu-
tung eines Zeichens, die ex definitione sachlich zu entfalten ist, dessen
Ausführung nur mein förderndes Eingreifen verlangt, d.i. eine von den
Dingen her sich machende Praxis, ist das Wort σημαντικός, sofern es den
*Vollzug* dessen erweckt, was es insofern bedeutet.»[3]

---

[1] Dazu diese Stelle aus den *Grundlinien der Grammatik, Hermeneutik und Kritik*, Landshut 1808,
zitiert in F. Ast, *Hermeneutik*, in: H.G. Gadamer/Boehm, Seminar: Philosophische Hermeneutik,
Frankfurt a.M. 1976, 111–130, 120: «So ist das Verstehen und Erklären eines Werkes ein wahrhaft
Reproduzieren oder Nachbilden des schon Gebildeten. Denn alle Bildung beginnt mit einem mythi-
schen, noch in sich verhüllten Anfangspunkte, aus dem sich die Elemente des Lebens, als die Faktoren
der Bildung, entwickeln. Diese sind das eigentlich Bildende, sich wechselseitig Beschränkende und in
der endlichen Wechseldurchdringung zu Einem Produkte sich Vermählende. Zu dem Produkte ist die
Idee, welche in dem ersten Anfangspunkte noch unentwickelt ruhte, den Lebensfaktoren aber ihre
Richtung erteilte, erfüllt und objektiv dargestellt. Das Ende aller Bildung ist sonach Offenbarung des
Geistes, harmonische In-Eins-Bildung des äußeren (der aus der ursprünglichen Einheit hervorgetrete-
nen Elemente) und inneren (geistigen) Lebens. Der Anfang der Bildung ist Einheit, die Bildung selbst
Vielheit (Gegensatz der Elemente), das Vollendete der Bildung oder das Gebildete Durchdringung
der Einheit und Vielheit, d.i. Allheit.»
[2] Dazu: O. F. Bollnow, Zum Begriff der Hermeneutischen Logik, in: O. Pöggeler (Hg.), Hermeneutische Philosophie, München 1972, 100–122.
[3] H. Lipps, Die Verbindlichkeit der Sprache. Arbeiten zur Sprachphilosophie und Logik, Frankfurt
a.M. 1958, 109.

Der *logos semantikos* vertraut einem den Worten spontan entnommenen Hinweis auf eine «verantwortliche», sich praktisch vollziehende Entsprechung zu ihrem Gehalt in einer noch vor-rationalen, ungebrochenen Intimität[4], die der Wahrheit als «Aussage» schon abhanden gekommen wäre. Lipps kritisiert an der Aussagenlogik gerade ihre nicht vorhandene Situationsbezogenheit, die ihm zufolge im *Urteil* stets nur als Okkasionalität der Bedeutung oder Bezeichnung vorkommt und damit der je neuen situativen Aktualität und der aktuellen Verbindlichkeit des Gesprochenen zuwiderläuft.

Während der Begriff nur noch eine «schematische Treffmöglichkeit(en)»[5] ist, welche die Dinge durch eine sie «überholende» Subsumption unter das Allgemeine erledigt, ist es für Lipps die «Konzeption», die der angemessenen Typisierung der Situation als Klugheit entspricht. «Es (die Konzeptionen; J.-P. Wils) sind gekonnte Griffe, mit denen man etwas zu fassen, woran man selbst Halt bekommt. Nicht von sich aus, sondern von mir aus zeigen sich die Dinge.»[6] Lipps versucht die Morphologie des Urteils durch eine *Typik der Schritte* und die *Richtigkeit* durch die Wahrheit als eine prä-diskursive Aufschlüsselung der Situation zu ersetzen. In seiner Schrift «Die Wirklichkeit des Menschen»[7] betont er, daß Wahrheit ein analoger, kontextabhängiger Begriff ist, der die Anonymität des Standpunktes zugunsten des «Gefühls der Überzeugung» hinter sich läßt. Anstelle der Erhellung der virtuellen Alienation der Existenz in einer reflexiv vermittelten Identität intendiert diese «Hermeneutik» eine durch «Beispiele» geleitete Einübung in schon vorgezeichnete Konzeptionen. Dadurch soll Betroffenheit als «Sich-Antreffen-bei» entstehen. Statt einer teleologischen Wesenserkenntnis favorisiert Lipps ein Verständnis von Existenz als Entscheidung des Sich-Einübens in eine schon typisierte Faktizität, welche die menschliche Existenz «im Begriff ihrer Selbst»[8] erschließt. Zugunsten der spontanen Apophantik der Rede als Existenzerhellung wird den Beispielen dabei letztlich nur ein funktionaler Wert zugebilligt. Das Bewußtsein ist für Lipps nicht die *re-flectio* einer gegenständlichen Intention, sondern eine regressive Synthesis – «etwas, das sich von selbst macht»[9] –, die das Sich-bewußt-werden der vitalen Eingebundenheit in einer konstituierten Welt ausdrückt. Die fundamentale

[4] «Der Logos ist kein Vermögen wie die Ratio. Im λόγον ἔχον wird nicht die Natur, sondern die Existenz des Menschen bestimmt. Ihre Verfassung ist darin angeschnitten, daß der Mensch ... verantwortlich zu sich steht», in: H. Lipps, Untersuchungen zu einer hermeneutischen Logik, Frankfurt 1958, 11.
[5] Ebd. 54.     [6] Ebd. 56.     [7] Frankfurt a.M. 1941.     [8] Ebd. 66ff.
[9] Die menschliche Natur, Frankfurt a.M. 1941, 44.

Aporie, «daß man nicht über seinen Anfang verfügt, daß man sich hier nur eben betreffen kann bei einer Grundlegung, die als vorgängig geschehen ist»[10], macht bei Lipps das reflexiv nicht vermittelbare *Gegebene* der Situation aus. Diese Unvermitteltheit entspricht der nicht aufhebbaren «intrikate(n) Bestimmung des philosophischen Einsatzes»[11].

Die regressive Synthesis ist somit nur die epi-phänomenale, bewußte Einverleibung eines fraglos und damit kriterienlos gewordenen Konstituierten. Die hermeneutische Ausblendung der Subjektivitätsproblematik und ihre Ersetzung durch den Existenzbegriff, das Vertrauen auf die autonome Sprachgestalt, die das Verstehen zu einer Bewußtwerdung *ex post facto* macht und dadurch *de jure* aufhebt, bedingt bei Lipps in seiner *ethischen Logik* den sauberen Fall eines *naturalistischen Fehlschlusses*: die Existenz und ihr ethisches Signifikat sind zu einem Duplikat der vorgängigen, in der Sprache schon vermittelten Verbindlichkeit der Welt geworden.

## H.G. Gadamer

Die Hermeneutik Gadamers dürfte als die wirkungsmächtigste Rehabilitation dieser Disziplin in diesem Jahrhundert noch Heideggers *Hermeneutik* der Faktizität des Daseins an Breitenwirkung übertreffen. Weil ihre Konturen weithin bekannt sind, können wir uns hier auf das Wesentliche beschränken.

In *Wahrheit und Methode* nennt Gadamer das Verstehen «nicht sosehr (als) eine Handlung der Subjektivität (zu denken), sondern (als) Einrücken in ein Überlieferungsgeschehen, in dem sich Vergangenheit und Gegenwart beständig vermitteln.»[12] Dieses Geschehen ist nicht die Leistung einer die Sprache methodisch anleitenden Vernunftaxiomatik. Es entwickelt sich vielmehr als Dialektik von Fremdheit und Vertrautheit. Gadamer akzentuiert hier, erstmals seit Schleiermachers Annahme, daß das Mißverständnis die Regel sei, wiederum die Vertrautheit des Verstehens mit dem Zu-verstehenden. Dabei ist für Gadamer die Mitte zwischen der Distanz *zur* und der Vertrautheit *mit* der Tradition der Ort des Verstehens als Ort der Horizontverschmelzung. Daher faßt sein Begriff der *Applikation* genau jene produktive Sprachhandlung, die Verstehen al-

---

[10] Ebd. 56.

[11] Ebd. 57. In diesem Zusammenhang verdeutlicht Lipps den Unterschied zwischen dem *Modell* als Vor-entsprechen eines schon Gewußten und dem *Beispiel* als Veranschaulichung der noch nicht bewußten Typik der Situation bzw. als spontaner Entfaltung des nicht-hinterfragbaren Horizontes der Existenz. Das Beispiel ist insofern nur in einem eingeschränkten Sinn erschließend.

[12] H. G. Gadamer, Wahrheit und Methode, Tübingen 1960, 275.

lererst ermöglicht. «Der Gebrauch der gewohnten Worte entspringt nicht dem Akte der logischen Subsumption, durch den ein Einzelnes unter das Allgemeine des Begriffs gebracht würde. Wir erinnern uns vielmehr, daß Verstehen stets ein Moment der Applikation einschließt und insofern eine beständige Fortentwicklung der Begriffsbildung vollbringt.»[13]

Die methodische Bedeutung dieser Applikation ist jedoch bei Gadamer nicht eindeutig, nicht zuletzt deshalb, weil die Theorie der Sprache schwankend ist. Diese bekommt mancherorts eine autonome Gestalt, welche die produktive Verstehensleistung zugunsten einer in der Sprache schon verbürgten Bedeutung, in die es «hineinzuwandern» gilt, herabsetzt.

Gadamer interessiert sich dann auch weniger für die in der individuellen Regelapplikation stattfindende *Sinnerschließung* als für den durch die Tradition sprachlich verbürgten *Sinngehalt*: die Sprache ist «die Sage, die sie uns sagt.»[14] Auch wenn man die Meinung von M. Frank[15], wonach einerseits die «Wirkungsgeschichte» den idealistischen Subjektbegriff und andererseits die spekulative Verschränkung von Sprache und Welt die Reflexionslogik dialektischer Selbstbeziehung usurpiere, nicht ganz teilt, fällt es doch schwer, sie zu entkräften. Nach Gadamer gehört zum Wesen der Sprache eine geradezu «abgründige Unbewußtheit derselben»[16]. Damit ist sowohl die «wesenhafte Selbstvergessenheit des Sprechenden», wie auch die Ichlosigkeit und Universalität der Sprache verbunden: die Sprache «verweist nach rückwärts und nach vorwärts auf Ungesagtes»[17]. Gadamer konzediert auch, daß das «Bekannteste» realiter das Unkenntlichste ist, «in dem hin und wieder eine Sinnspur blitzhaft aufleuchtet».[18] Aber damit ist weder die subjektivitätstheoretische Nichtkoinzidenz von Wissens- und Seinsgrund, noch die sprachtheoretisch verifizierbare Auffassung gemeint, wonach der Sinn als das *Nichts-an-signifiant* (Frank) eine die Signifikantenkette durchziehende, aber auf sie nicht reduzierbare Skandierung ist. Gadamer meint vielmehr eine die Subjektivität überspielende Sprachsouveränität. Wenn für ihn die Interpretation (also das Verstehen) «die eigentliche Hintergehung der Subjektivität des Meinens leisten

---

[13] Ebd. 381.    [14] Ebd. 279.

[15] M. Frank, Das individuelle Allgemeine. Textstrukturierung und -interpretation nach Schleiermacher, Frankfurt a.M. 1977, 20–34. Hierhin gehört auch Claus von Bormanns Vorwurf, «daß sie (die Hermeneutik) zu einer Haltung der Subjektivität wird, die nicht zu wissen sich bemüht, was sie glaubend erfährt.», Cl. von Borman, Die Zweideutigkeit der hermeneutischen Erfahrung, in: K. O. Apel, Cl. v. Bormann u.a., Hermeneutik und Ideologiekritik, Frankfurt a.M. 1977, 83–119, 116.

[16] Ders., Mensch und Sprache. In: Kleine Schriften I, Philosophie-Hermeneutik, Tübingen 1967, 93–100, 95.

[17] Ebd. 99.

[18] Ders., Bild und Gebärde. In: Kleine Schriften II, Interpretationen, Tübingen 1979, 210–217, 214.

soll»[19], dann ist die Sprache zu dem geworden, was er dem modernen Bild zuspricht: «ein Unterpfand an Ordnung ... ein einfaches, schweres Maß»[20], das garantiert, «daß das Selbst der einzelnen, ihr Verhalten wie ihr Verständnis ihrer Selbst, gleichsam in einer höheren Determination aufgeht, die das eigentlich Bestimmende ist.»[21]

Gadamers Aufsatz «Über die Möglichkeit einer philosophischen Ethik» ist in dieser Hinsicht aufschlußreich. Obwohl er Kants Autonomie der sittlichen Vernunft als «intelligible» Selbstbestimmung ausdrücklich anerkennt, bedauert Gadamer – unter Berufung auf Hegels Kantkritik – die Abstraktheit des Sollens als Mangel an empirischer Vermitteltkeit. Er rekurriert deshalb auf die aristotelische Lehre von der «phronesis», die in der konkreten Ethosgestalt der Polis das Ethische als ein Ethos des «Tunlichen» im Sinne der Ausbalancierung der Subjektivität des Wissens und der Substanzialität des Seins versteht. Der Vorwurf des Empiriemangels trifft aber die kantische Intention nicht, weil die transzendentale Grundlegung zunächst eine ganz andere Fragestellung beinhaltet. Deshalb läßt sich eine andere Intention bei Gadamer vermuten, nämlich «eine moralphilosophische Besinnung, die nicht den Ausnahmefall des Konfliktes, sondern den Regelfall der Befolgung der Sitte zur Orientierung wählt.»[22]

Die Kantkritik Gadamers, die zu offensichtlich an der Fragestellung Kants vorbeigeht, ist somit pragmatisch-politisch motiviert. Die Sprachsouveränität soll die vermeintliche Autarkie der Reflexion als Bewegung der Subsumption der Begriffsallgemeinheit ablösen. Mangels einer zureichenden Bestimmung der abgewiesenen Subjektivität – Gadamer versteht sie häufig wie schon Weishaupt als «Willkür» oder als bloß usurpierte Souveränität – liefert diese Sprachsouveränität das Modell für die Einweisung der Ethik in überlieferte Ethosformen, deren Geltung nun unversehens selber der bloßen Allgemeinheit ihres Vorkommens unterstellt ist. «Das Allgemeine, Typische, das sich in einer der Allgemeinheit des Begriffs überantworteten philosophischen Untersuchung allein sagen läßt, ist vielmehr nicht wesensverschieden von dem, was das ganz untheoretische, *durchschnittlich-allgemeine Normbewußtsein in einer jeden praktisch-sittlichen Überlegung* leitet.»[23]

[19] Ders., Die philosophischen Grundlagen des XX. Jahrhunderts.In: Kl. Schriften I, a.a.O. 131–148, 139.
[20] Ders., Vom Verstummen des Bildes. In: Kl. Schriften II, a.a.O. 227–234, 234.
[21] Ders., Zur Problematik des Selbstverständnisses. In: Kl. Schriften I, a.a.O. 70–81, 77.
[22] Kleine Schriften I, a.a.O. 184.
[23] Ebd. 189.

## J. P. Sartre

Obwohl erst das späte Werk, die *Kritik der dialektischen Vernunft*[24], eine Hermeneutik der gesellschaftlichen Totalisierung von Individualität entwirft, enthält die Philosophie Sartres eine Thematisierung der Subjektivität, die sowohl die Struktur einer virtuellen Hermeneutik als auch die Phänomenologie einer Ethik betrifft. Die Fragestellung, wie sie sie das Hauptwerk *Das Sein und das Nichts* (1943) kennzeichnet, geht aus von der berkleyschen Gleichung «esse est percipi». Das Sein ist Erscheinung: sowohl das Phänomen des Seins als auch das des Bewußtseins löst sich auf in Perzipiertes, ist also ein «Sein für» die Erkenntnis. Sartre fragt nun nach dem Sein dieser Erkenntnis, die doch als Korrelat des phänomenal Perzipierten nicht Nichts ist, trotzdem als Phänomen nicht zu dem Phänomen des Seins (als Perzipiertes) gehört, also gewissermaßen einem anderen Seinstypus angehört als das perzipierte Sein. Im Vergleich zu der Dichte des Perzipierten nennt Sartre den Seinstypus des percipiens *das Nichts (le néant)*, das auf die Reflexionsstruktur des percipi nicht reduzierbar ist. Es stellt also ein *präreflexives Cogito* dar, das für Sartre, der hier ganz in der Tradition Descartes' steht, immediat und gewiß ist. Weil es trans-phänomenal und daher nicht-seiend *ist*, verfügt es nicht über sein Sein. Dieses Nichts ist mit anderen Worten das Bewußtsein (percipiens) als Koinzidenz von Sein und Wissen (Reflexion), ein unmittelbares, aber nicht seinsmächtiges Bewußtsein von Selbst, das sich in seiner Intentionalität (Husserl) auflöst und nicht abermals Gegenstand einer rückwirkenden Reflexion werden kann. «Das Bewußtsein ist keine besondere Art der Erkenntnis, genannt innerer Sinn oder Selbstbewußtsein, sondern es ist die transphänomenale Seinsdimension des Subjekts.»[25] Das Bewußtsein ist für Sartre somit *nichts anderes als Bewußtsein*, gemäß seiner «nichtenden» Blickwirkung als Erhellung der Dichte des Seins eine leere Intention: «es gibt Wirkungsvermögen des Bewußtseins nur als Bewußtsein von Wirkungsvermögen»[26]. Weil Selbstbewußtsein scheinbar keine bloße zweigliedrige Relation ist, ließe sich eine Reflexionstheorie des Bewußtseins, wie sie bei Kant vorliegt, als bloße Folge einer syntaktischen Konzession (Bewußtsein *von* sich) deuten, wenn nicht das *Phänomen* auf diese Auslegung seiner Struktur bestehen würde.

Im strengsten Sinne des Wortes «ist»[27] Bewußtsein demnach nicht: «das Nichts ist nicht, das Nichts ist zu einem Gewesenen geworden.» (le

---

[24] Critique de la raison dialectique, Paris 1960 (Hamburg 1982).
[25] Das Sein und das Nichts, Hamburg 1962, 16.
[26] Ebd. 20.     [27] Ebd. 62.

néant n'est pas: il est été). Die Subjektivität ist also für Sartre «vom Sein gestützt» (étant été), besitzt also als nicht selbst-ständiges Seiendes keine eigene Größe und ist deshalb «geborgtes Sein».

Dieser Seinsmangel des Bewußtseins macht aber für Sartre dessen Stärke aus: wäre nämlich überall Sein, wäre kein «Nein». Anhand des Phänomens der Seinsbefragung erweist sich das Bewußtsein als eine «pouvoir néantisant», welche die «Leimrute des Seins»[28] meidet, als «Einschnitt des Nichts» das Sein spaltet und die Freiheit als Aussetzung (suspension) des Seins ermöglicht.

Diese Reziprozität von Sein und Nichts (Bewußtsein) generiert erst den Sinn von Sein, ansonsten wäre das Sein nur opak und nicht Sein-*für* (Sinn). Sie bedingt aber als Suspension der *Faktiziät* des Seins die unhintergehbare Virtualität der *Geltung* des Seins als Sinn. Die Sprache, die von Sartre hier nicht zur Beglaubigung dieses Gedankens angeführt wird, bestätigt diese Auffassung: die distinkten Werte einer *langue* generieren in ihrem diakritischen, oppositiven Wechselspiel paradigmatischer und syntagmatischer Reihenbildung *den Sinn*, synchronisiert mit dem distinkten System seines *Substrats*.

Dieser Sinn verliert zwar in der Signifikantenkette, außerhalb seiner Vertretung durch die *shifters* (Jakobson, Lacan), die Struktur der reflexiven Selbstheit, erweist sich aber als jene Intention in der distinkten Struktur der Sprachwerte, die zwar nicht objektivierbar ist, jedoch für das Werden der Bedeutung eine schöpferische Instanz darstellt. Auf Sartres Subjektivitäts- und Bewußtseinstheorie trifft das zu, was M. Frank über Lacans Subjekts- und Repräsentationstheorie sagt: «Das Subjekt selbst erfüllt sich als die reflexive Lücke, als das Intervall eines geregelten Verweisungsspiels zwischen (wenigstens) zwei Signifikanten, die sich positiv in ihrer Präsenz und Bestimmtheit vor dem leeren Hintergrund konturieren, in dessen unbestimmbare Tiefe das (im Verweisungsspiel zwischen ihnen repräsentierte) Subjekt sich verflüchtigt. Als Konstituent von Signifikanz ist das Subjekt nicht nur kein voller Term im Gesamt der batterie signifiant noch überhaupt ein Sachverhalt, über den sich wie über ein Designat reden ließe: es ist geradezu die Barriere zwischen signifiant und singifié, die jeder Bedeutung widersteht.»[29]

Die Subjektivität als Einschnitt des Bewußtseins in das Sein (Seinsspaltung) macht die Hermeneutik als Verstehenslehre allererst möglich und notwendig. Die konstituierend-konstituierte Subjektivität ist als Selbst-

---

[28] Ebd. 64.     [29] M. Frank, Das individuelle Allgemeine, a.a.O. 71.

explikation auf die verstehende Einholung der signifikanten Explikate ihrer Welt angewiesen, obwohl sie allererst selber in einer bedeutungskonstituierenden, aber sprachlich epizentrierten Intention ihre Welt signifikant gemacht hat. Diese Subjektivität als *Einschnitt im Sein* oszilliert also zwischen Unbedingtheit und Nichts und bildet *insofern* den phänomenalen Hintergrund der Rede vom moralischen Wert: auch dieser, dessen Sein sich «aus der Forderung her(leitet), und nicht seine Forderung aus dem Sein»[30], bewegt sich zwischen der Unbedingtheit seiner Forderung und der Nicht-Existenz der die Forderung jeweils aufhebenden Erfüllung.

Die konstitutive Vermitteltheit von Bewußtsein und Wert hat Sartre in der 1947 erschienenen Schrift *Bewußtsein und Selbsterkenntnis* (Conscience de soi et connaissance de soi) prägnant beschrieben. Wie der Titel andeutet, unterscheidet Sartre zwischen dem Sein des Bewußtseins (von sich) und dem Sein der Erkenntnis. Das Bewußtsein faßt er auch hier auf als ein nicht-thetisches Sein-für-Sich, als ein immediates «Für-sich-selbst-gelichtet-sein» (être lumineux). Weil es, wie wir sahen, Bewußtsein von Virtualität (néant) ist, fehlt dem Bewußtsein jene Seinspassivität, welche die Rede von Erkenntnis logisch verunmöglichen würde. Sartre sagt, daß «die Abhängigkeit von dem, was es ist, *in* ihm ist.»[31]

Die présence-à-soi impliziert zugleich einen Abstand, der das «Für-Sich» zu einer reinen Distanz zu sich selbst macht. Da hier die gegenständliche Intention wegen der Unmittelbarkeit der Präsenz fehlt, läßt das «Für-Sich» des Bewußtseins keine wissende Koinzidenz von Wissen und Gewußtem zu. Wegen des «Seinsmangels» des Bewußtseins, welcher die Frage nach dem «Wesen» des Bewußtseins gewissermaßen verhindert, kann die Abständigkeit zu Sich selbst « Existenz» genannt werden, mit der berühmten Konsequenz, daß *die Existenz der Essenz vorausgeht.* Diese (das Wissen von sich verzögernde) Dialektik von Anwesenheit und Abwesenheit, von Einheit und Trennung, beinhaltet «eine Andeutung von Dualität ... da es in der Tat eine Art Spiel reflektierender Reflexion gibt, und daß sich all das trotzdem in einer Einheit vollzieht, in der das Reflektierte selbst das Reflektierende *ist*, und das Reflektierende das Reflektierte.»[32] Diese Formulierung enthält die wesentliche und insofern notwendige Aporetik der Erklärung der «wissenden» Beziehung, die das Sich des Bewußtseins zu Sich unterhält. Sie ist aber anderer Natur als die «gewußte» Gegenständlichkeit, denn dazu fehlt die Seinspassivität gegen-

[30] a.a.O. 81.
[31] J. P. Sartre, Bewußtsein und Selbsterkenntnis, Hamburg 1973, 40.
[32] Ebd. 41.

über dem *Gegenstand*. Will man aber das Wissen um Sich, das phänomenal zum Bewußtsein gehört, nicht aufgeben – wobei dieses Wissen nur
die *bewußte* Präsenz-*bei*-Sich ausdrückt –, bleibt für Sartre nur übrig, das
Bewußtsein als einen «Riß», als eine «Differenz» zu bezeichnen, die als
«Dekompression des Seins ... das allgemeine Sein durch das Für-sich-Sein
ersetzt, das ein Sich entstehen läßt»[33] in der *reinen* Differenz einer unmittelbaren Intuition zu Sich.

Die ethische Erfahrung lebt nun von der gleichen Kompilation: sie
strebt danach, das «Sich-selbst» als Einheit des Bewußtseins (für-Sich)
*und* des Seins (an-Sich), das dem (theoretischen) Bewußtsein wesentlich
versagt blieb, zu realisieren. *Das An-sich-sein im Modus des Für-sich ist ihr
gefordertes Ziel.* Sartres These erweist sich somit als der Grundlegung der
Ethik in den Philosophien des Idealismus direkt entsprechend. Der Wert
als ethische Intention lebt gewissermaßen sowohl von der Differenz als
zugleich auch von ihrer Überwindung. Der Wert als primäres Implikat
des Ethischen hat «die Struktur des Ansich (dieses macht sein Sein aus;
J.-P. Wils) ... und darüber hinaus Sein in dem Sinne, daß uns jeder Wert
notwendigerweise auch die Struktur des Fürsich zu haben scheint (die
Struktur der Unbedingtheit).»[34] Die Analogie zu dem Bewußtseinstheorem ist nicht nur perfekt, die Umkehrung, daß das Wertbewußtsein als
die Erfahrung des Sich als *Gefordertsein* erst die *bewußte* Erfahrung des
Sich ermöglicht, scheint auf der phänomenalen Ebene legitim (transzendental allerdings liegt hier eine Gleichursprünglichkeit vor).

Der Wert ist «im Grunde genommen gerade das Ansich-für-sich-Sein
jedes Bewußtseins (ist), insofern sich allein auf seinem Grund jedes
Bewußtsein als Bewußtsein von sich selbst gewinnt.»[35]

Die «Dekompression» des Seins im Bewußtsein und die Konstitution
des Wertes erweisen sich als reziprok: eine Philosophie des Seins (Ontologie) vermag den Wert nur als eine ihr immanente Teleogie zu denken, die
ihrerseits dem *naturalistischen Fehlschluß* zum Opfer fällt. Die Differenz
und die Einheit von Unbedingtheit und Nicht erweisen sich somit bei
Sartre als die formale Struktur von Bewußtsein und Ethik. Die Bewußt-

---

[33] Ebd. 45.      [34] Ebd. 49.

[35] Ebd. 51. Unter diesem Gesichtspunkt läßt sich der philosophische Essay *Die Transzendenz des
Ego* ebenfalls lesen. (La transcendance de l'ego, Paris 1964/Hamburg 1982). Das ICH (moi) beschreibt
Sartre hier als ein psychophysisches Objekt, welches als Transzendentes phänomenologisch unter die
epochè fallen muß, im Gegensatz zum Ich (je) als Transzendentalem. «Das ICH erscheint nur mit
dem reflexiven Akt und als noematisches Korrelat einer reflexiven Intention. Wir beginnen zu ahnen,
daß das Ich und das ICH eins sind. Das Ich ist das Ego als Einheit der *Handlungen*. Das ICH ist das
Ego als Einheit der Zustände und der Qualitäten. (59; Hervorhebung von mir, J.-P. Wils).

seinsabhängigkeit der formalen Geltung des Wertes impliziert aber nicht die Dependenz der Geltung seines Inhaltes *vom* Bewußtsein (obwohl Sartre diese oft nahelegt).

Die im Bewußtseins- und Subjektivitätstheorem wegen der Seinsohnmacht des Bewußtseins implizierte Notwendigkeit einer hermeneutischen Auslegung kann deshalb nur formal (bzw. transzendental) in der Bewußtseinsimmanenz nachgewiesen werden, sie bedingt aber eine konkrete, modellhafte Rekonstruktion der jeweiligen Applikation dieses Bewußtseins. Dabei bleibt umgekehrt das applikative Modell dem formalen Kriterium der Bewußtseinstheorie unterworfen. Dem individuellen Allgemeinen der subjektivitätstheoretischen Reflexionen entspricht das Modell als Schema des Unbedingten und als dessen individuelle Applikation. Sartres «Kritik der dialektischen Vernunft» kann als die Methodologie einer solchen Hermeneutik gelesen werden, seine Flaubertbiographie als deren konkrete Adaption.

## P. Ricoeur

Die Hermeneutik P. Ricoeurs weist mit Sartres Theorie des Subjekts gewisse Affinitäten auf, richtet sich aber noch stärker am Strukturalismus aus. Auch für ihn ist der im Subjektbegriff implizierte Akt der autarken Selbstvergewisserung fragwürdig und schwankend geworden. Für Ricoeur haben Psychoanalyse und Strukturalismus das Subjekt zwar nicht ersetzt, aber doch wesentlich «versetzt». Zwischen der formal-thetischen Struktur des Bewußtseins und der inhaltlichen Adäquation seines So-seins sieht Ricoeur einen «Keil». Dadurch hat die Reflexion die Sicherheit des Bewußtseins eingebüßt und ist die Identifizierung des *Cogito* mit dem «unmittelbaren Bewußtsein» als einen Narzißmus entlarvt. Der «Schwund» des Cogite bzw. seine Eingrenzung bezieht sich dabei nur auf die inhaltliche Selbstauslegung, nicht auf die unmittelbare Gewißheit. Diese Unterscheidung entdeckt man auch bei Ricoeur in seiner Unterscheidung von Semiotik und Semantik: «Die Relation von Zeichen und Zeichen enthält die semiologische Funktion; in der Vorstellung des Wirklichen durch das Zeichen dagegen liegt die semantische Funktion... Gewährleistet dann nicht gerade die Bedeutungsintention ... vermöge ihrer Transzendenzbeziehung die innere Einheit des Zeichens? Würden das Bezeichnende und das Bezeichnete wirklich zusammenhalten, wenn nicht die Intention der Bedeutung wie ein Pfeil durch sie hindurchginge in Richtung auf ein mögliches Relatum?»[36]

Die Gewißheit des Cogito findet sich hier in der semantischen Intentionalität des Sprechenden wieder: der Pfeil der Intention beantwortet die Instantaneität der Gewißheit. Im Akt des Sprechens hebt der Sprechende die Sprache als Positivität auf zugunsten der intendierten Objektivität. Das semiotische *Vehikel* verschwindet in der semantischen Referenz. Entsprechend will Ricoeur «die Begriffe des strukturierten Inventars durch solche der strukturierenden Operation ersetzen»[37], durch das *Wort* (parole). Dieses hat zwar teil am System (Struktur), weil die semiotische Differentialität seine semantische Präsenz bedingt, diese Konzession an die Linguistik verschwindet aber bei Ricoeur in dem *Ereignischarakter* des Wortes. In der Aussage aktualisiert es sich semantisch als intentionaler Zusammenhalt der Zeichenrelation: es ist also für Ricoeur nicht wesentlich durch seine diakritische Situiertheit determiniert. Die Sprache erscheint deshalb als eine «geregelte» Polysemie. Diese übt als limitative Wirkung auf die potentielle Wucherung der parole («die Expansionstendenz in dem kulminativen Prozeß des Wortes»[38]) einen begrenzenden Einfluß aus. Die meta-semiotische Intentionalität der Semantik läßt sich aber mit dieser abermaligen Konzession an die Sprachwissenschaft nicht harmonisieren, ihr Status ist zu stark konturiert.

Ricoeur nimmt also einen Widerspruch in Kauf. Denn es läßt sich nicht einsehen, wie die semiotische Systemhaftigkeit die Aktualität der *parole* auf diejenige semantische Referenz restringieren sollte, die in der unkontrollierten semantischen Potentialität der parole doch unterzugehen droht. Denn die Struktur und Kohärenz der semiotischen Zeichenrelation wird für Ricoeur doch ihrerseits allererst von der semantischen Intentionalität des Sprechenden hervorgerufen. Darüber hinaus kann die semantische Ermöglichung des Wortes in der Diskretion seiner «differentiellen» Entstehung, die eben bedeutungskonstitutiv ist, *nicht zugleich* der semantischen Intentionalität eines Bewußtseins geopfert werden, das die Referenz nun außerhalb der Zeichenrelation ansiedelt. Mit anderen Worten: auch wenn man Ricoeur zugestehen muß, daß das Sprechen für die Aktualität der Bedeutung der Sprache inchoativ ist – dies zu leugnen

---

[36] P. Ricoeur, Die Frage nach dem Subjekt angesichts der Herausforderung durch die Semiologie. In: Ders., Hermeneutik und Strukturalismus. Der Konflikt der Interpretationen, Bd. I, München 1973, 137–170, 156f.
[37] P. Ricoeur, Die Struktur, das Wort und das Ereignis, a.a.O. 101–122, 116.
[38] Ebd. 119.

wäre absurd –, kann man daraus nicht die Unabhängigkeit dieses Anfangs von der Primordialität der Sprache ableiten: der Sinn des Sprechens bleibt als Intention stets virtualisiert und aufgehoben in dem Netz der Sprache selber.[39]

Für Ricoeur ist dagegen der Weg über das Zeichen nur ein «Umweg», weil es eine prä-semische «Geburt des Menschen zur Ordnung des Zeichens» gibt, «den Beginn eines bedeutungsgebenden Lebens»[40], das durch die semiotische Vermitteltheit des Sinns keineswegs erschüttert wird, sondern in der Hermeneutik der *konkreten Reflexion* mit der Zeichenwelt vermittelt wird. «Das Prinzip der Distanzierung (principe différentiel) ist bloß die Rückseite des Prinzips der Bezugnahme (principe réferentiel).»[41] Bei Ricoeur wird die *Symbolfunktion* des Cogito als semantische Kohärenz der Zeichenrelation von den Modalitäten der Insistenz des Sinnes in der Signifikantenkette (Lacan) prinzipiell nicht getroffen.[42]


§ 3 Das Denken Schleiermachers
als komplexe und problemindikatorische Vermittlung
zwischen Idealismus und Strukturalismus


Am Ende dieser Problemübersicht, welche die Aufmerksamkeit erneut auf die Konstellation «Sprache-Subjektivität-Ethik» lenkte, kommen wir zu jenem Autor, der dieses Geflecht wie kein anderer zum Gegenstand seiner Philosophie und Theologie gemacht hat: zu Fr. D. E. Schleiermacher. Seine Hermeneutik soll uns einen Zugang hauptsächlich zu seinen Schriften zur Ethik erlauben. Diese sind im Kontext der Dialektik, der Glaubenslehre und der Kritik zu entfalten. Die zentrale, allerdings hermeneutisch grundgelegte Frage nach dem Verhältnis von Subjektivität und Ethik nach der «Vollendung des deutschen Idealismus» (Schulz) soll erörtert werden. Das Denken Schleiermachers stellt eine höchst komplexe und pluriforme Vermittlung verschiedenster Fragestellungen dar. Dabei geht es nicht so sehr um die vollständige und unproblematische Auflösung die-

---

[39] Ebd. 119.
[40] Die Schwierigkeit des Unternehmens offenbart sich besonders in der Vagheit folgenden Zitats: «Die geregelte Polysemie ist panchronischer Art, d.h. sie hat zugleich synchronischen und diachronischen Charakter, insofern sich hier eine Geschichte auf Systemzustände projiziert, während die Systemzustände in dieser Sicht nur noch zeitlich begrenzte Querschnitte im Sinngeschehen, im Prozeß der Benennung darstellen.» Ebd. 128.
[41] a.a.O. 163.     [42] Ebd. 166.

ser Problematiken, als vielmehr um die konzeptuelle Verflechtung der Perspektiven.

Schleiermacher steht selbstverständlich in der Tradition neuzeitlicher Subjektivitätsphilosophie. Die Frage, die seit Kant das Denken bewegte, war die nach der Bestimmung des Verhältnisses der kategorialen Allgemeinheit des Begriffs und der Besonderheit der von dieser Kategorialität bestimmten sinnlichen Mannigfaltigkeit. Wie unser Exkurs I verdeutlicht, hat Schleiermacher die Wende, die in der Logik der Begriffsbildung seit Baumgarten dieses Verhältnis in Richtung einer Ästhetik des Beispiels als Ästhetik der Individuierung verstand, prinzipiell mitvollzogen. Er sah deren Ineinsbildung durch die Einbildungskraft in der Ästhetik bzw. in der Poetisierung der Sprache realisiert, und zwar im Sinne der produktiven Determination des Einzelnen. Darüber hinaus aber baute er diese Konzeption in seiner Schemalehre zu einer komplexen Auffassung gegenstandspezifischer Begriffsbildung aus. Diese Ineinsbildung erblickte er im Medium der Sprache als dem konstitutiven Ort dieser Vermittlung. Im Bereich der theoretischen Begriffsbildung (Dialektik), der praktischen (Ethik) und der ästhetischen Begriffsbildung lotete er die Vermittlung des Kategorial-Allgemeinen und des Sinnlich-Besonderen unterschiedlich aus. Dabei kommt bei Schleiermacher der ästhetischen Ineinsbildung von Allgemeinheit und Besonderheit eine idealtypische Bedeutung zu. Ihr Gegenstand, die Kunst, vermag diese Individuierung am freiesten und deshalb am erschöpfendsten durchzuführen. Es wäre allerdings ein Mißverständnis, anzunehmen, die Ethik werde bei Schleiermacher deshalb in Ästhetik aufgehoben. Der Spielraum der Ethik ist wesentlich geringer, ihr transzendentaler Rahmen läßt sie aber an dem gleichen Prozeß der «Vermittlung» partizipieren. Peirce entdeckte sehr viel später in seiner Kategorienlehre die «ästhetische Güte» genau in dieser Perspektive.

Im Gegensatz zu Hegels Lehre vom spekulativen Begriff hat Schleiermacher die Vermittlung von Allgemeinheit und Besonderheit in dem absoluten Werdegang der Vernunft für nicht auflösbar gehalten. Nicht die Interpretation sämtlicher Phänomenbereiche der Realität in dem logischen Schema der zunächst phänomenabstinenten Begriffsbildung des Absoluten, sondern die *phänomenspezifische* Intensität der Vermittlung, die deshalb das Absolute, weil es kein Phänomen (Erscheinung) ist, außerhalb der Bewegung läßt, steht hier Modell. Die Ethik bezieht Schleiermacher deshalb enger auf die Begriffsallgemeinheit als die Ästhetik.

Schleiermachers Rede von der «Differenz», die in der Sprache das bedeutungskonstitutive Differential von Allgemeinheit der Regel und

Besonderheit der Regelapplikation bedeutet, steht darüber hinaus für die Absolutheit der Differenz im Prozeß der Verbegrifflichung der Wirklichkeit als *die Differenz des Absoluten* selbst. Genau hier situiert sich das Theorem des «Gefühls schlechthinniger Abhängigkeit».

Gerade dieser Unterschied zu Hegel qualifiziert Schleiermacher in seiner Lehre vom Selbstbewußtsein und dem darin begriffslogisch situierten Grund der Sittlichkeit zu dem legitimen Nachfolger von Kant, Fichte und Schelling. Die Differenz des Allgemeinen und des Besonderen -Hegels Vorwurf gegen die Reflexionsphilosophie von Kant, Fichte und Schelling – bestimmte aber seit Kant das Denken. Wie wir sahen, war die Differenz bzw. die Absenz der Vermittlung bei Kant an den Schwankungen im Bereich der Bestimmung der Funktion der Einbildungskraft ablesbar. Sie war präsent in der reflexionstheoretischen Bestimmung des Selbstbewußtseins und machte die *Unvordenklichkeit* der Freiheit als ihre Nichtdeduzierbarkeit aus. Fichtes Produktionstheorie des Selbstbewußtseins dokumentierte einerseits die Nähe des Letztbezugs der Subjektivität zur ästhetischen Metaphorik (Augenmetapher), andererseits aber auch die *phänomenale* Angewiesenheit des theoretischen und praktischen Wissens auf die transzendentale Differenz als *Seinsmangel* im Rahmen idealistischer Fragestellung. Während Schelling in seinen frühen Schriften die Fragestellung Fichtes weiterführte und sie vor allem im praktischen Bereich mit der Frage nach der Konstitution des Willens verband, wird die *Differenz* in der Spätphilosophie als Differenz von negativer (Reflexions-)Philosophie und positiver Philosophie (Philosophie der Mythologie und der Offenbarung) umschrieben. Schleiermachers Bedeutung liegt darin, den allerdings nicht diskursiv auflösbaren, aber für das Selbstbewußtsein und die Sittlichkeit (cfr. D. Henrich) konstitutiven Rahmen der nicht-hegelschen Philosophie durchgehalten und seinerseits neu thematisiert zu haben. Diese Fragestellung hatte *gerade in ihrem Scheitern* angesichts der von ihr selber gesetzten Prämissen der reflexionstheoretischen Deduzierbarkeit ihre *den Phänomenen angemessene* Problementfaltung unter Beweis gestellt.

Während bei Feuerbach, Schopenhauer und Nietzsche die Fragestellung durch eine Reontologisierung des Willensproblems (wie schon partiell bei Schelling) und durch eine Verdachtshermeneutik eine andere Ausrichtung bekam, vermochte Kierkegaard, trotz der Existentialisierung und der ethisierenden Kritik, das Verhältnis des *Inter-esses* von Allgemeinheit und Besonderheit durchzuhalten und erneut in seiner bewußtseinstheoretischen und praktisch-transzendentalen Legitimität zu bestätigen.

Schleiermachers präzise Kenntnis der Strukturiertheit der Sprache (als Ort von Identität und Differenz, von Allgemeinheit und Besonderheit) hat ihn daran gehindert, die Konsequenz Hegels zu ziehen. Dieser hielt die Sprache für identisch mit den allgemeinen Bestimmungen des Denkens und betrachtete sie deshalb im Verhältnis zum Denken als eine sekundäre Wirklichkeit. Diese Kenntnis bedingt die Stellung Schleiermachers im Gespräch mit der Hermeneutik und dem Strukturalismus. Unser Blick auf die hermeneutischen Ansätze von H. Lipps, H. G. Gadamer, J. P. Sartre und P. Ricoeur hatte zum Ziel, das Bedingungsganze von Sprachauffassung, Ethik und Subjekttheorie zu skizzieren, wobei vor allem in Sartres Bewußtseinsphänomenologie, in dem Theorem des «néant» als Seinsmangel, der Ort der Wert-schöpfung sowohl eine Nähe zum Idealismus als auch zu Schleiermachers Ausführung zu dokumentieren hatte.

*Die herausragende Bedeutung Schleiermachers liegt aber darin, daß er, ausgehend von einer Theorie der Sprache, heute die wichtigste Vermittlungsstelle zwischen den Subjekt- und Ethiktheorien der Neuzeit einerseits und dem französischen Strukturalismus andererseits darstellt. Dabei vermag der Theologe Schleiermacher streng unter den Bedingungen beider Pole zu sprechen, ohne deshalb die «theologische» Rede zu einer bedingten zu machen.*

Wenn man den Strukturalismus einerseits generell als eine nicht subjektlose, aber statt nach dem «*Sinn*» des Subjekts nach dem «*Subjekt*» des Sinns fragende Philosophie, als *ein sprachtheoretisch bedingtes Denken dezentralisierter bzw. epizentrierter Subjektivität* versteht und man andererseits dem Subjektivitätstheorem der Neuzeit, trotz seines *bedingten* Scheiterns, die Einsicht in den Konstitutionszusammenhang von Subjektivität und Ethik zutraut, kommt man an Schleiermacher nicht vorbei. Die Arbeit hatte sich dann auch zum Ziel gesetzt, das Denken Schleiermachers als *den* problemgeschichtlichen Ort auszuweisen in dem Gespräch zwischen klassischer Subjektivitätsphilosophie und jenem Teil der Moderne, der in der Theologie unter seinem systematisch-ethischen Gesichtspunkt fast vollständig ausgeblendet wurde.

Die Sprache ist die Gelenkstelle, die Schleiermachers Fragestellung mit jener Moderne verbindet. Trotz selbstverständlicher terminologischer Andersheit vermag der Einstieg in das Denken Schleiermachers über seine Hermeneutik die Nähe zu der von de Saussure ausgehenden und bei Jakobson, Trubetzkoy und Hjelmslev ausgebauten Sprachtheorie moderner Linguistik zu verdeutlichen, ja sie ist für den kundigen Leser eklatant. Das sprachtheoretische Fundament, das Schleiermacher als die Durchdringung von Regelallgemeinheit und applikativer Besonderung, als «divinatorische» Bedingung problematischen Sinnverstehens und Sprechens auf einen generellen Nenner bringt, ist *das konstitutive Schema* sowohl der Dialektik, der Theologie, der Ethik als auch der Ästhetik. Dieses Schema, das bei Maimon schon ansatzhaft vorhanden war, allerdings noch keine philosophische Konsequenz zeitigte, wurde, mit Ausnahme von Schleiermacher, erst im französischen Strukturalismus, zunächst anhand des Strukturbegriffs, dann anhand des Zeichenbegriffs philosophisch interpretierbar.

Die Anthropologie des Lévi-Strauß hat sich als groß angelegter Versuch dargestellt, die Stellung des Cogito in der Erklärung ethnologischer Problembereiche zugunsten einer Elementarlogik des Geistes wesentlich zu reduzieren in der Absicht, die Unbewußtheit des universalen Binärismus als Garantie für den Objektivitätsstatus ethnologischer Sätze zu verwenden. Die Unbewußtheit sollte die Einheit von Methode und Objekt wegen der *Universalität* des Binärismus ermöglichen. Die «Schematisierung», die Lévi-Strauß als (sprachlich) strukturelle Bedingtheit des Menschen *generell* in Anspruch nimmt, hat bei ihm – besonders in der Mythenanalyse – zu der Konsequenz geführt, daß der Ikonoklasmus der Mythentheorie (aufgrund ihres enttäuschenden Charakters) die Kehrseite einer Bilderproduktion war, die wegen der *ontologischen* Gemeinsamkeit zwischen Methode und Gegenstand die Wissenschaft der Mythen zum Mythos einer Wissenschaft machte. Zusätzlich hat sich die Insuffizienz der Kultur- und Institutionenauffassung angesichts der selbstreflexiven Komplexität moderner Gesellschaften herausgestellt. Gerade das Denken Schleiermachers, das mit Lévi-Strauß eine Nähe zu ästhetischer, idealtypischer Ausrichtung der Theorie teilt, verbindet eine differenzierte Schema- und Bildlehre mit einer Theorie der Selbstreferenz bzw. des transzendentalen Selbstbewußtseins. Deshalb wird die *Bilderproduktion* nicht zu einem kriterienlosen, ästhetischen Ersatz für die Theorie.

Weil sowohl Michel Foucault, als auch Roland Barthes zu einer ästhetischen Auflösung der Subjektivität tendieren, gilt das Gesagte auch für ihre Theorien. Zusätzlich hatte sich in der Theorie der Historie bei Foucault das Desiderat ergeben, die epochenbedingte, archäologische Schematisierung der Vernunft (gen. obj.) durch eine Theorie schematisierter und *schematisierender* Vernunft zu ergänzen. Dies geschah in der Hoffnung, einem drohenden Positivismus zu entgehen. Die Ethik des Mitleids (Lévi-Strauß), Foucaults Ethik des Denkens und des *Leibapriori* und Barthes' Ethik der Unentscheidbarkeit als Ethik der Unvollkommenheit partizipieren an der gleichen Begründungsdefizienz ihrer theoretischen

Bedingungen. Lacans Versuch, die Genese und Konstitution des Subjekts anhand der sprachaffinen Strukturierung der Psyche zu rekonstruieren, führt unmittelbar an Schleiermacher heran. Die diffizile Form der *Subjektivität der Sprache*, das gemeinsame Merkmal einer jeden Hermeneutik, indiziert bei Lacan das Unbewußte als jene Ungleichzeitigkeit des Subjekts mit sich, die den Seinsmangel angesichts der Transzendenz des Wissensgrundes andeutet. Lacans Auffassung über die sprachliche Konstitution des Sinnes des Subjekts als die Überführung einer «signifikanten Synchronie in jene ursprüngliche zeitliche Schwingung, die das konstituierende fading seiner Identifizierung ausmacht», ist bei Schleiermacher durchaus vorhanden. Der differentielle Status der Sprache als die besondere Applikation des Allgemeinen wird bei Schleiermacher repräsentiert in der «fluktuierenden Schematisierung» der Begriffsallgemeinheit und der sinnlichen Besonderung in der absoluten Differenzierung der schematisierenden und schematisierten Subjektivität. Diese Differenz des Absoluten bzw. diese Differenzierung des Absoluten als Abwesenheit und Verzögerung seiner unmittelbaren Präsenz bedingt bei ihm eine «bildhafte», «symbolische» Selbstidentifikation (Lacan) theoretischer, praktischer, religiöser, ethischer und ästhetischer Natur.

Die philosophische Semiologie Derridas schließlich hat sich als die radikale Weiterführung und als «transzendentale» Interpretation jener Differenz ergeben, die im Denken Schleiermachers ihrerseits einen transzendentalen Status erhält. Derrida hat sowohl für den Bereich der Idealität der Sprache (die Wiederholung als idealisierende Bewegung von Idealität bzw. Allgemeinheit und Faktizität bzw. Besonderung), als auch für die Begründungsform der Ethik (die Differenz als transzendentale Verzögerung; die Mittelbarkeit des Anderen) generell die in Schleiermachers Theorem der unendlichen Schematisierung und Verbildlichung enthaltene Theorie der Schematisierung des Unendlichen (gen. subj. *und* obj.) zu einer Theorie absoluter Nicht-Präsenz weiterentwickelt. In dieser Theorie erweist sich die faktische Endlichkeit der Subjektivität (das Gefühl *schlechthinniger* Abhängigkeit) als die endliche Bedingung signifikanter Idealität und ethischer Transzendentalität. Gerade diese wesentliche Nicht-Präsenz hatte in der Philosophie des Idealismus (Kant, Fichte, Schelling) und bei Schleiermacher in der selbstbewußtseinstheoretischen Verankerung der Sittlichkeit die bedeutungskonstitutive und insofern transzendentale Apriorität der Differenz von Allgemeinheit und Besonderheit angezeigt.

## Exkurs: Die Tradition der Logik der Begriffsbildung

*Schleiermacher* konnte auf eine eindrucksvolle Tradition zurückgreifen, um seine in der Dialektik grundgelegte «Logik der Begriffsbildung», die neben der Hermeneutik sämtliche Operationen seines Denkens am Leitfaden des Verhältnisses von Allgemeinheit und Besonderheit strukturiert, zu untermauern. *Francis Bacon* hatte in seiner Schrift»De dignitate et augmentis scientiarum» (1623) eine Logik der Induktion (inventio) entworfen, die das «untere» Vermögen der Sinnlichkeit in die Begriffsbildung mit einbezog und das *Emblem*[1] als «Versinnlichung» der Gedanken der abstrakten Memorierleistung in der Genese des Begriffs zur Seite stellte. Sowohl *Baumgartens* Grundgedanke der «Aesthetica» (1750-1758), daß die Kunst versinnliche (deducere intellectuale ad sensibile), als auch *Schleiermachers* Rede vom Bild sind hier schon grundgelegt. Bacons psychologische Einteilung der Logik hat neben der von *Descartes* und *Leibniz* eingeleiteten «ars inveniendi» der Mathematik die psychologische Wendung in der Begriffsbildung bei *Rüdiger* beeinflußt, der die «inventio» eine «ars ingenii»[2] nannte.

In *Tschirnhausens* Logik «Medicina mentis sive artis inveniendi praecepta generalia» (1687)) hat diese «Kunst» sich ausdrücklich mit der *Imagination* (Einbildungskraft, imaginatio) verbunden, so daß die Logik des Begriffs (conceptus) zu einer Logik des Begreifens (concipere) wurde. *Leibniz'* Ablehnung des Syllogismus in der Wahrscheinlichkeitslogik spiegelt sich wider in folgendem Satz seiner «Neuen Abhandlungen»: «Bei der Einteilung des Vernunftvermögens kann man ... nicht über zwei Teile derselben, die Erfindung und das Urteil unterscheiden.»[3] *Arnaulds Logik von Port-Royal* unterscheidet an dieser Stelle zwischen «Analyse» (méthode de résolution/invention) und «Synthese» (méthode de composition/doctrine)[4]. Variationen finden sich noch bei *Crusius*[5], bei *Reimarus*[6], der den «Witz» als das Vermögen, verborgene Ähnlichkeiten in der Begriffsbildung zu entdecken, verstand, und in *Lamberts*[7] Rekurrenz auf die Bedeutung des Einfalls in der Logik.

---

[1] «Emblema vero deducit intellectuale ad sensibile; sensibile autem semper fortius percutit memoriam, atque in ea facilius imprimitur quam intellectuale.» De dignitate et augmentis scientiarum, London 1652, 374.

[2] De sensu veri et falsi, Lib. I, Cap. 2, 46, Halle 1709.

[3] Neue Abhandlungen über den menschlichen Verstand, Hamburg 1971, 576.

[4] A. Arnauld, Die Logik oder die Kunst des Denkens, Kap. IV, 2, Darmstadt 1971, 291.

[5] Chr. A. Crusius, Wege zur Gewißheit und Zuverlässigkeit der menschlichen Erkenntnis, Leipzig 1747, 111. Crusius trennt zwischen «Empfindungskraft», «Gedächtnis», «Beurteilungskraft» (iudicium) und «Erfindungskraft» (ingenium), lehnt aber die Einbildungskraft als «derivierte» ab.

[6] H. S. Reimarus, Allgemeine Betrachtungen, Hamburg 1760, § 26.

[7] J. H. Lambert, Logische und philosophische Abhandlungen II, Berlin 1782, 166.

*Die Logik der abstrahierenden Begriffsbildung, wie sie in Anschluß an Wolff und Baumgarten vertreten wurde, führt direkt zu Schleiermacher.* In der *Wolff-Schule* werden in der Bildung der Begriffe «klare» und «deutliche» Vorstellungen unterschieden. Klarheit drückt die Qualität der Sinnesvorstellungen aus. Deutlichkeit gewinnen die Vorstellungen erst in der Abstraktion zu Begriffen. Die Aufmerksamkeit oder *«facultas attendi»* trennt die konfusen Perzeptionen und zerlegt sie in klare und deutliche Elemente, die dann von der *«facultas abstrahendi»* logisch zum Begriff «erweitert» werden. Dabei büßen sie jedoch an Fülle bzw. Gehalt ein. Baumgarten geht nun davon aus, daß eine Vorstellung, die noch möglichst viele Merkmale besitzt, umso klarer ist, je mehr sie davon noch hat. Zusätzlich wird noch eine Unterscheidung vorgenommen zwischen «extensiver Klarheit», welche die parataktische Ansammlung der Merkmale betrifft, und «intensiver Klarheit», die ein Merkmal zerlegt in weitere Merkmale. Die extensive Klarheit zielt auf die vollständige Bestimmung eines Gegenstandes im Sinne der Einmaligkeit: sie heißt deshalb *«Individuum»*. Die Fähigkeit des Verstandes, «intensive Begriffe» zu bilden, nennt Baumgarten seine «Tiefe» oder «Reinheit», seine Fähigkeit der «extensiven Begriffsbildung» heißt *«Schönheit»*: *«Perfectio intellectus notas intensive distinctas formandi est profunditas, et maior profunditas puritas. Perfectio eiusdem notas extensive distinctas formandi est intellectus pulchritudo.»*[8]

Die Distinktion von Klarheit und Deutlichkeit und vor allem die Liaison der Deutlichkeit mit der abstrahierenden Arbeit des Verstandes führen bei dem *ästhetischen* Geist eines *Sulzer* und bei *Meier* zu einer Invektive gegen den Verstand und zu einer Gegenüberstellung von Allgemeinheit und Individuum. Sulzer nennt die Abstraktion kurz ein «Vergessen»[9] und Meier «ein bloßes Blendwerk»[10]. Während die abstrahierende Begriffsbildung auf dem Weg zu den Allgemeinbegriffen in eine Inhaltsleere führt, die Sein und Nichts inhaltlich angleicht (cfr. Hegels Anfang der Seinslogik!), muß der *Zug nach unten* die Frage nach der *individualisierenden Begriffsbildung* hervorrufen. Sie führt unmittelbar in *Baumgartens Ästhetik*. Zunächst kam ihr die Tendenz der Epoche entgegen, das Bildungsideal der Gelehrsamkeit zu erweitern. Sie sollte neben der rationalen Diskursivität die Sinnlichkeit rehabilitieren und somit die Verstandesallge-

---

[8] Metaphysica, Halle 1739, §637.
[9] J. G. Sulzer, Philosophische Schriften, Leipzig 1773–81, 271.
[10] G. Fr. Meier, Vernunftlehre, Halle 1752, §296.

meinheit und *die Sinnlichkeit als Tendenz zum Individuum*[11] zusammenschauen. Der Kunst kommt nun die Aufgabe zu, dieses Ideal zu realisieren, nämlich das begrifflich nicht Faßbare, aber deshalb nicht Unbegriffliche und Unbegriffene *darzustellen*. Die Ästhetik ist die dazu gehörende Theorie. Die Frage nach der In-eins-bildung des Allgemeinen und des Individuellen hatte die Tradition der Rhetorik in der Theorie des *Beispiels* beantwortet, welche die Mitteilbarkeit (enuntiatio) des Mitgeteilten erhöhen sollte. Sie hatte das Beispiel nach der aristotelischen Logik der Induktion konzipiert. In seiner «Analytik» definierte dieser die Induktion als Schluß aus der Ähnlichkeit eines Untersatzes mit einem anderen Untersatz auf den Obersatz als das Allgemeine, wobei die Gültigkeit des Obersatzes für den zweiten Untersatz, der als Beispiel fungiert, vorausgesetzt wird. Allerdings ist dieses Verfahren keine bloße Subsumption, denn das Ziel des Analogieschlusses ist nicht die Allgemeinheit des Obersatzes, sondern *das «Konkrete»*, zu dessen Bestimmung der Obersatz dient, wobei dieser wiederum durch seine Veranschaulichung im Beispiel verlebendigt wird.

*Trendelenburg* hatte in seinen «Erläuterungen zu den Elementen der aristotelischen Logik» (1876) auf den Zusammenhang des altdeutschen «Bispel» mit der Fabel hingewiesen (83) und gegen Meiers Auflösung der Erkenntnisfunktion des Allgemeinen dieses als *Erkenntnisprinzip* des Besonderen gegen seine ästhetische Verflüssigung in Schutz genommen. Die Poetik *Gottscheds* verstand die Fabel, wie die Beziehung des Beispiels auf seinen Obersatz, als Relation zwischen dem allgemeinen moralischen Obersatz und dem konkreten Vorgang.

Für Trendelenburg war «das Beispiel (die Analogie) von vornherein nicht eigentlich darauf gerichtet, ein Allgemeines *als solches* für die Erkenntnis zu bilden, sondern ein Einzelnes durch ein Allgemeines zu erkennen.»[12] *Baumgarten* hat nun diese Einsicht in eine *Logik des Beispiels/des Individuellen* als Kern seiner Ästhetik eingehen lassen und die Bewegung der Begriffsbildung, die bei Wolff auf intensive Klarheit ging, auf die extensive Klarheit als Schönheit umgeleitet. Die kleine Schrift aus dem Jahre 1735, die «*Meditationes philosophicae de nonnullis ad poema pertinentibus*», versteht die Metapher als «poetische Individualisierung» und die Poesie überhaupt als eine «repraesentatio singularis»: «*Individuen sind*

---

[11] A. Bäumler in seiner Schrift «Das Irrationalitätsproblem in der Ästhetik und Logik des 18. Jahrhunderts», Darmstadt 1981 (Halle a.d. Saale 1923¹), nennt diese Tendenz eine «Rechtfertigung der Sinnlichkeit» oder eine «ästhetische Theodizee» (28).

[12] Erläuterungen, 83.

*allseitig determiniert; also sind Einzelvorstellungen sehr poetisch*» (§ 19). Die Logik des Beispiels ging aber ebenso auf das «Individuum»: «Exemplum est repraesentatio magis determinati ad declarandam repraesentationem minus determinati suppedita. Das Beispiel ist eine Vorstellung des individuell Bestimmteren zur Erklärung der Vorstellung eines weniger individuell Bestimmten.» (§ 21). Den Begriff «Erklärung» muß man allerdings als *Klarmachung* (Klärung) auffassen, wenn die kognitive Konnotation nicht irreführen soll. Das Beispiel ist nämlich keine bloße Nachahmung eines allgemein Sanktionierten, keine Adaption oder schlichte Versinnlichung der Idee, sondern nach Art einer ästhetischen Induktion die Klärung oder das Klar-machen des höheren Begriffs. In der «Aesthetica» heißt es dementsprechend: «Conceptus inferior suum superiorem, sub quo continetur, declarans, s. clariorem reddens, est exemplum.» (§ 526) Wenn Baumgarten nun die Fabel als «exemplum sentantiae stricte dictum» (§ 536) definiert, dann ist die Aufgabe des «ethischen» Beispiels in der Fabel ebenfalls mehr als die bloße Veranschaulichung des allgemeinen moralischen Gesetzes, *sondern die konkrete Klärung und individuelle Transparenz (!) des Gesollten als seine «Ästhetisierung» im Sinne der ästhetischen Wahrheit.* (§ 566)

Die mannigfaltigen Beziehungen, welche die Ethik und die Ästhetik in den darauffolgenden Jahren eingehen werden (Kant, Schiller, Goethe), sind ohne diese Entwicklung nicht verständlich.

Baumgarten unterschied eine formale Wahrheit von einer materialen Wahrheit und faßte letztere als «Übereinstimmung eines Dinges mit den allgemeinsten Regeln» auf (§ 423). Im Gegensatz zur Abstraktion ist es dabei die Aufgabe der «determinatio», die «Einstimmung» des Allgemeinen (des Begriffs/der Regel) und des Besonderen (der Sinnlichkeit) über deren «Graben» hinweg zu erproben und statt der Schalheit des Abstrakten und der Unbestimmtheit der sinnlichen Besonderheit die Individualität in ihrer ganzen Fülle («venusta plenitudo», § 585) als Schönheit zu realisieren. Diese Realisation ist somit nicht die Aufgabe des Verstandes, sondern *des ästhetischen Sinnes.* Die schwierige Ineinsbildung faßte Baumgarten deshalb nicht zufällig als *Einbildungskraft:* «Strictissime verorum eatenus est veritas aesthetica, quatenus ea sensitive percipiuntur vera, sensationibus vel imaginationibus.» (§ 444) Die ästhetische Wahrheit nimmt – wie das Vermögen der Einbildungskraft bei Kant – eine Stelle ein zwischen Sinnlichkeit (sonst wäre sie nicht ästhetisch) und Verstand (sonst wäre sie nicht wahrheitsfähig). Sie heißt deshalb: *analogon rationis.* Die Schönheit ist deshalb keine unvermittelte, direkte Qualität der Sinnlichkeit, sondern die «Folge» sinnlicher Vorstellungen, die einen der Vernunft *ähnlichen* Zusammenhang aufweisen können. «Veritas aesthetica requirit obiectorum pulchre cogitandorum nexum cum rationibus et rationatis quatenus ille sensitive cognoscendus est per analogon rationis.» (§ 437) Wenn daher die Schönheit von Baumgarten wegen ihrer vernunftaffinen Idealität eine «perfectio cognitionis sensitivae» genannt wird, *muß die Versinnlichung der Wahrheit bzw. die Wahrheit der Versinnlichung (gen. Obj.) als ein Optimierungsverhältnis der in die Sinnlichkeit eingebildeten Wahrheit, als deren Steigerung und Perfektibilität aufgefaßt werden. Weil die Schönheit gleichzeitig an die Individualität des Exempels gebunden ist als das «besondere Allgemeine», ist diese Perfektibilität zugleich eine Individualisierung.*

Der Grund, weshalb ein Denken, daß die Spannung zwischen Regelabstraktion bzw. verstandesallgemeinheit einerseits und sinnlicher Besonderung andererseits aushalten will und diese Spannung weder zugunsten der kategorialen Rationalität, noch zugunsten des Primats der Sinnlichkeit, noch zugunsten einer spekulativen Dialektik als Prozeß des Allgemeinen aufgeben möchte, auf eine Ästhetik sich zubewegt, ist in dieser Konstellation begründet. Trotz aller in sich differenten, gegensätzlichen Tendenzen treffen sich hier Schleiermacher und die Strukturalisten in der gleichen Absicht. Zugleich läßt sich die Nähe zur Sittlichkeit nicht übersehen: auch sie partizipiert an der Universalität kategorialer Vernünftigkeit und an der Sinnlichkeit ihrer Konkretion. Sie existiert weiterhin phänomenal als das Noch-Nicht dieser Realisation, als der «Seinsmangel» ihrer Ineinsbildung. Die reflexive Vernunftgestalt, die sie dem Sein zutraut, bzw. die Perfektibilität des Seins, besteht im präzisen Nicht-Sein der Seinsfülle des Universalen als Identität des kategorial Allgemeinen und des Besonderen. Diese Seinsfülle würde die Ethik und die Ästhetik als Gestalten dieser Nicht-Identität überflüssig machen. In der Tradition der Logik der Begriffsbildung seit Wolff treffen sich Sittlichkeit und Ästhetik in der Struktur des individuellen Allgemeinen, die als Optimierungsrelation eine «individuelle Ganzheit»[13] genannt werden darf, ein «konkret Allgemeines».

Schleiermacher wird das Verhältnis des Allgemeinen und des Besonderen, das das dialektische (erkenntnistheoretische) Grundmuster seines Denkens darstellt, je nach Gegenstandsgebiet subtil weiterbestimmen. Die Unschärferelation, die dem Verhältnis von Sittlichkeit und Ästhetik häufig anhaftet, liegt genau in ihrer kategorialen Nähe.

---

[13] Der Begriff bezieht sich auf Trendelenburgs «Erläuterungen», 82. «Die Doppelbewegung von dem ähnlichen Einzelnen zu dem Allgemeinen und wieder vom Allgemeinen zu dem Vorliegenden gibt dem Geiste, der darin nicht eine einseitige Richtung verfolgt, sondern ein Ganzes abschließt, eine

*Exkurs: Symbol oder Allegorie*

Die komplexe Geschichte des Symbol- und Allegoriebegriffs im 18. und am Anfang des 19. Jahrhunderts vermag die Schwierigkeit vor Augen zu führen, welche die Verwendung *beider* Begriffe als Bezeichnung für eine Ethik zumindest problematisch macht. Bis zum Ausgang des 18. Jahrhunderts kam der Allegoriebegriff nicht nur bei weitem häufiger vor als der Symbolbegriff, sondern er umfaßte auch eine Bedeutungsbreite, die mit «bildlicher, figürlicher Darstellung» umschrieben werden kann. Dagegen wird der Symbolbegriff erst am Ende des Jahrhunderts und dann vor allem in ästhetischen Kontexten verwendet.

*Kants* Symbolbegriff aus der Kritik der Urteilskraft darf hier eine katalysatorische Funktion zugesprochen werden, weil er den Symbolbegriff von der Konnotation befreite, die ihm seit der Aufklärung anhaftete, nämlich ein *konventionelles Zeichen* zu sein, das dem *diskursiven Verstand* bei logischen Operationen zur Hilfe kommt (sei es im Sinne der jeder Sprache anhaftenden Memorierleistung, sei es im Sinne der symbolischen Logik der Mathematik). Für Kant war das Symbol gerade eine Versinnlichung, eine Darstellung oder Hypotypose eines Begriffs *per analogiam*.

«Es ist ein von den neueren Logikern zwar angenommener, aber sinnverkehrender, unechter Gebrauch des Wortes symbolisch, wenn man es der intuitiven Vorstellungsart entgegensetzt; denn die symbolische ist nur eine Art der intuitiven... Alle Anschauungen, die man Begriffen a priori unterlegt, sind also entweder Schemata oder Symbole, wovon die ersteren direkte, die zweiten indirekte Darstellungen des Begriffs enthalten. Die ersteren tun dies demonstrativ, die zweiten vermittelst einer Analogie (zu welcher man sich auch empirischer Anschauungen bedient), in welcher die Urteilskraft ein doppeltes Geschäft verrichtet, erstlich den Begriff auf den Gegenstand einer sinnlichen Anschauung, und dann zweitens die bloße Regel der Reflexion über jene Anschauung auf einen ganz anderen Gegenstand, von dem der erstere nur das Symbol ist, anzuwenden.» (§ 59)

In diesem Zusammenhang nennt Kant die Schönheit ein «Symbol der Sittlichkeit» und streift dadurch die kategoriale Nähe der Ethik und der Ästhetik in der Tradition der «Logik der Begriffsbildung» (cfr. Exkurs). In den Jahren danach grenzt sich der populär werdende Begriff «Symbol» deutlich ab, nicht nur von seiner Verwendung in der Aufklärung, sondern

eigentümliche Befriedigung, die durch die selbsttätige Erzeugung des Allgemeinen und durch die begleitende Anschauung des ähnlichen Falles noch erhöht wird.» (Siehe auch Husserls Umschreibung der Typenlehre Diltheys und Rombachs Modellbegriff).

auch von den «Symbol» genannten emblematischen Bildern und allegorischen Attributen der Renaissancekunst, aber auch von seiner christlich-religiösen Deutung. Stattdessen wird er ein Hauptbegriff der philosophischen Ästhetik und der Kunstlehre. Er vermag dort die Allegorie zu verdrängen. Vor allem die *ästhetische* Zeichenlehre mit ihrer Vorliebe für das Natürliche und Empfindsame und mit ihrer Abneigung gegen die mit der Allegorie in Verbindung gebrachte Konventionalität als Unnatürlichkeit bzw. Künstlichkeit (Meier, Sulzer, Mendelssohn, Lessing) vermochte dem Symbolbegriff zu einem unaufhaltsamen Aufstieg zu verhelfen, zumal er dem Bedürfnis nach einem weder ideenlosen noch abstrakten Bildtypus sinnlich-organischer Expressivität entgegenkam. Im Unterschied dazu sind die Symboltheorien der Romantik wiederum überwiegend religiös-philosophischer Natur.

*Johann Christoph Gottscheds* Poetik nennt die Allegorie eine «in die Länge gezogene Metapher». Das Hauptmerkmal beider, ihre Funktion als «Zierath poetischer Ausdrückungen», besteht «in den tropischen, uneigentlichen und verblümten Worten und Redensarten». Für Gottsched ist es die Einbildungskraft des Dichters, der «Witz» des Poeten, der diese generelle Fähigkeit der Verbildlichung anleitet als «eine Kraft der Seelen, das Ähnliche leicht wahrzunehmen».[14]

*Johann Jakob Breitinger* bringt die Allegorie in Zusammenhang mit dem «Wunderbaren» und mit der «Fabel» als «lehrreichem Wunderbaren». In seiner 1740 erschienenen «Critische(n) Dichtkunst» wird das Verhältnis von Moral und allegorischer Erzählung aufschlußreich beschrieben. «Jene (die Erzählung; J.-P. Wils) sollte dienen die wahre Absicht des Moralisten künstlich zu verbergen, und allen Verdacht, als ob er mit seinen Vorstellungen befehlen oder beschämen wollte, zu entfernen... Die Fabel ist demnach nichts anders, als eine Erinnerung, die unter die Allegorie einer Handlung verstecket wird, sie ist eine historisch-symbolische Morale, die durch fremde Beyspiele Klugheit lehrt.» (Bd. I, 166f.) Die Allegorisierung ist die Kunst des Verstellens, welche die *Lehre* der Fabel, ihren moralischen Kern, mit einem «Körper», einem «Kleid» oder einer «Maske» einkleidet. Breitinger ist genauso wie Gottsched der rationalistischen Ästhetik der Aufklärung grundsätzlich verpflichtet: der Verstand weiß, «daß die Sache, die verglichen wird, in der That nicht dieselbe ist, mit welcher sie verglichen wird.» (Bd. II, 311f.)

---

[14] J. Ch. Gottsched, Versuch einer Critischen Dichtkunst, Leipzig 1730, 212f.
[15] J. J. Bodmer, Critische Betrachtungen über die Poetischen Gemählde der Dichter, Zürich 1741, 605.

Auch für *Johann Jakob Bodmer* ist die Allegorie, obwohl Produkt schöpferischer Phantasie des Dichters, die pädagogische Einkleidung eines (moralischen) Gedankens: «Man nimmt die moralische Wahrheit als schon bewiesen an, und will nur ein Exempel vor Augen legen, das sie in ihrem rechten Lichte vorstellig macht. Die allegorische Schreibart ist nicht für die tiefsinnigen Geister erfunden, welche abstracté denken können, sondern für die Leute, die gewohnt sind, mit der Einbildung zu arbeiten.»[15]

Während *Georg Friedrich Meier* nicht wesentlich über die rationalistische Allegorienlehre hinausgeht, findet man bei *Johann Joachim Winckelmann* eine breite Reflexion. Die Bilderfunktion der Allegorie besteht darin, allgemeine Begriffe zu bedeuten: «der Pinsel, den der Künstler führt, soll in Verstand getunkt seyn.»[16] Winckelmann verbindet mit der Allegorie eine Zeichenfunktion unwillkürlicher Art, die «natürliche» Korrespondenzen in der Zeichenrelation plötzlich an den Tag zu bringen vermag. Vor allem in dem «Versuch einer Allegorie» von 1766 wird die von Winckelmann partiell eingeräumte Eigenständigkeit der Allegorie gegenüber dem Diskursiven an Hand ihrer semiologischen Eigenheit betont. «Die Allegorie ist, im weitläufigsten Verstande genommen, eine Andeutung der Begriffe durch Bilder ... sie soll die Gedanken persönlich machen in Figuren... Die Natur selbst ist der Lehrer der Allegorie gewesen, und diese Sprache scheinet ihr eigener als die nachher erfundenen Zeichen unserer Gedanken: denn sie ist wesentlich, und giebt ein wahres Bild der Sache.»[17]

Bei *Moses Mendelssohn* fängt aber die Allegorie*kritik* an unter dem Vorzeichen ihrer willkürlichen, geradezu «unschönen» Art. Mendelssohn, der die Logik der Begriffsbildung Baumgartens teilt, lehnt die Allegorie *dann* ab, wenn sie statt auf Klarheit auf Deutlichkeit geht und somit dem Bedürfnis des Verstandes entgegenkommt. «Das Mittel, eine Rede sinnlich zu machen, besteht in der Wahl solcher Ausdrücke, die eine Menge von Merkmalen auf einmal in das Gedächtnis zurückbringen, um uns das Bezeichnete lebhafter empfinden zu lassen als das (willkürliche; J.-P. Wils) Zeichen.»[18] Das von Mendelssohn hier angeführte Kriterium der Lebhaftigkeit und Empfindsamkeit führt unmittelbar in die ästhetische

---

[15] J.J. Bodmer, Critische Betrachtungen über die Poetischen Gemählde der Dichter, Zürich 1741, 605.
[16] J.J.Winckelmann, Gedanken über die Nachahmung der griechischen Werke in der Malerei und Bildhauerkunst. (1755), Dresden 1808–1820, 62.
[17] Dresden 1766, 18.
[18] M. Mendelssohn, Über die Hauptgrundsätze der schönen Künste und Wissenschaften (1757), Schriften Bd. I, Leipzig 1843, 291.

Allegoriekritik Lessings. *Gotthold Ephraim Lessing* lehnte die Verwendung der Allegorie, mittels des Kriteriums der Ähnlichkeit das Allgemeine der Idee konventionell im besonderen Kunstwerk zu *bedeuten*, entschieden ab. Gegen Breitingers pädagogische, rationalistische Verbrämung der Allegorie fordert Lessing in seiner Schrift «Vom Wesen der Fabel» (1759) eine «anschauende Erkenntnis», die «im Exempel der practischen Sittenlehre» (433) das Allgemeine des moralischen Satzes *unmittelbar* besondert. Die Tragweite dessen, was Lessing auf dem Hintergrund der Wolffschen und Baumgartenschen Logik der Begriffsbildung in Hinblick auf eine Ethik *und* Ästhetik des Symbols hier vorträgt, rechtfertigt einen längeren Auszug. «Die anschauende Erkenntnis ist von sich selbst klar. Die symbolische (diskursive; J.-P. Wils) entlehnt ihre Klarheit von der anschauenden. Das Allgemeine existiert nur in dem Besonderen, und kann nur in dem Besondern anschauend erkannt werden... Ein Besonderes, insofern wir das Allgemeine in ihm anschauend erkennen, heißt ein Exempel... Doch die Sittenlehre muß mehr tun, als ihre allgemeinen Schlüsse bloß erläutern; und die Klarheit ist nicht mehr der einzige Vorzug der anschauenden Erkenntnis. Weil wir durch diese einen Satz geschwinder übersehen, und so in einer kürzern Zeit mehr Bewegungsgründe in ihm entdecken können, als wenn er symbolisch (konventionell; J.-P. Wils) ausgedrückt ist: so hat die anschauende Erkenntnis auch einen weit größern Einfluß in den Willen als die Symbolische.»[19] Lessing erblickt also in der Fabel die Möglichkeit, die als richtig anerkannte moralische «Allgemeinheit» direkt zu «besondern» und sie auf diesem Wege *motivierend* zu vermitteln. Allerdings ist Lessings Kritik primär eine ästhetische, so daß der Wert des Exemples zwischen Allgemeinheit und Besonderheit ethisch ungeklärt bleibt: der Status dieser Besonderung angesichts des Allgemeinen des moralischen Satzes wird durch ihre ästhetische Relationierung nicht zureichend erhellt. Die «Hamburger Dramaturgie» (1767) bestätigt diese Feststellung, wenn Lessing dort schreibt: «Jede Moral ist ein allgemeiner Satz, der, als solcher, einen Grad von Sammlung der Seele und ruhiger Überlegung verlangt. Er will also mit Gelassenheit und einer gewissen Kälte gesagt seyn. Allein, dieser allgemeine Satz ist zugleich das Resultat von Eindrücken, welche individuelle Umstände auf die handelnde Person machen; er ist kein bloßer symbolischer Schluß; er ist eine generalisierte Empfindung, und als diese will er mit Feuer und einer gewissen Begeisterung gesprochen seyn.»[20]

[19] G. E. Lessing, Schriften, Bd. VII, Stuttgart 1891, 443f.    [20] Bd. IX, 195.

*Christian Ludwig Hagedorns* «Betrachtungen über die Mahlerey» (1762) versuchten zwar in der Allegoriedebatte eine vermittelnde Stellung einzunehmen, vermochten aber wegen ihres semiotischen Zugangs eine negative Einschätzung der Allegorie nicht zu vermeiden. «Mir deucht, das Zeichen hinterläßt, auch bey dem richtigsten Verhältnis mit dem Bezeichneten, einen Begriff de Abwesenden.» (491) Diese «linguistische» Einsicht weist für Hagedorn auf den unbefriedigenden, scholastisch-sentenzenhaften Charakter der Allegorie hin als eine Belehrung, die der Fülle des Empfundenen abgeht. «Würde jener Überfluß und Mißbrauch uns nicht zuletzt ermüden? Würden wir nicht des in uns stürmenden Witzes, der nur zu oft das Herz leer läßt, der Sprache der Willkür und der Einsetzung überdrüssig werden, und uns der ältesten und lebhaftesten Sprache der Leidenschaften willigst überlassen?»[21]

*Johann Georg Hamann* führt die Diskussion in Richtung einer religiös-ontologischen Symbolauffassung, in welcher das Symbol die sinnliche Korrespondenz von Natur und Unendlichkeit offenbart (Aesthetica in nuce (1762); Die Magier aus dem Morgenland (1760), Werke Bd. II, Wien 1950, 197–211; 139).

Zentrale Bedeutung für den Symbolbegriff der Klassik haben die Schriften von *Johann Gottfried Herder*, obzwar bei ihm die Unterscheidung von Symbol und Allegorie nicht konsequent durchgehalten wird. Er versteht das Symbol als die in der Naturphysiognomik beheimatete *organische* Verknüpfung von Form und Inhalt. Die emphatische Umschreibung der Schönheit in der Schrift «Plastik» umfaßt das Symbol (bzw. die Allegorie) in seiner ganzen Expressivität: «Schönheit ist also nur immer Durchschein, Form, sinnlicher Ausdruck der Vollkommenheit zum Zwecke, wallendes Leben, menschliche Gesundheit.»[22]

*Franz von Baader* ist für die spätere Symboltheorie der Romantik wegweisend gewesen. Das Symbol wird bei ihm, ebenso wie bei Hamann, emphatisch verstanden. «Die sogenannte sinnliche, materielle Natur ist Symbol und Copie der inneren, geistigen Natur. Jede Handlung, That Gottes in der belebten und sogenannten leblosen Natur, der Natur und der Bibel ist semantisch symbolisch. Erfüllung und Aufschluß des Vorhergegangenen, und Keim und Siegel des Zukünftigen.»[23]

Während die Symbolauffassung *Schillers* sich von der theosophisch-mystischen, über die Kantische zu der Auffassung Goethes bewegt,

---

[21] Leipzig 1762, 496.  [22] Sämtliche Werke, Bd. VIII, 56.
[23] Tagebuchnotizen (1786–97), Werke, Bd. 11, Leipzig 1851–55, 75.

kommt es *Karl Philipp Moritz* zu, in der Idee des autonomen Kunstwerks die traditionelle Allegorie mit ihrer Hypothek einer äußerästhetischen Bedeutung zugunsten des symbolischen Kunstwerks verabschiedet zu haben. Diesem liegt die Idee einer Einheit von autonomer *Kunstgestalt* und bedeutendem *Kunstgehalt* zugrunde. Auch bei ihm aber wird der terminologischen Unterscheidung wenig Bedeutung beigemessen, so daß Moritz unter «Symbol» häufig eine gerade nicht-ästhetische Konventionalität versteht. «Das wahre Schöne besteht aber darin, daß eine Sache bloß sich selbst bedeutet, sich selbst bezeichne, sich selbst umfasse, ein in sich vollendetes Ganzes sey... Daher wird durch bloß allegorische Figuren die Aufmerksamkeit, in Rücksicht auf die schöne Kunst, zerstreut...»[24]

*Johann Wolfgang von Goethes* terminologische Unterscheidung zwischen Symbol und Allegorie hat eine Wirkungsgeschichte ausgelöst, die sich faktisch bis heute durchhält, obwohl sie sich in der Romantik nicht durchzusetzen vermochte. Das Symbol «ist die Sache, ohne die Sache zu sein, und doch die Sache; ein im geistigen Spiegel zusammengezogenes Bild, und doch mit dem Gegenstand identisch. Wie weit steht nicht dagegen die Allegorie zurück; sie ist vielleicht geistreich witzig, aber doch meist rhetorisch und conventionell.»[25]

Die diskursive Fassung dieser Distinktion weist unmittelbar auf Schelling hin, wenn Goethe die Allegorie das dem Allgemeinen subordonierte Besondere nennt und das Symbol im Besonderen das Allgemeine sehen läßt. «Das Allgemeine und Besondere fallen zusammen; das Besondere ist das Allgemeine unter verschiedenen Bedingungen erscheinend. Die Symbolik verwandelt die Erscheinung in Idee, die Idee in ein Bild, und so, daß die Idee im Bild immer unendlich wirksam und unerreichbar bleibt.»[26] Während *Johann Georg Sulzer* und *Heinrich Meyer* dieser Distinktion prinzipiell beipflichten, gehen *Wilhelm Heinrich Wackenroder, Ludwig Tieck, Novalis, Friedrich* und *August Schlegel* den Weg des romantischen Universalsymbolismus. *Friedrich Schellings* Unterscheidungen in seiner «Philosophie der Kunst» können als zusätzliche Präzision gegenüber Goethe betrachtet werden. Schelling trennt das Schema («in welcher das Allgemeine das Besondere bedeutet») von der Allegorie («in welcher das Besondere das Allgemeine bedeutet») und dem Symbol («wo weder das Allgemeine das Besondere, noch das Besondere das Allgemeine

[24] Über die Allegorie (1789), Schriften zur Ästhetik und Poesie, Tübingen 1962, 113.
[25] Nachträgliches zu Philostrats Gemälden (1818), Weimarer Ausgabe, Abt. I, Bd. 49, 142.
[26] Maximen und Reflexionen (1823–1829), Schriften der Goethe-Gesellschaft, Bd. 21, Weimar 1907, 123 und 230.

bedeutet, sondern wo beide absolut eins sind»). Erst das Symbol als «Darstellung des Absoluten mit absoluter Indifferenz des Allgemeinen und Besonderen im Besonderen»[27] macht laut Schelling das Wesen der Kunst aus. Die zeitliche Nähe zu Schleiermacher lenkt die Aufmerksamkeit in besonderem Maße auf die folgenden Autoren. Der Sprachphilosoph und Grammatiker *A. F. Bernardi* darf hier nicht unerwähnt bleiben. Bernardis Sprachlehre von 1803 war der groß angelegte Versuch, die romantische Universalsymbolik zu einer Theorie der Bildlichkeit oder der Metaphernbildung weiterzuentwickeln. Für Bernardi ist die Metapher eine Einheit von Sinnlichkeit und Übersinnlichkeit, ein Hinweis auf den Anschauungscharakter der Quellen der Sprache überhaupt. Weil die Anschauung für Bernardi nichts anderes als das Vorstellungsvermögen des Menschen ist, ist die Sprache für ihn «Allegorie unseres Wesens, als Spiegel und Bild von uns selbst.»[28] Die innere Möglichkeit der Metapher als «Bildfunktion» in der Sprache sieht er gewährleistet durch die vorausgesetzte Identität des Sinnlichen unter sich und durch dessen Identität *mit* dem «Übersinnlichen». Entsprechend wurde der «Einbildungskraft» die Aufgabe zugemutet, die Einheit der Idealität des Allgemeinen mit der Faktizität der sinnlichen Besonderheit zu bewerkstelligen. Bernardis sprachphilosophische Bedeutung liegt darüber hinaus darin, daß er Hegels Bemerkung aus der Enzyklopädie (I, 85), daß die Denkbestimmungen des Absoluten in der Sprache liegen, in die grammatische und syntaktische Wirklichkeit umzusetzen versuchte. Die Einsicht, daß «es kein absolutes Zeichen gibt – denn jedes ist auch eine Sache –, so gibt es im Endlichen keine absolute Sache, sondern jede bedeutet und bezeichnet»[29], bedingt wie für Bernardi, so auch für *Jean Paul* das Wissen um die unaufhebbare metaphorische Dimensionierung und ästhetische Ausrichtung der Sprache generell. Für die Frage nach der Stellung des Symbols und der Allegorie in der Relationierung des Allgemeinen und des Besonderen als *das* Problem der deutschen Klassik ist die Stellung *Wilhelm von Humboldts* unübersehbar. Auch bei ihm steht die Wolffsche Logik der Begriffsbildung im Hintergrund, wenn es heißt: «Die Klarheit ist keine solche, die was dunkel oder verwickelt scheint, entfernt, sondern die, welche den reichsten und gehaltvollsten Stoff bestimmt auseinander legt.»[30]

[27] Philosophie der Kunst (1802), Werke III, München 1927, 426.   [28] Sprachlehre, Teil II, Berlin 1803, 11.
[29] J. Paul, Vorschule der Ästhetik (1804), Werke Bd. XI, Weimar 1935, 168.
[30] Latium und Hellas oder Betrachtungen über das klassische Altertum (1806), Schriften Bd. II, 151.

Diese Auffassung mußte wegen des mit der Allegorie konnotierten Problems ihrer rationalen Usurpierbarkeit zwangsläufig zu dem Symbolbegriff führen. In einem Brief an Jacobi schreibt er deshalb: «Allein das Symbol ist kein Satz, keine Idee einmal, die sich in Worten ausdrücken läßt, und noch weniger kann zum Symbol (wie zur Moral eine Fabel) ein konkreter Fall erfunden werden. Der Gang aller Symbolik ist vielmehr umgekehrt immer vom gegebenen Endlichen zum nie erkannten Unendlichen.»[31]

Zuletzt sei hier noch auf *Karl Wilhelm Ferdinand Solger* hingewiesen. In seinen «Vorlesungen über Ästhetik» aus dem Jahre 1819 fand eine Rehabilitierung der Allegorie statt. Ausgehend von seiner im «Erwin» (1815) vorgetragenen Auffassung, daß die Idee «die Einheit des Allgemeinen und des Besondern»[32] sei, werden in den Vorlesungen das «Zeichen», das «Bild» und das «Schema» der «niederen» Verstandestätigkeit zugeordnet. Entsprechend werden die Allegorie und das Symbol einer höheren Qualität der geistigen Tätigkeit zugestellt. «Die Thätigkeit und das Resultat sind in dem Symbole beide ganz Eins, und die Idee ist darin ganz vollendet und abgeschlossen, während im Schema immer noch eine Trennung des Allgemeinen und des Besondern stattfindet... Das Symbol ist die Existenz der Idee selbst.» (129) Diese Auffassung ist nicht nur deshalb so bedeutsam, weil sie an die christlich-religiöse Symbolauffassung anknüpft, sondern weil sie gleichsam ex negativo den Begriff der Allegorie aus seiner rationalistischen Engführung befreit und gegenüber dem «vollen» Repräsentationsgeschehen des Symbols eigene Konturen verleiht. «In der Allegorie ist dasselbe, was im Symbol, enthalten; nur daß wir darin vorzugsweise das Wirken der Idee anschauen, das sich im Symbol vollendet hat.»[33]

## §4 Der hermeneutische Zugang

In der Tradition Herders stehend faßt Schleiermacher den Menschen als ein «Sprachwesen» auf.

«Jeder Mensch ist auf der einen Seite ein Ort, in welchem sich eine gegebene Sprache auf eine eigentümliche Weise gestaltet, und seine Rede

---

[31] Briefe von W. v. Humboldt an Fr. Jacobi, (Hg.) A. Leitzmann, Halle 1892, 77f.
[32] «Erwin». Vier Gespräche über das Schöne und die Kunst. Teil II, Berlin 1815, 41.
[33] Vorlesung über Ästhetik (1819), Leipzig 1829, (Hg.) K. W. L. Heyse, 131.

ist nur zu verstehen aus der Totalität der Sprache. Dann aber ist er auch ein sich stetig entwickelnder Geist, und seine Rede ist nur als eine Tatsache von diesem im Zusammenhang mit den übrigen.»[1]

Diese zunächst selbstverständlich klingende Formulierung impliziert die Frage nach dem Verhältnis von Sprache und Geist unter dem Gesichtspunkt der je eigenen Modifikation des Sprechenden und des Verstehenden. Auch wenn erst die «Dialektik» dieses Problem epistemologisch verifiziert hat, läßt sich an dieser Stelle die «Kunstmäßigkeit» des Sprechens und des Verstehens schon konstatieren.

Weil Schleiermacher unter dieser «Modifikation» den Unendlichkeitscharakter des Individuellen im Sinne der *momentanen* Sprachgestaltung versteht, können die Konstruktion des Sprechens und die Rekonstruktion des Verstehens «nicht durch Regeln gegeben werden, welche die Sicherheit ihrer Anwendung in sich trügen». Das Sprachtalent erfordert den «Sinn für die Analogie und die Differenz»[2], weil sonst das Mißverstehen wegen der Unmöglichkeit der schlichten Adaption im Akt der konkreten Sprachgestalt plausibler zu werden droht als das Verstehen selber.

Diese Ansicht fundiert Schleiermacher *sprachtheoretisch* in dem Teil der Hermeneutik, der die «grammatische» Auslegung behandelt.

Das Wort als Bedeutungseinheit schließt für Schleiermacher eine Bedeutungsvarianz nicht nur nicht aus, sondern vielmehr ein, und dieses geschieht mit Notwendigkeit aufgrund der immanenten Konstitution des Wortes[3]: die Varianz ist die Konsequenz einer Situierung des Wortes in einer Kette paradigmatischer, oppositiver Vertikalität (»eine bestimmte Vielheit, unter welcher sie gefaßt ist, und eine solche wieder muß notwendig in Gegensätze aufgehen») und syntagmatischer Horizontalität («allein im einzelnen Vorkommen ist das Wort nicht isoliert; es geht in seiner Bestimmtheit nicht aus sich selbst hervor, sondern aus seinen Umgebungen»)[4].

Diese *topographische* Verortung scheint die semantische Eindeutigkeit zu *verunreinigen*, weil diese durch ihre semiotisch-systematische Relationierung ein asymptotisches Ideal geworden ist. Deshalb eben ergibt sich das Bedürfnis nach einer *Hermeneutik*, denn «die vollkommene Einheit des Wortes (aber) wäre seine Erklärung.»[5]

---

[1] Hermeneutik 78, in: F.D.E. Schleiermacher, Hermeneutik und Kritik, (Hg.) M. Frank, 73–238, Frankfurt a.M. 1977.     [2] Ebd. 81f.
[3] «Wenn bei vorhandener Einheit eine Mannigfaltigkeit möglich sein soll, so muß schon in der Einheit eine Mannigfaltigkeit sein, mehrere Hauptpunkte auf eine in gewissen Grenzen verschiebbare Weise verbunden.» Ebd. 106.
[4] Ebd.     [5] Ebd. 106.

Diese semiotische Differentialität macht das Wort zu einer «Einheit als ein nach verschiedenen Seiten hin Wandelbares … eine Kombination einer Mannigfaltigkeit von Beziehungen und Übergängen»[6], welche die gegenständliche Einheit seiner Bedeutung als Idealität und Allgemeinheit seines Sinnes *und* seiner Referenz zu einem «Nicht-an-Signifiant» macht. Weil diese Idealität jeweils nur durch die Signifikantenstruktur hindurch intendiert werden muß, wird eine individuelle Sinnapplikation dieser Signifikantentextur und Regularität hervorgerufen. Die Sprachkompetenz und das Verstehen[7] werden dann zu jenem Akt, der als produktive Applikation eines *gegebenen* Sinns dessen semantisches Werden kreativ fortschreibt in einer regelhaft restringierten, aber nicht reduzierten Sinnpotentialität (und insofern den Autor besser versteht als er sich selber). «Das Allgemeine und das Besondere müssen sich durchdringen, und dies geschieht immer nur durch die «Divination».[8] Sie ist es, welche die «Ausstreuung» (dissémination; Derrida)[9] des Sinns in dem Netz seiner differentiellen Verflechtung zu jener Ein-bildung von Allgemeinheit und Individualität macht, die sowohl die Sinnlosigkeit bloß regelgeleiteter Sprache (und Verstehens), als auch die anarchische Wucherung des Sinns und seine Tendenz zur Sinnlosigkeit verhindert.

## § 5 Die dialektische Grundlegung oder die Entwicklungslogik des Begriffs

Dialektik ist «Darlegung der Grundsätze für die kunstgemäße Gesprächsführung im Gebiet des reinen Denkens.»[1]

Abgesehen von der hermeneutischen Vermitteltheit und konsens-theoretischen Wahrheitskonzeption der Dialektik versteht Schleiermacher sie als eine transzendentalphilosophische Disziplin. Die Komplexität ihres

---

[6] Ebd. 109/108.
[7] «Im Gegensatz zur Bewußtseinsstellung der «réflexion pure» ist Verstehen nicht die adäquate oder identische Reduplikation eines autonomen Sprachspielmechanismus, sondern das abständige (nämlich durch eine auf Vergangenes irreduzible Vision der Zukunft vermitteltes) Sichanfügen des Verstehenden an die zugleich als Basis des Entwurfs anerkannte und kraft eigener Initiative veränderte Grammatik einer diskursiven Formation.» (M. Frank, a.a.O. 40).
[8] a.a.O. 170.
[9] Dazu: J. Derrida, La Dissémination, Paris 1972.
[1] F. E. D. Schleiermacher, Dialektik, Werke III, Aalen 1967, 3–117. Ders., Allgemeine Einleitung zur Dialektik (nach 1831 entstanden), in: Hermeneutik und Kritik, (Hg.) M. Frank, a.a.O. 412–443. Ders., Dialektikvorlesung von 1822: Über den allgemeinen Schematismus und die Sprache, a.a.O. 443–467. Zitat: Allg. Einl., a.a.O. 412. In diesem Zusammenhang behandeln wir später den Christliche(n) Glaube(n), Bd. I, Berlin 1960.

Instrumentariums wird besonders deutlich in jenem zentralen Text der Dialektik-Vorlesung von 1822 mit der Überschrift *Über den allgemeinen Schematismus und die Sprache*². In ihm laufen die Leitfäden für das Verständnis des gesamten Werkes gedrängt zusammen.

Das Denken erscheint hier als Duplizität und Verbundenheit einer «organischen» und einer «intellektuellen» Funktion. Erstere ist eine Affektion des Sinnes und drückt das «*Besondere*» als Zustand des *veränderlich* Allgemeinen aus. Letztere , als «*Beziehung von Begriffs- und Urteilsbildung*»³ oder als bestimmender Begriff, qualifiziert das Einzelne bzw. den Zustand des Besonderen *als* «Veränderliches»⁴.

Die semiotische Lektüre der Philosophie Husserls durch Derrida hat den transzendental-semantischen Status dieser Denkfigur hinreichend verdeutlicht.

«Wird das einzelne Ding als ein Veränderliches gesetzt, so wird ein Unterschied gesetzt zwischen seiner Beharrlichkeit im Verändern und seiner Veränderlichkeit im Beharren; d.h. das wirkliche Setzen eines Einzelnen als Bestimmten und die Hineinbildung einer allgemeinen Gestaltung in den Sinn, die einem bestimmten Ort der Begriffe entspricht, ist eins und dieselbe.»⁵

Das Produkt der Tätigkeit der intellektuellen Funktion nach der Seite der organischen Affiziertheit jeglicher Begriffs*bildung* nennt Schleiermacher «Gestalt» oder «Bild», aber auch «Auge» als «Schema aller sinnlichen Tätigkeit»⁶. Das Auge ist eine Metapher für die wissenstheoretische Priorität und Transparenz des Systems der Begriffe, die aber gewissermaßen erst durch die Seinspriorität (in transzendentaler Perspektive) der organischen Affektion sich konkretisiert in dem, was das «Einzelne» genannt wird: Sinn als Ortung der Systemhaftigkeit der «Vernunft» in der Sphäre der Gestalten oder Bilder.

«Jede Bestimmung aber ist nur eine richtige, inwiefern das wirkliche Setzen eines Einzelnen als Bestimmung und die Hineinbildung einer allgemeinen Gestaltung in den Sinn, der einem bestimmten Ort im System der Begriffe entspricht, ein und derselbe Moment ist.»⁷

---

² a.a.O.
³ Das Moment des Begrifflichen betrifft eher die sedimentierten Schemata der noetisch-noematischen Einheit, während die Urteilsbildung die Noese als Bestimmung des veränderlich (besonderen) Beharrlichen (Allgemeinen) im Sinne der Tatsächlichkeit des noematischen Korrelats betrifft.
⁴ a.a.O. 444.
⁵ Ebd. Dazu auch: M. Frank, «Einleitung» in: Schleiermacher, Hermeneutik und Kritik, a.a.O. 7–67.
⁶ a.a.O. 445.     ⁷ Ebd.

Das Bild erscheint somit als die sinnliche Seite des Begriffs, als «Arrangement» des «leeren» Allgemeinen und des «dunklen» Besonderen, als «Virtualisierung der Schemata stricto sensu» (der Begriffe), die Schleiermacher zwar als «ursprünglich gegeben», ja «eingeboren» betrachtet (im Sinn der Apriorität der Kategorien)[8], aber als Mittel des tatsächlichen Denkens in actu für angewiesen auf eine zeitliche Genesis deklariert.[9]

Die Schwierigkeit der Vermittelbarkeit des «Idealen» mit dem «Realen» dokumentiert sich in dem faktisch-genetischen Konstruktionsgang des Begriffs und führt Schleiermacher zu dem, was Apel die Wende von der Erkenntnis- zur Sinnkritik genannt hat. Sie erzwingt eine genaue Beachtung der Sprache in hermeneutischer Hinsicht. Denn, auch wenn die «allgemeinen» Bilder letztlich identisch mit einer transhistorischen Axiomatik der Vernunft sind, wie Schleiermacher sie noch voraussetzt –, die zugleich von ihm angenommenen Bedingungen der Wahrheitsfähigkeit, nämlich die konsensuale «Gleichheit der Konstruktion» im Denken und die Adäquation von Denken und Sein sind bleibend verunsichert durch «die Beziehung *der organischen Eindrücke* auf diese Bilder», welche «die feststehenden *Differenzen im Sein* selbst»[10] betreffen. Das Denken wird erst dann zu einem «Wissen», wenn ein «Austausch der Bewußtseine» zu einer Überzeugung führt, die der Fluktuation der Differenzen in der Vorstellung des Seins entgegentritt. Das Mittelglied des Austausches ist aber die Sprache, die sich in der Definition der Dialektik als Konstitutivum ankündigt und sich als «Sprachkreis»[11] manifestiert. Dieser Sprachkreis reicht von der individuellen Idiosynkrasie, über die lebensweltlichen und gegenstandsspezifischen «Sprachspiele» (Wittgenstein) bis zu vereinheitlichenden Wissenschaftssystematiken. Er stellt als Verbalisierung jeglichen Denkens eine prä-reflexive Vereinheitlichung dar, mittels welcher eine Denkgemeinschaft – die Idiosynkrasie wäre das Extrem einer Gemeinschaft mit sich – «einen Bewandtnis- oder Zeichenzusammenhang kodifiziert, durch welchen sie ihre gesellschaftliche Synthesis vollzieht.»[12] (M. Frank)

---

[8] Die Idee der Welt als Kulminationspunkt des Organischen und die Idee Gottes als Spitze der intellektuellen Funktion sind ebenfalls «ursprünglich».

[9] Die intellektuelle Funktion ist ein System der Begriffe «als ein in der wirklichen Tätigkeit des Denkens sich zeitlich Entwickelndes: aber zugleich als ein ursprünglich vor allem Denken Gegebenes.» a.a.O. 446.

[10] Ebd. 457.      [11] Allg. Einl., a.a.O. 423.

[12] M. Frank, Einleitung, a.a.O. 30. «Jede einzelne Kommunikation setzt zwar die Einheit der Welt als das noematische Korrelat voraus, auf das hin der Austausch der Botschaften blickt. Diese Einheit ist jedoch nur der inerte Reflex jener schematischen Einheit der Rede als Totalität, durch welche eine bestimmte Gesellschaft ihre praktische Synthese besiegelt.» Ebd. 38.

Bedingt durch die komplexe Einheit von Denken und Sprache, von Sein und Rede, muß die Sprache als *zeitliche* Synthesis des Gedanken die gleichen Strukturen aufweisen wie das Denken, damit das Wort als Repräsentation des Begriffs die Einheit der Vorstellung «fixieren» kann. Schleiermacher nennt die Sprache an dieser Stelle dann auch einen Prozeß der Schematisierung, eine «Oszillation zwischen der Bestimmtheit des Einzelnen und der Unbestimmtheit des allgemeinen Bildes.»[13] Dies ist sowohl ein Indiz für ihre semantische Transzendentalität als auch für den Vorgang der vergleichenden Kommunikation der Bewußtseine.

Die Schwankungen, die sich aus der Unauslotbarkeit der «intellektuellen Funktion» und der «organischen Affektion» in der Erkenntniskritik ergeben, werden nun gewissermaßen repristiniert in der Bestimmung *der Sprache überhaupt*. Denn obwohl die organische Funktion *die Differenz* im Sein gegenüber der angeblich zeitlosen Identität der Vernunft indiziert und Schleiermacher in der Ethik von 1812/13 die Sprache als «*Differential*»[14] bezeichnet, wird die Sprache in der Dialektik zunächst ausdrücklich von der organischen Funktion des Besonderen getrennt und als eine *identische* Schematisierung verstanden, die auf die sinnliche Besonderung nicht angewiesen ist.

«Das Verständnis der Sprache *beruht* auf der Identität des menschlichen Bewußtseins. Die in der Sprache niedergelegte identische Konstruktion des menschlichen Denkens ist keine vollständige Gewähr für die Richtigkeit desselben.»[15]

In einem Atemzug muß Schleiermacher eben gleichzeitig einräumen, daß die «identische Konstruktion» des Denkens nur indirekt auf die Sprache einwirkt, und daß «die Gleichheit in der Konstruktion des Denkens als das eine Element des Wissens ... *nur ihre Manifestation* in der Sprache»[16] hat. Nicht nur, daß die Sprache nicht länger mehr auf die organische Affektion der Besonderung verzichten kann, um den Gedanken zu *realisieren*, sondern sogar ihr «Charakter» als *Ausdruck* der identischen Schematisierung der ahistorischen Systematizität der Vernunft kann nicht verhindern, daß es außerhalb der gehaltlosen Vorstellung der Welt und der Idee des Absoluten «keine allgemeine Sprache (gibt), also auch keine allgemeine Gleichheit der Konstruktion.»[17] Diese Einsicht in die sprachliche Vermitteltheit der «identischen Konstruktion» nötigt Schleiermacher zu

---

[13] a.a.O. 458.
[14] Ethik 1812/13, Phil. Biblio. 335, Hamburg 1982, 30.
[15] a.a.O. 460, Hervorhebung von mir, J.-P. Wils.
[16] Ebd. 461.        [17] Ebd.

folgender Konsequenz: «Wird also die Sprache schon hergelockt durch den Prozeß des Schematisierens, so muß in diesem selbst schon *eine Differenz und die Relativität des Wissens* liegen, welche sich in der Differenz der Sprachen ausdrückt»[18]

Wenn man diese fundamentale Differenz des Wissens nun selber auf einen Begriff bringen möchte, dann müßte der Grund zunächst in der organischen Affektion liegen, welche die *faktische* Vermitteltheit jeglichen Wissens bedingt. Dies ist der Fall, weil die schlechthinnige Allgemeinheit eine buchstäblich bedeutungslose Abstraktion wäre, weil ihr das *Etwas* der Bedeutung, das *Noema* fehlen würde. Dies ist aber auch deshalb so, weil das *Nicht-Empirische*, das *Absolute* nicht *gewußt* wird: als die absolute *Nicht-Differenz* entbehrt es *der bedeutungsgenerierenden Differenz* im Sinne der Einheit und Differenz des Allgemeinen und des differenten Besonderen der organischen Affektion.

«Nun hat jedes Denken etwas von der organischen Funktion an sich, also auch etwas, wodurch die Differenz begründet ist, also auch etwas von der *Differenz selbst*. Hieraus ergibt sich als Kanon: Die Identität des Denkens drückt *die Zusammenstimmung aller Menschen mit dem Sein* in dem Ort aus, wo er sich befindet; *die Differenz die Verschiedenheit seines Denkens vom Sein* in dem Orte.»[19]

Die organische Funktion *begründet* die ihr nun vorgängige Differenz, weil sie diese Differenz *sichtbar* macht. Die identische Konstruktion des Denkens ist nun nur mehr eine onto-anthropologische Bestimmung («die Zusammenstimmung aller Menschen mit dem Sein»), welche die für die Epistemologie wesentliche Differenz im Denken meta-epistemologisch überbrückt. In dem konkreten Prozeß des Wissens spielt sie *als* Einheit *im* Wissen *keine* konstitutive Rolle. Die Differenz ergibt sich also als ein gemeinsames Merkmal, als eine Achse in der *Trias* von *Sein-Denken-Sprache*. Schleiermacher hat sich diese Differenz expressis verbis als Relativität, als Nicht-Absolutheit von *Sein, Denken* und *Sprache* zum Gegenstand gemacht. Am Ende der Philosophie des Idealismus bestätigt er somit die schon bei Schelling thematisierte Transzendenz des Wissensgrundes als «Unvordenklichkeit des Seinsgrundes». Zugleich wird die Bedeutung der *Individualität* für das wirklich gewußte Wissen im Sinne der strikt relativierenden Konsequenz der differenten Verbalisation und Versprachlichung des Denkens hinreichend gewürdigt. «Absolute Identität des Wissens kann nur entstehen, wenn der individuelle Faktor ganz eliminiert

---

[18] Ebd.    [19] Ebd. 465/464, Hervorhebung von mir, J.-P. Wils.

wäre. Das aber ist nur unter der Voraussetzung einer absolut allgemeinen Sprache möglich. Nun gibt es aber kein Mittel, eine solche Sprache zustandezubringen, wenn gleich sie auch ein Produkt der intellektuellen Funktion ist. Denn die Sprache steht nicht überall unter der Botmäßigkeit der Konstruktion und hält am Naturgebiete fest.»[20]

Die Sprache und das Wissen befinden sich demzufolge erst dann in der Sphäre ihrer Normalität, wenn sie jenen *Bilderschematismus* realisieren, der sowohl die begrifflichen Schemata fixierter Identität bzw. jene transzendentale Semantik stricto sensu verfehlt, als auch die *Dunkelheit* des Besonderen durch den synthetisierenden Akt der Ein-bildung des Allgemeinen in das Besondere distanziert. Statt die Individualität der Allgemeinheit des Begriffs zu subsumieren, konstituiert dieser Schematismus das «individuelle Allgemeine» der Bilder, die an eine «kunstmäßige Gesprächsführung», an ein hermeneutisches Verfahren appellieren.

«Das Dominierende aber bleibt aber doch immer das Bild... Die letzte Ergänzung der Unvollkommenheit des Wissens liegt hier auf der Seite des Bildes, und der gesamte Zyklus individueller Bilder muß die Unvollkommenheit des allgemeinen Wissens ergänzen... Es gibt auf keinem Gebiete ein vollkommenes Wissen als zugleich mit der lebendig aufgefaßten Geschichte desselben zu allen Zeiten und an allen Orten.»[21]

Programmatisch wird hier die Priorität des Vermögens der *Einbildungskraft* und der ihr korrespondierenden hermeneutischen Methodologie angesprochen: die fluktuierende Schematisierung im Bestimmungsakt des besonderen Allgemeinen ruft ein *Sinnverstehen* hervor. Mangels eines «Verfahrens», das historische Unbeliebigkeit einer transhistorischen Rationalität opfert – wie dies die historisch-philologische Interpretationstradition eines Spinoza und eines Johann Martin Chladens, aber ebenso die Grammatik von Port-Royal durch die Unterstellung einer grundsätzlichen Identität von zeitlosen Strukturen des Denkens und deren grammatischer Einkleidung insinuierte – wird ein Sinnverstehen bemüht, daß seinerseits, unter dem mißverständlichen Begriff der «Divination», *der individuellen Regelapplikation* des Denkens und des Sprechens als eigener Sinnspur Rechnung getragen wird. Es gleicht jenem *Sprachkreis* als *Denkform*, der in der Linguistik E. Benvenistes[22] und der sprachanalytischen Spätphilosophie L. Wittgen-

---

[20] Ebd. 465.      [21] Ebd. 466f.
[22] E. Benveniste, Kategorien des Denkens und Kategorien der Sprache, in: ders., Probleme der allgemeinen Sprachwissenschaft, München 1974, 77–89.

steins²³ seinen Niederschlag fand. Trotz der sprachtheoretisch bedingten Ablehnung eines transzendental-philosophischen Wissens sprachabstinenter Art und trotz der konsenstheoretischen Überzeugung der «Kommunikation der Bewußtseine» *bleibt die Dialektik der Korrespondenztheorie der Wahrheit treu.* Sie fragt nach dem transzendenten «Grund des wissenwollenden Denkens»²⁴, nach der Bedingung der Möglichkeit der Identität des Idealen (des Allgemeinen) mit dem Realen (dem Besonderen), des Organischen mit dem Intellektuellen.

«Also die Selbigkeit des Idealen und Realen in der *Entgegensetzung* seiner Art und Weise ist die Voraussetzung alles Wissens... Diese Grundvoraussetzung von der Zusammengehörigkeit beider Pole und der Beziehung jedes Etwas in dem einen auf ein Etwas in dem andern *ist keines Beweises fähig. Wer sie anfechten will, muß das Denken aufgeben; denn in jedem Denken geht er von ihr aus.* Sie ist also die zusammengehörigkeit der Welt und der Denktätigkeit des menschlichen Geistes. Die Welt drückt sich aus im Typus des menschlichen Geistes, und dieser Typus stellt sich dar in der Welt.»²⁵

Die Supposition, daß die Kongruenz faktisch zwar vorliegt, in ihrer Geltung aber nur aufweisbar und nicht *beweisfähig* sei, dispensiert jedoch nicht von dem Versuch einer wissenden Annäherung: «Aber wir können uns ... in dieser Voraussetzung *ergreifen* und den Impuls als ein uns innerlich Gegebenen finden, und so wird dann dieses Moment des transzendentalen Grundes ein wirklicher Gedanke.»²⁶

Angesichts der Notwendigkeit, die Unvor*denk*lichkeit des letzten Seinsgrundes des Wissens in seiner *Differenz* zu faktischem Wissen zu *ergreifen* und den sich *differierenden* Seinsgrund in der signifikanten Differenz des Allgemeinen und des Besonderen zu *vollziehen*, kommt Schleiermacher zu einer präzisen Darstellung der Struktur dieses Vorgangs, wie wir sie schon in Derridas Husserllektüre kennenlernten.

Auf seiten der intellektuellen Funktion war es die Allgemeinheit bzw. die Form des Begriffs, die das Identische im Veränderlichen faßt. Auf seiten der «organischen», bildlichen Funktion nennt er diejenige Gestalt des Seins, die ihr entspricht, die «Kraft» als «*wiederholbar* sich wirksam

---

²³ L. Wittgenstein, Logisch-philosophische Untersuchungen, Frankfurt a.M. 1979. Das Mißverstehen ergibt sich nach Schleiermacher, «weil jede Sprache nicht nur andere Töne, sondern auch andere Worteinheiten und andere Denkformen hat», (Dialektik, Werke III, 322), welche sich im äußersten Fall von der identischen Schematisierung des Zeichens abwenden in Richtung einer transzendental-poetisch lokalisierbaren «freien Kombination» der Elemente.
²⁴ a.a.O. 36.     ²⁵ Ebd.; Hervorhebung von mir, J.-P. Wils.     ²⁶ Dialektik, 57.

beweisendes Sein als selbiges in mehreren (gegebenen oder zu suchenden) Verschiedenen».[27] Das differente Sein wird als Vereinzelung «Erscheinung» genannt und korreliert mit dem Akt des Urteils, wobei je nach Dominanz der Begriffsform oder der Urteilsform das Wissen ein spekulatives, empirisches oder historisches ist.

Das Wissen angesichts der Differenz des Allgemeinen/des Idealen und des Besonderen/des Realen vollzieht sich als jene Bewegung der Wiederholung, welche die Begriffsbildung im semiotischen Zeichen als Wiederholung der Absenz der Idealität des Allgemeinen in die Präsentifikation ihrer faktischen Besonderung verstehen läßt. Die Idealisierung des Faktischen vollzieht sich als Virtualisierung/Absentierung der Anwesenheit des denotierten Signifikats in dem Prozeß seiner Verallgemeinerung.

In einer Anmerkung hält Schleiermacher die Ethik aufgrund der Formgebundenheit ihrer Grundlegung für ebenso «spekulativ»[28] und entwikkelt davon ausgehend eine interessante Analogie. Nicht nur das Ideale und das Empirische sind im faktischen Vollzug der Bewegung des Wissens inkongruent, weil *das Sein als präsente Totalität* nicht gegeben ist. Auch das spekulative Wissen realisiert sich stets nur unter der *Botmäßigkeit der Idee* des höchsten Wissens (des Absoluten) wegen seiner organischen Affiziertheit (ohne welche es insignifikant würde). Deshalb entsteht die «wissenschaftliche Kritik» als Vergleichung des Wissens mit seiner Idee. Dessen Variante auf seiten des sittlichen Wissens nennt Schleiermacher das «Gewissen» als das praktische Differenzbewußtsein der Allgemeinheit/Idealität der Bestimmung des Sollens und der Besonderheit/Faktizität der Bestimmtheit dieses Sollens. *Mit anderen Worten: das Sollen als die Erfahrung des sittlichen Gefordertseins besteht in der signifikanten Differenzerfahrung von Bestimmung und Bestimmtheit.*

Auch angesichts des Sollens ist das Absolute die «Formel einer notwendigen Voraussetzung, die wir aber nicht vollziehen können.»[30] *Weil gerade die praktische Differenzerfahrung auch die Differenz der Bewegung des Absoluten im «individuellen Allgemeinen» ist, ist diese Gewissenserfahrung außerhalb dieses Prozesses in einer unmittelbaren, praktischen Begegnung mit dem Absoluten kategorial nicht aussagbar.* Angesichts der *Präsenz* des

[27] Dialektik, 43/44.     [28] Dialektik, 51.
[29] Der Inhalt der Ethik wird in den eigentlich ethischen Schriften als Wissenschaft der Geschichte in deskriptiver Absicht verstanden.
[30] Dialektik, 55. An anderer Stelle ist «das Sein als höchste Kraft (ist) transzendental ... unmittelbar kein wirkliches Denken, sondern nur dem wirklichen Denken zugrunde liegende Voraussetzung». (57), eben ein «Nichthaben» (55).

Absoluten müßte das Gewissen als praktische Differenzerfahrung sich geradezu auflösen, das Handeln wäre gewissenlos.

Unmittelbar in das Zentrum der Dialektik führt aber das Problem des *praktischen Vollzugs des Denkens.* Das Wollen als «das Denken, welches dem Handeln zugrunde liegt, Zweckbegriff, das vorbildliche Denken, dem eine von uns bewirkte Modifikation des Seins entsprechen soll»[31], zeigt auf eine Seinsmächtigkeit des Denkens und auf eine Steigerungsfähigkeit des Sein. Das Sein des Wollenden muß in das *gewollte* Sein aufgenommen werden – «wir nehmen unser denkendes Sein als seiendes Denken mit auf in die Einheit der höchsten Kraft. Das ist eben der Inhalt des Selbstbewußtseins.»[32] Dieses «gewollte» Sein ist zunächst das Sein des Anderen, weshalb eben der Inhalt des Selbstbewußtseins sich als «Gattungsbewußtsein» *manifestiert.* In Analogie zu der «Überzeugung» im «*Streit* der Bewußtseine» erweist sich der Widerspruch im Wollen als aufhebungsbedürftig, kann aber im bloßen Bewußtsein nicht aufgehoben und nur als «Sollen» überbrückt werden.

«Der Überzeugungszustand in den auf das Wollen bezüglichen Denkbestimmungen stellt sich dar darin, daß wir im Denken eines Zweckbegriffs nur zur Ruhe kommen durch die Annahme der allgemeinen Zustimmung. Die Beziehung auf dieselbe ist das Gewissen, der Ausdruck derselben ist im Gesetz.»[33]

Das «Sollen» ist die «Ruhe» des Zweckbegriffs als eine von der Allgemeinheit des Wollens approbierte Gestalt des Gattungsbewußtseins, das «Dürfen» die Besonderheit des Wollens als eine von der Individualität des Bewußtseins ausgehende Bestimmung. Interessant ist die Konsequenz, die Schleiermacher hieraus zieht: «Wir können aber beides nur als eins setzen, das Dürfen als Erscheinung des Sollens.»[34] Infolgedessen ergibt die finale Form des ethischen Bewußtseins mit *Richtung* auf die vernünftige Allgemeinheit eben jenes *individuelle (besondere) Allgemeine,* das schon in der Erkenntnistheorie die mediale Ebene des Bilderschematismus ausmachte. Die ethische Gestalt des Bewußtseins partizipiert ebenfalls sowohl an jener «Allgemeinheit» als Form der Identität des Ethischen als Bestimmung der Vernunft – hier charakterisiert als «Gattungsbewußtsein» –, als auch an jener besonderen, variablen Affektion des Organischen als Konkretion der im Gattungsbewußtsein georteten Verallgemeinerungsfähigkeit. Für das Ethische bzw. das «denkende Wollen»

---

[31] Dialektik, 58.    [32] Dialektik, 59.
[33] Dialektik, 65.    [34] Dialektik, 67.

ergibt sich ein mittleres Bildbewußtsein als *Synthesis von Dürfen und Sollen*. Genauso wie im Bereich des reinen Denkens die Strenge des Begrifflichen eine für das «wirkliche» Denken verpflichtende Asymptote bleibt, muß in der Ethik die Allgemeinheit als Konvergenz von Sein und Tun angestrebt werden. Sie ist deshalb eine «Antizipation»[35], ihr Medium, analog dem abbildlichen Denken in der Erkenntnis, ist ein «vorbildliches»[36] Denken, das als Prolepse der noch ausstehenden Allgemeinheit auch für die Ethik einen Bilderschematismus in Anspruch nimmt. Das Denken und das Wollen bleiben nicht allein im Bereich ihrer eigenen Domäne unvollendet, sondern perpetuieren untereinander, als differierende Reihen, sowohl die Differenz von Natur und Geist, von Weltordnung und Gesetz, als auch die Unbekanntheit und Uneinholbarkeit des transzendenten Grundes selbst. Trotzdem kann man es bei dieser Feststellung nicht bewenden lassen.

«Wir müssen fragen, ob diese Differenz nicht aufzuheben ist. Dies geschieht im Selbstbewußtsein. Nämlich das wirkliche, zeiterfüllende Bewußtsein wird uns als Übergang von der einen Reihe zur andern. Jedes abbildliche Denken ist Bewußtsein von etwas, jedes vorbildliche auch. Der Übergang als solcher ist also Bewußtsein von Null, objektiv betrachtet aber zugleich die Identität des Subjekts im vorigen und folgenden = Ich. In diesem ist also auch der Überzeugungszustand für beide identisch. Wir kommen zur Ruhe im abbildlichen Denken, wenn es auf die in demselben wie das sittliche Gesetz begründete Natur des Geistes zurückgeführt wird. Wir kommen zur Ruhe im Beschließen, wenn es auf das in demselben wie die Natur des Geistes begründete Gesetz zurückgeführt wird. Diese Identität wird im Selbstbewußtsein aufgefaßt als Gott, und das Mitgesetztsein Gottes in jedem Übergang ist die Übertragung wie des Ich so auch des transzendentalen Grundes von einer Reihe zur anderen.»[37]

Im Bewußtsein des Übergangs von dem abbildlichen (theoretischen) in das vorbildliche (praktische) Denken liegt demnach ein «Wissen»: die Identität des Seins des Denkenden als Passivität (Erkennen) und Aktivität (Handeln). Weil dieses Wissen aber, das als *Gott interpretiert* wird, nicht *faktisch* vorhanden ist und deshalb ein «Differenz»-wissen ist, partizipiert es an einer «Leere», die sich selber nicht einholen kann: «der Inhalt des Übergangs ist nicht ein Bewußtsein *von* etwas, sondern von Ich, d.h. das Selbstbewußtsein.»[38]

[35] Dialektik, ebd.      [36] Ebd.
[37] Dialektik, 68.        [38] Ebd., Anmerkung 2.

Die «Leere» drückt die *Ungegenständlichkeit* des Phänomens *Selbstbewußtsein* aus. An dieser Stelle taucht bei Schleiermacher das schon bei Fichte in der Wissenschaftslehre, später bei M. Merleau-Ponty unter dem Begriff des «schweigenden Cogitos» und bei J. P. Sartre als «Transzendenz des Ego» wiederaufgegriffene Problem des präreflexiven Ich des Selbstbewußtseins auf. Das Selbstbewußtsein läßt sich nämlich nicht ohne Zirkel *denken* (Pothast, Henrich). Einerseits muß die einfache, absolute Identität des Ich die Selbstpräsenz unmittelbar voraussetzen, weil sonst sich das *Sich* bzw. das Selbst des Selbstbewußtseins nicht denken ließe. Andererseits aber zwingen die Reflexionsgesetze des Denkens, diese einfache Selbstpräsenz durch das *Wissen* vermittelt zu denken, weil sonst das Selbst nicht *als* Selbst identifizierbar wäre. Das Phänomen des Selbstbewußtseins besteht somit in der Einheit und Differenz von Distinktion und Nicht-Distinktion.[39]

Schleiermacher gibt diesem Tatbestand eine charakteristische Wende. Insofern der transzendentale Einheitsgrund des Wissens und des Wollens «Gegenstand» eines wissen-wollenden Denkens wird, ist das Bewußtsein selber «Anschauung» oder «objektives bzw. äußeres Bewußtsein»: das den transzendenten Grund indizierende Bewußtsein der Einheit der organischen und der intellektuellen Funktion. Daneben aber existiert noch «das Subjektive in seinem Indifferenzpunkt zwischen dem In-Sich-zurückgehen, als dem empfänglichen Sein, und dem Aus-sich-herausgehen, als dem Spontanem, Gefühl.»[40]

Dieses Bewußtsein als «unmittelbares» oder «inneres» vergegenwärtigt erst den transzendenten Grund direkt, allerdings nicht kategorial oder objektiv, sondern in einer nur relativen Identität von Denken und Wollen, von Abbild- oder Vorbildbewußtsein: in einer Abhängigkeitserfahrung und Uneinholbarkeitserfahrung fundamentaler Art, in «Gott». Die oft mißverstandene Rede Schleiermachers von dem «Gefühl» wird verständlich in der Rede von einem Selbstbewußtsein, das den Grund seiner Selbst als den «gewußten» Grund des Seins fundamental als eine Passivität

---

[39] Dazu: D. Henrich, Fichtes ursprüngliche Einsicht, a.a.O. Dazu ebenfalls folgende Stelle aus Hölderlins «Urteil und Sein»: «Wenn ich sage: Ich bin Ich, so ist das Subjekt (Ich) und das Objekt (Ich) nicht so vereinigt, daß gar keine Trennung vorgenommen werden kann, ohne das Wesen desjenigen, was getrennt werden soll, zu verletzen; im Gegenteil, das Ich ist nur durch diese Trennung des Ich vom Ich möglich. Wie kann ich sagen: Ich! ohne Selbstbewußtsein? Wie ist aber Selbstbewußtsein möglich? Dadurch, daß ich mich mir selbst entgegensetze, mich von mir selbst trenne, aber ungeachtet dieser Trennung mich im entgegensetzten als dasselbe erkenne... Also ist die Identität keine Vereinigung des Objekts und Subjekts, die schlechthin stattfände, also ist die Identität nicht = dem absoluten Sein.», Werke Bd. II, Frankfurt a.M. 1969, 591–592, 591f.

[40] Dialektik, 70.

erfährt: das Bekanntsein mit sich im Selbstbewußtsein läßt sich nicht reflexiv einholen und läßt die darin enthaltene Differenz in der Selbstbewußtseinsstruktur als den vor-egologischen Ursprung dieses Bewußtseins verstehen. Diese fundamentale Uneinholbarkeit wird deshalb als «Gott» ausgelegt. «Im Gefühl ist die im Denken und Wollen bloß vorausgesetzte absolute Einheit des Idealen und Realen wirklich vollzogen, da ist sie unmittelbares Bewußtsein, ursprünglich, während der Gedanke derselben, sofern wir ihn haben, nur vermittelt ist durch das Gefühl, nur Abbildung desselben ... das unmittelbare Selbstbewußtsein = Gefühl, welches ist 1. verschieden von dem reflektierten Selbstbewußtsein = Ich, welches nur die Identität des Subjekts in der Differenz der Momente aussagt und also auf dem Zusammenfassen der Momente beruht, welches allemal ein Vermitteltes ist; 2. verschieden von der Empfindung, welche das Subjektive, Persönliche ist im bestimmten Moment, als mittels der Affektion gesetzt.»[41] Da ihr zunächst das *Setzende* der Reflexion abgeht, macht die vor-reflexive Unmittelbarkeit dieses Bewußtsein zu einem «begleitenden», das davon «weiß», daß es sich nicht selbst qua Bewußtsein besitzt. Den Gegensatz von denkendem Wollen und wollendem Denken hebt es nicht auf, denn sonst müßte dieses prä-reflexive Bewußtsein seinerseits die Gestalt einer vollzogenen und distanzierenden Reflexion annehmen. Deshalb kann es auch als das «religiöse» Gefühl, als unmittelbare Repräsentation des transzendenten Grundes, als Gott bzw. als Empfänglichkeit bezeichnet werden; «ein allgemeines Abhängigkeitsgefühl, vermittelst dessen der Urgrund ebenso in uns gesetzt *ist*, wie in der Wahrnehmung die Dinge in uns gesetzt sind.»[42]

Das Abhängigkeitsverhältnis weist durch seine Struktur der Gegensätzlichkeit – es repräsentiert die Einheit/Indifferenz in der Differenz – wiederum auf die Ebene der fluktuierenden Bildschemata hin. Es ist ein begleitendes Bewußtsein, das weder «Anschauung» (jene Indifferenz auf seiten der intellektuellen Funktion[43]), noch Affektion oder «Empfindung» auf der organischen Seite ist. Es stellt ein vollzogenes und deshalb «unreines» Bewußtsein des transzendenten Grundes der Einheit von Differenz und Indifferenz des Allgemeinen und des Besonderen theoretischer und praktischer Vernunft dar. «Diese Be-ziehung des Wollens auf das Denken und umgekehrt und die Einheit davon ist das Göttliche in uns. Der Religiöse hat es im Leben, der Spekulative in der Betrachtung,

---

[41] Dialektik, 71.    [42] Dialektik, 72.
[43] «Die Anschauung Gottes wird nie wirklich vollzogen, sondern bleibt nur indirekter Schematismus», Dialektik 73.

*aber beide haben es nur an etwas anderem*»[44], nämlich an dem Bilderschematismus, der das Verhaftetsein des Denkens und des Wollens an einer Struktur der Gegensätzlichkeit ausdrückt. Für das Wollen bzw. die Ethik könnte man hier eine Redewendung Kants variieren und sagen, daß die Allgemeinheit des Gattungsbewußtseins ohne Affektion des Besondern «leer» bliebe, und letztere ohne die Vermitteltheit durch das erstere «dunkel». Dieser Schematismus erinnert aber zugleich an die freie Produktion der Einbildungskraft, deren Spielraum zwischen der «Spekulation» und der «Ästhetik» stets im Wachsen begriffen ist und im Gottesbewußtsein zugleich kulminiert und kollabiert.

«Gott ist uns also ... in dem Fluktuierenden des Bewußtseins als Bestandteil unseres Wesen gegeben... *Gottes Sein an sich kann uns nicht gegeben sein; denn es gibt in ihm keinen Begriff, als in der Identität mit dem Gegenstande... Eben deshalb sind Absolutes, höchste Einheit, Identität des Idealen und Realen nur Schemata. Sollen sie lebendig werden, so kommen sie wieder in das Gebiet des Endlichen und des Gegensatzes hinein.*»[45]


## §6 Ästhetik

In den *Vorlesungen über die Ästhetik*[1] wird das unmittelbare Selbstbewußtsein, ausgehend von der Frage, wie die «Kunsttätigkeit» beschaffen sei im Unterschied zum spekulativen und praktischen Denken, originär bestimmt.

Sowohl der theoretische als auch der praktische Diskurs gehören nach Schleiermacher in die Sphäre der «Selbigkeit», weil beide es mit dem Entsprechungs- und Adäquationsverhältnis zwischen dem Subjekt und einem allgemeinen oder individuell gedachten Sein zu tun haben, wobei auf der theoretischen die Rezeptivität, auf der praktischen Seite die Spontaneität überwiegt.

Die Feststellung, daß in der Kunst generell adäquations- und konsenstheoretische Betrachtungen hinsichtlich ihrer Gestaltungsprinzipien – nicht unbedingt hinsichtlich ihrer Interpretation – obsolet sind[2], und sie für sich ein Bewußtsein freier Produktion von Seiten des Individuums in Anspruch nimmt, läßt ihren Status charakterisieren als einen, in dem «die

---

[44] Dialektik, 76ff.   [45] Dialektik, 78.
[1] F. E. D. Schleiermacher, Vorlesungen über die Ästhetik, Werke IV, a.a.O. 81–133.
[2] «In den poetischen Gedanken sucht niemand eine Wahrheit». a.a.O. 109.

Differenz das Ursprüngliche ist»[3]. Nun läßt sich für das «unmittelbare Selbstbewußtsein» die Differenz sowohl als *Immanenz* der Einheit und Differenz des Selbst und des Anderen (seines Selbst) als auch im Sinne der Exklusion des Anderen als Nicht-Ich bezeichnen. Die Immanenz thematisiert die *Geltungsproblematik*, die Exklusion zunächst nur die *Erfahrung* der Differenz. *Die Differenz erweist sich als eine Gemeinsamkeit von ästhetischem und unmittelbarem Bewußtsein.* Es bleibt also das Problem ihrer Divergenz.

Aus der Dialektik wissen wir schon, daß das unmittelbare Selbstbewußtsein nicht ein Bewußtsein *des* Ich ist, – dazu wird es erst in der Mittelbarkeit der Reflexion. Um die Fichtesche Aporie der Zirkularität zu vermeiden, nannte Schleiermacher es «Gefühl». Im Gegensatz also zum «Ich», das für Schleiermacher nur die Identität oder das Beharrliche in den verschiedenen Momenten der Reflexion oder des Lebens ist, ist «das unmittelbare Selbstbewußtsein (ist) die Verschiedenheit der Momente selbst, die einem bewußt sein muß, da ja das ganze Leben nichts ist als ein sich entwickelndes Bewußtsein.»[4]

Schleiermacher muß an dieser Stelle «bewußt» einen Widerspruch in Kauf nehmen und wiederholt im Grunde die Aporetik einer jeden reflexiven Bewußtseinsphilosophie, indem das unmittelbare Selbstbewußtsein nochmals als «bewußt» präzisiert wird. Die Reflexion müßte geradezu eine «Differenz» zweiter Ordnung (und so ad infinitum) statuieren. Die Rede, es sei «das Allerinnerlichste»[5], täuscht über die Defizienz der Reflexion nicht hinweg, wobei diese Defizienz nicht eine subjektive Unzulänglichkeit des Reflektierenden ist, sondern der Reflexion schlechthin eigen zu sein scheint. Aber nicht nur der Reflexion ist sie eigen, sondern, wenn «jedes Selbstbewußtsein, das wir unmittelbar haben, immer ein Beweis von Differenzen der Momente, ein Andersgewordensein» und «(die) Tätigkeit des einzelnen als solchen in seiner Differenz»[6] ist, wird diese Differenz zu einer fundamentalen, d.h. zu einer religiösen *Heilsdifferenz*. Während das «rein Differente in jedem»[7] als Ausdruck der Unaufhebbarkeit der signifikanten Spannung des Allgemeinen und des Besonderen in der Kunst Ausgang und Prinzip der freien Produktion ist, stellt sie für Schleiermacher in der Religion nur die Logik ihres zeitlichen Werdens als

---

[3] Ebd. 100. «Sie drückt nur die Wahrheit des einzelnen Bewußtseins aus.» (113).
[4] Ebd. 114.
[5] Ebd. 116. Auch Fichtes Wendung eines «Auges, das sich selbst erblickt» ist eine aus der Not geborene Tugend metaphorischer Verfaßtheit.
[6] Ebd. 115.    [7] Ebd. 116.

Ausdruck der Transzendenz des Wissengrundes bzw. der Vorgängigkeit des Seinsgrundes dar. Diese *reine* Differenz ist nicht ihr Ausgangspunkt, weil es die «Bestimmtheit» durch das Sein als «Abhängigkeit» nicht zuläßt, die Differenz noch in den Seinsgrund zurückzuverlegen. Die Differenz kann hier nur als *Ausdruck* des transzendenten Grundes anerkannt werden.

Die Differenz *in* der Selbstbestimmung des Selbstbewußtseins wird nicht beseitigt, im Gegenteil, sie wird hierdurch bestätigt: die reflexionstheoretisch, wissentlich uneinholbare Bestimmtheit des Selbst *im Akt seiner Selbstbestimmung* erscheint als «Wissen» des Selbst um die Nicht-Selbigkeit seiner letzten Identität.

## §7 Theologie

In der Glaubenslehre[1] wird in der Analyse des «frommen Bewußtseins»[2] die religiöse Letztbestimmung dieser *prä-reflexiven* Selbstbewußtseinstheorie in extenso entfaltet. Die enthusiastische Auffassung über die Religion aus der Frühschrift *Über die Religion. Reden an die Gebildeten unter ihrer Verächtern*[3], derzufolge die Religion ein Anschauen ist, das «von einem Einfluß des Angeschauten auf den Anschauenden, von einem ursprünglichen und unabhängigen Handeln des ersteren, welches dann von dem letzteren seiner Natur gemäß aufgenommen wird, zusammengefaßt und begriffen wird»[4], und als das allerindividuellste «Gefühl des Unendlichen»[5] sich subjektiv darstellt, wird zu einer fundamental-theologischen Theorie des «schlechthin abhängigen Endlichkeitsbewußtseins»[6] weiterentwickelt. Das Selbstbewußtsein wird auch hier in Übereinstimmung mit den Distinktionen der Dialektik und Ästhetik als *Übergang* zwischen Wissen und Tun bestimmt. Dadurch wahrt Schleiermacher die Gleichursprünglichkeit von theoretischer und praktischer Subjektivität in den Theorien des Idealismus. Die Differenz im Selbstbewußtsein versteht er nicht länger als eine praktisch zu überwindende, sondern als «transzen-

---

[1] Als Glaubenslehre bezeichnen wir hier Schleiermachers Werk «Der christliche Glaube. Nach den Grundsätzen der evangelischen Kirche im Zusammenhange dargestellt.», (Hg.) M. Redeker, Berlin 1960, Bd. I.
[2] Der wichtigste Abschnitt trägt den Titel «Zum Begriff der Kirche. Lehnsätze aus der Ethik.», 14–47.
[3] Phil. Bibli. Bd. 255, Hamburg 1958.      [4] Ebd. 31.      [5] Ebd. 30.
[6] Schleiermacher nennt es auch das «eigentlich unvermittelte Selbstbewußtsein», Glaubenslehre, a.a.O. 16.

dentale» Bedingung von theoretischer und praktischer Signifikanz. Hier interessiert nun nicht sosehr die Funktion des Selbstbewußtseins in transzendentaler Hinsicht als vielmehr seine phänomenologische Struktur. Auch hier wird die Duplizität des immanenten Gefüges des Selbstbewußtseins, sein eigentümlicher Widerspruch, konsequent herausgearbeitet. «In jedem Selbstbewußtsein also sind zwei Elemente, ein ... Sichselbstsetzen und ein Sichselbstnichtsogesetzthaben, oder ein Sein, und ein Irgendwiegewordensein ... das Sein des Subjekts für sich, das andere sein Zusammensein mit anderem ... dieses andere jedoch wird in dem unmittelbaren Selbstbewußtsein *nicht gegenständlich gewußt.*»[7]

Damit ist nicht nur dem Versuch gewehrt, dieses «Wissen» als «intellektuelle Anschauung» zu deuten, sondern auch dem Anliegen widersprochen, die Komponente des «Anderen des Selbst» in ein Problem intersubjektiver Anerkennung oder symbolischer Interaktion umzumünzen, weil das Phänomen dann weitgehend verloren ginge.[8]

Freiheit und Abhängigkeit, Selbsttätigkeit und Empfänglichkeit sind dann die Pole dieses Bezugs, der von Schleiermacher wegen seiner strengen Immanenz und Ungegenständlichkeit «Gefühl» genannt wird. Diese «Wechselwirkung des Subjektes mit dem mitgesetzten Anderen»[9] hat zwar einen Weltbezug, auf das Selbst dieses Bewußtseins bezogen muß die Abhängigkeit aber, «weil unser ganzes Dasein uns nicht als aus unserer Selbsttätigkeit hervorgegangen zum Bewußtsein kommt»[10], als eine «schlechthinnige» verstanden werden. Sie ist die Abhängigkeit von Gott, «*das in diesem Selbstbewußtsein mitgesetzte Woher unseres empfänglichen und selbsttätigen Daseins.*»[11] Was sich aktuell in dieser erlebbaren Struktur realisiert, ist dann die «Seligkeit des Endlichen».[12]

Die Formgesetzlichkeit des Selbstbewußtseins mußte an dieser Stelle so genau betrachtet werden, weil sie der Struktur des ethischen Bewußtseins analog ist: ihre Wechselwirkung von Selbsttätigkeit und Abhängigkeit bleibt auch hier erhalten. Sie weist auf ein Vermögen hin, das in den ethischen Schriften, gerade in Verbindung mit dem «Gefühl», eine zentrale Bedeutung einnimmt und die Individualitätskonzeption der frühen «Reden» bestätigt: die «Einbildungskraft». Das *Wissen* angesichts des Seins wird zu einer Leistung *reiner Phantasie* gemacht.[13] Hierbei ist das

---

[7] Ebd. 24, Hervorhebung von mir, J.-P. Wils.
[8] Ein Versuch in diese Richtung ist das Buch von E. Tugendhat, Selbstbewußtsein und Selbstbestimmung. Sprachanalytische Interpretationen, Frankfurt a.M. 1979.
[9] Glaubenslehre, 26.   [10] Ebd. 28.   [11] Ebd.   [12] Ebd. 38.
[13] Vor allem: W. Dilthey, Leben Schleiermachers, Bd. II, Göttingen 1975, 437ff.

Wesen Gottes mit eingeschlossen. Weil das Wissen im strengen Sinne eben keine Phantasie *ist*, muß es angesichts der *Transzendenz* des Wissensgrundes eben als eine solche bezeichnet werden: der Hiatus zwischen der Allgemeinheit und der Besonderheit ist ein konstanter, dessen «Schematisierung» je nach Phänomenbereich unterschiedlich ausfällt, aber nicht aufhebbar ist.[14] Das spekulative, das praktische, das ästhetische und das religiöse Wissen werden von der Allgemeinheit jeweils anders «diszipliniert», von der Besonderheit aber zu anderen Weiten der freien Produktion gereizt, – und von der Einbildungskraft immer gelenkt als dem Vermögen der In-eins-bildung der Pole. Das Wissen um die Inkongruenz von Sein und Tat im praktischen Diskurs macht das praktische Denken, angesichts des prinzipiellen Nicht-«Wissen» des transzendentalen Grundes, zu einem «vorbildlichen» Denken. Im Bereich des religiösen Denkens aber wird das Bewußtsein zu einer quasi-totalen «Phantasieleistung» aufgefordert, deren subjektive Folge und Bedingung mit dem nicht-kognitiven Begriff «Gefühl» ausgedrückt wird.

## §8 Ethik

An dieser Stelle wenden wir uns den *ethischen* Schriften Schleiermachers zu, um die in der Dialektik entworfene Konzeption zu erweitern: den *Monologen* (1800)[1], dem Fragment *Über den Wert des Lebens*[2], den *Grundlinien einer Kritik der bisherigen Sittenlehre* (1803)[3], dem *Brouillon zur Ethik* (1805/06)[4], der *Ethik* (1812/13)[5] und der *christlichen Sitte*[6].

Das Interesse wird dabei nicht der historischen Genese der einzelnen Schriften, sondern dem Prinzip der transzendentalen Konstruktion gel-

[14] E. Cassireres «Substanz- und Funktionsbegriff» (Darmstadt 1980) enthält eine Schleiermacher nahestehende und von ihm abweichende Theorie der «funktionalen» Begriffsbildung. Während das Urteil die Funktion innehat, die Beharrlichkeit des empirischen Seins zu fixieren – bei Schleiermacher ist das Urteil die «Tatsachen-seite» der Begriffsbildung –, ist es der Gedanke oder das Vermögen des Begriffs, welches das Schema der Erfahrung genau vorentwirft (wie bei Kant). Cassirer nennt den Vorgang eine «provisorische Deduktion» (332). Deshalb kann das Besondere im Provisorium auch entfallen. «Die glückliche Gabe des Vergessens... (die) Unfähigkeit, die individuellen Unterschiede der Fälle, die tatsächlich immer vorhanden sind, wirklich zu erfassen, ist es, die ihn zur Begriffsbildung befähigt.» (23).
[1] Monologen. Neujahrspredigt von 1792. Über den Wert des Lebens. Hamburg 1978.
[2] Über den Wert des Lebens, ebd. 166–198.
[3] Grundlinien einer Kritik der bisherigen Sittenlehre (1803), Werke I, 3–346.
[4] Brouillon zur Ethik (1805/06), Hamburg 1981.
[5] Ethik 1812/13, Hamburg 1981.
[6] Die christliche Sitte, nach den Grundsätzen der evangelischen Kirche im Zusammenhang dargestellt, Werke III, 121–179. (Allgemeine Einleitung).

ten. Dabei wird sowohl die Behauptung von Theodor Litt, die Ethik Schleiermachers würde sich wegen ihrer materialen Breite in eine «Kulturphilosophie»[7] auflösen, zu entkräften sein, als auch der These von F. Jodl, «daß innerhalb des systematischen Aufbaus der Ethik dem religiösen Element keine Stelle zuzuweisen sei»[8], zu widersprechen sein.

Die Ethik Schleiermachers, vor allem die frühen Monologen, können durchaus situiert werden in jener von Goethes «Wilhelm Meister» ausgehenden Bewegung der *Rettung der Individualität* vor dem sie absorbierenden Allgemeinen, in jener Tradition eines Novalis[9] und eines Schlegel[10], die das «principium individuationis» als «Darstellung der Menschheit» betont. Schleiermacher teilt ihre Kantkritik, und ihre «transzendentalpoetische» Wende der Philosophie findet in seinen Ethiken einen Niederschlag. Trotzdem bleibt die eigentümliche Leistung Schleiermachers verborgen, wenn das hermeneutische und dialektische Fundament seiner Ethik nicht genau beachtet wird.

Zu dieser Zeit unternimmt Sebastian Mutschelle[11] im Bereich der katholischen Moraltheologie einen verspäteten Versuch, in unkritischer Abhängigkeit von Kant das Sittliche als ein der reinen Vernunft und dem Glauben adäquates und identisches Substrat aufzuweisen. F. X. Linsemann erwähnt in seinem «Lehrbuch der Moraltheologie» (1978)[12] nicht nur die Ethik Schleiermachers nicht, sondern den fundierenden Zusammenhang von Subjektivitätsphilosophie und Ethik greift er an keiner Stelle auf, obwohl doch J. S. Drey schon 1819, nach Schleiermachers «Zur Darstellung des theologischen Studiums»[13] von 1811, seinerseits eine «Kurze Einleitung in das Studium der Theologie, mit Rücksicht auf den wissenschaftlichen Standpunct und das katholische System»[14] schrieb. Er lieferte somit schon indirekt einen wissenschaftstheoretischen und fundamentaltheologisch relevanten Hinweis auf Schleiermacher. Es fehlte in der katholischen Moraltheologie allerdings eine geistesgeschichtlich und pro-

[7] E. Howald/A. Dempf/Th. Litt, Geschichte der Ethik, vom Altertum bis zum Beginn des 20. Jahrhunderts, München/Wien 1981, 131.

[8] Geschichte der Ethik, Bd. 2, Wien 1923, 122.

[9] Novalis: «In jedem Augenblick, da wir frei handeln, ist ein solcher Triumph des unendlichen Ich über das endliche, für diesen Moment ist das Nichtich wirklich vernichtet – nur nicht der sinnlichen Existenz nach.» Werke, (Hg.) G. Schulz, München 1978, 312.

[10] F. Schlegel: «Gerade die Individualität ist das Ursprüngliche und Ewige im Menschen; an der Personalität ist so viel nicht gelegen. Die Bildung und Entwicklung dieser Individualität als höchsten Beruf zu treiben, wäre ein göttlicher Egoismus.» Werke, Bd. I, Berlin/Weimar, 1980, 270.

[11] S. Mutschelle, Moraltheologie oder theologische Moral, vorzüglich zum Gebrauche für seine Vorlesungen, München 1801.

[12] F. X. Linsemann, Lehrbuch der Moraltheologie. Freiburg 1878.

[13] Halle a. d. S. 1830.  [14] Tübingen 1819.

blemgeschichtlich auf der Höhe der Zeit stehende Grundlagenreflexion subjektivitätstheoretischer und -praktischer Intention. Die *Quellen* der Moraltheologie oder der sittlichen Erkenntnis des Glaubens – Vernunft, Offenbarung und kirchliche Tradition – stehen dann auch häufig eher parataktisch nebeneinander, wobei Vernunft bzw. Natur einerseits und Offenbarung bzw. Übernatur andererseits eher durch ein Zweistufenmodell als durch immanente Folgerichtigkeit verbunden sind[15]. Häufig werden sie im «Gewissen» zusammengefaßt, womit zwar ein wichtiger *moralpraktischer* Hinweis verbunden werden kann, jedoch keine hinreichend diskursive Erfassung des Verhältnisses der drei Momente.

Johann Baptist Hirscher situiert in seiner Schrift «Die christliche Moral als Lehre von der Verwirklichung des göttlichen Reiches der Menschheit» (1851) die Ethik generell in der Heilsökonomie – Schleiermacher tut dies nur in der Tugendlehre – und führt deshalb in die methodische Grundlegung der Ethik eine Identifikation von Dogmatik und Ethik in praktischer Hinsicht ein[16], die dem Anliegen Schleiermachers diametral entgegensteht. Hirschers Urteil über die «philosophische Moral» wiederholt dann auch fast buchstäblich das Diktum Weishaupts gegen Kant, ohne allerdings näher zu bestimmen, was er unter Subjektivität versteht: die philosophische Moral sei abzulehnen, «weil sie mit all ihrer Doctrin aus der Subjektivität nie heraus kann.»[17]

Nur Martin Deutingers «Moralphilosophie» (1849)[18] intendiert eine gegenseitige Aussöhnung von Subjektivitätstheorie und christlicher Moral, führt aber als letzte Bestimmung der Subjektivität das «positive» Prinzip der «Liebe» ein. Eine nur schwer auslotbare Zusammenfügung einer epistemologischen mit einer soteriologischen Kategorie hat die Aporetik der Letztbestimmung der Subjektivität zu lösen.

Im Gegensatz zu dieser latenten oder manifesten Gefahr der Unterbestimmung der Subjektivitätstradition werden die ethischen Schriften Schleiermachers die Dialektik in mancherlei Hinsicht sogar vertiefen.

---

[15] F. X. Linsemann räumt dem ganzen Problem der Grundlegung nur sieben Seiten ein, wobei die Beziehung von natürlicher und übernatürlicher Sittenerkenntnis auf zwei Seiten abgehandelt wird. Diese Nichtbeachtung wird deutlich in dem Diktum Linsemanns, daß «die Herstellung einer unabhängigen Moral unvollziehbar ist», welches die Abhängigkeit als eine faktische behauptet, und deshalb noch übertroffen wird durch den Satz «Das Heidentum ist eine große Tragödie ohne jegliche Versöhnung». (F. X. Linsemann, Über das Verhältnis der heidnischen zur christlichen Moral, in: Gesammelte Schriften, 17–35, 17 und 32, München 1912.

[16] Dort § 7, 9ff., Tübingen 1951.   [17] Ebd. 33.

[18] M. Deutinger, Moralphilosophie, Teil VI der «Grundlinien einer positiven Philosophie als vorläufiger Versuch einer Zurückführung aller Theile der Philosophie auf christliche Principien», Regensburg 1849.

Die Monologen (1800), die kaum ein Jahr nach den Reden (1799) entstanden, bilden das frühe Pendant zu den späten Hauptschriften der
Ethik, ebenso wie die «Reden» sich zu der «Glaubenslehre» verhalten.
Weniger eine systematische Reflexion als ein von der literarischen Überschwenglichkeit getragenes Pathos ist es, das unter der Devise «Wird
immer Nichts als du»[19] Konstanten der erst noch zu erarbeitenden ethischen Systematik entdecken läßt. Dies geschieht freilich in einer frühro-
mantischen Terminologie, die ihre Schönheit oft auf Kosten der gedanklichen Tragweite und Präzision des Gesagten erkauft. Aber es ist gerade die
Ambivalenz und Kontamination von Gefühl und Verstand, die den Reiz
der Werke aus dieser Periode ausmacht. Die Einheit von Handeln und
innerem Selbst charakterisiert Schleiermacher folgendermaßen: «Der
Gedanke, mit dem sie die Gottheit zu denken meinen, welche sie nimmer
erreichen, hat doch für dich *die Wahrheit einer schönen Allegorie auf das,
was der Mensch sein soll.* Durch sein blosses Sein erhält sich der Geist die
Welt, und durch Freiheit giebt er sich die Thätigkeit, die immer ein und
dieselbe sein wechselndes Handeln hervorbringt: aber unverrückt schaut
er zugleich jene Tätigkeit an in diesem Handeln immer neu und immer
dieselbe, und dies Anschauen ist Unsterblichkeit und ewiges Leben,
denn es bedarf der Geist nichts als sich selbst.»[20] Das innere Schauen oder
das «innere Leben» steht wie ein «Punkt», der eine Linie durchschneidet,
senkrecht zur Ewigkeit und zur Gottheit und befindet sich ebenso unvermittelt in einem schroffen Gegensatz zu der Notwendigkeit der äußeren
Welt. Was die Allegorie der Gottheit offenbart, ist das Bewußtsein der
«Menschheit», zu welchem für Schleiermacher die Dezision gehört, es
ergreifen zu *wollen*, obwohl es eingeboren ist. Später wird er es «Gattungsbewußtsein» nennen.

Der Status dieses Bewußtseins ist dabei völlig ungeklärt, da es nicht
nur inaugurativ für das rechte Tun ist, sondern auch umgekehrt als allererst durch das wahrhaft sittliche Handeln «erzeugt»[21] bezeichnet wird, so
daß nicht deutlich wird, ob die «Menschheit» Kriterium oder Folge der
Handlung als deren Qualität ist.

Weil zu diesem Zeitpunkt die *Dialektik* noch nicht die epistemologische und subjektivitätstheoretische Verankerung der Ethik bedingen
konnte, muß wohl letzteres angenommen werden, zumal als unmittelbare
Konsequenz die Distanzierung des Pflichtbewußtseins und der Regelab-
hängigkeit des Handelns gefolgert wird. Der «allgemeine Sinn»[22] wird

---

[19] Monologen, a.a.O. 93.  [20] Monologen, 23/24.
[21] Monologen, 27.  [22] Monologen, 38.

dann zu einer Vollkommenheitskategorie, die auch «Bildung» genannt, mit der «Liebe» vereint die höchste Stufe der Sittlichkeit ausmacht. Die Aufgabe, die «Menschheit» bzw. die «Gattung» als Individualität *darzustellen*, nimmt aber direkt die spätere Rede von «Bild» bzw. «Gestalt» oder Schematisierung von Allgemeinheit und Besonderheit vorweg. «Nur wenn er von sich beständig fordert die ganze Menschheit anzuschauen, und jeder andern Darstellung von ihr sich und die seinige entgegen zu setzen, kann er das Bewußtsein seiner Eigenheit erhalten: denn nur durch Entgegensetzen wird das Einzelne erkannt.»[23] Das Anschauen verbürgt hier den unmittelbaren *Zugang* zu jener Region, welche in der Dialektik als «intellektuelle Funktion» die Allgemeinheit der Begrifflichkeit/des Kategorialen sichert und schon in der praktischen Vernunft «Gattungsbewußtsein» heißt. Dessen «Unmittelbarkeit» läßt sich noch als Reflex der gescheiterten Deduktion der Freiheit bei Kant begreifen. Als Allgemeinheit sichert sie die Freiheit transzendental als Distanz zur Befangenheit in der bloßen Besonderheit. Die «Entgegensetzung» ist der Prozeß der schematisierenden Ineinsbildung der Allgemeinheit der Menschheit und des Ortes der besonderen Person, wodurch, wie später in der Dialektik, «das Einzelne» erkannt wird[24] bzw. die Richtigkeit der jeweiligen Handlung und des Wollens *gewußt* wird.

Die «Sprache» wird auch in den Monologen an einer zentralen Stelle eingeführt. Wenn sie nämlich «der inneren Eigentümlichkeit Gewand und Hülle»[25] sein soll, dann muß ihre transzendental-poetische Qualität[26], d.h. die Einheit des sprachlich-poetischen Produkts im Spiegel der Bewegung des Produzierenden (Schlegel), auch im Bereich der Sittlichkeit die Selbstanschauung des Geistes durch die Bildung und die Verfeinerung seiner Sprache ermöglichen. «Abbilden soll die Sprache des Geistes innersten Gedanken, seine höchste Anschauung, seine geheimste Betrachtung des eigenen Handelns soll sie wiedergeben.»[27]

Das Fehlen einer hermeneutischen Theorie führt dazu, daß die Aufgabe nur postulatorisch formuliert wird. Ebenso wird das «Endlichkeits-

---

[23] Ein wichtiger Grund für die Gleichstellung der Kategorie der «Menschheit» mit «Gattung» ist folgender Satz aus der «Psychologie» (Werke IV, 3–80, 8): «Denn fällt dies (das Gattungsbewußtsein) weg, so wäre kein Grund, daß der Mensch den Menschen anders behandeln sollte als alle anderen Dinge.» Zitat: Monologen, 38. Hervorhebung von mir, J.-P. Wils.

[24] Das «Einzelne» ist nicht ein «Vereinzeltes», sondern als das «individuelle Allgemeine» die «Individualität», die «Persönlichkeit»; dagegen ist das nur «Besondere» und somit «zufällige», das «Vereinzelte».

[25] Monologen, 64.

[26] «Sie ist der reinste Spiegel der Zeit, ein Kunstwerk, worin ihr Geist sich zu erkennen gibt.» Monologen, 63.

[27] Monologen, 64.

bewußtsein», das später in der «Dialektik» und «Ästhetik» von Schleiermacher besonders in der Auseinandersetzung mit Fichte als Problem des transzendenten Grundes behandelt wurde, ganz im Duktus der immanenten Logik der Monologen verstanden. Statt als epistemologische und praktische Aporie der Einholung des transzendenten Wissensgrundes wird es in einem eher teleologisch-existentialen Kontext thematisiert: nämlich als «Todesahnung» im Sinne der Unvollendetheit des Menschen und seiner Würde zugleich. *«Ein ganz vollendetes Wesen ist ein Gott, es könnte die Last des Lebens nicht ertragen, und hat nicht in der Welt der Menschheit Raum.*«[28]

Die «Grundlinien einer Kritik der bisherigen Sittenlehre» (1803) bestehen zum übergroßen Teil aus einer Behandlung der höchsten Grundsätze, der ethischen Begriffe und Systeme in der Tradition der Ethik. Das Eigentümliche der Ethik Schleiermachers kommt dort nur implizit und an einigen wenigen Stellen zum Tragen. Das *Brouillon zur Ethik* (1805/06) dagegen enthält eine wissenschaftssystematische Ortsbestimmung der Ethik als Disziplin und eine umfangreiche Behandlung sämtlicher Gebiete der Ethik. Die Einteilung der Ethik in «Güterlehre», «Pflichtenlehre» und «Tugendlehre» übernimmt die alte Gliederung der Moraltheologie in einer «scholastischen», «casuistischen» und «mystischen» Methode. Der Schwerpunkt unserer Darstellung liegt in der *Güterlehre*, weil hier eine strenge Analogie mit dem transzendentalen Rahmen der Dialektik vorliegt[29]: die Ethik wird dort im Kontext der Subjektkonstitution abgehandelt. Die Ethik von 1812/13 wird noch umfangreiche Differenzierungen beitragen zu den Ansätzen des Brouillons.

In der Wissenschaftssystematik Schleiermachers ist die Ethik die *Grunddisziplin* derjenigen Wissenschaften, die nicht auf «Natur» beruhen, also aller in unserem Sinne *Geisteswissenschaften.* «Die Ethik ist ... die ganze eine Seite der Philosophie. Alles erscheint in ihr als Producieren, wie in der Naturwissenschaft als Product. Darum ist die Ethik Wissenschaft der Geschichte, d.h. der Intelligenz als *Erscheinung ... Die eigentliche Form für die Ethik ... ist die schlichte Erzählung.*[30]

---

[28] Monologen, 82.
[29] Das Strukturgitter der Güterlehre ist dann auch das «individuelle Allgemeine», wobei Schleiermachers Grundlegung beträchtlich abweicht von der Intention der traditionellen Güterlehre. Dazu F. X. Linsemann: «Die Scholastik in der Moral ist für uns nichts anderes als die Ableitung der sittlichen Ideen aus den Grundlagen der speculativen Theologie; ihre Methode besteht in der Ableitung des Einzelnen und des Besonderen aus der Erkenntnis des Allgemeinen; ihr Gegenstand ist speciell das, was man in modernem Sprachgebrauch Güterlehre nennt», a.a.O. 23.
[30] Brouillon, a.a.O. 3f.

Der «Stil» der Ethik wäre «historisch» zu nennen, weil ihr Erschei-
nungscharakter sowohl ein imperativisches als auch ein konsultatorisches
Vorgehen aufgrund des hierin implizierten Sollensphänomens (»Die Formel des Sollens ist ganz unzulässig«) verbietet. Weil das Sollen, im Unterschied zu dem auf *individueller* Allgemeinheit beruhenden Forderungscharakter des Sittlichen die unmittelbare Vergegenwärtigung der (doch in
der Differenz zum Besondern schwebenden) Allgemeinheit der intellektuellen Funktion darstellt, ist die Form der Ethik «deskriptiv».

Um eine Unterscheidung von Windelband zu verwenden: während die
Form der Naturwissenschaften eine nomothetisch-erklärende ist, ist die
Form der Ethik eine «idiographisch-verstehende». Die von Th. Litt ausgesprochene Befürchtung, die Ethik würde dadurch in die Nähe einer Kulturphilosophie rücken, liegt in dieser Wissenschaftssystematik begründet.
Die Ethik von 1812/13 weist aber schon zu Beginn auf die «Dialektik» und
auf die dort diskutierte Thematik der begrifflichen Inadäquation des endlichen Bewußtseins angesichts des Absoluten. Die Ethik ist deshalb die
«Darstellung» des endlichen Seins unter der Potenz der Vernunft sowie
die Physik das gleiche unter der Potenz der Natur ist. Hier liegt nun aber
der *Grund* für den Anschauungscharakter und die deskriptive Form der
Ethik, denn der Begriff der «Potenz» insinuiert die Frage nach dem ter-
tium comparationis, d.h. nach dem analogen «Substrat» der jeweiligen
Potenzen.

«Die Vernunft wird in der Natur gefunden und die Ethik stellt kein
Handeln dar, wodurch sie ursprünglich hineinkäme. Die Ethik also stellt
nur ein potenziertes Hineinbilden und ein extensives Verbreiten der Eini-
gung der Vernunft mit der Natur dar, beginnend von dem menschlichen
Organismus als einem Theil der allgemeinen Natur, *in welchem aber eine
Einigung mit der Vernunft schon gegeben ist.*»[31] Zwar lokalisiert sich diese
Einigung (Indifferenz) in dem nicht mehr wißbaren, transzendenten
Grund, so daß die Ethik nur «die Anschauung der Natur gewordenen
Vernunft»[32] ist, sie ist trotzdem als «Hineinbildung des Gewußten in das
Gewollte (die Natur)» *das eigentliche Organon und die Statthalterin des
Absoluten*. Als hermeneutisch-idiographisches Verfahren *vorbildender* Art
leistet sie als die Vorantreibung der praktischen Signifikanz des «individu-
ellen Allgemeinen» die Verbildlichung der werdenden Einheit von Ver-
nunft und Natur.[33] Die imperativische Ethik weist nach Schleiermacher

---

[31] Ethik 1812/13, a.a.O. 9f.     [32] Ebd. 11.
[33] Schleiermacher teilt dieses Anliegen, vor allem in Frontstellung zu Kant, mit Franz von Baader.
Dazu dessen Schrift «Über die Begründung der Ethik durch die Physik», Stuttgart, 1969, 19–50.

auf dem nur Gesollt-Nichtgewordenen hin, die konsultative Ethik fußt auf dem Schon-Gewordenen. *Ethik wäre demnach ein real-spekulatives Wissen,* das «zur Gemeinschaft mit dem Absoluten vermittelt durch die Form des Gegensatzes überhaupt, dessen dem Realen zugekehrte Seite ist, daß kein Glied ohne das andere da ist, und die dem Absoluten zugekehrte, *daß alles Daseiende in der Identität beider das Absolute repräsentiert.*»[34] Die Ethik ist die Repräsentation einer faktischen und transzendentalen Differenz zum Absoluten selbst. Die real-spekulative Vermittlung lenkt die Aufmerksamkeit auf den Repräsentationsstatus (nicht Ablesestatus) der ethischen Rationalität, weshalb ihr «Wissen» als «denkendes Wollen» einer hermeneutisch-produktiven Leistung bedarf. Die In-eins-bildung geht subjektiv ohne Absicherung durch eine Ontologie vor sich. Im sittlichen Leben stellt Schleiermacher nun *zwei basale Oszillationen fest.*[35] *Der Welt* gegenüber gibt es eine Oszillation von *Einsehen* (insofern Passivität) und *Darstellung* (insofern Aktivität), wobei sie (die Welt) *Objekt* der Erkenntnis, *Symbol* der Darstellung und *Organ* für beide ist. Schleiermacher bezeichnet ausdrücklich *das Symbol als eine Vermittlung von Objekt und Organ, von intellektueller Funktion und organischer Affektion* (cfr. Dialektik), so daß die Ethik wegen ihres überwiegend darstellenden, weil realisierenden Charakters eine «symbolische» Ethik zu nennen wäre.

*Der Vernunft* gegenüber existiert eine zweite Oszillation, nämlich die von zeitloser, allgemeiner Idee und zeitlicher individueller Persönlichkeit: *«Es muß also alles individuell sein, aber es muß alles auch wieder identisch sein, welches im Leben nicht anders als in einem relativen Hervortreten kann gedacht werden.»*[36]

Während die *Darstellung* der Ethik eine «symbolische» ist, ist ihr *transzendentaler Rahmen* das signifikante « individuelle Allgemeine». Beide Oszillationen zusammengenommen kann man an dieser Stelle schon sagen, daß der *Stil* der Ethik nun präzise ein «symbolischer» genannt werden darf, ihre *Form* das «individuelle Allgemeine», ihr *Resultat* die «Versittlichung» als «Bildung», ihr *Zweck* die «Realisierung» des Idealen[37], ihre *humane Gestalt* die»Eigentümlichkeit» als «vernünftig Besonderes» statt als «beschränkte Persönlichkeit» oder «entgrenztes Allgemeines», ihre *Methode* die des «Übergehens des Erkennens in Darstellen und des Organs in Symbol»[38] als dialektisches Stufenmodell.

---

[34] A.a.O. 13.  [35] Oszillation meint hier «fluktuierende Schematisierung».
[36] Brouillon, a.a.O. 13.  [37] Ebd.
[38] «Der ethische Prozeß geht erst an, nachdem das ideelle Princip dem reellen einwohnend unter der Form des vollendeten Bewußtseins, d.h. des Erkennens, also als Vernunft gegeben ist.» Ethik 1812/13, 18.

427

Die Prädikation «symbolisch» und die dialektische Methode als deren Folge sind aber nur möglich aufgrund Schleiermachers Annahme einer durch die Naturphilosophie erwiesenen Kongruenz von «menschlicher» Natur und Natur überhaupt. Infolgedessen ist auf der Seite der organisierenden Funktion (der ersten Oszillation) das Produkt zu jeder Zeit die Repräsentation oder Symbolik dessen, was in der Vernunftoszillation[39] als «fluktuierendes Schema[40] des die Identität von Natur- und Vernunftprozeß verbürgenden transzendenten Grundes aufgewiesen wird.

Die Sprache oder die Rede als äußere Objektivation des Denkens und als *Darstellung* der Vernunft par excellence involviert bei Schleiermacher eine Reflexion, die nun den Ansatz noch beträchtlich erweitert und differenziert.

Die Identität von «Denken» («innerem Sprechen») und «äußerer Rede» – ersteres ist «das Differential»[41] von letzterer – ist die von Schleiermacher mit dem gesamten Idealismus geteilte Annahme der Reziprozität der materialen Verbalisation und der Vernunftaxiomatik im Allgemeinen. Diese Annahme[42] wurde erst durch die moderne Sprachtheorie und deren philosophische Ausdeutung erschüttert.

Die diffizile «Schematisierung» der Sprache bringt Schleiermacher in einem engen Zusammenhang mit der Aus-bildung der «Individualität» des Denkens.

«Das Erkennen tritt aber auch hervor auf der andern Seite mit dem Charakter der Eigentümlichkeit, d.h. der Unübertragbarkeit. Das nennen wir nun im eigentlichen Sinne *Gefühl... Die Sprache muß sich individualisieren. Sonst kann sie nur als Vermögen gedacht werden, aber nicht wirklich existieren.*»[43]

Solange sich dieses Postulat nicht gemäß der sittlichen «Eigentümlichkeit» realisiert, muß auch diese zu einem bloßen Postulat verkommen. Darüberhinaus ist es für Schleiermacher evident, daß das Gattungsbewußtsein im Bereich der allgemeinen Vernunfttätigkeit über das Anerkennungsproblem implizit auf die Sprache angewiesen ist.[44] Neben ihrer

---

[39] In der Ethik von 1812/13 bestimmt Schleiermacher die Tätigkeit der Vernunft als «combinatorisches Vermögen unter dem Schema des Oscillirens zwischen Allgemeinem und Besonderem» (a.a.O. 27).
[40] Das fluktuierende Schema ist die Struktur des «bewegten Selbstbewußtseins» (Ebenda).
[41] Ethik 1812/13, 30.
[42] «Die Sprache ist mit dem Wissen zugleich gegeben als eine nothwendige Funktion des Menschen und ist nichts anderes als die heraustretende Gemeinschaftlichkeit derselben.» (Brouillon, a.a.O. 88).
[43] Brouillon, 21/24. Hervorhebung von mir, J.-P. Wils.
[44] «Die Identität der Vernunft wird für das Dasein unter der Form der Persönlichkeit repräsentiert durch die Gemeinschaft der Personen.» (Ethik, a.a.O. 25) «Wer Sittlichkeit setzt, setzt einen Trieb, Andere zu suchen und anzuerkennen.» (Brouillon, a.a.O. 35).

Bezeichnungsfunktion, die als das «identisch Schematisierte» oder als «Sediment des Sprachkreises» dem Niveau sprachlicher Durchschnittlichkeit entspricht, gehört sie zu der eigentümlichen Kompetenz des Einzelnen, «das Verschmelzen der Elemente und das bestimmte Unterscheiden der bedeutenden Einheiten»[45] in actu zu realisieren, und zwar im Sinne der durch die «Differenz» bedingten unbegrenzten Semiose in der nur dem Einzelnen eigenen Modifikation des Zeichens zwischen Allgemeinheit und Besonderheit. Die Sprache wird für Schleiermacher deshalb zu einem Kunstwerk: sie selbst und die in ihre Gestalt eingelassene ethische Symbolik sind das Resultat der produktiven Applikation der ästhetischen und ethischen Allgemeinheit auf die Besonderheit ihrer «sinnlichen» Inkarnation. Diese Analogie ist nicht nur ein formales und gemeinsames Strukturmerkmal beider. Die *Ethisierung* der Sprache als die transzendentale Bedingung des praktischen Wissens und des Gewollten ist aufgrund der strengen[46] *Eigentümlichkeit* jeder ethischen Konkretion zugleich ihre Ästhetisierung. Die Ästhetik der Sprache lotet prototypisch, und gewiß am radikalsten, die schematisierende Fluktuation des Allgemeinen und des Besonderen aus. Diese Poetisierung kann die nicht unwesentlich restringiertere Spannbreite des Ethischen als Erkenntnis der sittlichen Eigentümlichkeit ihrerseits in Anspruch nehmen. «Die Sprache giebt nur die Elemente. Was das Kunstwerk macht, ist *die freie Combination durch Fantasie, die aber die Vernunft ist unter dem Charakter der Eigentümlichkeit in der Funktion des Darstellens*, und die Fantasie denken wir uns immer in der genauesten Verbindung mit dem Gefühl.»[47]

Nachdem also Schleiermacher die transzendentale Differenz und In-eins-bildung des Allgemeinen und des Besonderen als die meta-empirische, auf Allgemeinheit *tendierende* Signifikanz des Ethischen aufgewiesen hat, ist es die «ethische Fantasie» als die sprachlich-symbolische Darstellung/Versinnlichung des Ethischen, die in einer produktiven Leistung ethischer Einbildungskraft das Ethische *zum Erscheinen und zur Entdeckung bringt*. Die Nähe von «Gefühl» und «Fantasie» (Einbildungskraft) hat schon in der Dialektik auf das Religiöse hingelenkt, so daß hier die später noch aufzugreifende Frage nach dem Unterschied von Ethik und Religion bzw. im weiteren Kontext nach dem von Ethik überhaupt und christlicher Ethik im Besonderen wenigstens vermerkt werden sollte.[48] Die

---

[45] Brouillon, 86. «Die Regeln sind nichts, als daß das, was durch das Genie lebendig produciert wird, im Andern als ein Aeußerliches sich setze.» (Ebenda, 97).

[46] Die Strenge dieser Individualität ist bedingt durch die schematisierende *Allgemeinheit.*

[47] Brouillon, 23. Dazu auch die «Grundlinien einer Kritik der bisherigen Sittenlehre»,a.a.O. 271.

[48] Vor allem die «Allgemeine Einleitung» in «Die christliche Sitte» diskutiert das christliche Proprium.

Ethik rückt also über die Sprachbetrachtung in die Nähe zur Ästhetik. Die ethische Handlung bleibt allerdings im Unterschied zu der wahrheits-abstinenten Dimension der Kunst, da in ihr adäquations- und konsenstheoretische Fragen epistemologischer Natur obsolet sind, dem Urteil der Vernunft *prinzipiell* unterworfen[49] und darf deshalb nicht ausschließlich von der «freien» Produktion bestimmt werden. Trotzdem bleibt die «ästhetische» Sprache, d.h. die Poesie als die produktivste In-eins-bildung von Regelallgemeinheit und Besonderheit, der Intention nach ein wesentliches Element der Erkennbarkeit und des Entdeckungszusammenhangs der Ethik, auch wenn die Urteilsbindung und der Begründungszusammenhang als die diskursiv-kognitive Seite der Handlung der tendenziell einzuholenden Vernunftallgemeinheit unterstellt bleiben. *«Die Poesie ist eigentlich die Reaction der Art, wie das Individuum von der ethischen Seite der Welt afficiert wird.»*[50]

Denn anders als das «abbildende» Denken, das, vorbehaltlich des transzendenten Grundes, die organische Affektion mit schwindendem Ermessungsspielraum des Schematisierens in Zusammenhang mit der Vernunftallgemeinheit «organisiert», ist der Spielraum beim «vorbildlichen» oder prospektiven «denkenden Wollen» der Handlung gezwungenermaßen größer, wenn auch durch die Urteilsfunktion der Vernunft eingeschränkt. Das »Ethisieren» der Welt und des Menschen *ist* dann jene symbolische Komposition des «individuellen Allgemeinen» als praktische Approximation der in der Ideation der Vernunft aufgehobenen, aber gleichzeitig nur indizierten transzendentalen Adäquation von Denken und Sein. «Für die Composition *ist* also die Sittlichkeit nicht anderes als *Genialität*, die das Gefühl darstellende *produktive Kraft der Fantasie.»*[51]

Neben ihrer Nähe zur Ästhetik eröffnet die Ethik bei Schleiermacher eine Beziehung zur Religion und zur Dialektik.[52] Dabei ist die Theodizee das Vereinende.

---

[49] Grundlinien einer Kritik der bisherigen Sittenlehre, a.a.O. 271.

[50] Brouillon, a.a.O. 111. Die Poesie ist «die Kulmination dessen (ist), was dem Menschen eigentümlich ist, wie er an die Sprache geknüpft ist». Aus: Vorlesungen über die Ästhetik, Teil II, Dritte Abteilung, Die Poesie, in: M. Frank (Hg.), Schleiermacher, Hermeneutik und Kritik, 395–411, 406. Dazu auch: «Über den Wert des Lebens», in: F. D. E. Schleiermacher, Monologen, a.a.O. 189ff.

[51] Brouillon, a.a.O. 113. In seinem Werk «Das offene Kunstwerk» (Frankfurt a.M. 1977; Opera aperta, Milano 1962) bestimmt Eco ein Kunstwerk, das die Welt nicht abbilden will, sondern von ihr autonome Formen entwickeln will, als eine «epistemologische Metapher» (46). Auch in der Ethik könnte man die prospektiv-vorbildende Konstruktion so nennen.

[52] «Wenn die sittliche Dignität nur in der Identität der Idee und der sinnlichen Wahrnehmung ist, was ist dann die Dignität des Begriffs? Der Begriff bringt auch eine Einheit in die Fluxion der sinnlichen Wahrnehmung, aber es ist eine gemachte, willkürliche überall, wo der Begriff in etwas Unbegriffenes und als unbegreifbar Gesetztes endet. Denn wenn die Einheit als das Begreifbare und Begriffene

Die Thematisierung der «Ethik» in der «Dialektik» Schleiermachers läßt die Frage nicht unmotiviert erscheinen, ob es eine «sittliche» Dignität des Begriffs als Statthalter der Idee gibt, weil die Sittlichkeit *im Grunde* die noch ausstehende Identität von Idee (für Schleiermacher sind «Welt» und «Gott» eingeborene Ideen) und sinnlicher Wahrnehmung als Besonderung ist. Der Begriff ist bei Schleiermacher zwar de jure Teil der Idealität, de facto aber nur eine zwar ideelle, aber doch nur behelfsmäßige Regel der Konstruktion, die zusammen mit der Anschauung[53] als einer Tendenz der sinnlichen Wahrnehmung auf den Begriff das approximative Wissen bedingt. Während die «Unsittlichkeit» des Begriffs in seiner Anmaßung bestünde, sich für identisch mit der regulativen Funktion der Ideen zu halten, besteht seine Dignität *in dem Bewußtsein seiner Differenz zu der Adäquation der Idee*. Denn wenn davon ausgegangen wird, daß die Idee die Wahrheit *an sich* ist, und die sinnliche Wahrnehmung *als solche* nicht wahrheitsfähig ist, dann liegt die Unwahrheit in der fehlerhaften Reflexion, in dem falschen, komparativen Schematisieren des Begriffs. Die transzendentale Identität von Denken und Wollen ist Gott als Bürge der Wahrheit der Welt. Er wird nicht von der durch den Begriff eventuell verschuldeten, aber doch nur partiellen Falschheit (der Welt) tangiert. Dieser Gedankengang wird aber unmittelbar zu einem Gedanken der Theodizee, sobald Schleiermacher ihn von der Wahrheitsfrage in die Ethik und somit in die Domäne des Guten und des Bösen transponiert. Das Gefühl[54] als die subjektive Seite des Erkennens, als dessen Unübertragbarkeit[55] und somit als Ort der Bewußtwerdung der Eigentümlichkeit, ist *dann* sittlich, wenn es sich als Bewußtsein der praktisch intendierten Identität von Vernunft und Sinnlichkeit bzw. Empfindung gestaltet. Es ist somit der Sitz der praktisch vollzogenen und in der Transzendenz beheimateten Theodizee der Welt.

die Idee wäre, so müßte das Mannigfaltige, das Merkmal, das Besondere, weil in der Idee Identität des Allgemeinen und Besonderen ist, eben so begreifbar und begriffen sein. Wo aber dieses ist, da ist der Begriff eine in der Idee gegründete und aus ihr construierte Einheit. Immer ist er nur eine Regel eines ideellen Verfahrens, aber jener eine aus der Identität mit der Notwendigkeit herausgehende Freiheit, Willkür: dieser eine in die Identität mit Bewußtsein wieder aufgenommene Freiheit, Construction. In diesem Wiederaufnehmen, in dem Bewußtsein der Differenz zwischen dem Begriff und dem Anschauen selbst, ist seine sittliche Dignität, nämlich seine Unentbehrlichkeit zur Verknüpfung und zur Mitteilung des Erkennens gegeben. Außer diesem Bewußtsein ist seine Unsittlichkeit gegeben, nämlich seine Anmaßung selbst für Erkennen zu gelten.» Brouillon, 78.
[53] «Was wir als Anschauung sezen, das sezen wir als eine gleichförmige Beziehung auf die gemeinschaftliche Subjektivität, auf die Natur des Menschen». Ebd. 80.
[54] «Was wir als Gefühl sezen, das sezen wir dagegen als persönliche, individuelle, lokale, temporale Subjektivität». Ebenda.
[55] Brouillon, 100.

«Also das subjektive Erkennen auf Lust und Unlust beschränken ist das Böse, die sinnliche Denkungsart... Das Gute ist nur die subjektive Seite der Gemeinschaft auf die Identität der Vernunft und der Organisation beziehen, d.h. sie als Beziehung des abgeschlossenen Daseins auf das Uebrige als Ganzes, als Welt im eigentlichen Sinne sezen; denn nur so hat das Afficirtsein der Organisation eine Beziehung auf die Vernunft. Hierdurch nun wird das Gefühl auf die Potenz der Sittlichkeit erhoben, und dies Verfahren ist nichts anders als das, was wir Religion nennen.»[56]

Eine Reflexion aus der «Güterlehre» der Ethik von 1812/13 wird uns nochmals eine Übersicht über die zum Teil auf den ersten Blick verwirrende Vielfalt der Prinzipien der Einteilung gestatten, um daran anschließend die «Christlichkeit» der Ethik bei Schleiermacher anzusprechen.

*Die organisierende Funktion* oder die sich auf die organische Affektion als Prinzip des Seins beziehende «erste Oszillation» stellt die sukzessive Annäherung des Seins (der Natur) an die Vernünftigkeit der Idee dar. Die erkannte Objektivität als Tendenz der Vernunft auf Gegenständlichkeit wird symbolisch genannt. Das Sein ist dabei «Organ» der Vernunft. Die «Symbolik» ist hier in einem gewissen Sinne «äußerlich», da sie die praktische Approximation von «Sein und Denken» repräsentiert. Bezogen auf den Pol der Identität des Schematismus bzw. auf die Dimension der «Allgemeinheit» werden hier Gebiete behandelt, die auf dem Verfahren der Anerkennung und Gegenseitigkeit beruhen: das Recht, der Staat, die Arbeitsteilung, der Besitz etc. Weil die lückenlose Herrschaft des Allgemeinen als identische Schematisierung sowohl das Ich als auch das Nicht-Ich *als solche* verschwinden lassen würde, muß der andere Pol, der die Eigentümlichkeit als «Beziehung auf die Differenz der Subjekte»[57] setzt, berücksichtigt werden. Diese Differenz ist aber nicht bloß eine durch die empirische Mannigfaltigkeit der Subjekte als terminus a quo «verursachte», sondern «in einem inneren Princip gegründet»[58], das als «Identität des Bewußtseins und der inneren Handlung»[59] die Identität von «Aneignung» und Mitteilung als sittliche Qualität der organisierenden Funktion sichert. Dieses ist bei Schleiermacher vorzüglich das Gebiet der Charakterlehre und der Lebenskunst.

*Die erkennende oder die intellektuelle Funktion* bzw. die als Prinzip der Vernunft sich manifestierende «zweite» Oszillation als «besondere Manifestation der Allgemeinheit der Vernunft» bezieht sich als Komplement

---

[56] Ebd. 101.   [57] Ethik, a.a.O. 46.
[58] Ethik, 47.   [59] Ethik, 50.

des «Vernünftig-werdens» des *Seins* in der ersten Oszillation auf die Hineinbildung der Vernunft in das Sein.[60]

Die Gottheit als transzendentales Prinzip der absoluten Identität von Vernunft und Sein ist hier der im wirklichen Wissen und Handeln nur als «Tendenz» mitgesetzte *terminus ad quem. Die punktuelle Mannigfaltigkeit des Seins* als die andere Grenze des Bezugspunkts des Erkennens nennt Schleiermacher «das Mathematische»[61] als bloße Quantität und terminus a quo. Zwischen diesen «Grenzen», die im wirklichen Erkennen nicht erreicht werden, befindet sich *das Ethische* als «überwiegende Vernünftigkeit» des Organs und das Physische als «überwiegende Organisiertheit» der Vernunft. Für den real-spekulativen Status sowohl der Ethik als auch der Physik spricht diese überraschende Reflexion Schleiermachers: «Beides ist also, inwiefern es einen organischen Gehalt hat, nur völliges Wissen, inwiefern es auch mathematisch gewußt wird... Beides ist als Vernunftgehalt habend nur insofern Wissen, als es auch transzendental gewußt wird, d.h. als es dialektisch und als es religiös ist.»[62]

Dieser Idealitäts-Realitätsstatus als Überwindung der Kluft zwischen «Wissenschaft» und «Leben» wird aber de facto nicht *gewußt*: «Das Mathematische aber und das Transzendentale sind umschließend und selbst unbegrenzbar und jeder setzt sie gültig auch für alles, was unserem realen Erkennen unzugänglich ist.»[63]

Für Schleiermacher aber existieren zwei Annäherungsmodi: ein «*extensiver*», der als «analytisches Fortschreiten» das Besondere unter die Identität des Schematismus der Totalität mittels der Anschauung (Physik) subsumiert; ein «*intensiver*», der als «synthetisches Fortschreiten» von Einheit zu Einheit geht und mittels des *Gefühls* als seines Prinzips die Eigentümlichkeit des Schematismus repräsentiert (Ethik). Er ist jener intensive Modus, dem Schleiermacher das *intensive* Wissen um die Einheit und die Differenz von Analyse und Synthese zuschreibt und den er als «Gewissen» bezeichnet. Letzteres als «Phänomen des Übergangs» nimmt den Ort dessen ein, was in der Dialektik das «bewegte Selbstbewußtsein» als Indifferenz und Differenz von Allgemeinheit und Besonderheit ist. Dessen Materialobjekt ist die «Gottheit» als transzendenter Grund. *Die Phantasie als Vermögen des «Gefühls»* ist dabei die synthetische, prospektive, vorbildende Vorgehensweise der Ethik und Religion. Zurückblickend auf das Denken Schleiermachers läßt sich dann sagen: «Wenn demnach das

---

[60] «Der Vernunftgehalt geht ganz über in die organische Action, und alles in der organischen Action ist vom Vernunftgehalt durchdrungen.» Ebd. 54.
[61] Ethik, 55.    [62] Ethik, 56.    [63] Ethik, 57.

Bilden der Fantasie in und mit seinem Heraustreten Kunst ist, und der Vernunftgehalt in dem eigentümlichen Erkennen Religion, so verhält sich Kunst zur Religion wie Sprache zum Wissen. Religiös ist nicht nur die Religion im engeren Sinne, das dem Dialektischen entsprechende Gebiet, sondern auch alles reale Gefühl und Synthesis, die auf dem physischen Gebiete liegt als Geist und auf dem ethischen als Herz, insofern beides über die Persönlichkeit hinaus auf Einheit und Totalität bezogen wird.»[64]

Hiermit ist die Rekonstruktion der transzendentalen Struktur der Ethik, der Güterlehre oder der Lehre vom höchsten Gut abgeschlossen. Da die originäre Leistung Schleiermachers hier und nicht in der Pflichten- und Tugendlehre liegt, welche die transzendentale Grundlegung der Güterlehre streng einhalten, könnten wir die Darstellung der Ethik Schleiermachers hiermit fast abschließen.

Wegen der Analogie des Vermögen (Gefühl) mit der Identität des subjektiven Prinzips (Phantasie) in der Ethik und der Religion bleibt hier aber die Frage nach dem Verhältnis und der Differenz von «religiöser, christlicher Sittenlehre» und «philosophischer Sittenlehre» noch offen.

Schleiermacher hat sie vor allem in der «Allgemeinen Einleitung» zu seiner Schrift *Die christliche Sitte, nach den Grundsätzen der evangelischen Kirche im Zusammenhange dargestellt*[65] diskutiert. Wenn er dort einerseits das «christliche Proprium» als die durch den Akt der Erlösung Christi bedingte Gemeinschaft mit Gott definiert[66], andererseits die Sittlichkeit der Vernunft und des Glaubens inhaltlich für identische hält[67], dann ist die christliche Sittenlehre, neben ihrem vernünftigen Gehalt, Darlegung des «*Motivs* aller Handlungen des Christen ... Beschreibung derjenigen Handlungsweise, welche aus der Herrschaft des christlich bestimmten Selbstbewußtseins entsteht ... sofern es Impuls ist.»[68]

Darüber hinaus wird die Form des eigentümlichen Schematismus des Christlichen – die Tugendlehre als Lehre von der sittlichen Kompetenz des Einzelnen[69] – durch die Lehre vom Reich Gottes[70] bestimmt, inso-

---

[64] Ethik, 75.

[65] Werke III, 121–179.

[66] Ebd. 128.

[67] «Gibt es auch zweierlei Sittliches, eins rein aus der Vernunft zu begreifen, eins aus dem Christlichen hervorgehend? Wäre das: so müßte jeder Christ *persona duplex* sein, als vernünftiger Mensch rational sittlich, als Christ christlich. *Die Sittlichkeit ist nicht zwiefach, der Christ hat nichts zu tun, als was dem Vernünftigen Menschen obliegt, und der vernünftige Mensch nichts, als was dem Christen.*» a.a.O. 172.

[68] Ebd. 129ff.

[69] «Sie ist nur Darstellung der Sittlichkeit, wie sie dem Einzelnen einwohnt als vollständig», sie zeigt «daß die Sittlichkeit ihm ganz einwohnt.» (Brouillon, a.a.O. 125).

[70] Christliche Sitte, a.a.O. 176.

434

fern die christliche Tugend die Ortsbestimmung des Einzelnen im Reich Gottes signalisiert. Die christliche Ethik favorisiert Schleiermacher somit eindeutig als Tugendethik: «so ist dann das Imperativische, was für den Moment übrig bleibt, auf unserem Standpunkt völlig unbedeutend.»[71]

[71] Ebd. 177. Für die Sittlichkeit des Christen gilt somit ebenfalls das Strukturmerkmal des «individuellen Allgemeinen», das Schleiermacher schon dem «Leben Jesu» zugrundegelegt hatte. Dazu: F. D. E. Schleiermacher, Das Leben Jesu. Sämtliche Werke I/6, Hg. von K. A. Rütenik, Berlin 1964, 7–14, wiederabgedruckt in: M. Frank, a.a.O. 392ff.

# VII. Modellethik
# zwischen Mythos und Einbildungskraft

Die normtheoretische Diskussion der letzten Jahre hat die Aufmerksamkeit auf zwei mögliche Interpretamente der Norm gelenkt. Einerseits
wird die Norm verstanden als eine faktische Richtschnur des Handelns.
Ihre wesentliche Funktion besteht in der Regulation und Entlastung von
Dauerreflexion angesichts einer normfähigen Situation. Dabei überschreitet sie diese Situation und bezieht deren Normfähigkeit auf die vornorma-
tive, analytisch zu erhebende Rationalitätsgestalt, die den konkreten Ver-
bindlichkeits-und Verallgemeinerungsgrad der Norm allererst eruiert.
Andererseits erinnert der Allgemeinheitsstatus der Norm an den transzendentalen Ort der Konstitution der Sittlichkeit als *Teil* ihrer Genese in
dem «individuellen Allgemeinen». Diese transzendentale Denkfigur
wurde als strukturelle Analogie in den von uns untersuchten Sprach-,
Bewußtseins- und Ethiktheoremen dargestellt. In den Texten des Strukturalismus wurde sie teilweise explizit, in der Philosophie der Subjektivität sachlich und problemindikatorisch rekonstruiert. Der transzendentale
Förderungsstatus dieser Allgemeinheit als *Teil* einer Theorie des Sollens
bzw. der sittlichen Verpflichtung ist, wie die Untersuchung von P. Freund[1]
eindrucksvoll nachgewiesen hat, seit Kant und bis Windelband unter dem
Begriff der «Norm» als alleiniger Kategorie der Ethik verabsolutiert worden. Der Normbegriff hat das in ihr enthaltene transzendetallogische
Argument psychologisch und sozial immer mehr zugunsten einer fast
solitären Vorherrschaft des Normmotivs eingeebnet. Die Wertethiken
(Scheler, Hartmann, Brentano) und die «kommunikativen» Ethiken
(Apel, Habermas) stellen einen Versuch dar, die intuitiven und spracha-
priorischen Aspekte der Sittlichkeit zu rehabilitieren. Die kommunikative

---

[1] P. Freund, Die Entwicklung des Normbegriffs von Kant bis Windelband, Berlin 1933.

Fassung des Vernunftregulativs «Allgemeinheit» in der Version der «kommunikativen» Ethik scheint allerdings nicht nur die virtuelle Abstraktheit der Norm zu bestätigen, sondern darüber hinaus die Beendigung von Dauerreflexion, was die Norm gewährleistet, zu gefährden und Reflexion zu einer erneuten «anthropologischen» Belastung werden zu lassen.

Die Ethik Schleiermachers dagegen hat die im späten Idealismus nur noch metaphorisch und mythologisch auflösbare Problematik der Letztbegründung der Subjektivität in der Gestalt von Selbstbewußtsein und Sittlichkeit als die «Unvordenklichkeit des Seins» bzw. als «Transzendenz des Wissensgrundes» in der Rede von dem «fluktuierenden Schema des Allgemeinen und des Individuellen» als Leistung der Einbildungkraft präzise gefaßt. Deren «ethische» Leistung war die Exponierung der Ethik als «vorbildliches Denken», dessen ästhetisches Komplement stellte die «Poetisierung» der Sprache als Zugang zur Ethik dar. Die Betroffenheit, welche die ästhetische Stimmigkeit als gelungene, individuelle Adaption eines Allgemeinen hervorruft – wie es die Poesie als individuelle Regelkompetenz der Sprache ist, wobei *jede* Sprache ohne die Virtualität dieser Kompetenz als Sprache sich auflöst – war somit deutbar geworden in struktureller Entsprechung zu der transzendentalen Form der Ethik, welche diese «Kompetenz» allerdings mit geringerem Spielraum ausmißt. Die Homogenität der Begründungsform der Erkenntniskritik (Dialektik), der Ethik und der Hermeneutik läßt das «individuelle Allgemeine» nicht nur als Entdeckungszusammenhang erscheinen, insofern in der «ästhetischen» Erfahrung gleichsam in nuce das ausgebildet wird, was die Ethik vor-bildet, sondern hat das «fluktuierende Schema/Bild» streng gemäß der Form der Transzendentalität aufgewiesen.

Wenn die Transzendentalität des «individuellen Allgemeinen» der strukturelle Ort der Konstitution der Sittlichkeit ist – und diese These läßt sich problemindikatorisch und phänomenal in der Philosophie *vor* Schleiermacher durchhalten –, dann ist sie auch der Ort des Erfahrungs- und Entdeckungszusammenhangs des Sittlichen. Diese Konfiguration ist somit das notwendige und hinreichende transzendentale Kriterium der Ethik: sie appelliert in der Komponente der Allgemeinheit an eine Universalität der Vernunft im Sinne einer *Letztbestimmung* der ethischen Realisation. Sie erinnert in der Komponente der Besonderheit an die konkrete Individualität als *Bestimmtheit* der Vernunft. Darüber hinaus sichert die Uneinholbarkeit des Verhältnisses des Allgemeinen und des Besonderen die Differenz als «bedeutungskonstituierendes Intervall» einer Ethik, die für die wesentliche Endlichkeit ihres Trägers Geltung beansprucht.

Die Darstellung muß sich der transzendentalen Form gemäß gestalten. Der Prämisse der kognitiv nicht einholbaren *Identität* des transzendentalen Seins- und Wissensgrundes entsprechend hat Schleiermacher die Verbildlichung « symbolisch» genannt. Damit war auf die Notwendigkeit hingewiesen, die *Identität* in ihrer Repräsentation im *Bild*, die faktische *Nicht-Identität* ethisch als das Noch-Nicht des *Vor-bildes* zu fassen. Angesichts der methodischen Undarstellbarkeit der Vernunftallgemeinheit als ideeller «focus imaginarius» und der nur punktuellen und instantanen Gestalt des Besonderen müssen jene Wissenschaften, die ihr Objekt nur in der Duplizität des Allgemeinen und des Besonderen fassen, nach der spezifischen Darstellungsart der Erfahrung und der Gestalt ihres Gegenstandes fragen. In der Terminologie Windelbands liegt diese Darstellungsart *zwischen* dem Nomothetischen und dem Idiographischen. Es war dann auch die Geschichtswissenschaft, die, ausgehend von der These A. C. Dantos[2], daß die Darstellung der Historie sich nur in der Form der Narration durchführen ließe, eine lebhafte Debatte entfachte. Diese im wesentlichen von H. M. Baumgartner[3], R. Koselleck[4], H. Lübbe[5], H. Weinrich[6] geführte Kontroverse spitzte sich auf das Problem historischer Kontinuität zu. Sie ist zum Teil unter Rückgriff auf W. Schapp[7] in die Theologie bei D. Sölle[8], J. B. Metz[9] und in die theologische Ethik bei D. Mieth[10] eingegangen.

In der Ethik scheint die faktische Kontinuierung der Identität des Handelnden in seinen Handlungen nicht unabhängig von der «Identitätsprä-

[2] A. C. Danto, Analytische Handlungsphilosophie, Frankfurt a.M. 1974.
[3] H.M. Baumgartner, Kontinuität und Geschichte. Zur Kritik und Metakritik der historischen Vernunft, Frankfurt a.M. 1972; Ders., Kontinuität als Paradigma historischer Konstruktion. In: Phil. Rund., 1980 (27) 254–270; Ders., mit J. Rüsen (Hg.); Seminar: Geschichte und Theorie. Umrisse einer Historik, Frankfurt a.M. 1976; Ders., Narrative Struktur und Objektivität. Wahrheitskriterien im historischen Wissen, in: Historische Objektivität. Aufsätze zur Geistesgeschichte. (Hg.) Baumgartner/Rüsen, Göttingen 1975, 48–68.
[4] R. Koselleck/W.J. Momsen/J. Rüsen (Hg.), Objektivität und Parteilichkeit in der Geschichtswissenschaft. Beiträge zur Historik, Bd. I, München 1977; Ders. und W.-D. Stempel, Geschichte-Ereignis-Erzählung (Poetik und Hermeneutik Bd. V), München 1973.
[5] H. Lübbe, Zur Identitätspräsentationsfunktion der Historie, in: «Identität», (Hg.) O. Marquard und K. Stierle, Poetik und Hermeneutik Bd. VIII, München 1979, 277–292.
[6] H. Weinrich, Tempus. Besprochene und erzählte Welt, Stuttgart 1973.
[7] W. Schapp, In Geschichten verstrickt, Hamburg 1953; Ders., Philosophie der Geschichten, Hamburg 1959.
[8] D. Sölle, Realisation. Studien zum Verhältnis von Theologie und Dichtung nach der Aufklärung, Darmstadt 1973.
[9] J. B. Metz, Kleine Apologie des Erzählens, in: Concilium (9) 1973, 334–341; Ders., Glaube in Geschichte und Gesellschaft, Mainz 1977, 181–194.
[10] D. Mieth, Dichtung, Glaube, Moral. Studien zur Begründung einer narrativen Ethik, Mainz 1976; Ders., Epik und Ethik. Eine theologisch-ethische Interpretation der Josephromane Thomas Manns, Tübingen 1976.

sentationsfunktion» (H. Lübbe) ihrer «narrativen» Vergegenwärtigung[11] zu sein.

Ausgehend von einer *klassischen* Handlungsdefinition O. Höffes kann man sich diesen Komplex der Kontinuierung verdeutlichen.

«Mit *Handeln* in einem emphatischen Sinn des Wortes bezeichnen wir das für den Menschen als Menschen spezifische, das wissentlich-willentliche Tun oder Lassen ... Handeln unterscheidet sich sowohl von den artspezifischen endogen gesteuerten Automatismen bei Tieren, den Instinktbewegungen, als auch von jenen vorbewußten (physiologischen und anderen) Prozessen oder unwillentlichen (un-willkürlichen) Bewegungen (von Reflexen, von dem durch äußeren Zwang oder Nötigung erfolgenden Tun und dem bloßen Erleiden von etwas), derer man sich entweder gar nicht bewußt ist oder über die man keine Kontrolle hat und die sich zwar auch beim Menschen finden, aber nicht für ihn spezifisch sind.»[12]

Über diese Kennzeichnung hinaus wäre eine Handlung zu kennzeichnen durch: a) ihre Authentizität. Diese läßt sich als eine Tätigkeitssphäre eigener Provenienz bestimmen, deren *notwendige* Bedingungen nach Gesichtspunkten der Kausalität (Ursache/Wirkung, Stimulus/Respons, induktiv/deduktiv-nomologisch; cfr. Putnamm, Ryle, Hempel, Oppenheim) *erklärt* werden können. Sie läßt sich aber nur *hinreichend verstehen*, wenn ihr intentionaler und bewußter Zusammenhang bedacht wird. b) ihre Strebenskomponente (das Worumwillen; οὗ ἕνεκα). Die eine Komponente des Strebensmodells (ποίησις, Arbeit) läßt sich definieren als Herstellen im Sinne von «des Resultats wegen» Hervorgebrachten, wobei die Produktivität dieser Handlung sich nach Kriterien der Brauchbarkeit des nach einem Idealmaß Hergestellten bemißt, das Handeln als «Praxis» im engeren Sinne ist nicht nur nach außen hin finalisiert, sondern findet seine Vollendung in der Qualität des Vollzugs selber. Damit dieses Strebensmodell durch seine Linearität den unendlichen Regreß vermeiden kann, muß zusätzlich eine immanente Entelechie vorausgesetzt werden: durch eine Rückwendung auf sich selbst (Reflexion) wird die immanente Vollkommenheit entweder teleologisch oder deontologisch konkretisiert. Die logische Vollkommenheit des linearen und reflexiven Strebens liegt dement-

[11] W. Fischer, Struktur und Funktion erzählter Lebensgeschichte, in: Soziologie des Lebenslaufs. (Hg.) M. Kohli, Darmstadt 1978, 311–336; H. Leitner, Lebenslauf und Identität. Die kulturelle Konstruktion von Zeit in der Biographie, Frankfurt a.M. 1982; J. J. Engel, Über Handlung, Gespräch und Erzählung.(1774), (Hg.) E. Th. Voss, Stuttgart 1965.

[12] O. Höffe, Sittliches Handeln. Ein ethischer Problemaufriß, in: H. Lenk (Hg.), Handlungstheorien interdisziplinär, Bd. II, 2, München 1979, 617–642, 617.

sprechend entweder im unbedingten Begriff des Glücks (gelungenen Lebens) oder im absoluten Begriff der Freiheit (der Würdigkeit).

Gemäß der Idee des Glücks befindet sich menschliches Handeln nicht nur faktisch, sondern auch logisch in einer zwar gefährdeten, aber sich durchhaltenden Kontinuität von Antizipationen und (rekonstruierend) kontra-faktischen Modellen. Selbstreflexion wäre somit nicht nur eine Funktion (und Therapie) der phylogenetischen Entsicherung des Menschen (Plessner), sondern das Medium selbst des unbedingten Gehalts: Glück und Freiheit. Das impliziert, daß Kontinuität conditio sine qua non ist, wenn Handeln glücken soll, denn sonst bestünde die humane Handlungsrealität aus zusammenhanglosen, parataktischen Aktionen und Reaktionen und wäre Glück nicht intendierbar, somit auch nicht auf Erfüllbarkeit hin auslegbar. Kontinuität sichert die Erwartungsstruktur des Handelns, darüberhinaus aber auch die Möglichkeit, an Erfahrungen gelungenen oder mißlungenen Lebens (Tradition) anzuknüpfen. Ohne Kontinuität würden wesentliche Prädikate des Handlungsbegriffs – Motivation, Intention, Erfahrung, Erwartung, Erfüllung etc. –, in der Leere schweben.

Kontinuität ist jedoch nicht gleichzusetzen mit der fraglosen Gültigkeit institutioneller Muster und noch weniger mit der scheinbaren Evidenz faktisch gelebter Entwürfe (obwohl dies im Grenzfall durchaus der Fall sein kann). Sie ist die vorsichtige Konstruktion von Sinnperspektiven über sie falsifizierende Diskontinuitäten hinweg und ist somit sowohl ein biographisch-individuelles, ein geschichtlich-kollektives, als auch ein institutionell-legitimierendes *revidierbares* Geschehen.

Die Einzelhandlung wird dadurch auf eine konstruierte Identität bezogen, die jedoch als Konstrukt in der Krisenlosigkeit «normaler» Handlungsabläufe nicht erfahren wird, sondern als intendierbare Sinn-perspektive schon immer (transzendental) den Handlungsradius von Personen, Kollektiven und Institutionen lenkt und sichert. Sogar die Erfassung von Zerfalls- und Schwundstufen in diesen drei Bereichen ist logisch mit einem wenigstens formalen Horizont der konstruierten oder konstruierbaren Kontinuität verknüpft.

Jedoch ist (Re-)Konstruktion nicht nur ein Mittel der Gewinnung von Kontinuität. Sie antwortet auf die prinzipielle Gebrochenheit (durch Widerfahrnis oder Reflexion), Partikularität, Mehrdeutigkeit und Fraglichkeit menschlicher Situationen: sie ist somit eine «Vereindeutigung» der Situation unter normativen Orientierungen und unter partieller Ausblendung der komplexen, oft nur analytisch erhebbaren Bedingungsfaktoren. Normative, normaffine und normhafte Sätze sind immer auch rekonstruktive und konstruktive Formulierungen einer sonst nicht «verstehbaren» Faktizität auf Besseres hin unter zu- oder abnehmendem Einbeziehen von detailliert-konkreten Einzeldeterminanten: die normativen, normaffinen und normhaften Komponenten stehen in einer unterschiedlichen Proportionalität zur Konkretheit (Unterschied von Norm und Modell).

Abgesehen davon, daß die Situation selber wesentlich Resultat vergangener Aktionen ist, ist ihre bewußte Erfassung als problematische Anfrage an gegenwärtiges oder zukünftiges Handeln nur unter retro-und prospektiven Gesichtspunkten möglich («Vergangene Zukunft»; Koselleck).

Die Funktion der Narration als Medium der Kontinuierung (lebens)geschichtlicher Zusammenhänge dispensiert aber nicht von der Frage nach ihrer möglichen Ideologiepräsentationsfunktion (Lübbe). J. P. Faye hat in seiner «Theorie der Erzählung» die sogenannte «narrative Ökonomie» auf ihre Modalität als Handlungsproduktion hin befragt, weil sie als Suggestibilität und Akkumulation narrativer Mächtigkeit zu einem Ausfall analytischer Reflexion führen kann. «Das Eigentümliche der modernen Zeit ist diese immer gefährlicher werdende Kraft der narrativen Erzeugung.»[13] In der Selbstreflexion sind aber Erkenntnis und Interesse (interesse) identisch (Habermas[14]).

Gerade die Philosophie des Idealismus und Kierkegaard bestätigen dies eindrucksvoll, nicht zuletzt in der selbstbewußtseinstheoretischen Reflexion der Identität von theoretischem und praktischem Ich in der konstitutiven Differenz des Selbstbewußtseins. Dann sind aber *Narration* als *interessierte* Erzählung, die zunächst immer axiologische und somit in ihrem Status nicht verifizierbare Aussagen enthält über die Orientiertheit des Selbst, und *Reflexion* als das kritische Unterbrechen und Anhalten des Interesses und des Erzählflusses *ursprünglich* eins. Das Interesse bliebe in einem folgerichtigen Sinn uninteressant, wenn ihm die Kraft des Interesses als Fähigkeit des distanzierten Bezugs in der Reflexion fehlte. Darüberhinaus enthält das Erzählbedürfnis eine «transzendentale» Vorgabe durch die Differenz und Einheit des «Individuellen» und des «Allgemeinen», die als *Differenz* zwar *das Interesse der Vereinheitlichung* freisetzt, als Einheit an eine transzendental und phänomenologisch verankerte Darstellung ihrer Diskursivität appelliert. Zugleich aber bedingt die Gleich-

[13] J. P. Faye, Theorie der Erzählung. Frankfurt a.M. 1977, 145. (Théorie du récit. Introduction aux langages totalitaires, Paris 1972).

[14] J. Habermas, Technik und Wissenschaft als Ideologie, Frankfurt a.M. 1968, 163f.

ursprünglichkeit von Erkenntnis (theoretischer Subjektivität) und Interesse (praktischer Subjektivität) in der Selbstreflexion die nicht *begrifflich* einholbare Ursprünglichkeit des *interessierten* Bezugs. Diese Tatsache erklärt das immer wieder aufkeimende Interesse an jener Gestalt der Selbst- und der Weltdeutung, welche die Reflexion restringiert auf interessierte Narration: auf den Mythos.

Francis Bacon hatte in dem «Novum Organon», unter der Devise «Man soll den menschlichen Geist nicht mit Schwingen beflügeln, sondern mit bleiernem Gewichte ihn zurückhalten von allem Sprunge»[15], eine Idolenlehre entwickelt, welche die Vorurteilsstruktur und Bildstruktur des menschlichen Geistes in ihrer hermeneutisch aufschlüsselnden Funktion zugunsten instrumenteller Vernunft liquidierte. Concorcet hatte in seinem «Entwurf einer historischen Darstellung der Fortschritte des menschlichen Geistes» *die Interessen* der Menschen als Grund ihres Aberglaubens verurteilt und die Philosophie als eine Armatur, «eine einheitliche, starke Phalanx gegen alle Irrtümer»[16] beschworen. Das 19. Jahrhundert setzte vor allem durch die Wiederaufnahme des «Dionysosmotivs»[17] in der Romantik der Bildlosigkeit der Aufklärung einen Versuch der Konstitution einer *aufgeklärten* Bildhaftigkeit entgegen, die unter dem Eindruck der metaphorischen Beschaffenheit auch epistemologischer Letztaussagen (siehe die vielfältige Verwendung des Augen-Motivs) den Mythos zunehmend rehabilitierte[18] (Schlegel, Schelling, Moritz, Görres, Creuzer, Bachofen). Paradigmatisch in dieser Hinsicht ist die Entwicklung, die zwischen Friedrich Schlegels «Studiumsaufsatz» von 1795 (Über das Studium der Griechischen Poesie)[19] und seiner «Rede über die Mythologie» von 1800 liegt. Schlegel verfocht in seinem Studiumsaufsatz eine *universalhistorische* Begründung der Poesie als Ästhetisierung des Menschen und verstand diese als dessen Ethisierung im Sinne seiner wachsenden Perfektibilität. Dieser Standpunkt wurde in der «Rede» zugunsten der Mythopoesie einer «Neuen Mythologie» aufgegeben, die als Artefakt («das künstlichste aller Kunstwerke»[20]) die Perfektibilität des Ethischen

[15] Fr. Bacon, Neues Organon der Wissenschaften. (Hg.) A. Th. Brück, Darmstadt 1981, 79.

[16] M. J. Condorcet, Entwurf einer historischen Darstellung der Fortschritte des menschlichen Geistes (1793), Frankfurt a.M. 1976, 162.

[17] Dazu: M. Frank, Der kommende Gott. Vorlesungen über die Neue Mythologie, Frankfurt a.M. 1982.

[18] Vor allem die Literaturwissenschaft hat diese mythopoetische Konstanz immer wieder bemerkt. Dazu: K. S. Guthke, Die Mythologie der entgötterten Welt. Ein literarisches Thema von der Aufklärung bis zur Gegenwart, Göttingen 1971; G. Schmidt-Henkel, Mythos und Dichtung. Zur Begriffs- und Stilgeschichte der deutschen Literatur im 19. und 20. Jahrhundert, Berlin-Zürich 1967.

[19] F. Schlegel, Über das Studium der Griechischen Poesie, Paderborn/München/Wien/Zürich 1982.

[20] F. Schlegel, Rede über die Mythologie, in: Werke Bd. II, Berlin-Weimar 1980, 159–171, 159.

als romantisierende Progression des Endlichen im Medium der Poesie ausdrückte. Der Horizont eines normativ intendierbaren, durch setzende Vernunft approximativ zu realisierenden moralischen Geschichtsziels ist verschwunden. «Denn das ist der Anfang aller Poesie, den Gang und die Gesetze der vernünftig denkenden Vernunft aufzuheben und uns wieder in die schöne Verwirrung der Fantasie, in das ursprüngliche Chaos der menschlichen Natur zu versetzen.»[21] Die lineare Zeit wird in die Dimension einer inneren, momentanen Jetztzeit des Selbstbewußtseins gekehrt, welche die «vulgäre» Sukzessivität und geschichtsphilosphische Zeit «invertiert» und in das ekstatisches Aus-stehen einer qualitativen Simultaneität mit den Ursprüngen der Zeiten wendet.[22]

Diese Ekstase läßt sich dann nur noch in einer metaphorischen Sprache fassen, die mit Präzision ihren *unbildhaften Gegenstand* verbildlicht. Der Verlust dieses mythopoetischen Könnens und zugleich die Wiederentdeckung der konstitutiven Verwiesenheit menschlicher Existenz und Selbstdeutung auf Anerkennung und Produktion von Bildern motivierten den Protest gegen den nivellierenden Individualitätsschwund in den geschichtsphilosophischen Entwürfen und gegen die reduktive Gleichförmigkeit der Methodologie historischen Erklärens. Franz Overbecks «Über die Christlichkeit unserer heutigen Theologie» (1873) war von der resignierten Einsicht getragen, daß die historische Rekonstruktion als Methode der Theologie stets nur «Flickarbeit am religiösen Glauben»[23] sei und sowohl Grund als auch Folge einer ständigen Annihilation religiöser Authentizität.

Diese nur programmatischen Äußerungen bedingen die Einsicht, daß das Interesse an Narrativität selber nur Teil einer umfassenden Bewegung der Wende der Erkenntniskritik zur «Kritik der Mythologie» ist, die als «Kritik der Erkenntniskritik» deren vorreflexive Gegründetheit zur *Sprache* bringt. Die fraglose Geltung des Theorems «vom Mythos zum Logos» (W. Nestle)[24] wurde in den Arbeiten von E. Cassirer[25], W.F.

---

[21] Ebd. 164.
[22] Dazu F. Novalis, Blütenstaubfragment, in: Novalis, Werke, (Hg.) G. Schulz, München 1978, 326. «Die Tiefen unseres Geistes kennen wir nicht – nach innen geht der geheimnisvolle Weg. In uns, oder nirgends ist die Ewigkeit mit ihren Welten – die Vergangenheit und die Zukunft.» Dazu auch: K. H. Bohrer, Friedrich Schlegels Rede über die Mythologie. In: (Hg.) ders., Mythos und Moderne, Frankfurt a.M. 1983, 52–82; M. Frank, Das Problem «Zeit» in der deutschen Romantik, München 1972.
[23] Darmstadt 1981.
[24] Vom Mythos zum Logos, Die Selbstentfaltung des griechischen Denkens von Homer bis auf die Sophistik und Sokrates, Stuttgart 1940.
[25] Idee und Gestalt, Berlin 1921; Ders., Philosophie der symbolischen Formen Bd. II, Das mythische Denken, Darmstadt 1977.

Otto[26], R. Schaeffler[27], H. Blumenberg[28], F. von Essen[29] und L. Kolakowski[30] durch eine diffizile Analyse des Verhältnisses von systematischer Reflexion (bzw. Rationalität) und Mythos als Inbegriff *unsystemischer*, aber nicht unsystematischer Produktion von Metaphern und Narration unterlaufen. Die Relation von Handlung und Bild bzw. von Ethik und Ästhetik ist in dieser Hinsicht fundamental, läßt sich aber erst in einer Aufarbeitung dieses Verhältnisses in der Philosophie der Neuzeit und der Moderne (Kant, Schiller, Schelling, Deutinger, Cohen etc.) zu einer Ethik des Bildes bzw. zu einer Lehre von der *ästhetischen Güte* (Peirce) weiterentwickeln. Eine Ethik, die das *fluktuierende Schema* des individuellen Allgemeinen als ihre transzendentallogische Struktur begreift und deshalb ihr strukturiertes *Bildbewußtsein* in der Form und der Darstellung ihrer Präsentation berücksichtigt, kann sich unter Berufung auf Schleiermacher eine *symbolische* Ethik nennen. Denn sie ist als In-eins-Bildung der Strukturgesetzlichkeit des «individuellen Allgemeinen» *eine Verbildlichung ihrer Geltungsform* in einer Entdeckungsgestalt und als solche eine (immer inadäquate) Repräsentation des nicht darstellbaren Geltungsgrundes, der nur als ein repräsentierter gewußt wird. Die symbolische Erkenntnis[31] kann auf eine theologisch-philosophische Tradition zurückgreifen, die so alt ist wie die Theologie und Philosophie selbst und eindrucksvoll in den Arbeiten von E. Cassirer[32], K. Jaspers[33] und D. Sperber[34] rehabilitiert wurde. Sie läßt sich aber erst dann genau bestimmen, wenn dasjenige Vermögen, das in der Erkenntniskritik der Neuzeit und der Moderne jene «fluktuierende Schematisierung» oder Verbildlichung vorantreibt, nämlich die Einbildungskraft, in seiner ganzen Vielfalt und Komplexität genau reflektiert und in seiner anthropologischen Bedeutung bestimmt worden ist. Neben J. P. Sartres «Das Imaginäre. Phänomenologische Psychologie der Einbildungskraft» (1940) hat nur D. Kamper[35]

[26] W. F. Otto, Die Gestalt und das Sein. Gesammelte Abhandlungen über den Mythos und seine Bedeutung für die Menschheit, Darmstadt 1975.
[27] Religion und kritisches Bewußtsein, Freiburg/München 1973.
[28] H. Blumenberg, Arbeit am Mythos, Frankfurt a. M. 1979.
[29] Mythos und Wahrheit, Frankfurt a. M. 1972.
[30] Die Gegenwärtigkeit des Mythos, München 1973.
[31] Dazu: M. Maimon, Ueber symbolische Erkenntnis und philosophische Sprache, (1790). Gesammelte Werke. Bd. II, Hildesheim 1965, 267–332.
[32] E. Cassirer, Wesen und Wirkung des Symbolbegriffs, Darmstadt 1956.
[33] K. Jaspers, Philosophie, Bd. III: Metaphysik, Berlin/Heidelberg/New York 1973; Ders., Der philosophische Glaube angesichts der Offenbarung, München 1962.
[34] D. Sperber, Über Symbolik, Frankfurt 1975. (Le symbolisme en général, Paris 1974). Das monumentale Werk von R. zur Lippe, Naturbeherrschung am Menschen I und II (Frankfurt a. M. 1981) ist für die Renaissance und die frühe Neuzeit diese Aufgabe angegangen.
[35] D. Kamper, Zur Geschichte der Einbildungskraft, München/Wien 1981. Ebenfalls: A. Schöpf (Hg.), Phantasie als anthropologisches Problem, Würzburg 1981.

in neuester Zeit das Desiderat einer solchen Aufarbeitung zur Kenntnis genommen. Wenn man den Begriff des «Symbols» aber genauer verwenden will als in seiner breiten Bedeutung von «Versinnlichung» und «Verbildlichung» und mit ihm den transzendentallogischen Status seines Gebrauchs mitliefern will, scheint seine Verwendung Schwierigkeiten zu bereiten. Denn die Schematisierung oder Verbildlichung ist nicht die «einfache», direkte Repräsentation und Sammlung des ideellen Gehaltes des Erkenntnisgrundes, sondern der *Prozeß* seiner abbildlichen (in der Erkenntniskritik) und seiner vor-bildlichen (in der Ethik) Ein-bildung in die Bewegung des «Individuell-Allgemeinen».

Die Allegorie scheint deshalb eine zutreffendere Figur zu sein. Görres hatte den Unterschied von Symbol und Allegorie folgendermaßen gefaßt: «... das Eine (das Symbol) als in sich beschlossenes, stetig in sich beharrendes Zeichen der Ideen..., diese aber (die Allegorie) als ein successiv fortschreitendes, mit der Zeit selbst in Fluß gekommenes, dramatisch bewegliches, strömendes Abbild derselben.»[36] Gerade der Allegorie eignet deshalb eine Konstituiertheit, die der Bewegung der «Differenz» als Bewegung der transzendentalen Verzögerung (Derrida, Lacan, Husserl) im Wissen des transzendentalen Grundes des Wissens und der Ethik formal besser entspricht als das Symbol, das wesentlich auf der Gegenwärtigkeit des in ihm Repräsentierten beruht. Die Betroffenheit, die stets zu dem ethischen Entdeckungszusammenhang einer Handlung gehört und ihren Kontrast-, Intensitäts- und Motivationscharakter einschließt, ist in der Traditionsmächtigkeit und im Beharrungsvermögen des Symbols nur schwer ausdrückbar. Diesen Zusammenhang hatte auch W. Benjamin vor Augen, als er im «Ursprung des deutschen Trauerspiels» bemerkte: «Allegorien veralten, weil das Bestützende zu ihrem Wesen gehört.»[37] Das Modell als eine provisorische, aufschlüsselnde Modulation der Möglichkeiten und Stimmigkeiten einer Situation (Oppitz, Bourdieu, Falk, Rombach, Mieth), als perspektivische Erkenntnis in Konstellationen (Adorno) ist das methodologische Pendant zu dieser Begrifflichkeit.

Um dem Mißverständnis vorzubeugen, die Rede vom «Bild» und «Modell» als Ausdruck der *transzendentalen* Struktur des «individuellen Allgemeinen» sei ein bloß mythopoetisch-narrativer Ersatz, sei gleichsam ex negativo auf G. Simmel hingewiesen, der im Bereich der Ethik die Fol-

---

[36] J. Görres, zitiert bei W. Benjamin, Ursprung des deutschen Trauerspiels, Werke Bd. I, 203–409, 342. Frankfurt a.M. 1976.
[37] Ebd. 359.

gen der Vernachlässigung der Selbstreflexion als Ort der transzendentalen Konstitution der Ethik eindrucksvoll vor Augen führt.

Simmel hatte 1913 einen Aufsatz[38] verfaßt mit dem Titel «Das individuelle Gesetz. Ein Versuch über das Prinzip der Ethik». Simmel warf Kant dort vor, die Allgemeinheit des kategorischen Imperativs sei ein Resultat der begrifflichen Abstraktion, der künstlichen Atomisierung der Handlung aus der Situation ihrer Erlebnisform heraus, während in Wirklichkeit nicht die Vernunft, sondern die Totalität des konkreten Lebens der Ort des «Sollens» sei.

«Als Allgemeines kann das Gesetz ein Sollen nur aus den einzelnen Inhalten des Lebens entwickeln, die aus dessen Quellung und zusammenhängender Besorgtheit entrückt, zu festumgrenzten, logischen, aber nicht vital verbundenen Begriffen verfestigt sind.»[39]

Obwohl Simmel zum Teil sehr präzise die Interdependenz von theoretischer und praktischer Selbstbestimmung faßte[40], hat die Verlagerung der transzendentalen Struktur der Begründung in einen faktischen Zusammenhang fatale Folgen. Simmel redet dann auch von einer «irgendwie einheitlichen Totalität des Lebens» (179), von «einem metaphysischen Grundgefühl» und einem «Strom des Lebens» (205) und bezeichnet damit die vitalistische Struktur seiner Lebensphilosophie. Das «individuelle Allgemeine», seines transzendentalen Status beraubt, wird dann eine «Objektivität des Individuellen», wobei Simmel eigens hinzufügt, daß diese Individualität nicht «Einzigkeit», sondern «Eigenheit» (222) unter der Form des objektiven Allgemeinen bedeute. Das Sollen als Ausdruck der Autonomie in der Selbstreflexion wird zur «Autonomie des Sollens». Die verhängnisvolle Konsequenz dieser Umbildung wird deutlich, wenn Simmel, trotz der Gewissensnot eines Antimilitaristen, dessen moralische (!) Verpflichtung zum Waffendienst mit diesem Argument begründet: «Aus dem schlechthin individuellen Leben dieses Menschen heraus … zu dem sein Staatsbürgertum gehört, erhebt sich deshalb seine Pflicht des Waffendienstes, als ein schlechthin objektiver Überbau oder Nebenbau seiner Wirklichkeit.»[41]

---

[38] Erschienen in Logos IV, abgedruckt in: M. Landmann (Hg.), G. Simmel, Das individuelle Gesetz. Philosophische Exkurse, Frankfurt a.M. 1968, 174–230.

[39] Ebd. 195.

[40] «Der Aktus des Selbstbewußtseins, in dem wir ein Sein, dessen Inhalt wir selbst sind, uns gegenüber wissen, wie er auch gedeutet werden möge, ist jedenfalls der Art nach nichts anderes als der Aktus des Sollens, in dem wir ein Gebotenes, dessen Inhalt wir selbst sind, uns gegenüber wissen.» (197).

[41] Ebd. 219.

Niemand besser als Søren Kierkegaard hat dagegen den prekären und deshalb humanen Stellenwert des «individuellen Allgemeinen» in der Ethik gefaßt. Am Ende der Schrift «Entweder – Oder» heißt es: «Das Individuum ist zugleich das Allgemeine und das Einzelne. Die Pflicht ist das Allgemeine, sie wird von mir gefordert; bin ich also nicht das Allgemeine, so kann ich auch die Pflicht nicht tun. Andererseits ist meine Pflicht das Einzelne, etwas für mich allein, und doch ist es die Pflicht und also das Allgemeine. Hier zeigt sich die Persönlichkeit in ihrer höchsten Gültigkeit. Sie ist nicht gesetzlos, gibt sich auch nicht selbst ihr Gesetz: denn die Bestimmung der Pflicht bleibt, die Persönlichkeit aber erweist sich als die Einheit des Allgemeinen und des Einzelnen. Daß es sich so verhält, ist klar, das kann man einem Kind begreiflich machen, denn ich kann die Pflicht tun und doch nicht die Pflicht tun. Daß darum die Welt etwa in Skepsis versinken müßte, sehe ich durchaus nicht ein; denn der Unterschied zwischen Gut und Böse wird immer bleiben, Verantwortung und Pflicht desgleichen, mag es für einen anderen Menschen auch unmöglich sein zu sagen, was *meine* Pflicht sei, wohingegen es ihm jederzeit möglich sein wird zu sagen, was die *seine* ist, welches nicht der Fall wäre, wäre die Einheit des Allgemeinen und des Einzelnen nicht gesetzt.»[42]

[42] Søren Kierkegaard, Entweder-Oder, München 1975, 831.

# Bibliographie

Adorno, Th.W., Jargon der Eigentlichkeit, Frankfurt a.M. 1977.

Ahrwerter, G., Zum Strukturbegriff des logischen Positivismus, in: W.D. Hund (Hg.), Strukturalismus, Ideologie und Dogmengeschichte, Darmstadt/Neuwied 1973, 65–88.

Alsberg, P., Das Menschheitsrätsel, Dresden 1922.

Allemann, B., Martin Heidegger und die Politik, in: O.Pöggeler (Hg.), Heidegger, Köln/Berlin 1969, 246–261.

Améry, I., Hand an sich legen, Stuttgart 1976.

ders., Wider den Strukturalismus. Das Beispiel M.Foucaults, in: Kritik, 469–482.

Anders, G., Die Antiquiertheit des Menschen, Bd. I, Über die Seele im Zeitalter der zweiten industriellen Revolution, München 1980.

ders., Die Antiquiertheit des Menschen, Bd. II, Über die Zerstörung des Lebens im Zeitalter der dritten industriellen Revolution, München 1981.

ders., Philosophische Stenogramme, München 1965.

Anonymus, Problèmes de méthode découlant de la conception de la langue comme système, Travaux du cercle de Prague, Bd. I, 1929, 7–29.

Apel, K.O., Ch.W. Morris und das Programm einer pragmatisch integrierten Semiotik, in: Ch.W. Morris, Zeichen-Sprache-Verhalten, Frankfurt a.M./Berlin/Wien 1981, 9–67.

ders., Der Denkweg von Ch.S. Peirce. Eine Einführung in den amerikanischen Pragmatismus, Frankfurt a.M. 1975.

ders., Ist der Tod eine Bedingung der Möglichkeit von Bedeutung? in: Vernünftiges Denken. Studien zur praktischen Philosophie und Wissenschaftstheorie. Festschrift W.Kamlah, (Hg.) J.Mittelstraß/M. Riedel, Berlin/New York 1978, 467–499.

ders., «Von Kant zu Peirce»: Die semiotische Transformation der transzendentalen Logik, in: Transformationen der Philosophie, Bd. II, Frankfurt a.M. 1973, 157–178.

ders., Wittgenstein und Heidegger. Die Frage nach dem Sinn von Sein und der Sinnlosigkeitsverdacht gegen alle Metaphysik, in: O. Pöggeler (Hg.), Heidegger, Köln/Berlin 1969, 358–397.

Aristoteles, Works, Oxford 1979.

Arnauld, A., Die Logik oder die Kunst des Denkens, Darmstadt 1972.

ders., Grammaire général et raisonnée, Paris 1676.

Ashby, W.R., Design for a Brain, London 1960.

Ast, Fr., Grammatik. Hermeneutik und Kritik, Landshut 1808.

Auzias, J.M., Clefs pour le Structuralisme, Paris 1967.

Baader, F.von, Tagebuchnotizen (1786–97), Werke, Leipzig 1851–55, Bd. 11.

Baader, F. von, Über die Begründung der Ethik durch die Physik, Stuttgart 1969.

Bachelard, G., Die Bildung des wissenschaftlichen Geistes, Frankfurt a.M. 1978.

ders., Die Philosophie des Nein. Versuch einer Philosophie des neuen wissenschaftlichen Geistes, Frankfurt a.M. 1980.

Bacon, Fr., De dignitate et augmentis scienciarum, London 1652.

ders., Neues Organon der Wissenschaften, (Hg.) A.Th. Brück, Darmstadt 1981.

Badiou, A., Le concept de modèle, Paris 1969.

Barthes, R., Am Nullpunkt der Literatur. Objektive Literatur. Zwei Essays, Hamburg 1959. (Le degré zéro de l'ecriture, Paris 1953).

ders., Arcimboldo, Rhetoriker und Magier, in: F.M. Ricci, Die Zeichen des Menschen. Arcimboldo. Mit einem Text von Roland Barthes. Einleitung von A.B. Oliva, Parma/Genf 1978.

ders., Das Reich der Zeichen. Frankfurt a.M. 1981. (L'empire des signes, Genève 1970).

ders., Die Lust am Text, Frankfurt a.M. 1982. (Le plaisir du texte, Paris 1973).

ders., Die strukturalistische Tätigkeit, in: Kursbuch 5 (1966), Frankfurt a.M. 1966, 190–195. (L'activité structuraliste, in: Essais critiques, Paris 1964, 213–220).

ders., Elemente der Semiologie, Frankfurt a.M. 1981. (Eléments de sémiologie, Paris 1965).

ders., Essais critiques, Paris 1964.

ders., Fragments d'un discours amoureux, Paris 1977.

ders., Introductions à l'analyse des récits, in: R. Barthes, W. Kayser etc., Poétique du récit, Paris 1977, 7–58.

ders., Kritik und Wahrheit, Frankfurt a.M. 1980. (Critique et vérité, Paris 1966).

ders., La lutte avec l'ange: analyse textuelle de Genèse 32, 23–33, in: R. Barthes, F. Boven, J. Starobinski etc., Analyse structurale et exégèse biblique. Essais d'interpretation. Neuchâtel 1971, 27–40.

ders., Leçon/Lektion. Antrittsvorlesung im Collège de France, Frankfurt a.M. 1980. (Leçon, Paris 1978).

ders., Literatur oder Geschichte, Frankfurt a.M. 1981 (Paris 1963 und 1964).

ders., Michelet, Frankfurt a.M. 1980. (Michelet par lui-même, Paris 1944).

ders., Mythen des Alltags, Frankfurt a.M. 1981. (Mythologies, Paris 1957).

ders., Rhetorik des Bildes, in: G. Schiwy, Der französische Strukturalismus. Mode. Methode. Ideologie, Reinbeck bei Hamburg 1969, 163–166. (Communications 4, 1964, 40–51).

ders., Roland Barthes. Über mich selbst, München 1978. (R.B. par R.B., Paris 1975).

ders., Sade-Fourier-Loyola, Frankfurt a.M. 1974. (Paris 1971).

ders., Système de la Mode, Paris 1967.

ders., S/Z, Frankfurt a.M. 1976. (Paris 1970).

Baruzzi, A., Mensch und Maschine. Das Denken sub specie machinae, München 1973.

Bastide, R., Sens et usages du terme «Structure» dans les sciences humaines et sociales, The Hague-Paris 1972.

Baudrillard, G., Oublier Foucault, Paris 1977.

Baumann, H.H., Über französischen Strukturalismus. Zur Rezeption moderner Linguistik in Frankreich und in Deutschland, in: W. Höllerer (Hg.) Sprache im technischen Zeitalter (30), Stuttgart 1969, 157–183.

Baumgarten, A.G., Aesthetica, Frankfurt a.d.Oder 1750–1758.

ders., Meditationes philosophicae de nonnullis ad poema pertinentibus (1735), Philosophische Betrachtungen über einige Bedingungen des Gedichts, Hamburg 1983.

ders., Metaphysica, Halle 1739.

Baumgartner, H.M., Geschichte und Theorie. Umrisse einer Historik, Frankfurt a.M. 1976.

ders., Kontinuität als Paradigma historischer Konstruktion, in: Phil. Rundschau, 1980 (27), 254–270.

Baumgartner, H.M., Kontinuität und Geschichte. Zur Kritik und Metakritik der historischen Vernunft, Frankfurt a.M. 1972.

ders., Narrative Struktur und Objektivität. Wahrheitskriterien im historischen Wissen, in: Historische Objektivität. Aufsätze zur Geistesgeschichte. (Hg.) ders./J. Rüsen, Göttingen 1975, 48–68.

Bäumler, A., Das Irrationalitätsproblem in der Ästhetik und Logik des 18. Jahrhunderts, Darmstadt 1981.

Beck, L.W., Kants «Kritik der praktischen Vernunft», München 1974.

Becker, O., Para-Existenz. Menschliches Dasein und Dawesen, in: O. Pöggeler (Hg.), Heidegger, Köln/Berlin 1969, 261–285.

Becker, W., Fichte und der Mythos vom Primat der praktischen Vernunft, in: M. Riedel (Hg.), Rehabilitierung der praktischen Philosophie, Bd. II, Freiburg 1974, 593–615.

Benjamin, W., Lehre vom Ähnlichen. Werke, Bd. II. 1, Frankfurt a.M. 1977, 204–210.

ders., Über das mimetische Vermögen, Werke Bd. II. 1, 210–213.

ders., Über die Sprache überhaupt und über die Sprache des Menschen, Werke Bd. II. 1, 140–157.

ders., Ursprung des deutschen Trauerspiels, Werke Bd. I, 203–409.

Bense, M., Semiotik. Allgemeine Theorie der Zeichen, Baden-Baden 1967.

ders., Wörterbuch der Semiotik, Köln 1973.

Benveniste, E., Kategorien des Denkens und Kategorien der Sprache, in: ders., Probleme der allgemeinen Sprachwissenschaft, München 1974, 77–89.

ders., Über die Subjektivität in der Sprache, in: ders., a.a.O. 287–296.

ders., Zur Natur des sprachlichen Zeichens, in: ders., a.a.O. 61–69.

Berkeley, G., The Theory of Vision. Vindicated and Explained, London 1733.

Bernardi, A.F., Sprachlehre, Berlin 1803.

Bertallanfy, L. von, «... aber vom Menschen wissen wir nichts», Düsseldorf-Wien 1979. (Robots, Men and Minds, New York 1967).

Bierwisch, M., Strukturalismus. Geschichte, Probleme und Methoden, in: Kursbuch 5, 1966, 77–152.

Bloomfield, L., Language, New York 1933.

Blumenberg, H., Arbeit am Mythos, Frankfurt a.M. 1979.

ders., Säkularisierung und Selbstbehauptung, Frankfurt a.M. 1974.

Boas, Fr., Das Geistesleben der Kulturarmen und der Kultur-Fortschritt, in: W.D. Hund, Strukturalismus. Ideologie und Dogmengeschichte, Darmstadt/Neuwied 1973, 270–295.

ders., The Origin of Totemism, American Anthropologist, 18, Menasha (Wisc.) 1916.

Bodmer, J.J., Critische Betrachtungen über die Poetischen Gemählde der Dichter, Zürich 1741.

Böhler, D., ζῷον λόγον ἔχον – ζῷον κοινόν. Sprachkritische Rehabilitierung der Philosophischen Anthropologie. W. Kamlahs Ansatz im Licht rekonstruktiven Philosophierens, in: Vernünftiges Denken. Studien zur praktischen Philosophie und Wissenschaftstheorie. W. Kamlah zum Gedächtnis, (Hg.) J. Mittelstraß und M. Riedel, Berlin/New York 1978, 341–374.

Bohrer, K.H. (Hg.), Mythos und Moderne, Frankfurt a.M. 1983.

Bolk, L., Das Problem der Menschwerdung, Jena 1926.

Bollnow, O.F., Zum Begriff der Hermeneutischen Logik, in: Hermeneutische Philosophie, (Hg.) O. Pöggeler, München 1972, 100–121.

Bolzano, B., Wissenschaftslehre. Schriften IV, Leipzig 1931.

Borman, Cl. von, Die Zweideutigkeit der hermeneutischen Erfahrung, in: Hermeneutik und Ideologiekritik, Frankfurt a.M. 1977, 83–119.

Boudon, R., Strukturalismus. Methode und Kritik. Zur Theorie und Semantik eines aktuellen Themas, Düsseldorf 1973.

Bourdieu, P., Zur Soziologie der symbolischen Formen, Frankfurt a.M. 1974.

Bouterweck, Fr., Idee einer Apodiktik, Halle 1799.

Brocher, T., Sind wir verrückt?, Stuttgart 1973.

Broeckman, J.M., Strukturalismus. Moskau-Prag-Paris, Freiburg/München 1971.

Brunschvig, L., Der Fortschritt des Bewußtseins in der abendländischen Philosophie. In: J. Kopper und R. Malter (Hg.), Materialien zu Kants «Kritik der reinen Vernunft», Frankfurt a.M. 1975, 67–95.

Bubner, R., Handlung, Sprache, Vernunft, Frankfurt a.M. 1982.

ders., Selbstbezüglichkeit als Struktur transzendentaler Argumente, in: (Hg.) W. Kuhlmann und D. Böhler, Kommunikation und Reflexion. Zur Diskussion der Transzendentalpragmatik, Frankfurt a.M. 1983, 304.332.

Bühl, W.L., Einleitung: Funktionalismus und Strukturalismus, in: Funktion und Struktur. Soziologie vor der Geschichte, München 1975, 9–73.

Buhr, M., Artikel «Anthropologie», Philosophisches Wörterbuch Bd. I, Leipzig 1974.

Bürger, Ch., Tradition und Subjektivität, Frankfurt a.M. 1980.

Buyssens, E., Le structuralisme et l'arbitraire du signe. Studii Cercetair lingvistice, Bd. XI (1960), 403–415, in: (Hg.) H. Neumann, Der moderne Strukturbegriff, Darmstadt 1973, 296–315.

Canguillem, G., Mort de l'homme ou épuisement du cogito?, in: Critique, 242 (Jg. 23), Paris 1967, 599–618.

ders., On the Normal and the Pathological, Dordrecht 1978.

ders., Wissenschaftsgeschichte und Epistemologie. Gesammelte Aufsätze. (Hg.) W. Lepenies, Frankfurt a.M. 1979.

Carnap, R., Scheinprobleme in der Philosophie, Hamburg 1961.

ders., Überwindung der Metaphysik durch logische Analyse der Sprache, in: Erkenntnis, 2, 1931, 219–241.

Cassirer, E., Idee und Gestalt, Berlin 1921.

ders., Kants Leben und Lehre, Darmstadt 1977 (Berlin 1928).

ders., Philosophie der symbolischen Formen, Bd. 1–3, Darmstadt 1975.

ders., Substanzbegriff und Funktionsbegriff. Untersuchungen über die Grundlagen der Erkenntniskritik, Darmstadt 1980.

ders., Was ist der Mensch? Versuch einer Philosophie der menschlichen Kultur, Stuttgart 1960.

ders., Wesen und Wirken des Symbolbegriffs, Darmstadt 1956.

Chomsky, N., Aspekte der Syntaxtheorie, Frankfurt a.M. 1976.

ders., Cartesianische Linguistik. Ein Kapitel in der Geschichte des Rationalismus, Tübingen 1971.

ders., Reflexionen über die Sprache, Frankfurt a.M. 1977.

ders., Regeln und Repräsentationen, Frankfurt a.M. 1981.

Chvatik, Kv., Strukturalismus und Avantgarde, München 1970.

Cioran, E.M., Dasein als Versuchung, Stuttgart 1983.

ders., Der Absturz in die Zeit, Stuttgart 1980.

ders., Die verfehlte Schöpfung, Frankfurt a.M. 1979.

ders., Geschichte und Utopie, Stuttgart 1979.

ders., Lehre vom Zerfall, Stuttgart 1979.

ders., Syllogismen der Bitterkeit, Frankfurt a.M. 1980.

ders., Vom Nachteil geboren zu sein, Frankfurt a.M. 1979.

Claessens, D., Das Konkrete und das Abstrakte. Soziologische Skizzen zur Anthropologie, Frankfurt a.M. 1980.

ders., Instinkt, Psyche, Geltung, Köln/Opladen, 1968.

ders., Nova Natura. Anthropologische Grundlagen modernen Denkens, Düsseldorf/Köln 1980.

Condillac, E.B. de, Essais sur l'origine des connaissances humaines, Amsterdam 1746.

Condorcet, M.J.A.N.C., Entwurf einer historischen Darstellung der Fortschritte des menschlichen Geistes (1793), Frankfurt a.M. 1976.

Coseriu, E., Das Phänomen der Sprache und das Daseinsverständnis des heutigen Menschen, in: ders., «Sprache, Strukturen und Funktionen». XII, Aufsätze zur Allgemeinen und Romanischen Sprachwissenschaft, (Hg.) U.Petersen, Tübingen 1970.

ders., Die Geschichte der Sprachphilosophie von der Antike bis zur Gegenwart. Eine Übersicht, Bd. I und Bd. II, Tübingen 1975/72.

ders., L'arbitraire du signe. Zur Spätgeschichte eines aristotelischen Begriffs, in: Archiv für das Studium der neueren Sprachen und Literaturen. Bd. 204, Jg. 119, Braunschweig 1968, 81–112.

Cramer, W., Das Absolute und das Kontingente, Frankfurt a.M. 1959.

ders., Die Monade. Das philosophische Problem vom Ursprung, Stuttgart 1954.

ders., Grundlegung einer Theorie des Geistes, Frankfurt a.M. 1957.

Crusius, Ch.A., Wege zur Gewißheit und Zuverlässigkeit der menschlichen Erkenntnis, Leipzig 1747.

Cusanus, N., Der Laie über die Weisheit, Phil.-Theol. Schriften, Bd. III, Wien 1967, 419–479.

Dacqué, E., Natur und Seele, München/Berlin 1926.

ders., Urwelt, Sage und Menschheit, München 1925.

Danto, A.C., Analytische Handlungsphilosophie, Frankfurt a.M. 1974.

Deleuze, G., Woran erkennt man den Strukturalismus?, in: Geschichte der Philosophie, (Hg.) F.Châtelet, Bd. VIII. Das XX. Jahrhundert, Frankfurt a.M./Berlin/Wien 1975, 269–302.

Derrida, J., Die Postkarte, von Sokrates bis an Freud und jenseits, Berlin 1982. (Paris 1980).

ders., Die Schrift und die Differenz, Frankfurt a.M. 1976. (L'écriture et la différence, Paris 1967).

ders., Die Stimme und das Phänomen, Frankfurt a.M. 1979. (La voix et le phénomène, Paris 1979).

ders., Eperons, Les styles de Nietzsche, Paris 1978.

ders., Grammatologie, Frankfurt a.M. 1974. (De la grammatologie, Paris 1967).

ders., La dissémination, Paris 1972.

ders., Positions, Entretiens avec H.Ronse, J.Kristeva etc., Paris 1972.

ders., Randgänge der Philosophie, Frankfurt a.M./Berlin/Wien 1976. (Marges de la philosophie, Paris 1972).

Descombes, V., Das Selbe und das Andere. Fünfundvierzig Jahre Philosophie in Frankreich. 1933–1978, Frankfurt a.M. 1981.

Deutinger, M., Moralphilosophie, Teil VI der «Grundlinien einer positiven Philosophie als vorläufiger Versuch einer Zurückführung aller Theile der Philosophie auf christliche Prinzipien», Regensburg 1899.

Dilthey, W., Das Leben Schleiermachers, Göttingen 1975.

ders., Das Wesen der Philosophie, in: Gesammelte Schriften V, Stuttgart 1957, 339–427.

ders., Der Aufbau der geschichtlichen Welt in den Geisteswissenschaften, Frankfurt a.M. 1981.

ders., Die Typen der Weltanschauung und ihre Ausbildung in den metaphysischen Systemen, in: W.Dilthey, Philosophie des Lebens. Eine Auswahl aus seinen Schriften, Stuttgart/Göttingen 1961, 81–125.

ders., Ideen über eine beschreibende und zergliedernde Psychologie (1894), Gesammelte Schriften V, Stuttgart 1957, 139–240.

Drey, J.S., Kurze Einleitung in das Studium der Theologie, mit Rücksicht auf den wissenschaftlichen Standpunct und das katholische System, Tübingen 1819, Nachdruck Frankfurt a.M. 1968.

Ducrot, O., Dictionaire encyclopédique des sciences du langage, Paris 1972.

Dürer, A., Vier Bücher von menschlicher Proportion, 1471–1528, Zürich 1969.

Ebbinghaus, J., Die Formeln des kategorischen Imperativs und die Ableitung inhaltlich bestimmter Pflichten, In: Kant. Zur Deutung seiner Theorie von Erkennen und Handeln, (Hg.) G. Praus, Köln 1973, 275–291.

Ebeling, H., Erhaltungssätze als Grundsätze einer Theorie der Subjektivität, Kantstudien 1973 (64), 466–483.

ders., Die ideale Sinndimension. Kants Faktum der Vernunft und die Basisfiktionen des Handelns, Freiburg/München 1982.

ders., Gelegentlich Subjekt. Gesetz: Gerüst, Gestell: Gerüst, Freiburg/München 1983.

ders., Selbsterhaltung und Selbstbewußtsein, Zur Analytik von Freiheit und Tod, Freiburg/München 1979.

Eco, U., Das offene Kunstwerk, Stuttgart 1977.

ders., Der Einfluß Roman Jakobsons auf die Entwicklung der Semiotik, in: Die Welt als Zeichen. Klassiker der Semiotik, (Hg.) M. Krampen, Berlin 1981, 173–204.

ders., Einführung in die Semiotik, München 1972.

ders., Zeichen. Einführung in einen Begriff und seine Geschichte, Frankfurt a.M. 1977.

Ege, N., Le signe linguistique est arbitraire, in: Travaux du Cercle linguistique de Copenhague 1949, Bd. V., 11–29. Ebenfalls in: H. Neumann, Der moderne Strukturbegriff, Darmstadt 1973, 105–127.

Ehrling, V., Russischer Formalismus, Frankfurt a.M. 1973.

Eley, L., Hegels Wissenschaft der Logik, München 1976.

Engel, J.J., Über Handlung, Gespräch und Erzählung (1774), (Hg.) E.Th. Voss, Stuttgart 1965.

Erasmus von Rotterdam, Das Lob der Torheit, Frankfurt a.M. 1979.

Esbroeck, M. van, Hermeneutik, Strukturalismus und Exegese, München 1972.

Essen, F. van, Mythos und Wahrheit, Frankfurt a.M. 1972.

Fages, J.B., Den Strukturalismus verstehen. Einführung in das strukturale Denken, Gießen/Wiesbaden 1974.

Fahrenbach, H., Existenzphilosophie und Ethik, Frankfurt a.M. 1974.

ders., Heidegger und das Problem einer «philosophischen Anthropologie», in: Durchblicke. M. Heidegger zum 80. Geburtstag, (Hg.) V. Klostermann, Frankfurt a.M. 1970, 97–132.

Falk, W., Vom Strukturalismus zum Potentialismus. Ein Versuch zur Geschichts- und Literaturtheorie, Freiburg/München 1976.

Faye, J.-P., Theorie der Erzählung, Frankfurt a.M. 1977.

Feige, M.G., Geschichtliche Struktur und Subjektivität. Eine transzendental-phänomenologische Kritik an Michel Foucaults «Archäologie des Wissens», Köln 1978.

Feuerbach, L., Das Wesen des Christentums (1841), Werke V, Frankfurt a.M. 1975.

ders., Das Wesen der Religion (1846), Werke II, 81–153.

ders., Gedanken über Tod und Unsterblichkeit (1830), Werke I, 77–352.

ders., Grundsätze der Philosophie der Zukunft (1843), Werke III, 247–322.

ders., Über die Vernunft (1828), Werke I, 15–76.

ders., Über Philosophie und Christentum (1839), Werke II, 261–330.

ders., Vorläufige Thesen zur Reformation der Philosophie (1843), Werke III, 223–243.

ders., Zur Beurteilung der Schrift «Das Wesen des Christentums», (1842), Werke III, 210–222.

ders., Zur Kritik der Hegelschen Philosophie (1839), Werke III, 7–53.

ders., Zur Kritik der «positiven Philosophie» (1838), Werke II, 179–205.

ders., Wider den Dualismus von Leib und Seele, Fleisch und Geist (1846), Werke IV, 165–195.

Feyerabend, P., Wider den Methodenzwang, Frankfurt a.M. 1976.

Fichant, M./Pêcheux, M., Überlegungen zur Wissenschaftsgeschichte, Frankfurt a.M. 1977.

Fichte, J.G., Darstellung der Wissenschaftslehre von 1801, Werke (Hg.) I.H. Fichte, Berlin 1971, Bd. II, 1–164.

ders., Das System der Sittenlehre (1812), Bd. XI, 1–118.

ders., Die Bestimmung des Menschen (1800), Bd. II, 165–320.

ders., Die Thatsachen des Bewußtseins (1817), Bd. II, 535–692.

ders., Die Wissenschaftslehre in ihrem allgemeinen Umrisse (1810), Bd. II, 693–709.

ders., Erste Einleitung in die Wissenschaftslehre (1797), Bd. I, 417–450.

ders., Grundlage der gesammten Wissenschaftslehre (1794), Bd. I, 83–328.

ders., Sonnenklarer Bericht an das grössere Publicum über das eigentliche Wesen der neuesten Philosophie (1801), Bd. II, 322–420.

ders., System der Sittenlehre nach den Principien der Wissenschaftslehre (1798), Bd. IV, 1–366.

ders., Über den Begriff der Wissenschaftslehre oder der sogenannten Philosophie (1794), Bd. I, 27–82.

ders., Versuch einer neuen Darstellung der Wissenschaftslehre (1797), Bd. I, 519–534.

ders., Von der Sprachfähigkeit und dem Ursprung der Sprache, Bd. VIII, 301–341.

ders., Zweite Einleitung in die Wissenschaftslehre (1797), Bd. I, 451–518.

Fink-Eitel, H., Michel Foucaults Analytik der Macht, in: F.A. Kittler (Hg.), Austreibung des Geistes aus den Geisteswissenschaften, Paderborn 1980, 38–78.

Fischer, W., Struktur und Funktion erzählter Lebensgeschichte, 311–336, in: Soziologie des Lebenslaufs, (Hg.) M. Kohli, Darmstadt 1978.

Fleischer, M., Das Problem der Begründung des kategorischen Imperativs bei Kant, in: Kant. Zur Deutung seiner Theorie von Erkennen und Handeln, (Hg.) G. Praus, Köln 1973, 387–404.

Fleischmann, E., Claude Lévi-Strauß über den menschlichen Geist, in: (Hg.) W. Lepenies/H. Ritter, Orte des wilden Denkens. Zur Anthropologie von C.L.-S., Frankfurt a.M. 1973, 77–109.

Foucault, M., Absage an Sartre, in: G. Schiwy, Der französische Strukturalismus, Reinbek bei Hamburg 1969, 203–207.

ders., Antwort auf einer Frage, in: Linguistik und Didaktik, 3 (1970), 228–239 und 4(1970), 312–324.

ders., Archäologie des Wissens, Frankfurt a.M. 1973. (L'archéologie du savoir, Paris 1969).

ders., Das Denken des Außen, in: Von der Subversion des Wissens, München 1974, 60–82. (La pensée du dehors, Critique Nr. 229, 1966).

ders., Der Fall Rivière, Frankfurt a.M. 1975. (Moi, Pierre Rivière, ayant égorgé ma mère, ma soeur et ma frère, Paris 1973).

ders., Die Geburt der Klinik. Eine Archäologie des ärztlichen Blicks, Frankfurt a.M. 1976. (La naissance de la clinique, Paris 1963).

ders., Die Ordnung der Dinge, Frankfurt a.M. 1978 (Les mots et les choses, Paris 1966).

ders., «Die Ordnung der Dinge». Ein Gespräch mit R. Bellour, in: A. Reif (Hg.), Antworten der Strukturalisten, Hamburg 1973, 147–156.

ders., Die Ordnung des Diskurses. Inauguralvorlesung am Collège de France, 2.12.1970, München 1974.

ders., Introduction, in: On the Normal and the Pathological, O. Canguillem, Dordrecht 1978, 9–20.

ders., J. Bentham. Le Panoptique. Précède de L'oeul du pouvoir. Entretien avec M.F., Belfond 1977.

ders., Mikrophysik der Macht. Über Strafjustiz, Psychiatrie und Medizin, Berlin 1976.

Foucault, M., Nietzsche, die Genealogie, die Historie, in: Von der Subversion des Wissens, a.a.O. 83–109 (Nietzsche, la généalogie, l'histoire. Aus: Hommage à Jean Hyppolite, Paris 1971).

ders., Psychologie und Geisteskrankheit, Frankfurt a.M. 1980 (Maladie mentale et Psychologie, Paris 1954).

ders., Schriften zur Literatur, Frankfurt a.M./Wien/Berlin, 1979.

ders., Sexualität und Wahrheit. Der Wille zum Wissen, Frankfurt a.M. 1977 (Sexualité et vérité. La volonté de savoir, Paris 1976).

ders., Strukturalismus und Geschichte, in: A.Reif, a.a.O. 176–184.

ders., Über verschiedene Arten Geschichte zu schreiben, in: A. Reif, a.a.O. 157–175.

ders., Überwachen und Strafen. Die Geburt des Gefängnisses. Frankfurt a.M. 1976 (Surveiller et punir. La naissance de la prison, Paris 1975).

ders., Wahnsinn und Gesellschaft. Eine Geschichte des Wahns im Zeitalter der Vernunft, Frankfurt a.M. 1981 (Histoire de la folie, Paris 1961).

Fougegrollas, P., Contre Lévi-Strauß, Lacan et Althusser, Paris 1971.

Frank, M., Das individuelle Allgemeine. Textstrukturierung und -interpretation nach Schleiermacher, Frankfurt a.M. 1977.

ders., Das Sagbare und das Unsagbare. Studien zur neuesten französischen Hermeneutik und Texttheorie, Frankfurt a.M. 1980.

ders., Der kommende Gott. Vorlesungen über die Neue Mythologie, Frankfurt a.M. 1982.

ders., Der Text und sein Stil. Schleiermachers Sprachtheorie, in: ders., Das Sagbare und das Unsagbare, a.a.O., 13–35.

ders., Jacques Derrida. Eine fundamental-semiologische Herausforderung der abendländischen Wissenschaft, Ph. Rundschau 23, 1976, 1–16.

ders., Schleiermacher. Hermeneutik und Kritik. Einleitung, Frankfurt a.M. 1977, 7–67.

Guthke, K.S., Die Mythologie der entgötterten Welt, Göttingen 1971.

Guzonni, U., Identität oder nicht, München 1976.

Habermas, J., «Anthropologie», Fischer Lexicon Philosophie, 1958, 18–35.

ders., Dialektischer Idealismus im Übergang zum Materialismus. Geschichtsphilosophische Folgerungen aus Schellings Idee einer Contraction Gottes, in: Theorie und Praxis, Frankfurt a.M. 1978, 172–277.

ders., Technik und Wissenschaft als Ideologie, Frankfurt a.M. 1968.

ders., Theorie des kommunikativen Handelns, Frankfurt a.M. 1981.

Hagedorn, Ch.L., Betrachtungen über die Mahlerey, Leipzig 1762.

Hamann, J.G., Aesthetica in nuce, in: Schriften zur Sprache, (Hg.) J. Simon, Frankfurt a.M. 1976, 105–128.

ders., Metakritik über den Purismus der Vernunft. a.a.O. 219–228.

ders., Philosophische Einfälle und Zweifel, a.a.O. 147–166.

ders., Zwei Scherflein zur neuesten Deutschen Literatur, a.a.O. 199–212.

Harris, J., Hermes, Halle 1788.

Harris, Z., Methods in Structural Linguistics, Chicago 1951.

Hartmann, E. von, Philosophie des Unbewußten, 3 Bände, Leipzig 1904.

Heberer, G., Moderne Anthropologie. Eine naturwissenschaftliche Menschheitsgeschichte, Stuttgart 1967.

Hegel, G.W.F., Enzyklopädie der philosophischen Wissenschaften, Bd. I/II/III, Theorie Werkausgabe, Frankfurt 1970, Bd. 8–10.

ders., Frühe Schriften, Bd. 1.

ders., Grundlinien der Philosophie des Rechts, Bd. 7.

ders., Jenaer Schriften 1801–1807, Bd. 2,

ders., Nürnberger und Heidelberger Schriften 1808–1817, Bd. 4.

ders., Phänomenologie des Geistes, Bd. 3.

Hegel, G.W.F., Wissenschaft der Logik I/II, Bd. 5 und 6.
Heidegger, M., Aus der Erfahrung des Denkens, Pfullingen 1977.
ders., Das Ding, in: Vorträge und Aufsätze, a.a.O. 163–187.
ders., Der Satz vom Grund, Pfullingen 1965.
ders., Der Ursprung des Kunstwerks, in: Holzwege, Frankfurt a.M. 1972, 7–69.
ders., Die Technik und die Kehre, Pfullingen 1962.
ders., Die Zeit des Weltbildes, in: Holzwege, a.a.O. 69–105.
ders., Einführung in die Metaphysik, Tübingen 1958.
ders., Erläuterungen zu Hölderlins Dichtung, Frankfurt a.M. 1951.
ders., Gelassenheit, Pfullingen 1959.
ders., Hebel der Hausfreund, Pfullingen 1965.
ders., Hegel und die Griechen, in: Wegmarken, Frankfurt a.M. 1967, 255–272.
ders., Hegels Begriff der Erfahrung, in: Holzwege, a.a.O. 105–193.
ders., Identität und Differenz, Pfullingen 1957.
ders., Kant und das Problem der Metaphysik, Frankfurt a.M. 1951.
ders., Kants These über das Sein, in: Wegmarken, a.a.O. 273–307.
ders., Nietzsche, Bd. II, Pfullingen 1961.
ders., Platons Lehre von der Wahrheit, in: Wegmarken, a.a.O. 109–144.
ders., Prolegomena zur Geschichte des Zeitbegriffs, Frankfurt a.M. 1979.
ders., Sein und Zeit, Tübingen 1979.
ders., Sprache und Heimat, in: Hebeljahrbuch, 1960, Heide in Holstein, 27–50.
ders., Über den Humanismus, Frankfurt a.M. 1949.
ders., Überwindung der Metaphysik, in: Vorträge und Aufsätze, Pfullingen 1959, 71–101.
ders., Unterwegs zur Sprache, Pfullingen 1979.
ders., Was heißt Denken?, Tübingen 1954.
ders., Was ist das Philosophie?, Pfullingen 1957.
ders., Was ist Metaphysik?, Frankfurt 1975.
ders., Vom Wesen der Wahrheit, in: Wegmarken, a.a.O. 73–97.
ders., Zur Seinsfrage, Frankfurt 1961.
ders., Martin Heidegger im Gespräch, (Hg.) R. Wisser, Freiburg/München 1970.
Heimsoeth, H., Die sechs großen Themen der abendländischen Metaphysik und der Ausgang des Mittelalters, Stuttgart 1955.
Heinrichs, J., Reflexionstheoretische Semiotik, Bonn 1980.
Helbig, G., Geschichte der neueren Sprachwissenschaft. Unter dem besonderen Aspekt der Grammatiktheorie, Leipzig 1971.
Helvetius, C.A., Vom Menschen, seinen geistigen Fähigkeiten und seiner Erziehung, Frankfurt a.M. 1972.
Hengstenberg, H.U., Die Frage nach verbindlichen Aussagen in der Ph. Anthr., Versuch einer Anthropologie der Sachlichkeit, in: Philo. Anthrop. heute, (Hg.) R. Rocek, München 1974, 65–83.
ders., Die gesellschaftliche Verantwortung der Anthropologie, in: a.a.O. 183–199.
Henrich, D., Das Prinzip der kantischen Ethik, in: Phil. Rund., 1954/55(2), 20–39.
ders., Das Problem der Grundlegung der Ethik bei Kant und im spekulativen Idealismus, in: (Hg.) G. Praus, Kant. Zur Deutung seiner Theorie von Erkennen und Handeln, Köln 1973, 350–386.
ders., Der Begriff der sittlichen Einsicht und Kants Lehre vom Faktum der Vernunft, in: «Die Gegenwart der Griechen im neueren Denken», Festschrift Gadamer zum 60. Geburtstag, Tübingen 1960, 77–116.
ders., Die Beweisstruktur von Kants transzendentaler Deduktion, in: G. Praus, a.a.O. 90–104.
ders., Die Deduktion des Sittengesetzes. Über die Gründe der Dunkelheit des letzten

Abschnittes von Kants «Grundlegung zur Metaphysik der Sitten», in: Denken im Schatten des Nihilismus, Festschrift für W. Weischedel, Darmstadt 1975, 55–112.

Henrich, D., Die Grundstruktur der modernen Philosophie, in: ders., Selbstverhältnisse, Stuttgart 1982, 83–108.

ders., Fichtes ursprüngliche Einsicht, in: Subjektivität und Metaphysik, Festschrift für W. Cramer, Frankfurt a.M. 1966, 188–232.

ders., Fluchtlinien, Philosophische Essays, Frankfurt a.M. 1982.

ders., Hegel im Kontext, Frankfurt a.M. 1981.

ders., Hegels Logik der Reflexion, in: Hegel-Tage, Chantilly 1971. «Die Wissenschaft der Logik und die Logik der Reflexion», Bonn 1978, 204–324.

ders., Hutcheson und Kant, Kantstudien 49/1957, 49–69.

ders., Identität und Objektivität. Eine Untersuchung über Kants transzendentaler Deduktion, Heidelberg 1976.

ders., Kant und Hegel. Versuch einer Vereinigung ihrer Grundgedanken, in: ders., Selbstverhältnisse, a.a.O. 172–208.

ders., Über die Einheit der Subjektivität, in: Phil. Rundschau, 1955(3), 28–69.

ders., Über Kants früheste Ethik. Versuch einer Rekonstruktion, Kant-Studien 1963, Bd. 54, 404–431.

ders., Über Selbstbewußtsein und Selbsterhaltung, in: ders., Selbstverhältnisse, Stuttgart 1982, 109–130.

ders., Zwei Theorien zur Verteidigung des Selbstbewußtseins, in: Grazer phil. Studien, 7/8, 1979, 77–99.

Heraklit, Fragment «Über den Logos», Diels-Kranz, Fragmente der Vor-Sokratiker, Bd. 1, 150, Berlin/Grünewald 1951.

Herder, J.G., Plastik (1778), Sämtliche Werke, Bd. VIII

Hermann, F.W. von, Subjekt und Dasein. Interpretationen zu «Sein und Zeit», Frankfurt a.M. 1975.

Hesse, H., Denken in der Leere des verschwundenen Menschen. Überlegungen zu Foucaults Konzept von Geschichte und Kritik, in: Konkursbuch 1981, 81–98.

Hirscher, J.B., Die christliche Moral als Lehre von der Verwirklichung des göttlichen Reiches in der Menschheit, Tübingen 1851 (1960).

Hjelmslev, L., Die Sprache. Eine Einführung, Darmstadt 1968.

ders., Pour une sémantique structural. Travaux du Cercle Linguistique de Copenhague XXII (1959), 96–112.

ders., Prolegomena zu einer Sprachtheorie, München 1974.

Hobbes, Th., De corpere, Saint-Etienne, 1973.

ders., Vom Menschen, vom Bürger, Hamburg 1959.

Höffe, O., Sittliches Handeln. Ein ethischer Problemaufriß, in: (Hg.) H. Lenk, Handlungstheorien interdisziplinär, Bd. II,2, München 1976, 617–642.

Hoerster, N., Kants kategorischer Imperativ als Test unserer Pflichten, in: (Hg.) M. Riedel, Rehabilitierung der praktischen Philosophie, Freiburg 1974, Bd. II, 455–478.

Holbach, P.Th., System der Natur oder von den Gesetzen der physischen und der moralischen Welt, Frankfurt a.M. 1978.

Hölderlin, Fr., Hyperion, Werke, Frankfurt a.M. 1969, 293–439.

ders., Sein und Urteil, Werke, a.a.O., 591–592.

Holenstein, E., Linguistik-Semiotik-Hermeneutik, Frankfurt a.M. 1976.

Homann, K., Zum Begriff «Subjektivität» bis 1802, in: Archiv für Begriffsgeschichte, Bd. XI, Bonn 1967, 184–205.

Horkheimer, M., Bemerkungen zur philosophischen Anthropologie, in: Kritische Theorie, Frankfurt a.M. 1968, 200–228.

Horstmann, U., Das Untier. Konturen einer Philosophie der Menschenflucht, Wien/Berlin 1983.

Howald, E./Dempf, A./Litt, Th., Geschichte der Ethik vom Altertum bis zum Beginn des 20. Jahrhunderts, München/Wien 1981.

Hughes, R., Der Schock der Moderne. Kunst im Jahrhundert des Umbruchs, Düsseldorf/Wien 1981.

Humboldt, W. von, Briefe von W. v. Humboldt an Fr.Jacobi, (Hg.) A. Leitzmann, Halle 892.

ders., Latium und Hellas, Schriften Bd. II, Darmstadt 1979.

ders., Über die Verschiedenheit des menschlichen Sprachbaues und ihren Einfluß auf die geistige Entwicklung des Menschengeschlechts (1830–1835), Schriften Bd. III, Darmstadt 1979, 144–368.

Hund, W.D., Der schamlose Idealismus. Polemik gegen eine reaktionäre Philosophie, in: ders., Strukturalismus. Ideologie und Dogmengeschichte, Darmstadt/Neuwied 1973, 11–64.

ders., Geistige Arbeit und Gesellschaftsformation. Zur Kritik der strukturalistischen Ideologie, Frankfurt a.m. 1973.

Husserl, E., Cartesianische Meditationen, Hamburg 1977 (1931).

ders., Ideen zu einer reinen Phänomenologie und phänomenologische Philosophie, Tübingen 1980 (1913).

ders., Logische Untersuchungen I, Prolegomena zur reinen Logik, Tübingen 1980 (1900).

ders., Logische Untersuchungen II/1, Untersuchungen zur Phänomenologie und Theorie der Erkenntnis, Tübingen 1980 (1901).

ders., Logische Untersuchungen II/2, Elemente einer phänomenologischen Aufklärung der Erkenntnis, Tübingen 1980 (1901)

ders., Philosophie als strenge Wissenschaft, Frankfurt a.M. 1965 (Erstausgabe, Logos Bd. I, 1910/11).

ders., Vorlesungen zur Phänomenologie des inneren Zeitbewußtseins, Tübingen 1980 (1928).

ders., Zur Logik der Zeichen (Semiotik), in: Philosophie der Arithmetik (1890–1901), Den Haag 1970, 340–373.

Huxley, J., (Hg.), Der evolutionäre Humanismus, München 1962.

Jacobi, F.H., Allwills Briefsammlung, Werke I, Darmstadt 1980, 3–226.

ders., David Hume über den Glauben oder Idealismus und Realismus, Werke II, 3–310.

ders., Einige Betrachtungen über den frommen Betrug und über eine Vernunft, welche nicht Vernunft ist, Werke II, 455–500.

ders., F.H. Jacobi an J.G. Hamann. Briefwechsel, Werke IV/3.

ders., Jacobi an Fichte, Werke III, 3–63.

ders., Über das Unternehmen des Kritizismus die Vernunft zu Verstande zu bringen, Werke III, 64–196.

ders., Über die Lehre des Spinoza in Briefen an Herrn Moses Mendelssohn, Werke IV, 3–253.

ders., Von den göttlichen Dingen und ihrer Offenbarung, Werke III, 247–462.

ders., Woldemar, Werke Bd. V.

ders., Zufällige Ergießungen eines einsamen Denkers, Werke I, 254–305.

Jaeggi, U., Ordnung und Chaos. Der Strukturalismus als Methode und Mode, Frankfurt a.M. 1966.

Jakobson, R., Aphasia as a linguistic Topic, in: Selected Writings, Bd. I, Phonological Studies, 's Gravenhage 1962, 229–238.

ders., Kindersprache, Aphasie und allgemeine Lautgesetze, in: Selected Writings, a.a.O. 328–401.

ders., Poesie und Sprachstruktur, Zürich 1970.

Jakobson, R., Randbemerkungen zur Prosa des Dichters Pasternak, in: Slavische Rundschau, 7, 1935, 357–374.

ders., Two Aspects of language and two Types of aphasic disturbances, in: Selected Writings, a.a.O. 228–259.

ders., «Un manuel de phonologie général», in: Selected Writings, a.a.O. 311–317.

ders., Zur Struktur des Phonems, in: Selected Writings, a.a.O. 293–310.

ders.,/M. Halle, Grundlagen der Sprache, Berlin 1960.

James, W., Der Wahrheitsbegriff des Pragmatismus, in: Texte zur Philosophie des Pragmatismus, Stuttgart 1975, 161–187.

ders., Der Wille zum Glauben (1897), in: a.a.O. 128–160.

Jameson, Fr., The Prison House of Language. A Critical Account of Structuralism and Russian Formalism, Princeton University Press 1972.

Jaspers, K., Philosophie, Bd. III, Metaphysik, Berlin/Heidelberg/New York 1973.

Jean Paul, Vorschule der Ästhetik (1804), Werke Bd. XI, Weimar 1935.

Jonas, H., Macht oder Ohnmacht der Subjektivität? Das Leib-Seele-Problem im Vorfeld des Prinzips Verantwortung, Frankfurt a.M. 1981.

Jouffroy, Th.S., Nouveaux mélanges philosophiques, Paris 1842.

Kamlah, W., Philosophische Anthropologie. Sprachkritische Grundlegung und Ethik, Mannheim/Wien/Zürich 1973.

Kamper, D., Geschichte und menschliche Natur. Die Tragweite gegenwärtiger Anthropologiekritik, München 1973.

ders., Zur Geschichte der Einbildungskraft, München/Wien 1981.

Kampits, P., Das Ende der Philosophie im französischen Strukturalismus, in: Wissenschaft und Weltbild XXIII, 2, Wien 1970, 126–138.

Kant, I., Allgemeine Naturgeschichte und Theorie des Himmels, Werkausgabe Bd. I, (Hg.) W. Weischedel, Frankfurt a.M. 1978, 225–399.

ders., Anthropologie in pragmatischer Hinsicht, Werkausgabe XII, 395–690.

ders., Beobachtungen über das Gefühl des Schönen und Erhabenen, Akademieausgabe Bd. II, Berlin 1968, 205–256.

ders., Die Religion innerhalb der Grenzen der bloßen Vernunft, Hamburg 1978.

ders., Eine Vorlesung Kants über Ethik, Berlin 1924, (Hg.) P. Menzer.

ders., Grundlegung zur Metaphysik der Sitten, Hamburg 1965.

ders., Idee zu einer allgemeinen Geschichte in weltbürgerlicher Absicht, Werkausgabe XI, 33–52.

ders., Kritik der praktischen Vernunft, Hamburg 1974.

ders., Kritik der reinen Vernunft, Hamburg 1956.

ders., Kritik der Urteilskraft, Hamburg 1974.

ders., Logik (Hg.) G.B. Jäsche, Akademieausgabe IX, 1–150.

ders., Metaphysik der Sitten, Hamburg 1966.

ders., Metaphysische Anfangsgründe der Naturwissenschaft, Werkausgabe Bd. II, 10–135.

ders., Texte zur Moralphilosophie aus Kants handschriftlichem Nachlaß, (Hg.) R. Bittner und K. Cramer, in: Materialien zu Kants Kritik der praktischen Vernunft, Frankfurt a.M. 1975, 33–136.

ders., Über den Gebrauch teleologischer Prinzipien in der Philosophie, Werkausgabe Bd. II, 137–170.

ders., Über den Gemeinspruch: das mag in der Theorie richtig sein, taugt aber nicht für die Praxis, Werkausgabe XI, 127–175.

Kantemir, A., Im Chaos aber blühet der Geist, Satiren, München 1983.

Kaulbach, F., Schema, Bild und Modell nach den Voraussetzungen des Kantischen Denkens, in: G. Praus, (Hg.), a.a.O. 105–129.

Kimmerle, G., Kritik der identitätslogischen Vernunft. Untersuchung zur Dialektik der Wahrheit bei Descartes und Kant, Hanstein 1982.

Kierkegaard, S., Der Augenblick, Werkausgabe, Bd. II, Düsseldorf/Köln 1971, 30–568.

ders., Der Begriff Angst, Werkausgabe, Bd. I, 175–302.

ders., Die Krankheit zum Tode, Werkausgabe, Bd. I, 383–553.

ders., Die Wiederholung, Köln 1955.

ders., Einübung in das Christentum, Werkausgabe, Bd. II, 5–308.

ders., Entweder-Oder, München 1980.

ders., Furcht und Zittern, Werkausgabe, Bd. I, 1–174.

ders., Philosophische Brocken, Frankfurt a.M. 1975.

ders., Philosophische Brosamen, München 1976, 13–134.

ders., Unwissenschaftliche Nachschrift, München 1976, 133–846.

Kirchhoff, B., Zum Strukturbegriff der Gestalt- und Ganzheitspsychologie, in: (Hg.) W.D. Hund, Strukturalismus, Ideologie und Dogmengeschichte, Darmstadt/Neuwied 1973, 161–180.

Klages, L., Der Geist als Widersacher der Seele, Bonn 1981.

ders., Vom Wesen des Bewußtseins, Leipzig 1933.

Knapp, G., Der antimetaphysische Mensch. Darwin-Marx-Freud, Stuttgart 1973.

Kneutgen, J., Der evolutionäre Humanismus, München 1968.

Knilli, F., Nachwort, in: «Ch.W. Morris. Grundlagen der Zeichentheorie. Ästhetik und Zeichentheorie», Frankfurt a.M./Berlin/Wien 1979, 123–129.

Koch, E.R., Die manipulierte Seele, Operative Umpolung des Verhaltens, Frankfurt a.M. 1978.

Koch, W.A., Vom Morphem zum Textem. Aufsätze zur strukturalen Sprach- und Literaturwissenschaft, Hildesheim 1969.

Kockelmans, J.J., Strukturalismus und existenziale Phänomenologie, in: M. Merleau-Ponty und das Problem der Struktur in den Sozialwissenschaften, (Hg.) R. Grathoff und W. Sprondel, Stuttgart 1976, 1–16.

Koestler, A., Der Mensch. Irrläufer der Evolution. Eine Anatomie der menschlichen Vernunft und Unvernunft, Bern/München 1978.

Köhler, W., Die physischen Gestalten in Ruhe und im stationären Zustand, Braunschweig 1920.

König, E., Ist die philosophische Anthropologie tot?, in: Vernünftiges Denken. W. Kamlah zum Gedächtnis. (Hg.) J. Mittelstraß und M. Riedel, Berlin/New York 1978, 329–342.

Kolakowski, L., Die Gegenwärtigkeit des Mythos, München 1973.

Koselleck, R., Objektivität und Parteilichkeit in der Geschichtswissenschaft. Beiträge zur Historik, Bd. I, München 1977.

Koyré, A., Von der geschlossenen Welt zum unendlichen Universum, Frankfurt a.M. 1980.

Krämer, D., Zum Strukturbegriff in der Ethnologie, in: W.D. Hund, Strukturalismus, Ideologie und Dogmengeschichte, Darmstadt/Neuwied 1973, 243–265.

Krampen, M., F. de Saussure und die Entwicklung der Semiologie, in: ders., Die Welt als Zeichen, Berlin 1981, 99–142.

Kremer-Marietti, A., Michel Foucault, Der Archäologe des Wissens, Frankfurt a.M./Wien/Berlin 1976.

Kröber, G., Die Kategorie «Struktur» und der kategorische Strukturalismus, in: Deutsche Zeitschrift f. Philosophie, 16, 2, Berlin Ost, 1968, 1310–1324.

Krüger, G., Die Herkunft des philosophischen Selbstbewußtseins, in: ders., Freiheit und Weltverwaltung, Freiburg/München 1958, 11–69.

ders., Philosophie und Moral in der kantischen Ethik, Tübingen 1967.

Kuhn, Th.S., Die Struktur wissenschaftlicher Revolutionen, Frankfurt a.M. 1978.

Lacan, J., Das Drängen des Buchstabens im Unbewußten oder die Vernunft seit Freud, in: Schriften II, Olten/Freiburg 1975, 15–60.

Lacan, J., Das Ich in der Theorie Freuds und in der Technik der Psychoanalyse, Olten/ Freiburg 1980.
ders., Das Seminar über E.A. Poes «Der entwendete Brief», in: Schriften I, Olten/Freiburg 1973, 7-60.
ders., Das Spiegelstadium als Bildner der Ichfunktion, in: Schriften I, 61-70.
ders., Die Bedeutung des Phallus, in: Schriften II, 119-132.
ders., Die logische Zeit und die Assertation der antizipierten Gewißheit, in: Schriften III, 101-122, Olten/Freiburg 1980.
ders., Die Stellung des Unbewußten, in: Schriften II, 205-230.
ders., Die vier Grundbegriffe der Psychoanalyse, Olten/Freiburg 1980.
ders., Die Wissenschaft und die Wahrheit, in: Schriften II, 231-259.
ders., Freuds technische Schriften, Olten/Freiburg, 1978.
ders., Funktion und Feld des Sprechens und der Sprache in der Psychoanalyse, in: Schriften I, 71-170.
ders., Jenseits des «Realitätsprinzips», in: Schriften III, 15-40.
ders., Kant und Sade, in: Schriften II, 133-165.
ders., Subversion des Subjekts und Dialektik des Begehrens im Freudschen Unbewußten, in: Schriften II, 165-204.
ders., Über eine Frage, die jeder möglichen Behandlung der Psychose vorausgeht, in: Schriften II, 61-118.
Ladrière, J., Le structuralisme entre la science et la philosophie, in: Tijdschrift voor filosofie, Brussel 1971, 66-111.
Lambert, J.H., Logische und philosophische Abhandlungen II, Berlin 1782.
ders., Philosophische Schriften I, Neues Organon, Leipzig 1769.
Landmann, M., Das Ende des Individuums, Stuttgart 1971.
ders., Der Mensch als Schöpfer und Geschöpf der Kultur, München/Basel 1961.
ders., Fundamentalanthropologie, Bonn 1979.
ders., Philosophische Anthropologie. Menschliche Selbstdeutung in Geschichte und Gegenwart, Berlin 1955.
ders., Pluralität und Antinomie. Kulturelle Grundlagen seelischer Konflikte, München/Basel 1963.
Lange-Seidl, A., Zeichenkonstitution. Akten des 2. semiotischen Kolloqiums Regensburg 1978, Bd. II, Berlin/New York 1981.
Laplanche, J., Leben und Tod in der Psychoanalyse, Freiburg 1974.
Laplanche, J./Leclaire, S., «L'inconscient», une étude psychoanalytique, in: Les Temps Modernes, 17, 1, 1961/62, 81-129.
Laplanche, J./Pontalis, J.B., Das Vokabular der Psychoanalyse, Frankfurt a.M. 1982.
Leech, E., Claude Lévi-Strauß – Anthropologe und Philosoph, in: «Orte des wilden Denkens». Zur Anthropologie von Cl. L.-St., Frankfurt a.M. 1973, 49-76.
Leclaire, S., Das Reale entlarven, Olten/Freiburg 1976.
ders., Der psychoanalytische Prozeß, Olten/Freiburg 1971.
Lefèbvre, H., au-delà du structuralisme, Paris 1971.
ders., Strukturalismus und Geschichte, in: W.L. Bühl, Funktion und Struktur. Soziologie vor der Geschichte, München 1975, 304-328.
Lehmann, W.P., Linguistische Theorien der Moderne, Bern 1981.
Leibniz, G.W., Neue Abhandlung über den menschlichen Verstand, Hamburg 1971.
Leitner, H., Lebenslauf und Identität, Frankfurt a.M. 1982.
Lenzer, D., Didaktik und Kommunikation. Zur strukturalen Begründung der Didaktik und zur didaktischen Struktur sprachlicher Interaktion, Frankfurt a.M. 1973.
Lepenies, W./H. Holte, Kritik der Anthropologie, München 1971.
ders., Soziologische Anthropologie, München 1977.
ders., Zur Aktualität der Anthropologie, in: (Hg.) G. Marlis, Die Zukunft der Philosophie, München 1975.

Lesage, A.-R., Der hinkende Teufel, München 1983.

Lessing, G.E., Schriften Bd. VII und IX, Stuttgart 1891.

Lessing, Th., Geschichte als Sinngebung des Sinnlosen, München 1921.

Lévi-Strauß, Cl., «Anthropologie»: its Achivement and Future, in: Nature 109, January 1 (1966).

ders., Das Ende des Totemismus, Frankfurt a.M. 1981 (Le Totémisme aujourd'hui, Paris 1962).

ders., Das wilde Denken, Frankfurt a.M. 1977 (La pensée sauvage, Paris 1962).

ders., Der Weg der Masken, Frankfurt a.M. 1979 (Genève 1975).

ders., Die elementaren Strukturen der Verwandtschaft, Frankfurt a.M. 1981 (Les structures élémentaires de la parente, Paris 1949).

ders., Die Mathematik des Menschen, in: Kursbuch 8/1967, 176–188.

ders., Einleitung in das Werk von Marcel Mauss, in: Kölner Zeitschrift f. Soziologie und Sozialpsychologie (25), 1973, 675–703.

ders., Mythologica I, Das Rohe und das Gekochte, Frankfurt a.M. 1976 (Le cru et le cuit, Paris 1964).

ders., Mythologica II, Vom Honig zur Asche, Frankfurt a.M. 1976 (Du miel aux cendres, Paris 1966).

ders., Mythologica III, Der Ursprung der Tischsitten, Frankfurt a.M. 1976 (L'origine des manières de table, Paris 1968).

ders., Mythologica IV/1, Der nackte Mensch, Frankfurt a.M. 1976 (L'homme nu, Paris 1971).

ders., Mythologica IV/2, Der nackte Mensch, Frankfurt a.M. 1976 (L'homme nu, Paris 1976).

ders., Mythos und Bedeutung, Vorträge, Frankfurt a.M. 1980.

ders., Natur und Kultur, in: (Hg.) W.E. Mühlmann, Kulturanthropologie, Köln/Berlin 1966, 80–107.

ders., Primitive und Zivilisierte, Zürich 1972.

ders., Strukturale Anthropologie I, Frankfurt a.M. 1975 (Anthropologie structurale II, Paris 1973).

ders., Traurige Tropen, Frankfurt a.M. 1979 (Tristes tropiques, Paris 1955).

ders., Jakobson, R., «Les Chats» von Charles Baudelair, in: (Hg.) H. Blumensatz, Strukturalismus in der Literaturwissenschaft, Köln 1972, 184–201.

Lévinas, E., Die Spur des Anderen. Untersuchungen zur Phänomenologie und Sozialphilosophie, München 1983.

ders., Humanisme de l'autre homme, Paris 1972.

ders., Totalité et infini. Essai sur l'extériorité, La Haye/Boston/Londre 1980.

Lewin, K., Feldtheorie in den Sozialwissenschaften, Bern 1963.

Liebrucks, B., Irrationaler Logos und rationaler Mythos, Königshausen 1982.

Linsemann, F.X., Lehrbuch der Moraltheologie, Freiburg 1878.

ders., Gesammelte Schriften, München 1912.

Lippe, R. zur, Bürgerliche Subjektivität. Autonomie als Selbstzerstörung, Frankfurt a.M. 1975.

ders., Naturbeherrschung am Menschen, Bd. I und II, Frankfurt a.M. 1981.

Lipps, H., Die menschliche Natur, Frankfurt a.M. 1941.

ders., Die Verbindlichkeit der Sprache. Arbeiten zur Sprachphilosophie und Logik, Frankfurt a.M. 1958.

ders., Die Wirklichkeit des Menschen, Frankfurt a.M. 1954.

ders., Untersuchungen zu einer hermeneutischen Logik, Frankfurt a.M. 1980.

Locke, J., An Essay Concerning Human Understanding, 1690, Buch III, Oxford 1894.

Löbsack, Th., Die manipulierte Seele. Von der Gehirnwäsche zum gesteuerten Gefühl, Düsseldorf/Wien 1976.

Lowie, R.H., Primitiv Society, New York 1920.

Lübbe, H., Erfahrungsverluste und Kompensationen. Zum philosophischen Problem der Erfahrung in der gegenwärtigen Welt, in: ders., (Hg.), Der Mensch als Orientierungswaise, München 1983, 145–168.

ders., Säkularisierung. Geschichte eines ideenpolitischen Begriffs, Freiburg/München 1965.

ders., Zur Identitätspräsentationsfunktion der Historie, in: Identität, (Hg.) O. Marquard und K.H. Stierle, Poetik und Hermeneutik Bd. VIII, München 1979, 277–292.

Luhmann, N., Evolution – kein Menschenbild, in: Evolution und Menschenbild, (Hg.) R.J. Riedel und F. Kreuzer, Hamburg 1982, 193–206.

Luhmann, N.,/Pfürtner, St., Theorietechnik und Moral, Frankfurt a.M. 1976.

Maimon, S., Ueber symbolische Erkenntnis und philosophische Sprache, Gesammelte Schriften Bd. II, Hildesheim 1965, 267–332.

Mainberger, G.K., Die französische Philosophie nach dem Strukturalismus, in: Neue Rundschau (84), 1973, 457–473.

Maistre, J.de, Les soirées de Saint-Petersbourg, Paris 1960.

Malebranche, N., Traité de morale (1648), Paris 1968.

Mandeville, B., Die Bienenfabel, Frankfurt a.M. 1980.

Marcel, G., Die Erniedrigung des Menschen, Frankfurt a.M. 1964.

Marivaux, P.C. de, Betrachtende Prosa, Frankfurt a.M. 1979.

Marquard, O., Artikel «Antropologie», in: Hist. Wörterbuch der Philosophie, Bd. I, Darmstadt 1971.

ders., Hegel und das Sollen, in: Schwierigkeiten mit der Geschichtsphilosophie, Frankfurt a.M. 1973, 37–51.

ders., Krise der Erwartung – Stunde der Erfahrung. Zur ästhetischen Kompensation des modernen Erfahrungsverlustes, Konstanz 1982.

ders., Skeptische Methode im Blick auf Kant, München 1982.

ders., Weltanschauungstypologie. Bemerkungen zu einer anthropologischen Denkform des XIX. und des XX. Jahrhunderts, in: Schwierigkeiten mit der Geschichtsphilosophie, a.a.O. 107–121.

ders., Zur Geschichte des philosophischen Begriffs «Anthropologie» seit dem Ende des achtzehnten Jahrhunderts, in: Schwierigkeiten mit der Geschichtsphilosophie, a.a.O. 122–145.

Martinet, A., Grundzüge der allgemeinen Sprachwissenschaft, Stuttgart 1963.

Martinet, A., Economie des changements phonétiques. Traité de phonologie diachronique, Bern 1955.

Marx, W., Das Denken und seine Sache, in: Heidegger, (Hg.) W. Marx, München 1979, 11–43.

ders., Zur Präsenz der transzendentalen Differenz in der dialektischen Vernunft, in: Subjektivität und Metaphysik, Festschrift für W. Cramer, Frankfurt a.M. 1966, 233–252.

Maurer, R., Von Heidegger zur praktischen Philosophie, in: Rehabilitierung der praktischen Philosophie, (Hg.) M. Riedel, Freiburg 1972, Bd. I, 415–457.

Mauss, M., Die Gabe, Einführung von F.E. Evans-Pritchard, Frankfurt a.M. 1968.

Mead, G.H., The Philosophie of the Act, Chicago/London 1938.

Meier, G.Fr., Vernunftlehre, Halle 1752.

Mendelssohn, M., Über die Hauptgrundsätze der schönen Künste und Wissenschaften (1757), Schriften Bd. I, Leipzig 1843.

Menninger, K., Selbstzerstörung. Psychoanalyse des Selbstmords, Frankfurt a.M. 1974 (1938).

Menninghaus, W., W. Benjamins Theorie der Sprachmagie, Frankfurt a.M. 1980.

Mensching, G., (Hg.), Das Testament des Abbé Meslier, Frankfurt a.M. 1976.
Merleau-Ponty, M., Die Prosa der Welt, München 1984 (La prose du monde, Paris 1969).
ders., La métaphysique dans l'homme, in: Sens et non-sens, Genève 1965, 145–172.
ders., Le Visible et l'Invisible, Paris 1964.
ders., Phänomenologie der Wahrnehmung, Berlin 1966 (Phénoménologie de la perception, Paris 1945).
ders., Signes, Paris 1960.
Metz, J.B., Kleine Apologie des Erzählens, In: Concilium (9)1973, 334–341.
Mieth, D., Dichtung, Glaube und Moral. Studien zur Begründung einer narrativen Ethik, Mainz 1976.
ders., Epik und Ethik. Eine theologisch-ethische Interpretation der Josephromane Thomas Manns, Tübingen 1976.
Mirandola, P. della, De dignitate hominis, Zürich 1976.
Mittelstraß, J., Die Möglichkeit von Wissenschaft, Frankfurt a.M. 1974.
ders., Wissenschaft als Lebensform, Frankfurt a.M. 1981.
Montaigne, M. de, Essais, Zürich 1953.
Mooij, A., Taal en verlangen. Lacans theorie van de psychoanalyse, Boom/Meppel 1979.
Moravi, S., Beobachtende Vernunft. Philosophie und Anthropologie in der Aufklärung, München 1973.
Moritz, K.Ph., Über die Allegorie (1789), in: Schriften zur Ästhetik und Poesie, Tübingen 1962.
Morris, Ch.W., Grundlagen der Zeichentheorie. Ästhetik und Zeichentheorie, Frankfurt a.M./Berlin/Wien 1979.
ders., Logical Positivism, Pragmatism and Scientific Empiricism, Paris 1935.
ders., «Pragmatische Axiologie», in: Pragmatische Semiotik und Handlungstheorie, Frankfurt a.M. 1982, 247–266.
ders., Pragmatismus und logischer Positivismus, in: a.a.O. 148–164.
ders., Zeichen, Sprache und Verhalten, Frankfurt a.M./Wien/Berlin 1981.
ders., Zeichen-Wert-Ästhetik, in: ders., Bezeichnung und Bedeutung, Frankfurt a.M. 1975, 193–320.
Motschmann, J., Zum Strukturbegriff im russischen Formalismus und Prager Strukturalismus, in: (Hg.) W.D. Hund, Strukturalismus. Ideologie und Dogmengeschichte, Darmstadt/Neuwied 1973, 349–376.
Mouloud, N., La logique des structures et l'epistémologie, in: Revue internationale de Philosophie (18), No. 73/74, 1965.
Mühlmann, W.H., Geschichte der Anthropologie, Bonn 1968.
ders., Umrisse und Probleme der Kulturanthropologie, Berlin 1966.
Mukařovský, J., Kapitel aus der Poetik, Frankfurt a.M. 1967.
Mutschelle, S., Moraltheologie oder theologische Moral, München 1801.
Nagel, H., Claude Lévi-Strauß als Leser Freuds, in: «Orte des wilden Denkens», (Hg.) W. Lepenies und H. Ritter, Frankfurt a.M. 1973, 225–305.
Nadel, F.S., The Theory of Social Structure, London 1957.
Nestle, W., Vom Mythos zum Logos, Stuttgart 1940.
Neurath, O., Soziologie im Physikalismus, in: Erkenntnis 2, 1931, 393–431.
Nicole, P., Essais de moral, Paris 1730.
Nietzsche, Fr., Also sprach Zarathustra, Werke Bd. III, München/Wien 1980, 275–561.
ders., Aus dem Nachlaß der Achzigerjahre (der Wille zur Macht) Bd. VI.
ders., Der Antichrist. Fluch auf das Christentum, Bd. IV, 1161-1236.
ders., Die fröhliche Wissenschaft, Bd. III, 7–274.
ders., Die Geburt der Tragödie oder Griechentum oder Pessimismus, Bd. I, 7–134.

Nietzsche, Fr., Götzen-Dämmerung, oder: Wie man mit dem Hammer philosophiert, Bd. IV, 939–1034.

ders., Jenseits von Gut und Böse. Vorspiel einer Philosophie der Zukunft. Bd. IV, 563.756.

ders., Menschliches. Allzumenschliches. Ein Buch für freie Geister, Bd. II, 435–1008.

ders., Morgenröte. Gedanken über die moralischen Vorurteile, Bd. II, 1008–1281.

ders., Über Wahrheit und Lüge im außermoralischen Sinn, Bd. V, 309–322.

ders., Unzeitgemäße Betrachtungen, Bd. I, 135–434.

ders., Zur Genealogie der Moral, Bd. IV, 761–900.

Novalis, Fr., Werke, (Hg.) G. Schulz, München 1978.

Odgen, C.K./Richards, I.A., Die Bedeutung der Bedeutung, Frankfurt a.M. 1974.

Oehler, K., Idee und Grundriß der Peirceschen Semiotik, in: Die Welt als Zeichen, (Hg.) M. Krampen, Berlin 1981, 15–50.

Oelmüller, W., Die unbefriedigte Aufklärung, Frankfurt a.M. 1979.

Oppitz, M., Notwendige Beziehungen. Abriß der strukturalen Anthropologie, Frankfurt a.M. 1975.

Otto, W.F., Die Gestalt und das Sein. Gesammelte Abhandlungen über den Mythos und seine Bedeutung für die Menschheit, Darmstadt 1975.

Overbeck, Fr., Über die Christlichkeit unserer heutigen Theologie (1873), Darmstadt 1981.

Oyen, H. van, Fundamentalontologie und Ethik, in: Mélanges philosophiques, Amsterdam 1948, Vol. II, 107–121.

Parret, H., In het teken van het teken. Een confrontatie van het klassiek-wijsgerig denken en het structurele teken, in: tijdschrift voor filosofie, 1969, 232–260.

Pascal, Bl., Gedanken, Basel 1964.

Pater, W. de, linguistiek, de wetenschap van het taalteken. een overzicht, in: tijdschrift voor filosofie, 1967, 584–642.

Paton, H.J., Der kategorische Imperativ, Berlin/Neuköln 1962.

Patzig, G., Die logischen Formen praktischer Sätze in Kants Ethik, in: Kant. Zur Deutung seiner Theorie von Erkennen und Handeln, (Hg.) G. Praus, Köln 1973, 207–221.

Peirce, Ch.S., Die Festlegung einer Überzeugung, in: Texte zur Philosophie des Pragmatismus, Stuttgart 1975, 61–98.

ders., Phänomen und Logik der Zeichen, Frankfurt a.M. 1983.

ders., Schriften zum Pragmatismus und Pragmatizismus, (Hg.) K.O. Apel, Frankfurt a.M. 1976 (Collected Papers, Cambridge: Harvard University Press 1931–1958).

ders., Was heißt Pragmatismus?, in: Texte, a.a.O. 99–127.

Pelz, H., Linguistik für Anfänger, Hamburg 1975.

Peursen, C.A. van, Ethik und Ontologie in der heutigen Existenzphilosophie, in: Zeitschrift für evang. Ethik, (2), 1958, 98–112.

Piaget, J., Der Strukturalismus, Olten/Freiburg 1973.

ders., Genèse et Structure en Psychologie, Entretiens sur les notions de Genèse et de Structure, Paris 1965.

Platon, Phaidros, Berliner Ausgabe, Bd. II, Heidelberg 1982, 409–482.

Plessner, H., Conditio humana, Pfullingen 1972.

ders., Der Weg der Soziologie in Deutschland, in: Diesseits der Utopie, Frankfurt a.M. 1974, 36–55.

ders., Die Aufgabe der philosophischen Anthropologie, in: Zwischen Philosophie und Gesellschaft, Bern 1953, 117–132.

ders., Die Emanzipation der Macht, in: Diesseits der Utopie, a.a.O. 190–210.

ders., Die Stufen des Organischen und der Mensch, Schriften IV, Frankfurt a.M. 1961.

ders., Immer noch philosophische Anthropologie, in: Diesseits der Utopie, a.a.O. 230–242.

Plessner, H., Macht und menschliche Natur. Ein Versuch zur Anthropologie der geschichtlichen Weltansicht, in: Zwischen Philosophie und Gesellschaft, a.a.O. 241–318.

Pöggeler, O., Der Denkweg Martin Heideggers, Pfullingen 1963.

ders., (Hg.) Heidegger, Köln/Berlin 1969.

ders., Philosophie und Politik bei Heidegger, München 1974.

ders., Sein als Ereignis. Martin Heidegger zum 26. September 1959, (Hg.) G. Schickhoff, Zeitschrift für philosophische Forschung, Bd. XIII, Meisenheim/Glan 1959, 597–632.

Pohlenz, M., Die Stoa. Geschichte einer geistigen Bewegung, 2 Bd., Göttingen 959.

Portmann, A., Um das Menschenbild, Stuttgart 1979.

Posner, R., Ch.W. Morris und die verhaltenstheoretische Grundlegung der Semiotik, in: Die Welt als Zeichen, (Hg.) M. Krampen, Berlin 1981, 51–98.

Pothast, U., Die Unzulänglichkeit der Freiheitsbeweise. Zu einigen Lehrstücken aus der neueren Geschichte der Philosophie, Frankfurt a.m. 1980.

ders., Über einige Fragen der Selbstbeziehung, Frankfurt a.m. 1971.

Pouillon, J., Présentation. Un essai de définition, in: Les Temps Modernes (22), Nov. 1966, No. 246.

Praus, G., Erkennen und Handeln in Heidegger «S/Z», Freiburg/München 1977.

ders., Zum Wahrheitsproblem bei Kant, in: (ders.), Kant. Zur Deutung seiner Theorie von Erkennen und Handeln, Köln 1973, 73–89.

Puder, M., Kant. Stringenz und Ausdruck, Freiburg 1974.

Pugliesi, O., Vermittlung und Kehre, München 1965.

Radcliffe-Brown, A.R., On social structure. The Journal of the Royal Anthropological Institute, LXX, 1, 1940.

Rademacher, H. (Hg.), Aktuelle Probleme der Subjektivität, Bern/Frankfurt a.M. 1983.

Raulf, U., Das normale Leben. Michel Foucaults Theorie der Normalisierungsmacht, Hamburg/Lahn 1977.

Reimarus, H.S., Allgemeine Betrachtungen, Hamburg 1760.

Reiter, G., Der «endgültige» Tod Gottes. Zum Strukturalismus von M. Foucault, in: Salzburger Jahrbuch für Philosophie, (14) 1970, 111–125.

Richardson, W.J., Heideggers Weg durch die Phänomenologie zum Seinsdenken, Philosophisches Jahrbuch, 72 (1964/64), 385–396.

Ricoeur, P., Die Interpretation. Ein Versuch über Freud, Frankfurt a.M. 1974.

ders., Hermeneutik und Strukturalismus. Der Konflikt der Interpretation I, München 1973.

Riedel, M., Theorie und Praxis im Denken Hegels. Interpretationen zu den Grundstellungen der neuzeitlichen Subjektivität, Frankfurt a.M. 1976.

Ritter, J., Subjektivität. Sechs Aufsätze, Frankfurt a.M. 1974.

ders., Über den Sinn und die Grenze der Lehre vom Menschen, München 1933.

Rombach, H., Strukturontologie. Eine Phänomenologie der Freiheit, Freiburg/München 1971.

ders., Substanz-System-Struktur. Die Ontologie des Funktionalismus und der philosophische Hintergrund der modernen Wissenschaft, Freiburg/München 1981.

Rosenkranz, K., Ästhetik des Häßlichen, Königsberg 1853.

Rousseau, J.J., Über den Ursprung und die Grundlage der Ungleichheit, Berlin 1955.

Rüdiger, A., De sensu veri et falsi, Halle 1722.

Saidel, A., Bewußtsein als Verhängnis, Bremen 1983 (1927).

Sapir, E., Die Sprache, München 1961.

ders., Language, Thought und Reality, Cambridge 1956.

Sartre, J.P., Bewußtsein und Selbsterkenntnis, Hamburg 1973.

ders., Das Imaginäre. Phänomenologische Psychologie der Einbildungskraft, Hamburg 1971.

Sartre, J.P., Das Sein und das Nichts. Versuch einer phänomenologischen Ontologie, Reinbeck bei Hamburg 1982.

ders., Die Transzendenz des Ego, Hamburg 1982.

ders., Kritik der dialektischen Vernunft, Hamburg 1982.

Saussure, F. de, Grundfragen der allgemeinen Sprachwissenschaft, Berlin 1976.

Schaeffler, R., Religion und kritisches Bewußtsein, Freiburg/München 1973.

Schapp, W., In Geschichten verstrickt, Hamburg 1953.

ders., Philosophie der Geschichten, Hamburg 1959.

Scheler, M., Das Ressentiment im Aufbau der Moralen, Frankfurt a.M. 1978.

ders., Die Stellung des Menschen im Kosmos, München 1928.

ders., Philosophische Weltanschauung, Bern 1954.

Schelling, F.W.J., (chronologisch) Über die Möglichkeit einer Form der Philosophie überhaupt (1794), Werke, Darmstadt 1980, 1–28.

ders., Vom Ich als Princip der Philosophie oder über das Unbedingte im menschlichen Wissen (1795), 29–125.

ders., Neue Deduktion des Naturrechts (1795), 125–160.

ders., Philosophische Briefe über Dogmatismus und Kriticismus (1795), 161–222.

ders., Abhandlungen zur Erläuterung des Idealismus der Wissenschaftslehre (1796/97), 223–332.

ders., Ideen zu einer Philosophie der Natur als Einleitung in das Studium dieser Wissenschaft (1797), 333–398.

ders., Einleitung zu dem Entwurf eines Systems der Naturphilosophie (1799), Darmstadt 1975, 269–326.

ders., System des transcendentalen Idealismus (1800), 327–634.

ders., Über den wahren Begriff der Naturphilosophie (1801), 635–659.

ders., Darstellung meines Systems der Philosophie (1801), Darmstadt 1981, 1–102.

ders., Fernere Darstellungen aus dem System der Philosophie (1802), 229–406.

ders., Über das Verhältnis der Naturphilosophie zur Philosophie überhaupt (1802), 422–440.

ders., Philosophie und Religion (1804), 597–656.

ders., Aphorismen zur Einleitung in die Naturphilosophie (1806), Darmstadt 1976, 127–184.

ders., Philosophische Untersuchungen über das Wesen der menschlichen Freiheit (1805), 275–360.

ders., Stuttgarter Privatvorlesungen (1810), 361–428.

ders., Die Weltalter. Erstes Buch (1813), Darmstadt 1976, 1–130.

ders., Über die Natur der Philosophie als Wissenschaft (1821) 231–268.

ders., Zur Geschichte der neueren Philosophie (1827), 283–482.

ders., Philosophie der Mythologie, Bd. I, Einleitung in die Ph. d. Myth., Darmstadt 1976 (1856).

ders., Philosophie der Offenbarung (1858), Bd. I, Darmstadt 1974.

ders., Philosophie der Kunst (1859), Darmstadt 1980.

ders., Initia philosophiae universae, Erlanger Vorlesung WS 1820/21, (Hg.) H. Fuhrmans, Bonn 1969.

ders., Grundlegung der positiven Philosophie. Münchner Vorlesung WS 1832/33 und SS 1833, (Hg.) H. Fuhrmans, Torino 1972.

Schiller, F.S.C., Humanismus, in: Texte zur Philosophie des Pragmatismus, Stuttgart 1975. 182–204.

Schiwy, G., Der französische Strukturalismus. Mode-Methode-Ideologie, Reinbeck bei Hamburg 1969.

ders., Neue Aspekte des Strukturalismus, München 1971.

ders., Strukturalismus und Zeichensysteme, München 1973.

Schlegel, Fr., Kritische Schlegelausgabe, Wien 1958.
ders., Über das Studium der Griechischen Poesie. Paderborn/München/Wien/Zürich 1982.
Schleiermacher, Fr.D.E., Allgemeine Einleitung zur Dialektik, in: (Hg.) M.Frank, Hermeneutik und Kritik, Frankfurt a.M. 1977, 412–443.
ders., Brouillon zur Ethik (1805/06), Hamburg 1981.
ders., Aus: Das Leben Jesu, Vorlesungen an der Universität zu Berlin im Jahr 1832, in: M.Frank, a.a.O. 387–394.
ders., Der christliche Glaube, Bd. I, Berlin 1969.
ders., Dialektik, Werke III, Aalen 1967, 3–117.
ders., Dialektik, Vorlesung von 1822: Über den allgemeinen Schematismus und die Sprache, in: M.Frank, a.a.O. 443–467.
ders., Die christliche Sitte, nach den Grundsätzen der evangelischen Kirche im Zusammenhange dargestellt, Werke III, 121–179 (Allgemeine Einleitung).
ders., Ethik (1812/13), Hamburg 1981.
ders., Grundlinien einer Kritik der bisherigen Sittenlehre (1803), Werke I, 3–346.
ders., Hermeneutik, Werke IV, 137–206.
ders., Kritik, in: Hermeneutik und Kritik, a.a.O. 249–306.
ders., Monologen. Neujahrspredigt von 1792. Über den Wert des Lebens, Hamburg 1978.
ders., Psychologie, in: Werke IV, 3–80.
ders., Über den Begriff der Hermeneutik mit Bezug auf F.A. Wolfs Andeutungen und Asts Lehrbuch, in: M.Frank, a.a.O. 309–346.
ders., Über die Religion. Reden an die Gebildeten unter ihren Verächtern, Hamburg 1958.
ders., Vorlesung über die Ästhetik, in: Werke IV, 81–133.
ders., Aus: Vorlesungen über die Ästhetik, Teil II, Dritte Abteilung. Die Poesie, in: M.Frank, a.a.O. 395–411.
ders., Zur Darstellung des theologischen Studiums, Halle 1830.
ders., Der strukturalistische Angriff auf die Geschichte, in: Beiträge zur marxistischen Erkenntnistheorie, (Hg.) ders., Frankfurt a.M. 1969, 194–266.
Schmidt, A., Geschichte und Struktur. Fragen einer marxistischen Historik, Frankfurt a.M./Berlin/Wien 1978.
Schmidt-Henkel, G., Mythos und Dichtung. Zur Begriffs- und Stilgeschichte der deutschen Literatur im 19. und 20. Jahrhundert, Berlin/Zürich 1967.
Schöpf, A.(Hg.), Phantasie als anthropologisches Problem, Würzburg 1981.
Schopenhauer, A., Die Welt als Wille und Vorstellung, I,2; I,2; II,1; II,2; Werke, Bd. I-IV, Zürich 1977.
ders., Parerga und Paralipomena, Teilband I, Werke IX.
ders., Preisschrift über die Grundlage der Moral, Werke VI, 147–317.
ders., Über den Willen in der Natur, Werke V, 101–342.
ders., Über die Freiheit des menschlichen Willens, Werke VI, 43–146.
ders., Über die vierfache Wurzel des Satzes vom zureichenden Grunde, Werke V, 9–179.
Schubert, A., Die Decodierung des Menschen. Dialektik und Antihumanismus im neueren französischen Strukturalismus, Gießen 1981.
Schulz, W., Die Vollendung des Deutschen Idealismus in der Spätphilosophie Schellings, Pfullingen 1957.
ders., Ich und Welt. Philosophie der Subjektivität, Pfullingen 1979.
ders., Über den philosophiegeschichtlichen Ort Martin Heideggers, in: Phil. Rundsch., (1), 1953/54, 65–93 und 211–232.
Schwemmer, O., Vernunft und Moral. Versuch einer kritischen Rekonstruktion des

kategorischen Imperativs bei Kant, in: (Hg.) G. Praus, Kant. Zur Deutung seiner Theorie von Erkennen und Handeln, Köln 1973, 255-273.

Sebag, L., Marxismus und Strukturalismus, Frankfurt a.M. 1970.

Seidel, A., Bewustsein als Verhängnis, Bremen 1983.

Seitter, W., Ein Denken im Forschen. Zum Unternehmen einer Analytik bei Michel Foucault, in: Phil. Jahrbuch, (87), 1980, 340-363.

Shaftesbury, A., Ein Brief über den Enthusiasmus. Die Moralisten, Hamburg 1980.

Simmel, G., Das individuelle Gesetz. Philosophische Exkurse, Frankfurt a.M. 1968.

Simon, J., Sprachphilosophie, Freiburg/München 1981.

Sinn, D., Heideggers Spätphilosophie, Phil. Rundschau (14) 1967, 81-182.

Sitter, B., Dasein und Ethik. Zu einer ethischen Theorie der Existenz, München 1977.

Šklovsky, V., Theorie der Prosa, Frankfurt a.M. 1966.

Sloterdijk, P., Michel Foucaults strukturale Theorie der Geschichte. Phil. Jahrb., (87) 1980, 161-183.

Smith, A., Theorie der ethischen Gefühle, Hamburg 1977.

Sölle, D., Realisation. Studien zum Verhältnis von Theologie und Dichtung nach der Aufklärung, Darmstadt 1973.

Solger, K.W.E., «Erwin». Vier Gespräche über das Schöne und die Kunst, Berlin 1815.

ders., Vorlesungen über die Ästhetik (1819), Leipzig 1829.

Sonneman, U., Negative Anthropologie, Frankfurt 1980.

Spaemann, R./Löw, R., Die Frage Wozu? Geschichte und Wiederentdeckung des teleologischen Denkens, München 1981.

ders., Reflexion und Spontaneität. Studien zu Fénélon, Stuttgart 1963.

Spengler, O., Der Untergang des Abendlandes. Umrisse einer Morphologie der Weltgeschichte, München 1923.

Sperber, D., Der Strukturalismus in der Anthropologie, in: (Hg.) F. Wahl, Einführung in den Strukturalismus, 181-258, Frankfurt a.M. 1973.

ders., Über Symbolik, Frankfurt a.M. 1975.

Steck, M., A. Dürer als Kunsttheoretiker, Zürich 1969.

Steinbuch, K., Automat und Mensch. Über menschliche und maschinelle Intelligenz, Berlin/Göttingen/Heidelberg 1961.

Steiner, G., Ein Orpheus mit seinen Mythen: Claude Lévi-Strauß, in: ders., Sprache und Schweigen, Frankfurt a.M. 1973, 138-154.

Stempel, W.-D. (Hg.), Geschichte-Ereignis-Erzählung, Poetik und Hermeneutik, Bd. V, München 1979.

Strube, W., Artikel «Linguistik», in: Hist. Wört. d.Phil., Bd. V, 343-392, Darmstadt 1980.

Sulzer, J.G., Philosophische Schriften I, Leipzig 1773-81.

Taminiaux, J., Über Erfahrung, Ausdruck und Struktur: ihre Entwicklung in der Phänomenologie Merleau-Pontys, in: (Hg.) R. Grathoff und W. Spondel, Merleau-Ponty und das Problem der Struktur in den Sozialwissenschaften, Stuttgart 1976, 95-107.

Taylor, Ch., Erklärung und Interpretation in den Wissenschaften von Menschen, Frankfurt a.M. 1975.

Thilo, Chr.A., Die Grundirrtümer des Idealismus in ihrer Entwicklung von Kant bis Hegel und Schleiermacher auf dem Gebiete der praktischen Philosophie (1861), in: (Hg.) R. Bittner und K. Cramer, Materialien zu Kants Kritik der praktischen Vernunft, Frankfurt a.M. 1975, 384-403.

Trabant, J., Elemente der Semiotik, München 1976.

ders., L. Hjelmslev. Glossematik als allgemeine Semiotik, in: (Hg.) M. Krampen, Berlin 1981, 143-172.

Trendlenburg, L., Erläuterungen zu den Elementen der aristotelischen Logik, Berlin 1842.

Trubetzkoy, N.S., Anleitung zu Phonologischen Beschreibungen, Göttingen 1958.

ders., Grundzüge der Phonologie, Prague 1939.

ders., La phonologie actuelle, Journal de Psychologie 30, 1933, 227–246.

Tschirnhausen, W., Medicina mentis sive artis inveniendi praecepta generalia, Amsterdam 1687.

Tugendhat, E., Der Wahrheitsbegriff bei Husserl und Heidegger, Berlin 1870.

ders., Heideggers Idee von der Wahrheit, in: (Hg.) O. Pöggeler, Heidegger, Köln/Berlin 1969, 286–298.

ders., Selbstbewußtsein und Selbstbestimmung. Sprachanalytische Interpretationen, Frankfurt a.M. 1979.

ders., Vorlesungen zur Einführung in die sprachanalytische Philosophie, Frankfurt a.M. 1979.

Tunjanow, J., Jakobson, R., Probleme der Literatur und Sprachforschung, in: Kursbuch 5, 1966, 74–77.

Turgot, A.R.J., Réflexions sur les langues (1751), Genève 1971.

Vaihinger, H., Die Philosophie des Als Ob, Berlin 1911.

Vendryés, J., Der soziale Charakter der Sprache und die Lehre F. de Saussures, in: (Hg.) H. Neumann, Der moderne Strukturbegriff, Darmstadt 1973, 7–15.

Viet, J., Les méthodes structuralistes dans les sciences sociales, Paris 1972.

Volp, R., Zeichen in Semiotik und Gottesdienst, München/Mainz 1982.

Voltaire, Sämtliche Romane und Erzählungen, Leipzig 1982.

Wahl, Fr., Die Philosophie diesseits und jenseits des Strukturalismus, in: ders. (Hg.), Einführung in den Strukturalismus, Frankfurt a.M. 1973, 323–408.

Waldenfels, B., Die Offenheit sprachlicher Strukturen bei Merleau-Ponty, in: (Hg.) R. Grathoff/W. Spondel, M. Merleau-Ponty und das Problem der Struktur in den Sozialwissenschaften, Stuttgart 1976, 17–28.

Walsch, W.H., Schematism, Kantstudien (49), 1957/58, 95–106.

Wartenburg, P.Y. von, Bewußtseinsstellung und Geschichte. Nachlaß, (Hg.) J. Fetscher, Tübingen 1956.

Weinrich, H., Tempus. Besprochene und erzählte Welt, Stuttgart 1973.

Weizenbaum, J., Die Macht der Computer und die Ohnmacht der Vernunft, Frankfurt a.M. 1982.

Weizsäcker, C.Fr. von, Kants «Erste Analogie der Erfahrung» und die Erhaltungssätze der Physik, in: (Hg.) G. Praus, Kant. Zur Deutung seiner Lehre von Erkennen und Handeln, Köln 1973, 151–166.

Weizsäcker, V., Der Gestaltkreis, Frankfurt a.M. 1973.

Wertheimer, M., Über Gestalttheorie, in: Symposion, 1927.

Wiener, N., Kybernetik, Regelung und Nachrichtenübertragung im Lebewesen und in der Maschine, Düsseldorf/Wien 1963.

Winckelmann, J.J., Gedanken über die Nachahmung der griechischen Werke in der Malerei und Bildhauerkunst, Dresden 1808–1820.

ders., Versuch einer Allegorie, Dresden 1766.

Wittgenstein, L., Tractatus logico-philosophicus. Logisch-philosophische Abhandlung, Frankfurt a.M. 1979.

Wolff, Chr., Vernünftige Gedanken von Gott, der Welt und der Seele des Menschen (1719), Hildesheim/New York 1976.

Wunderlich, D., Terminologie des Strukturbegriffs, in: (Hg.) J. Ihwe, Literaturwissenschaft und Linguistik, Bd. I, Frankfurt a.M. 1971, 91–140.

# Studien zur theologischen Ethik
# Etudes d'éthique chrétienne

Herausgegeben durch das moraltheologische Institut
der Universität Freiburg Schweiz
unter der Leitung von A. Holderegger und C.-J. Pinto de Oliveira

Bisher erschienen:

10. Recht und Sittlichkeit. Hrsg. von *J. Gründel*, 1982, 159 S. Autoren: *A. Auer, A. Gläßer, J. Gründel, O. Höffe, P. Huizing, A. Kaufmann, D. Mieth* und *G. Teichtweier*.

11. Dictionnaire de Morale, Ed. par *O. Höffe*. Version française adaptée et augmentée sous la direction de *Ph. Secretan*, 1982, X–240 p. Auteurs: *M. Forschner, N. Frieden-Markévitch, O. Höffe, A. Schöpf, Ph. Secretan, R. Suarez de Miguel et W. Vossenkuhl*.

12. Der Ethische Kompromiß. Hrsg. von *H. Weber*, 1984, 146 S. Autoren: *W. Breuning, V. Eid, G. Lohfink, D. Mieth* und *H. Weber*.

13. *C. Spicq OP*, Connaissance et Morale dans la Bible, 1985. 186 p.

14. *S. Pinckaers OP*, Les sources de la morale chrétienne, 1985, 526 p.

15. *K. Demmer*, Deuten und Handeln, 1985, 240 S.

16. Universalité et permanence des Lois morales, édité par Servais (Th.) Pinckaers et Carlos Josaphat Pinto de Oliveira, 1986, 454 p.

    Auteurs: *M. Gilbert, M. Vellanickal, A.-L. Descamps, J. Dupont, A.-A. Trape, J. Gribomont, M. Spanneut, J.-L. Brugues, L. Vereecke, J.-H. Walgrave, C. Caffarra, G. Cottier, T. Styczen, D. Composta, S. Pinckaers, C.-J. Pinto de Oliveira, J.-M. Aubert, F. Compagnoni, M. Vidal, D. Tettamanzi, D. Capone et Ph. Delhaye*.

17. *D. Mieth*, Die Spannungseinheit von Theorie und Praxis. Theologische Profile, 1986, 144 S.

18. *U. Rauchfleisch*, Psychoanalyse – Gesprächspartnerin der theologischen Ethik. Neue Impulse und Anregungen. 1986, 152 S.

19. *Servais (Th.) Pinckaers OP*, Ce qu'on ne peut jamais faire, 1987, 140 p.

20. *Wolfgang Göbel*, Christliche Hoffnung und Handlungsvernunft. Beiträge zur Fundamentalmoral, 1987, 144 S.

21. *Jean-Pierre Wils*, Sittlichkeit und Subjektivität. Zur Ortsbestimmung der Ethik im Strukturalismus, in der Subjektivitätsphilosophie und bei Schleiermacher, 1987, 472 S.

22. De Dignitate Hominis. Mélanges offerts à C.-J. Pinto de Oliveira à l'occasion de son 65e anniversaire, Ed. par *A. Holderegger, R. Imbach* et *R. Suarez de Miguel*, 1987, 612 p.

23. *Klaus Demmer:* Leben in Menschenhand. Grundlagen des bioethischen Gesprächs, 1987, 160 p.